ISBN 978-0-428-38385-5
PIBN 11167272

Polytechnisches Journal.

Herausgegeben

von

Dr. Johann Gottfried Dingler,

Chemiker und Fabrikanten in Augsburg, ordentliches Mitglied der Gesellschaft zur Beförderung der gesammten Naturwissenschaften zu Marburg, korrespondirendes Mitglied der Senkenbergischen naturforschenden Gesellschaft zu Frankfurt a. M., der Gesellschaft zur Beförderung der nüzlichen Künste und ihrer Hülfswissenschaften daselbst, so wie der Société industrielle zu Mülhausen, Ehrenmitgliede der naturwissenschaftlichen Gesellschaft in Gröningen, der märkischen ökonomischen Gesellschaft in Potsdam, der ökonomischen Gesellschaft im Königreiche Sachsen, der Apotheker-Vereine in Bayern und im nördlichen Deutschland, auswärtigem Mitgliede des Kunst-, Industrie- und Gewerbs-Vereins in Coburg ꝛc.

Fünfunddreißigster Band.

Jahrgang 1830.

Inhalt des Fünfunddreißigsten Bandes.

Erstes Heft.

Seite

Seite

Zweites Heft.

Drittes Heft.

Seite

Viertes Heft.

Fünftes Heft.

Seite

XCVI. Miszellen.

Seite

Seite

Sechstes Heft.

Polytechnisches Journal.

Eilfter Jahrgang, erstes Heft.

I.

Ueber die Dampfwagen, die auf der Liverpool- und Manchester-Eisenbahn fuhren.[1])

Aus dem Mechanics' Magazine. N. 329. S. 256.

Mit Abbildungen auf Tab. I.

Da unsere früheren Holzschnitte, in welchen „the Rocket,“ „the Novelty“ und „the Sanspareil“ dargestellt wurden (beschrieben und abgebildet im polyt. Journale Bd. XXXIV. S. 405 und Tab. VIII.), in verschiedenem Maßstabe gezeichnet waren, und daher kein klarer Begriff aus diesen Abbildungen hervorgeht, Manches sogar unrichtig entworfen wurde; so liefern wir hier alle diese drei Wagen auf Einem Blatte nach Einem und demselben Maßstabe. Es sind hier mehrere Unrichtigkeiten, die sich in die früheren Zeichnungen eingeschlichen haben, beseitigt.

Dampfwagen, welche um den Preis von 500 Pfd. Sterling (6000 fl. rh.) auf der Liverpool- und Manchester-Eisenbahn in die Wette fuhren.

„The Rocket“ (die Rackete) von Hrn. Rob. Stephenson zu Newcastle. Dieser Wagen zog drei Mal so viel Last, als er selbst wog, und fuhr mit derselben 12¼ englische (4⅛ bayersche) Meilen; mit Passagieren allein 24 engl. (6 bayersche) Meilen in Einer Stunde. Kosten des Brennmateriales für die Meile = 3 Halfpence (4 kr. 2 Pf.)

„The Novelty“ (die Neuigkeit) von den HHrn. Braithwaite und Ericsson zu London. Dieser Wagen zog drei Mal so viel Last, als er selbst wog, und fuhr mit derselben 20¾ engl. (5⅟₁₆ bayersche) Meilen in Einer Stunde; mit Passagieren allein 32 engl. (8 bayersche) Meilen in Einer Stunde. Kosten des Brennmateriales für die Meile = 1 Halfpenny (1½ kr.).

„The Sanspareil“ (der Sondergleichen) des Hrn. Hackworth zu Darlington. Dieser Wagen zog drei Mal so viel Last, als er selbst wog, und fuhr mit derselben 12½ (engl.) Meilen in Einer Stunde. Kosten des Brennmateriales für die Meile ungefähr 2 Pence (6 kr.).

1) Vergl. polyt. Journal Bd. XXXIV. S. 356 und S. 405. A. d. R.

II.

Amerikanischer Dampfwagen.

Aus dem Mechanics' Magazine. N. 528. 21. Nov. S. 210.

Mit Abbildungen auf Tab. I.

Die Vortheile der Eisenbahnen werden endlich in Nord-Amerika eben so lebhaft gefühlt, als bei uns. Eine Eisenbahn von unerhörter Länge, von Baltimore bis an den Ohio mitten durch das Alleghany-Gebirge, ist bereits im Baue, und Eisenbahnen zwischen den Hauptörtern der Vereinigten Staaten sind im Plane.

Die Ingenieurs der Baltimore-Eisenbahn waren vor Kurzem in England, um unsere verschiedenen Eisenbahnen zu besichtigen, und da Jonathan[2]) ein schlauer Beobachter ist; so werden wir bald hören, daß er Manches an unsern Anstalten zu verbessern und nachzuahmen fand.

Wir müssen indessen gestehen, daß die Amerikaner bisher in Hinsicht auf Eisenbahnen und Dampfwagen hinter uns zurückgeblieben sind, und in diesem Falle, so wie in manchem andern, nur nach und nach zu einem Reciprocitäts-Systeme geneigt zu werden scheinen. Sie sammeln Alles, was sie diesseits des Oceans Brauchbares finden, und häufen es in ihrem Lande auf, ohne uns etwas von dem Ihrigen dafür zurückzugeben.[3])

Seit den letzten dreißig Jahren hat man in Europa mehr als 50 verschiedene Förderungs-Vorrichtungen auf die Welt gebracht, und unter diesen sind kaum drei oder vier amerikanischen Ursprungs.[4]) Es ist um so sonderbarer, daß die Amerikaner in dieser Hinsicht so weit zurückgeblieben sind, als man in Amerika zuerst die löbliche Kühnheit hatte, die Möglichkeit, mit Dampfkraft zu Lande zu reisen, zu verkünden. Die Engländer verhalten sich in Hinsicht der Dampfwagen zu den Amerikanern, wie sich die Amerikaner in Hinsicht der Dampfbothe zu den Engländern verhalten. Fulton hat, wie die ganze Welt weiß, auf den Seen und Strömen der westlichen Hemisphäre den Plan der Dampfbothe ausgeführt, den man in Schottland aufgegeben hat, weil er nirgendwo die gehörige Unterstützung fand; unsere heutigen Stephensons, Gurneys und Braithwaites führen dafür jezt in England die „ungereimten Projecte"

---

2) So nennen die Engländer die Nord-Amerikaner. A. d. Ue.

3) Dieß ist höchst unrichtig. Niemand ist mittheilender, als der Nord-Amerikaner. Der Fehler liegt hier nicht am Nord-Amerikaner, sondern an dem Europäer, der oft weder Willen noch Geschik hat dasjenige zu brauchen, was ihm dieser gibt. A. d. Ue.

4) Auch dieß ist, wie bloß unser Journal schon erweisen kann, unrichtig. A. d. Ue.

(chimerical projects) aus (so nannten wenigstens die hochgelehrten Weisen zu Philadelphia des geistreichen, ehrlichen, armen, alten Oliver Evans wohlgemeinte Vorschläge), die schon vor dreißig Jahren in Amerika gemacht wurden. Schon vor dreißig Jahren hat Oliver Evans den Muth gehabt zu erklären, daß es mit Dampfkraft möglich ist, zu Lande zu reisen; daß dieß so leicht möglich ist, daß er keinen Anstand nimmt zu prophezeien: „es werden einst Dampfwagen allgemein in Gebrauch kommen, sowohl als Förderungsmittel für Waaren als für Güter, und man wird 15 (engl.) Meilen mit denselben in Einer Stunde fahren.“[5])

Seit Evans beschäftigten sich die Hhrn. Winans und Howard vorzüglich mit Förderungsmitteln „(terro-locomotion)“ in Nord-Amerika.

Hr. Winans hat eine neue Art Räder erfunden, welche der Ausschuß der Mechaniker an der Baltimore-Eisenbahn anzunehmen beschloß, und an welchen die Reibung so sehr vermindert ist, daß, wenn wir Hrn. Sullivan (Compagnon des Hrn. Winans) im Franklin Journal April 1829 glauben dürfen, ein Dampfwagen mit diesen Rädern vier Mal so viel ziehen wird, als mit den gewöhnlichen. Er nahm ein Patent auf seine Erfindung in den Vereinigten Staaten, und läßt sich gegenwärtig auch eines in England darauf ertheilen. Wir haben die Erklärung desselben gelesen und seinen Wagen gesehen, haben auch einige Versuche mit demselben auf der Liverpool-Eisenbahn gesehen, und können versichern, daß, wenn auch nicht so viel an Reibung gewonnen wird, wie Hr. Sullivan angibt, doch sehr viel dadurch gewonnen ist.

Nach dem Liverpool-Chronicle wog der Wagen nur

		11 Ztr.	1 Quart.	3 Pfd.
Die Last, mit welcher er beladen war, betrug	3 Tonn.	0 —	1 —	21 —
	3 Tonn.	11 Ztr.	2 Quart.	24 Pfd.

Man bewegte diesen Wagen mit verschiedener Geschwindigkeit mit einer Kraft von 10, 12, 15, 19 Pfd., und erhielt hieraus folgende Resultate:

5) Diese Prophezeiung des guten alten verkannten Oliver Evans ist nun bereits in 30 Jahren in Erfüllung gegangen. Da indessen die Erdäpfel mehr als 100 Jahre brauchten, bis sie aus Amerika sich über das feste Land von Europa verbreiteten; so werden Dampfwagen vielleicht 200 Jahre nöthig haben, bis sie in unserem Zeitalter, wo der Krebsgang Sitte geworden ist, nach dem festen Lande von Europa kommen werden. A. d. Ue.

1 Pfd. bewegte 334 Pfd., und hielt den Wagen im Gange mit einer		Geschwindigkeit von 4½ engl. Meil.	in Einer Stunde.
1 — — 470 — — — — —		3 — —	
1 — — 616 — — — — —		2½ — —	

Wenn vorläufig der Wagen durch irgend eine Kraft in Gang gebracht wurde, so reichte 1 Pfd. hin, um 617 bis 800 Pfd. zu bewegen und im Gange zu erhalten mit einer Geschwindigkeit von . . . . . . 4½ engl. Meilen.

Je größer die Kraft, desto größer war die Geschwindigkeit.

Die Resultate fielen äußerst genügend aus, und man überzeugte sich, daß, mit diesem Wagen, ein Pferd auf einer Eisenbahn eben so viel zu ziehen vermag, als auf einem Canale.

Da Hr. Winans Patent noch nicht gestämpelt ist, so kann über die Einrichtung dieses Wagens nichts Anderes gesagt werden, als daß die Verbesserung an demselben vorzüglich im Baue der Räder beruht.

Die hier gegebene Zeichnung ist Howard's verbesserter Dampfwagen „(Howard's improved Locomotive Carriage).“ Fig. 5. zeigt ihn von der Vorderseite; Fig. 6. von der Rükseite; Fig. 7 und 8. sind einzelne Theile der Räder. Hr. Howard hat schon früher einen ähnlichen Wagen gebaut, der im Mechanics' Magazine N. 306 abgebildet wurde; er hat denselben aber zeither wieder verbessert.

Der Hauptzwek seiner Verbesserung war, die Achsen so einzurichten, daß sie sich nach den Krümmungen der Bahn richten können.

„Der gewöhnliche Balken,“ sagt er, „der mittelst Baken an den Achsen befestigt ist, ist in der Mitte getheilt, und ein Zahn und ein Stiefel gestattet einem Ende desselben freies Spiel in dem anderen. Auf diese Weise müssen die Hinterräder der Spur der Vorderräder folgen. Ueberdieß läuft ein Balken von einer Achse zu der andern, und dreht sich auf dem Mittelpunkte einer jeden derselben um einen starken Bolzen. An diesem Balken ist der Kessel, A, mit den Cylindern, BB, angebracht. Der Kessel könnte zwar Statt dieses Balkens dienen, wenn man ihn auf Lager, HH, sezt, unter welchen die Achsen, GG, sich horizontal um Central-Bolzen bewegen. Zu jeder Seite des Kessels, an den Achsen und mit diesen zugleich beweglich, befinden sich senkrechte Stüzen oder Leiter, DD, mit Oeffnungen zur senkrechten Bewegung der Enden der Fesselstangen OO, der Stämpelstangen. Jedes Paar dieser Stüzen oder Leiter ist oben mit einer eisernen Stange verbunden, in deren Mitte sich ein Bolzen befindet, durch welchen sie mit dem eisernen Rahmen, EE verbunden wird. Dieser Rahmen läuft der Länge nach von jedem Ende des Kessels her, an welchem er befestigt ist, und hält die Sti zen oder Leiter in ihrer senkrechten Lage. Dieser leztere Bolzen befindet sich unmittelbar über dem Bolzen des Wagenlagers, so wie über dem Mittelpunkte der Cylinder, so daß, wenn die Achse sich horizontal um den Bolzen des Wagenlagers bewegt, die Stüzen oder Leiter, die sich mit demselben bewegen, die Verbindungsstange der Stüzen, die immer parallel mit der Achse ist, um den Bolzen in dem Rahmen über dem Kessel und über den Cylindern, die feststehen, drehen. Da die Fesselstange sich gleichzeitig mit ihren Leitern um das Haupt der Stämpelstange horizontal bewegt, welches so gebaut ist, daß es diese Bewegung gestattet, so hindert die horizontale Bewegung der Achse die Maschine nicht in ihrer Arbeit. Um Gleichförmigkeit der Bewegung zu unterhalten, wird ein Wagebalken, F, der von dem Kessellager getragen wird, mit der Fesselstange einer jeden Stämpelstange in Verbindung gebracht, so daß eine verticale Bewegung möglich bleibt, und zugleich auch eine horizontale, welche durch Abänderung der Richtung der Bewegung entsteht.

Der zweite Punkt, worauf Hr. Howard seine Aufmerksamkeit wendete, war, eine Vorrichtung zu finden, durch welche die äußeren Räder sich schneller bewegen können, als die inneren, was auf folgende Weise geschieht:

„Die Achse dreht sich auf die an Eisenbahnwagen gewöhnliche Weise, und ebenso drehen sich auch die Räder um diese Achse. An dem Ende der Achse ist aber ein Sperrrad befestigt, L, an dessen Rande die Verbindungsstange, C, der Fesselstange befestigt ist, Statt, wie gewöhnlich, an dem Wagenrade, K, selbst. An der Felge des Wagenrades, K, ist ein Sperrkegel und eine Feder, ED, Fig. 7, die in die Zähne des Sperrrades eingreifen, und beide Räder zu einem Rade verbinden, außer wenn es nöthig ist, daß ein Wagenrad einen größeren Kreis beschreiben, und folglich schneller laufen soll, als das andere, oder, in andern Worten, schneller laufen soll, als die Achse und das Sperrrad. Wenn nun das Wagenrad sich dann schneller bewegt, als das an der Achse befestigte Sperrrad, gleitet die Feder und der Sperrkegel über die Zähne des Sperrrades weg, bis, in Folge einer geradelinigen Bewegung, der Sperrkegel wieder in die Zähne eingreift, oder eine entgegengesezte krumme das entgegengesezte Rad auf dieselbe Weise wieder in Thätigkeit sezt. Der Wagen läuft so, obschon nun die Geschwindigkeit seiner Räder wechselte, regelmäßig fort, indem die Geschwindigkeit der Sperrräder dieselbe bleibt.“

In Fig. 7 ist A das Wagenrad; D der Sperrkegel; E die Feder. In Fig. 8. ist A die Achse; B der Leiter; C die Schulter für das Wagenrad; D das Oktagon für das Sperrrad.

III.

Patent-Dampfwagen des Sir James C. Anderson, Baronet, und W. J. James, Esqu., Vauxhall.

Aus dem Register of Arts. 1. Nov. S. 126.

Mit einer Abbildung auf Tab. I.

„Da ich öfters,“ sagt Hr. Hebert, „Redakteur des Register, „für dieses Haus zu zeichnen hatte, so bekam ich auch Gelegenheit die Versuche zu sehen, die diese Herren in ihrem Hofe mit ihrem Dampfwagen anstellten. Sie fuhren in einem Kreise von 160 Fuß im Durchmesser. Ich kann meine Leser versichern, daß Alles was zum Schnell- und Sicher-Fahren mittelst Dampfkraft nothwendig ist, nun beinahe erreicht ist. Bei einigen neulich in der Croydon-Straße gemachten Versuchen fuhr dieser Dampfwagen mit einer Geschwindigkeit von 12 engl. (3 deutschen) Meilen in Einer Stunde. Obschon man ihn mit einer Geschwindigkeit von 20 und mehr (engl.) Meilen in Einer Stunde könnte laufen lassen, so beschränkt man sich doch ausschließlich bloß auf 12, indem diese Geschwindigkeit diejenige ist, welche allein bei allgemeiner Sicherheit auf Straßen bestehen kann. Es wäre leicht, 20 und 30 engl. Meilen auf gewöhnlichen Chausseen in Einer Stunde zurükzulegen (auf einer guten Eisenbahn wohl sogar hundert), wenn man sich eines Gebläses am Herde bedienen wollte; ein Gebläse ist aber nicht bloß unnüz, sondern sogar schädlich und für das Metall des Kessels verderblich. Dieser Dampfwagen ist nur 26 Ztr. schwer, und führt Brennmaterial für 50 (engl.) Meilen, Wasser für 20 (engl.) Meilen.

Fig. 4. stellt eine Skizze dieses Wagens dar, dessen innere Einrichtung wir später nachtragen werden, da später noch einige Verbesserungen an derselben gemacht wurden. Der Kessel ist bloß aus Röhren gebildet, die ¾ Zoll im Durchmesser halten, aus dem besten Eisen verfertigt und dampf- und wasserdicht sind: denn sie wurden mit einem Druke von 4000 Pfd. auf den □ Zoll probirt, was mehr als 20 Mal so viel ist, als man braucht; denn, sobald der Druk des Dampfes stärker als 200 Pfd. wird, läßt man ihn entweichen. Die Länge aller Röhren in dem Kessel zusammen genommen beträgt 430 Fuß 5 Zoll.

Arbeitende Cylinder sind 4 angebracht, welche zugleich oder einzeln arbeiten, und, auf einen Raum von Einem Fuß Breite und zwei Fuß Höhe zwischen den Hinterrädern zusammengedrängt, als eben so viele Dampfmaschinen betrachtet werden können. Die Einfachheit, auf welche die Dampfmaschine an diesem Wagen zurükgeführt wurde, ist in der That etwas Außerordentliches.

Obschon jede dieser vier Maschinen die Kraft von zwei Pferden besizt, so wollten wir es doch über uns nehmen, jede derselben in unserer Roktasche heimzutragen. Die Schnelligkeit der Maschine spielt zwischen 2 bis 400 Stößen in Einer Minute, und der Dampf arbeitet expansiv. Die Kraft wirkt bloß auf die hinteren Räder, wodurch die Reibung auf der Straße immer dieselbe bleibt, der Wagen mag in gerader Linie oder in krummen Linien laufen; eine Vorrichtung, die vorzüglich beim Berg an fahren sehr zu Statten kommt. Die Vorrichtung zum Lenken ist voll Kraft, und erlaubt dem Lenker ohne Vergleich mehr Gewalt über die Bewegungen des Wagens, als gegenwärtig ein Kutscher über seine Gäule hat. Wir sahen sehr oft die Kutsche in einem Kreise umkehren, dessen Halbmesser weniger als 10 Fuß hatte. Da der Kutscher hier die Gewalt augenbliklich aufzuhalten vermag, und ohne alle Mühe den Radschuh einlegen kann, so ist die Sicherheit bei diesem Dampfwagen um so mehr erwiesen, als es durchaus unmöglich ist, daß der Dampfkessel an demselben bersten kann, indem keine größere Dampfkammer, als eine von Einem Zoll im Durchmesser vorhanden ist, welche, wenn sie auch wirklich bersten könnte, nicht das mindeste Unheil anrichten würde. [6])

IV.

Sicherheitswagen auf Eisenbahnen. Von Hrn. G. Wilson.

Aus dem Mechanics' Magazine. N. 326. 7. Nov. S. 184.

Mit Abbildungen auf Tab. I.

Die Resultate der lezten Versuche auf der Manchester- und Liverpool-Eisenbahn lassen erwarten, daß diese Art von Förderung der Menschen und Waaren bald allgemein eingeführt seyn wird. Alles, was Vorurtheile und Furcht hier zu beschwichtigen vermag und höhere Sicherheit gewähren kann, muß daher willkommen seyn: denn, wenn auch Eisenbahnen bisher der sicherste Weg auf Erden gewesen sind, so sind sie es vielleicht nicht mehr in demselben Grade, wenn man so ungeheuer schnell auf denselben fährt und noch schneller fahren wird.

Es wird vor Allem nöthig seyn, die Eisenbahnen mit einem Geländer zu versehen, und dieses Geländer könnte vielleicht so eingerichtet werden, daß, während es alle Gefahr für Fußgänger und

---

6) Wir übergehen hier Seitenblike auf Braithwaite's und Ericson's Novelty, über deren Richtigkeit uns einzig und allein Erfahrung in der Zukunft Aufschlüsse geben wird. A. d. Ue. So eben erhalten wir das Mech. Mag. N. 327, 14. Nov., in welchem gleichfalls dieser Dampfwagen abgebildet und beschrieben ist, nebenher aber einige Bemerkungen angebracht sind, über deren volle Gültigkeit Erfahrung allein im Großen entscheiden kann. Die Herren Dampfwagen-Meister sind jezt noch etwas in der Hize, und führen eine Sprache, die mehr an Kutscher, als an Mechaniker erinnert. A. d. R.

umherweidendes Vieh beseitigt, zugleich jede Tendenz, die ein Dampfwagen bei einer so ungeheueren Schnelligkeit vielleicht erlangen könnte von der Bahn abzuweichen, vollkommen verhütet würde. Fig. 11. zeigt im Durchschnitte den doppelten Nuzen eines solchen Geländers. a a, sind die Unterlagen. b b, die eisernen Schienen. c c, die Räder des Wagens, mit einem vorspringenden Rande an der inneren Kante. d d, senkrechte Pfosten oder Stangen, die in die Unterlagen eingelassen sind, und das horizontale Geländer, e, tragen, welches überhängt, und parallel mit der Eisenbahn läuft. Es steht von derselben in der Breite des Rades, und um etwas Weniges mehr, als der vorspringende Rand des lezteren ab. Da das Rad auf diese Weise gleichsam eingehäuset ist, so kann es nicht ausspringen, so lang der Parallelismus zwischen der Bahn und dem Geländer beobachtet wird, da jede Tendenz hierzu von dem überhängenden Geländer verhütet wird. Wenn man dagegen einwendet, daß Schmuz oder Schnee auf der Bahn bei der geringen Entfernung des Geländers von lezterer Reibung veranlassen kann, so ist leicht dadurch abgeholfen, daß man die Tiefe an der hervorstehenden Kante des Rades und den Raum zwischen der oberen Oberfläche des Rades und der horizontalen Schiene der Bahn vergrößert; und wenn dieß zu unbequem wäre, könnte man das horizontale Geländer, e, gleichweit von dem höchsten Punkte des Rades und den Seiten des Wagens entfernt halten, wodurch das Umwerfen, nicht aber das Fahren aus der Bahn, verhindert würde.

Es wäre der Mühe werth, zu untersuchen, in wiefern dadurch vielleicht auch Nässe von der Bahn abgehalten und das Verderben der eisernen Schienen der Bahn vermindert werden könnte. In der Nähe von Newcastle hat man bereits Untersuchungen über das Abschälen und Verrosten der Eisenschienen auf Eisenbahnen angestellt, deren Resultate ich nicht kenne. Vielleicht schadet in unserem feuchten Klima der Regen nicht besonders; es ist jedoch noch eine Frage.

Da man, vor Schnelligkeit der Bewegung, keine Stundenzeiger lesen kann, so schlägt Hr. Wilson vor, an dem Geländer, Fig. 13, ein flaches Stük Eisen anzubringen, b c, das mit einem Ende etwas absteht, und in der Richtung, d c, jeden Wagen fahren läßt, nicht aber in der Richtung, e c. Wenn nun jede halbe Meile, meint er, eine solche Feder angebracht wäre, die an eine Gloke am Dampfwagen schlüge, so könnte man darnach die durchlaufenen Streken zählen. Zugleich wäre das Zusammenstoßen zweier Wagen auf derselben Bahn dadurch unmöglich gemacht. 7)

---

7) Es will uns beinahe scheinen, als ob diese Sicherheitsmaßregeln die Gefahr mehr vergrößerten, als verminderten. Wenn, bei den ersten Ver-

V.

Ein Wagen auf einer Eisenbahn, der von selbst läuft.

Aus dem Mechanics' Magazine. N. 326. 7. Nov. S. 177.
Mit Abbildungen auf Tab. I.

Es ließ sich erwarten, daß in einem so mystischen Zeitalter, wie das unsere, sobald eine verständige und nüzliche Idee einmal ausgeführt ist, wie z. B. die Eisenbahn zwischen Manchester und Liverpool, ein Heer von Mystifikationen nachfolgen wird.

Das Mechanics' Magazine bringt, a. a. O., eine solche Mystifikation eines Hrn. Heinrich D., welcher, nachdem er mit Democritus, Pythagoras, Plato, die er um des Perpetuum mobile willen zu den Gymnosophisten und den Priestern Indiens reisen ließ, über den Mikrokosmus des Paracelsus, und Cornel Drebbel's Planetarium, und über Peregrinus Terella und dessen und Taisner's und Cardan's Magnetrad geflogen ist, mit Bischofs Wilkin's Flügeln auf unsere heutige Welt zurükkehrt. [8])

Es ist aus der Physik bekannt, daß zwei Kegel, die mit ihrer Basis unter einander verbunden sind, über eine schiefe Fläche hinaufzusteigen scheinen.

Hierauf gründet er nun folgenden Plan.

Es sey eine Eisenbahn bestehend aus lauter schiefen Flächen, abcde, wie Fig. 9. gebaut. Ein Kegel wird also den Abhang b und d von selbst hinanlaufen, und wenn er oben ist, über c und e herablaufen, wenn die Seiten der ersteren schiefen Flächen spizige Winkel bilden, und die der lezteren bloß parallel sind.

Es sey daher Fig. 10. ein Wagen mit großen kegelförmigen Rädern, aa, welche auf der schiefen Fläche, b, ruhen. Man gelangt von oben in den Wagen, in welchem die schwersten Waaren unten gepakt

---

suchen auf einer Eisenbahn mit Dampfwagen mit einer Schnelligkeit von 20 engl., 5 deutschen Meilen in Einer Stunde zu fahren, kein Unglük geschah; so sollte man billig erwarten können, daß, wo man noch mehr eingeübt seyn wird, die Gefahr noch mehr vermindert seyn wird. Es mögen vielleicht auf diesen Probefahrten hundert und tausend sogenannte Schneller geschehen seyn, die den Wagen an das hier projektirte Geländer angeworfen hätten, wenn es vorhanden gewesen wäre, und dieses und den Wagen vielleicht selbst zerrissen haben würden. Ohne Geländer wird der Wagen vielleicht hundert Mal wieder in's Geleise kommen, wenn er davon für Secunden abgewichen ist; mit demselben zerreißt er sich oder das Geländer. Es wird bei diesen Dampffahrten, wie bei unseren Kutschenfahrten gehen; Millionen fahren und fahren mit heiler Haut, und von diesen Millionen ist Einer unter 9 bis 10,000, der sich dabei den Hals bricht. Soll man deßwegen die Wagen aufgeben? A. d. Ue.

8) In der uns vor dem Abdruke dieser Abhandlung zugekommenen N. 329. des Mech. Mag. sehen wir zu unserm Erstaunen, daß man diese Satyre auf die gegenwärtigen Eisenbahnwagen für Ernst nimmt, und ihn durch a + b widerlegt. Dieß hätten wir von dem englischen Schneer nicht geglaubt. A. d. R.

werden, die Passagiere aber oben sind. Je schwerer der Wagen geladen ist, desto schneller wird er sich bewegen. Daß zwei solche Bahnen nothwendig sind, versteht sich von sich selbst.

Ist es möglich die Mystifikation höher zu treiben?

Das Mechanics' Magazine theilt a. a. O. dieselbe ohne alle Anmerkung mit, und fügt noch bei, daß der Mechaniker, Hr. Karl Sylvester, in seinem Report on Rail Roads et Locomotive Engines; addressed to the Chairman of the Committee of the Liverpool and Manchester Rail-Road; (Liverpool 1825) sagte: „wenn eine Eisenbahn um die Erde liefe, immer gleich weit von dem Mittelpunkte der Erde, und keine Reibung Statt hätte, ein Wagen auf derselben, wenn er einmal im Laufe wäre, immerdar um die Erde laufen würde!"[9])

VI.

Apparat um Kraft zu erzeugen, worauf Edm. Gibson Attersley, Esq., Yorkplace, Portmansquare, sich am 12. Junius 1828 ein Patent ertheilen ließ.

Aus dem London Journal of Arts. N. 18. S. 301.
Mit einer Abbildung auf Tab. I.

„Der Titel dieses Patentes," sagt das London Journal, „verspricht der Wissenschaft eben nicht große Förderung. Kraft erzeugen, außer durch sekundäre Mittel, liegt außer dem Bereiche menschlicher Kräfte; wir Menschen sind bloß im Stande Kräfte anzuwenden, die als Elemente in der Hand der Natur gelegen sind. Die Spekulanten auf ein Perpetuum mobile, die die Grundsäze der Wissenschaft nicht kennen, in welcher sie anfangen zu tändeln, wollen Kräfte erfinden, und wir erwarteten, nach dem Titel, etwas Aehnliches von Seite unseres Patent-Trägers. Insofern wir aber seine Patent-Erklärung richtig verstehen, hat er uns bloß ein Projekt vorgelegt, dessen Ausführung handgreiflich unmöglich ist, und das folglich wenig Beifall finden wird."

„Wir würden unsere Leser nicht mit diesen paar Seiten gequält haben, wenn wir nicht versprochen hätten die Grundsäze und das Detail einer jeden Patent-Erfindung mitzutheilen."[10])

---

9) Wir haben seit einem Viertel-Jahre einen Aufsaz über Anwendung der schiefen Fläche zu Eisenbahnen, der uns eingesendet wurde, in unserem Pulte, in welchem keine ähnliche Mystifikation vorkommt, den wir aber nicht ehe bekannt machen wollen, bis wir nicht Versuche angestellt, und die Richtigkeit der Theorie durch die Fakel der Erfahrung erleuchtet sahen. A. d. R.

10) Newton wird uns noch im Grabe das Detail der Patent-Erfindungen aus dem natürlichsten Grunde von der Welt schuldig bleiben müssen; nämlich aus dem, weil die Patent-Träger selbst es so häufig schuldig bleiben; auch hat Hr. Newton nicht alle Patente geliefert, die während der Existenz seines

„Fig. 17. zeigt ein Gestell aus Eisen oder Holz, aa, auf welchem der Apparat aufgezogen ist. bb, ist ein langer horizontaler Balken oder Hebel, der sich auf den Zapfen, c, in seiner Mitte, als auf seinem Stützpunkte, schwingt; die Zapfen ruhen auf der oberen Kante der Querleiste des Gestelles. Eine Stange, d, ist unter rechten Winkeln auf dem Hebel angebracht und daran befestigt, und führt ein schweres Gewicht, wie eine Scheibe an einem Pendel. ee ist ein Halbkreis, um die Hebel rechtwinkelig befestigen zu können."

„Ein anderer Hebel, g, ist gleichfalls auf Zapfen aufgezogen, und auf dem Gestelle befestigt. Der längere Arm „(nicht wie es bei Hrn. Newton heißt der untere, the lower; es muß heißen: the longer)" dieses Hebels ist mittelst eines Gewindes an dem Hebel, b, befestigt, und der kürzere Arm führt an seinem entgegengesezten Ende eine Kette oder Stange, h, welche mittelst einer Kurbel oder irgend eines anderen Theiles der Maschine, welcher von der mitgetheilten, oder, wie der Patent-Träger sagt, erzeugten Kraft dieses Mechanismus getrieben werden soll, in Bewegung gesezt wird. Ein Gewicht, i, am Ende des Hebels b, und ein anderes Gewicht am Ende des längeren Armes des Hebels g, deren jedes sich auf seinem Hebel schieben läßt, dient zur Vermehrung der Kraft." [11])

„Dieser Mechanismus wird dadurch in Bewegung gesezt, daß man eine Kraft an dem unteren Ende des Hebels, d, anbringt, wodurch derselbe veranlaßt wird sich zu schwingen. Hierdurch werden die Hebel in die durch punktirte Linien angedeutete Lage gebracht, und die an h angebrachte Kurbel wird dadurch getrieben."

„Nach der Figur wird man sehen, daß es unmöglich ist, die Hebel so zu bewegen, ohne daß bei b eine Vorrichtung zum Schieben angebracht wäre, von welcher in der Patent-Erklärung keine Er-

---

Journals gegeben werden. Wir würden, an seiner Stelle, Statt so hoch vornehm zu thun, unseren Lesern, wo wir in Ermanglung von etwas Besserem ihnen etwas Schlechteres aufzutischen gezwungen gewesen wären, gesagt haben: „geneigter Leser! siehe, der Mann hier zahlt Sr. großbritannischen Majestät 3600 fl. gutwillig, um diese Idee 14 Jahre lang sein Eigenthum nennen zu können und zu dürfen. Gib Acht, daß es Dir nicht ergehe, wie es ihm ergangen ist." Errando discimus omnes! Es geht in der Mechanik, wie in der Poësie: schlechte Verse sind so gut und lehrreich, als schlechte Maschinen: man lernt daraus Fehler vermeiden, und Klippen und Bänke umschiffen, an welchen selbst Schiffe unter königlicher Flagge gestrandet sind. A. d. Ue.

11) Wir haben die Figur genau zeichnen lassen, wie sie Hr. Newton gab, und aus der Zeichnung wird man sehen, daß am Ende des Hebels b gar kein Gewicht ist, das Gewicht i aber dafür am Ende des Hebels g angebracht ist. Hr. Newton hat also entweder nicht gehörig beschrieben, oder nicht gehörig gezeichnet. Etwas scheint dann doch an diesem Dinge zu seyn, was vielleicht der Patent-Träger absichtlich mystificirt hat, wie es oft bei Patenten der Fall ist.

A. d. R.

wähnung geschieht. Wenn aber auch diese Vorrichtung wirklich vorhanden wäre, so ist es ebenso klar, daß, wenn an dem Hebel, d, was immer für eine Kraft angebracht ist, man keine höhere Wirkung von derselben erhält, um die Kurbel bei h zu treiben, als wenn dieselbe Kraft am Ende des Hebels g, wie am Ende eines Ziehebalkens einer Pumpe, angebracht wäre; sie wird sogar, wegen der Reibung, noch geringer seyn. Die Kraft, die nothwendig ist, den Hebel d zu bewegen, d. h., aus seiner senkrechten Lage zu bringen, muß ferner genau der Kraft gleich seyn, mit welcher derselbe wieder in seine vorige Lage zurückfällt. Dieß ist nun das Projekt des Patent-Trägers."

VII.

Idee zu einer neuen Art, excentrische Bewegung zu erzeugen.

Auszug aus dem Franklin's Journal. December 1828. S. 414.

Mit Abbildungen auf Tab. II.

Ein Hr. Belidor bemerkt in einem Aufsaze über Perpetuum mobile sehr richtig, daß alle Speculationen, ein Perpetuum mobile zu erfinden, Blähungen des Hirnes sind; daß indessen, so wie mancher Kranke ein Arzeneimittel fand, das nicht ihm, sondern Andern taugte, so auch mancher Seelenkranke, der am Perpetuum mobile litt, während er dieses nicht aus seinem Kopfe bringen konnte, manches anderen Hirnbandwurmes sich erledigte, der allerlei Curiositäten darbot. Er erzählt bei dieser Gelegenheit, wie einer seiner Freunde vor mehreren Jahren auf die Idee kam, an einer Seite eines Rades hervorspringende Hebel zu bilden, wodurch, was er nicht vermuthete, eine excentrische Bewegung entstand, die vielleicht in der Mechanik (welche gegenwärtig durch Excentricität anfängt noch größere Wunder zu schaffen, als ehevor durch Centralität) von irgend einem Nuzen seyn kann.

Es sey Fig. 6. die senkrechte Ansicht zweier diagonal gestellten Räder, AA, die sich um ihre Achsen XX, drehen. An dem Umfange derselben seyen die Hebel oder Arme BB und CC in Angeln angebracht, und in der Mitte mittelst eines Drehestiftes zusammengefügt. Durch die Umdrehung der Räder werden die Arme BB vom Mittelpunkte hinausgeworfen, und die Arme CC gegen denselben angezogen. Eine Menge solcher Arme wird demnach, wie Fig. 7. zeigt, eine excentrische Bewegung hervorbringen, indem die Gewichte bei BB überwiegen müssen. Ein Ring an den Gefügen der Arme könnte vielleicht eine brauchbare Excentricität bilden.

Hr. Belidor spricht bei dieser Gelegenheit über die Ursachen, die in N. Amerika so viele mechanische Talente wekten, und so viele Erfindungen hervorriefen. Er findet sie im Mangel an Handwerkern in diesem Lande, in der Nothwendigkeit, in welcher die meisten Hauswirthe auf dem Lande sich befinden, ihre Bedürfnisse sich selbst zu verfertigen, gesteht aber, daß gründliche und wissenschaftliche mechanische Kenntnisse in N. Amerika noch sehr selten sind. Indessen müssen wir gestehen, daß die Amerikaner ohne diese lezteren mehr geleistet haben, als andere Völker mit denselben. Die Praxis ging zu allen Zeiten und bei allen Völkern der Theorie voraus: jener verdanken wir alles Gute; dieser das Bessere.

VIII.

Ueber die Theorie der Wasserhebe-Maschine des Hrn. Bernhard.

Aus dem London Journal of Arts. October. S. 2. u. f. November. S. 57. Im Auszuge.

Wir haben über Hrn. Bernhards Maschine wiederholt Nachricht gegeben (Polytechn. Journ. Bd. XXXII. S. 169 u. f. und im Bd. XXXIV. S. 415. die Beschreibung und Abbildung seiner Maschine mitgetheilt). Die Theorie, die Hr. Bernhard hierüber aufgestellt hat, genügt Niemanden.

Hr. Rayner sagt im London Journal nach alt englischer Art, troken und unumwunden zum Redakteur: „Euer Correspondent muß seine „Grundsäze und sein Verfahren“ deutlicher angeben, und seinen „Apparat“ genauer beschreiben, ehe er erwarten kann, daß der gesunde Menschenverstand des Publikums überhaupt, und der Scharfsinn der Gelehrten in's Besondere mit Schlüssen übereinstimmt, die so sehr von aller Erfahrung abweichen.“

„Vor einigen Jahren machte ein ausgezeichneter Mechaniker der Welt bekannt, daß er ein hydro-mechanisches Grundgesez entdekte, wornach er im Stande wäre, das Wasser mehrere tausend Fuß hoch zu heben, und daß er in seinem Hofe in der Nähe von London jedem den Apparat hierzu zeigen wolle. (Vergl. Repository of Arts for 1813—14.) Diese Erfindung verlor sich indessen, und blieb mit mehreren anderen von gleichem Gehalte liegen. Hr. Bernhard will nun das Wasser nicht so hoch heben. Er begnügt sich mit 70 Fuß; dieß ist nun allerdings genug, nicht bloß für Hydrauliker, sondern für das Publikum überhaupt. Euer Correspondent soll den Grundsaz, worauf sein Verfahren beruht, klar und lichtvoll darstellen; die Anwendung desselben in vollem Detail zeigen; wenn die gegebenen Thatsachen richtig sind, wird die schärfste Prüfung derselben ihren Werth nur noch mehr erhöhen."

„Es muß Hrn. Bernhard selbst daran gelegen seyn, solche wichtige Resultate zu erhalten; denn, wo man mit den Thatsachen im Reinen seyn wird, werden sich Goldminen für ihn öffnen, und er hat ein Geheimniß entdekt, das noch weit wichtiger ist, als jenes, mit welchem der Alchymist Dousterswivel den getäuschten Hoffnungen des Sir Arthur Wardour schmeichelte." [12])

„In der reinen, in der wirklichen, Wissenschaft (in Naturgeschichte, Mathematik und Physik) gilt kein Mysticismus, keine Geheimnißkrämerei, kein mystisch-heiliger Schleier oder Nimbus: Thatsachen sprechen ihre eigene, laute Sprache. Wo Thatsachen Zeugenschaft leisten, und diese gehörig erwiesen und gewürdigt sind, wird der Zweifel selbst zur Ueberzeugung erhoben."

Diesen kräftigen Worten des Hrn. G. Rayner ließ die Redaction des London Journal eine Abhandlung eines Hrn. Aeolus über Hrn. Bernhard's Maschine vorausgehen, die wir hier im Auszuge liefern. Sie führt auf ein Resultat, das wir früher vermutheten, und im Polyt. Journ. wiederholt früher äußerten, als es in irgend einem englischen Journale zur Sprache kam: diese Abhandlung enthält überdieß einige Notizen, die mehr Beachtung verdienen, als man ihnen gewöhnlich schenkt.

Es wird als Thatsache angenommen, was mehrere als Augenzeugen gesehen zu haben versichern, daß in Hrn. Bernhard's Maschine „eine Wassersäule aus dem leeren Raume in einer Höhe von vierzig Fuß über dem Torricelli'schen Wasserstande ausfloß." Man fand diese Thatsache im Widerspruche mit der Ursache und den hydrostatischen Grundsäzen überhaupt; Hr. Aeolus sucht aber zu beweisen, daß Wirkung und Ursache hier unter sich und mit der Theorie im Einklange sind. Er bemerkt ganz richtig, daß heute zu Tage auch chemische Kenntnisse zur richtigen Beurtheilung der Wirkungen hydraulischer und pneumatischer Maschinen gehören.

Hr. Bernhard nimmt an, „daß die Wassersäule bei seinem Versuche um mehr als das Doppelte zugenommen haben müsse;" und zwar durch Ausdehnung in Folge der auf dieselbe angewendeten Hize bei einem leeren Raume. Hieran zweifeln nun alle, „indem es aller Theorie zuwider ist, und allen früheren Versuchen widerspricht." „Ich will nun, „sagt Hr. Aeolus," um die Sache deutlich zu machen, zuerst auf die chemische Zusammensezung des Wassers, und auf die Wirkung des Feuers, das diese chemische Verbin-

12) Vergleiche „Antiquary." A. d. O.

dung verändert, aufmerksam machen; dann werde ich von der Expansion und Elasticität dieser Flüssigkeiten und Dämpfe, oder von der mechanischen Wirkung sprechen, welche durch Einwirkung des Wärmestoffes entsteht."

„Reines Wasser," sagt er, „besteht aus 85 Gewichttheilen Sauerstoffgas, (aus dem Grundstoffe, welcher die Flamme unterhält) und aus 15 Theilen Wasserstoffgas, (einem höchst brennbaren Körper) und einer gewissen Menge Wärmestoff. Wenn obige beide Bestandtheile in einem geschlossenen Gefäße mit einander gemengt werden, bleiben sie unverändert; wenn man sie aber mit einem elektrischen Funken, oder mit der Flamme einer Wachskerze entzündet, bilden sie eine Menge Wassers, die, dem Gewichte nach, genau dem Gewichte der angewendeten Gasarten gleich ist."

„Die specifische Schwere des Sauerstoffgases ist 0,00135; die des Wasserstoffgases 0,00010; folglich verhält sich das Volumen des Wasserstoffgases zu jenem des Sauerstoffgases, wie 135 : 10; d. h., es ist 13 und ein halbes Mal größer. Wenn man nun 15 mit 13,5 multiplicirt, so erhält man 202,5, oder das Volumen des Wasserstoffgases auf 85 Theile Sauerstoffgas. Hundert Theile Wasser bestehen demnach, dem Volumen nach, aus 30 Theilen Sauerstoffgas und 70 Theilen Wasserstoffgas in runden Zahlen ausgedrükt."

„Regen- und Schneewasser kommt dem obigen reinsten Wasser am nächsten; dann kommt Flußwasser und Wasser aus inländischen Seen und Teichen; endlich Brunnen- und zulezt Seewasser, dessen specifische Schwere, wegen der aufgelösten Salze, sich zu jener des Flußwassers verhält, wie 1,158 : 1,000. Bekanntlich sinken zuweilen Schiffe im Flusse unter, die im Meere noch sehr gut schwimmen: ein Kubikfuß Flußwasser wiegt 1000 Unzen Avoir dupois (= 62,5 Pfd.); ein Kubikfuß Seewasser im Durchschnitte 73 Pfd. Avoirs-Gewicht."

„Wasser, welches der atmosphärischen Luft ausgesezt ist, verschlingt dieselbe so reichlich, daß es äußerst schwer hält luftfreies Wasser zu erhalten: selbst die stärkste Hize treibt die Luft nur zum Theile aus dem Wasser. Kohlensäure und gekohlstoffres Wasserstoffgas ist, in Folge der Zersezung der im Wasser enthaltenen thierischen und Pflanzenkörper, beinahe in allen Wassern, und zwar chemisch aufgelöst. Diese Gase sind, so wie die Luft, elastische, zusammendrükbare, Flüssigkeiten, während das Wasser selbst nicht elastisch, nicht zusammendrükbar ist. Die specifische Schwere der Luft ist 0,00120; die des kohlensauren Gases ist bekanntlich größer."

„Diese Thatsachen muß man bei Erklärung einer hydraulischen Maschine, wie jene des Hrn. Bernhard, immer vor Augen haben."

„Das Wasser wird, in dieser Maschine, nicht durch Ausdehnung in Folge angewendeter Hize, wie Hr. Bernhard meint, gehoben; auch wirken die Verdichter nicht so, wie er meint, und können bei jeder ähnlichen Maschine im Großen gänzlich weggelassen werden.“

„Wir wollen sehen, welchen Einfluß das Feuer durch Veränderung der chemischen Verbindungen des Wassers hat. Das Erste, was in Folge dieses Einflusses geschieht, ist Abscheidung der atmosphärischen Luft und anderer elastischer Gasarten, welche theils von dem Wasser verschlungen, theils in demselben entwikelt wurden, und, in demselben chemisch aufgelöst, durch chemische Verwandtschaft zurükgehalten werden. Diese Abscheidung hängt, in Hinsicht auf Schnelligkeit und Vollkommenheit, von der Intensität der Hize ab; in Hinsicht auf die Menge des entwikelten Gases aber von der Menge, welche von einem gewissen Volumen verschlungen wurde, und noch aus der Flüssigkeit nachgeliefert wird. Die zweite Wirkung besteht in der Einwirkung des Feuers auf die Kessel, Röhren, Retorten, welche zum Theile dadurch rothglühend werden, und theilweise das Wasser zersezen, zuerst in Dampf verwandeln, und dann in Berührung mit dem glühenden Eisen bringen.“

„Diese Zersezung führt das Wasser, welches dann im Zustande eines elastischen Dampfes sich befindet, auf seine ursprünglichen Bestandtheile zurük. Das Sauerstoffgas desselben, welches eine große Verwandtschaft zum Eisen hat, verbindet sich schnell mit dem erhizten Metalle, welches dadurch oxydirt, d. h. in ein Oxyd, in einen Metallkalk verwandelt wird. Zugleich wird aber auch der Wasserstoff aus dem zersezten Wasser frei und entwikelt sich mit ungeheuerer Kraft, indem seine specifische Schwere nur der zehntausendste Theil der specifischen Schwere zersezten Wassertheilchen ist.“

„Diese Abscheidungen oder Entwickelungen durch Einwirkung des Feuers auf das Wasser, nämlich die Entwikelung der elastischen in Auflösung erhaltenen Gasarten, und die Zersezung gewisser Mengen von Wasser selbst, erzeugen keine mechanischen oder sehr auffallenden Wirkungen, wenn das Wasser auch noch so heftig in offenen Gefäßen unter dem gewöhnlichen Druke der Atmosphäre gekocht wird. Dieser Druk beträgt im Durchschnitte 15 Pfd. Avoirdup. auf den □ Zoll, oder ungefähr 2100 Pfd. auf den □ Fuß, den man als Grundfläche (Basis) einer senkrechten Luftsäule von der Höhe der Atmosphäre betrachtet. Wenn diese Gasarten sich aus dem Wasser entwikeln, während dieses in einem offenen Gefäße gekocht wird, hat bloß eine ununterbrochene Erzeugung und Entwikelung einer zahllosen Menge von Luftblasen Statt, und die Wassermenge steigt zum Theile während des Kochens in dem Gefäße empor, indem an dem Boden des Gefäßes die Gasarten sich schneller entwikeln, als an der Oberfläche des kochenden Wassers.“

„Dieselben Ursachen erzeugen aber, in Bezug auf mechanische Resultate, ganz andere Wirkungen in verschlossenen Gefäßen, vorzüglich in solchen, in welchen theilweise leerer Raum sich befindet. Und hier kommen wir auf Betrachtung der Ausdehnung und Elasticität der Flüssigkeiten, wenn sie in Dampf verwandelt wurden, oder auf die mechanischen Wirkungen, welche die Einwirkung des Wärmestoffes hervorbringt, die wir nun auf Bernhard's Erfindung anwenden wollen.“

„In einer gewissen Hinsicht lassen die mechanischen Wirkungen der Einwirkung des Wärmestoffes auf elastische Flüssigkeiten unter gewissen Umständen sich als unmittelbare Resultate der oben beschriebenen chemischen Zersezungen und Entwikelungen betrachten. Außer diesen gibt es aber noch gewisse andere rein mechanische Wirkungen, die durch die Einwirkung des Wärmestoffes auf Körper entstehen. Hierher gehören die Ausdehnung fester und flüssiger Körper, und die elastische Kraft, welche durch Zutritt des Wärmestoffes entsteht. Man muß immer zwischen Feuer und Wärmestoff entscheiden.“ ....

„Feuer ist, nach dem gewöhnlichen Sprachgebrauche, die sichtbare Flamme oder der ganze entzündete Körper; Wärmestoff ist eines der Resultate der Verbrennung. Ueberall, wo Verbrennung Statt hat, wird Sauerstoff durch den verbrennenden Körper zerstört, Licht und Wärmestoff entwikelt, und durch die Zersezung der angezündeten Körpermasse werden neue Gasarten und Körper entwikelt. Wir bringen an einem brennbaren Körper Feuer an, die Atmosphäre liefert den Sauerstoff, und jener Alles durchdringende Körper, den man Wärmestoff nennt, und der das unmittelbare Wirkungsmittel aller jener Erscheinungen ist, mit welchen wir uns hier beschäftigen, wird nun entwikelt.“

„Die Ausdehnung, welche nicht elastische, nicht zusammendrükbare Flüssigkeiten, wie Oehl, Quekfilber, Wasser, durch irgend einen hinzukommenden Wärmestoff erleiden, muß sorgfältig von jener Ausdehnung unterschieden werden, welche aus denselben Ursachen bei elastischen Flüssigkeiten entsteht, und überhaupt bei allen Flüssigkeiten, die sich im Zustande des Dampfes befinden. Ausdehnung kann an einer nicht elastischen, nicht zusammendrükbaren Flüssigkeit nicht dadurch erzeugt werden, daß man den atmosphärischen Druk beseitiget; auch kann keine Zusammenziehung an denselben, wodurch eine Veränderung in ihrer specifischen Schwere entstünde, durch Anwendung einer mechanischen Kraft Statt haben, außer durch Wärmestoff allein. Bei Gasarten und anderen elastischen Flüssigkeiten, so wie bei Flüssigkeiten in Dampfgestalt, kann aber, außer der Wirkung des Wärmestoffes in Hinsicht auf Vermehrung oder Verminderung des Umfanges, auch durch Vermehrung oder Verminderung des Drukes ähnliche Wirkung hervorgebracht werden.“

„Dieser Unterschied gründet sich auf einen unwandelbaren Grundsaz in der Natur. Die Theilchen einer Flüssigkeit befinden sich in einem Zustande wechselseitiger Anziehung, die durch Druk ihrem Grade nach nicht verändert werden kann, während die Theilchen aller elastischen Gasarten unwandelbar in einem Zustande wechselseitiger Zurükstoßung, und dadurch immer geneigt sind, zurükzuweichen, und sich in größeren Entfernungen von einander zu halten.“

„Es entsteht die Frage: wie groß ist die Größe der Ausdehnung, welche ein gegebenes Volumen Wasser durch den Zutritt einer gegebenen Menge Wärmestoffes erhalten kann?“

„Die größte Dichtheit, die das Wasser erhalten kann, d. h. die größte specifische Schwere, ist nicht an oder unter dem Frierpunkte, sondern bei 42° 5 F. (4,4 R.). Hiermit stimmt auch die bekannte Erfahrung, daß Eis auf dem Wasser schwimmt, also leichter ist; obschon es gewiß ist, daß dem Wasser von dem Eise immer Wärmestoff entzogen wird, und zwar von 42° 5 F. bis 32° 0 oder den Eispunkt: denn sonst könnte das Wasser nicht frieren.“

„Die Ausdehnung des Wassers durch die Hize (unter dem gewöhnlichen Druke der Atmosphäre), die wir, abgesehen von Hrn. Bernhard's vorausgesezten leeren Raume, hier an seiner Maschine zu betrachten haben, ist folgende:“

„100,000 Unzen Avs oder 100 Kubikfuß Wasser sollen sich in einem offenen Gefäße, oder in einer Röhre befinden, und die Temperatur sich nach und nach gleichförmig vermehren; so wird [13])

Temperatur nach Fahrenheit.	Volumen in Kubikfuß und deren Decimalen.	
42°, 5	100, 000	Maximum der Dichtheit oder specif. Schwere.
82°, 5	100, 273	
122°, 5	101, 006	Zunahme um Einen Kubikfuß durch Expansion.
142°, 5	101, 495	Expansion oben am Ende von Hrn. Bern-
172°, 5	102, 260	hard's aufsteig. Röhre der heißen Flüssigk.
212°, 5	104, 500	Expansion bei dem Siedepunkte, als Maxim.

Auf diesem Punkte werden die verschlungenen Gasarten mit Gewalt ausgestoßen oder entwikelt, und die Theilchen der Flüssigkeit durch Einwirkung des verschlungenen Wärmestoffes ausgeschieden und schnell zu Dampf umgebildet, welcher denselben mechanischen Gesezen unterliegt, wie alle Gasarten und elastischen Dämpfe.“

13) Fahrenheit's Thermometer wird von den Engländern, Holländern und einigen nördlichen Völkern gebraucht; Réaumur's von Franzosen, Russen und den Süd-Europäern: an lezterem ist der Frierpunkt des Wassers bei 0, und der Siedepunkt bei + 80°. Um die Réaumur'schen Grade aus den Fahrenheit'schen zu finden, dient die Formel: $\frac{F - 32}{2,25} = R$; (wo R die Grade nach Réaumur, F die nach Fahrenheit.) Folglich wird umgekehrt Fahrenheit aus Réaumur gefunden durch die Formel: $F = R \times 2,25 + 32$.

A. d. O.

„Die Ausdehnung einer Wassersäule, die nach und nach gleichförmig bis auf eine Temperatur von 212° F. unter dem Druke der Atmosphäre erhizt wird, kann also nicht Ein Zwanzigstel der ursprünglichen Wassersäule bei dem Maximum ihrer Dichtheit betragen."

„Hr. Bernhard erzeugt einen leeren Raum (den wir ihm noch so vollkommen als möglich zugeben wollen), und bringt Feuer unter einer Torricelli'schen Wasserröhre an bei einer Temperatur von 40 bis 60° F. Was wird nun die erste Wirkung seyn? Das Wasser im Kessel und in dem unteren Theile der Röhre oder Säule wird, Statt bis auf 212° erhizt werden zu dürfen, ehe die hinzugekommenen Gasarten sich entwikeln, und elastischer Dampf mit Schnelligkeit erzeugt wird, nur eine Temperatur von 132 bis 142° fordern, um die chemischen Verwandtschaften und die Anziehung der Wassertheilchen selbst gänzlich aufzuheben: denn Wasser wird, wo ein leerer Raum über demselben ist, schon bei dieser niedrigeren Temperatur sieden und schnell in Dampf verwandelt werden."

„Auf diesen wesentlichen Punkt, auf die Verschiedenheit des Siedepunktes im leeren Raume und unter dem Druke der Atmosphäre hat man bisher bei dem Streite über diese Maschine nicht gedacht, obschon die mechanischen Wirkungen dieser Maschine in dem ersten Falle daher rühren."

„Nun ist es aber nicht eine Hize von 140 oder von 212°, die hier gleichförmig an der ganzen Wassersäule angewendet wurde; sondern eine Hize von 600 bis 800° F., die ausschließlich an dem Kessel oder an der Retorte angebracht wird, und kräftig auf das darin enthaltene Wasser wirkt, so wie auch auf die untersten Schichten des Wassers in der Torricelli'schen Röhre."

„Wenn man nun die Wirkungen, welche durch ein so gewaltiges Einwirken auf eine Wassersäule in einer Torricelli'schen Röhre entstehen, gehörig beurtheilen will, so muß man zu den chemischen Grundsäzen zurük, die wir entwikelt haben, und zu den mechanischen Gesezen, welchen elastische Flüssigkeiten überhaupt unterworfen sind."

„Außer der schnellen Entwikelung der atmosphärischen Luft und der elastischen Gasarten, welche beide in dem Wasser enthalten sind, außer der Erzeugung des elastischen Dampfes, haben wir bemerkt, daß gelegentlich auch Theilchen dieses Dampfes in ihre ursprünglichen Elemente zersezt werden, indem der Kessel und die Retorten stellenweise bis 860° F., bis zur Rothglühehize erhizt sind. Wenn dieß geschieht, nimmt der freigewordene Wasserstoff plözlich 10,000 Mal so viel Raum ein, als die zerstörten Wassertheilchen, oder ungefähr sechs Mal so viel Raum, als der elastische Wasserdampf: denn erhizter Dampf nimmt ungefähr 1,800 Mal so viel Raum ein, als das Wasser, aus welchem er erzeugt wurde. Die übrigen entwikelten Gasarten nehmen von 1,000 bis 1,500 Mal so viel Raum ein, als das Wasser."

„Nun wirkt auf alle diese Gase und Dämpfe jede neu hinzukommende Menge Wärmestoffes so, daß sie eine noch größere Ausdehnung hervorbringt; d. h. die Elasticität aller elastischen Flüssigkeiten nimmt mit der Temperatur zu; die abstoßende Kraft, die Entfernung ihrer Theilchen wird also verhältnißmäßig zunehmen."

„In freier Luft ist die Elasticität des Dampfes bei 212° gerade so groß, wie die Elasticität der Atmosphäre; sie hält gewöhnlich eine Quecksilbersäule von 30 Zoll Höhe im Gleichgewichte; bei 300° wird sie aber eine Säule von 111,8 Zoll im Gleichgewichte halten, und bei 325° eine Säule von 140,7 Zoll. Die Wirkung einer Hize von 6 bis 800° auf elastische Gasarten und Dämpfe, die sich am Boden einer Torricelli'schen Säule bilden, wo schon 132 bis 142° zu ihrer Bildung hinreichen, muß alle Berechnung übersteigen. Eine auf diese Weise erzeugte Ausdehnung kann füglich die mechanische Wirkung des Einflusses des Wärmestoffes genannt werden."

„Nach den allgemeinen Gesezen elastischer Flüssigkeiten berühren sich ihre Theilchen nicht, oder kommen nicht in den Bereich wechselweiser Anziehung; denn, sobald dieß geschähe, würde die zurükstoßende Kraft, und folglich die Elasticität aufhören, wie dieß bei den Verdichtern in den Dampfmaschinen der Fall ist. In jedem Falle muß die Rükwirkung von den Seiten der Gefäße, welche elastische Flüssigkeiten enthalten, gleich seyn der Elasticitätskraft der Flüssigkeit; denn sonst würden diese Gefäße bersten. Jede elastische Flüssigkeit wirkt mit gleicher Kraft auf gleiche Flächen, d. h., sie wirkt gleich stark auf jeden Punkt dieser Flächen, der ihrer Wirkung ausgesezt ist. Alle elastische Flüssigkeiten drüken, wenn sie sich in Ruhe befinden, in demselben Augenblike nach jeder Richtung gleich stark; und wenn eine Kraft auf eine elastische Flüssigkeit drükt, so drükt sie in demselben Augenblike nach allen Richtungen."

„Nach obigen Voraussezungen und Gesezen erkläre ich mir nun die Weise, wie Hrn. Bernhard's Maschine wirkt, auf folgende Art: wenn ich mich irre, so werde ich jedem Dank wissen, der mich eines Besseren belehrt."

„Die schnelle Entwikelung der Gasarten, und die Bildung elastischer Dämpfe am Boden der Torricelli'schen Röhre des Hrn. Bernhard unter einer niedrigen Temperatur; die plözlich und ungeheuer vermehrte Elasticität durch den anhaltenden Zutritt einer großen Menge Wärmestoffes sind die nächsten und reichlich hinreichenden Ursachen der erzeugten Wirkung, nämlich der Entleerung ernes Wasserstromes in einer Höhe von 70, und wohl auch von 700 Fuß, wenn man will. Diese elastischen Kräfte wirken gegen den Kessel und gegen die Retorten, wo sie eine ihrer Kraft korrespondirende Gegenwirkung finden. Diese Kräfte bilden sich in einer so überschwenglichen Menge, daß sie nur in einem unbedeutenden Grade durch die oben aufliegende Wassersäule sich entladen können, auf deren Basis sie mit einer Kraft wirken, welche mit dem Quadrate der Fläche derselben im Verhältnisse steht, und mit der Menge der elastischen Flüssigkeit und dem Grade der Ausdehnung. Ein Theil dieser Gase und Dämpfe wird wieder reducirt, oder, während des Durchgangs durch die Wassersäule, die im Durchschnitte nur auf 140° F. erwärmt ist, verdichtet. Aber die große Expansivkraft der gebildeten elastischen Dämpfe, die sich weder entladen, noch verdichten können, heben die ganze darüber stehende Säule, und treiben sie in die niedersteigende Röhre, durch welche sie ausfließt. Von Zeit zu Zeit bildet sich ein theilweise leerer Raum in dem Kessel oder in der Retorte, welcher augenbliklich wieder durch frisch hinzutretendes Wasser aus der unteren Cisterne mittelst des Drukes der Atmosphäre auf die Oberfläche desselben ausgefüllt wird, und diese Arbeit geht so in Zwischenräumen fort, so lang als Wasser nachgefüllt und die Siedehize unterhalten wird."

„Nach der ersten Verbindung der aufsteigenden Säule mit der Torricelli'schen Säule in der absteigenden Röhre ist der Siedepunkt während des übrigen Theiles der Operation 212° F. Von dem Augenblike dieser Verbindung an (angenommen daß der leere Raum zwischen beiden Säulen beinahe vollkommen ist) treibt die aufsteigende Säule, die in die absteigende Röhre getrieben wird, die Säule in dieser Röhre ungeachtet des Drukes der Atmosphäre auf die Oberfläche der Nachfüllungs-Cisterne. Die Torricelli'sche Wirkung ist also von dem Augenblike der ersten Wirkung der aufsteigenden Wassersäule auf die andere, welche nothwendig ganz aus der niedersteigenden Röhre ausgetrieben werden muß, ehe ein Theilchen der Säule der heißen Flüssigkeit in der aufsteigenden Röhre entleert werden kann, am Ende. Es scheint mir, daß die Bildung der zweiten Torricelli'schen Säule in der niedersteigenden Röhre nebst allen Ausgaben auf diesen Theil der Maschine füglich erspart werden könne; denn wenn die Entleerung eintritt, muß das gegenwirkende Gewicht des atmosphärischen Drukes gleichfalls überwunden werden, die Entleerung mag nun in die Cisterne durch eine Klappe in der niedersteigenden Röhre, oder in irgend einen Theil der aufsteigenden Röhre geschehen: denn der Druk der ruhigen Atmosphäre auf eine gegebene Fläche ist in demselben Augenblike nach allen Richtungen gleich."

„Die wesentlichen Vortheile des luftleeren Raumes und der Torricelli'schen Säule in der aufsteigenden heißen Flüssigkeit sind folgende: das Wasser siedet bei einer niedrigeren Temperatur, bei 70 bis 80° F.; es hat folglich eine raschere, mehr unmittelbare und reichlichere, Entwikelung elastischer Flüssigkeiten Statt; wenn endlich Unterbrechung des sich entleerenden Stromes eintritt (was in Folge der ungleichen Einwirkung des Feuers, und folglich der ungleichförmigen Entwikelung der verschiedenen Gasarten und Dämpfe geschieht), so hindert der Druk der atmosphärischen Säule nicht, daß die Entleerung auf die vortheilhafteste Weise sich wieder erneuern kann."

„Einige Bemerkungen über die *Ausdehnung* des Wassers in der aufsteigenden Röhre, und über die *Verdichtung* der erzeugten elastischen Dämpfe scheinen nicht überflüssig. Hr. *Bernhard* sagt: „es sey offenbar, daß eine solche Wassersäule um mehr als das Doppelte zugenommen haben müsse." Ich habe durch Versuche erwiesen, daß die Ausdehnung des Wassers bei einer Temperatur von 212° F. unter dem Druke der Atmosphäre nicht 1/25 des Volumens desselben im Maximum seiner Dichtheit übersteigt, und dieses 1/25 ist das Maximum der *Ausdehnung*, welches durch die *mechanische* Wirkung des Wärmestoffes erzeugt wird. Ein Fuß wäre demnach die Ausdehnung einer 25 bis 26 Fuß hohen Säule unter den günstigsten Umständen, d. h. bei gleichförmiger und gleichzeitiger Erhizung aller Theile der Säule. Allein *selbst dieser Grad* von Ausdehnung in einer Torricelli'schen Säule von dieser Höhe kann an Hrn. *Bernhard's* Maschine nicht Statt haben. Die Basis dieser Bernhard'schen Säule mit einem luftleeren Raume ruht auf dem Wasser, welches in dem Kessel oder in der Retorte sich befindet. Das Feuer wird an einer weit größeren Fläche, als die Basis dieser Säule, angebracht, und wirkt, nach der oben angegebenen Weise, auf die ganze Wassermasse; es hat alle elastischen Gasarten und Flüssigkeiten aus diesem Theile Wassers entwikelt, *ehe noch* die Wassersäule auf eine bedeutende Höhe davon afficirt seyn konnte. Nun muß der Druk derjenigen Dämpfe, die *ohne Verdichtung* durch diese Säule gingen, auf die obere Oberfläche derselben wenigstens dem Druke der äußeren atmosphärischen Säule gleich seyn; wahrscheinlich ist er größer, denn ihre elastische Kraft ist im Durchschnitte größer. Folglich kann die Ausdehnung einer gegebenen Wassersäule in einem leeren Raume, wenn sie von einer elastischen Kraft gedrükt wird, die sich plözlich erzeugt, und dem Druke der Atmosphäre gleich ist, nicht größer seyn, als die Ausdehnung einer ähnlichen Säule unter atmosphärischem Druke und unter übrigens gleichen Umständen. *Es ist folglich unmög-*

lich, daß das Wasser in Folge seiner Ausdehnung bei der Ausgangsklappe austritt."

„Hrn. Bernhard's Versuch selbst läßt hierüber keinen Zweifel. Er sagt S. 284, daß er ein Thermometer zunächst an dem oberen Ende der aufsteigenden Röhre anbrachte „und daß dieses daselbst nur eine Temperatur von 140° F. an dem Wasser zeugte." Nun ist aber die specifische Schwere des Wassers bei 140° beinahe dieselbe, wie bei 40 oder 50°, d. h., 0,985, Statt 1,000."

„Wir haben gezeigt, daß der Druk auf Hrn. Bernhard's Torricelli'sche Röhre durch Einwirkung der gehobenen elastischen Flüssigkeiten größer wird, als der Druk der Atmosphäre auf die Entleerungsklappe; denn sonst könnte kein Wasser durch die niedersteigende Röhre ausfließen. Die specifische Schwere der Flüssigkeit an dem oberen Ende der Röhre des Hrn. Bernhard ist daher bei jeder gegebenen Temperatur wenigstens eben so groß, als die einer ähnlichen Flüssigkeit unter dem Druke der Atmosphäre; die specifische Schwere konnte also nicht um die Hälfte vermindert werden. Da nun specifische Schwere und Ausdehnung der Flüssigkeiten, wie Versuche erwiesen, sich umgekehrt verhalten; so konnte Hrn. Bernhard's Wassersäule nicht, wie er sagt, um mehr als das Doppelte größer geworden seyn; sie ward in keinem andern Verhältnisse größer, als die Geseze der Natur es erlaubten."

„Was die Verdichtung betrifft," sagt Hr. Aeolus S. 57., „so hat sie bloß während des Durchganges eines Theiles der Gasarten und Dämpfe durch die beständig erneuerte Wassersäule Statt; auf die vermehrte Verdichtung durch die Verdichtungsröhren rechne ich gar nicht; denn das Wasser, welches nach und nach in denselben anlangt, hat nur 140° oder noch weniger. Der übrige Theil der Dämpfe geht aber zugleich mit dem Wasser, welches er emportreibt, bei der Austrittsklappe hinaus, nachdem er den Druk der Atmosphäre, 2000 Pfd. auf den □ Fuß, überwunden hat. Nicht durch Verdichtung, sondern gerade durch das Entgegengesezte, durch Elasticität, wird die mechanische Kraft dieser Maschine erhalten, und, wenn die Verdichter ja noch wirken, so wirken sie zum Nachtheile der Maschine; obschon sie die Wirkung der Luftmenge bei Bildung des leeren Raumes zum Theile unterstüzen. Das Wasser selbst kann höchstens durch Reduction von 142,5° auf 42°,5 um ein Zwanzigstel verdichtet werden. Der Verdichtungsapparat kann also füglich wegbleiben."

Hiermit wäre nun das Spiel dieser Maschine erklärt. In wiefern sie vortheilhafter arbeitet, als ähnliche, kann allein, wie Hr. Aeolus richtig bemerkt, Erfahrung im Großen lehren: die Dampfmaschine wird sie nie ersezen.

IX.
Neue Methode zur Bereitung des Scheren- oder Schar-Stahles (Shear-Stal), worauf Karl Sanderson, Eisen-Meister, auf den Park-Gate-Eisenwerken bei Rotherham, Yorkshire, sich am 4ten September 1828 ein Patent ertheilen ließ.

Aus dem Repertory of Patent-Inventions. December 1829. S. 732.

Meine neue Methode besteht darin, daß ich den Scheren-Stahl aus kleinen Stüken Stangen-Stahl, statt aus Einem bis zwei Fuß langen Stüken Stangen-Stahl, wie bisher gewöhnlich, verfertige, wodurch ich das öftere Hizen des Stahles erspare, folglich auch weniger verliere und keinen Kieselsand nöthig habe, den man bisher hierzu brauchte.

Mein Verfahren besteht in Folgendem: ich nehme Stangen-Stahl, so wie er aus dem Stahl-Ofen (converting furnace) kommt, und zerschlage ihn in sehr kleine Stüke von 1 bis 2 Zoll Länge. Nachdem ich mir eine hinlängliche Menge solcher kleinen Stüke verschafft habe, nehme ich einen runden Stein von solcher Beschaffenheit, daß er der starken Hize eines Reverberir-Ofens zu widerstehen vermag, ohne in derselben zu springen oder zu bersten, und auf diesem Steine schlichte ich die Stahlstüke so genau und enge an einander, als nur immer möglich ist, auf. Diesen ganzen Haufen mit dem Steine bringe ich in einen Tiegel aus feuerfestem Thone, und stelle diesen in einen Reverberir-Ofen, in welchem ich ihn so lang lasse, bis die ganze Masse in eine hohe Schweißhize gerathen ist. Nun wird sie aus dem Tiegel genommen, und unter einen schweren Hammer aus Gußeisen gebracht, den man (in englischen Eisenwerken) den metallnen Stiel (metal helve) nennt: es ist derselbe Hammer, dessen man sich bei Verfertigung des Schien- oder Stab-Eisens (bar iron) bedient. Dieser Hammer wird durch Maschinenwerk getrieben, und da die ganze Masse in einem halbflüssigen Zustande ist, ist sie beinahe augenbliklich zu einem Bloke oder einer dichten Masse (bloom of steel) von 3 bis 4 Quadratzoll gehämmert. Diese Masse, oder die Stahlblume (wie sie in englischen Fabriken heißt) kommt hierauf in einen Ofen, oder, wie man sagt, in ein Hohlfeuer (hollow fire) von 3 bis 4 Quadratfuß, welches mit Kohks unterhalten wird; die Hize wird durch ein Gebläse verstärkt, und die ganze Stahlmasse, wie sie auf obige Weise gehämmert wurde, in eine starke Schweißhize gebracht. Hierauf nimmt man sie wieder heraus, und bringt sie neuerdings unter den oben erwähnten Hammer, unter welchem sie in eine Scheren- oder Scharstahl-Stange ausgeschlagen wird, die dann die weiteren beliebigen Formen und Größen erhalten kann. Wenn der Schreren-Stahl nur von geringerer Qualität zu gemeinen Arbeiten ausfallen soll, würde das Aufschlichten desselben in einem Tiegel zu kostbar werden; man begnügt sich, denselben bloß in einen Reverberir-Ofen zu bringen, und nimmt ihn wieder aus dem Ofen heraus, sobald er in der Schweißhize steht. Da der auf diese Weise bereitete Scharstahl von weit besserer Qualität ist, als der auf gewöhnliche Weise verfertigte, und weit weniger Abfall bei diesem Verfahren Statt hat, so nehme ich dasselbe als mein Patent-Recht in Anspruch.

Das Repertory bemerkt, daß der Scheren- oder Schar-Stahl auf diese Weise weit wohlfeiler werden muß, weil er sich weit leichter bereiten läßt; daß er zugleich besser werden muß, weil er weniger durch die Hize leidet, und, wie man technisch zu sagen pflegt, weniger verbrannt (burnt) wird. Diese Entdekung muß den Stahlarbeitern zu Sheffield und Birmingham sehr zu Statten kommen, und es ist sehr zu wünschen, daß sie bald allgemein eingeführt werden möge. [14])

X.

Verbesserung an den Maschinen zur Verfertigung von Nägeln mit und ohne Kopf, auch zur Verfertigung von Schrauben, worauf Thom. Tyndall, Gentleman zu Birmingham, in Folge einer Mittheilung eines im Auslande wohnenden Fremden, sich am 18. Dec. 1827 ein Patent ertheilen ließ.

Aus dem London Journal of Arts. III. B. N. 16. 1829. S. 184.

Mit Abbildung auf Tab. II.

Diese Patent-Verbesserung ist, so wie jene für Verbesserung der Knöpfe (London Journ. Jun. S. 126. Polyt. Journ. B. XXXIV. S. 8.) eine Erfindung des Hrn. Drs. Church, welche derselbe dem Patent-Träger mittheilte.

Die Erfindung besteht aus zwei Theilen: 1stens in der Art die Nägel und Schraubenstifte mittelst Kneipens oder mittelst eines Drukes zwischen gezähnten Walzen aus heißen eisernen oder anderen metallnen Stangen zu verfertigen; 2tens, in einem Apparate, die Schraubengänge auf den vorläufig gebildeten Stift zu schneiden.

Nachdem die Nägel ꝛc. durch die Walzen ihre Form so beiläufig erhalten haben, werden sie mittelst einer Schere an beiden Enden abgeschnitten, und erhalten in der Folge ihre Spizen und Köpfe durch eben so viele Prägestämpel in einem sich drehenden Cylinder. Die

---

[14]) In Deutschland wurde dieses Verfahren schon seit langer Zeit hier und da angewendet. A. d. Ue.

verschiedenen Theile, wodurch dieser Mechanismus alles dieß bewirkt, sind Zahn- und Muschel-Räder und Hebel, wie man unten sehen wird.

Die Schraubengänge können in jeder beliebigen schiefen Richtung und Form geschnitten werden, d. h., man kann jede Originalschraube oder jede Copie einer Schraube schneiden, und dieß kann, wie man sehen wird, durch eine höchst einfache Stellung des Apparates geschehen.

In Fig. 8. ist die Maschine horizontal, d. h., im Vogel-Perspektive von oben gesehen dargestellt, so wie man sie zur ersten Bildung der Nägel und Schrauben und dann zur Verfertigung der Spizen und Köpfe derselben braucht. Fig. 9. zeigt sie im senkrechten Aufrisse vom Ende geometrisch dargestellt: das Flugrad ist weggelassen. Dieselben Buchstaben bezeichnen dieselben Gegenstände in hier und in den drei folgenden Figuren. a a ist die Hauptachse, an welcher das Flugrad, b, angebracht ist. Ein Theil der Hauptachse theilt sich in einen Triebstok mit zwei Blättern, c c, welcher in die ganz eigens gebildeten Zähne eines Zahnrades, d d, eingreift, das auf der Achse, e e, befestigt ist. Durch die Umdrehung dieser Hauptachse werden alle übrigen Theile der Maschine in Thätigkeit gesezt.

Fig. 10. zeigt die Maschine in einem senkrechten Durchschnitte parallel mit der Endansicht Fig. 9. nach der punktirten Linie, A A, in Fig. 8, in welchem man die Formen der Drukwalzen zur Bildung der Nägel aus der Metallstange deutlich sieht, so wie auch die Lage der Prägestämpel in dem sich drehenden Cylinder zum Spizen derselben, und der Hebel zum Aufsezen der Köpfe. Man muß jedoch bemerken, daß die hier zur Bildung der Nägel dargestellten Walzen und Stämpel mit anderen vertauscht werden müssen, wenn Schrauben gebildet werden sollen. Fig. 11. ist ein anderer senkrechter Durchschnitt, parallel mit dem vorigen, nach der punktirten Linie, BB, in Fig. 8. Diese Figur zeigt die eigene Form der Zähne des Rades, d, und die zwei Blätter des Triebstokes, c c, die in dieselben eingreifen, und so, wie die Achse a sich dreht, das Rad, d, treiben, und folglich durch die Räder f und g alle übrigen Theile der Maschine in Bewegung sezen: das erstere dieser Räder, f, ist an der Achse des Zahnrades, d, befestigt, das leztere an der Spindel des Prägecylinders h: beide diese Zahnräder sind vorzüglich durch Punkte in diesen Figuren angezeigt.

Nachdem die Hauptachse durch irgend eine Kraft in Umtrieb gesezt wurde, wird die Metallstange, aus welcher die Nägel verfertigt werden sollen, durch die Leiter, i, eingeführt, und zwischen die Walzen, k l, gebracht, welche man in Fig. 10. im Durchschnitte sieht, wo die Ungleichheiten der oberen Walze, k, die Stange, so wie sie in der Form einer Reihe von Keilen fortschreitet, wovon jeder einen Nagel gibt, pressen. Da auf diese Weise das vordere Ende der Stange vorgeschoben wird, so tritt es in die kreisförmige Furche des Cylinders, h, welcher derselben gerade gegenüber gelegen ist, wie man in Fig. 8. sieht; und so wie der Cylinder sich dreht, tritt der theilweise geformte Nagel in den Stämpel, Fig. 10, und wird daselbst zum Abschneiden festgehalten. Wie dieß geschieht, wird weiter unten erklärt werden.

Die einzelne Figur, 12, stellt ein paar Prägestämpel in einem größeren Maßstabe von oben gesehen dar. Sie bestehen aus zwei Stüken Stahl, n und o, mit eingeschnittenen Enden nach der Form der Nägel, die man erzeugen will. Diese Stämpel sind in Längenfurchen in dem sich drehenden Cylinder, h, aufgezogen, wie man in Fig. 8. sieht: der Stämpel, n, ist fest in der Furche befestigt, und der Stämpel, o, kann sich frei in derselben bewegen. Eine Feder am Ende des Cylinders, h, wirkt in einem Ausschnitte am Ende des schiebbaren Stämpels, o, wie man in Fig. 8. sieht, zieht ihn zurük, und öffnet folglich die Stämpel. Dieß ist die Lage der Stämpel, wie man sie in der Hülfsfigur, Fig. 14. sieht; und so, wie der Cylinder sich dreht, tritt der in die Furche eingeführte Nagel, wie oben beschrieben wurde, bei der Oeffnung j in die Prägestämpel.

Die Bewegung der Scheren oder Messer wird mittelst eines Muschelrades, r, an der Hauptachse, a, bewirkt, wie man in Fig. 8 und 9. sieht; und so, wie diese Achse sich dreht, hebt das Muschelrad r den Hebel s, der an der Spindel t befestigt ist, wodurch die Spindel, t, sich auf ihren Zapfen schwingt, und das obere Messer, q, mittelst des kurzen Hebels, u, bewegt.

Der kürzere Hebel, u, dreht sich um einen Stüzstift in dem senkrechten Pfosten an dem Gestelle der Maschine, wie man in Fig. 10. sieht. Ein Ende dieses Hebels ist mittelst eines Gewindes mit dem Hintertheile der Schwungspindel, t, verbunden, und das entgegengesezte Ende mit dem schiebbaren Stüke, x, welches das obere Messer, q, hält: das untere Messer ist in dem unteren Theile des senkrechten Pfostens gehörig befestigt. Durch das Aufsteigen des Hebels, s, wird das Stük, x, und das obere Messer, q, niedergedrükt, und der zum Theile gebildete Nagel von der Stange abgeschnitten.

Nachdem nun die zum Theile gebildeten Nägel auf diese Weise von dem Ende der Stange mittelst des Messers, q, abgeschnitten sind, während welcher Zeit der Cylinder still steht, führt die nächste Bewegung des Cylinders den Nagel dort hin, wo der Kopf auf demselben angebracht werden soll.

So, wie der Cylinder sich dreht, kommt das Ende des schiebbaren Stämpels, o, gegen die gekrümmte schiefe Fläche, v, welche an der Seite des senkrechten Pfostens befestigt ist, wie man in Fig. 8. sieht. Dadurch wird der Prägestämpel, o, nach innen getrieben. Da die Stämpel auf diese Weise geschlossen wurden, bekommt der Nagel zwischen denselben die Form, die er haben soll, und wird zugleich festgehalten, um seinen Kopf zu erlangen.

Wenn der Hebel, s, auf die beschriebene Weise gehoben wird, wird der Blok, w, an der Spindel, t, welcher den Kopf aufsezt, niedergedrükt, und dadurch der Stämpel, x, auf den oberen Theil des Nagels gebracht, und so der Kopf gebildet.

Wir wollen hier bemerken, daß, obschon die Hauptachse, a, in gleichförmiger Bewegung gedreht wird, um die zum Schneiden und zum Aufsezen des Kopfes nöthige Zeit zu gewinnen, die Walzen k und l und der Cylinder h regelmäßige Zwischenräume von Ruhe erhalten müssen. Diese wird denselben nun durch die besondere Form der Zähne des Rades, d, gegeben, wodurch es den Hebeln der Triebstöke, c, möglich wird, einen Theil ihrer Umdrehung zu vollenden, ohne das Rad vorwärts zu treiben. Dieß geschieht nun zur Zeit, wo einer der Däumlinge des Rades, r, den Hebel, s, hebt, wo dann das Abschneiden und das Aufsezen des Kopfes auf die oben beschriebene Weise geschieht.

Die weitere Umdrehung des Cylinders, h, führt den Nagel in die entgegengesezte Lage, in welcher derselbe in den Cylinder eingeführt wurde, wo ihn dann ein kleiner Meißel, auf welchen ein Hebel, y, mittelst einer Feder wirkt, aus den Stämpeln herauswirft, wie man in Fig. 10. sieht.

Die Schweife dieser Hebel, yy, laufen an dem Ende des Cylinders mit den Prägestämpeln hervor, und werden, während der Umdrehnng des Cylinders, durch ein schnekenförmig gebildetes Stük, z, das man in Fig. 9. sieht, nach einwärts getrieben. Wenn der Cylinder an jenen Theil seiner Umdrehung gelangt, wo der Nagel herausgeworfen werden muß, gleitet das Ende des Hebels, der dann in Thätigkeit ist, von dem kleineren Durchmesser der Schneke auf den größeren. Aus der Hülfsfigur, Fig. 13. wird man die Wirkung dieser Hebel deutlich einsehen: der Cylinder ist daselbst im Längendurchschnitte dargestellt.

Da nun die Art beschrieben ist, wie die Stange zu keilförmigen Stüken geformt wird, wie diese Stüke von einander geschnitten werden und, hierauf ihren Kopf erhalten, so muß hier nothwendig bemerkt werden, daß die metallne Stange gehizt werden muß, ehe sie zwischen die Walzen kommt. Dieß ist jedoch nicht durchaus nothwendig, indem man auch aus einer kalten Metallstange Nägel verfertigen kann. Durch das Hizen wird die Arbeit jedoch erleichtert.

Die Form der Stämpel zum Formen der Nägel und zum Aufsezen des Kopfes auf dieselben muß nach Art der Nägel gewählt werden, die man verfertigen will. Die Prägestämpel lassen sich daher aus dem Cylinder nehmen, und mit Leichtigkeit wieder andere dafür aufsetzen.

Um die Schrauben zu formen, müssen beide Walzen mit halbkreisförmigen Furchen und mit den gehörigen Vertiefungen für die Köpfe versehen werden: nachdem sie abgeschnitten sind, wird der Kopf mittelst des Kopfstämpels aufgesezt.

Ich beschreibe nun den zweiten Theil meiner Erfindung, nämlich die Art und die Maschine, wie die Schraubengänge geschnitten werden, wie man in Fig. 14. und in den folgenden Figuren sieht. Die Maschine hat, im Wesentlichen, mit einer Drehebank Aehnlichkeit, und ist in Fig. 14. horizontal, d. h. in einer Ansicht von oben dargestellt. Fig. 15. zeigt sie im senkrechten Längendurchschnitte. aa ist das Lager oder das Bett. bb ist das Gestell für die Doke, welches die Doke, die Laufscheibe und das Triebwerk, wie an einer gewöhnlichen Drehebank, trägt. c ist die Fußdoke, von gewöhnlicher Einrichtung. d eine schiebbare Ruhe, die mittelst des Gewichtes, e, auf dem Lager festgehalten wird.

Eine eigene und neue Vorrichtung in diesem Theile der Erfindung ist die Weise, wie an der schiebbaren Ruhe, welche das schneidende Werkzeug führt, eine Bewegung hin und her erzeugt wird, durch welche zugleich die verlangte Schiefe dem Schraubengange gegeben werden kann.

Nachdem das Rad, f, mit der Laufscheibe oder Trommel, g, in Verbindung gebracht wurde (was mittelst eines besonders gebildeten Bolzens geschieht, welcher in der Folge beschrieben werden soll), und die Laufscheibe in der Richtung des Pfeiles getrieben wird, wird das Zahnrad, h, und die Doke, i, an welcher es befestigt ist, in entgegengesezter Richtung getrieben.

An dem hinteren Ende der Doke befindet sich ein kleiner Triebstok, k, der in den Zahnstok, ll, eingreift, welcher an einer schiebbaren Platte, mm, befestigt ist, die man in der horizontalen Darstellung besonders deutlich sieht. An dieser Platte, m, befindet sich eine Leitungsbüchse, nn, welche, da sie sich um einen Stift dreht, nach Belieben unter jedem schiefen Winkel gestellt und befestigt werden kann. Eine an der schiebbaren Ruhe befestigte Stange, oo, ist mit der Leitungsstange, n, verbunden, indem an der unteren Seite ein Einschnitt angebracht ist, durch welchen die Leitungsstange sich schiebt, wie man in Fig. 16. sieht.

Man wird nun einsehen, daß, wenn die Laufscheibe in der Richtung des Pfeiles getrieben wird, der Triebstok, k, den Zahnstok und die schiebbare Platte rückwärts, d. i., in der Richtung des Pfeiles treiben wird. Durch diese Bewegung wird die Leitungsstange, n, welche schief steht, die schiebbare Ruhe gegen das Dokengestell ziehen, indem sie mit der Stange, o, verbunden ist. Auf diese Weise erzeugt nun der schneidende Meißel, wie er sich mit der schiebbaren Ruhe gegen das Dokenhaupt bewegt, den Schraubenfaden auf dem Schraubenstifte, p, wie man in Fig. 15. sieht.

Nachdem der Faden auf diesem Stifte hinlänglich weit geschnitten wurde, wird die Wirkung der Maschine verkehrt, um die schiebbare Ruhe mit dem schneidenden Meißel wieder zurückzuführen, was auf folgende Weise geschieht. So wie die Platte, m, sich schiebt, schlägt ein Klopfer, q, der an der Platte angeschraubt ist, gegen einen Zahn am unteren Ende der senkrechten Spindel, r, den man in der Hülfsfigur, Fig. 17. sehr deutlich sieht. Auf diese Weise wird die Spindel umgedreht, und ein horizontaler Hebel, s, der oben an besagter Spindel, r, befestigt und mittelst eines Gliedes, t, mit dem schiebbaren Stifte, u, verbunden ist, treibt diesen Stift einwärts, und ein Sperrbolzen, w, dessen Arm mit dem Stifte dadurch verbunden ist, daß er durch ein ausgeschnittenes Loch läuft, wird durch das Schieben des Stiftes aus dem Rade, f, gezogen, und in das Rad, k, vorgestoßen. Auf diese Weise wird nun die Laufscheibe an das Hintertheil der Zahnräder gesperrt, wie man in Fig. 18. sieht, und die Doke dreht sich nun in entgegengesezter Richtung.

Diese Bewegung des Stiftes wird durch das Ueberfallen des Tölpels befördert, wie man durch die punktirten Linien in Fig. 15. sieht. Nachdem die entgegengesezte Wirkung auf diese Weise erhalten wurde, kommt, wenn die schiebbare Ruhe mit dem schneidenden Meißel und mit der schiebbaren Platte mit ihrem Zahnstoke über die ganze Bahn zurükgelaufen ist, ein anderer Klopfer, y, der auf der schiebbaren Platte aufgeschraubt ist, gegen den oben erwähnten Zahn an dem unteren Theile der senkrechten Spindel, r, und dreht sie in einer der vorigen entgegengesezten Richtung, wodurch wieder das Vorderrad, s, an die Laufscheibe gesperrt wird.

Vor der zurükkehrenden Bewegung der schiebbaren Ruhe ist es nothwendig, daß die Spize des schneidenden Meißels von der Schraube zurükgezogen wird. Dieß geschieht durch die Wirkung der oben erwähnten senkrechten Spindel, r, wie wir sogleich sehen werden. Der schneidende Meißel ist an dem senkrechten Arme eines Elbogenhebels angebracht, den man in der Hülfsfigur, Figur 19. sieht, welcher Hebel 1 sich auf den Mittelpunkten 2 schwingt, so daß durch das Aufsteigen des Endes des horizontalen Armes des Hebels der schneidende Meißel 3 von der Schraube 4 zurükfällt. In der horizontalen Darstellung der Maschine (Fig. 15.) ist eine schiebbare Stange, z, mittelst eines Gefüges an einem Arme angebracht, der von der senkrechten Spindel, r, ausläuft; die Wirkung dieser Spindel ist Verkehrung der Bewegung der schiebbaren Ruhe, wie oben angegeben wurde, und macht die Stange, z, hin und her sich schieben. Auf dieser Stange sind zwei kleine Klopfer, s s, die man in jeder beliebigen Entfernung von einander stellen kann, welche Klopfer, so wie die Stange sich schiebt, gegen ein Plättchen 6 auf der Spindel 7 schlagen. An dieser Spindel ist ein kleiner gabelförmiger Hebel befestigt, 8, welcher einen Stift, 9, führt, der durch einen horizontalen Ausschnitt in dem Hintertheile des Hebels, 1, sich befindet. Wenn der schneidende Meißel in Thätigkeit ist, befindet sich der Hebel 8 in einer beinahe senkrechten Lage, und wird in dieser Lage mittelst eines mit einem Tölpel, Fig. 17. versehenen Hebels erhalten, den man gleichfalls in Fig. 15 und 16. sieht. Wenn aber die Stange, z, zurükgestoßen wird, um den schneidenden Meißel von der Schraube zurükzuziehen, schlägt der Klopfer, s, auf das Plättchen, und wirft die Spindel 7 mit dem Tölpel 10 und dem gabelförmigen Hebel 8 in die entgegengesezte Lage, wodurch der Stift 9, der in dem Ausschnitte sich schiebt, veranlaßt wird, den Schweif des Hebels 1 zu heben und den schneidenden Meißel zurükzuwerfen. Wenn die schiebbare Ruhe ihrem ganzen Laufe nach zurükgegangen ist, um den Schnitt zu wiederholen, zieht die Wirkung der senkrechten Spindel, r, wie oben gesagt wurde, die Stange, z, links, wo dann der andere Klopfer, s, das Plättchen 6 schlägt, den Tölpel wieder, wie vorher, überwirft, und den schneidenden Meißel wieder neuerdings in Thätigkeit bringt: der Stift des gabelförmigen Hebels hält ihn dann, wie oben erklärt wurde, fest.

Um die Tiefe des Schnittes zu verstärken, ist ein Zahnrad, 11, Fig. 14 und 15. an der Schraube der schiebbaren Ruhe angebracht, welches Zahnrad dadurch, daß es mit einem feststehenden Sperrkegel, 12, bei jeder Wiederkehr der schiebbaren Ruhe in Berührung kommt, die Schraube einen kleinen Theil ihrer Umdrehung machen läßt.

Um zu verhindern, daß der schneidende Meißel nicht bricht, wenn er aus der Arbeit herausgezogen wird, tritt der Klopfer auf der Platte, m, bei jedem folgenden Schnitte nach und nach um etwas vor, so daß die Wirkung des schneidenden Meißels jedes Mal etwas früher unterbrochen wird. Die Art, wie dieses geschieht, ist in Fig. 14. dargestellt, und in der vergrößerten Figur des Klopfers, Fig. 20., wo die obere Platte abgenommen ist, um die darin enthaltenen Theile zeigen zu können.

Es ist noch ein kleiner Hebel, 13, da, an welchem ein Sperrkegel, 14, angebracht ist, welcher mittelst einer Feder in das Zahnrad, 15, eingedrükt wird. Man wird nun einsehen, daß, wenn der Schweif des Hebels, 13, eingedrükt wird, was geschieht, wenn er bei jedem Vorrüken der schiebbaren Platte gegen das Gestell schlägt, das Zahnrad um Einen Zahn vorwärts geschoben wird, der Klopfer auf diese Weise verlängert, und folglich der Abstand zwischen ihm und dem anderen Klopfer verkürzt wird.

Diese Maschine ist zum Schneiden sogenannter Original-Schrauben von jeder Form und Schiefe der Gänge bestimmt, und dient daher auch vorzüglich zum Schneiden der Schraubenzapfen, dergleichen einer in Fig. 15. in der Arbeit ist. Sie dient auch zum Schneiden der Schrauben zu anderen Zweken.

Patent-Erklärung von Newton.[15])

XI.

Maschine zur Appretur leichter Stoffe in der Fabrik der HHrn. Schlumberger-Grosjean et Comp.; der Société industrielle de Mulhausen vorgelegt von Hrn. Jos. Koechlin.

Aus dem Bulletin de la Société industrielle de Mulhausen. N. 11. S. 35.

Mit Abbildungen auf Tab. II.

(Im Auszuge.)

Gegenwärtige Maschine ist in dem Hause Schlumberger-Grosjean u. Comp., welches sie durch Hrn. Ziegler und Greuter erhielt, seit zwei Jahren im Gange.

Sie ist nicht neu; sie wurde bereits mit Erfolg zu Tarrare, zu St. Quentin und in anderen Oertern Frankreichs, vielleicht aber in einem minder vollkommenen Zustande, angewendet. Im Departement des Oberrheins ist sie noch ganz neu und arbeitet trefflich.

Zwei viereckige Balken, von drei Zoll im Gevierte und von der

15) Es ist nicht die Schuld des Uebersezers, wenn der Leser Beschreibung und Abbildung dieser Maschine nicht deutlich genug findet: wahrscheinlich wollte man sie nicht deutlicher geben. Die Maschine ist allerdings sehr sinnreich; sie ist aber auch sehr zusammengesezt, und wir sind begierig, eines Tages zu hören, wo diese Maschine arbeitet? Wie lang sie arbeitet, ohne Reparatur zu fordern, und um wie viel sie schneller arbeitet, als ein kunstfertiger Nagelschmid? denn es ist beinahe unglaublich, was ein geschikter und fleißiger Nagelschmid zu leisten vermag. A. d. Ue.

Länge des Stükes, welches man appretiren will, parallel so weit von einander gestellt, als dieses Stük breit ist, ruhen horizontal auf senkrechten Füßen, welche gehörig befestigt, und in einer Höhe von 3 Fuß 9 Zoll von der Erde durch Querbalken verbunden sind.

In obigen Balken laufen, der ganzen Länge derselben nach und auf ihrer oberen Fläche, zwei Furchen, in welche hölzerne Keile sich eintreiben. Das Ganze bildet einen ungeheuren Rahmen, an welchem eine längere Seite und eine kürzere beweglich ist.

Ein Ofen aus Eisenblech läuft, auf vier Räder gestellt, unter diesem Rahmen der ganzen Länge nach auf zwei eisernen Schienen hin.

Eine Schnur, die an den beiden Enden des Apparates über zwei Rollen läuft und an dem Ofen befestigt ist, zieht diesen parallel mit den Balken der Länge nach hin und her.

Die Eisenbahn ist länger als die beiden Balken, um dem Ofen außer dem Rahmen freien Plaz zu gewähren, während er still stehen muß.

An dieser Stelle, wo der Ofen ruht, befindet sich ein Schornstein, durch welchen die schädlichen Gasarten ihren Abzug finden: hier zündet man das Feuer an und unterhält es.

Ein Balken ist, seiner ganzen Länge nach, von zehn Fuß zu zehn Fuß, mit Stellschrauben versehen, die sich auf senkrechten Stüzen befinden.

Das Stük Zeug, welches getroknet werden soll, und vorläufig in Stärke oder in irgend einen anderen Stoff auf die gewöhnliche Weise getaucht wurde, befindet sich auf einem hölzernen, auf zwei Zapfen laufenden Cylinder. Dieser Cylinder ruht auf zwei Stüzen, die an einem Ende des Gestelles angebracht sind. Ein Arbeiter nimmt das aufgerollte Stük Zeug an seinem Ende, und führt es mit demselben an das entgegengesezte Ende des Rahmens, wo er, nachdem er sich überzeugte, daß das ganze Stük abgerollt ist, das Ende desselben auf einer Querlatte befestigt, die frei auf den Längenbalken ruht, und mit kupfernen Zähnen versehen ist. In diese Zähne drükt er den Zeug mittelst einer Bürste ein, und sorgt dafür, daß er gehörig der Breite nach ausgespannt wird. Während dieser Zeit geschieht dasselbe auch an dem anderen Ende des Stükes; nur ist hier die Leiste mit den kupfernen Zähnen fest angebracht, und nicht beweglich.

Die erstere dieser Zahnleisten kann mittelst eines kleinen Haspels horizontal bewegt werden: der Arbeiter treibt eine Kurbel mit einem Zahnrade, und spannt so das Stük Zeug nach der Länge. Die Verlängerung, die er dem Stüke durch diese Spannung geben kann, hängt von der Natur des Gewebes ab, und ist folglich verschieden: bei leichten und feinen Geweben, und überhaupt wo keine Kreuzung oder keine groben Faden in der Kette vorkommen, muß sanft mit dem Stüke umgegangen werden.

Hierauf nehmen zwei Arbeiter, die an den Seiten des Rahmens einander gegenüberstehen, den Zeug bei seinen Sahlbändern, und fangen an dem oberen oder unteren Ende des Stükes an, diese Sahlleisten (jeder auf seiner Seite) in jene Furche zu bringen, die über die Längenbalken hinläuft, und befestigen dieselben darin mittelst der hölzernen Keile.

Nachdem dieß geschehen ist, spannt man das Stük durch Drehung der Stellschrauben nach der Breite. Erfahrung kann hier allein lehren, welchen Grad von Spannung man dem Zeuge geben darf. Wenn man indessen einmal weiß, wie stark man denselben spannen darf, so ist es leicht, jedem gegebenen Stücke seine Spannung gleichförmig durch die ganze Länge desselben zu geben, indem die Stellschrauben graduirt sind. Ueberhaupt spannt man die Mußline so sehr in die Länge und Breite, als es ohne Zerreißung derselben möglich ist.

Das Feuer ward vorher in dem Ofen bereits eingeschürt, um denselben in gehöriger Hize zu haben, wenn das Stük seine Spannung erhalten hat. Man unterhält dieses Feuer mit Holzkohlen, unter welchen man nur solche wählt, die gehörig verkohlt sind, und die keine Flamme mehr geben.

Um zu verhüten, daß der Ofen keine Funken sprüht, und daß keine Flamme ausschlägt, wodurch der Zeug beschädigt werden könnte, ist der obere Theil des Ofens mit zwei Thürchen aus Eisenblech versehen, in welchen sich kleine Löcher befinden, und die man nach Belieben öffnen und schließen kann.

Nachdem die hier erwähnten Arbeiten vollendet sind, führt man den Ofen mittelst einer Kurbel und einer Schnur unter dem Zeuge von einem Ende desselben zu dem anderen hin und her, und fährt hiermit so lang fort, bis das Stük vollkommen troken ist. Hierauf nimmt man, so sanft als möglich, die hölzernen Keile aus der Furche, und legt sie in derselben zur Seite. Man macht die Sahlleisten los, die noch etwas feucht sind. Um auch diese zu troknen, führt man den Ofen ein paar Mal längs dem Rahmen hin und her, und nimmt dann das Stük aus demselben, um es zusammenzulegen.

Man muß wohl Acht geben, daß der Ofen, zumal in den lezten Gängen, nicht zu langsam läuft; denn wenn das Stück einmal troken ist, fängt es leicht Feuer.

Um diese Gefahr noch sicherer zu vermeiden, muß man sich hüten das Feuer dem Gewebe zu nahe zu bringen. Die Entfernung, welche ich am zuträglichsten fand, und die sich übrigens leicht reguliren läßt, ist 24 bis 26 Zoll zwischen dem Stüke und der Oberfläche der Kohlen.

Eine Gloke verkündet dem Arbeiter, der den Ofen in den Gang sezt, wann derselbe an dem ihm gegenüberstehenden Ende angekommen ist; und noch ehe dieser daselbst anstößt, dreht der Arbeiter in entgegengesezter Richtung.

Ein auf diese Weise appretirter Mußlin sieht ganz anders aus, als ein solcher, der auf die gewöhnliche Weise zugerichtet wurde.

Die Faden der Kette und des Eintrags sind hier ganz gerade und gehörig gespannt; sie scheinen runder zu seyn und bilden regelmäßigere Viereke; sie haben mehr Durchscheinenheit und zugleich ein weit schöneres Korn. Man muß solche Appretur gesehen haben, um über dieselbe richtig urtheilen und sie mit der früheren Methode vergleichen zu können.

Wie kommt es, daß man in unseren Drukereien so lang druken konnte, ohne dieses Verfahren bei der Appretur anzuwenden? Fehlte es hierzu an Raum in unsern großen Fabriken? Dieß scheint nicht. Die kleinen Fabrikanten zu Tarrare bedienen sich dieser Vorrichtung in einem kleineren Maßstabe, und troknen nur einen Theil des Stükes auf ein Mal. Einige haben sogar keinen Wagen für den Ofen, und fahren nur mit einer Glutschaufel unter dem Zeuge hin und her.

Man hat noch eine andere Abänderung an dieser Maschine: Statt der hölzernen Keile, die in die Furchen passen, hat man längs den Längenbalken Charnier-Stüke mit Zähnen, die, wenn sie niedergedrükt werden, die Zähne in die Sahlleisten eingreifen lassen. Man arbeitet auf diese Weise schneller, indem die Sahlleisten zugleich mit dem Stüke troken werden; allein man hat hier den Nachtheil, viele kleine Löcher in die Sahlleisten zu bekommen. [16])

Erklärung der Figuren.

1. Fig. Aufriß von der Vorderseite.
2. Fig. Grundriß.
3. Fig. Durchschnitt nach a b des Grundrisses und Aufrisses.
4. Fig. Längendurchschnitt des Ofens.
5. Fig. Querdurchschnitt des Ofens.

Dieselben Buchstaben bezeichnen in diesen Figuren dieselben Gegenstände.

AA, Längenbalken aus Holz: jeder derselben ist so lang, als die

16) Diesem Nachtheile und dem späteren Troknen der Sahlleisten bei den Keilen ließe sich vielleicht dadurch abhelfen, daß man die Längenbalken oben ganz flach läßt, und bloß eine heiße polirte Messingleiste auf den Zeug legt, den man mit seinem Ende auf die Balken gezogen hat; die Leiste wird dann durch kleine Schraubenstöke fest auf dem Zeuge angezogen. A. d. Ue.

ganze Maschine und aus Einem Stüke. Jeder ruht von 10 Fuß zu 10 Fuß auf senkrechten Stüzen,

BB, die fest in der Erde stehen, und durch Querbalken verbunden sind;

CC, an welchen sich eine Furche auf einer Seite befindet, wodurch die Furche auf den Längenbalken nach der Breite des Stükes bestimmt wird.

DD, Furchen zur Aufnahme der hölzernen Keile,

EE, deren unterster Theil genau in die Furchen passen muß, um die Sahlleisten des Zeuges zu kneipen und fest zu halten.

F, Ofen auf einem Wagen. Man kann den Ofen mittelst Falze und Bolzen nach Belieben aufsezen und abnehmen.

G, Eisenbahn, die auf Schuhen ruht, welche fest in der Erde befestigt sind.

H, Schnur, durch welche der Wagen in Bewegung gesezt wird, und die über vier Rollen läuft,

IIII; über die Hauptrolle läuft die Schnur in zwei Windungen; hierdurch wird dem Spannen und dem Abgleiten der Schnur vorgebeugt.

K, Stellschrauben, um den Zeug in abgemessenen Entfernungen nach der Breite desselben zu spannen.

L, beweglicher Querbalken mit kupfernen Spizen, um das Stük daran zu befestigen.

M, ähnlicher Querbalken, wie der vorige, aber feststehend.

N, Haspel oder Winde, um den Zeug der Länge nach zu spannen.

OO, kleine Walzen, um zu verhindern, daß die Schnur sich nicht auf der Erde reibt.

P, Kurbel, durch welche man den Ofen in Bewegung sezt.

QQ, Einige Stüke Ketten, die die Stelle des Seiles in der Nähe des Ofens vertreten.

Hr. Heilmann sagt S. 44. in einem Berichte über obige Maschine, daß er dieselbe in der Fabrik der HHrn. Schlumberger-Grosjean und Comp. arbeiten sah; daß diese Fabrik die erste war, die sich derselben im Oberrhein-Departement bediente, und daß sie allen Dank für die Liberalität verdient, mit welcher sie dieselbe ihren Rivalen bekannt macht; daß diese Maschine trefflicher als alle bisherigen Appretur-Vorrichtungen arbeitet; daß es unbegreiflich ist, wie man sich derselben nicht schon längst bedienen konnte, da sie doch in kleineren Fabriken Frankreichs schon lang im Gange war, gewöhnlich aber nur bei weißen Mußlinen, die man dadurch zu verbrennen fürchtete; daß endlich in Drukereien bei gedrukten Mußlinen, wenn gewisse Farben (couleurs d'application) aufgetragen wurden, Vorsicht und Aufmerksamkeit nöthig ist, damit diese Farben nicht leiden.

XII.

Verbesserung im Leimen, Glätten und Verschönern der Materialien, die man zu Papier, Karten-Papier, Pappendekel, Bristol-board und anderen ähnlichen Fabrikaten braucht, und worauf Gabriel de Soras, Gentleman, Leicester-Square, Stacey Wise und Karl Wise, Papiermacher zu Maidstone, Kent, sich in Folge einer Mittheilung eines im Auslande wohnenden Fremden am 21. August 1827 ein Patent ertheilen ließen.

Aus dem London Journal of Arts. N. 18. S. 517.

Zum Papierleimen wird eine Auflösung von Alkalien, Bienenwachs und Alaun im Wasser vorgeschlagen. Man bereitet zuvörderst eine Lauge aus Aezkalk und alkalischen Salzen, wie Perlasche, Potasche, kohlensaure Soda, die man in einem hölzernen Gefäße (am besten aus Fichtenholz (deal) in Wasser auflöst. Die Stärke derselben soll 104 seyn, wo die specifische Schwere des Wassers 100 ist.

Man bringt von dieser Lauge so viel man nun eben braucht, in einen kupfernen Kessel, sezt derselben so viel Pfund schönes, weißes Bienenwachs zu, als man Pfund Lauge genommen hat, und kocht beide einige Stunden gehörig durch. Dampfhize wird besser seyn als Feuerhize.

Nachdem das Wachs gehörig aufgelöst und mit der Lauge gemengt wurde, sezt man für jedes Pfund Wachs vier Gallons (40 Pf.) kochendes Wasser zu, und rührt so lang, bis Alles gehörig gemengt ist. Wenn das Wachs nicht vollkommen aufgelöst seyn sollte, ehe man das siedende Wasser zusezt, sezt man noch etwas mehr Alkali zu, und es wird sich dann vollkommen auflösen.

Der auf diese Weise bereiteten Flüssigkeit sezt man dann noch etwas Erdäpfelmehl oder Erdäpfelstärke im Verhältnisse von vier Pfund trokenes Mehl oder Stärke auf jedes Pfund Wachs zu. Wenn alles dieß gehörig unter einander gemengt wurde, sich verkörpert hat und kalt geworden ist, gibt es einen Leim, der zu dem beabsichtigten Zweke taugt.

Der Patent-Träger bemerkt, daß er das Erdäpfelmehl oder die Erdäpfelstärke bloß der Wohlfeilheit wegen braucht, indem anderes Mehl eben so gut taugt. Um dieses Mehl oder diese Stärke aus den Erdäpfeln zu erhalten, werden dieselben gekocht und zerquetscht, und nachdem das Mehl von den Schalen und von dem Faserstoffe (welche beide weggeworfen werden) durch Seihen abgeschieden wurde, wird das Wasser verdampft und das Mehl auf irgend eine schikliche Weise getroknet.

Dieser auf obige Weise erzeugte Leim wird mit den Lumpen gemengt, welche den Zeug in der Bütte bilden: dieß geschieht auf dieselbe Weise, wie man Leim zuzusezen pflegt, wo das Papier in der Bütte geleimt wird. Man nimmt zugleich etwas Alaun, den man in Wasser mit dem Leime in der Bütte auflöst. Die Menge Alaunes, die man nöthig hat, hängt von Umständen ab, die den Papiermachern ohnedieß bekannt sind, und daher nicht besonders angegeben werden dürfen.

Papier, das auf diese Weise in der Bütte geleimt wird, wird, wenn es gepreßt wird, ein wunderschönes glänzendes Ansehen erhalten. Das Pressen kann ganz auf die bei Papiermachern gewöhnliche Weise geschehen. Zuweilen preßt der Patent-Träger die Bogen zwischen Bogen von ungeleimtem Papier, das in eine starke Alaun-Auflösung getaucht wurde; zuweilen auch zwischen Filzen, die gleichfalls in Alaun getaucht wurden. Diese Filze müssen aber oft gewaschen werden, um sie von dem Leime zu reinigen, den sie durch dieses Pressen annehmen.

Die Bogen müssen während des Pressens wenigstens zwei Mal geöffnet und aus einander gelegt werden. Nach dem Troknen werden sie, wie gesagt, einen wunderschönen Glanz darbieten.

XIII.

Verbesserung an den Maschinen zum Stiken verschiedener Art von Zeugen, worauf Heinr. Bock, Ludgate Hill, sich am 2ten Mai in Folge einer Mittheilung eines Fremden [17]) ein Patent ertheilen ließ.

Das Register of Arts N. 29. theilt S. 134. folgende höchst unbefriedigende Notiz über diese für das Wohl der Menschheit, die bei der Stikwuth und Stikarbeit in Gefahr ist zu erstiken, ungemein wichtige Erfindung mit.

Der Zwek dieser Verbesserung ist die Stikarbeit mit der Hand gänzlich zu beseitigen.

Der hierzu nöthige Apparat besteht 1stens aus einem beweglichen Rahmen, in welchem der Zeug, der da gestikt werden soll, gespannt wird. Zu jeder Seite desselben befinden sich zwei Walzen: die eine derselben nimmt den Zeug auf, welcher gestikt werden soll, die andere den Zeug, welcher bereits gestikt wurde: der Theil des Stükes zwischen de

17) Ist dieser Fremde vielleicht Hr. Heilmann zu Mülhausen, von dessen Erfindung wir im Polyt. Journ. Bd. XXXIV. S. 441. Nachricht gaben.
A. d. R.

beiden Walzen steht in der Arbeit. 2tens aus einem Nadelrahmen, in welchem sich die Nadelhälter befinden, die ihrer Zahl nach mit der Zahl der Blumen 2c., die gestikt werden sollen, correspondiren. Dieser Rahmen ist doppelt, da die Nadeln auf beiden Seiten des Tuches eingestochen und ausgezogen werden müssen. Die Nadeln führen an beiden Enden eine Spize, und in der Mitte ein Loch. Der Faden wird dadurch gespannt, daß man ihn über eine Plüsch-Fläche laufen läßt, die demselben gestattet sich nach einer Richtung mit aller Leichtigkeit zu bewegen, nach der anderen aber ihn spannt.

Der Zug wird durch eine Reihe von Hebeln bewegt, die nach dem bekannten Grundsaze eines Storchschnabels „(der hier Pentagraph Statt Pantagraph heißt)" vorgerichtet sind, an welchem sich ein Griff mit einem Zeichenstifte befindet. Das Muster, welches gestikt werden soll, liegt in einer weit größeren Zeichnung vor, als der Dessein ausfällt, der gestikt wird, so daß der Arbeiter leicht jeden Stich wahrnehmen kann, der geführt werden soll. Wenn die Spize des Zeichenstiftes auf irgend einen Stich des Musters gelegt wird, so wird der Tuchrahmen, der durch ein Gegengewicht im Gleichgewichte erhalten wird, auf allen Nadeln hingeführt, deren jede denselben Stich auf dem Zeuge ausführt, den der Zeichenstift berührt, wenn gleich in weit kleinerem Maßstabe.

Diese Stikerei-Maschine taugt für Nadel- und Tambour-Stikerei. Die Erfindung ist äußerst sinnreich und original: der Geschmak an Stikerei hat aber in England so sehr abgenommen, daß wir fürchten, das Patent dürfte in England ganz überflüssig und unnüz werden. [18])

XIV.

Verbesserung an den Geschirren zum Weben, worauf Wilh. Pownall, Weber zu Manchester, Lancashire, sich am 6ten März 1828 ein Patent ertheilen ließ.

Aus dem London Journal of Arts. N. 18. S. 322.

Der Patent-Träger trägt hier zwei verschiedene Methoden vor: die erste besteht darin, daß die Knoten der Schnüre oder des Geschirr-Garnes abwechselnd oben und unten gebunden werden, so daß der freie Durchgang der Kettenfaden dadurch nicht gehindert wird; die zweite besteht in Verfertigung einer Art Zeuges, welche einzig und allein zu Geschirren gewoben wird.

Die erstere Art dieser Geschirre wird auf folgende Weise verfertigt.

18) Wir Festländer haben aber noch so viel Geschmak an Stikerei und so viel Stikte Uniforme, daß eine Stikmaschine auf dem festen Lande beinahe eben so wohlthätig für die Gesundheit werden kann, als die Vaccine. A. d. Ue.

Man versieht sich mit einer Bank, die so lang ist, als das Geschirr breit ist, und so breit, als das Geschirr hoch werden soll. An jedem Ende der Bank werden Blöke gelegt, um die zwei Leisten (Schäfte) zu stüzen, aus welchen das Geschirr verfertigt werden soll, und dieselben zugleich einige Zoll über der Bank zu erheben, damit die Hände der Arbeiter frei unter denselben durch und darüber weg können. Zugleich wird ein Stab längs der Bank in die Mitte zwischen den Leisten und parallel mit denselben gelegt.

Zwei Arbeiter sezen sich nun einander gegenüber an diese Bank; der eine führt das Geschirr-Garn über die Leiste an seiner Seite, über den Stab in der Mitte, und nachdem er es wieder zu seiner Leiste gebracht hat, befestigt er es. Der andere thut dasselbe von seiner Seite, führt aber sein Garn durch die Schleife, die das Garn des ersten Arbeiters bereits gebildet hat, und bindet es an seiner Leiste mit einem Knoten fest. Der zweite Arbeiter führt darauf ein Garn von seiner Leiste über den Stab und wieder zurük, und der erste Arbeiter führt ein Geschirr-Garn durch die hierdurch gebildete Schleife von seiner Leiste aus, und wieder zu derselben zurük, und bindet sie daselbst mit einem Knoten fest. Auf diese Weise wird das Geschirr-Garn abwechselnd über und unter der Stange zu dem Ringe gebildet. Dieß ist die erste Verbesserung.[19])

Die gewebten Geschirre werden aus einer Kette gewoben, die gerade so lang ist, als die Schäfte oder Leisten des Geschirres aus einander stehen sollen. Das Garn hierzu wird besonders ausgesucht.

Bei dem Weben wird zuerst, auf ein paar Zoll Länge, starkes Garn eingetragen; dann feineres, und zulezt Wollengarn (Worsted) welches, da es elastisch ist, den Ring bekommen muß, um den Kettenfaden durchzulassen, wenn das Geschirr gemacht und aufgezogen wird. Nach dem Wollengarn kommt wieder feines Garn und dann starkes.

Der Stoff, der auf diese Weise gewebt wurde, wird gehörig gesteift, und dann in Streifen von 1/10 Zoll Breite geschnitten. Die Streifen werden auf den Leisten der Geschirre aufgebunden, und bilden so das verbesserte Geschirr zweiter Art nach diesem Patente.

---

19) Der Uebersezer erinnert sich, vor 49 Jahren bei einem armen Weber, der für einen geschikten Mann galt, und der von einem vortrefflichen alten Israeliten (Humpolitzer hieß dieser Menschenfreund) unterstüzt wurde, als 7jähriger Knabe den Kindern dieses Webers geholfen zu haben, Geschirre für die Stühle ihres Vaters zu machen, und dabei genau so gearbeitet zu haben, wie hier angegeben ist. Statt des Stabes lag ein eisernes Stängelchen auf der Bank. Kein Knopf durfte im Garne seyn und das Garn mußte sorgfältig hinter den Leisten geknüpft werden. Der Uebersezer gesteht offen seine Unwissenheit, wenn er bekennt, daß er bis glaubte, alle Geschirre bei Leinwandwebern wären auf diese Weise verfertigt.
A. d. Ue.

XV.

Verbesserung an Kummten für Karren- und Kutschen-Pferde und an Sätteln für Zug- und Reit-Pferde, worauf Lionel Lukin, Esq., zu Lewisham, Kent, sich in Folge einer Mittheilung eines im Auslande wohnenden Fremden und eigener Beobachtung am 1. August 1827 ein Patent ertheilen ließ.

Aus dem London Journal of Arts. N. 18. S. 304.

Mit Abbildungen auf Tab. I. [20])

Der Zwek dieser Verbesserung ist, eine Elasticität und Biegsamkeit an den Seiten sowohl der Sättel als der Kummte zu erhalten, damit sie sich besser an den Hals und Rüken der Pferde anschließen, und ein und dasselbe Kummt und ein und derselbe Sattel für verschiedene Pferde gebraucht werden kann, ohne daß es nöthig wäre, dieselben besonders auszustopfen.

Der Patent-Träger schlägt hierzu bei Kummten ein metallnes Gestell vor, das gewisser Maßen den Kummten an Wagenpferden ähnlich ist, und befestigt daran Pölster, die an dem Halse des Pferdes anliegen.

Fig. 18. stellt ein solches verbessertes Kummet vor. aa ist das eiserne Gestell, mit den gehörigen Augen, Stangen und Ringen, um die Riemen durchlaufen zu lassen. bb sind diese Pölster. Jeder besteht aus hölzernen Brettchen, welche die Seitenstangen des Gestelles umfassen, mit Leder überzogen, innenwendig ausgestopft sind, und sich zum Theile um das Gestell, wie um Achsen, drehen. cc sind die Stangen, durch welche die Zügel laufen. d ist ein Riemen, der über den Hals des Pferdes läuft, so daß das Kummt nicht weichen kann, wann das Pferd bergab geht. e ist ein Kissen, welches an der Brust anliegt, um den Riemen, ff, zu halten, wodurch der untere Theil des Gestelles zusammengezogen wird.

Es lassen sich mehrere Abänderungen hier treffen, ohne daß man von dem Grundsaze, nach welchem dieses Kummt gebaut ist, abweichen darf. Das metallne Gestell kann umgekehrt werden, die Kissen können anderswo angebracht werden, wenn nur die Kissen, bb, an den Seiten so spielen, daß sie dicht am Halse des Pferdes anliegen.

Fig. 19. zeigt einen Sattel für ein Zugpferd. aa ist ein gebogenes metallnes Gestell, das Statt des Sattelbaumes dient. bb sind die Pölster, die an dem Rüken des Pferdes anliegen müssen. Sie sind

20) Wir haben zwar von diesem Kummt schon im XXX. Bd. des Polytechn. Journals S. 290. nach dem Register of Arts Nachricht gegeben; hier ist es aber besser beschrieben und abgebildet. A. d. R.

aus Holz, mit Leder überzogen und unten ausgestopft. Die Pölster werden auf das Gestell aufgeschraubt, und die Schrauben laufen durch die Gefüge oder Knöchel, cc, und halten, da sie in das Holz eindringen, die Pölster fest, erlauben denselben jedoch sich frei auf den Knöcheln zu schwingen.

Fig. 20. zeigt einen Sattel für ein Reitpferd, einen Dragonersattel. aa, ist das gewöhnliche hölzerne Gestell. bb, sind Flügel unter demselben, welche mit dem Gestelle mittelst Angeln verbunden sind. Dieses Gestell wird mit Leder überzogen, wie gewöhnlich, und die Flügel werden an der unteren Seite gehörig so ausgestopft, daß sie dicht an dem Rüken des Thieres anliegen. Die Angeln lassen die Flügel nach der Form des Rükens des Thieres auf- und niedersteigen.

XVI.

Ledertuch, worauf Rich. Hall sich zur Verfertigung von Stiefeln und Schuhen und verschiedenen anderen Artikeln am 9. September 1829 ein Patent ertheilen ließ.

Aus dem Register of Arts. XXVII. S. 65. Auch im Repertory of Patent-Inventions. November 1829.

Hr. Rich. Hall, Schneider und Tuchzurichter zu Plymouth, hat eine Composition erfunden, mit welcher er einer starken Leinwand oder irgend einem anderen tauglichen Faserstoffe ein glänzendes Ansehen, wie Leder, und zugleich Festigkeit genug geben kann, um das Eindringen des Wassers und aller Feuchtigkeit abzuhalten.

Diese Composition besteht aus Einem Pfunde Bienenwachs, acht Unzen Kautschuk oder Gummi elasticum, vier Unzen Harz, acht Unzen Elfenbeinschwarz und vier Unzen Lampenschwarz. Alles dieß wird durch Anwendung einer anhaltenden gelinden Wärme, oder durch Kochen zusammengeschmolzen und zu einer solchen Consistenz gebracht, daß es mittelst eines Pinsels, mit welchem man gewöhnlich Firniß aufträgt, auf den Stoff aufgetragen werden kann. Der Stoff wird dann über den flachen Rand eines Kessels gespannt, und mit Wasser gehizt, um während des Aufstreichens dieser Composition immer eine gleiche Temperatur zu behalten. Nachdem die erste aufgetragene Schichte an der freien Luft getroknet ist, wird eine zweite auf dieselbe Weise über die vorige aufgetragen, und, in einigen Fällen, auch die innere Oberfläche des Stoffes mit Kautschuk-Firniß überzogen, damit sie vollkommen wasserdicht wird.

Der Patent-Träger hält sich nicht genau an diese angegebenen Verhältnisse, sondern sagt bloß, daß er sie so am bequemsten fand, und daß man Statt des Bienenwachses Wallrath, Steinöhl (Naphtha) oder Terpenthin nehmen kann; Statt des Harzes entweder Weihrauch, Asphalt, Erdharz oder andere harzige Substanzen, die sich mit dem Kautschuk verbinden, und endlich Statt des Lampen- und Beinschwarzes verschiedene andere gepülverte Farben, je nachdem die Umstände es fordern. Alles dieß wird mit einander gesotten, bis es so dünn wie Wasser wird, wo dann die Composition zum Gebrauche fertig ist.

„Die HHrn. Hall und Comp. haben am Strand zu London bereits eine Fabrik und Niederlage eröffnet, und verfertigen und verkaufen daselbst ihren „Pannus Corium" oder ihr „leather cloth," wie sie ihre übertünchte Leinwand nennen. Sie versichern, daß ihr „Ledertuch" länger währt, als gegerbtes Leder, daß es für alle Klimate taugt, und weder bricht noch abspringt. Nach den Versuchen, die wir mit denselben machen sahen, scheint es, daß diese Stiefel und Schuhe für Leute, die an Leichdornen (Hühneraugen) leiden, leichter und bequemer zu tragen sind, als gewöhnliche Schuhe; als wir aber unserem Freunde, der unsere Schuhe ausbessert, ein Paar solcher Schuhe zeigten, sagte er uns, daß man solche Schuhe, wenn sie einmal abgetragen sind, nicht mehr ausbessern kann, und daß nichts über Leder geht." 21)

---

21) Alle Ehrfurcht vor dem Orakelspruche des Schuhflikers; allein, es ist und bleibt gewiß, daß Leder für wohlhabende Leute das unschiklichste und ungesundeste Material zu Stiefeln und Schuhen ist, sobald man ein weicheres und zugleich wasserdichtes Material für dieselben finden kann. Ein Herr H. S. J. bemerkt gegen den obigen Schuhfliker im Register of Arts, 1. Nov. S. 127, daß er aus Erfahrung versichern kann, daß man Schuhe aus solchem Tuchleder nicht bloß leichter und besser, sondern auch netter ausbessern kann, als Schuhe aus gewöhnlichem Leder. Denn wenn man auf den Riß oder Bruch eines solchen Schuhes ein Stük von diesem Ledertuche aufsezt, wie man es auch bei ledernen Schuhen thun muß, so läßt sich dieß leichter bewerkstelligen, weil das Material weicher ist, und man irgend eine härtere Composition darüber streichen kann, wodurch die Nath vollkommen verdekt wird.

Ich habe solche Schuhe, „sagt Hr. J.," selbst lang getragen, und sie gehörig geprüft; ich kann aus Erfahrung versichern, daß die Wohlthat einen solchen Schuh am Fuße zu haben, unbeschreiblich ist, und es ist, wie Hr. Hall sagt, gewiß, daß sie durchaus nicht drüken. Es ist durchaus unrichtig, daß diese Schuhe sich nicht leicht und nett ausbessern lassen.

Wir wünschen herzlich, daß diese Schuhe wenigstens bei trokenem Wetter allgemein eingeführt und getragen würden. Daß die Verkrüppelung des menschlichen Vorfußes, der nun bei den meisten Menschen jedem Dinge auf Erden mehr ähnlich sieht, als einem menschlichen Fuße, und beinahe alle Fähigkeiten verloren hat, wozu die Natur ihn bestimmte, bloß durch den Druk des Leders entstanden ist; daß nicht bloß Leichdorne, sondern eine Menge anderer Nachtheile für die Gesundheit dadurch entstehen, hat Niemand besser erwiesen, als der unsterbliche Arzt und Zergliederer, Camper. Da man heute zu Tage durch eine leichte Soke aus Kautschuk, die man über den Strumpf anzieht, seinen Fuß hinlänglich gegen Nässe schüzen kann, so läßt sich kein Grund angeben, warum man den Fuß durch hartes steifes Leder zum Krüppel drüken lassen soll, indem jede andere Bekleidung über der Soke aus Kautschuk hinreicht, und auch weit eleganter verfertigt werden kann. Man hatte mitten in der Barbarei des Mittelalters eine verständigere und schönere Fußbekleidung, als heute zu Tage. A. d. Ue.

XVII.

Ueber den gelben Färbestoff in den Blüthen der Kartoffeln und in den Blättern einiger Landbäume, von Hrn. Eduard Schwartz.

Vorgelesen in der Sizung der Société industr. zu Mülhausen, am 31. Juli 1829. Aus dem Bulletin de la Société industrielle de Mulhausen, N. 12, S. 181.

Ein italiänisches landwirthschaftliches Journal kündigte vor einiger Zeit an, daß die Kartoffelblüthen einen Färbestoff enthalten, welcher mit der Alaunerdebeize eine lebhafte und dauerhafte gelbe Farbe hervorbringt. (Vergl. polyt. Journal Bd. XXXII. S. 391.) Die Gesellschaft trug ihrem chemischen Comité auf, diesen Gegenstand zu prüfen; ich habe es auf mich genommen, die Versuche anzustellen, und um ihnen mehr Interesse zu ertheilen, habe ich sie zugleich auf die Blüthen und Blätter mehrerer Landbäume, in welchen ich einen gelben Färbestoff vermuthete, ausgedehnt. Ich habe sie alle in frischem Zustande angewandt, weil ich im Voraus wußte, daß die meisten dieser Blüthen und Blätter nach vorläufigem Troknen mit der Alaunerdebeize keine gelben Farben mehr hervorbringen; auch habe ich ihren Saft nicht ausgepreßt, wie es in dem erwähnten Journale für die Kartoffelblüthen vorgeschrieben wird, weil dieses Verfahren zu kostspielig wäre, wenn man es im Großen anwenden wollte, und weil ich durch das allgemein übliche Verfahren, nämlich durch das Auskochen in Wasser, dieselben Resultate zu erhalten hoffte.

Die Substanzen, womit ich Versuche anstellte, waren: Kartoffelblüthen, Lindenblüthen und Blätter, Erlenblätter, Pappelblätter, Blätter vom wilden Kastanienbaum und Eichenblätter; jede derselben wurde in frischem Zustande angewandt, eine halbe Stunde lang ausgekocht und sodann Stüke von Baumwollenzeugen, welche mit derselben Alaunerdebeize und derselben Eisenauflösung getränkt waren, in die Flüssigkeit getaucht. Aus der Musterkarte, welche ich dieser Abhandlung beilege, kann man vergleichungsweise ersehen, wie viel Färbestoff diese Substanzen abgeben, und den verschiedenen Grad von Lebhaftigkeit der mit Alaunerdebeize erzeugten gelben Farben, so wie die Intensität der mit demselben Extract in Verbindung mit einer Eisenbeize hervorgebrachten grauen Farben beurtheilen.

Das Hauptresultat dieser Versuche ist, daß alle diese Substanzen viel weniger Färbestoff als der Wau und die Querzitronrinde enthalten, und daß die Blätter des wilden Kastanienbaums nach diesen beiden davon die größte Menge enthalten und eine eben so lebhafte gelbe Farbe wie jene geben; nach einem Versuche im Großen glaube ich je

lich, daß wenigstens 35 Pfund frische Blätter erforderlich sind, um einem 27 Ellen langen und 3/4 breiten Stük einen satten gelben Grund zu ertheilen. Hieraus kann man ersehen, wie wenig gelben Färbestoff die übrigen oben genannten Substanzen enthalten; nach den Blättern des wilden Kastanienbaums enthalten aber die Kartoffelblüthen am meisten und geben wie jene die reinste gelbe Farbe. Die Blätter des Nußbaums geben zwar eine sehr intensive gelbe Farbe, allein sie ist falb und sticht in die Olivenfarbe; hingegen geben diese lezteren, so wie auch die Erlenblätter das intensivste Grau, welches man darstellen kann.

Was die Aechtheit der gelben Farben betrifft, so habe ich gefunden, daß alle der Seife und der Luft nicht so gut widerstehen, wie das durch Wau erzeugte Gelb, und daß der Färbestoff obiger Substanzen in dieser Hinsicht jenem der Querzitronrinde nahe kommt; unter allen schienen der Färbestoff des wilden Kastanienbaums und der Kartoffelblüthen den genannten Agentien am besten zu widerstehen.

Zur Erzielung eines lebhaften Gelb von mittelmäßiger Aechtheit kann ich also die Anwendung der Blätter des wilden Kastanienbaums und der Erdäpfelblüthen im frischen Zustande mit Recht empfehlen; da man aber hiervon eine sehr große Quantität nöthig hat, so wird ihr Gebrauch wohl nur sehr beschränkt seyn.

Ich muß noch bemerken, daß es in unserem Departement sehr viele Pflanzen gibt, deren Blüthen gelben Färbestoff in reichlicher Menge enthalten; man wendet sie in einigen Fabriken an, besonders für Olivenfarben; einige davon können jedoch auch sehr gut zum Gelbfärben gebraucht werden; man gebraucht sie aber nicht allgemein, weil die dadurch erzeugte gelbe Farbe nicht ächt ist und hauptsächlich weil man diese Substanzen nur im frischen Zustande anwenden kann, was sehr unbequem ist.

XVIII.

Ueber ein vortheilhaftes Verfahren, die mit Mordant gedrukten Callicos mittelst Querzitronrinde gelb zu färben.

Vom Herausgeber.

Das gewöhnliche Verfahren, die mit Mordants bedrukten Callicos mittelst Querzitronrinde gelb zu färben, ist jedem Cottondrukfabrikanten genüglich bekannt; auch findet man die zwekmäßigsten Verfahrungsweisen, mit dem Pigmente der Querzitronrinde gelb zu färben, in Bancrofts Färbebuch, Bd. II. S. 188. und in Vitalis Färbebuch, deutsche Ausgabe von Dingler und Kurrer, Stuttgart, bei Cotta, 1824, S. 337, recht ausführlich beschrieben.

Die Fabrikation des sogenannten Lapis-Fabrikats veranlaßte uns, den Färbungs-Prozeß abzukürzen, welche Abkürzungen darinnen bestehen, daß die mit verdiktem Mordant vorgedrukten Callicos vor dem Färben nicht im Kühkoth- oder Kleienbade ausgekocht und gewalkt zu werden brauchen, sondern gleichsam vom Druktisch weg in dem Querzitronrindenbade ausgefärbt werden.

Zu diesem Zwek wird die zum Färben nöthige Quantität Querzitronrinde in einem kleinen Kessel mit dem sechs- bis achtfachen Gewicht Wasser eine halbe Stunde lang ausgekocht, diese Abkochung mit der Querzitronrinde in den Färbekessel gebracht, derselbe mit der zu der Zahl der zu färbenden Stüke nöthigen Quantität Wasser versehen, das Bad auf 48 bis 50 Grade R. erwärmt, auf jedes Pfund in Anwendung gebrachter Querzitronrinde 2 Loth thierischer Leim, der in etwas warmem Wasser vorher vollkommen aufgelöst wurde, hinzugesezt und das Bad recht gut aufgerührt, worauf die bedrukten Callicos in das Bad gehaspelt und gut in der Flotte niedergedrükt werden. Man treibt sie nun bei dieser Temperatur eine Stunde lang über den Haspel gut ausgebreitet hin und her, wo die Callicos satt gefärbt, und die unbedrukten Stellen vollkommen weiß hervorkommen werden. Die so gefärbten Callicos werden nun im Flusse gewaschen, gewälkt und getroknet.

Diese Färbungsweise bietet den Cottonfabrikanten mehrere Vortheile dar, welche in Folgendem bestehen:

1) braucht der Mordant nur halb so stark zu seyn, als man ihn gewöhnlich anwendet, und dennoch wird die gelbe Farbe satter zum Vorschein kommen, als bei der bisherigen Färbungsweise. Ein Mordant von drei Grade nach Baume's Areometer (1,019 specifisches Gewicht) ist hinlänglich stark genug;

2) wird das Aussieden und Walken vor dem Färben, folglich Feuermaterial, Arbeit und Zeit erspart, und

3) gibt es auch eine Ersparniß an Pigment, indem man bei Parthien-Waare ein Dekstük von 5/4 Breite und 22 Stab Länge mit einem Pfunde Querzitronrinde vollkommen satt ausfärben kann.

Das lange Troknen nach dem Druken fanden wir bei dieser Färbungsweise ganz überflüssig, und die Callicos können, so wie der Aufdruk des verdikten Mordant troken ist, folglich gleichsam vom Druktisch weg, gefärbt werden.

Mit Mordant grundirte (uni) Callicos kann man ebenfalls, ohne sie vorher zu reinigen, auf die vorbeschriebene Weise färben, und man erhält stets gute Färbe-Resultate.

XIX.

Verfahren, Flüssigkeiten in Dampf zu verwandeln, auf welches Joh. Braithwaite und Joh. Ericsson, Mechaniker in New-Road, Fitzroy-Square, Middlesex, sich am 31. Jan. 1829 ein Patent ertheilen ließen.

Aus dem Repertory of Patent-Inventions. Novbr. 1829. S. 641.

Mit Abbildungen auf Tab. I.

Unsere Erfindung besteht in Erzeugung des Dampfes in einem Kessel, dessen Zug zu klein ist, als daß eine hinlängliche Menge heißer Luft in einer gegebenen Zeit durch die gewöhnliche Kraft des so genannten atmosphärischen Zuges durch denselben durchziehen könnte, an welchem Zuge daher wir entweder am Ende des Ofens einen Luftdrukapparat, oder am Ende des Zuges einen Luftzugapparat anbringen, um auf diese mechanische Weise die gehörige Menge erhizter Luft in einer gegebenen Zeit durch den Zug zu treiben, wodurch wir in den Stand gesezt sind, eine gewisse Oberfläche des Zuges während einer bestimmten Zeit einer solchen Menge von Wärmestoff auszusezen, daß mehr Dampf erzeugt wird, als bisher noch durch keinen ähnlichen Apparat von derselben Größe erzeugt wurde. Hierdurch wird nun nicht bloß sehr viel Brennmaterial erspart, sondern auch die Größe und Schwere des Kessels um ein Bedeutendes vermindert.

Fig. 14. ist ein Durchschnitt eines Kessels zur Dampferzeugung nach unserer Methode, mittelst eines Zuges, durch welchen die erhizte Luft mit einer Luftsauge-Maschine durchgezogen wird. AAA, ist das äußere Gehäuse des Kessels; B, ist die Sicherheitsklappe; C, die Dampfröhre; E, eine der Roststangen des Ofens; F, die Aschengrube; G, die Ofenthüre; HHH, drei Lufthähne, um die atmosphärische Luft oben auf das Feuer des Ofens einwirken zu lassen; I, ein Lufthahn, um die Luft unten auf das Feuer einwirken zu lassen; KKKK, der Zug, der von dem Ofen aus sich immer in seinem Durchmesser vermindert, im Verhältnisse nämlich, als die erhizte Luft auf ihrem Durchzuge durch den Zug sich abkühlt, und so nach und nach eine geringere Weite zu ihrem Ausgange fordert. Ein anderer Vortheil bei dieser Einrichtung ist dieser, daß der Staub und Schmuz, der von dem Ofen in den Zug kommt, immer einen abhängigen Weg zu seiner leichteren Entweichung findet, wodurch, zugleich mit der relativen Lage der einzelnen Längen unmittelbar unter einander, alle Nachtheile von Ansammlung des Schmuzes in dem Zuge beseitigt werden. L, ist eine Luftpumpe mit doppelter Wirkung, die wir den Luftsauge-Apparat nennen. Es ist offenbar, daß, wenn diese Luftpumpe in Thätigkeit gesezt wird, jede gegebene Menge heißer Luft durch den Zug in jeder gegebenen Zeit durchgezogen werden kann, nach Maßgabe nämlich der Wirkung der Luftpumpe und der Größe und Menge der Lufthähne, und der Größe des Apparates überhaupt.

Fig. 15. zeigt einen Aufriß des Kessels von der Endseite.

Fig. 16. ist ein Durchschnitt des Kessels zur Dampferzeugung nach unserer Methode, und des Zuges, in welchem die erhizte Luft mittelst eines Luftdruk-Apparates getrieben wird. AAAA, ist das äußere Gehäuse des Ofens; B, die Sicherheitsklappe; C, die Dampfröhre; D, der Ofen; E, die Roststange; F, die Aschengrube; G, ein Rumpf zur Füllung des Ofens mit Brennmaterial; H, eine Luftröhre, mit einem Regulirhahne, M, durch welche die atmosphärische Luft oben auf das Feuer getrieben wird; I ist eine andere Röhre, gleichfalls mit einem Regulirhahne, N, versehen, durch welche die atmosphärische Luft auf den unteren Theil des Feuers getrieben wird. P, ist ein Luftdruk-Apparat (eine Luftdrukpumpe) mit Klappen, und R ein Luftregulator, ein Brett in einem ledernen Gehäuse, worauf das Gewicht, S, wirkt. Es ist offenbar, daß der Kessel auch mit dieser Vorrichtung eben so viel Dampf erzeugt, als mit ersterer, indem nur die Art, wie der Zug der erhizten Luft erzeugt wird, verschieden ist. Wenn beide Vorrichtungen zugleich angewendet werden, so wirken sie desto besser.

In Fig. 14. ist der Ofen horizontal, und wird durch eine vorne an demselben befindliche Thüre, wie gewöhnlich, geheizt, bei G; während in Fig. 16. der Ofen senkrecht steht, und durch einen Rumpf mit Brennmaterial versehen wird.

Unsere Erfindung und das Patent-Recht, welches wir in Anspruch nehmen, ist der Luftdruk- und der Luftsaug-Apparat, wodurch die Luft oben und unten auf das Feuer kommt, nebst den hierzu nöthigen Lufthähnen.

XX.

Verbesserung des Verfahrens, den Syrup aus dem Zuker zu schaffen, worauf Joh. Hague, Mech. in Cable-Street, Wellclose-Square, Middlesex, sich am 6. Dec. 1828 ein Patent ertheilen ließ.

Aus dem London Journal of Arts. N. 18. S. 305.

Der Patent-Träger schlägt zwei Methoden zu diesem Ende vor; die eine besteht darin, daß er unter dem Zuker eine Art luftleeren Raumes bildet, wo dann durch den Druk der darüber stehenden Luft die Flüssigkeit durch den Zuker durchgetrieben wird; die andere darin, daß die Luft über dem Zuker verdikt wird, und so durch mechanische Kraft dieselbe Wirkung hervorbringt.

Da hierzu verschiedene Vorrichtungen getroffen werden können, und der Patent-Träger sich auf keine derselben besonders beschränkt, so ist auch keine besonders beschrieben. Es versteht sich, daß unter dem Gefäße, in welchem der Zucker sich befindet, aus dem der Syrup ausgetrieben werden soll, ein sogenannter falscher Boden (ein Doppelboden, wovon der obere durchlöchert ist) angebracht seyn muß.

Der obere Theil dieses falschen Bodens ist aus Kupfer und voll kleiner Löcher: er steht nur einige Zoll von dem wahren Boden ab, und man breitet ein Seihetuch auf demselben aus, ehe man den Zuker einige Zoll hoch auf jenem aufträgt.

Da nun der untere Theil unter dem falschen Boden luftdicht ist, so bringt man die Saugröhre einer Luftpumpe in demselben ein, treibt diese entweder mittelst eines Hebels mit der Hand, oder durch eine Dampfmaschine oder durch ein Wasserrad, und pumpt auf diese Weise die Luft aus diesem Theile aus. Der Druk der über dem Zuker befindlichen Luft macht dann den Syrup durch den Zuker, durch das Seihetuch und durch die Löcher in dem falschen Boden laufen, und wenn eine hinlängliche Menge Syrupes sich in diesem unteren Theile des Gefäßes angehäuft hat, kann er mittelst eines in der Nähe des Bodens befindlichen Hahnes abgelassen werden.

Der Zuker muß auf dem durchlöcherten Boden so ausgebreitet werden, daß er denselben vollkommen bedekt, und gelegentlich mit etwas Wasser bespritzt werden, oder mit Kalkwasser.

Die Anwendung einer Luftdrukpumpe über dem falschen Boden, wobei der über demselben befindliche Theil des Gefäßes luftdicht geschlossen seyn muß, ist für sich klar.

Man kann auch beide hier angegebene Verfahrungsarten mit einander verbinden, und der Syrup wird dann desto schneller und kräftiger aus dem Zuker geschafft werden, als auf irgend eine andere bisher gewöhnliche Weise.

XXI.

Verbesserung an den Retorten, welche die Bleicher und die Chlor- und Kalkchlorür-Fabrikanten brauchen, worauf Joh. Morfit, Bleicher zu Cookridge, bei Leeds, Yorkshire, sich am 15. December 1828 ein Patent ertheilen ließ.

Aus dem Repertory of Patent-Inventions. December 1829. S. 745.

Die Retorten, welche der Patent-Träger zu diesem Ende vorschlägt, sind von Blei, cylindrisch, und halten 4½ Fuß im Durchmesser. Sie sind am Boden 1¾ Zoll dik, an den Seiten Einen Zoll dik, und diese sind 1½ Fuß tief. Dieser cylindrische Theil ist an

seinem oberen Ende mit einem abgestuzten Kegel von derselben Di
bedekt, die die Seiten haben, und dieser Kegel ist so geneigt, da
er an seinem oberen Ende zwei Fuß über den Boden der Retorte si
erhebt. Der obere flache Theil dieses Dekels hält ungefähr zwei Fu
im Durchmesser (nach der Zeichnung) und wird an seinen Kant
durch zwei concentrische Ränder eingeschlossen, die ungefähr 3 Zo
hoch und 1½ Zoll von einander entfernt sind. Der cylindrische Ran
eines kreisförmigen Dekels steigt in den Raum zwischen denselbe
herab, und wird, wenn er gebraucht wird, an den Gefügen mit de
Retorte mit einer Mischung aus Thon und Wasser verkittet. Wen
man ihn abnimmt, erhält man dadurch eine Oeffnung, um Alles rei
nigen zu können.

Die Verbesserung der Retorte, auf welche dieses Patent genom
men wurde, besteht in einer inneren Ausfütterung der inneren Seit
derselben mit glasirten Ziegeln, die so gekrümmt sind, daß sie di
Wände der Retorte innerhalb überall genau berühren; eine ihrer aufrech-
ten Kanten ist gefurcht, und die andere hat eine Hervorragung, welche einen Winkel bildet, so daß sie wechselseitig in einander passen und
zusammenhängen, wenn sie an ihrer Stelle eingesezt sind. Diese Ziegel
werden, nach Angabe des Patent-Trägers, aus feuerfestem Thone
verfertigt, so wie man ihn zu feuerfesten Ziegeln braucht, und auf
die bei Töpfern gewöhnliche Weise glasirt. Die Oeffnungen zwischen
den Gefügen derselben, nachdem sie in der Retorte eingesezt wurden,
so wie die Zwischenräume zwischen dieser und zwischen den Ziegeln
werden mit Ziegelmehl aus zerstoßenen und zermahlenen Ziegeln ausgefüllt. Die Größe der Ziegel ist nicht angegeben; sie ist, nach Umständen, verschieden, so wie die Größe und Form der Retorten selbst.
Auf diese Weise werden die Retorten an ihrer inneren Seite vor dem
Anfressen gesichert, welches bei der gewöhnlichen Einrichtung derselben
so häufig Statt hat. Die glasirten Ziegel schüzen die Wände vor
der Einwirkung des Chlors oder der oxygenirten Kochsalzsäure.

Die Retorten hängen während der Arbeit in gehöriger Höhe in
Ziegeln mittelst Rändern, welche an den oberen Kanten, ihres cylin-
derförmigen Körpers zu diesem Ende hervorspringen. In den hohlen
Raum unter denselben und rings um die Seiten derselben wird Dampf
oder stark erhizte Luft eingelassen, durch welche die Chlor-, oder oxy-
genirte Kochsalzsäure aus den in der Retorte enthaltenen Materialien
ausgetrieben wird, und in die nach gewöhnlicher Art hierzu erbauten
Behälter übergeht.

Das Repertory findet diese Vorrichtung zu obigem Zweke und
auch zur Bereitung anderer Säuren sehr nüzlich; nur bemerkt es,

daß, da hier von gewöhnlicher Töpfer-Glasur die Rede ist, welche aus Bleiglätte oder überhaupt aus Blei-Oxyden bereitet wird, die meisten Säuren mehr oder minder auf dieselbe wirken werden, und daß daher eine solche Glasur angewendet werden muß, wie man sie gewöhnlich bei Steingut und bei anderer Töpferwaare braucht, die den Säuren zu widerstehen vermag.

XXII.

Verbesserung in Erzeugung von Leuchtgas und Talglichtern, worauf Edw. Heard, Chemiker in Devonshire-Street, Vauxhall-Road, Lambeth, sich am 12. Februar 1829 ein Patent ertheilen ließ.[22])

Aus dem London Journal of Arts. October 1829.

Beleuchtung oder künstliches Licht erzeugt man gewöhnlich durch Zersezung flüssiger und fester Körper, welche durch Einwirkung von Hize in einen gasartigen Zustand verwandelt werden, und dann, wenn man sie anzündet, Licht gewähren. Ich nehme solche Körper, welche bisher noch nicht zur Erzeugung von brennbarem Gas verwandelt wurden, und bediene mich hierzu des Rükstandes, den man beim Aussieden des Talges, beim Talgschmelzen aus dem rohen Fette erhält, und der unter dem Namen Kreppel (Krämmel im Oberdeutschen) bekannt ist, so wie auch aus dem Rükstande anderer Arten von Fett, den man im Englischen gewöhnlich Stoff (Stuff) nennt.

Eben so nehme ich die Rükstände aus Fabriken, in welchen Hörner, Hufe, Knochen, Häute, Felle, Leder oder überhaupt fettige oder brennbare Materialien verarbeitet werden, so wie auch die Rükstände aus Oehlmühlen, die sogenannten Oehlkuchen aus Leinsamen, Reps, Senf, Mandeln, Mohn ꝛc.; auch Buchen- und Kokos-Nüsse und alle Samen, die viel Oehl halten, und noch nicht zu diesem Zweke verwendet wurden.[23])

Ich bediene mich dieser Körper entweder einzeln, oder nehme mehrere derselben zusammen, und zwar in solchem Verhältnisse, daß sie das schönste, wohlfeilste und beste Licht gewähren.

Diese Körper gebe ich in Retorten, oder in andere hierzu geeignete Gefäße, und seze sie dem gehörigen Grade von Hize aus, wo sie dann frei ihre Gasarten entwikeln, die hierauf gesammelt, und nach der bekannten Methode gereinigt werden.

22) Wir haben von diesem Patente bereits früher Notiz gegeben; hier sind aber die Worte des Patent-Trägers selbst. A. d. Ue.

23) Einer der besten Samen hierzu wäre gewiß jener der Sonnenblume (Helianthus annuus); welche überall, auch auf dem schlechtesten Boden, ohne alle Wartung und Pflege gedeiht, in jedem Graben und an jeder Heke, und keine andere Wartung fordert, als daß man die Samen legt. A. d. Ue.

Unter den flüssigen brennbaren Körpern und unter den bituminösen nehme ich Steinkohlen-Theer, das schwarze Oehl, welches man bei Destillation der Knochen und anderer thierischen Substanzen erhält, Kokos-Nußöhl und andere ähnliche brennbare Körper, und mische deren zwei oder mehrere zusammen, und zwar in solchem Verhältnisse, in welchem sie das beste und wohlfeilste Licht gewähren: leztere Bedingung hängt nothwendig von den Schwankungen des Marktpreises ab, so wie von den Zweken des Fabrikanten.

Diese Oehl-Mischung muß nun durch Hize zersezt werden, nach derselben Weise, nach welcher man bei der Oehlgasbereitung verfährt. An Kohlgaswerken ist der Augenblik, in welchem man obige Oehlgas-Mischung in die gewöhnlichen Retorten einsezt, derjenige, in welchem die Kohlen aufhören Leuchtgas zu geben, und nur mehr leichtes gekohlstofftes Wasserstoffgas liefern, das wenig Leuchtkraft besizt: in diesem Augenblike befinden sich nämlich die Kohks in einem Zustande von Glut, welcher die unmittelbare Zersezung der öhligen Mischung begünstigt, und die Bildung des schweren gekohlstofften Wasserstoffgases erleichtert.

Ich nehme ferner das Recht in Anspruch, aus einem von einem französischen Chemiker entdekten Stoffe, den derselbe Margarine nennt, Kerzen zu verfertigen, und zwar entweder aus Margarine allein, oder verbunden mit Wachs, Wallrath, Talg oder Stearine in solchem Verhältnisse, wie man es am zwekmäßigsten findet, um gute und wohlfeile Kerzen zu erhalten.

XXIII.

Ueber Kartoffelbrantweinbrennerei. Vom Oekonomierath Pabst zu Hohenheim.

Die große Verbreitung und Wichtigkeit, welche die Brantweinfabrikation aus Kartoffeln in Deutschland erreicht hat, veranlaßte schon seit längerer Zeit viele Landwirthe und Brantweinbrenner, sich mit der Vervollkommnung dieses Gewerbszweiges zu befassen, und in der That sind seit zwanzig Jahren auch erstaunenswerthe Fortschritte darin gemächt worden. Wir gedenken nur als Beispiel der wichtigen Erfindungen oder Verbesserungen, welche durch Pistorius, durch Dorn, durch Siemens und andere verdiente Männer verbreitet worden sind.

Dennoch bestehen bei dem Betriebe der Kartoffelbrennerei noch fortwährend mehrere wesentliche Hindernisse, deren Beseitigung für dieses Geschäft von dem größten Vortheil seyn würde. Ich meine darunter insbesondere:

a) daß man mit einer zu voluminösen und zu consistenten Masse zu arbeiten hat, wobei eines Theils eine unvollkommene Gährung und andern Theils ein großer Zeit- und Holzaufwand zur Destillation unvermeidlich sind;

b) daß der Kartoffelbrantwein einen eigenen Geschmak hat, der ihn bei gleichem Alkoholgehalte im Werth gegen den Fruchtbrantwein heruntersezt, und

c) daß die Kartoffeln vom Ende des Winters an immer weniger Brantwein geben, so daß es selten räthlich ist, sie länger als bis in den Mai zur Brantweinbrennerei zu verwenden.

Meine gegenwärtige Absicht ist, auf diejenigen mir bekannt gewordenen, zum Theil auch schon in diesem Journale zur Sprache gebrachten, neueren Erfindungen aufmerksam zu machen, welche zur Beseitigung der genannten Schwierigkeiten beitragen könnten, und nebenbei einige darüber gemachte Erfahrungen mitzutheilen.

I. Der Siemens'sche Apparat.

Das Verfahren des Amtmanns Siemens zu Pyrmont (mitgetheilt in seiner Schrift: Beschreibung eines neuen Betriebs des Kartoffelbrennens ꝛc.) soll in der Hauptsache den Vortheil gewähren, daß ein Drittheil Brantwein mehr gewonnen wird, daß man eine liquidere und um ein Drittheil geringere Masse zu destilliren hat, und daß der Brantwein reiner und fuselfreier wird. Zu dem Ende werden die Kartoffeln mittelst eines eigenen mit einem Dampfkessel in Verbindung stehenden Apparats [24]) in erhöhter Temperatur gekocht, pulverisirt, mit Wasser verdünnt und nochmals mit einem Zusaze von caustischer Lauge gekocht; dann wird die nun aufgelöste liquide Masse von den Schalen gesondert, in einem Kühlschiffe mit Malzschrot in Verbindung gebracht, und nach erlangter Versüßung und Abkühlung in den Gährgefäßen mit Hefe versezt.

Die oben angedeuteten Resultate dieses Verfahrens, welche von mehreren Seiten bestätigt wurden, und wodurch den oben sub a und b gedachten Schwierigkeiten begegnet seyn würde, bestimmten mich, die höhere Genehmigung zur Verbindung eines Siemens'schen Apparats mit einer für das hiesige landwirthschaftliche Institut zu errichtenden Brantweinbrennerei nachzusuchen. — Der Apparat wurde ganz nach Siemens Vorschrift (in obgenannter Schrift mitgetheilt) eingerichtet — und nachdem ich zwei Winter damit vergleichende Versuche gemacht habe, theile ich das Resultat derselben hier mit.

Bei gleicher Witterung, in ein und demselben Locale wurden eingemeischt:

---

24) Beschrieben in der eben angezeigten Schrift.

1) nach Siemens — α) 1828 im Februar:

a) 440 Pfd. Kartoffeln und 40 Pfd. Malz.

b) 440 — — — 40 — —

c) 440 — — — 40 — —

β) 1829 im Februar:

d) 440 Pfd. Kartoffeln und 48 Pfd. Malz.

e) 440 — — — 48 — —[25])

2) auf gewöhnliche Weise — α) 1828 im Februar:

a) 440 Pfd. Kartoffeln und 32 Pfd. Malz.

b) 440 — — — 32 — —

c) 440 — — — 32 — —

β) 1829 im Februar:

d) 440 Pfd. Kartoffeln und 36 Pfd. Malz.

e) 440 — — — 36 — —

f) 440 — — — 36 — —

Im Durchschnitt wurde an Brantwein zu 38% Alkohol (nach dem Gewicht) gewonnen:

1) bei der Siemens'schen Methode:

1828. von 440 Pfd. Kartoffeln und 40 Pfd. Malz, 21 Maaß (würtemb. Maaß).

1829. von 440 Pfd. Kartoffeln und 48 Pfd. Malz, 16 Maaß.[26])

2) bei der gewöhnlichen Methode:

1828. von 440 Pfd. Kartoffeln und 32 Pfd. Malz, 20⅓ Maaß.

1829. von 440 Pfd. Kartoffeln und 36 Pfd. Malz, 15⅓ Maaß.

Es zeigte sich also in beiden Jahrgängen nur ein höchst unbedeutender Unterschied in den Resultaten beider Brennmethoden, der fast ganz verschwindet, wenn in Betracht gezogen wird, daß bei der gewöhnlichen Methode 1828 jedes-Mal 8 Pfd. und 1829 sogar 12 Pfd. Malz weniger, als bei der Siemens'schen verbraucht wurden.

Bleiben wir bei den Versuchen von 1828 stehen, wo Kartoffeln von guter Qualität angewendet wurden, während die von 1829 schlecht waren; so war der Brantweinertrag bei beiden Methoden allerdings ungewöhnlich stark, und wäre die Siemens'sche für sich allein versucht worden, so würde dieß ganz für sie entschieden haben, denn der Berliner Scheffel Kartoffeln von 105 Pfd. (nebst 10 Pfd. Malzschrot) berechnet sich auf 5 Maaß oder 8 Berliner Quart Brantwein von gewöhnlicher Stärke, dasselbe, was Hr. Siemens, jedoch nach Abzug eines Antheils für das Malzschrot, annimmt, und was in der That ⅓ mehr

25) Der dritte Versuch 1829 mit dem Siemens'schen Apparat mußte, weil etwas zerbrach, unterbleiben.

26) Der geringere Brantweinertrag 1829 ist lediglich der viel schlechteren Qualität der Kartoffeln zuzuschreiben.

ist, als man in Norddeutschland bei gewöhnlichem Betriebe anzunehmen pflegt. Da ich jedoch bei der gewöhnlichen Methode jenen hohen Ertrag ebenfalls (auch schon in früheren Jahren) erhielt, so muß es interessiren, zu untersuchen, wodurch ich denselben erzielte. Ich weiß dafür nichts anderes anzugeben, als:

1) daß ich die Kartoffeln möglichst gar kochen ließ, so daß sie sich sehr leicht verarbeiten ließen;

2) daß ich die Walzen der Kartoffelquetschmühle mit einem Drathgeflecht hatte überziehen lassen, wodurch es möglich ward die Walzen nur eine Linie weit von einander zu stellen, dadurch aber wurden die Kartoffeln möglichst verkleinert;

3) daß ich die Gährung so vollkommen als möglich betrieb, besonders alle Säuerung in den Gefäßen zu vermeiden suchte.

Wenn also unter anderen Verhältnissen, wo die Kartoffelbrantweinbrennerei auf gewöhnliche Weise nicht so gut betrieben worden war, der Siemens'sche Apparat bedeutend höhere Ausbeute zur Folge hatte, so scheint mir solche lediglich in der vollkommeneren Auflösung der Kartoffeln und in der Vermischung mit der caustischen Lauge, wodurch der Bildung der Säure in der Meische vorgebeugt wird, begründet zu seyn. Ehe man sich aber zu Anschaffung dieses Apparates entschließt, versuche man doch ja, ob man nicht durch vollkommeneres Kochen und Verkleinern der Kartoffeln, durch Zusaz von etwas Potasche beim Anmeischen und durch verständige Leitung der Gährung, namentlich gute Hefe und sorgfältige Reinlichkeit, seinen Zwek erreichen könne.

Noch muß ich erwähnen, daß der auf Siemens'sche Manier producirte Kartoffelbrantwein allerdings einen, jedoch nur unbedeutenden, reineren Geschmak besaß, als der auf die gewöhnliche Weise gewonnene. Auch ist es richtig, daß ungefähr ¼ Meische weniger zu destilliren ist, weil man weniger Wasser zur Verdünnung zuzusezen braucht. Durch diese Ersparniß wird jedoch lange nicht der Mehraufwand für Holz, Arbeitskosten und Verzinsung und Unterhaltung eines kostspieligeren Apparates gedekt, den die Siemens'sche Methode verursacht. Ich kann deßhalb dem Siemens'schen Apparate nur dann die Möglichkeit eines Vortheils zugestehen, wenn derselbe mit einer eigentlichen Dampfbrennerei in Verbindung gesezt wird, so daß die ganze Brennerei mit einem einzigen Dampfkessel betrieben wird, wie es auch Siemens vorschlägt und ausgeführt hat. Abgesehen von diesem Apparate, so halte ich bei einem großen Brennereibetriebe die Anwendung der Dämpfe unter allen Umständen für das Vortheilhafteste.

II. Versüßung der Kartoffeln mittelst Schwefelsäure.

Durch Dubrunfaut und andere Franzosen ist schon seit längerer Zeit die Versüßung der Kartoffeln durch das Kochen mit Schwefelsäure in Vorschlag gebracht und versucht worden, und diese Methode soll sich in Frankreich immer mehr verbreiten. Es kann sich zwar bei einem großen Betriebe nicht verlohnen, aus den Kartoffeln zuerst Stärke und erst aus dieser Syrup zu machen, wie Dubrunfaut that; [27]) eben so wenig ist der von ihm angewendete Malzzusaz dann noch nothwendig; vielmehr muß es genügen, die gekochten und gemahlenen Kartoffeln mit Wasser zu verdünnen, mit Schwefelsäure noch ein Mal zu kochen, mit Kreide die Säure zu neutralisiren und die süße, abgekühlte Masse in Gährung zu sezen.

Es ist sicher anzunehmen, daß bei dieser Methode der Brantwein viel besser und reinschmekender werden muß; daß man weniger Masse zu destilliren haben wird, ist zu vermuthen, und daß man kein Malzschrot gebraucht, ein wesentlicher Vortheil. Der Apparat ist durchaus nicht kostspielig, das Verfahren leicht und einfach. Aber es fragt sich: gibt es verhältnißmäßig wenigstens eben so viel Brantwein, als bei gewöhnlicher Methode — und sind die Trebern, welche nach der Anwendung von Schwefelsäure und Kalk Gyps enthalten, dem Viehe nicht ungesund?

III. Troknen der Kartoffeln.

Indem meine bisherigen Andeutungen sich auf Gewinn des Brantweins nach Qualität und Quantität, so wie auf Ersparnisse in den Fabrikationskosten bezogen, bleibt mir noch die Schwierigkeit zu berühren übrig, welche oben unter c in Bezug auf die längere Aufbewahrung der zur Brantweinbrennerei bestimmten Kartoffeln schon im Allgemeinen angedeutet wurde.

Um diese Frucht länger aufzubewahren und zu jeder beliebigen Zeit zur Brantweinbrennerei ohne Verlust anwenden zu können, gibt es wohl nur ein Mittel, das Troknen; welche Methode aber zu dem Behufe die zwekmäßigste sey, ist bis jezt unerörtert geblieben. Die mir bekannt gewordenen Verfahrungsarten sind:

1) nach Lampadius sollen die roh zerschnittenen Kartoffeln 24 Stunden in Lauge eingeweicht werden (um ihre narkotischen Stoffe zu entfernen), dann sollen sie auf Horden in Trokenstuben so weit getroknet werden, bis sie sich aufbewahren und Behuf des Einmeischens mahlen lassen;

2) ein schon im vorigen Jahrhundert in Vorschlag gebrachtes Ver

27) S. Polytechn. Journal XV. und XX. Bd., wo die Methode beschrieben und der Apparat abgebildet ist.

fahren, die ganzen Kartoffeln in Bakofen zu troknen, hat mit dem eben genannten Aehnlichkeit, nur ist es unvollkommener; 3) die Kartoffeln, wie zu Terneaux's Polenta, zu dämpfen, zu zerschlagen und dann zu dörren.

Die Methode des Herrn Lampadius habe ich im Kleinen versucht, aber das Troknen der rohen Kartoffeln sehr schwierig gefunden, viel leichter geht das Troknen der gekochten und grob zerschlagenen Kartoffeln, und man gebraucht sicherlich zu beidem (Kochen und Troknen) weit weniger Holz und Mühe, als zum Troknen ungekochter Kartoffeln. Ob aber die Kartoffeln, nachdem sie auf Maschinen zerrieben und ausgepreßt, also dadurch vom größten Theile ihrer natürlichen Feuchtigkeit befreit worden, nicht am leichtesten zu troknen seyn möchten, ist ein Gedanke, der mir eines Versuchs werth scheint.

Erst wenn wir, nicht nur bei der Brantweinbrennerei, sondern in der Landwirthschaft überhaupt, so weit gekommen sind, die Kartoffeln auf eine einfache und nicht kostspielige Weise zu troknen, um sie gleich dem Getreide beliebig lange aufbewahren und zu jeder Zeit mit gleichem Vortheile verwenden zu können,[28]) wird dieses Gewächs den Plaz ganz einnehmen, der ihm vermöge seiner mannigfachen großen Vorzüge gebührte. Möchte es daher Männern, denen nicht nur ihr eigenes, sondern auch das allgemeine Wohl am Herzen liegt, der Mühe werth dünken, meine Andeutungen weiter zu verfolgen, namentlich Versuche über das Troknen der Kartoffeln auf dem einen oder andern Wege, so wie über die Anwendung der getrokneten Kartoffeln zur Brantweinbrennerei zu machen, und die Resultate eben so offen mitzutheilen, wie ich es über den Siemens'schen Apparat glaube gethan zu haben.

Aber auch die französische Methode, die Kartoffeln mit Schwefelsäure zu behandeln (Kartoffelsyrup zu machen), welche bekanntlich auch zur Bierbrauerei angewendet wird, scheint mir würdig, in Bezug auf die deutschen Kartoffelbrantweinbrennereien näher geprüft zu werden. — Die hiesige Anstalt hat ein Opfer für den Siemens'schen Apparat gebracht, sollte nicht ein anderes öffentliches Etablissement, z. B. Schleißheim, jenen Versuch unternehmen wollen? —

28) Daß nicht gemeint sey, auch diejenigen Kartoffeln zu dörren, welche schon während des Herbstes und Winters consumirt werden, bedarf kaum der Erwähnung.

XXIV.

Matthäus Barney's, zu Nantucket, Massachus. Dreschmaschine.

Aus dem Franklin-Journal und London Journal of Arts. Julius 1829. S. 209.

Die Maschine ist der Form nach einer gewöhnlichen Roßmühle ähnlich. Von einer senkrechten Achse läuft ein Balken hervor, an welchem das Pferd angespannt ist, welches dieselbe treibt. Drei Arme, jeder 18 Fuß lang und 14 Zoll breit, laufen durch Durchschnitte in dieser Achse, so daß sie sechs Halbmesser aus dem Mittelpunkte dieser Achse bilden. Diese Halbmesser sind mittelst sechs Brettern verbunden, deren jedes von der unteren Kante des einen Armes zu der oberen Kante des nächsten läuft, so daß auf diese Weise sechs schiefe Flächen gebildet werden. Acht Flegel oder Drischel, eilf Fuß lang, arbeiten neben einander auf einem gemeinschaftlichen Stifte. Ihre kürzeren Enden laufen unter das Rad, sind drei Fuß lang, und werden von dem Rade in Thätigkeit gesezt, so wie es darüber hinläuft. Es fallen also bei jeder Umdrehung 48 Schläge.

Das Getreide wird auf ein Brett unter die äußersten Enden der Flegel hingelegt, und dieses Brett geht mittelst einer Winde hin und her. Der Patent-Träger meint, daß Flachs, auf dieses Brett gelegt, eben so gut gebrochen werden könnte, wie in der Breche.[29])

XXV.

Ueber Wiesen, ihre Wichtigkeit und ihre Ausdehnung in verschiedenen Ländern Europens. Von Hrn. Moreau de Jonnes.

Nach einem Auszuge aus der Abhandlung desselben im Edinburgh New Philosophical Journal. October 1829. S. 272.

Hr. Moreau sucht zu erweisen, daß, bei dem gegenwärtigen Akerbausysteme, welches beinahe lediglich auf Getreidebau beschränkt ist, Theuerung und Mißwachs, um nicht zu sagen Hungersnoth, von Zeit zu Zeit unvermeidlich ist, und führt die Urkunden zu seinen Beweisen aus der Geschichte älterer und neuerer Zeiten an.

In England fing man zuerst an, Akerbau durch Viehzucht zu verbessern; in diesem Lande führte man zuerst Wiesenbau als Stüze des Akerbaues ein, und England hat heute zu Tage jedem anderen Lande, sowohl in der Menge als in der Güte seiner Wiesen, den Vor-

29) Dieß geschah auch wirklich in Ungarn in den Karpathen schon vor 35 Jahren auf einer Dreschmühle, die Townson in seinen Travels thro' Hungary beschreibt. Daß diese Beschreibung sehr unvollkommen ist, bedarf keiner Erinnerung. A. d. Ue.

sprung abgewonnen, so wie Spanien in dieser Hinsicht unter allen Ländern auf der untersten Stufe der Cultur steht.

Frankreich steht gegenwärtig im Wiesenbaue dort, wo England bereits vor 100 Jahren war.

Das erste und nothwendige Resultat hiervon ist, daß England nicht bloß mehr Hornvieh und Schafe zieht, als Frankreich, sondern daß auch diese Thiere in England mehr und besseres Fleisch liefern; so zwar, daß jeder Engländer beinahe zwei Mal so viel Fleisch genießen kann, als jeder Einwohner Frankreichs.

Aus den vielen wichtigen Thatsachen, welche Hr. Moreau in seiner Abhandlung sammelte und aufstellte, schließt er:

1) daß Wiesen, als Bedingung, ohne welche weder Rinder noch Schafe mit Vortheil gezogen werden können, eine der nothwendigsten Grundbedingungen der Wohlfahrt der Völker, des Gedeihens des Akerbaues und der Manufakturen, folglich der Civilisation der Völker überhaupt sind.

2) daß Wiesen nur dann erträglich werden, wenn man sie fleißig und kunstgemäß bestellt; daß man nicht bloß das schädliche Unkraut auf denselben ausrotten, sondern diejenigen Futterpflanzen bauen muß, welche jeder Thierart zuträglich sind. [30])

3) daß, wo man keine künstlichen Wiesen unterhält, man drei Viertel an der Schwere der Thiere verliert. So geben die französischen Hutweiden im Durchschnitte auf die Hektare [31]) nur 98 Pfund Fleisch während sie 400 Pfd. geben sollten, indem eine nur etwas verbesserte natürliche Wiese 300 Pfd. auf die Hektare gibt.

4) daß, den Ertrag des Fleisches, der Haut, Wolle ꝛc. nur zu 30 p. C. gerechnet, der Ertrag einer Hektare Hutweide 49 Franken, auf gewöhnlichen guten Wiesen 150 Franken, auf künstlichen Wiesen 200 Franken beträgt.

5) daß folglich die 5,775,000 Hektaren Hutweide in Frankreich nur einen reinen Ertrag von 282,000,000 Franken liefern, während sie, in verbesserte Wiesen umgewandelt, 863,000,000, und, als künstliche Wiesen, noch ein Drittel mehr liefern könnten. [32])

30) Der Herzog von Bedford und B. Sinclair haben ihren Landsleuten in dem „Hortus gramineus Woburnensis“ ein Werk über den Wiesenbau geschenkt, das, man kann es mit Recht versichern, nichts mehr über diesen hochwichtigen Gegenstand zu wünschen übrig läßt. Die Cotta'sche Buchhandlung hat vor drei Jahren eine treffliche Uebersezung hiervon veranstaltet, die, bei 60 Steinabdrüken, nur 6 fl. kostet, und bei den holländischen Landwirthen eine gute Aufnahme fand. A. d. Ue.

31) Die Hektare ist, nach Vega, 2779,982 □ Klafter. A. d. Ue.

32) Es ist gewiß unglaublich, daß eines der fruchtbarsten Länder Europens nicht Fleisch genug erzeugt für seine Einwohner; es ist indessen nicht minder wahr. Bayern zahlt jährlich über eine Million dem Auslande für Rindfleisch. Wie hätte aber auch in einem Lande, wo durch 1200 Jahre drei Tage in der Woche kein Fleisch genossen werden durfte, Viehzucht gedeihen sollen!

XXVI.

Miszellen.

Canäle in England.

Einer neueren Berechnung zu Folge sind in Großbritannien 103 verschiedene Canäle, die zusammengenommen 2,682 engl. Meilen betragen und 30 Millionen Pfd. Sterl. kosteten. (Courier. Galignani N. 4575.)

Canäle in Eisenbahnen umgewandelt.

Man ist seit dem glüklichen Erfolge der Versuche auf der Liverpool- und Manchester-Eisenbahn so voll von Ideen von Eisenbahnen in England, daß ein Hr. W. D. R. im Mechan. Mag. N. 329. S. 252. allen Ernstes vorschlägt, die Canäle in England troken zu legen, und auf dem Boden derselben Eisenbahnen zu errichten. Der Redakteur des Mechan. Mag. meint jedoch, man könnte den Canal fort bestehen lassen, und sich begnügen, Eisenbahnen an den Seiten desselben laufen zu lassen.

Dampfbothe und Bäkerei.

Ein Holländer hat an der Küste eine große Bäkerei errichtet, die für London Brot bakt. Ein Dampfboth bringt das in Holland gebakene Brot binnen 24 Stunden auf den Londoner Markt, und der Bäker gewinnt an jedem Leibe bei dieser, eben so theuren als schnellen Fracht noch 6 Kr. Bekanntlich geht viel Schiffs-Zwiebak aus Hamburg nach England (Times. Galignani N. 4588.). (Eine Dampfbothfahrt von Bombay über Suez nach England in 8 Wochen soll bereits eingeleitet seyn (Herald. Galignani daselbst).

Die Richtigkeit der obigen Ansichten des Hrn. Moreau Jonnes findet sich nirgendwo bündiger und anschaulicher erwiesen, als in einem Werke des Hrn. Berra über die Rindviehzucht, welches in diesem Jahre unter dem Titel:

Del modo di allevare il bestiame bovino e formarne bone razze nostrali, di Domenico Berra, 8. 142 S. 1 Lire 74 C. zu Mailand bei P. Cavalletti, librajo sulla Corsia de' Servi erschien. Von diesem wahrhaft classischen Werke über die Rindviehzucht wird nächstens eine für Bayern berechnete Uebersezung erscheinen. Wir können uns nicht enthalten, eine Stelle aus diesem Werke, von welchem die Biblioteca italiana, Settembre 1829 (publ. 19 Ottobre) S. 332 u. f. einen gedrängten Auszug liefert, hier in einer Uebersezung mitzutheilen.

Der Herr Verfasser, der selbst eine Heerde von 50 Kühen besizt, und, was er schrieb, aus eigener Erfahrung im Großen schreibt, sagt im IV. Capitel, wo er von den Ausgaben bei einer großen Viehwirthschaft spricht:

„Unter diesen Ausgaben ist der Lohn des Käsers (Casaro) nicht die geringste. Der Lohn desselben beträgt jährlich nicht weniger als 1000 Lire milanesi (500 fl.). Dieser Käser ist die wichtigste Person in einer lombardischen Meierei. Wehe denselben, wenn ihr Käse schlecht ausfällt: der Schaden ist dann nicht zu berechnen und die Wirthschaft muß zu Grunde gehen. Wenn man bedenkt, „sagt der Hr. Verf. in einer Note," daß so viele unserer Landwirthe bloß dadurch zu Grunde gehen, weil ihr sogenannter Käser entweder seine Sache nicht versteht, oder öfters sogar boshaft genug ist, seinen Herren absichtlich zu Grunde zu richten; wenn man bedenkt, daß so zu sagen das ganze Vermögen eines wohlhabenden Mannes in der Hand dieser Miethlinge schwebt, und so viele Familien nach und nach durch ihren Käser an den Bettelstab gerathen; so läßt sich wahrhaftig nicht begreifen, wie so viele Landwirthe ihren Söhnen eine andere Bestimmung geben können, als diejenige, welche unter ihren Verhältnissen die angemessenste für das Wohl ihrer Familie ist. Wäre es denn, bei Gott! nicht tausend Mal besser, Statt eines Juristen oder Beamten, oder eines Müssiggängers von Pfaffen einen Sohn im Schoße seiner Familie zu besizen, dem man die Leitung der Wirthschaft,

Segel aus Baumwollenzeugen.

Wir haben im Polytechn. Journale schon einige Male von den Versuchen der Nordamerikaner gesprochen, Baumwolle zu Segeltuch zu verwenden. Das Journal „the Baltimore American" (Galignani N. 4581) erzählt die Versuche, die sechs Jahre lang ununterbrochen an dem Schooner Yellot mit Segeln aus Baumwolle angestellt wurden. Dieser Schooner segelte während dieser sechs Jahre zwei Mal nach Smyrna und zwei Mal um das Cap Horn mit seinen baumwollenen Segeln, ohne daß dieselben auch nur die mindeste Spur von Moder (nicht einmal in den Säumen, wo Segeltuch zuerst vermodert) zeigten. Die Baumwolle wurde während ihrer Verarbeitung zu Segeltuch nie geschlichtet, und auf diesem Umstande soll die Sicherstellung gegen Moder beruhen. Das Resultat aller amerikanischen Schiffer, welche bisher sich baumwollener Segel bedienten, läuft dahin aus, daß diese Segel länger dauern, als die besten russischen und holländischen, daß sie wohlfeiler sind; und daß ein Schiff mit Baumwollsegeln um Eine Meile in Einer Stunde schneller segelt. An einem Segel halb aus Baumwolle, halb aus Hanf war der Theil aus Baumwolle ganz und gesund geblieben, während der andere vermoderte.

Wasserbau am Niagara-Falle. Amerikanische Schwimmkunst.

Im New-York-Advertiser (Galignani N. 4581) wird eine Notiz von dem Feste mitgetheilt, welches die Wasserbaukunst den Nord-Amerikanern am 8. October gegeben hat.

An dem berühmten Niagara-Falle, wo der Lorenzo-Fluß 170 Fuß hoch über Felsen herabstürzt, wurde an diesem Tage ein ungeheuerer Fels an der sogenannten indischen Leiter gesprengt; ein Theil der Dawson's-Insel in die Luft gesprengt an der englischen Seite, und der äußere Terrapin-Fels an der amerikanischen. Man wollte Anfangs einen ganzen Viertelmorgen vom Tafel-Fels wegsprengen; er hat bereits einen Sprung von 60 bis 70 Fuß Länge und 100 Fuß Tiefe, und wird wohl bald von selbst in den Abgrund stürzen, über welchen er überhängt. Hr. Forsyth wollte ihn durch ein künstliches Erdbeben einstürzen lassen; allein die canarische Regierung wollte es nicht zugeben.

---

dem man die Käserei mit der Zeit anvertrauen könnte, Statt daß man dieselbe gänzlich fremden Händen zu überlassen gezwungen wird?" 33)

Was Hr. Berra über die Nachtheile, die durch die unselige Studierwuth für die Landwirthschaft, und eben so für Gewerbe und Handwerke, entstehen, in Bezug auf die Lombardei so wahr und kräftig ausgesprochen hat, gilt leider auch von den meisten Staaten Deutschlands. Wenn irgend ein Landwirth, ein Brauer, Bäker, Gerber, Schuh- oder Kleider-Macher rc. durch seinen Fleiß und seine Geschiklichkeit sich einiges Vermögen erworben hat, so schämt er sich, daß seine Söhne, wie er, Landmann oder Bäker, Brauer oder Gerber rc. werden sollen. Die jungen Herrschaften sollen studieren, sollen Ministerialräthe, Canonici, Bischöfe werden. Dadurch kommt dann, nicht bloß durch den Aufwand, den das Studieren kostet, sondern auch durch die Nothwendigkeit, in der sich die alten Väter befinden, ihre Wirthschaft, ihr Gewerbe fremden Händen anzuvertrauen, die Wirthschaft und das Gewerbe von Jahr zu Jahr mehr herab, so daß nicht bloß der Wohlstand der Familie, sondern der Wohlstand des Landes selbst endlich dadurch leidet, während auf der anderen Seite das Land mit einer Unzahl von Aspiranten, Praktikanten, Accessisten und Messenjägern überschwemmt wird, die sich selbst, ihren Aeltern und Verwandten und dem Staate zur Last fallen. Wehe dem Lande, in welchem die Studienplane nur darauf berechnet sind, die Zahl der Studierenden zu vermehren, Statt das Land mit brauchbaren gewerbfleißigen Bürgern zu versehen. A. d. U.

---

33) Ma per Dio! in vece di aver nella famiglia un cattivo legale o un prete ozioso, non sarebbe egli di gran lunga più vantaggioso che un figlio fosse per tempo ammaestrato nell' arte di fabbricare il formaggio, e a lui piuttosto che ad un estraneo fossero poi affidati gl' interessi dell' azienda?

Nachdem dieß Alles glüklich geschehen war, ließ man ein Schiff in den Fall stürzen: einen Schooner mit zwei Masten. Das Schauspiel war in der That herrlich. Das Wasser über dem Falle war glatt wie ein Spiegel. Anfangs erschien der Schooner in der Ferne nur als ein schwarzer Punkt; aber immer rükte er näher und näher und immer schneller, je näher er dem Ziele seines Sturzes in den Abgrund kam. Kaum hatte man die Masten und die Seitenverzierungen desselben einige Augenblike deutlich gesehen, als er in die Brandung hinabstürzte. Man hörte ein lautes Krachen, und beide Masten waren abgesprungen. Man sah ihn nicht mehr im Schaume des tobenden Wasserfalles. Aber plözlich hob er sich wieder aus demselben empor, und stürzte entmastet noch sich von einem Falle in den anderen. Siegreich schien er, wie ein alter Krieger, aus dem Kampfe hervorzutreten, als ein Schwall ihn in der Mitte des Stromes (man glaubte er würde näher am Ufer hinlaufen) pakte, und an einen flachen Felsen hinwarf, auf dem er jezt liegt, noch ganz und dem Strome trozend, der an ihm vorüber braust.

Zum Schlusse des Festes versprach Hr. Samuel Patch sich von den Felsen des Falles herab in die Tiefe des Abgrundes des Flusses zu stürzen. Er kam, in Weiß gekleidet, aus einer Felsschlucht heraus, stieg auf einer Leiter hinan und erreichte endlich, unter so lautem Beifall, daß selbst das Brausen des Niagara Falles noch denselben vernehmen ließ, den Gipfel. Hier sezte er sich und ruhte wie ein Sturmvogel auf einer Felsenspize. Endlich erhob er sich, neigte sich gegen seine guten Landsleute, küßte seine Hände und warf die Küsse den Damen zu, die für ihn zitterten, und stürzte im weiten Sprunge sich hinab in den Abgrund. Verschwunden war er in den Wirbeln der Tiefe, die über ihn schäumten und brausten. Das war ein Sprung in die Ewigkeit, seufzten viele. Die Bothe näherten sich, so nahe sie vermochten, den Wirbeln, um zu helfen, wenn der gute Samuel zum Vorscheine kommen sollte. Vergebene Mühe. Der große Taucher schwamm unter dem Wasser an's Ufer, und das Erste was man von ihm sah, war, daß er naß wie eine Wassermaus an den Felsen des Ufers hinanklimmte, wo lauter Beifall Aller ihn empfing.

Sträfliches Schnellfahren der englischen Landkutschen.

Die Landkutschen zwischen Manchester und Carlisle fahren gegenwärtig in die Wette; sie fahren 15 englische Meilen (4 deutsche weniger einer halben Stunde) in Einer Stunde. Die Kutschen New Times und Fair Trader fuhren eilf englische Meilen (3 deutsche weniger einer halben Stunde) in 40 Minuten, und wurden dafür verdienter Weise zur Strafe gezogen. (Carlisle Patriot. Galign. N. 4587.)

Die Ladung eines Wagens nach dem Straßengeseze zu bestimmen, ohne denselben zu wägen.

Der Industriel belge, Jun. 1829, S. 453., und aus diesem der Bullet. d. Sciences technol. Oct., S. 193. liefern unter dem absurden halb griechisch, halb lateinisch gedrechselten Worte, Ponderometer, die Idee zu einem Instrumente, mittelst dessen man nicht bloß, ohne alle Wage, erkennen kann, ob ein Fuhrmann zu viel, d. i. mehr als die Straßengeseze erlauben, geladen, hat, sondern selbst, ob auch nur ein Rad zu tief in die Straße einschneidet. Man schlug bekanntlich hierzu Winden vor, deren Kraft genau berechnet ist. Bei der Anwendung zeigten sich jedoch Schwierigkeiten. Hr Groetaers, d. Sohn, schlug Würfeln aus Stein vor, die nur unter einem gegebenen Gewichte des darüber rollenden Wagens zerdrükt werden. Auch hier zeigten sich viele Schwierigkeiten. Diese Idee veranlaßte indessen eine andere bei Hrn. Delavault. Dieser schlägt ein Metall, Blei oder Zinn vor, welches immer denselben Widerstand leistet. Ein mit einem Maßstabe graduirtes Messer schneidet in einen metallnen Cylinder desto tiefer ein, je schwerer der über das Messer hinfahrende Wagen beladen ist. Der ganze Apparat wiegt nicht mehr als 12 bis 16 Pfd., so daß der Wegsteher, dem ein verdächtiger Wagen auf der Straße vorkommt, denselben leicht unter seinem Mantel haben kann. Schon die Furcht vor einem solchen tragbaren Wagenwäger müßte, meint der Industriel, die Fuhrleute abhalten, ihre Wagen zu überladen, indem sie auf diese Weise jeden Augenblik in Gefahr sind entdekt zu werden. Ueberdieß sind hier die gewöhnlichen Unterschleife, das Aufladen unter Weges, nachdem der Wagen bereits gewogen wurde, nebst allen anderen ähnlichen Komödien erspart. Der Metallcylinder kann, nachdem er abgenüzt ist, leicht wieder umgegossen werden.

„Da,„sagt der Industriel" in Frankreich jezt noch mehr als 30 Wagen erbaut werden sollen, auf welchen man die Frachtwagen abwägen kann, und jeder derselben an 100,000 Franken kostet, so verschaffen wir der französischen Regierung einen reinen Gewinn von 3 Millionen Franken, und beinahe eben so viel kann die Regierung dadurch gewinnen, daß sie die bereits bestehenden Wagen einreißt und verkauft. An drei Millionen wird auch die niederländische Regierung durch unsere Vorrichtung gewinnen. England gewinnt mehr als 20 Millionen; Preußen und Oesterreich mehr als 10 Millionen; die übrigen Staaten wollen wir gar nicht in Anschlag bringen. Wir verlassen uns vertrauungsvoll auf die Großmuth der Regierungen; wir sprechen sie sogar von aller Verbindlichkeit frei, indem wir wissen, daß die Finanzen bei mehreren in einem sehr betrübten Zustande sich befinden; wir haben es uns zum Geseze gemacht, auch die kleinste Summe anzunehmen, mit welcher sie unsere Entdekung belohnen wollen, wäre es auch nur Eine Million oder nur Eine halbe Million Franken."[34])

Ueber einen Tag- und Nacht-Telegraphen, von Le Coat de Kveguen.

„Ich habe," sagt Hr. Le Coat de Kveguen im Bulletin de Scienc. technol. October 1829, S. 196., „im Jahre 1826 ein Mittel gefunden, aus dem Semaphore einen Tag-Telegraphen zu machen, und seit dieser Zeit bediene ich mich desselben mit dem größten Vortheile, um Alles in Kürze zu signalisiren."

„Diese Entdekung führte mich zu jener eines Tag- und Nacht-Telegraphen. Dieser besteht blos aus einer Hütte mit zwei Seitenflächen, deren jede mit drei kreisförmigen Oeffnungen versehen ist, durch welche eine Leiste vertical oder horizontal durchläuft, je nachdem die Centrallinie vertikal oder horizontal ist. Diese Oeffnungen sind mit einer undurchsichtigen Scheibe bedekt, in welcher sich ein weißer oder schwarzer Halbmesser (je nachdem die Scheibe weiß oder schwarz ist) für den Tag-Telegraphen befindet: für den Nacht-Telegraphen beleuchtet man diesen Halbmesser."

„Die Bewegungen werden aus dem Inneren dieser Hütte geleitet, und man bildet, nach Belieben, rechte und spizige Winkel, rechts und links, aufwärts und abwärts. Die Größe der Hütte ist im Verhältnisse mit dem Durchmesser der Scheibe, und dieser richtet sich nach der Entfernung der Telegraphen von einander. Die vor mehreren Personen mit Halbmessern von verschiedener Größe angestellten Versuche sind mir nicht nur gelungen, sondern die lezteren derselben, die ich am 31. März 1829 um 8 Uhr Abends bei hellem Mondenlichte anstellte, haben sogar meine Erwartungen übertroffen. Ich wollte sehen, wie groß die beleuchteten Halbmesser seyn müßten, wenn sie in einer gewissen Entfernung deutlich gesehen werden sollten."

„Der 1ste Halbmesser war 4 Fuß 6 Zoll lang, 8 Zoll breit,
2te — — — 4 — — — — — 6 — —
3te — — — 3 — — — — — 4 — —
4te — — — 2 — — — — — 3 — —"

„Alle gegebenen Zeichen werden von den Wachen am Cap Sépet, welches 1 Lieue 8/10 vom Thurme des Hafens entfernt ist, deutlich gesehen und verstanden; sie antworteten am folgenden Morgen mit dem Sémaphore."

„Ein Halbmesser von zwei Fuß Länge und drei Zoll Breite reicht also für zwei Meilen hin."

„Der Bau dieses Telegraphen ist höchst einfach und wohlfeil. Er würde an

34) Diese Satyre ist etwas stark; allein, sie wird nicht fruchten. Wenn auch die Regierungen (wir verstehen unter diesen die Fürsten) von dem besten Willen beseelt sind, so sind es nicht immer die Regierer, die Beamten. Der Italiäner sagt zwar: „dall' arrosirne all' emendarsi è breve il passo;" allein viele unserer Beamten haben gegen das Erröthen dadurch gesorgt, daß sie sich schminken. Sie können nicht mehr röther werden, als sie sich selbst machen. A. d. Ue.

Hafen zum Signalisiren der aus- und einlaufenden Schiffe, während des Krieges an den Küsten zur Signalisirung der Stellungen und Bewegungen des Feindes, bei Belagerungen zur Correspondenz mit der zum Entsaze anrükenden Armee höchst vortheilhaft seyn; der Minister des Krieges könnte dadurch mit den Armee-Divisionen, der Minister des Inneren könnte dadurch auch mit den Departements korrespondiren."[35])

„Ein solcher Telegraph ließe sich auch leicht an zwei Häusern anbringen, deren Fenster gegen einander gekehrt sind."

„Ich habe auch einen tragbaren Tag-Telegraphen erfunden, der an Bord eines Kriegsschiffes gebracht werden kann, um mittelst desselben die geheimen Befehle zu signalisiren und mit den Wachen an den Ufern zu correspondiren. Dieser Telegraph wurde für das Linienschiff, le Conquerant, auf Verlangen des Admirals de Rigny, verfertigt, und besteht aus einem hohlen Mast, der seine drei Flügel aufnimmt."

„Ich habe seit meinen lezten Versuchen ein Mittel gefunden, mit einem einzigen Halbmesser viele tausend Artikel signalisiren zu können, wodurch die telegraphischen Anstalten noch viel wohlfeiler werden. Ich habe die Versuche in einer kleinen Hütte auf dem Vorgebirge Sépet angestellt. Alle Signale wurden im Mondenlichte vollkommen verstanden, obschon der Halbmesser nur 2 Fuß lang und 3 Zoll breit war. Ich bediene mich desselben täglich, um die Bewegungen der Schiffe in meinem Gesichtskreise anzuzeigen."

„Nach diesem neuen Verfahren hat der tragbare Tag-Telegraph nur einen einzigen Flügel, und läßt sich auf diese Weise desto leichter von einem Orte auf das andere bringen."

Ueber Gleichgewicht und Bewegung elastischer fester und flüssiger Körper

hat der berühmte Physiker und Mathematiker, Hr. Poisson, eine äußerst wichtige Abhandlung in den Annales de Chimie, October, S. 145. mitgetheilt, die, wenn man so sagen darf, das Grundprincip der Mechanik zu Lande und zu Wasser umfaßt. Leider werden diese Abhandlung, die die höchste Geläufigkeit im Differential- und Integral-Calcul voraussezt, nur wenige Mechaniker verstehen, und diejenigen, die sie verstehen, verstehen sie auch französisch, oder werden sie gewiß bald in einer für Physik bestimmten deutschen Zeitschrift finden.

Eines nur wäre bei dieser Abhandlung, so wie bei mancher anderen ähnlichen, zu wünschen; nämlich dieses, daß nach der Methode einiger alten Mathematiker in Corollarien die Nuzanwendung der Resultate, zu welchen eine so tief geführte wissenschaftliche Bearbeitung der oberstén Grundsäze leitete, angegeben oder wenigstens angedeutet würde. Und dieses könnte, wie wir aus Erfahrung wissen, der Verfasser einer solchen Abhandlung mit geringerer Mühe und mit glüklicherem Erfolge, als der erste unter den besten praktischen Mechanikern. Wir wissen ja, daß der größte Zimmermeister und Schiffbaumeister neuerer Zeit in England, Sir Joseph Sepping, der ohne alle Kenntniß der Mathematik seine unsterblichen Meisterwerke aufführte und vollendete, als man ihn später Mathematik lehrte und durch diese ihm begreiflich machen wollte, wie er der große Mann geworden ist, der er ist, bei allem diesen Studium der Mathematik am Ende seine eigenen Werke nicht mehr begriff, sich selbst nicht mehr verstand. Eben so ging es jenem alten Hufschmide, der im nördlichen Theile von England sehr glüklich

---

35) Dieß mag vielleicht für die Minister in England, Holland, Frankreich bequem seyn; in anderen Ländern scheint es bequemer, wenn ein vom Könige unterzeichneter Befehl, der das Wohl von Hunderten, von Tausenden seiner treuen Unterthanen betrifft, 8—14 Tage und noch länger in den Bureaux liegen bleibt, ehe er abgesendet wird. Es ist überhaupt eine sonderbare Erscheinung, daß in den deutschen Staaten, selbst in denjenigen, die weit bequemer zur Telegraphie gelegen sind, als Frankreich, England und Holland, wo die Nebel so lästig und die Höhen so sparsam sind, noch bis zur Stunde gar kein Gebrauch von telegraphischer Correspondenz gemacht wird. Nicht einmal die Bankiers zu Augsburg und Frankfurt halten sich Telegraphen, wie die englischen Kaufleute weit kleinerer Städte.

A. d. Ue.

den grauen Staar operirte, ohne etwas von den Regeln der Kunst zu wissen. Der berühmteste Augenarzt seiner Zeit in England, der unsterbliche Cheselden, besuchte diesen Collegen an seinem Amboße, als er einst zufällig in seine Nachbarschaft kam, und erstaunte über die Geschiklichkeit desselben eben so sehr, als über seine Unwissenheit. Er verweilte einige Zeit bei ihm, und ertheilte ihm freundschaftlich Unterricht über den Bau des Auges und über die Hauptmomente der Kunst des Staarstechens. Als er ihn nach einiger Zeit wieder besuchte und den Meister vom Amboße fragte, wie er sich bei seiner neuen Lehre befände, antwortete ihm dieser seufzend: „o guter Herr! Ihr habt mich scheu gemacht; ihr habt mich ganz verwirrt. Die erste Operation, die ich nach euerer Anleitung machte, ist mir mißlungen, und zeither getraue ich mich nicht mehr, einen Staar zu stechen. Ich weiß jezt, was dieß für eine delicate Sache ist, und ich zittere." So geht es häufig, wenn man Technikern, die in ihrem Fache ausgezeichnete Künstler sind, wissenschaftlichen Unterricht ertheilt; man schadet ihnen oft mehr, als man nüzt, wenn man den Unterricht nicht genau ihrer Fassungskraft und ihren Bedürfnissen anzupassen weiß, und diese Kunst ist schwerer, als mancher gelehrte Professor an einer polytechnischen Schule glaubt, auf welcher das, was man ungebildeten Technikern lehren muß, nicht so herabgekanzelt werden darf, wie der Unterricht von den Lehrkanzeln der Universitäten.

Kohlensäure dringt durch Blasen.

Hr. Thom. Graham zu Glasgow fand (vergl. Register of Arts, Decbr. N. 29. S. 156.), daß Kohlensäure durch Blasen ein- und ausdringt.

Er brachte eine vollkommen gesunde und ganze Blase mit einem Sperrhahne, die bis auf zwei Drittel mit Luft gefüllt war, unter einen mit kohlensaurem Gase gefüllten und mit Wasser abgesperrten Recipienten. In der kurzen Zeit von zwölf Stunden füllte sie sich in dieser kohlensauren Luft bis zum Bersten, und die kohlensaure Luft verschwand unter dem Recipienten in dem Maße, als die Blase sich füllte, welche leztere bei dem Herausziehen auch wirklich am Halse barst. Die Blase war übrigens vollkommen gesund, und verrieth nicht den mindesten Geruch. Das kohlensaure Gas im Recipienten zeigte indessen Spuren von Kohlenstoffgas, und die Luft in der Blase hielt 35 p. C. kohlensaures Gas dem Volumen nach.

Eine Blase, die etwas weniger Kohlengas enthielt, wurde auf dieselbe Weise in eine Atmosphäre von kohlensaurem Gase gebracht, und ward in 15 Stunden vollkommen aufgeblasen. Sie hielt 40 p. C. von dieser lezteren Gasart.

Eine, mit gemeiner Luft gefüllte, Blase wurde unter gleichen Umständen binnen 24 Stunden vollkommen aufgeblasen. Eine Blase aber, die mit Kohlenstoffgas gefüllt war, blies sich nicht auf, als man sie unter den Recipienten brachte, wenn dieser mit gemeiner Luft oder mit Wasser gefüllt war.

Da der Recipient, in welchem die Blase hing, mit Wasser gefüllt war, so ward die Blase feucht. Die Haarröhrchen in der Blase waren mit Wasser gefüllt, und die äußere Oberfläche dieses Wassers verschlang die in demselben auflösliche Kohlensäure, mit welcher sie in Berührung stand. Das innere Ende der Haarröhrchen ließ diese Gasart dann in den inneren Hohlraum der Blase entweichen. Selbst wenn der Druk der Gasart in der Blase schon ziemlich stark ist, wird die Capillar-Attraction noch immer den Durchgang des Gases begünstigen.

Ueber das sogenannte Schwarz im Meliszuker.

Seit einigen Jahren bemerkt man an den Zukerhüten der Zukerraffinerien zu Amsterdam schwarze Fleken, (das sogenannte Schwarz (het Zwart)), welche unendlichen Schaden anrichten. Die Herren van Dyk und van Beek untersuchten dieses sogenannte Schwarz, und fanden, daß es ein kryptogamisches Gewächs ist. Sie legten das Resultat ihrer Untersuchungen in einer kleinen Schrift dar, welche den Titel führt:

„Onderzoekingen aangaande het Zwart in de Melisbrooden; door C. M. van Dyck in A. van Beek, te Utrecht. Uitgegeven door de Eerste Klasse van het Instituut. 8. Te Amsterdam. 1829 by L. Muller en Comp. 1829. 55 S. mit 2 Kupfern."

Die HHrn. van Dyk und van Beek nennen diese kleine Alge Conferva mucoroides Agardh, welche Sprengel in seiner Anleit. z. Kenntniß d. Gewächse, 2. Aufl., Halle 1817. II. t. 1. f. 1—6 abgebildet hat, und sie copirten diese Abbildung in ihrem Werke. Hr. Prof. Agardh hat aber zeither in seinem neuen Werke (Systema Algarum. Lund. 1824) diese Pflanze Syncollesia mucoroides genannt, und unter die Algae conferviodeae funginae gestellt, indem sie kleinen Pilzen ähnlich ist.

Hr. Prof. van Hall, welcher von den Hhrn. van Dyk und van Beek ein Stük Zuker mit solchem Schwarz erhielt, überzeugte sich jedoch in seinen Bydragen, IV. Th. N. 2. S. 86., daß diese kleine Alge nicht die Syncollesia mucoroides, sondern eine eigene Art dieser Gattung ist, welche er Syncollesia sacchari zu nennen vorschlägt, indem sie von allen anderen Arten dieser Gattung verschieden ist. Er bemerkt bei dieser Gelegenheit, daß noch andere Schimmelarten, wie Aleurisma granulosum Mart., Sporotrichum densum Link, Sp. vitellinum Link auf Syrupen vorkommen.

Es scheint den Hhrn. Verfassern, daß das unreine Wasser, in welchem die Formen gewaschen werden, und vor Allem die Wärme und Feuchtigkeit der Raffinerien die Vermehrung dieser kleinen Alge sehr begünstigen. Sie empfehlen daher das Auslaugen der Formen mit Kalk, und, wo das Uebel in Raffinerien eingenistet ist, das Waschen des Holzwerkes mit Kalkchlorürauflösung.

Wer sollte glauben, daß der Zukerraffineur der Botanik, und zwar der allerfeinsten, bedürfe, um sich vor Schaden zu bewahren? Vielleicht vegetirt der Brand am Weizen eben so nur auf dem Zukerstoffe des Weizens (denn auch der Brand ist ein ähnlicher kleiner Pilz), wie dieser schwarze kleine Pilz auf dem raffinirten Zuker.

Debreziner Sauerteig.

Der Industriel belge, Mai, 1829. S. 394., das Journal des Connaiss. usuelles N. 50. S. 214., der Bulletin d. Scienc. technol. October 1829. S. 270. theilen folgende Notiz über den Sauerteig mit, dessen man sich zu Debrezin zum Brotbaken bedient.

„Man läßt zwei starke Hand voll Hopfen in 4 Pinten (4 Pfund) Wasser kochen, und gießt die Abkochung über so viel Weizenkleie, als von derselben vollkommen befeuchtet werden kann. Dieser sezt man vier bis fünf Pfund Sauerteig zu, und wenn dieser hinlänglich warm geworden ist, knetet man die Masse durch, um Alles gehörig unter einander zu mengen. Die durchgeknetete Masse stellt man 24 Stunden lang an einen warmen Ort, und theilt sie hierauf in Stüke von der Größe eines Gänseeies oder einer kleinen Pomeranze, legt sie auf ein Brett, und läßt sie an der Luft, aber nicht an der Sonne troknen. Nachdem sie gut getroknet sind, legt man sie zum Gebrauche bei Seite, und bewahrt sie über ein halbes Jahr lang auf. Dieses Sauerteiges bedient man sich nun auf folgende Weise. Um sechs große Leibe von anderthalb Kubikfuß jeden zu verfertigen, nimmt man sechs solche Kugeln, und löst sie in 6—8 Pinten heißem Wasser auf. Man läßt diese Auflösung durch ein Sieb in den Baktrog laufen, und gießt noch drei Pinten ungefähr heißes Wasser durch das Sieb nach. Der Rükstand wird sorgfältig ausgedrükt. Diese Flüssigkeit wird nun mit der zu einem großen Leibe erforderlichen Menge Mehles gemengt; der Leib wird mit Mehl überstäubt und auf das Sieb gestellt, in welchem man den Rükstand ließ, und auf welchem man den Leib so lang läßt, bis er gehörig aufgegangen ist. Wenn er an der Oberfläche aufgesprungen ist, ist er gehörig gegangen. Nun sezt man 15 Pinten heißes Wasser zu, in welchem man 6 Hände voll Salz auflöst, läßt alles durch das Sieb laufen, sezt die gehörige Menge Mehl zu, und mischt und knetet alles mit dem Sauerteige ab. Die abgeknetete Masse wird warm zugedekt und eine Stunde lang in Ruhe gelassen, worauf man Leibe aus derselben bildet, die man wieder eine halbe Stunde lang in einer warmen Stube läßt, und in den Ofen schießt, in welchem man sie, nach ihrer verschiedenen Größe, zwei oder drei Stunden lang baken läßt, je nachdem sie nämlich mehr oder minder groß sind. Auf diese Weise kann man sich auf ein Mal viel Sauerteig verschaffen, als man will, und diesen, so lang man will, zu seinem Bedarfe aufbewahren. Wäre es nicht gut dieses Verfahren für Schiffe und Armeen zu benüzen?“

Wir wissen, daß das Debreziner Brot zu den besten europäischen Brotsorten gehört; wir haben es, obschon in einiger Entfernung von Debrezin selbst, also altgebaken, gegessen, und sehr schmakhaft gefunden; frischgebaken muß es köstlich seyn. Ob indessen diese Methode, den Sauerteig zu dem berühmten Debreziner Brote zu bereiten, die wahre ist, zweifeln wir sehr, und wünschen nichts sehnlicher, als daß irgend ein achtbarer Bürger des ungrischen Athen (für welches Debrezin mit Recht gilt, denn es sind und waren an dem dortigen reformirten Lyceum immer ausgezeichnete Gelehrte) uns eine bessere und die wahre Methode angeben möchte, nach welcher der Sauerteig zu dem köstlichen Debreziner Brote bereitet wird. Die europäische Industrie könnte noch Manches aus der ungrischen lernen, die man, so wie das edle ungrische Volk selbst, in Europa noch zu wenig kennt, und nicht nach voller Würde zu schäzen weiß.

Ewiger Bakofen.

Im Industriel belge, Jun. 1829. S. 452., bietet Jemand den Bäkern gegen Bezahlung die Mittheilung des Planes eines Bäkofens an, welcher Tag und Nacht in der Hize bleibt, so daß man jeden Augenblik Brot in demselben baken kann. Man erspart bei diesem Ofen ungeheuer an Zeit, Brennmaterial (zu welchem auch Steinkohlen benüzt werden können), das Brot wird nie mit Asche oder Kohle verunreinigt, und man hat jeden Augenblik frisch gebakenes, warmes Brot. (Bullet. d. Sc. techn. October S. 170.)

Ueber Eisenerzeugung in England, besonders über Gußeisen,

findet sich ein sehr interessanter Aufsaz von den HHrn. Coste und Perdonnet in der I. und II. Lieferung der Annales des Mines, Jahrgang 1829. Wir müssen uns begnügen unsere Leser einstweilen auf denselben aufmerksam gemacht zu haben, bis in irgend einem deutschen bergmännischen Journale eine Uebersezung hiervon erscheinen wird. Im Bulletin d. Sc. tehnol. Oktober, S. 130, findet sich ein kurzer Auszug aus demselben, nach welchem im J. 1826 in Großbritannien 374 Hochöfen vorhanden waren, wovon jedoch nur 262 im Betriebe standen. Von lezteren waren 108 in Staffordshire, 109 im südlichen Wallis, 130 im übrigen England, 25 in Schottland und 2 in Irland. Die jährliche Erzeugnng betrug 600,000 Tonnen (die Tonne zu 1015 Kilogr., 2030 Pfd.). Davon waren: verfeinerter Guß, 339,662 Tonnen; Guß aus dem 2ten Flusse: 170,912 Tonnen, aus dem 1sten 89,426.

Staffordshire erzeugt nicht bloß das meiste, sondern auch das beste Eisen. Als Feuermaterial hat man bloß verkohlte Steinkohlen, Kohks. Die Eisenerze in Staffordshire halten zwischen 20 und 45 p. C. Eisen. Man mengt die Erze so, daß sie vor dem Rösten im Durchschnitte 30 bis 33 p. C., beim Eintragen in den Hochofen aber 40 bis 44 p. C. liefern. In Wallis sezt man dem kohlensauren Eisen Blutstein (Haematit) aus Lancashire zu: die Mischung beider nach dem Rösten gibt zuweilen 40 p. C., meistens aber nur 30 bis 33. Die Hochöfen in England haben fast alle denselben Bau, indem sie beinahe alle dasselbe Erz und dasselbe Brennmaterial haben. In England ist auch das Erz, das Brennmaterial und der feuerfeste Thon gewöhnlich neben einander. Diese Oefen liefern wöchentlich 30 bis 40 Tonnen Gußeisen oder 40 — 60 Tonnen Roheisen. Die Oefen in Wallis sind größer: zu Merthyr geben sie wöchentlich 70 bis 100 Tonnen; man hat jezt einen Ofen daselbst erbaut, der wöchentlich 120 Tonnen liefert. In Staffordshire kommen die Erzeugungskosten auf 85 bis 98 Franken für die Tonne; in Wallis auf 80 bis 90 Franken.

Gesprungene Gloken ausbessern.

Im Industriel belge S. 447. wird das Verfahren angegeben, gesprungene Gloken auszubessern. Bekanntlich muß eine Gloke umgegossen werden, wenn sie einen Sprung bekam. Ein armer Kesselfliker lehrte eine einfachere Methode. Man hielt den armen Teufel lange Zeit über bei seinen Versuchen für einen Narren, und wollte ihn in's Tollhaus sperren, als ihm endlich seine lezten Versuche gelungen. Sein Verfahren ist a. a. O. (und auch im Bulletin d. Scienc. technol. October S. 146.) etwas undeutlich beschrieben. Es heißt: die herabgelassene Gloke wird umgekehrt, so daß ihre untere Oeffnung nach oben gerichtet ist. Die

Ränder des Sprunges werden so ausgesägt, daß ein ekiger Hohlraum sich bildet, an welchem ein nach der Form der Gloke ausgeschnittenes Stük Holz angebracht wird, das eine Art Model gibt, der mit Glokenspeise ausgegossen wird. Die Gloke wird nun mit Kohlen ausgefüllt und außen mit Kohlen umgeben, welche angezündet und soviel möglich in gleichförmiger Hize gehalten werden, bis man endlich nach 10 — 12 Stunden nur mehr das Gebläse auf jene Stelle hinspielen läßt, die ausgebessert werden soll. Eben so wird auch das dreiekige Stük rothglühend gemacht, welches den Sprung ausfüllen soll. Wenn die Ränder des Sprunges und das erwähnte Stük beinahe glühend geworden und auf dem Punkte sind in Fluß zu gerathen, räumt man die Kohlen weg, bläßt die Asche weg, und bestreut den Sprung und das Stük, welches eingesezt werden soll, mit Borax. Das einzusezende Stük wird mit der Zange gefaßt, in die ausgesägte Oeffnung eingesezt und mit dem Hammer sacht nachgetrieben. Die Reibung der Ränder, welche durch die Schläge mit dem Hammer erzeugt wird, vermehrt die Hize an denselben so, daß sie in Fluß gerathen, an einander schmelzen und ein neues Ganze bilden. Hierauf läßt man die Gloke erkalten feilt die ausgebesserte Stelle zu und die Gloke ist so gut wie vor. Ein anderer hat vorgeschlagen, den ausgeschnittenen Sprung mit Eisenblech zu schließen, und das Glokenmetall in die auf diese Weise gebildete Höhlung zu gießen. — — So gut diese Methode ist, so scheint uns doch die amerikanische Methode, die Gloken gänzlich zu ersezen, (die bereits in Würtemberg mit gutem Erfolg nachgemacht worden sind), den Klang nämlich durch starke Stahlfedern zu erzeugen, auf welche ein Hammer schlägt, vortheilhafter. Dadurch wird der, immer kostbare und gefahrvolle, Thurmbau, und die eben so kostbare und gefahrvolle Ausbesserung der Thürme gänzlich beseitigt, und die Kirche selbst einer schönen, reinen antiken Form fähig, die durch jeden Thurm entstellt werden muß.

Ueber die epicykloidischen Zähne an Räderwerken.

Hr. Wynn, ein sonst angesehener Mechaniker zu London, erklärte im Mech. Mag. N. 283. S. 371., daß die epicykloidischen Zähne (von deren Vortheilen die Mechaniker sich überzeugt haben (siehe Polyt. Journ. a. a. O.), „eine große Absurdität" sind. Der berühmte Londoner Uhrmacher, Jak. Harrison, weiset ihn hierüber im Mechan. Mag. N. 329. S. 341. zu Recht, und wir wollen Uhrmacher auf diesen wichtigen Aufsaz aufmerksam gemacht haben.

Verbesserung des Glases zu optischen Instrumenten.

Es ist Hrn. Faraday, dem berühmten Chemiker, gelungen, Glas zu Linsen für optische Instrumente von 1 bis 2 Fuß im Durchmesser in einer solchen Reinheit zu verfertigen, wie es bisher noch unmöglich gewesen ist. (London litt. Gazette. Bullet. d. Scienc. techn. October. 151.)

Uhr aus Bergkrystall.

Hr. Rebillier verfertigte eine Uhr aus Bergkrystall, über welche am 7. Septbr. 1829 vor der königlichen Akademie d. Wissenschaften zu Paris Bericht erstattet wurde. (Annales de Chimie. Octobre. 1829. S. 196.).

Einfluß der feuchten Wände auf Messingdrath.

Ein Kaufmann hing Messingdrath an einer feuchten Wand auf. Der Theil des Drathbundes, welcher an der Wand anstieß, ward in kurzer Zeit so brüchig wie Glas. Er fragt im Mechan. Mag. N. 329. S. 254. um die Ursache dieses Phänomenes und um ein Mittel dagegen. Da das Mechan. Mag. weder auf die eine noch auf die andere dieser Fragen Bescheid gab, so wollen wir beide beantworten. Die Ursache dieses Phänomenes ist die Oxydirung des Kupfers durch die Feuchtigkeit und durch den sogenannten Mauersalpeter, und das Mittel dagegen ist, die Wand troken zu legen.

Ueber die Maschinen des alten Giov. Branca kommt eine interessante Notiz in der Biblioteca italiana (Ottobre (pubbl. il 5. Dicemb.) 1829. S. 96.) unter der Aufschrift vor: Osservazioni sulle macchine pubblicate da Giovanni Branca nel 1629. Der ungenannte Verfasser derselben erinnert seine Leser, daß zu jener Zeit, wo Italien, wo Florenz, Pisa, Venedig, Mailand, Genua ganz Europa und den Orient in Tuch und Seide kleidete, mit Glas- und Töpferwaaren und mit allen Artikeln des Luxus versah, manche Maschine dort gebraucht worden seyn mußte, die man jezt für eine neue Erfindung hält und über das Meer herüber holt. Er bemerkt sehr richtig, daß bei dem Wiederaufleben der Wissenschaften in Europa die Gelehrten, und selbst die gebildetesten unter denselben, mit einer Art von Verachtung auf die bloß nüzlichen Künste herab blikten, und Vorurtheile gegen dieselben nährten und verbreiteten, die sich noch bis auf den heutigen Tag erhalten haben: vielleicht nirgendwo mehr, als auf deutschen Universitäten, wo der Techniker ein Philister, und nur der Student, der Bursch, der vielleicht schlechte Verse, aber keinen Schuh fliken kann, ein honorisches Wesen ist. Dieselbe Pedanterei und derselbe Mandarinengeist unter dem Universitätsvolke, der die nüzlichen Künste in Italien untergrub, hinderte auch bisher, bis auf Beckmann, das Gedeihen derselben in Deutschland, und hindert es in manchen Ländern noch bis zur Stunde. Die Stokgelehrten ließen nicht nur die technischen Erfindungen der Italiener zu Grunde gehen, sondern unterdrükten sogar die neuen Erfindungen, in welchen einzelne Genies ihrem Zeitalter um Jahrhunderte voraus waren, oder vernachlässigten dieselben wenigstens. Sie schenkten weder den Ideen des Spaniers, Blasco de Garay, der schon im J. 1545 ein Dampfboth erbaut haben soll (woran indessen Hr. Arago zweifelt), noch den Ideen des Salomon de Caus, der in einem Werkchen unter dem Titel: „raisons des forces mouvantes“ zu Frankfurt im J. 1615 eine Maschine beschrieb und abbildete, die der Dampfmaschine des Marquis de Worcester vom J. 1663 höchst ähnlich ist, irgend eine Aufmerksamkeit. Man weiß sogar heute zu Tage nicht mehr, ob dieser Salomon de Caus ein Deutscher oder ein Franzose war. Es wäre der Mühe werth, daß irgend ein Gelehrter zu Frankfurt, oder der hochverdiente und berühmte Hofrath Gauß zu Göttingen, der vielleicht gar ein später Enkel dieses Salomon de Caus seyn könnte, hierüber Nachforschungen hielte, und die Ehre der ersten Erfindung der Dampfmaschine für Deutschland vindiciren hälfe.

In Branca's Werke, welches zu Rom im J. 1629 erschien, sind mehrere Vorrichtungen zum Treiben von Maschinen beschrieben und abgebildet, die man für neue Erfindungen hält, vorzüglich hydraulische. Branca beschreibt z. B. einen senkrechten Cylinder, um welchen sich eine Schlangenröhre windet, welche oben in einen Trichter sich endet. In diesen fällt ein kleiner Wasserstrahl, und treibt den Cylinder mit großer Kraft in entgegengesezter Richtung der Windungen der Röhre. Auch in pyrotechnischer Hinsicht hat Branca Manches geleistet, und ein Rad beschrieben, das durch eine Dampfkugel getrieben wird: eine Vorrichtung, die mit jener des später gekommenen Marquis de Worcester große Aehnlichkeit hat. Die Lampen nach Art eines Hieron'sbrunnen, die jezt als neue Erfindung gelten, finden sich bereits in Branca, und waren vielleicht schon sogar vor ihm. Auch eine Dreschmaschine ist in Branca abgebildet, und, sonderbar, beinahe so, wie wir eine ähnliche Maschine, von einem Bauern verfertigt, auf dem Wege von Traunstein nach In Zell fanden, die sehr gut arbeitet, und gewiß für unsere Bauern besser ist, als die englische des Hrn. Meickle. Die neue Knetemaschine zum Kneten des Teiges ist bereits in Branca beschrieben und abgebildet.

Unter den vielen vielen hydrostatischen und hydraulischen Maschinen, Druk- und Saugwerken, Wasserrädern, welche Branca beschrieb und abbildete, (unter lezteren kommen sogar Poncelet's und Burdin's Räder vor) zeichnen sich vorzüglich mehrere zur Benüzung eines kleinen Wasserstrahles bei hohem Falle aus, eine Benüzung der Kraft des Wassers, die heute zu Tage beinahe gänzlich aufgegeben ist, und die so herrliche Dienste leisten könnte.

Wie kommt es, daß so nüzliche Erfindungen durch Jahrhunderte auf eine so kläfliche Weise vernachlässigt und dem Dienste der Menschheit entzogen werden konnten? An wem lag die Schuld? Sicher nicht an denjenigen, die lernen wollten, sondern an denjenigen, die lehren sollten, und die theils aus eigener Unwissenheit, aus Faulheit und Bequemlichkeit, theils aus Eitelkeit und schnödem Stolz, der sich durch fremdes Verdienst gekränkt sieht, ihre Schüler lieber in Unwissenheit ließen, als daß sie dieselben gehörig unterrichten.

Das Staatsmusäum für die Nationalindustrie und die nüzlichen Künste zu Brüssel.

Ich hoffe meinen Landsleuten, die einst, wie ich, in den Fall kommen könnten, die Niederlande zu bereisen, einen Dienst zu erweisen, wenn ich sie durch Ihr, auch in Holland geschäztes Journal auf den Genuß aufmerksam mache, welchen ihnen ein Gang in das Staatsmusäum für die Nationalindustrie und die nüzlichen Künste zu Brüssel gewähren wird. Sie werden daselbst nicht nur, wie ich, gut aufgenommen werden,[36]) sondern auch mit mir sich dieser herrlichen Anstalt freuen.

Sie werden daselbst eine äußerst kostbare Sammlung von Instrumenten für Experimentalphysik finden, welche sowohl für den akademischen Unterricht, als auch zur Vorbereitung für diejenigen bestimmt sind, die sich dem Studium der Technik widmen und die hierzu unentbehrliche Theorie sich eigen machen müssen. Diese Sammlung enthält, so vollständig als möglich, alle Instrumente, deren in den Werken von 's Gravesande, Desaguliers, Muschenbroek, Nollet, Sigaud de la Fond Erwähnung geschieht, so wie auch die der neueren Physiker, Biot's, Wollaston's, Arago's, Fresnel's, Ampère's 2c. 2c.

So weit es die kurze Zeit der Errichtung dieses Musäums erlaubte, wurde darin die historische Aufeinanderfolge der Erfindungen und ihrer Verbesserungen beobachtet; also die chronologische Ordnung. Die Instrumente und Maschinen sind nach den einzelnen Theilen der Physik geordnet; z. B. nach den allgemeinen Eigenschaften der Körper überhaupt, nach den Imponderabilien, nach der Statik, Hydrostatik, Hydraulik und Pneumatik. In jeder dieser Abtheilungen findet man Alles, was die Geschichte der Erfindungen Vorzügliches aufzuweisen hat: alle Instrumente und Apparate sind mit der möglich größten Sorgfalt ausgeführt und in einem Zustande, welcher jeden Kenner im höchsten Grade befriedigen muß. Was ich hier über die Instrumente für Experimentalphysik sagte, gilt in vollem Maße auch von den mathematischen und von den Apparaten für Chemie.

In einer zweiten Reihe von Zimmern sind die Instrumente und Maschinen für einzelne Theile der Technik aufgestellt. Sie werden hier eine Reihe von Modellen zu Dampfmaschinen finden, die Sie anderswo vergebens suchen werden. Die Modelle werden durch eine Weingeistlampe in Thätigkeit gesezt. Diese herrliche Sammlung der Dampfmaschinen stellt die ganze Geschichte derselben von Heron bis auf den heutigen Tag in einer musterhaften Klarheit dar. Zur größeren Deutlichkeit sind jeder dieser Maschinen noch Durchschnittsmodelle beigefügt, um den inneren Bau derselben, das Spiel der Stämpel und Ventile, anschaulich zu machen.

Die Modelle von Brüken und Schleußen füllen allein zwei große Säle, und bilden eine eben so kostbare als in der That einzige Sammlung. Die Originale derselben finden sich großen Theils im Königreiche selbst im Großen ausgeführt; bekanntlich hat die Wasserbaukunst nirgendwo eine höhere Stufe erreicht, als in Holland.

Die Sammlung der Hebeböke, Wellen, Winden, Kraniche 2c., der Vorrichtungen für die Wasserbaukunst, für den Mühlenbau 2c. wird nur wenig zu wünschen übrig lassen, so wie auch die Modelle für die sogenannte bürgerliche Baukunst, vorzüglich für die in Holland so hoch getriebene Zimmermannskunst und für die Kunst des Steinmezes.

Die Sammlung der Modelle für Schiffsbaukunst (bloß für Handelsschiffe) wird nicht leicht irgendwo ein Gegenstük finden: sie ist eben so zahlreich als kostbar.

Man beschäftigt sich gegenwärtig mit Aufstellung der Modelle von Maschi-

---

36) Es ist Herr Dryssens, an welchem alle, die dieses Institut besuchen wollen, einen eben so gefälligen als unterrichteten Führer finden werden. Dieser ausgezeichnete junge Gelehrte, der nur für Physik und Technik zu leben scheint, widmet schon seit einiger Zeit, ohne die mindeste Entschädigung, seine Dienste dieser Anstalt.

en, welche zur Verarbeitung der sogenannten Webematerialien, des Flächses, Hanfes, der Baumwolle, Wolle, Seide benüzt werden von den ältesten Zeiten bis auf den heutigen Tag. In demselben Geiste entworfen und ausgeführt, wie die bereits erwähnten, wird sie, muß sie jeden Kenner nicht bloß befriedigen, sondern entzüken.

Bei diesen herrlichen Sammlungen befindet sich noch überdieß eine äußerst kostbare und bändereiche Bibliothek. Sie ist das Eigenthum des höchst achtbaren Directors dieses Institutes, des Hrn. Onder de Wyngaart Canzius, eines äußerst edlen Mannes, der nicht nur allen Technikern und allen Freunden der Industrie den freien Gebrauch dieser kostbaren Sammlung auf die großmüthigste Weise gestattet, sondern noch unermüdet fortfährt sich und sein Vermögen dem allgemeinen Wohle zu opfern.

In einem eigenen Saale hat der Director eine Elektrisirmaschine aufgestellt, die, wie Alles, was der Holländer in Maschinen baut, groß, man könnte sagen kolossalisch ist. Sie ist nach der berühmten Maschine des Hrn. van Marum, und ihre Scheibe hat volle 5 Fuß im Durchmesser: vielleicht daß der Staat diese Maschine an sich bringt.

Mit wahrer Freude hörte ich den schönen und weisen Absichten der Regierung bei Errichtung dieses Musäums ungetheilten und lebhaften Beifall zollen; wir wünschen ihr Glük zu dem Erfolge dieses wahrhaft königlichen Aufwandes, der nicht die kleinste Perle in Wilhelms schöner Krone ist. Könige und Staaten können ihre Schäze nie glüklicher verwenden als zur Förderung jener Wissenschaften, durch welche das Talent und der Gewerbfleiß des Bürgers gewekt, die Moralität durch Liebe zur Arbeit genährt, und der Reichthum des Landes durch den Wohlstand jedes einzelnen Bürgers desselben erhöht wird. Heil dem Könige von Holland und den wakeren Holländern.

Verbesserung an Lettern.

Ein Hr. P. P. zu Cambridge schlägt im Mechan. Mag. N. 329. S. 255. vor, dem gewöhnlichen Letternkegel Statt eines Buchstabens an Einem Ende denselben Buchstaben auch an dem anderen Ende zu geben, so daß auf diese Weise dieselbe Columne auf Ein Mal doppelt gesezt und doppelt gedrukt werden könnte. Der Gewinn an Zeit und Kosten bei dieser Vorrichtung ist einleuchtend.

Ueber Deschiffrirkunst

finden sich interessante Notizen in den Lettere del Conte Morosini, Nob. Veneziano, al Sign. Abate Francesco Cancellieri di Roma, e di questo a quello intorno ad alcune cifre spettanti all Accademica de' Lincei. 8. Venezia. 1829. p. Picotti. 37 S. (Vergl. Biblioteca italiana. Ottobre 1829. S. 96.)

Haltbare Tinte.

Hr. Murray empfiehlt im Mechan. Mag. N. 329. S. 256. folgende Tinte als allen chemischen Reagentien widerstehend.

1/2 Loth Höllensteinauflösung (Auflösung von salpetersaurem Silber).
2 — Auflösung von salpetersaurem Eisen.
1/2 — Auflösung von blausaurem Ammonium.
1 — Galläpfeltinctur.

Obiger Mischung wird etwas fein abgeriebene Tusche und arabischer Gummi zugesezt.

Neue musikalische Instrumente.

Hr Archotti, ein Römer, erbaute ein Fortepiano, in welchem jede Saite mittelst eines Bogens gestrichen wird, der durch die Taste in Bewegung gesezt wird. Dieses Instrument ist 15 Fuß lang und 8 Fuß hoch und breit.

Ein anderer Künstler hat eine ungeheuere Baßgeige mit 7 Saiten verfertigt, an welcher der Bogen mittelst eines eigenen Mechanismus bewegt wird.

Zu Wien wurde ein Jagdhorn mit 8 Klappen erfunden, das alle 8 Töne bechromatischen Leiter unmittelbar gibt. (Journal de Savoie. Sept. Bullet. d. Scienc. technol. Oct. S. 206.)

Jackson's Sohlenstifte.

Wir haben von diesen Patentstiften im Polytechn. Journ. Nachricht gegeben. Im Mechan. Mag. finden sich mehrere Zeugnisse, durch welche die Brauchbarkeit derselben bestätigt wird.

Brantwein aus Nord-Amerika verbannt.

Zu New-York bildete sich vor einiger Zeit eine Temperance-Society, welche von jedem Mitgliede Enthaltsamkeit von Brantwein fordert. Der Bericht, welcher bei der lezten Sizung dieser Gesellschaft erstattet wurde, ist wahrlich höchst erfreulich für den Menschenfreund. Es haben sich bereits mehr als 600 ähnliche Gesellschaften in N. Amerika gebildet, und eine derselben in Connecticut zählt über 600 Mitglieder. In einem Städtchen, wo im vorigen Jahre neun Brantweinkneipen waren, ist gegenwärtig nur mehr eine, und mehr als 1500 Brantweinschenke haben ihre Gift-Traffick bereits gänzlich aufgegeben. (Herald. Galign. Messeng. 4586.). Möchte der Himmel Missionäre dieser Temperance-Society nach Europa führen, vorzüglich nach dem Norden von Deutschland, wo die herrliche Menschenrasse durch den Mißbrauch des Brantweins von Jahr zu Jahr mehr ausartet. Daß jährlich Tausende und Tausende in Folge des Brantweintrinkens dahin sterben; daran würde noch wenig liegen; das hohe Unglük, das der Brantwein über den Norden Europens brachte, liegt darin, daß er Siechlinge erzeugt, und die Menschenrasse von einer Generation zur andern immer mehr und mehr verkrüppelt. Wer Zwerge aus Hunden, Kazen, Pferden 2c. ziehen will, darf diesen Thieren nur zugleich mit der Milch ihrer Mutter Brantwein zu trinken geben. Wer Rassen von Zwergen erzeugen will, der gewöhne seine Kinder frühe an Brantwein. Wenn es den Amerikanern gelingt, die Temperance-Society mit Erfolg nach England zu spielen, so haben sie die Engländer noch ein Mal, und bei ihrem eigenen Herde, geschlagen: denn die Brantweinsteuer beträgt ungefähr den zehnten Theil der Einnahme der englischen Staatskasse.

Baumwollenhandel zu Liverpool.

Der Baumwollenhandel zu Liverpool wird flau. Es wurden am lezten Mittwoche nur 7000 Ballen verkauft, und von diesen wahrscheinlich nur ein Theil auf Speculation, indem dieses Jahr in Folge des nassen Wetters (es war in Amerika diesen Sommer so naß, als bei uns) die Baumwolle sehr kurz ausfällt. (Galign. N. 4558.)

Wollenhandel und Schafmarkt in Ireland.

Dieß Jahr kamen auf den irländischen National-Schafmarkt zu Ballinaslee 20,000 Stüke Schafe weniger zu Markte, als in dem vorjährigen, wo 97,384 aufgetrieben, und 85,143 verkauft wurden. Ungeachtet der geringeren Anzahl sind die Preise gegen das vorige Jahr gewichen um 4 bis 8 Shill. bei den Mutterschafen, und um 8 bis 10 Shill. bei den Stören. (Dublin Post in Galignani Mess. N. 4554.)

Neues Sinken der Fabriken in England.

Die Spuren von einiger Besserung im Fabrikwesen und im Handel, die sich vor ungefähr 3 Wochen zeigten, sind bereits wieder verschwunden. Der Zustand unserer Fabrikanten und Fabrikarbeiter und ihr Jammer und Geschrei ist kläglicher, als jemals. Die Calicodruker, die an ihrer Sommerarbeit so großen Verlust erlitten, haben jezt wenig oder gar keine Arbeit, und es steht schlechter mit ihnen als jemals. Wenn möglich noch trauriger ist der Zustand des Fustianwebers. Der fleißigste verdient sich kaum 8—9 Pence (24—27 kr.) des Tages (dem Preise der Lebensmittel nach so viel, als 4—5 kr. bei uns). Auch die kurze Besserung, die sich in der Seidenweberei zeigte, ist wieder gänzlich verschwunden. (Manchester Mercur. Galignani N. 4578.). Eben so bemerken die Manchester-Times (Galignani 4581.), daß die wenige Nachfrage um schlechte gedrukte Baumwollenwaaren für die Türkei seit Abschluß des Friedens von Adrianopel sich schon wieder verloren hat, und keine Besserung im Zustande der Industrie wahrgenommen wird. Die London-Gazette führte Dienstags 30, und Freitags darauf wieder 30 Bankerotte auf. Selbst das alte Haus Neville und Sohn fiel. 13 Fabriken in Schottland wurden in den lezten 14 Tagen aufgegeben. Der Manchester-Herald klagt, daß die Ausfuhr des englischen Garnes so sehr zunimmt, zum deutlichen Beweise, daß das Ausland für seine eigene Rechnung webt, und nicht mehr auf England ansteht. Amerika ist jezt, nach dem Herald, noch der einzige Markt für englische Kattune.

Ueber das Verhältniß der akerbauenden Klasse in England zur gewerbetreibenden.

Während alle Völker Europens den Landmann und Bürger in England bedauern, daß er so ungeheure Abgaben bezahlen muß, findet der Courier (in Galignani Messenger. N. 4584.) hierin einen Beweis des blühenden Zustandes, in welchem sich England befindet. Frankreich vermag es nicht, sagt er, so viel Steuer zu bezahlen, obschon seine Bevölkerung weit größer ist. Er findet den größeren Wohlstand Englands darin, daß erstens seine Städte mehr bevölkert sind, als jene Frankreichs (London hat 1,225,604 Einwohner, Paris nur 720,000; Glasgow 147,043, Lyon 115,000; Edinburgh 138,235, Marseille 102,000; Manchester 133,788, Bordeaux 92,600; Liverpool 118,973, Rouen 86,000; Birmingham 106,722, Nantes 77,000; Bristol 87,000, Lille 60,000; Leeds 85,796, Straßburg 50,000 u. s. f.), daß zweitens in diesen Städten die Arbeiten besser abgetheilt werden und folglich schneller gefertigt werden können; daß drittens die Hälfte der Bevölkerung, 50 von 100, in England in Städten wohnt, und daß nur der 33igste Theil der Bevölkerung sich mit Akerbau beschäftigt; daß viertens die Güterbesizer und Pächter in England lauter große Güterbesizer und Pächter sind, welche etwas aufzuwenden vermögen, während in Frankreich die Güter alle zerstükelt sind u. s. f. Dadurch, meint er, ist der Engländer im Stande, gegenwärtig 24 p. C. seiner Einnahme an Taxen zu bezahlen. Wir müssen gestehen, daß wir in allen den hier aufgestellten Gründen nicht eine Quelle der Größe und des Glükes, sondern nur des Unheiles und des nahen physischen und moralischen Verfalles erbliken können. Die Geschichte aller Zeiten und Völker hat erwiesen, daß hoch bevölkerte Städte stehende Pesten in einem Lande sind, und daß ein Land desto kräftiger und glüklicher ist, je mehr seine Bevölkerung gleichförmig über jeden Morgen Landes vertheilt ist; daß es desto kräftiger und glüklicher ist, je mehr der Akerbau über die Industrie im Verhältnisse des Bedarfes beider vorwaltet; daß Güterbesizungen desto besser verwaltet werden, je kleiner sie sind. Wir können nicht begreifen, wie der Courier zu solchen aller Erfahrung und aller Geschichte widersprechenden Behauptungen kommen kann: höchstens könnten wir uns diesen Umstand durch die Erscheinung erklären, daß das heutige England ganz und gar das Gegentheil von jenem alten England ist, das einst, und mit Recht, von ganz Europa bewundert und geachtet wurde. — Wir sehen in der folgenden Nummer Galignani's, daß 15 Pächter in Berkshire nach Van Diemen's Land auswandern mußten, weil sie die auf ihrem Pachtgute haftenden Armentaxen, welche jährlich allein 10 bis 12 fl. (15—20 Shilling.) für den Acre (für 4840 □ Yards, den □ Yard zu 9 engl. Fuß) betragen, nicht mehr bezahlen können. Nach dem Herald (Galignani N. 4588.) haben die Magistrate von Berkshire urkundlich erwiesen, daß ein Feldarbeiter in ihrer Grafschaft sich gegenwärtig bei den großen Güterbesizern und großen Pächtern wöchentlich nicht mehr als drei Shillings (1 fl 48 kr.) verdienen kann, also buchstäblich für seine Familie und sich weniger hat, als für jeden einzelnen Sträfling in den englischen Zuchthäusern gerechnet wird, für welchen wöchentlich 1 fl. 54 kr. bloß auf Kost bezahlt wird; Kleidung, Bett, Wohnung hat der schlechteste Sträfling überdieß besser im Zuchthause, als der arme Feldarbeiter in England. Während nun dieß das Loos der achtbarsten und stämmigsten Klasse unter jedem Volke, der der Akerbauer, in England geworden ist, fordert ein reicher großer Güterbesizer in England (ein ehemaliger englischer Gesandter zu Paris) jeden Spieler und alle Spielgesellschaften in Frankreich auf, gegen ihn 600,000 fl. rhein. (50,000 Pfd.) zu wetten, daß er in 20 Tagen hundert Rubber im Whist macht. Jeder Rubber wird noch besonders mit 100 Pfd. Sterl. (1200 fl.) bezahlt. Mit dieser Herausforderung aller Spieler Frankreichs sind jezt alle englischen Journale, und auch mehrere französische erfüllt (Vergl. Galignani 4588.). 900,000 Franken (36,000 Pf.) haben französische Spieler gegen den edlen Lord bisher zusammengebracht; mehr verzweifeln sie jedoch in Frankreich zusammenbringen zu können. Die Engländer finden hierin eine Schande für Frankreich; uns will es scheinen, daß die Schande vielmehr auf das Land zurükfällt, dessen Bürger eine solche Herausforderung wagte, während Tausende seiner Landsleute buchstäblich verhungern.

Gewinn eines Kaffeesieders zu London.

Ein Kaffeesieder zu London, Hr. Clarke am Leopard-Kaffeehause, muß bei Erbauung der neuen Londoner Brüke seine Wirthschaft niederreißen lassen, und dafür entschädigt werden. Er legte dem Magistrate folgende Rechnung über seinen Gewinn vor.

Aus Einem Quarternleibe weißen Brotes, der ihm auf 9 Pence (27 kr.) kommt, und mit 6 Pence (18 kr.) Butter macht er 18 geröstete Butterschnitten (rounds of toast), für deren jede er 3 Pence (9 kr.) bekommt. Sonach gewinnt er am Brote und Butter allein 2 Shillings (1 fl. 12 kr.) auf den Shilling 3 P. (auf 45 kr.).

Aus einem Viertelpfund Kaffee zu 5 P. (15 kr.), wenn das Pfd. 1 Shill. 8 P. (1 fl.) kostet;

Aus drei — — Zuker zu 4½ P. (13½ kr.) — — — — 6 P. (18 kr.) kostet;

Aus einem Pint Milch zu 4½ kr. (1½ P.) macht er 26 Schalen Kaffee, die Schale zu 4½ kr. (1½ P.); er gewinnt folglich 2 Sh. 4 P. (1 fl. 24 kr.) an 11 P. (36 kr.)

13 Kuchen (Muffins) kosten 1 Shilling; die Butter dazu 6 P.; er verkauft sie für 2 Pence das Stük, gewinnt also 100 p. C. daran.

Am 9. November bestand seine Ausgabe für obige Bedürfnisse in 2 Pfd. 7 Sh. 2 P.; seine Einnahme dafür in 4 Pfd 17 Sh. 6 P. Er versichert im lezten Jahre 900 Pfd. (10,800 fl.) eingenommen, und nur 250 Pfd. ausgelegt zu haben. Der Jahresgewinn beträgt demnach 650 Pfd., und, diesem zu Folge, machte er auf 2000 Pfd. Entschädigung Anspruch. Das Geschwornen-Gericht sprach ihm 1105 Pfd. zu. (Galignani. 4583.)

Das Gastmahl des Lord Mayor zu London im J. 1829; ein Beitrag zur Kenntniß der englischen Kochkunst und des englischen Tischgeschmakes.

An der festlichen Tafel des Lord Mayor zu London wurden aufgetragen in der Gildenhalle (Guildhall):

200 Schalen Schildkröte-Suppe, jede zu 5 Pinten (5 Pfd.); 50 Teller mit jungen Hühnchen und mit Hühnern; 50 Kapaune; 30 gesottene Truthühner oder Indiane in Austersauce (warm); 45 verzierte Schinken; 30 Zungen; 15 gedämpfte Rindskeulen (warm); 30 Schüsseln Muscheln und Seekrebse; 15 aufgegangene Pasteten; 30 Taubenpasteten; 6 Schüsseln Fisch; 2 Rindsbarons;[37] 3 Nierenbraten; 3 Rippenstüke; 2 Rindskeulen; 3 Rundstüke von Rindfleisch; 50 Teller kleine Pasteten; 50 Markpuddings; 40 Aepfel- und andere Torten; 105 Gelées und Crêmes; 120 Schüsseln Brocoli und Erdäpfel. Zweite Tracht: 40 Truthühner; 105 Schüsseln mit Wildpret; 50 Schüsseln mit Federwildpret. Nachtisch: 160 Pfd. Ananas; 150 Teller mit Treibhaustrauben; 50 Teller mit verschiedenen Aepfeln und eben so viel mit Birnen von verschiedenen Sorten; 40 Teller mit Wallnüssen; 100 verzierte Kuchen ꝛc.; 50 Teller mit getroknetem Obste; eben so viel Eingesottenes; 200 Portionen Gefrornes. Wein war Champagner, Hock, Claret, Madeira, Port, Sherry. (Courier. Galignani. N. 4780.) —

37) Ein Baron of beef ist in der englischen Küchensprache derjenige Nierenbraten eines Rindstükes, an welchem beide Nieren belassen sind.

A. d. Ue.

Man ersieht hieraus, daß bei dieser ungeheuern Tafel nur zwei warme Speisen waren: gedämpfte Rindskeulen und gesottene (!) Truthühner; alles andere war kaltes Gericht. 3) daß, während täglich Duzende von Menschen auf den Straßen zu London buchstäblich erhungern, der Hr. Bürgermeister und die Räthe üppig schwelgen. Auf dem festen Lande speisen die Könige die Armen in ihrer Hauptstadt bei öffentlichen Festen; zu London speist der demokratische Magistrat aber zuvörderst sich selbst. Der liebe Gott scheint hieran keine besondere Freude zu haben; denn, als der Magistrat in Procession zu obiger Mahlzeit ging, und in der Kirche zum h. Grabe zu Ehren des Lord Mayor mit allen Gloken geläutet wurde, fiel die große 35 Zentner schwere Gloke aus dem Sattel und brach entzwei, ohne daß jedoch die Armen, die sie läuten mußten, dabei beschädigt wurden.

Ueber Armenpflege in England und über die Armenanstalten in Holland.

Während das reiche England gegenwärtig in Gefahr ist unter seiner Armentaxe zu unterliegen, und Hr. Walker (ein Londoner Polizeibeamter) in einer kürzlich erschienenen Schrift, die viel Aufsehen in England erregt, die Armengeseze in England „thöricht, grausam und unchristlich"[38]) nennt, und dabei so menschlich ist, darauf anzutragen, daß man alle Arme, die im Stande sind, sich ihr Brot zu verdienen, aus den Armenhäusern hinauswerfen und ihnen keinen Heller geben soll: (wo der Arme, der noch arbeiten kann, Arbeit hernehmen soll, wenn Gewerbe und Handel daniederliegen, sagt er nicht); hat der Courier die Klugheit seine unglüklichen Landsleute auf die Armenanstalten in Holland aufmerksam zu machen[39]).

Man scheint in England vergessen zu haben, daß England seine ganze Bildung, seine ganze Größe lediglich dem benachbarten Holland zu danken hat. Der schnell empor gereifte Schüler hat seinen vortrefflichen Lehrmeister mit grobem Undanke belohnt. Er könnte noch jezt Manches von seinem alten Lehrer lernen, wenn sein Eigendünkel es ihm gestattete. Die Holländer sind noch immer was sie vor beinahe zwei Jahrtausenden unter den Römern waren, „unter allen Völkern, die am Rheine wohnen" wie Tacitus von ihnen sagte „die ausgezeichnetesten; die Ehre und der Glanz dieses alten Volkes währt noch immer." (Omnium harum gentium praecipui Batavi; manet honos et antiquae Societatis insigne. Tacit. de morib. Germanor.)

Das übervölkerte Holland fühlte mehr als jedes andere Land den Uebergang vom Kriege zum Frieden; die Last abgedankter Soldaten und Matrosen, und das Stoken in Gewerben und Handel. An den klugen und besonnenen Holländern ging die Lehre der Tage der Prüfung nie verloren: sie schwächten sich nicht durch Anlagen neuer Colonien; sie schikten Fremde nach denjenigen, die sie bereits besaßen. Sie sahen ein, als sie ihre Fabriken wieder in Aufnahme bringen wollten, daß man mit Maschinen weit schneller, wohlfeiler und schöner arbeitet, als mit Menschenhand, und sie verwendeten die Hände, die ihnen bei ihren Fabriken übrig blieben, für den Akerbau, bei welchem jezt der Taglohn höher war, als vor der Revolution. Sie waren mit Armen, mit Brotlosen überhäuft, und dachten darauf, daß diese nicht bloß sich selbst ernähren, sondern auch ihnen noch nüzlich werden konnten. Nahrung ist immer die Hauptsache im menschlichen Leben. Wenn man die unerläßlichen Lebensbedürfnisse eines Menschen in 10 gleiche Theile theilt, so wird man finden, daß für Speise und Trank 6, für Kleidung und Wäsche 2, für Heizung und Licht 1, für Wohnung und Zufälligkeiten 1 dieser Theile zu rechnen kommt.

Man muß daher, wo es sich um Unterhaltung der Armen handelt, vor Allem dafür sorgen, daß sie ihre Nahrung sich selbst erzeugen. Unter dieser Voraussezung bildete sich im J. 1818 eine kleine Gesellschaft in Holland zu einem Versuche nur mit 60,000 fl. Man kaufte eine wüste, unbebaute, nichts weniger als fruchtbare Streke Landes mitten im Lande an einem kleinen Flusse, der leicht schiffbar gemacht werden konnte: es waren nur 1300 Morgen. Man errichtete 52 Hütten für eben so viele arme Familien, ein Magazin, ein Schulhaus und einige Spinnhäuser für die Weiber. Jede Familie erhielt 7 Tagwerke, und für das erste

---

38) (Vergl. Galignani Messenger. N. 4592.)
39) Galignani Messenger. N. 4590—91.

Jahr Kleidung und Nahrung aus dem Fond. Die Arbeiter mußten dafür arbeiten, und wurden für ihre Arbeit nicht nach dem Tage, sondern nach dem Stüke, bezahlt. Die ersten Arbeiten waren Ziegel machen, Aufbauen der Hütten und dann ging's an die Feldarbeit. Jeden Abend erhielt der Arbeiter ein Billet, auf welchem der Ertrag seiner Arbeit aufgezeichnet war, und für dieses Billet erhielt er seine Nahrung aus dem gemeinschaftlichen Magazine. Wenn er, aus was immer für einer Ursache, sich weniger verdiente, als er brauchte, erhielt er seinen Bedarf dessen ungeachtet, jedoch auf Abschlag seines künftigen Verdienstes. Die Weiber besorgten die Hausarbeit, spannen und webten. Die Kinder gingen in die Schule und arbeiteten, wann sie aus derselben heim kamen. Diese und die Weiber wurden so, wie die Männer, für ihre Arbeit bezahlt. Die Armen arbeiteten auf diese Weise für ihre eigene Rechnung, und, wenn sie sich am Ende des Jahres mehr verdient hatten, als sie brauchten, bekamen sie den Ueberschuß baar hinaus und konnten bleiben oder weiter ziehen. Der Akerbau wurde größten Theils mit dem Spathen getrieben, weil man es zuträglicher fand, und der scheinbar unfruchtbare Boden dadurch am frühesten tragbar gemacht werden kann, indem die Erde besser gemengt wird. Die im Jahre 1818 gekauften 1500 Morgen Landes waren Torf und Heide, und der Morgen galt nur 36 fl. Auf diesen 1500 Morgen leben jezt bereits 2000 Menschen. Man folgte diesem Beispiele in anderen Gegenden Hollands, und auf ähnlichen, ehevor wüsten, Gründen leben bereits über 30,000 Menschen! Man baut vorzüglich Roken, Gerste, Erdäpfel und Klee. Die Tonne Kompost aus dem frisch aufgegrabenen Lande wird mit 3 bis 4 fl. bezahlt; ein Feld mit diesem Kompost bestellt, das sonst 380 bis 400 fl. Ernte trägt, gibt 576 fl. und darüber.

Obiger Fond entstand theils aus Geschenken von Menschenfreunden, theils durch kleine Subscriptionen von jährlich 3 bis 6 fl. als Beitrag für Arme. Der Ankauf des Landes zu 7 Morgen für jeden Armen, die Erbauung einer Hütte, der Gehalt für 6 bis 8 Personen als Aufseher erhöhte den Unterhalt Einer armen Familie im ersten Jahre auf 1200 fl. ungefähr. Allein schon im Julius des Jahres 1820 hatten die 52 armen Familien den fünften Theil des Vorschusses zurükbezahlt, und sechs Jahre später hatten die meisten Familien ihren Vorschuß gänzlich abgetragen, und fingen an sich Eigenthum zu erwerben. Ein Engländer, der diese Armen-Colonie sechs Jahre nach ihrer Errichtung besuchte, erstaunte über dieselbe. Er fand sie bereits mit Heerden versehen und Leinwand auf der Bleiche: ihre Gärten, wenn auch klein, waren niedlich und zwekmäßig bestellt, und ihr Tisch reichlich und gut versehen. Nichts verrieth Armuth. Das Land, das um 36 fl. der Morgen gekauft wurde, war jezt bereits 480 fl. der Morgen unter Brüdern werth. Dieser steigende Werth der verbesserten Gründe ist der Tilgungsfond der Gesellschaft, oder vielmehr das Capital, durch welches sie den fleißigen Armen neue Wohlthaten erweisen, auch für die Kinder derselben sorgen kann. Diese erste Armencolonie trägt den Namen des geistreichen edlen Prinzen Friedrich, des zweiten erlauchten Sohnes des jezt regierenden weisen Königes der Niederlande. Nachdem die Regierung die Vortheile einer solchen Anstalt durch zehnjährige Erfahrung kennen lernte, befahl sie, daß alle Arme in den Arbeitshäusern, die noch zur Feldarbeit stark genug sind, auf eine ähnliche Weise angesiedelt werden, und ihre Pfarrgemeinden die hierzu für das erste Jahr nöthigen Kosten tragen sollten. Auf diese Weise entstand die Armencolonie zu Ommeschans für ungefähr 1300 Arme, die, nach ihrem Alter, ihrer Körperkraft und Geschiklichkeit, in Classen getheilt wurden. Es wurde ihnen eine gewisse Arbeit als Minimum vorgeschrieben, und dafür erhielten sie eine reichliche Mahlzeit aus der gemeinschaftlichen Küche. Dieses Minimum beträgt so viel, daß ein fleißiges Individuum mit leichter Mühe zwei bis drei Mal so viel arbeiten kann, und für diesen Ueberschuß erhält es seine Bezahlung entweder auf der Stelle baar, oder diese wird ihm ausbezahlt, wann es die Colonie verläßt. Es kann diese verlassen, sobald es sich eine bedeutende Summe erworben hat. Die Colonie Ommeschans hat an 2000 Morgen Landes, welche vor drei Jahren eine bloße Heide waren, und jezt mit Roken, Buchweizen, Gerste, Hafer, Erdäpfel, Klee bestellt sind. Man hat jezt bereits 8 bis 9 solche Colonien. An diesen Colonien läßt man nun auch die Findelkinder erziehen; sie kommen wohlfeiler als im Findelhause, sind gesünder und lernen besser arbeiten: Sie erhalten sich durch ihre Arbeit. Es ist unglaublich, wie der schlechteste Boden (denn nur solchen verwendete man in Holland zu solchen Colonien), der bloß aus Sand, Torf und Thon besteht, durch dieses Umgraben mit dem Spathen ohne allen Dünger fruchtbar wird. — Wir kennen ein bei seinem trefflichen Boden sehr dünn bevölkertes Land, in welchem wohl noch mehr als der neunte Theil Heide oder Moos ist. Alle Magistrate in diesem Lande klagen, und mit Recht, von Jahr zu Jahr mehr über die täglich mehr über Hand nehmende Armuth, über die täglich sich mehrende Zahl der Armen, und die Unmöglichkeit, dem immer wachsenden Elende aus den Communalclassen zu steuern. Die Güterbesizer, so wie die Landwirthe, klagen laut über die hohen Preise der Feldarbeit, über den hohen Dienstbotenlohn. Man machte einen Mann von Einfluß in diesem Lande auf das Beispiel der holländischen Armenpflege aufmerksam. „Der Himmel bewahre uns" rief er aus „vor einer solchen Armencolonie." Wenn die Armen auch noch Getreidebau bei uns treiben, wo wir ohnedieß zu viel Getreide erzeugen, so werden am Ende alle unsere Herrschaften und reichen Bauern auch noch verarmen müssen, und das ganze Land wird eine Armencolonie werden." Wie ist einem Lande mehr zu helfen, wo selbst die Besseren mit solcher Blindheit geschlagen sind! Sonderbar daß man in dem Lande, wo die Nebel am dichtesten sind, am klarsten sieht, und dort, wo der Himmel so herrlich blau ist, umhertappt wie im nächtlichen Nebel.

Beweis der Schädlichkeit eines hohen Einfuhrzolles auf Lebensmittel für die Finanzen eines Staates.

Im J. 1815 war der Einfuhrzoll auf Kaffee 6 Pence (18 kr.) auf das Pfd., und trug 426,187 Pfd. dem Staate.
— — 1823 — — — — — 12 — — — —
Pfd., und trug 395,705 Pfd. dem Staate.

Eben so ist jezt die Staatseinnahme, seit 6 Shill. (Statt 11 Shill.) auf das Gallon (10 Pfd.) gerechnet werden, weit größer als ehevor. (Sun. Galignani. N. 4581.)

Weises und menschenfreundliches Mauthtarif in den Süd-Amerikanischen Staaten.

Alle Bücher, gebundene und nicht gebundene, alle physikalischen und überhaupt zu wissenschaftlichen Untersuchungen bestimmten, Instrumente, Musikalien und musikalische Instrumente, alle Maschinen zur Landwirthschaft und zu Künsten und Gewerben, Saamen ausländischer Pflanzen sind durchaus Zoll frei, und haben folglich bei der Einfuhr keine Mauth zu bezahlen. Ausländische Waaren und Producte, die im Lande erzeugt werden können, zahlen 30 p. C. (Recueil industriel N. 33. S. 288. (In Süd-Amerika wird, wie man hieraus ersieht, wissenschaftliche Cultur wenigstens nicht durch Zölle erschwert, wie in manchen europäischen Staaten, wo die Wissenschaft des Auslandes nach dem Pfunde Lumpen besteuert wird, auf welche sie gedrukt wurde.)

Cider-Ernte (Aepfelmost-Ernte) in England im J. 1829.

Während auf dem ganzen festen Lande Europens im J. 1829 auch nicht Ein Winzer genießbaren Wein kelterte, ist die Aepfelmost-Ernte in England, vorzüglich in Devonshire, besser gerathen, als man bei Menschen Gedenken sich zu erinnern weiß. Ein Landwirth in dieser Gegend machte allein 4000 Hogsheads (d. i. in runden Zahlen, (da Ein Hogshead = 63 Gallons, und Ein Gallon = 3,264 Wiener Maß) 13,400 Wiener Eimer) Aepfelmost. In der kleinen Stadt Exeter wurden allein über 12,000 leere Fässer verkauft. Dabei war dieses Jahr noch der Wurmfraß in den Aepfeln. (Worcester Journ. Galign. 4577.) Wo ist in Deutschland, wir dürfen sagen auf dem festen Lande von ganz Europa, nicht bloß ein Landmann, sondern ein Fürst, der so viel Aepfelbäume auf seinen Domänen hätte, um selbst in einem gesegneten Jahre eine solche Aepfelmost-Ernte halten zu können? Wer indessen Obstcultur in England kennt, wird über diese Ernte eben nicht als über eine Unmöglichkeit staunen.

Ueber das frühere Reifen der Trauben und des Obstes an Wänden.

Man zog an einer gegen Süden gekehrten Wand eines Hauses eine Rebe.

An dieser Wand war über der Hauptthüre ein kleines Dach mit Schieferplatten belegt. Diejenigen Trauben dieser Rebe, die auf diesem Dache zu liegen kamen, waren immer viel früher reif und viel schmakhafter. Bouchard im Bull. Univ. X. 230. Meehan. Mag. 255. (Im nördlichen Rußland zieht man Obstbäume nicht an Wänden, sondern breitet die Aeste über niedrige nur ein paar Ziegel hohe Mauern hin, die man an der Erde aufführt. Da die Strahlen der Sonne mehr senkrecht auf den Boden, als auf die Wand fallen, so wärmen sie den Boden immer mehr, als eine senkrechte Wand. Könnte man die Trauben wegen der Insekten, Würmer und wegen der Nässe auf der Erde hin kriechen lassen, so würden sie um mehrere Wochen früher reif und um mehrere Prozente mehr zukerhaltig werden.)

Zunahme der Pferdeausfuhr, oder vielmehr des Pferdediebstahles in England.

Nach einer officiellen Liste im Court. Journal (Galignani Messenger, N. 4574.) war die Pferdeausfuhr und Einfuhr in Frankreich vom J. 1823 bis 27, wie anliegende Tabelle zeigt. Das Court. Journal betrachtet diese Tabelle als Maßstab der Zunahme der Roßdiebe in England, indem Frankreich seine meisten Pferde von englischen Roßdieben kauft.

		Hengste.	Stuten u. Walachen.	Fohlen.	Summe.	Mehr eingeführt als ausgeführt.
1823	ausgeführt	1	960	897	1858	5583
	eingeführt	1097	2193	5151	7441	
1824	ausgeführt	37	1001	207	1245	16881
	eingeführt	2578	8921	6627	18126	
1825	ausgeführt	69	2937	350	3354	20823
	eingeführt	2234	17027	4916	24177	
1826	ausgeführt	0	3799	624	4433	11355
	eingeführt	1181	10352	4255	15788	
1827	ausgeführt	3	3294	921	4218	11354
	eingeführt	939	9197	5436	15572	
Es wurden demnach in den lezten 5 Jahren	ausgeführt	110	11929	3009	15108	65996
	eingeführt	8028	47690	25387	81104	

Wenn man nun den Werth eines Pferdes nur zu 500 Franken rechnet, so hat Frankreich an England in den lezten 5 Jahren für größten Theils gestohlene Pferde die ungeheuere Summe von 32,998,000 Franken bezahlt.

Erdäpfelgraben in die Wette.

Zwei Landleute gruben zwei Tage lang (den Tag zu 9 Stunden gerechnet) Erdäpfel in die Wette. Der Eine grub am ersten Tage 2487 Pfd., am zweiten 2863. Der andere grub am ersten Tage 2659 Pfd., am zweiten 2574. Jener hatte also 5350, dieser 5233 Pfd. gegraben. Schwerlich werden zwei Bauern sobald wieder eben so viel Erdäpfel graben. (Herald. Galignani. N. 4581.)

Vermehrung der Erdäpfel.

Hr. Taylor zu Preston legte im vorigen Jahre zwei Erdäpfel, welche zusammen 6 Loth wogen. Sie erzeugten 8 Pfund. Diese 8 Pfund wurden dieß Jahr wieder gelegt, und gaben 350 Pfd. (Globe. Galignani 4585.)

Ueber die unfruchtbaren Kühe (Kwenen),

welche die Engländer Free-Martins nennen, findet sich ein sehr lehrreicher Aufsaz des Hrn. Drs. Westerhoff in van Hall's, Vrolick's und Mulder's Bydragen IV. Th. N. 2. S. 145, auf welchen wir unsere Landwirthe aufmerksam machen zu müssen glauben, indem sie hier manche hochwichtige Notiz über die niederländische Viehzucht, vorzüglich über das Entmannen der Rinder, finden werden. Diese sehr gründlich beschriebene kleine Abhandlung verdient in irgend einer deutschen, ausschließlich für Landwirthschaft bestimmten Zeitschrift übersezt zu werden, so wie auch manches in derselben angeführte niederdeutsche Werk über Rindviehzucht in das Hochdeutsche übersezt zu werden verdiente.

Eine englische Melkkuh,

Eigenthum des Hrn. Selt in Lounsley-grenn, gibt täglich 21 Quart Milch, woraus 3 Pfd. Butter gerührt werden. (Chesterfield Gazette. Galignani. 4568.) (Ein Quart ist der vierte Theil Eines Gallon, und Ein Gallon ist = 10 Pfund Wasser.) (Wir haben auch soche Kühe in Deutschland.)

Schwere eines zweijährigen Schweines.

Ein Suffolker zweijähriges Schwein, Hrn. Churchyard gehörig, wurte geschlachtet und wog 50 Stone $2^1/_2$ Pfd. (den Stone zu 14 Pfd.; also $702^1/_2$ Pfd). Das Thier war 8 Fuß 4 Zoll lang, und maß in der Peripherie 8 Fuß. Der Spek war 5 Zoll dik, und, wie das Fleisch vortrefflich. Das Thier ward mit Weizen gemästet. (Suffolk-Chronicle. Galignani. 4563.) (Ein Pendant von Schwere eines wilden Thieres in England gibt ein Hase von $1^1/_2$ Pfd.)

Der Wallfischfang der Engländer

in diesem Jahre gab nur 236 Stüke. Zwei Schiffe verunglükten dabei. (Galign. 4548.)

Thranausbeute der Fischer des Städtchens Hull.

Die Hull-Fischer sind jezt alle, bis auf Einen, der verunglükte, heimgekehrt. Ihr diesjähriger Fang gab ihnen 9000 Tonnen (180,000 Ztr.) Thran. Dieser Fang, so groß er scheinen mag, ist doch um 4000 Tonnen geringer, als der vorjährige, und um 8000 Tonnen geringer, als jener vom J. 1827. (Hull Advertiser. Galignani. N. 4579.)

Die dießjährige Hopfenernte in England

war zehn Mal geringer, als in guten Jahren. (Herald. Galign. 4563).

Fliegen vom Fleische abzuhalten.

Die Mezger zu Genf reiben die Wände und Bretter ihrer Fleischbänke, auf welchen das Fleisch zu liegen oder zu hängen kommt, mit Lorberöhl, welches, durch seinen eigenen Geruch, die Fliegen vertreibt. (Register of Arts. N. 29. S. 160.)

Vortheil aus Unheil.

Das Jahresfest der Rettung vor der, von den Jesuiten in England angelegten Pulververschwörung beschäftigt gegenwärtig an 700 Menschen, die kleine Feuerwerke zu diesem Feste verfertigen und verkaufen. (Galignani. N. 4580.)

Hr. Jopling,

Erfinder des „Septenary-System" bemerkt im Mech. Mag. N. 329. S. 240., daß er seine in England verschmähten Ideen über Schiffbau schon vor Jahren dem russischen Admiral Greigh mittheilte, und daß er nicht wisse, ob seine Idee geprüft und ausgeführt wurden. Wir haben jetzt in Zeitungen Mehreres von einem, nach neuen mathematischen Grundsätzen gebauten russischen Schiffe gelesen. Die Zeit wird lehren, ob Hrn. Jopling's System hier seine Anwendung fand.

Literatur.

a) Französische.

Le Jardinier des fenêtres, des appartemens et des petits jardins etc. par Poiteau. 2. edit. Paris. 1829. chez Audot. 222 S. (Auch dieser Fenstergärtner verdiente eine Uebersezung, wäre es auch bloß, um manchen Trödel aus der deutschen Garten-Literatur, die so oft entweiht wird, zu verdrängen.)

Mémoire sur les questions proposées par la société d'agriculture, du commerce et des arts de Boulogne-sur-mer concernant les recherches entreprises à différentes époques dans le Dpt. du Pas-de-Calais, pour y decouvrir de nouvelles mines de Houille; par M. F. Garnier. 4. Boulogne-sur-mer. 1829. 100 S. (Eine Schrift, die für alle Länder wichtig ist, in welchen man bisher zu faul war, auf Steinkohlen zu schürfen, obschon Regengüsse die herrlichsten Steinkohlengeschiebe in demselben auswaschen am Ufer schiffbarer Flüsse!)

Chimie appliquée à l'Agriculture, ou Art de préparer les terres et d'appliquer les engrais. Traduit de l'Anglais de Sir Humphry Davy, par A. Bulos. 8. Paris. 1829. ch. Audin, quai des Augustins. N. 25.

Manuel complet du Boulanger, du Negociant en grains, du Meunier et du Constructeur de Moulins. Par M. M. Benoit et Julia de Fontenelle. 2 edit. 18. Paris. 1829. chez Roret. IV. 382 S. $3^1/_2$ Fr.

Manuel du Fabricant de produits chroniques. Par M. L. S. Thillaye. 18. Paris. 1829. chez Roret. 2 Vol. 7 Francs.

Art de chauffer ou traité des moyens de mettre à profit la chaleur qui émane des appareils de chauffage; par M. Hamon. 8. Paris. 1829. ch. Malher. 293 S. XXXIII. $7^1/_2$ Francs.

Examen comparatif de différens modes de chauffage des habitations; par M. Hamon. 8. Paris. 1829. ch. Malher.

Manuel complet du Mouleur, ou l'art de mouler en plâtre, carton, carton-pierre, carton-cuis, cire, plomb, argile, bois, écaille, corne etc. par M. Lebrun. 18. Paris. 1829. ch. Roret. 224 S. $2^1/_2$ Francs.

b) Italiänische.

Teorica degli stromenti ottici destinati ad estendere i confini della visione naturale; di Giov. Santini, Prof. d'astronom. nell' Univ. di Padova. 8. Padova. 1828. tipografia del Seminario. 2 Vol. p. 474. (Milano nella Societa tipografica de' Classici italiani). (Ein sehr wichtiges Werk, das eine deutsche Uebersezung verdiente. Man darf nicht vergessen, daß die Wälschen die ersten Optiker waren, und daß Amici auch ein Wälscher ist.)

L'Eco, Giornale di scienze, lettere, arti, commercio e teatri. 8. Milano. 1829. p. Paolo Lampato.

Il Canal grande di Venezia decritto da Ant. Quadri e rappresentato in LX tavole rilevate ed incise da Dionis. Morette. 1828—29. Venezia, d. tipog. Andreola.

Della miglior coltivazione del frumentone per ottenerne abbondante raccolta. 8. Modena. 1829. per G. Vincenzi e Comp. 112 S. 1 Lir. 25 Cent.

c) Niederländische.

Handleiding tot de beoefening der Artsenybereidkundige Scheikunde, of Grondbeginselen der Pharmaceutische Chemie, door D. Blankenbyl. II St. 2 Ged. 8. Dordrecht. 1828. (Wird in den verlässigen Bydragen sehr empfohlen.)

d) Schwedische.

Aarsberaettelse om Technologiens Framstey; G. E. Pasch. 8. Stockholm. 1828. b. Norstedt.

Polytechnisches Journal.
Eilfter Jahrgang, zweites Heft.

XXVII.
Ueber parallele Bewegung an einer Dampfmaschine. Von Plumb.

Aus dem London Journal of Arts. October 1829. S. 15.
Mit der Abbildung Fig. 24. auf Tab. III.

Der brauchbare Aufsaz des Hrn. Aris im vorigen Hefte veranlaßt mich zu einigen Zeilen über denselben Gegenstand. Die Regeln, welche ich hier zur Erzeugung einer parallelen Bewegung vorschlage, sind, wie es mir scheint genauer, als irgend andere, welche bisher im Druke empfohlen und angewendet worden sind.

Folgende Regel zur Berechnung der gehörigen Länge oder des Halbmessers der Zaumstange zur parallelen Bewegung für jeden Halbmesser der hinteren Glieder wurde in Hrn. Farey's Abhandlung über die Dampfmaschine (Farey's treatise on the steam engine) mitgetheilt. Sie wird Hrn. Stevenson zu Newcastle zugeschrieben.

Regel. Man erhebe die Entfernung des Mittelpunktes des großen Hebels, A, von dem Gefüge, D, woran die hinteren Glieder aufgehängt sind, also AD, in Zollen, zum Quadrate, und theile dieses Quadrat durch die Länge der parallelen Stangen EC, in Zollen, der Quotient ist der Halbmesser der Zaumstange, FE, in Zollen.

Beispiel. Der große Hebel AB ist 111 Zoll: Halbmesser. Das Gefüge der hinteren Glieder DE = 66 Zoll: Halbmesser. Die Länge der parallelen Stangen EC = 45 Zoll. So wird

66 Zoll quadrirt = 4356 Zoll.

Diese getheilt durch 45, gibt 96,8 Zoll für den Halbmesser der Zaumstange FE.

Diese Regel ist für die meisten praktischen Fälle hinlänglich genau; sie ist aber nicht in aller Strenge richtig, und, obschon der Fehler innerhalb der Gränzen der Verhältnisse der parallelen Bewegung einer Dampfmaschine nicht merklich ist, so würde er doch bedeutend werden, wenn man eine parallele Bewegung darnach berechnen sollte, wo die hinteren Glieder in einem weit kürzeren Halbmesser aufgehängt sind, als die Hälfte desjenigen des größeren Hebels.

Folgende Regel läßt sich in äußersten Fällen mit einer unbedeutenden Abweichung von vollkommener Genauigkeit anwenden:

Wenn die Schwingung [40]) des Endes des großen Hebels und auch

[40]) Die Schwingung des Endes des großen Hebels oder irgend eines Gefü-

des Gefüges, in welchem die hinteren Glieder aufgehängt sind; die Länge des Stoßes des Stämpels (oder die Sehne des Bogens, welchen das Ende des großen Hebels beschreibt) und die Länge des Gefüges der hinteren Glieder gegeben sind; nehme man die Differenz zwischen der Schwingung, ab, des großen Hebels, und der Schwingung cd des Gefüges der hinteren Glieder, als die eigene Schwingung von ef, der Zaumstangen (oder den Sinus Versus des halben Bogens, welchen ihre beweglichen Enden E beschreiben würden); so wird der Sinus Ef des Bogens Ee gleich seyn Dc, der halben Länge des Stoßes der hinteren Glieder.

Um dann den Halbmesser der Zaumstangen zu finden, dient folgende

Regel: Man quadrire die Hälfte des Stoßes Dc der hinteren Glieder; addire zu diesem Quadrate das Quadrat der Schwingung ef der Zaumstangen, und dividire die auf diese Weise erhaltene Summe durch die doppelte Schwingung, ef, der Zaumstangen; der Quotient ist der gehörige Halbmesser für die Zaumstangen.

I. Beispiel. Da der große Hebel AB 111 Zoll Halbmesser und 6 Zoll Schwingung hat, so ist die Schwingung, ef, der Zaumstange 3 Zoll, wenn die hinteren Glieder bei halbem Stoße aufgehängt sind; und der halbe Stoß der hinteren Glieder (als Aequivalent des Sinus des halben Bogens, welchen die Zaumstangen beschreiben) = 18 Zoll. Also nach der Regel:

(18 Zoll quadrirt =) 324 Zoll + (3 Zoll quadrirt =) 9 Zoll = 333 Zoll ÷ (3 Zoll × 2) = 55½ Zoll; oder dem halben Halbmesser des großen Hebels für den Radius der Zaumstangen.

II. Beispiel. Für einen äußersten Fall, wo die hinteren Glieder bei einem Sechstel des Halbmessers des großen Hebels aufgehängt sind, oder bei Einem Fuß Halbmesser; die Schwingung der hinteren Glieder = 1 Zoll; die Schwingung der Zaumstange (6 — 1) = 5 Zoll; der halbe Stoß des hinteren Gliedes = 6 Zoll.

Also nach der Regel (6 Zoll quadrirt =) 36 Zoll. + (5 Zoll quadrirt) = 25 Zoll = 61 Zoll ÷ (5 Zoll × 2) = 6,1 Zoll für den Halbmesser der Zaumstange.

Diese Regel, und Hrn. Stevenson's, wurden in einer Figur versucht; der große Hebel zu 111 Zoll Halbmesser und 6 Zoll Stoß. Die Schwingung des Endes des großen Hebels 6 Zoll. Die hinteren Glieder bei einem Viertelstoße aufgehängt oder 27¾ Zoll Halbmesser

---

ges, das sich auf ähnliche Weise bewegt, ist der Sinus Versus des halben Bogens, der durch dieses Gefüge beschrieben wird; so ist ab die Schwingung des Endes des großen Hebels AB, und cd die Schwingung des Punktes D.
A. d. O.

Der halbe Stoß der hinteren Glieder war dann 9 Zoll; ihre Schwingung 1⅛ Zoll; die Schwingung der Zaumstangen 4⅛ Zoll; die parallelen Stangen waren 83¼ Zoll lang. Bei diesen Verhältnissen gibt Hrn. Stevenson's Regel 9¼ Zoll für den Halbmesser der Zaumstangen und gestattet der Stämpelstange eine Abweichung von ungefähr 2,83 Zoll von der senkrechten Linie. Die andere Regel gibt 11¼ Zoll für den Halbmesser der Zaumstangen, und gestattet eine Abweichung von ⅛ Zoll von der Senkrechten für die Stämpelstange.

Wenn die hinteren Glieder bei einem Drittel Stoß aufgehängt sind, oder 37 Zoll Halbmesser, so gibt Hrn. Stevenson's Regel 18¼ Zoll Halbmesser für die Zaumstangen, und erlaubt etwas mehr als ⅛ Zoll Abweichung an der Stämpelstange. Die andere Regel gibt 20 Zoll für den Halbmesser der Stämpelstange, und gestattet ungefähr ein Sechstel Abweichung für die Stämpelstange.

In äußersten Fällen im entgegengesezten Sinne, d. h., wenn die hinteren Glieder sehr nahe am Ende des großen Hebels aufgehängt sind, geben die beiden Regeln bedeutend verschiedene Halbmesser für die Zaumstangen; allein, bei der großen Länge dieser Halbmesser weichen die Schwingungen der hinteren Glieder und der Zaumstangen in ihrem Verhältnisse zur halben Länge ihrer Größe nur wenig ab, und die Resultate beider Regeln sind beinahe dieselben. So gibt z. B. bei einem Balken von obiger Größe, wenn die hinteren Glieder bei ⅔ Stoß oder 74 Zoll Halbmesser aufgehängt sind, Hrn. Stevenson's Regel 148 Zoll Halbmesser für die Zaumstangen, während die andere Regel 145 Zoll gibt; bei beiden Halbmessern werden aber die Zaumstangen die Stämpelstange nicht um mehr, als um ⅒ Zoll von der Senkrechten abweichen lassen.

Die Stämpelstange einer Dampfmaschine wird sich nur dann in einer vollkommen senkrechten Linie bewegen, wenn der Halbmesser der hinteren Glieder der parallelen Bewegung = ist der Länge der Parallelstangen, indem dann die Zaumstangen und hinteren Glieder gleiche Halbmesser und gleiche Stoßlängen haben; sie werden daher in jedem Punkte der Bogen, welche sie beschreiben, von der senkrechten Linie genau um dieselbe Größe in entgegengesezten Richtungen abweichen, und die Summe ihrer Schwingungen wird jedes Mal der correspondirenden Schwingung des Endes des großen Hebels gleich seyn: unter allen anderen Verhältnissen der parallelen Bewegung aber, d. h., wo immer der Halbmesser der hinteren Glieder nicht = ist der Länge der parallelen Stangen, sind die Halbmesser der hinteren Glieder und der Zaumstangen von ungleicher Länge, während die Sinus der Bogen, die sie beschreiben, von gleicher Länge sind, und die Summe ihrer Schwingungen wird nicht jedes Mal gleich seyn der correspondi=

renden Schwingung des Endes des großen Hebels. Die successiven Abweichungen der Stämpelstange von der Verticalen während der ganzen Länge des Stoßes werden gleich seyn den Unterschieden zwischen den Schwingungen des großen Hebels und der Summe der Schwingungen der hinteren Glieder und der Zaumstangen. Durch Berechnung dieser Unterschiede an verschiedenen Punkten der Länge des Stoßes kann eine krumme Linie entworfen werden, die die wahre Bahn der Stämpelstange zeigt.

XXVIII.

Bericht des Hrn. Emil Dollfus über ein Instrument zur Bemessung der Schnelligkeit des Laufes des Wassers; von Hrn. J. J. Bourcart zu Guebwiller.

Aus dem Bulletin de la Société industr. de Mulhausen, Nro. 11. S. 60.

Mit Abbildungen auf Tab. III.

Die Wichtigkeit einer genauen Kenntniß der Geschwindigkeit des Wassers, dessen man sich zum Betriebe seiner Maschinen bedient, ist jedem bekannt; denn es hängt von derselben die Bestimmung der Wirkung ab, die man zu erwarten hat.

Man hat bereits mehrere Instrumente erfunden, um die Geschwindigkeit des Wassers in einem Canale oder Bache zu bestimmen, z. B. die gebogenen Röhren; die von Smeaton verbesserten Flugräder, die Christian sinnreich verbesserte; die Kugeln an einem Faden, die auf einem Viertelkreise die verschiedenen Grade bei verschiedenen Geschwindigkeiten andeuten; endlich leichte Körper, die man auf dem Wasser schwimmen läßt, und nach deren Schnelligkeit in ihrer Bewegung man die Geschwindigkeit des Wassers bestimmt. Von allen diesen Mitteln war indessen bisher keines, das seinem Zweke in jeder Hinsicht entsprochen hätte.

Die gekrümmten Röhren (Pitot's Erfindung), in welchen man die Geschwindigkeit des Wassers nach der verschiedenen Höhe desselben in der gekrümmten, und in einer daneben befindlichen geraden Röhre beurtheilt, sind gewöhnlich aus Glas, und daher nur zu leicht gebrechlich. Der Beobachter muß einen hohen Grad von Aufmerksamkeit bei seiner Beobachtung besizen, wenn er, zumal bei geringerer Geschwindigkeit des Wassers, richtig und scharf beobachten will; denn die verschiedenen Höhen gewähren dann nur sehr kleine Unterschiede, die oft kaum merklich sind. Man hat diese Röhren später aus Eisenblech verfertigt, um sie fester zu machen; ein Schwimmer im Hohlraume der Röhre zeigte die Höhe des Wassers an; man hat indessen nie den wesentlichen Fehler dieses Instrumentes beseitigen oder vermindern können, die Schwankungen nämlich, denen das Instrument, zumal in größeren Tiefen, unterworfen ist.

Mariotte bediente sich eines anderen Instrumentes, um die Geschwindigkeit der Strömung zu messen. Er nahm Wachskugeln, die an Faden befestigt waren, und auf einem in Grade getheilten Vierteilkreise die verschiedenen Geschwindigkeiten des Wassers anzeigten. Dieses Instrument läßt sich dort anwenden, wo man die verschiedenen Geschwindigkeiten zweier verschiedenen Strömungen bestimmen will; um aber die Geschwindigkeit eines einzelnen Stromes an und für sich zu bestimmen, taugt es nicht, denn die Geschwindigkeit müßte nach der Oberfläche der Kugel und nach der Neigung des Fadens im Verhältnisse zum senkrechten Stande desselben berechnet werden. Dieß kann aber nur annäherungsweise geschehen; die Faden, welche die Kugeln halten, erleiden Schwankungen, die sie von der senkrechten Richtung auch nach der anderen Seite hin entfernen, und, in diesem Falle, ist es unmöglich die correspondirenden Grade der Neigung der Faden mit Genauigkeit zu beobachten. Unter allen Instrumenten, die zu diesem Zweke ausgedacht wurden, verdient vielleicht keines weniger Vertrauen, als dieses; denn außer den Nachtheilen, die wir so eben an demselben bemerkten, gibt dieses Instrument auch am wenigsten directe Resultate.

Ein drittes Instrument, dessen man sich häufig zur Bestimmung der Schnelligkeit der Strömung bediente, ist das Flügelrad des Hrn. Smeaton und Christian aus Eisenblech so leicht als möglich verfertigt. Wenn man dieses Rad der Einwirkung des Wassers aussezt, so wird es, wie man sieht, leicht, sobald man die Umdrehungen desselben während einer gewissen Zeit kennt, die Geschwindigkeit des Wassers zu bestimmen, wenn man nicht zugleich den Widerstand der Luft und der Reibung der Drehezapfen zu überwinden hätte. Um diese beiden Widerstände aufzuwägen, hat man die Zapfen mehrere Male mit Bindfaden umwunden und ein Gegengewicht an denselben angebracht, nachdem man ihn über zwei Rüklaufrollen über der Achse des Rades laufen ließ. Die Schwere dieses Gewichtes ist leicht zu bestimmen, wenn man den Versuch mit demselben anstellt; es ist aber nöthig, dasselbe auf das Genaueste zu bestimmen. Denn wenn es zu schwer wäre, würde es das Rad mit zu großer Schnelligkeit treiben, und die Flügel des Rades würden auf das Wasser schlagen, statt daß sie von demselben getrieben werden; im entgegengesezten Falle aber würden die erhaltenen Resultate kleiner ausfallen, als sie wirklich sind, indem die beiden Widerstände, von welchen wir sprachen, nicht aufgewogen wären. Auf diese Weise modificirt kann das Instrument sehr genaue Resultate liefern; es hat aber den großen Nachtheil, daß man mittelst desselben die Geschwindigkeit des Wassers nur an der Oberfläche bestimmen kann, indem, wenn man das Rad gänzlich eintauchte, es sich gar nicht mehr drehen würde.

Das lezte Mittel endlich, das man am häufigsten anwendet, das, in vielen Fällen, das einfachste und vielleicht auch das genaueste ist, um die Geschwindigkeit einer Strömung zu bestimmen, besteht in einem leichten Körper, den man der Strömung überläßt, während man die Zeit mißt, in welcher derselbe einen gegebenen Raum durchläuft. Das Einzige, was hier zu bemerken kommt, ist dieses, daß man einen Körper ausmittelt, der so in das Wasser taucht, daß kein Widerstand, oder höchstens nur ein geringer, von Seite der Luft Statt hat. Man würde wenig gegen dieses Verfahren die Geschwindigkeit einer Strömung zu bemessen einwenden können, wenn man machen könnte, daß der schwimmende Körper immer nach dem Faden des Wassers läuft; es ist aber zuweilen äußerst schwer zu verhüten, daß er nicht aus dem Geleise kommt, indem er sich selbst überlassen bleiben muß. Man kann überdieß mit diesen schwimmenden Körpern nur auf der Oberfläche des Wassers Versuche anstellen, und die ganze Welt weiß, wie sehr die Geschwindigkeit des Wassers nicht bloß in verschiedenen Breiten, sondern auch in verschiedenen Tiefen verschieden ist.

Es bleibt also hier noch Manches zu leisten übrig, da keines der bisherigen Mittel seinen Zwek genau erfüllte; da einige derselben nur an der Oberfläche taugen, die anderen gebrechlich und wenig zuverlässig sind.

Dieß Alles ist nicht der Fall bei dem gegenwärtigen Instrumente des Hrn. J. J. Bourcart. Dieses Instrument besteht (Fig. 1, 2, 3.) aus zwei Flügeln, die unter Winkeln von 45° gegen einander geneigt und quer auf einer Achse befestigt sind, welche an ihrem gegenüberstehenden Ende eine Schraube ohne Ende führt. Ein Räderwerk greift in diese Schraube ein, und zeigt durch die darauf eingegrabenen Ziffern die Menge der Umdrehungen der Schraube ohne Ende, und folglich der Umläufe der geneigten Flügel.

Das Räderwerk befindet sich auf einer Unterlage, die, auf einer Seite, mittelst eines Drehezapfens auf dem Körper der Maschine steht, auf der anderen Seite mit einem Bindfaden in Verbindung steht, der die Räder in die Schraube ohne Ende eingreifen läßt, und aus derselben aushebt. Auf der Unterlage ist eine Feder angebracht, durch welche, wenn die Maschine in Ruhe ist, die Räder aus der Schraube ausgehoben und in zwei Flügel eingesezt werden, die sie hindern, sich zu drehen, und zugleich als Zeiger für die Nummern dienen.

Die Stellung dieser Räder ist so vorgerichtet, daß sie, wenn sie aus den Flügeln ausgehoben werden, sich frei drehen können, ehe sie in die Schraube ohne Ende eingreifen, so daß man jedes Mal den Zeiger auf 0 stellen kann: indessen muß der Raum, den die Räder zu durchlaufen haben, um die Flügel frei zu machen, und in die Schraube ohne Ende einzugreifen, doch immer nur sehr klein seyn.

Der Körper des Instrumentes ist auf einer Dille aufgebolzt, die in verschiedenen Höhen an einem Stoke befestigt werden kann, und an dem entgegengesezten Ende einen langen Schweif oder ein Ruder aus Eisenblech führt, der das Instrument immer in der Richtung des Wasserfadens hält.

Das Instrument ist aus Kupfer, mit Ausnahme der Flügelarme und der Achse, welche die Schraube ohne Ende führt, und die aus Stahl sind.

Um diesen Messer gehörig zu stellen, bringt man ihn in stillstehendes Wasser von irgend einer bedeutenderen Ausdehnung, nachdem man den Zeiger des ersten Rades auf 0, und den anderen auf 500 geführt hat, was an der Stelle von 0 sich befindet. Man läßt das Räderwerk in die Schraube ohne Ende eingreifen, und läßt das Instrument, welches man auf einem Stoke befestigt hat, eine gewisse Streke durchlaufen, die man sorgfältig mißt. Man muß jedoch, ehe man die Räder in die Schraube ohne Ende eingreifen läßt, den Flügeln so viel Zeit lassen, daß sie einige Umdrehungen machen können, damit sie eine gleichförmige Geschwindigkeit erlangen. Wenn man an Ort und Stelle angekommen ist, läßt man den Bindfaden nach, der die Räder aus der Schraube ohne Ende aushebt, nimmt das Instrument aus dem Wasser, und bemerkt die Zahl der Umdrehungen, welche die Flügel während dieser Zeit gemacht haben.

Wo kein stillstehendes Wasser vorhanden ist, um das Instrument zu reguliren, reicht auch eine große mit Wasser gefüllte Kufe hin, wenn man das Instrument einige Minuten lang in derselben dreht, und den im Kreise umher durchlaufenen Raum mit den Umdrehungen der Schraube ohne Ende vergleicht. Man muß bei diesem Versuche dafür sorgen, daß das Instrument denselben Raum mit derselben Geschwindigkeit in entgegengesezter Richtung der ersten Bewegung durchläuft, um die Wirkung, welche durch die Bewegung, die das Wasser in der Kufe erhielt, auf die Flügel entstehen konnte, zu vermeiden.

Nachdem man auf diese Weise das Instrument im stillstehenden Wasser laufen ließ, erhält man, wenn man den durchlaufenen Raum durch die Zahl der Umdrehungen der Flügel (oder der Schraube ohne

Ende, weil diese auf derselben Achse aufgezogen ist) theilt, die Einheit des Maßes, oder die Länge des Wassers, welche während Einer Umdrehung der Flügel längs dem Instrumente hingezogen ist.

Hr. Bourcart sagt, daß an dem Instrumente, welches er vorlegte,

7142 Umdrehungen der Schraube ohne Ende auf 10 alte Pariser Fuß (pieds de Roi) gehen;

7333 Umdrehungen auf 10 metrische Fuß;

220 auf Ein Meter.

In den Versuchen, welche wir selbst anstellten, um uns von der Genauigkeit der Angaben des Hrn. Bourcart zu überzeugen, haben wir gefunden, daß alle seine Angaben sehr genau waren. Wir haben unsere Versuche oft wiederholt, und wir haben nie Abweichungen gefunden.

Nach obigen Angaben ist es klar, daß, um die Geschwindigkeit irgend einer Strömung zu erlangen, man die Zahl der Umdrehungen der Schraube ohne Ende multipliciren muß

mit 1,4, um den Ausdruk in alten Pariser Fuß,

mit 1,36374, um den Ausdruk in metrischen Fuß,

mit 0,45458, um denselben in Meter zu erhalten.

Eine Umdrehung der Schraube ohne Ende oder der Flügel correspondirt demnach mit 1,4 alten Pariser Fuß Wasser, welche an einem gewissen Punkte in irgend einer Zeit durchgelaufen ist.

Wir haben obige Angaben noch mittelst leichter Körper, die wir schwimmen ließen, geprüft, und, wenn leztere nicht von dem Wasserfaden abgewichen sind, erhielten wir durch diese beiden Prüfungsmittel immer dieselben Resultate.

Aus diesen mit aller möglichen Sorgfalt angestellten Prüfungen, wiederholten Versuchen und Vergleichungen erhellt, daß das Instrument des Hrn. Bourcart vor jedem anderen bis auf den heutigen Tag bekannten Instrumente zur Bestimmung der Geschwindigkeit einer Wasserströmung den Vorzug verdient; daß es das einzige Mittel ist, diese Geschwindigkeit, und zwar mit der höchsten Genauigkeit, auf allen Punkten des Querdurchschnittes eines Rinnsales zu bestimmen, was bisher noch unmöglich gewesen ist. Der Bau dieses Instrumentes ist einfach; das Instrument läßt sich leicht handhaben und ist keiner Abweichung unterworfen; es geräth nicht leicht in Unordnung. Es gewährt überdieß, und darin besteht der große Vortheil desselben, directe Resultate, was bei jeder ähnlichen Untersuchung das Wichtigste ist.

Man hat alle mögliche Versuche mit diesem Instrumente angestellt, und nie einen Fehler gefunden. Wir fanden auch, was Hr.

Bourcart sagte, und worin alle Gelehrte übereinkommen, daß, in einem regelmäßigen Canale bei einer zur Breite verhältnißmäßigen Höhe, die mittlere Geschwindigkeit des Wassers 4/5 der Geschwindigkeit desselben in der Mitte des oberen Theiles beträgt.

Dieser neue Geschwindigkeitsmesser des Hrn. Bourcart verdient in die erste Reihe neben dem dynamometrischen Zaume gestellt zu werden; das eine dieser Instrumente controlirt jezt bei Maschinen, welche von Wasser getrieben werden, das andere, und die Mechanik hat durch beide eine mächtige Stüze erhalten.

Die Gesellschaft erklärt Hrn. Bourcart ihren höchsten Dank.[41]

XXIX.

Verbesserung an der Maschinerie zum Treiben der Fahrzeuge, Mühlen und anderer Maschinen, worauf Wilh. Pool, Schmid in der Stadt Lincoln, sich am 26. Mai 1829 ein Patent ertheilen ließ.

Aus dem London Journal of Arts. Octbr. 1829. S. 35.

Mit Abbildung auf Tab. III.

Diese Verbesserung an der Maschinerie zum Treiben der Fahrzeuge, Mühlen ꝛc. besteht in einer besonderen Weise, Ruderräder oder Brettchen, die in ihrem Rade auf einer horizontalen Achse aufgezogen sind, so zu drehen und zu leiten, daß sie mit ihrer Kante in das Wasser eintreten und aus demselben emporsteigen.

Die Nachtheile des gewöhnlichen Baues der sogenannten Radialräder, sowohl als Ruderräder, wie als unterschlächtige Wasserräder, in welchen die Schaufeln bei ihrem Eintritte in das Wasser mit ihren horizontalen Flächen auf dasselbe drüken, die Nachtheile des Hinterwassers oder Schwalles sind zu bekannt, als daß man länger hierbei verweilen dürfte.

Der Patent-Träger hat, in Verbindung mit seiner Verbesserung, vierekige oder längliche Ruder an der Peripherie des Ruderrades angenommen, und jedes Ruder dreht sich um eine quer durch die Mitte desselben laufenden Achse, deren Zapfen sich in dem Umfange des Rades drehen.

Die Verbesserung besteht darin, daß an dem Ende der Achse eines solchen Ruders ein Hebel mit einem Knopfe oder Zapfen in der Nähe des Endes desselben angebracht ist, welcher Knopf oder Zapfen in einer excentrischen kreisförmigen Furche wirkt, die an der Seite des Schiffes oder an dem Gestelle der Mühle oder der Maschinerie

41) Es scheint dem Uebersezer, daß dieses Instrument nicht nur bei dem Mühlen- und Wasserbaue, sondern auch in der Schifffahrt von hohem Nuzen werden kann, und die Schnelligkeit der Bewegung eines Schiffes genauer bestimmen wird, als die bisherigen Knoten.

angebracht ist. Durch diese Knöpfe oder Zapfen, die in dieser Furche laufen, werden die Ruder, eines nach dem andern, bei gewissen Perioden der Umdrehung des Rades, um ihre Achsen gedreht, und dadurch so gestellt, daß sie mit ihrer Kante sich in einer beinahe senkrechten Richtung in das Wasser tauchen, und, nachdem der treibende Stoß unter rechten Winkeln auf die Oberfläche des Wassers während des Aufsteigens geschehen ist, steigen sie mit der Kante aus dem Wasser empor, und vermeiden dadurch den Widerstand, den gewöhnliche Radialruderräder bei dieser Gelegenheit erleiden.

Fig. 20. zeigt das Triebrad von der Seite mit den an demselben angebrachten Verbesserungen. Fig. 21. zeigt es von vorne. aa ist der Balken an der Seite des Schiffes oder der Mühle, auf welchem die Achse dieses Rades ruht und sich dreht. bb sind die Lagerblöke. c ist die Achse des Rades. dddd ist die Felge desselben oder der Umfang, der die Ruder führt. eeee sind die Achsen der Ruder, deren Zapfen sich frei in den Felgen, d, drehen. fff sind Hebel an den Enden der Achsen, e, mit einem Knopfe oder Zapfen an jedem Ende. hh sind zwei mittelst Reifen oder Bügeln verbundene Ringe, welche die Furche für die Zapfen oder Knöpfe der Hebel bilden, die darin spielen, während das Rad sich dreht.

Diese Ringe sind an der Seite des Schiffes, oder an der Mühle, gehörig befestigt, d. h., excentrisch gegen die Achse des Ruderrades, und die Zapfen oder Knöpfe halten die Ruder auf jedem Theile ihrer Bewegung in der gehörigen Stellung.

Ganz dieselbe Vorrichtung läßt sich auch an unterschlächtigen Mühlenrädern anbringen. Statt des Knopfes oder Zapfens läßt sich auch eine Reibungsrolle anwenden.

XXX.

Versuche mit Ruderrädern im Kleinen.

Aus dem Register of Arts. No. XXVII. 1. October S. 79.

Mit Abbildungen auf Tab. III.

(Im Auszuge.)

Ein Ungenannter stellte Versuche mit verschiedenen Ruderrädern aus Eisenblech von demselben Durchmesser an, nämlich 7 Zoll, bei 3¼ Zoll Breite und 1 Zoll Tiefe. Sie wurden durch dasselbe Gewicht in Bewegung gesezt, und die Streke, die sie in einem Bassin im stillen Wasser bei vollkommener Windstille mit dem 30 Zoll langen Bothe durchliefen, wurde, so wie die Zeit, die sie hierzu verwendeten, genau gemessen.

Es ergab sich, daß das gemeine und gewöhnliche Ruderrad, Fig. 9. unter allen hier versuchten Ruderrädern (deren Beschreibung wir daher weglassen) am besten zog, und das Schiffchen in Einer Minute 47¼ Fuß weit trieb.

Ferner daß, wenn man dieses gemeine Ruderrad an seinen beiden Wänden schloß, wie in Fig. 8., und die Speichen wegließ, dasselbe Schiffchen in Einer Minute 68¼ Fuß weit trieb.

Dieses Resultat überstieg in der That alle Erwartung. Da auch bei allen den übrigen Rädern, wenn ihre Wände geschlossen waren, die Geschwindigkeit beschleunigt wurde, so ließ sich allerdings erwarten, daß auch bei dem gemeinen Ruderrade in diesem Falle die Geschwindigkeit beschleunigt werden würde; daß dieses aber im Verhältnisse wie 68¼ : 67¼ geschehen sollte, kam wahrlich unerwartet.

Könnte man also von Versuchen im Kleinen auf die Anwendung im Großen schließen, so würde ein Dampfsboth, das mit den gemeinen offenen Ruderrädern 8 engl. Meilen in Einer Stunde fährt, mit an den Seiten geschlossenen Ruderrädern 12 Meilen in Einer Stunde fahren.

Es wäre in der That der Mühe werth, den Versuch im Großen anzustellen.[42])

XXXI.

Verbesserung an Schiffswinden, auf welche Georg Straker, Schiffsbaumeister zu South-Shields, Durhamshire, sich am 26. Julius 1829. ein Patent ertheilen ließ.

Aus dem Register of Arts. Julius 1829.

Mit Abbildung auf Tab. III.

Der Zwek dieser Patent-Vorrichtung ist, die Zeit zu ersparen, welche die Arbeiter an einer Schiffswinde verwenden müssen, um die Hebel (Handspikes) aus einem Loche in der Winde heraus zu ziehen, und in ein anderes einzusezen, zugleich aber auch die Kraft der Maschine zu vermehren. Lezteres bewirkt der Patent-Träger dadurch, daß er an einem Ende der Trommel der Winde, a, ein Spornrad anbringt, in welches ein Triebstok, b, eingreift, dessen Achse nach der Länge der Trommel hinläuft, und in denselben Lagern läuft, in welchen die Winde sich selbst bewegt, wie man in Fig. 10. sieht. Auf jedem Ende der Achse des Triebstokes befinden sich zwei kreisförmige Platten, cc, wie zwei Kronenräder, mit bloß vier Zähnen, einander gegenüber: die Zähne stehen einander gleichfalls gerade gegenüber, und nähern sich einander bis auf ungefähr Einen Zoll. Bei CC sieht man diese

---

42) Ließ sich nicht auch dasselbe an den gewöhnlichen unterschlächtigen Rädern mit Vortheil versuchen? A. d. Ue.

Stüke im Perspective, in Fig. 11. einzeln, und in Fig. 12. im Grundrisse. Die Hebel, die zwischen diesen Stüken eingesezt werden, sind an einem Ende gabelförmig, um in die Achse des Triebstokes einzugreifen, wie man in Fig. 13. sieht. Das gabelförmige Ende des Hebels ist aus Eisen, und hinlänglich dünn, um zwischen den hervorstehenden Zähnen der oben genannten kreisförmigen Stüke in die Höhe zu steigen, wenn sie einige Zoll weit zurükgezogen werden, wodurch dieses Ende mit Leichtigkeit gehoben werden kann. Wenn es eingeschoben wird, ruhen seine Schultern, dd, auf den hervorstehenden Zähnen, wodurch der Arbeiter in den Stand gesezt wird, den Triebstok zu drehen, und so die Winde mit größerer Kraft zu treiben. Es ist offenbar, daß man bei dieser Vorrichtung, Statt, wie gewöhnlich, den Hebel herauszuziehen, und in ein neues Loch einzusenken, so oft man denselben bis auf das Verdek herabgebracht hat, denselben nur so weit heraus zu ziehen hat, bis die Schultern desselben außer die hervorragenden Zähne kommen, und hinter ein zweites Paar Zähne gelangen, und dann wieder zurük gebracht werden, bis die Schultern fest auf denselben ruhen.

„Dieß ist, sagt das Register," eine sehr bequeme und vortreffliche Methode, eine Winde zu treiben, die sich auch ohne Spornrad und Triebstok an Winden anbringen läßt."[43])

XXXII.

Ueber die Wirkung der Flamme des Löthrohres auf andere Flammen. Von Hrn. Thom. Andrews.

Aus dem Philosoph. Magazine and Annals of Philos. Novbr. 1828, S. 366.

Obschon man die Wirkung der Flamme des Löthrohres auf beinahe alle Körper versucht hat, so hat man doch die Wirkung derselben auf die Flamme selbst bisher, wie ich glaube, noch keinem Versuche unterzogen. Bei dem Weingeist-Aeolopile hindert die Heftigkeit, mit welcher der Weingeistdampf aus der Mündung der Röhre herausfährt, die Beobachtung der Wirkungen der Flammen auf einander.

Ich richtete die Flamme einer Kerze, welche von einem gewöhnlichen Mundlöthrohre zugespizt wurde, auf die Flamme einer anderen Kerze von gleicher Größe so, daß die Spize der ersteren auf die leztere hinspielte, wie das Löthrohr auf diese. Diese zweite Flamme der entfernter stehenden Kerze ward nun umgekehrt, und nahm beinahe dieselbe Gestalt an, wie die Flamme, auf welche das Löthrohr selbst wirkte: der reducirende Theil derselben hatte eine vollkommen kegelförmige Gestalt, und außer diesem hatte der oxydirende Theil eine

43) Figuren und Beschreibung sind eben nicht sehr deutlich. A. d. Ue.

ähnliche Form. Die reducirende Flamme, die auf diese Weise gebildet wurde, war jedoch bedeutend größer, als diejenige, welche auf die gewöhnliche Weise durch das Löthrohr erzeugt wurde, und, nach einigen vergleichenden Versuchen, die ich angestellt habe, war die hizende Kraft derselben doch kaum so groß. Ich rükte die zweite Kerze der ersten so nahe, daß die reducirende Flamme der lezteren außer die Flamme der ersteren hinausreichte, und in diesem Falle endete sich die reducirende Flamme in mehrere unregelmäßige Spizen, und ihre Umrisse waren nur sehr undeutlich begränzt. Als ich die Flamme der zweiten Kerze in den oxydirenden Theil der ersten brachte, wurde die erstere, wie in den anderen Fällen, umgestürzt; der reducirende Theil derselben aber endete sich nicht in eine Spize, sondern in einen leuchtenden Gürtel. Dieser lezte Versuch wird auch dann gelingen, wenn die Flammen der beiden Kerzen 6 Zoll weit von einander entfernt sind: außer diesem Gränzpunkte aber wird durch die zweite Flamme bloß ein unregelmäßiges Flattern erzeugt. Uebrigens ist es offenbar, daß dieser Gränzpunkt sich nach Verschiedenheit der Flamme, deren man sich bedient, ändern muß.

Statt zweier Flammen stellte ich sechs auf dieselbe Weise hinter einander, und die lezte derselben war eben so gestürzt wie die erste: woraus erhellt, daß jede Anzahl von Flammen auf diese Weise durch ein einziges Gebläse ihre Richtung erhalten kann.

Die Wirkung der einen Flamme auf alle die übrigen läßt sich auf eine auffallende Weise dadurch darthun, daß man die Flamme, auf welche das Löthrohr wirkt, während des Blasens plözlich wegzieht: die übrigen Flammen werden dann nur unregelmäßig hin und her flattern. Auf dieselbe Weise wird, wenn wir ein kleines Stük Zinn oder Blei in dem reducirenden Theile der entfernten Flamme schmelzen, und die Flamme dann entfernen, das Metall augenbliklich in Oxyd verwandelt werden.

XXXIII.
Ueber das Verhüten des Werfens der Feilen bei dem Härten derselben. Von Hrn. R. Daniel.

Aus dem Mechanics' Magazine. N. 350. 5. Dec. S. 261.

Es war in N. 320. des Mech. Mag. die Anfrage: „wie die Feilenhauer das Werfen der Feilen bei dem Härten verhüten?“ Ich theile hierüber einige Winke mit, und wünsche dafür, daß der Fragesteller, nachdem er sie benüzt hat, das Resultat im Mech. Mag. bekannt mache, indem ich ganz der Meinung des Hrn. Mackinnon bin „daß diese Kunst Erfahrung und Uebung fordert, und durch bloße Worte sich nicht lehren läßt.“

Die Stahlplatten müssen zuvörderst in gehöriger Größe geschmiedet und dann auf folgende Weise weich gemacht werden. Man nimmt eine gehörige Menge Holzspäne, und nachdem man die Stahlplatten vorher so heiß werden ließ, daß sie in das Feuer gebracht werden können, legt man sie auf dieselben, und läßt sie darauf, bis alle Späne verbrannt und die Platten kalt geworden sind. Nun feilt man die Platten vollkommen flach, damit man sie hauen kann. Dieselbe Methode wendet man auch an, wenn die Feilen zum zweiten Male gehauen werden müssen. Nachdem sie gehauen wurden, legt man sie in eine Mischung aus Kalk und Wasser, in welcher man sie so lang liegen lassen kann, als man will, oder bis man sie härten will. Sie werden in dieser Mischung nicht rostig werden und keinen Schaden nehmen: der Kalk schüzt sie.

Wenn man sie nun härten will, werden sie aus dieser Mischung genommen und vor ein starkes Feuer gebracht, damit der Kalk troknet: dieser füllt die Höhlungen zwischen den Zähnen, und dient bloß um zu hindern, daß das Feuer während des Härtens dieselben nicht zerstört. Man muß nun eine Kufe bei der Hand haben, in welche man drei Kübel voll[44]) Brunnenwasser schüttet, denen man Folgendes zusezen kann:

16 Loth gepülverten Salmiak;
16 Loth Scheidewasser;
1 Pfund gemeines Salz.

Dieses Wasser kann man zum Härten einige Zeit über aufbewahren. Man muß ferner einen hölzernen Hammer und einen Blok bei der Hand haben, für den Fall, daß eine Feile mit einem Kohl ꝛc. während des Brennens in Berührung käme und dadurch gebogen würde, wo sie dann auf den Blok gelegt und mit dem Hammer sanft gedrükt werden muß, damit sie wieder gerade wird. Man muß ferner eine flache Büchse haben, in welcher ungefähr ein Pfund Salz ist. In diesem muß man die Feile reiben, so oft man sie aus dem Feuer nimmt, um darnach die Hize zu bestimmen. Nachdem Alles dieß zur Hand geschafft ist, schürt man ein gutes lokeres Feuer an, in welchem sich keine so genannten Gas- oder grünen Kohlen (grun coals, die mit grünlicher Flamme brennen) befinden, und wenn die Feile gut roth glüht, halte man sie, so senkrecht als möglich, über das Wasser und senke sie, in dieser Richtung, allmählich bis an den Griff, welcher nicht gehärtet werden darf, in dasselbe.

Auf diese Weise wird das Härten an vielen Feilen bei dem ersten Versuche gelingen; indessen werden sich noch immer einige werfen.

44) „Puilsful.“ Diese Angabe ist sehr unbestimmt; denn nicht alle Kübel sind gleich groß. A. d. Ue.

Wenn dieß geschehen seyn sollte, läßt sich dem Uebel auf folgende Weise abhelfen: Man gebe eine hinlängliche Menge Fett oder Oehl in eine lange flache Pfanne, und lege die Feilen, welche sich geworfen haben, in dieselbe. Man mache hierauf ein Stük Eisen roth glühend; bringe es in einen Schraubstok, nehme eine der geworfenen Feilen aus der Pfanne, und befestige sie an jedem Ende mit einer Handschraube, damit man sie bei derselben halten kann. Nun streiche man dieselbe (humour) rükwärts und vorwärts, je nachdem sie sich geworfen hat, und sie wird schnell gerade werden; nur muß man dafür sorgen, daß immer viel Oehl auf der Feile bleibt, wodurch die Härtung des Stahles erhalten und das Weichwerden der Feile durch die Hize des Eisens verhindert wird. Nachdem dieß geschehen ist, bleibt nur noch das Puzen übrig.

Zu diesem Ende bringt man die Feilen in einen Kübel voll warmen Wassers, nimmt eine harte Bürste, auf welche man etwas Seife legt, und bürstet so lang damit, bis aller Kalk, der noch immer zwischen den Zähnen bleibt, heraus ist. Dann lege man sie unmittelbar vor ein starkes Feuer, damit sie troknen, und bürste sie neuerdings mit einer guten Bürste. Zulezt nimmt man etwas von dem besten Oehle und tröpfelt davon auf eine weiche Bürste, mit welcher man dieselben überreibt: man läßt die Feilen hierbei noch etwas warm, damit das Oehl sich desto feiner über dieselben verbreitet. Nun kann man sie einziehen und brauchen.

Der Fragesteller sollte, nach meinem Rathe, erstlich einige Stüke Stahl in der Feilenform ausschneiden und nach dieser Weise härten, damit er nicht, ehe er dieses kann, eine Menge gehauener Feilen verdirbt.

XXXIV.

Ueber Gloken auf Kirchthürmen, über ihre Befestigung und über das Läuten derselben. Von Hrn. Baddeley, d. jüng.

Aus dem Mechanics' Magazine. 12. Dec. 1829. N. 331. S. 280.

Mit Abbildungen auf Tab. III.

(Im Auszuge.)

Vierzehn Jahrhunderte sind bereits verflossen, seit wir uns der Gloken bedienen, und doch sind es erst wenige Jahre, seit man sich mit wissenschaftlicher Untersuchung der Form und der Masse derselben zu beschäftigen anfing.

Die Alten hatten keinen anderen Zwek, als die möglich größte Metallmasse in einer Gloke zusammenzuhäufen: je schwerer die Gloke, desto mehr galt sie. Wie wir wissen, daß die

Gloke zu Moskau, welche die Kaiserinn Anna gießen ließ, . . . 432,000 Pfd.
— zu Peking (und solcher sind daselbst 7) 120,000 —
— zu St. Peter (umgegossen im J. 1786) 18,667 —
Der Mighty Tom zu Oxford . . . . . 17,000 —
— Great Tom zu Exeter . . . . . 12,500 —
— — — zu Lincoln . . . . . 9,874 —
— Tom Growler der St. Paul's-Kirche zu London . . . . . 9,520 — wiegt.

Es gibt noch viele andere solche Glokenungeheuer in anderen Ländern.

Unter allen Lächerlichkeiten, welche mönchischer Aberglaube an Gloken verschwendete, ist wohl jene der sogenannten Passionsgloken die lächerlichste. Um dieser Gloke einen so düsteren dumpfen Ton zu geben, wie die Charwoche (die Passionswoche) ihn forderte, gerieth man auf den Einfall, sie oben mit mehreren großen Löchern zu versehen, wodurch, ohne die Schwingungen des Metalles selbst zu verhindern, jeder harmonische Klang unmöglich gemacht wird, und ein wahrhaft kläglicher Ton entsteht (vergl. Hone's Every-Day book II. Bd. S. 292.). So lang man mit Gloken auf diese Weise verfuhr, war keine Verbesserung denkbar.

Unsere heutigen Glokengießer fingen indessen an die Ungereimtheit einzusehen, mit welcher ihre Vorfahren das Metall an den Gloken verschwendeten, und überzeugten sich, daß man mit der Hälfte desselben denselben Zwek erreichen kann.

Dieß ist wenigstens die Meinung des geistreichen Hrn. Harrison, der im vorhergehenden Bande des Mech. Mag. S. 281. einige interessante Winke hierüber mitgetheilt hat, und die Form und den Klang der Gloke zugleich bei einem Minimum der Metallmasse verbessern zu können versichert. Indessen scheint mir die Kunst der Glokengießerei in Hinsicht auf Verbesserungen noch zu sehr in ihrer Kindheit; die bisher angestellten Untersuchungen haben uns noch nicht solche Resultate geliefert, nach welchen man die zwekmäßigste Form der Gloke, um ein Maximum der Wirkung mit einem Minimum von Metall zu erhalten, mit Sicherheit angeben könnte.

Man werfe nur einen Blik auf den ungeheueren Unterschied, welcher zwischen Gloken an sogenannten Glokenspielen und den gewöhnlichen großen Gloken Statt hat. Wenn man hier die Wirkung mit dem Gewichte des Metalles vergleicht, so fällt die Vergleichung zu Gunsten der ersteren aus; es scheint mir indessen, daß die zwekmäßigste Form zwischen diesen beiden Formen in der Mitte liegt. Hr. Reaumur sagt in einem Aufsaze über die Gestalt der Gloke, wenn sie den lautesten und reinsten Ton geben soll: „Blei, ein Metall, welches in seinem gewöhnlichen Zustande durchaus nicht tönend ist, wird bedeutend klingend, wenn man dasselbe in einer besonderen Form gießt, die aber von jener der gewöhnlichen Gloken abweicht.“ (Vergl. Mémoires de l'Acad. r. d. Paris.) Später sagt Hr. Reaumur, daß diese Form ein Kugelausschnitt ist, und diese Form ist auch diejenige, die man den Gloken bei Glokenspielen gibt, welche indessen dadurch, daß sie mehr oder minder flach sind, von einander abweichen. „Wenn diese Form, diese Gestalt,“ sagt er, „allein hinreicht, um einem Metalle, das an und für sich klanglos ist, einen Klang zu geben, um wie viel mehr muß sie diesen Klang bei jenen Metallen erhöhen, die in jeder Form an und für sich klingend sind.“ Sehr richtig sagt er, daß, wenn unsere Voreltern diese Form gekannt hätten, unsere heutigen Gloken wahrscheinlich dieselbe an sich tragen würden. Hr. Drury, dessen unnachahmbare Glokenspiele so allgemein berühmt sind, (siehe Mech. Mag. VII. Bd. S. 135.), hat neulich seine Untersuchungen auch auf größere Gloken ausgedehnt, von welchen er mehrere gegossen und aufgezogen hat. Er geht so weit, daß er sich erbietet jede Gloke von irgend einem verlangten Klange mit dem vierten Theile des Metalles zu gießen, das man bisher zu derselben nöthig hatte, und versichert zugleich diesen Ton selbst noch reiner und harmonischer darstellen zu können.

Gibt es eine größere Ungereimtheit, als die Art und Weise, wie heute zu Tage die Gloken geläutert werden, wo man die ganze schwere Metallmasse der Gloke in Bewegung sezt, um einen Anklang zu erhalten, den man durch das Anschlagen des Klöppels allein weit reiner erhalten würde? Ein gehörig auf die Gloke geführter Schlag mit einem Hammer bringt einen weit schöneren Ton an jeder Gloke hervor, als durch das gewöhnliche Schwingen des Klöppels und der Gloke nie hervorgerufen werden kann.

Wir lesen so häufig von Gloken, zu deren Läuten 24, ja sogar 36 Mann nothwendig sind, während ein einziger Mann mit einem zwekmäßigen Hammer denselben Klang, und noch weit schöner, hervorrufen könnte. Die Gloke an der St. Paul's-Kirche soll, nach einigen, 11,474 Pfund, und ihr Klöppel 180 Pfd. wiegen. Wenn man nun diese ganze schwere Masse der Gloke sich um den kleinen Klöppel schwingen läßt, ist dieß nicht eben so viel, als wenn man die Erde um den Mond, die Sonne um ihren kleinsten Planeten sich wollte drehen lassen? Warum ahmt man bei der Harmonie der Gloken nicht die Harmonie der Natur nach? Außer der ungeheueren Mühe, die bei der gegenwärtigen Art zu läuten umsonst verloren geht, ist noch ein anderer wichtiger Grund gegen dasselbe, nämlich: die Gefahr für Menschenleben;[45]) die Nachtheile für den Thurm, der durch dasselbe mehr oder minder leidet, und endlich dem Einsturze vor der Zeit nahe gebracht wird. So fiel erst kürzlich, am 9. November, während das große Geläute mit zehn Gloken am Snowhill in der Kirche des heil. Grabes bei Gelegenheit der Procession des Lord Mayor gehalten wurde, der Tenor, oder die große Gloke, die 33 Ztr. wog, unter dem fürchterlichsten Krachen in die Glokenstube herab, und der Thurm wakelte, wie bei einem Erdbeben. Glüklicher Weise ward Niemand beschädigt. Die Gloke brach oben an der Krone entzwei. Wo ein Thurm nur etwas schadhaft ist, sollte man das Läuten verbieten. Man weiß es nicht, aber es ist dessen ungeachtet Thatsache, daß die Hälfte der Thürme in England gegenwärtig so beschaffen ist, daß man nicht mehr mit Sicherheit in denselben läuten kann. Dieß ist z. B. jezt der Fall mit der Kirche Bow-Church, deren zehn Gloken zusammen 200 Ztr. wiegen. Wenn ein solches Gewicht sich in den obersten Regionen eines hohen Thurmes schwingt, so muß es auch den stärksten Thurm in seiner Grundfeste erschüttern.

Wenn man in einem Thurme nicht mehr mit Sicherheit läuten kann, so wird bloß angeschlagen; allein dieses Anschlagen geschieht auf eine so unvollkommene Weise, daß es kein Wunder ist, wenn man mit dem auf diese Weise erhaltenen Klange nicht zufrieden seyn kann.

Die Zeichnung Fig. 25. Taf. III. zeigt eine verbesserte Methode, Gloken zu befestigen und zu schlagen. Sie ist eine Erfindung des Hrn. Drury. Auf irgend einem festen Holzbloke oder Gerüste A wird die Gloke B mittelst einer eisernen Stange C so befestigt, daß Alles vollkommen feststeht. Ein kleines gefurchtes Rad, W, dreht sich auf einer auf dem Gerüste oder Bloke, A, befestigten Achse, auf welcher sich zugleich ein Stab oder Hebel dreht, der den Hammer, H, führt. An einem Punkte des Rades, a, ist das Seil, ab, befestigt. An der Vorderseite dieses Rades steht ein Zapfen hervor, I, auf welchem der Arm, welcher anschlägt, ruht. Wenn nun die Gloke geläutet werden soll, wird das Seil, b, gezogen, wodurch der Punkt, a, des Rades so tief als möglich zu stehen kommt, zugleich aber auch der Hammer mittelst des Zapfens I, auf welchem er ruht, in die Lage k gehoben wird, und so den Bogen e, f, g beschreibt. Wenn der Hammer indessen über diese Streke hinausgekommen ist, hat er ein solches Moment erreicht, daß er nicht mit dem Rade stehen bleibt, sondern dasselbe ausläßt, und auf die Gloke schlägt, und zwar mit solcher Kraft, daß er den stärksten Ton in der feinsten Art hervorruft. Nachdem der Hammer geschlagen hat, fällt er wieder auf den Zapfen I zurük, theils in Folge der Gegen-

45) Es vergeht kein Jahr, wo nicht in irgend einem Reiche beim Läuten ein Menschenleben zu Grunde geht. A. d. Ue.

wirkung, theils durch seine eigene Schwere, und führt das Rad dadurch in seine ursprüngliche Stellung, wo dann wieder ein neuer Schlag geführt werden kann, u. s. f. in infinitum. Der Parallelismus des Seiles wird mittelst eines kleinen gefurchten Rades, d, unterhalten.

Mittelst dieser Art die Gloke zu befestigen und auf dieselbe zu schlagen, erhält man nun auf die leichteste Weise, und mit einer Schnelligkeit, wie es bisher noch nicht möglich war, den vollsten Klang der Gloke. Bekanntlich betrachtet Hr. Perrault die Gloken als aus einer unzähligen Menge von Ringen zusammengesezt, welche, nach ihren verschiedenen Durchmessern, verschiedene Töne geben, so wie dieselbe Saite nach verschiedener Länge verschieden klingt. Wenn nun auf die Gloke geschlagen wird, bestimmen die Theile, auf welche unmittelbar geschlagen wird, den Ton, und werden von einer hinlänglichen Anzahl gleichstimmiger Töne in den übrigen Theilen unterstüzt. Man könnte daher annehmen, daß, je geringer die Anzahl solcher Ringe, je geringer der Unterschied in ihrer Länge und folglich auch in ihrem Tone, desto gleichförmiger und harmonischer der Klang derselben seyn müßte. Die Form, welche Hr. Drury seinen Gloken gibt, trifft mit dieser Ansicht vollkommen zusammen. Die hohen Klänge, welche man durch die kleinen Ringe an Gloken von der gewöhnlichen Form hervorruft, und die dem vollen tiefen Tone so sehr Abbruch thun, fallen bei dieser neuen Form gänzlich weg, und dadurch allein läßt sich der tiefe Ton erklären, den man durch Gloken dieser Art erhält.

Das gehörige Verhältniß zwischen dem Gewichte und der Schnelligkeit der Bewegung des Hammers bietet ein weites Feld zu speculativen Untersuchungen dar. Einige läugnen, daß ein solches Verhältniß Statt hat; daß es aber wirklich Statt hat, beurkunden die beiden äußersten Gränzen auf eine hinlängliche Weise. Wir wollen sezen, daß eine Musketenkugel, die nur zwei Loth wiegt, auf die große Gloke der St. Paul's-Kirche zu London geschossen wird. Hier haben wir das kleinste Gewicht und eine sehr große Schnelligkeit. Wir wollen ferner sezen, daß ein Gewicht von 180 bis 200 Ztrn. sich langsam bewege, nur zwei bis drei Zoll weit in Einer Secunde, oder überhaupt so, daß das numerische Moment der Bewegung gleich wird jenem der Musketenkugel, so daß man dann das höchste Gewicht bei der kleinsten Geschwindigkeit hat; und man wird in keinem dieser beiden Fälle den vollen Klang der Gloke auf diese Weise herausbringen. Unaufmerksamkeit auf diesen Umstand war in vielen Fällen die Ursache, warum man aus den Gloken nicht den vollen reinen Ton hervorgerufen hat. Viele der besten Künstler sind in diesen Fehler gefallen.

Die Europäer nehmen allgemein Eisen zu ihren Hämmern; die Chinesen Holz. Ersteres ist unstreitig besser. Es scheint mir aber, daß sich vielleicht noch etwas anderes, eine Composition [46]) finden läßt, das besser ist als Eisen oder Holz.

XXXV.

Feuerfeste Deken und Seitenwände für Wohn- und Waarenhäuser, auf welche Wilh. North, Landmesser in Guildford-Place, Kennington Surrey, sich am 4. Jul. 1829 ein Patent ertheilen ließ.

Aus dem Register of Arts. P. XXVII.

(Mit Abbildungen auf Tab. III. [47])

„Statt der Latten und des Gypses zur Bildung der Deken und Bekleidung der Seitenwände schlägt Hr. North folgende feuerfeste Ziegel vor. Man nimmt vier Theile gemahlenen Bath-stone, [48]) un-

46) Da die berühmte Isle sonnante, auf welcher Prinz Pantagruel landete, wie der gelehrte Hr. Pfarrer zu Meudon, Franz Rabelais, vermuthet, schon während der Sündfluth zu Grunde ging; so können wir unsere Glokengießer nicht mehr nach dieser Insel schiken, um auf derselben die höchsten Meisterwerke ihrer Kunst zu studiren. Wir wollen aber jedem Glokengießer, dem seine Kunst am Herzen liegt, rathen, vorerst bei Hrn. Abel Remusat oder zu St. Petersburg Chinesisch zu lernen, und sich dann unverzüglich nach China zu begeben, und zu sehen, was die Chinesen mit ihren Gloken für Spiel treiben. Dort hängt jedes Hausdach voll Gloken und dort hat die Glokengießerei die höchste Stufe von Vollkommenheit erreicht. Das Tam-Tam der Chinesen hat in den Straßen von Paris bei Ludwig XVIII. Leiche Lärm gemacht. Es ist kein Zweifel, daß bei unseren Gloken Composition und Form geändert werden muß und geändert werden wird, sobald chemische und physikalische Kenntnisse mehr verbreitet seyn werden; daß die Gloken einst mit Hämmern werden geschlagen werden, die selbst klingende Körper sind. Bis es aber dahin kommt (und dieß wird lang währen, wenn man fortfährt, die reinen Wissenschaften (les Sciences exactes) der Charlataneria Eruditorum in den sogenannten Facultäten zu opfern), wäre es, theils um des gefährdeten Menschenlebens willen, theils wegen der ungeheueren Capitalien, die in Thürmen und Gloken steken, der Mühe werth, an den jezt bestehenden Gloken Hrn. Drury's oder irgend eine andere Art die Gloken zu läuten einzuführen. A. d. Ue.

47) Wir geben dieses Patent bloß, damit der deutsche Leser sieht, was man heute zu Tage in England unter einem feuerfesten Gebäude versteht. Deken mit Balken, Wände mit Rahmen sind heute zu Tage feuerfest geworden in Altengland! Gyps, den man mit ein paar Cigarren mürbe brennen kann, ist feuerfest geworden in Altengland! Wenn Hr. North vorgeschlagen hätte, seine Deken und seine Wände aus hölzernen Balken und hölzernen Rahmen mit Serpentin- oder Tropfsteintäfelchen zu überkleiden, würde man allenfalls haben lächeln können; so muß man aber wahrlich lachen über eine feuerfeste Wand aus Gyps und Kalk. Die Verfertigung des Falzes in den abwechselnden Seiten der Ziegel, scheint nicht so leicht, als sie hier angegeben ist; sie ist hier gänzlich übergangen, und ist, wenn Hr. North hierzu eine leichte, bequeme und sichere Vorrichtung hat, vielleicht das Beste in der ganzen Erfindung.

48) Der Patent-Träger hätte die Bestandtheile dieses Steines angeben sollen; wahrscheinlich ist es ein Thonschiefer. A. d. Ue.

gelöschten Dorkingkalk, zwei Theile, Gyps drei Theile; oder eine beliebige Menge gepülverten Bath-stone, die Hälfte gepülverten ungelöschten Dorkingkalk, und sezt dieser Mischung die Hälfte derselben Gyps zu. Nachdem Alles gehörig gemengt und zur Mörteldike mit Wasser angerührt wurde, bringt man das Gemenge auf eine flache Tafel mit beweglichen Rahmen, um aus derselben Ziegel von gleicher Dike zu bilden, deren Kanten abwechselnd schief abgedacht sind, wie man in Fig. 11. sieht, so daß sie sich wechselseitig deken und stüzen, wenn sie auf den Balken der Deke, oder den Rahmen der Seitenwände angebracht sind. Wenn die Masse sich gesezt hat, und fest genug geworden ist, um aus den Rahmen genommen zu werden (welche, so wie die Tafel, vorher mit irgend einem fettigen Körper bestrichen werden, damit die Masse nicht anklebt), werden sie mittelst eines Hammers losgeschlagen, weggenommen und auf die (vollen) Kanten gestellt, um zu troknen und zu erhärten.

In jeden dieser Ziegel kommen, während er noch weich ist, zwei eiserne Bügel zur Aufnahme von Haken, mittelst welcher sie an den Balken eingehängt werden. Einer dieser Bügel, zugleich mit dem Haken, mittelst dessen er an den Balken angenagelt wird, ist in Fig. 7. dargestellt. Der untere Theil der Bügel kommt ein Viertel Zoll unter die Oberfläche der Ziegel: man muß sich sorgfältig hüten, daß er nicht vorsteht, und dadurch die Gleichförmigkeit der Wand unterbricht. Die Art, wie die Ziegel befestigt werden, sieht man in Fig. 5 und 6. Da die Kanten schief abgedacht sich verbinden, so daß eine die andere stüzt; so werden die Bügel und Haken nur an einer Kante eines jeden dieser Ziegel nothwendig, und hindern das Durchschlagen der Flamme. Daß jede Reihe abwechselnd mit einem halben Ziegel anfangen muß, um den Verband zu unterhalten, versteht sich von selbst.

Hr. North nimmt nicht die hier beschriebene Composition, sondern bloß die Art, die Deke und die Seitenwände mit solchen Ziegeln zu bedeken, als seine Erfindung in Anspruch, „und wir zweifeln kaum,“ sagt das Register of Arts, „daß die Anwendung dieser Erfindung in vielen Fällen sehr nüzlich seyn wird.“

XXXVI.

Verbesserungen im Druken der Shawls und Tüchlein, worauf Aug. Applegarth, Druker zu Crayford, Kent, sich am 26. Jäner 1828 ein Patent ertheilen ließ.

Aus dem London Journal of Arts. October 1829. S. 40.

Mit Abbildungen auf Tab. III.

Diese Verbesserungen, welche sich vorzüglich auf den Druk der Shawls und vierekigen Hals- und Schnupftücher aus Seide und

Baumwolle beziehen, bestehen 1) in Anlage einer zwekmäßigen Bank oder eines Drukertisches, um das Stük Zeug, welches bedrukt werden soll, der ganzen Länge nach darauf hinlegen zu können. 2) in der Einrichtung und Anwendung der Drukformen zum Druken.

Fig. 22. zeigt den Drukertisch im Grundrisse; Fig. 23. im Aufrisse. Der Tisch befindet sich auf einem Mauerwerke aus Ziegelsteinen, oder auf irgend einer anderen festen Unterlage, und besteht aus vierekigen Steinplatten, aa, von der Größe des Vierekes, welches der Shawl oder das Schnupftuch bildet, das gedrukt werden soll. Ueber diese Steine wird das Druktuch oder der Filz flach ausgebreitet, mittelst Spannhaken an den Seiten fest angezogen, und mittelst Querstäben, die über den Drukertisch gelegt sind, gehalten. Zwischen jeder Steinplatte wird es durch Haken und Bügel niedergezogen.

Auf ähnliche Weise wird das Stük Zeug, welches bedrukt werden soll, auf diesem Tuche oder Filze ausgespannt und befestigt, worauf man den Rahmen, bbb, welcher die Scharniergewinde ccc hat, über den Drukertisch niederschlägt, wie man in Fig. 22. sieht. Auf diese Weise wird das Stük Zeug, welches bedrukt werden soll, in die verlangten Viereke abgetheilt.

Wenn das Muster des Shawls oder Schnupftuches vier Ekstüke hat, wie in der ersten Abtheilung, so nimmt man einen Model, d, der genau auf ein Viertel der Fläche des Quadrates paßt, und auf welchem das Muster eines Viertels des Shawls mit dem Ekmuster gezeichnet ist. Dieser Model wird sorgfältig in dem Winkel des Rahmens, wie man in der zweiten Abtheilung sieht, eingesezt, und wenn dieß vier Mal, in jedem Winkel ein Mal, geschehen ist, ist der ganze Druk des Desseins fertig.

Wenn an dem Rande des Shawls allein eine Bordüre gedrukt werden soll, wie in der dritten Abtheilung, so richtet man einen Model vor, dessen Muster nur für eine Seite allein berechnet ist, wie e. Wenn in den Mittelpunkt allein nur ein Muster kommen soll, wie in der vierten Abtheilung, so muß das Vierek durch Querhölzer, wie in der fünften Abtheilung, abgetheilt werden, und der Model oder die Drukform genau in die mittelste dieser neuen Abtheilungen passen.

Es ist offenbar, daß auf diese Weise jedes Muster gedrukt werden, und daß man mehrere Druker auf ein Mal an demselben Tische anstellen kann. Das Auftragen der Farbe auf die Drukformen geschieht auf die gewöhnliche Weise. Wenn, nach dieser Art zu druken, eine Länge fertig geworden ist, wird der Rahmen, bbb, in die

Höhe gezogen, die fertige Länge abgezogen, eine neue Länge aufgezogen, und auf die vorige Weise bedrukt.[49])

XXXVII.

Werkmesser für Wollenzurichter, (Operameter!![50]), worauf Samuel Walker, Tuchmacher zu Beeston, Leeds, Yorkshire, sich am 20. Hornung 1829 ein Patent ertheilen ließ.

Aus dem London Journal of Arts. October S. 19.

Mit Abbildungen auf Tab. III.

Durch Faulheit oder Ungeschiklichkeit der Arbeiter wird bei dem Zurichten der Tücher bald zu wenig, bald zu viel gethan. Mittelst des hier patentirten Instrumentes kann nun der Werkmeister oder Aufseher mit einem Blike auf den Zeiger desselben den Arbeitern sagen, wie viel gearbeitet werden soll.

„Dieses Instrument, der Operameter (!) genannt, ist eine besondere Einrichtung einer Zählmaschine „(counting machine)," die mit einer Rauh- oder Schermühle, oder mit irgend einer anderen Maschine zum Zurichten des Tuches verbunden werden kann, und wodurch die Zahl der Umdrehungen der Trommel an diesen Maschinen, oder der Messer, oder irgend eines wirkenden Theiles derselben mit Bestimmtheit angegeben werden kann, so daß man bloß auf das Zifferblatt und auf den Zeiger desselben sehen darf."

„Der Zwek desselben ist, die Menge der Arbeit, die bisher mit einem Tuche vorgenommen wurde, durch die Zahl der Umdrehungen

49) Diese Vorrichtung ist sehr zwekmäßig; schwerlich dürfte es aber einem deutschen Drukfabrikanten beifallen, auf eine solche Vervollkommnung im Druken ein Patent zu nehmen. A. d. R.

50) Hr. Newton, der dieses Patent abfaßte, hätte seinem Clienten, dem achtbaren Tuchmacher Walker, falls dieser auf die Idee gekommen wäre, seinen Zähler den läppischen Namen Operameter zu geben, wohl den guten Rath ertheilen können, eine schiklichere Benennung zu wählen; das Publikum könnte sonst glauben, dieses Instrument sey ein Opernmesser, und man könne damit messen, wie viel Fuß Aschenbrödl, Untersberg etc. lang ist, oder um wie viel beide zu lang sind. Hr. Newton scheint die erste Regel in Bildung neuer Kunstausdrüke, die Griechisch klingen sollen, nicht zu wissen, nämlich diese, daß ein solches Wort nicht halb Griechisch und halb Latein seyn darf; und scheint nicht zu fühlen, daß es abgeschmakt ist, den ehrlichen Tuchmacher außer den Barbarismen seiner Muttersprache auch noch griechische Barbarismen zu lehren, und Wörter in seine Werkstätte einzuschwärzen, mit welchen der gute Mann nie einen Begriff verbinden kann. Ist es nicht lächerlich, unsere armen Tuchmacher die Sprache Homer's radbrechen zu lassen? Wenn die Franzosen, die nie große Griechen waren, in neueren Zeiten in diesen Fehler gefallen sind, so mag man darüber wegsehen; wenn aber auch die Engländer, denen die griechische Literatur bisher so viel verdankte, in solche Albernheiten verfallen, so steht wahrhaftig zu besorgen, daß classischer Geist auch aus England verschwinden wird. Ein Operameter in England im J. 1829 an das Licht der Welt gebracht, ist ein Skotometer, aber kein Photometer. A. d. Ue.

der arbeitenden Theile dieser Maschine genau zu messen, zu zählen und zu bestimmen, so daß, wenn dieses Instrument an irgend einem Tuchscherapparate angebracht ist, jedem Stüke Tuch seine Bearbeitung angemessen werden kann, ohne daß man dabei von der Verlässigkeit der Arbeiter abhängt; daß man, ohne Möglichkeit der Gefahr eines Betruges, sehen kann, wie viel bereits gearbeitet wurde."

„Die Form, die ich für diesen Apparat die bequemste fand, zeigt Fig. 14., wo derselbe von seiner Außenseite dargestellt ist. Er ist in einem metallnen Gehäuse eingesezt, welches innenwendig in mehrere Fächer getheilt ist, und außen ein Zifferblatt mit Zahlen, wie an einer Uhr, und mit Zeigern führt, die an dem äußeren Ende der Achse befestigt sind, welche von dem inneren Räderwerke getrieben wird. Fig. 15. zeigt dieses Instrument von der Seite, mit dem inneren Mechanismus desselben: das äußere Gehäuse mit den inneren Scheidewänden ist zum Theile im Durchschnitte dargestellt. Fig. 16. zeigt das Räderwerk von vorne, mit abgenommener Vorderplatte und vorderen Wand der oberen Abtheilung. Fig. 17. ist die hintere Wand dieses Apparates, mit einem kleinen Zifferblatte, das mit dem vorderen kleinen Zifferblatte correspondirt. Fig. 18. zeigt das Räderwerk in der hinteren Abtheilung des Gehäuses (das man auch in Fig. 15. sieht.) Es ist hier die hintere Platte und das hintere Zifferblatt von Fig. 17. weggenommen."

„Die Maschine, auf welcher das Tuch zugerichtet werden soll, mag es nun eine Rauhmühle (gig), ein Schergestelle, ein Bürster (a brusher), oder was immer für eine Maschine zum Zurichten des Tuches seyn, deren Bewegungen nach diesem Apparate gezählt werden sollen, kann auf verschiedene Weise mit lezterem in Verbindung gebracht werden, entweder an den Seiten, oben, am Boden oder von rükwärts, je nachdem man es bequem findet."

„Ich will zuerst die einfachste Methode beschreiben, dem Räderwerke dieses Apparates die umdrehende Bewegung der Tuchzurichtmaschine mitzutheilen; diese Methode ist zugleich auch diejenige, deren ich mich gewöhnlich bediene, wenn ich diesen Apparat an einer Rauhmühle anbringe. a. ist eine Spindel, die durch die Seite des Gehäuses in die innere Abtheilung läuft, wie man in Fig. 18. sieht. Das äußere Ende dieser Spindel a wird durch Copulirung mit der Zugwalze oder mit irgend einem anderen schiklichen Theile der Rauhmühle verbunden, oder mit der Wurmspindel oder irgend einem anderen bequemen Theile eines Schergestelles."

„An dem inneren Ende dieser Spindel befindet sich eine Schraube ohne Ende, b, die in ein Zahnrad c eingreift, und auf derselben Spindel ist hinter c ein anderes kleines Zahnrad, d, das in ein correspondirendes Rad, e, eingreift. Die Spindel, e, führt, wie man in Fig. 15. sieht, ein abgestuzt kegelförmiges Rad, f, welches zwei ähnliche correspondirende Räder, g und h, treibt, welche sich loker auf der senkrechten Spindel, i, drehen, indem sie mittelst Fängen oder hängender Hebel durch eine Trommel k, die auf der Spindel i befestigt ist, und die man in Fig. 19. im Durchschnitte sieht, damit verbunden sind. Diese Fänge drehen sich in entgegengesezter Richtung, so daß eines der Räder nur auf eine gewisse Zeit an der Spindel angeschlossen wird, und folglich, das Rad mag sich nach was immer für einer Richtung drehen, die senkrechte Spindel, i, immer durch das Anschließen des einen oder anderen der beiden Räder, g oder h, umgedreht wird. Diese Vorrichtung dient um die Bewegungen einer Maschine mit abwechselnder Bewegung hin und her durch ununterbrochene Umdrehung einer senkrechten Spindel, i, aufzuzeichnen, die Maschine mag sich nach was immer für einer Richtung bewegen."

„An dem unteren Theile der senkrechten Spindel, i, befindet sich eine Schraube ohne Ende, l, die in das Rad, m, eingreift, welches auf der langen Achse, n n, aufgezogen ist. Diese Achse führt an ihren Enden die kleinen Zeiger, o o, die auf dem kleinen Zifferblatte vorne und rükwärts laufen. Dieselbe Schraube ohne Ende, l, greift auch in ein anderes Rad, p, ein, das auf einer Querspindel, q, befestigt ist (s. Fig. 16), an welcher Spindel sich eine Schraube ohne Ende, r, befindet, die in ein Zahnrad, s, eingreift, an dessen Achse, am äußeren Ende derselben, der Stundenzeiger, t, sich befindet, der auf dem anderen Zifferblatte (Fig. 14) läuft."

„Es ist nun klar, daß durch dieses beschriebene Räderwerk eine gewisse Zahl von Umdrehungen, z. B., 1400 der Zugwalze der Rauhmühle oder der Wurmspindel des Schergestelles, oder irgend eines arbeitenden Theiles der Zurichtmaschine, an welchem die Spindel a meines Instrumentes angebracht ist, die Zeiger, o o, ein Mal ganz auf dem kleinen Zifferblatte herumlaufen werden, und ein ganzer solcher Umlauf correspondirt mit dem Gange des Zeigers t von einer Ziffer zur anderen auf dem großen Zifferblatte."

„Ich muß hier noch bemerken, daß ein zweiter müßiger Zeiger auf derselben Achse angebracht ist, und sich loker auf derselben umher drehen läßt: er dient dem Aufseher zur Controle. Es ist überflüssig hier noch beizufügen, daß sich sowohl in Hinsicht auf die Durchmesser als auf die Zahl der Zähne der Räder jede Abänderung treffen läßt, die für die verschiedenen Geschwindigkeiten der Zurichtmaschinen nothwendig ist."

„Da, nach der verschiedenen Lage und nach dem verschiedenen

Baue der Zurichtmaschinen, deren Bewegungen man bemessen will, die Copulirung oben oder unten oder an den Seiten dieser Patent-Vorrichtungen geschehen kann, so habe ich die Seitenstüke, uuuu, an der hinteren Seite des Gehäuses (Fig. 18.) so eingerichtet, daß sie in ihrer Lage gewechselt werden können, damit die Spindel, a, in jede durch die punktirten Linien angedeutete Lage gebracht werden kann, in welchen Lagen allen die Schraube ohne Ende, b, in das Rad, c, eingreifen, und das Räderwerk auf die oben beschriebene Weise treiben wird."

„Wenn mein Apparat zu dem Hintertheile, a, copulirt werden sollte, würde ich für diesen Fall die Spindel, a, und die Schraube ohne Ende, b, aufgeben, und an deren Stelle die Spindel v einführen, die ein Zahnrad, w, führt, welches in punktirten Linien Fig. 15, 17 und 18. angedeutet ist: die Spindel wird durch eine schiebbare Platte, wie in Fig. 17. durchgezogen."

„Dadurch, daß man die Platten wechseln kann, kann man das Triebwerk in und außer Umtrieb sezen, und ein kleineres oder größeres Rad, w, anbringen, je nachdem nämlich dieser Apparat mehr oder minder schnell gehen soll. Man kann auch, Statt der Spindel v und des Rades w, eine Spindel x und ein Rad y anwenden, welche beide gleichfalls durch Punkte angezeigt sind, und welche beide in das Rad, c, eingreifen und dasselbe treiben, wodurch die in meinem Apparate angegebenen Bewegungen erzeugt, und die Zahl der Umdrehungen der damit verbundenen Zurichtmaschinen angezeigt werden."

XXXVIII.

Ueber Knochenleim als Nahrungsmittel, und dem Verfahren, mehrere Speisen damit für Haushaltungen, öffentliche Anstalten, Seefahrer u. s. w. zu bereiten; nebst Beschreibung des hierzu erforderlichen Dampf-Koch-Apparates. Von Hrn. de Puymaurin.

Mit Abbildungen auf Tab. IV.

Wir haben in Bd. XXXIII. S. 222. in unserem Journale einen Auszug aus Hrn. D'Arcet's Abhandlung über Knochenleim oder Knochengallerte als Nahrungsmittel für Kranke geliefert, und einige Anmerkungen beigefügt. Wir sehen jezt aus dem Recueil industriel, Junius 1829. S. 229, Juli S. 5., und August S. 177, daß man sich in Frankreich damit beschäftigt, denselben auch als Nahrungsmittel für die Gesunden, und zwar für Arbeiter der hart arbeitenden Classe, einzuführen, und dieser armen Classe nicht bloß das Fleisch, sondern sogar das Brot, das tägliche Brot, zu entziehen,

So viel entnehmen wir wenigstens aus der folgenden „Abhandlung über die Anwendungen des mittelst Dampfes aus den Knochen ausgezogenen Knochenleimes in Haushaltungen, von Hrn. M. A. de Puymaurin," welche derselbe am 25. März in einer Sizung der Société d'Encouragement vorgelesen hat, und welche nun auch im Recueil industriel a. d. a. D. abgedrukt ist.

Wir wollen hier einen gedrängten Auszug aus dieser Abhandlung liefern, und uns erlauben derselben unsere Bemerkung beizufügen.

Hr. A. de Puymaurin beginnt seine Abhandlung mit der Geschichte des Papinian'schen Topfes, dessen Gefährlichkeit er nicht unbemerkt läßt; geht dann zu d'Arcet's Verfahren über, der Anfangs die Gallerte durch Säuren, später aber durch Dampf aus den Knochen schied, und auf das leztere Verfahren sich am 7. März 1817 ein Patent ertheilen ließ. Dieses Patent ist jezt verfallen, Hr. D'Arcet hat sein Verfahren bekannt gemacht, und in der von uns neulich im Auszuge gelieferten Abhandlung beschrieben.

Im Vorbeigehen erwähnt Hr. de Puymaurin des von Karl Yardley im Register of Arts Bd. III. S. 313. 1826 und im Bulletin de la Société d'Encouragement (XXII. Jahrg. 1823. S. 74) beschriebenen Verfahrens, welches er mit Recht tadelt, indem dadurch eine zu große Menge phosphorsauren und kohlsauren Kalkes in dem Leime bleibt.

Hr. de Puymaurin bedient sich der lezteren Methode des Hrn. d'Arcet, und ist der vollen Ueberzeugung, daß, da bei dem geringen Preise der Knochen, deren die Schlächtereien zu Paris jährlich 10 Millionen Kilogramm (200,000 Ztr.) liefern, ein halbes Liter (0,3534 Wiener Maß) rohe Knochenleimsuppe nur auf 0,83 eines Centime kommt, (d. i. auf neun Zehntel eines Pfenniges), man kein besseres Nahrungsmittel nicht bloß für Spitäler und Versorgungshäuser, sondern auch für Fabriken, Garnisonen, auf Schiffen ꝛc. haben könne.

Er versuchte die ärmsten Arbeiter in der Münze nach und nach, Anfangs durch unentgeldliche Vertheilung, an diese Kost zu gewöhnen, und nachdem sie daran gewohnt waren, führte er eine Sparküche unter ihnen ein, in welcher sie sich durch einen aus ihrer Mitte gewählten Koch täglich Morgens um 9 Uhr eine Portion Suppe, zu ½ Liter, um 3 Centim. (3,3 Pfennig) und eine Portion Gemüse (er nennt es Ragoût) zu ½ Liter, im Durchschnitte um 6,03 Cent. (6,06 Pfennig), um 2 Uhr Nachmittags als Mittagsmahl bereiten können; also, ohne Brot, täglich nur 9,36 Pfennig, oder 2 kr. 1³⁶/₁₀₀ Pfennig für warme Kost brauchen.

Die Suppe wird auf folgende Weise bereitet, und kommt zu folgenden Preisen:

Gallerte aus $2^1/_2$ Kilogramm (5 Pfd.) Knochen	50 Centim. [51]	
Pori	15 —	
Pastinak	05 —	
Rüben oder Kohl	10 —	
Gelbe Rüben ꝛc.	20 —	
Salz und Pfeffer	25 —	
Cichorien-Kaffee Statt der gerösteten Zwiebel	05 —	
Verschiedenes Zugehör, Gewürznelken und andere Gewürze	50 —	
	1 Frank. 80 Cent. für 60 Köpfe; also	

3 Centim für den Kopf das $^1/_2$ Liter. [52])

Erdäpfelgericht. (Ragoût de pommes de terre).

2 Mezen oder 24 Liter Erdäpfel	1 Frank.	— Cent.
$2^1/_2$ Kilogramm Knochen		50 —
Salz und Pfeffer		25 —
Thymian und Lorber		05 —
Zwiebel und Lauch		25 —
Cichorien-Kaffee		05 —
Verschiedenes Zugehör		50 —
	2 Frank.	60 Cent. für 60 Köpfe; also

4 Cent. $^{33}/_{100}$ für den Kopf das $^1/_2$ Liter.

Bohnengericht. (Ragoût de haricots).

10 Liter Bohnen	2 Frank.	
Alles Uebrige genau wie bei dem Erdäpfelgericht, also	1 —	60 Cent.
	3 Frank.	60 Cent. für 60 Köpfe,

oder 6 Centim für den Kopf das $^1/_2$ Liter.

Halb-Erdäpfel-, Halb-Bohnen-Gericht. (Ragoût miparti de pommes de terre et de haricots).

1 Mezen oder 12 Liter Erdäpfel		50 Cent.
5 Liter Bohnen	1 Frank.	— —
Alles Uebrige genau wie bei dem Erdäpfelgericht, also	1 —	60 —
	3 Frank.	10 Cent. für 60 Köpfe, oder

$5^{17}/_{100}$ Centim für den Kopf das $^1/_2$ Liter.

Kohlgericht. (Ragoût aux choux).

Acht Kohlköpfe	1 Frank.	20 Cent.
$2^1/_2$ Kilogramm Knochen		50 —
Salz und Pfeffer		25 —
Lauch und Zwiebel		25 —
Verschiedenes Zugehör		50 —
	2 Frank.	70 Cent. für 60 Köpfe, oder

$4^1/_2$ Cent. für den Kopf das $^1/_2$ Liter.

---

51) 1 Centim ist der hundertste Theil eines Franken, der $27^1/_2$ kr. gilt, also 1 Centim so viel als $1^1/_{10}$ Pfennig. A. d. Ue.

52) Für Fett in der Suppe und in den folgenden Gerichten ist keine Auslage nöthig, da es die Knochen geben.

Halb-Erdäpfel-, Halb-Kohl-Gericht. (Ragoût miparti de pommes de terre et choux).

Vier Kohlköpfe	60 Cent.
1 Mezen oder 12 Liter Erdäpfel	50 —
$2^1/_2$ Kilogramm Knochen	50 —
Salz und Pfeffer	25 —
Zugehör	50 —
	2 Frank. 35 Cent.

für 60 Köpfe, oder 3 Cent. $9^1/_{100}$ für den Kopf das $^1/_2$ Liter.

Halb-Kohl-, Halb-Bohnen-Gericht. (Ragoût miparti de choux et haricots).

Vier Kohlköpfe	60 Cent.
5 Liter Bohnen	1 Frank.
$2^1/_2$ Kilogramm Knochen	50 —
Salz und Pfeffer	25 —
Zugehör	50 —
	2 Frank. 85 Cent.

für 60 Köpfe, oder 4 Cent. $^{66}/_{100}$ für den Kopf das $^1/_2$ Liter.

Linsen-Gericht. (Ragoût aux lentilles).

10 Liter Linsen	3 Frank. 50 Cent.
$2^1/_2$ Kilogr. Knochen	50 —
Salz und Pfeffer	25 —
Thymian und Lorber	05 —
Lauch und Zwiebel	25 —
Zugehör	50 —
	5 Frank. 05 Cent.

für 60 Köpfe, oder 8 Cent. $^{42}/_{100}$ für den Kopf das $^1/_2$ Liter.

Macaroni- oder Nudel-Gericht. (Macaroni ou vermicelle remplacant le ragoût (!)).

Vermicelli (100 Gramm[53]) auf die Portion)	4 Frank. 20 Cent.
$2^1/_2$ Kilogramm Knochen	50 —
Salz und Pfeffer	25 —
Zugehör	50 —
	5 Frank. 45 Cent.

für 60 Köpfe, oder 9 Cent $^{80}/_{100}$ für den Kopf das $^1/_2$ Liter.

Reiß. (Ris remplaçant le ragoût).

Reiß (100 Gramm auf die Portion)	3 Frank. 60 Cent.
Alles Uebrige, wie oben, außer noch Cichorien-Kaffee	05 —
	4 Frank. 90 Cent.

für 60 Köpfe, oder 8 Cent. $^{17}/_{100}$ für den Kopf das $^1/_2$ Liter.

Wenn man den Werth aller dieser Gerichte im Mittel nimmt, so kommt im Durchschnitte jedes auf 6,03 Centim., und der Mensch wäre so, die Morgensuppe à 3 Cent. mit eingerechnet, mit 9,03 Cent. abgefüttert, oder mit 2 kr. $1^{36}/_{100}$ Pfennig des Tages.

53) $6^1/_2$ Loth bayersches Apotheker-Gewicht. Ein Kilogramm ist gleich tausend Grammen.

Die Kochkosten an Feuerung, Interessen des Apparates zum Kochen erhöhen obige 9,03 Cent. auf 10,35 Cent., oder 2 kr. 2 Pf. 70/100.

Hr. de Puymaurin rechnet nun so: Ein Arbeiter mit einer Familie von 5 Köpfen brauchte bisher in 4 Tagen:

1) 6 Pfd. Fleisch zu 45 Cent. .	2 Frank.	70 Cent.
2) Grünzeug		20 Cent.
3) Gemüse, Bohnen, Erdäpfel, Salat, 20 Cent. des Tages für den Kopf	4	— —
	6 Frank.	90 Cent.

Nach seiner neuen Aezungsmethode (d'après le nouvel état des choses!) braucht er in 4 Tagen:

1) 2½ Liter Leimsuppe des Morgens und 2½ Liter Gericht zu Mittag zu		5 Cent.
(er gibt nämlich die Portion noch um 1,03 Cent. wohlfeiler)		50 Cent.
2) 1½ Pfd. Fleisch des Tages zum Gericht oder gebraten	2 Frank.	70 Cent.
	3 Frank.	20 Cent.

Folglich erspart der Arbeiter bei dieser Kost monatlich, den Monat zu 26 Arbeitstagen, 24 Franken, 5 Cent. oder 288 Franken 60 Cent. des Jahres.

Hr. de Puymaurin hat bei diesen Rechnungen die Monate Februar und März gewählt, wo die Gemüse am theuersten sind. Er erhielt, um Vorräthe anschaffen zu können, Zuschüsse vom Könige und von Vicomte de la Rochefoucauld.

Er führt noch folgende Beispiele als Belege der Vortheile seiner Aezungsmethode an.

Ein Arbeiter von 17½ Jahren brauchte ehevor täglich:

1) zum Frühmahle in der Garküche Suppe rc. .		35 Cent.
2) zum Mittagmahle, Gemüse		30 —
3) zum Nachtmahle ditto		30 —
4) Brot 2 Pfd.		40 —
	1 Frank.	35 Cent.

Gegenwärtig nimmt dieser Arbeiter 2 Portionen Gericht	10	Cent.
Braucht dabei täglich nur 1⅓ Pfd. Brot	26,60	—
	36,60 Cent.	

Er erspart also täglich an Brot allein 13,40 Cent., und des Jahres 305 Frank. 80⁸/₁₀ Cent. Er hat seit dieser Aezung keinen Bissen Fleisch gegessen.

Ein Arbeiter von 36 Jahren brauchte, vor Einführung dieser Aezung, monatlich 22 Pfd. Brot zu 4 Frank. 40 Cent.; also täglich:

Brot	16, 92 Cent.
Milch zum Frühstüke . .	15,
Zu Mittag, Käse, Früchte, Salat	20,
	51, 92

Des Abends aß er mit seiner Familie.

Seit der eingeführten neuen Aezung braucht er für Brot täglich
nur mehr 13,84 Cent.
für eine Portion Gericht 5 — —
18,84 Cent.

Er erspart also an Brot allein täglich 3,08 Cent. oder 107 Franken 76⁶/₁₀₀ Cent. des Jahres.

Hr. de Puymaurin bemerkt, daß die Arbeiter, wenn sie das Macaroni- oder Reiß-Gericht essen, das etwas theuerer kommt, noch mehr an Brot ersparen und beinahe gar keines brauchen.

„Da auf diese Weise, „sagt er," die Gemüse mehr animalisirt werden, so vermindert sich der Verbrauch des Brotes. Die vegetabilischen Stoffe können, wenn sie stark animalisirt werden, als künstliches Fleisch betrachtet werden; ihr Mehl ersezt den Faserstoff des Fleisches und der Knochenleim liefert eine ungeheuere Menge Nahrungstoffes." — Als Beweis der Richtigkeit dieser Bemerkung führt er noch seine Erfahrungen an, „nach welchen es von Tag zu Tag deutlicher wird, daß der Appetit sich immer mehr und mehr verliert, und eine geringere Abendmahlzeit hinreicht. Die Gesundheit blieb dieselbe und die Muskelkraft hat sich ehe vermehrt als vermindert."

Wir wollen Hrn. de Puymaurin und jedem, der die Menschen auf Knochen und Erdäpfel reduciren will, damit sie reich werden, sehr gern zugeben, daß Menschen ohne Brot leben können; aber dann müssen sie Fleisch oder Fisch oder an Zukerstoff reiche Pflanzen zur Genüge bekommen; wir wollen auch zugeben, daß sie ohne Fleisch und ohne Fisch und ohne zukerstoffhaltige Früchte leben können; aber dann müssen sie Brot genug haben. Dem Menschen Brot und Fleisch zugleich entziehen, und ihn auf Knochenleim und Erdäpfel oder Knochenleim und Kohl und Bohnen allein beschränken wollen, das ist einmal zu viel. Questo e pur troppo! Ehe wir auf die Nachtheile dieser Kost für die Gesundheit aufmerksam machen, wollen wir an Hrn. de Puymaurin die Frage stellen: „ob er im vollen Ernste meint, daß die Knochen so wohlfeil bleiben werden, wenn täglich, wie er wünscht, 800,000 Portionen Knochenleimsuppen zu Paris bereitet, und „animalisches Gemüse" Statt des Fleisches genossen wird?" Es scheint uns, daß, wenn man Knochen Statt des Fleisches brauchen wird, nothwendig weniger Fleisch verzehrt werden wird; also weniger Rinder werden geschlachtet werden; folglich die Knochen in dem Verhältnisse werden theurer werden müssen, als weniger Rinder geschlachtet werden, und dann könnte es sich bald ergeben, daß die Knochenleimsuppe so theuer würde, als die Fleischbrühe. Wir wollen zugeben, daß ein Erdäpfelaker, in guten Jahren (die Erdäpfel unterliegen mehr Gefährlichkeiten als der Weizen!) mehr Nahrungsstoff dem Gewichte nach trägt, als der Weizenäker; wir können aber nimmermehr zugeben, daß Erdäpfel als einzige, auch mit Knochenleim animalisirte Nahrung eine gesunde Kost sind: die Gedärme eines jeden mit Erdäpfel gemästeten Schweines und die weltbekannten Erdäpfelgesichter der Unglüklichen, die nichts wie Erdäpfel zu genießen haben, liefern die sprechendsten Beweise für unsere Behauptung. Kann Hr. de Puymaurin glauben, daß, wenn die arbeitende Classe so allgemein, wie er wünscht, Kohl, Bohnen, Linsen Statt Fleisch und Brot essen würden, jene Artikel so wohlfeil bleiben würden, wie sie jezt sind? Daß ein Aker so viel Bohnen und Linsen trägt, als er Weizen trägt? Es ist ein Glük für die Menschheit, ohne das der Mensch im Zustande höherer Cultur nicht leicht bestehen könnte, daß er ein grasfressendes Thier ist. Ueberall, wo die Oberfläche der Erde stark bevölkert ist, finden wir sie mit Grasarten, als der vorzüglichsten Nahrung für den Menschen bestellt: in Europa, Nordamerika, Mittelasien, Nordafrika, mit Weizen, Roken, Gerste, Hafer; in Südamerika mit Mays; im heißen Afrika mit Sorgh; im tropischen Asien mit Reiß. Diese Grasarten geben nicht nur ein Maximum des Ertrages an Nahrungsstoff bei einem Minimum des Bodens in allen Ländern, wo keine Palmen reifen, sondern sie sind auch am wenigsten den Gefährlichkeiten des Mißwachses ausgesezt.

Was die Ansicht des Hrn. de Puymaurin betrifft, daß nämlich stark animalisirte Pflanzenstoffe als künstliches Fleisch zu betrachten sind, so ist diese wohl allerdings in einer gewissen dogmatischen Hinsicht hier und da angenommen; in ärztlicher Hinsicht aber kann und darf sie nie angenommen werden. Man könnte sie nicht einmal gelten lassen, wenn Hr. de Puymaurin seine Suppe und seine Ragouts mit Kreatine, Statt mit Leim machte. Als Chemiker muß er doch selbst wissen, daß die thierische Gallerte von der Pflanzengallerte weniger verschieden ist, als der Kleber im Weizen von dem thierischen Stoffe. Entzieht man nun dem Menschen mit dem Brote auch noch das Bißchen Kleber zugleich mit dem Fleische und gibt ihm dafür Knochenleim, so hat man ihn beinahe um alle thierische Kost gebracht. Die Erfahrung, die Hr. de Puymaurin für sich anführt: „daß der Appetit immer mehr und mehr verschwindet," zeugt gerade gegen ihn, wenn er behauptet, daß die Gesundheit der Leute bei seiner Kost dieselbe bleibt." Bei guter Gesundheit ist immer gesunder Appetit; je mehr der Mensch arbeiten soll, desto mehr muß er bei gesundem Appetite erhalten werden; sinkt dieser, so sinken mit ihm auch die Kräfte. Man reitet nicht weit mehr mit einem Pferde, oder kommt wenigstens nicht schnell mit ihm vom Fleke, wenn es am

Barren steht und nicht tüchtig in den Hafer beißt: je kräftiger der Gaul frißt, desto mehr darf sich sein Reiter freuen.

Wir geben willig zu, daß die Menschen, wenn sie besser erzogen wären, um die Hälfte, um zwei Drittel vielleicht, weniger Nahrung brauchen würden, als sie wirklich verzehren; daß viel Essen nur eine schlimme Gewohnheit ist; daß, so sehr auch Hungersnoth die Sterblichkeit vermehrt, weit mehr Menschen ihr Grab vor der Zeit dadurch fanden, daß sie zu viel, als daß sie zu wenig aßen; daß in Indien Millionen rüstiger und starker Menschen leben, die nie eine thierische Faser in ihren Magen gebracht haben: allein, während wir gern zugeben, daß der Reiche, der nicht zu arbeiten braucht, und der Aermere, der allenfalls nur sizend und ohne alle körperliche Anstrengung arbeitet, mit einigen Lothen guter vegetabilischer Kost, oder mit ein paar Loth Fleisch hinlänglich beschlagen ist, können und dürfen wir als Arzt nicht zulassen, daß dem nach der Gewohnheit unserer besseren Zeiten erzogenen, dem hart und schwer arbeitenden Manne, Weibe oder Jungen auch nur ein Quentchen von seiner Portion Brot oder Fleisch entzogen werde, die er zur Erhaltung seiner Kräfte und seiner Gesundheit nöthig hat. Es gibt Surrogate für Menschen, und man kann sie nicht genug vermehren, wenn man Gefühl für Menschenwürde hat; wir meinen die Maschinen: wehe dem, der einen Menschen als Maschine braucht, und das durch Menschenhand geschehen läßt, was ein Stük Holz oder Metall eben so gut zu thun vermag, als der Mensch; es gibt Surrogate für Speise und Trank; selbst für Geld sind Lumpen, die man faulen ließ, dann weiß machte, und dann schwarz, Surrogate geworden: es gibt aber kein Surrogat für Gesundheit. Wehe den Liberalen und den Ultras in einem constitutionellen Staate, die das arme Volk, das sie vertreten, um ein Klümpchen Fleisch, um einen Bissen Brot beneiden, und den Pfennig in hundert Theile theilen, um die Kosten einer halben animalisirten Bohne, die sie ihm Statt Heinrich's Huhn in den Topf werfen, mit Münzwardein'scher Genauigkeit vorrechnen zu können. So etwas ist noch in keinem nicht constitutionellen Staate erhört worden, und selbst alle Sultane ließen es ihre erste Angelegenheit seyn, dafür zu sorgen, daß ihre Sclaven wenigstens Brot haben, obschon kein Sclave der Sultane des Orients jemals so viel an Steuer und Abgaben zu zahlen hatte, als der Kartenbürger Frankreichs und der freie Britte.

Der größte Held seiner Zeit, der Abends nur selten ein paar Fasern Kalbfleisch, meistens nur ein paar Bissen Hammelfleisch in seinem Topfe hatte, Freitags Linsen, Sonnabends eine Eierspeise und Sonntags eine Taube als Braten, dieser große Mann rieth seinem

Statthalter auf der mit so vieler Mühe und Gefahr eroberten Insel vor Allem, selbst wenig, zumal des Abends wenig zu essen, und dann zuvörderst zu sorgen, daß das Volk so wohlfeil als möglich, und folglich auch so reichlich, als es nur immer seyn kann, zu essen und zu trinken habe. Man irrt sich sehr, wenn man glaubt dadurch Ruhe zu schaffen, daß man alles Metall in Papier verwandelt und die Faser in des Mannes Arme zur animalisirten Bohnenhülle; die bis zur Maikäfer-Größe herabgeschrumpften Lilliputer empörten sich noch und kämpften bis auf den Tod über die wichtige Frage, ob man das Ei einer Biene oben oder unten öffnen soll, wenn es weich gesotten ist. Was wird aus den Millionen der arbeitenden, der jezt noch männlich starken Classe, französischer Bürger werden, wenn man dem Finanzminister beweist, daß der Mensch ohne Brot, ohne Fleisch, von Knochen leben kann, und nur 2½ kr. des Tages zu seinem Unterhalte braucht? Welche Generation wird aus Lenden, die so genährt wurden, hervorgehen können und endlich hervorgehen müssen? Der Schlag, oder, wie man sagt, die Rasse der unteren und untersten Classe war in Frankreich nie besonders ausgezeichnet: die besser gebauten Individuen unter denselben verschlang der Krieg, und diejenigen, die Anlage zu einem besseren Nachwuchs hatten, verkümmerten und verkrüppelten im Elende und Mangel. Wenn sie nun gar ohne Brot und Fleisch bei 2 kr. des Tages aufgezogen werden sollen, so werden endlich aus den Frosch-Essern, wie die Engländer die Franzosen seit der Belagerung von Orleans nannten, Frösche werden müssen. Bei uns in Deutschland, wo es beinahe um die Hälfte wohlfeiler ist, als in Frankreich, zahlt der Soldat in seine Menage täglich 5 kr. und erhält dafür ½ Pfd. Fleisch, außer an denjenigen Tagen, wo er Klöße oder Anderes in der Suppe oder als Gemüse hat, und wo er dann um einige Lothe Fleisch weniger bekommt: Brot erhält er in Ueberfluß. Der Landmann, der den Aker pflügt, hat wenigstens, wenn er auch nur Ein Mal in der Woche Fleisch genießen kann, reichlich kräftige Mehlspeise und Milch und von den Taglöhnern und Handarbeitern, die schwer arbeiten müssen, ist vielleicht nicht Einer, der nicht täglich etwas Fleisch und Brot nach Genüge genießen könnte.

Wir halten es für unsere Pflicht, Ansichten, wie diejenigen sind, welche Hr. de Puymaurin hier aufstellt, mit der vollen Kraft der Wahrheit zu bekämpfen, weil sie gefährlich, weil sie verderblich sind nicht bloß für die Gegenwart, sondern mehr noch für die Zukunft; weil sie auf übel verstandenen physiologischen Theorien und Hypothesen beruhen, welche die Erfahrungen von Jahrtausenden bereits für alle Zukunft widerlegt hat; weil sie nicht bloß den Menschen in der Gegenwart um sein höchstes Gut, um seine Gesundheit und seine physische

Kraft bestehlen, sondern auch seine Generation in seinen Lenden verderben und das ganze Menschengeschlecht zu einer Rasse von Krüppeln in seiner untersten Classe ausarten ließen, wenn sie einmal allgemein verbreitet würden. Sie sind um so gefährlicher, als sie sich leicht bei einigen wohlwollenden und menschenfreundlich gestimmten Großen, die so selten gründliche Kenntnisse über die Physik des Menschen besizen, unter dem Scheine einer Wohlthat für die ärmere Classe einschmeicheln und einschleichen könnten, während sie verderblicher als Gift auf dieselbe wirken, und weil wir endlich aus Erfahrung wissen, daß es unter den Großen auch solche gibt, die, sobald sie wissen, daß der Mensch noch weniger braucht, als das Wenige, was sie ihm ließen, ihm auch dieses Wenige noch mit aller Hast entziehen. Die Classe der Producenten der Lebensbedürfnisse ist ohnedieß immer, und war immer und wird immer diejenige seyn, auf welcher die Last der Bände der Gesellschaft am schwersten drükt. Wären die Ideen des Hrn. de Puymaurin auch wirklich so wohlthätig für den Consumenten, als sie schädlich sind, so würde das Unglük der Producenten nur noch größer werden: so aber, wie sie sind, sind sie für Producenten und Consumenten gleich nachtheilig. Man denke sich nur einen Augenblik, was aus jenen werden müßte, wenn diese auf ein Mahl die Entdekung machten, von der Luft zu leben, und man wird fühlen, daß Verminderung der Consumtion inländischer Erzeugnisse nicht eine Aufgabe der Staatswirthschaft seyn kann.

Was nüzt es dem Taglöhner, der auf diese Weise nach Hrn. de Puymaurin in 10 Jahren 1000 Franken in der Sparkasse hat, wenn er in diesen 10 Jahren durch seine Trappisten- oder Karthäuser-Kost zum Siechlinge geworden ist, und dann die Hälfte des Ersparten den Aerzten und den Apothekern geben muß, während er, hätte er sich kräftig genährt durch diese 10 Jahre, nach 20, vielleicht 30 Jahren noch kräftig arbeiten könnte. Es ist ein gefährlich Ding um das Sparen an seiner Haut bei der arbeitenden Classe: Karthäuser und Trappisten, die nicht arbeiten, bedürfen keiner nahrhaften Kost; allein der Mann, der schwer arbeitet, kann sie ohne Lebensgefahr nicht entbehren. Der Wagen, der ruhig in der Remise steht, braucht nicht geschmiert zu werden, während an demjenigen, der täglich 50 Stunden weit laufen muß, die Achsen und die Pferde gleich stark leiden, wenn er nicht geschmiert wird.

Es ist beinahe lächerlich, wenn Hr. de Puymaurin seine „neue Ordnung der Dinge“ (non vel état des choses) auch als Förderungsmittel der Moralität anpreiset. Schwächlinge begehen allerdings weniger Sünden, als kraftvolle Leute, und Kasteiung des Leibes würde für manche ein kräftigeres Mittel zur Besserung seyn, als manche Pre digt. Das Besuchen der Wirthshäuser, das dadurch vermindert werden soll, läßt sich auch auf eine andere Weise vermindern: am besten dadurch, daß man, wie bei den alten Heiden, die Wirthe für eine Art von ehrlosen Leuten erklärt, und diejenigen, die sie oft besuchen, denselben gleichstellt. Wenn man den 25,000 Kindern, die gegenwärtig in der Stadt Paris allein der Wohlthat eines Schulunterrichtes gänzlich beraubt sind, Unterricht ertheilen würde, würde dadurch die Moralität nicht mehr gewinnen, als dadurch, daß man sie animalisirte Bohnen Statt Brot essen lehren will?

Wir lernten seit 1800 Jahren beten: „Gib uns heute unser tägliches Brot!" Sollen wir fortan täglich beten: „Gib uns heute ein halbes Liter animalisirter Bohnen!" Oder sollen wir vielleicht beten: „Erleuchte die Herzen und die Köpfe derjenigen Gelehrten, die uns Statt des täglichen Brotes animalisirte Erdäpfel und Bohnen geben wollen, daß sie das tägliche Brot, das Dein Segen für alle gedeihen ließ, nicht für sich allein behalten wollen!"

Um die Gesundheit dieses Nahrungsmittels zu erweisen, liefert der Hr. Verfasser einen Auszug aus dem Berichte, welchen die HHrn. Leroux, Dubois, Pelletan, Duméril und Vauquelin am 13. Dec. 1814 vor der medicin. Facultät erstatteten, und welcher sich auf die während drei Monaten am Hospice de Clinique interne de la Faculté angestellten Versuche bezieht. (Diese Versuche erweisen aber, mit Erlaubniß der Facultät, nichts: denn man gab den Kranken, den Reconvalescenten und den Dienstleuten das Fleisch gebraten, das man ihnen früher gesotten gereicht hat; bei gutem Braten konnten sie natürlich die Suppe und das ausgesottene Fleisch leicht entbehren, und es konnten sich, bei einer so kräftigen Kost, keine Nachtheile von der Knochensuppe zeigen. Wo der Mensch eine hinlängliche Portion Braten erhält, wird man nicht, wie es der Facultät scheint, „mit Recht und Sicherheit schließen, daß der Knochenleim nicht bloß nahrhaft und leicht verdaulich, sondern auch sehr gesund ist." Es kommt hier auch der Braten in Rechnung.)

Hr. de Puymaurin vergleicht nun die Rumford'schen Suppen mit den Knochenleimsuppen, und findet diese gesund und nahrhaft, während jene bloß den Magen mit unnüzen Stoffen beschweren, die wenig Nahrungsstoff enthalten, so daß man, wie er sagt, bei vollem Magen verhungern kann. Diese Suppen enthalten, nach seiner Bemerkung, äußerst wenig Stikstoff, und wenig Fett oder Butter; sie werden in wenigen Stunden sauer, und schwächen den Magen durch die Menge, in welcher man sie genießt. Er hält Nahrungsmittel nur in dem Maße für nahrhaft, als sie Stikstoff enthalten. (Wie viel ist aber in dem Zuker, in diesem so kräftigen Nahrungsmittel Stikstoff?) Er führt Hrn. Magendie's Versuche vom J. 1816 an, nach welchen Hunde, bloß mit destillirtem Wasser und mit Futter genährt, welches keinen Stikstoff enthält, nur 32 bis 36 Tage lang lebten, während Hunde ohne alle Nahrung 8 bis 10 Tage lang leben können. Hr. Sivard de Beaulieu verlor im Jahr 1816, als er, der Theuerung wegen, seine Hunde bloß mit Erdäpfeln fütterte, zwei von den sieben oder acht, die er hatte: die anderen wurden so matt, daß sie sich kaum schleppen konnten. Hr. Moreau de Jonnès befand sich auf einem Schiffe, welches ein anderes verunglüktes Schiff auf der See traf, worin 5 Menschen, die sich auf den Hakebord retteten, neun Tage lang bloß von Zuker und etwas Rum sich nährten, dabei aber so schwach waren, daß zwei derselben bald darauf starben. Er führt ferner das Beispiel des englischen Arztes Stark an, der sich einen Monat lang von Zuker nährte, dabei aber schwach, im Gesichte aufgedunsen und mit rothen und bleifarbenen Fleken bedekt wurde und bald darauf starb. (Dagegen können wir das Beispiel jenes Domherrn zu Köln anführen, der sich bloß von Zuker und thierischem Fette nährte und dabei sehr gut genährt, fett, gesund und alt wurde. Er war unter dem Namen des Zukerfressers bekannt: alte Leute zu Köln und im Riese in Bayern, wo er seine Güter hatte, werden sich noch des guten und vortrefflichen Zukerfressers erinnern.) Hr. Clouet, der so trefflich über den Stahl schrieb, wollte sich bloß von Erdäpfeln und Wasser nähren, ward aber nach einem Monate so schwach, daß er den Versuch aufgeben und zur stikstoffhaltigen Kost zurükkehren mußte. Hieraus schließt nun Hr. de Puymaurin auf die Nothwendigkeit, den Nahrungsmitteln, welche keinen Stikstoff enthalten, denselben zuzusezen, und findet den Knochenleim als das beste Mittel, Pflanzenstoffe zu animalisiren. Die HHrn. D'Arcet und Robert haben Hunde bloß mit Knochenleim und mit destillirtem Wasser gefüttert. Ein Hund erhielt 54 Tage lang Anfangs 24, und endlich nur 6 Loth Knochenleim, und blieb bei dieser Kost gesund. Der Hund hörte bei dieser Nahrung nach dem sechsten Tage auf Harn und Stuhlgang (excrémens d'aucune nature) abzusezen, blieb aber lustig und bei seinem gewöhnlichen Appetite. Er entkam aus seinem Gefängnisse, und man konnte den Zustand seiner Eingeweide nicht untersuchen: „wahrscheinlich, „sagt Hr. de Puymaurin,“ würde er an einer Unverdaulichkeit (indigestion) zu Grunde gegangen seyn, indem ein Theil seiner Organe so lang in Unthätigkeit blieb.“ (Wir können Schlüsse von Thieren auf Menschen bei Nahrungsmitteln und bei sehr vielen Giften nimmermehr als richtig und statthaft gelten lassen. Wenn der Hund auch ganz gesund geblieben wäre, so würden wir eben so wenig uns erlaubt haben vom Hunde auf den

Menschen zu schließen, als jezt, da die Erfahrung zeigte, daß der Hund davon krank wurde, wenigstens so lang weder Stuhlgang noch Harn absezte. Wenn dieß auch bei Menschen auf diese Kost der Fall wäre, so würde man dieselbe doch nimmermehr eine gesunde Kost nennen können.) Hr. de Puymaurin bemerkt, daß, im Gegentheile, auf den Genuß der Rumforder Suppe sehr oft Durchfall, und zwar starker und hartnäkiger Durchfall, eintritt, und hat hierin allerdings Recht; wenn er aber von dem Falle eines Arbeiters an seiner Münze, welcher, um sich etwas zu ersparen, alle Fleischkost aufgab, und dafür täglich nur zwei Portionen Knochenleimsuppe vom 11. Februar bis 19. April genoß, dabei gesund blieb und sogar fetter wurde, auf alle Menschen schließt, so ist dieser Schluß gewiß zu sehr a minori, als daß er allgemein gültig seyn könnte.

„Man kann auch, „sagt Hr. de Puymaurin," die Gallerte allein als Nahrungsmittel genießen, und dieses Verfahren schikt sich am besten für Wohlthätigkeitsanstalten, bei welchen es sich mehr um Vervielfältigung der Hülfe, die man reicht, als um Nahrungsmittel von einem ausgezeichneten Geschmake handelt. Eben dieses Verfahren taugt am besten in Fabriken, wo die Arbeiter beschäftiget werden; man entgeht auf diese Weise den Schwierigkeiten einer gleichförmigen Vertheilung der Fleischportionen pr. 20 Gramm (1/16 Pfd. ungefähr) für den Kopf. Der Hauptzwek der Anwendung dieser Knochenleimsuppen-Anstalt ist, denjenigen, die sehr arm sind, Mittel zum Unterhalte ihrer Familie, und denjenigen, die noch Nebenzuflüsse haben, Mittel zu einem besseren Abendessen bei ihrer Familie zu verschaffen." (Es ist eine traurige Hülfe, die man dem Hungrigen reicht, wenn man ihm etwas gibt, was er nur mit Widerwillen oder Ekel genießen kann; sie ist ungefähr dem schlechten Groschen ähnlich, den man einem Bettler gibt, weil sonst Niemand im Lande denselben annehmen will. Wenn durch diese Kost der Arbeiter bloß in den Stand gesezt werden soll, des Abends zu Hause besser essen zu können, so darf man dann, wenn er des Abends besser ißt, nicht sagen, daß er von der Knochensuppe allein stark und gesund wird. Es ist übrigens auffallend, daß man zu Paris den Genuß der Gallerte für sich allein, als Nahrungsmittel neu, und daß man dieses Nahrungsmittel unschmakhaft findet. In Deutschland genießt die untere Classe, und in einem Appetitus spurius zuweilen selbst die höhere) den gesulzten Ochsenfuß und das gesulzte Rindsmaul und zwar in Wien unter dem einladenden Titel „ungrisches Repphuhn" mit etwas Essig und Zwiebel, und es scheint, daß diese Weise, thierische Gallerte zu genießen, nahrhafter, für jeden Fall aber schmakhafter, als Knochenleimbrühe, und vielleicht auch darum allein schon nahrhafter ist: denn, was man mit Widerwillen genießt, nährt gewiß nicht sehr gut.)

Wenn Hr. de Puymaurin mit Braconnot sagt: „man kann der Suppe aus Knochengallerte allein und aus Gemüsen einen guten Geschmak geben, wenn man sie mit einem Salze würzt, das aus zwei Theilen Kochsalz und Einem Theile Potasche besteht, welche leztere auch in der Rindsuppe vorkommt," so bescheiden wir uns um so lieber mit dem Alten: „de gustibus non est disputandum," als Hr. de Puymaurin selbst die Aufrichtigkeit hat zu gestehen, „es fehlt der Knochenleimsuppe nichts als der Geschmak, (das Osmazom) der Rindsuppe (la seule différence est l'absence de l'arome comme sous le nom d'osmazome!)" Er irrt aber gar sehr, wenn er sagt: „daß dieser Unterschied weder in Hinsicht auf Nahrhaftigkeit, noch in Hinsicht auf Gesundheit von irgend einem Einflusse ist;" denn gerade dieses Osmazom, diese Kreatine ist es, die die gute Rindsuppe zur Kraftbrühe, die die starke Kraftbrühe zur wahren Panacee macht. Wenn er sagt: „daß nur ein feiner Gaumen allein die Rindsuppe zu würdigen weiß," so irrt er wieder, und zwar doppelt; erstens, weil heute zu Tage jeder arme Bauer, in Süddeutschland wenigstens, auf jenem Grade von Cultur steht, daß er eine gute Rindsuppe mit einer Art von Andacht ißt, den Teller rein leert, mit tröstlicher Behaglichkeit sich den Mund wischt, nachdem er damit fertig geworden ist, und noch einige Male nach derselben seine Zunge im Munde umkehrt; zweitens weil es die erste, zu wenig beachtete, Basis der Cultur eines Volkes ist, den Magen des Volkes zu verfeinern.

> Monsieur Gaster être
> De tous Arts le maitre,

war die Lehre, die der große Fürst Pantagruel allen Fürsten gab, und die der alte Persius schon lang vor ihm gegeben hat:

> „Magister artis, ingeniique largitor
> Venter, negatas artifex sequi voces."

Die erste Kirre, die man dem Menschen geben kann, wenn man ihn aus dem Zustande der Wildheit, des Anthropophagen, in den der Halbwildheit übergehen machen will, ist die, daß man seinen Gaumen an Salz gewöhnt. Ist er einmal an Salz gewohnt, dann wird es leichter ihn zu bändigen. Was will man mit einem Menschen anfangen, der, wie der russische Soldat noch vor 20 Jahren zu thun gewohnt war, seine Suppe sich aus Wasser und einer Talgkerze bereitet? Mit dem polnischen Goralen, dem Asche und Salz im ungesäuerten Haferbrote gleich gut schmekt? Je weniger Bedürfnisse der Mensch hat, desto unbändiger, desto gleichgültiger gegen alles, desto träger ist er. Wehe dem Staate, in welchem man es dahin bringen will, daß der gemeine Mann Knochenleimsuppe nicht mehr von Rindsuppe zu unterscheiden vermögen soll. Je feiner der Gaumen der unteren Classe ist, desto besser wird sie essen wollen, und je besser die Küche ist, die sie haben will und an die sie gewohnt ist, desto mehr wird sie arbeiten müssen, um sich das hierzu Nothwendige zu verdienen; je mehr sie aber arbeitet, desto moralisch besser wird sie werden.

Wenn Hr. de Puymaurin sagt, daß das Osmazom sehr flüchtig ist, und bei 60 und 70° verfliegt; daß gute Köchinnen die Suppe nie zu stark kochen lassen; daß die Suppe in Wirthshäusern und in Wohlthätigkeitshäusern schlecht ist; hat er allerdings Recht: allein dadurch wird doch die Knochenleimsuppe nicht besser.

Hr. de Puymaurin wünscht sogar die grünen Gemüse, weil sie im Winter theuer sind, durch ihre Saamen zu ersezen, gesteht aber, daß er die Verhältnisse nicht anzugeben weiß. „Eine geringe Quantität derselben, „sagt er," reicht hin; man darf sie nur in einem Sake von Roßhaar oder in einer zinnernen Büchse mit kleinen Löchern in der Knochenleimsuppe zu den Ragouts sieden. Man kann auch ein Wurzelextrakt hierzu nehmen, die sogenannten racines potagères, die Hr. Duvergier rue St. Appoline verkauft, und worüber man im Bulletin der Société d'Encouragement, 1822 S. 227. Nachricht findet." Wir gestehen, daß uns diese Sparkunst in der Kochkunst an das Bezahlen mit dem Klange der Münze und an den armen Teufel erinnert, der sich an dem Geruche des Brotes vor den Bäkerladen und der Würste vor den Garküchen laben mußte. Am Ende wird die ärmere Classe von dem bloßen Geruche der Speisen leben sollen.

Hr. de Puymaurin berechnet nun die Vortheile, die Spitäler, Pensionsanstalten rc., die viel Fleisch brauchen, und folglich auch viele Knochen bekommen, die entweder ganz unbenüzt verloren gehen oder nur um geringe Preise wieder verkauft werden können, von der Bereitung der Knochengallerte mittelst eines Dampfkessels haben können. Er geht so weit, daß er wünscht, der Apotheker soll täglich den Gehalt (er bedient sich als Münzmeister des Münzausdrukes „das Korn" le titre) der Knochenleimsuppe prüfen und bestimmen, indem, da die Verdichtung von dem Grade der Temperatur der umgebenden Luft und von dem größeren oder geringeren Druke des Dampfes in dem Kessel abhängt, die Menge der in den Suppen enthaltenen thierischen Stoffe nach diesen verschiedenen Umständen verschieden seyn muß. Es soll daher jedes Mal eine gewisse Portion Suppe abgeraucht werden, indem sonst ein Kranker in einer und derselben Menge Suppe zwei oder drei Mal so viel Knochengallerte erhalten könnte.

Er rechnet, daß ein Kilogramm Knochen eben so viel Gallerte

gibt, als 7⅓ Kilogramm Fleisch, welche leztere Quantität 30 Portionen Suppe gibt, und stüzt sich hierüber auf die Erfahrung Papin's, der schon vor 150 Jahren aus Einem Pfunde geraspelten Elfenbeines 15 Pfd. Gallerte erhielt (Sect. II. p. 19). Ein Kilogramm Knochen gibt ferner nach ihm noch beiläufig 100 Gramm Fett. Er räth also aus den Knochen Knochengallertsuppe zu sieden, und das Fleisch gebraten zu genießen, was man sich gefallen lassen kann.

Ein Cylinder von Einem Quadratmeter Oberfläche gibt, nach ihm, in Einer Stunde Ein Kilogramm Gallerteauflösung von solcher Stärke, daß sie sich sulzt und zur Animalisirung von 10 Portionen Suppe hinreicht. Wenn man vier solche Cylinder hat, so erhält man also in Einer Stunde 40 Portionen Suppe, oder des Tages 960 Portionen, was für ein gewöhnliches Spital hinreicht. Hierzu braucht man nun nur 32 Kilogramm (64 Pfd.) Knochen, die überdieß Fett genug für die ganze Spitalküche geben werden.

Nun werden die 32 Kilogr. Knochen in den Spitälern zu Paris für

den Preis von	2 Fr. 87 C.	verkauft.
Steinkohlen hierzu (16 Kilogr.)	80 C.	—
zwei Taglöhne	4 — —	—
Interesse des Capitales des Apparates à 10 p. C. . .	28 C.	—
	7 Fr. 95 C.	

Eine Portion Knochengallertsuppe kommt demnach nur auf 83 Hundertel eines Centimes; folglich kommt Ein Kilogramm Knochengallerte, welches zehn Portionen Suppe animalisirt, auf 8 Centimes ungefähr, oder auf 6 Liards, beiläufig 2 kr. ⅘. Merkwürdig ist es, daß der alte Papin beinahe dasselbe Resultat erhielt. Er sagt S. 114: „Zu Paris, wo einige Traiteurs immer Gallerte zum Verkaufe bereit halten, kostet das Pfund 20 Sous; zu London, wo sie nur von Apothekern, und zwar immer frisch bereitet wird, kostet sie 2 Shillings (1 fl. 6 kr.). Man könnte also dem Publicum einen großen Dienst erweisen, wenn man demselben das Pfund um 4 Sous lieferte, und wirklich könnte ein Arbeiter in Einem Tage mit einer solchen Maschine „(dem Papin'schen Topfe nämlich)" für 20 Livres Gallerte um diesen Preis verfertigen. Das Feuer würde nicht 6 Sous kosten, und man würde auch die Knochen und das Hirschhorn um einen sehr billigen Preis haben können, da es nicht nöthig ist, dasselbe zu raspeln. Man braucht auch nicht viel Zuker zu dieser Gallerte. Wenn aber auch die Auslagen 8 Livres betragen sollten, so hätte man doch 4 Thaler täglich Gewinn, und der Topf wäre in den ersten vier Tagen bezahlt. Ein Arbeiter könnte 5—6 solche Maschinen (Töpfe) bedienen, und dieselben zu verschiedenen Zweken anwenden, von welchen einige noch einträglicher wären, als die Bereitung der Gallerte."

Vorzüglich nüzlich, bemerkt Hr. de Puymaurin, wäre eine Dampfküche auf Schiffen, und hierin hat er vollkommen Recht. Es ist unbegreiflich, daß man in England noch nicht hieran dachte. Die Küche könnte dadurch viel kleiner werden. Dampfkessel auf dem Verdeke könnten den Dampf liefern, der die zum Kochen der Speisen bestimmten eisernen Töpfe hizt. An einem Orte zwischen den Verdeken, wo es am wenigsten hindern würde, könnte man 6 Cylinder anbringen, von welchen vier zur Gallertebereitung verwendet werden könnten. Dieser Ort könnte zugleich als Wärmestübchen für die Matrosen dienen, was ihnen bei schlechtem Wetter und in kalten Regionen sehr zuträglich seyn würde. Der 5te und 6te Cylinder (welche beide zum Abwechseln bestimmt wären) könnten zum Wäschen der Wäsche der Schiffsbemannung dienen. Vorzüglich nüzlich wäre diese Vorrichtung bei den Schiffen, die auf den Stokfischfang auslaufen; sie würden hier sich wärmen und zugleich die großen Gräten und Fischköpfe, die jezt in das Meer geworfen werden, zu Fischleim oder zur Speise zubereiten können. Die Fischgräten geben sehr viel Gallerte, können aber nur frisch benüzt werden, indem sie bei der mindesten Gährung einen üblen Geruch annehmen. Man könnte noch zwei andere elegante Cylinder, als Wärmegeber, (Calorifères), den einen in der Cajüte des Capitänes, den anderen in der Cajüte der Officiere anbringen. Der Dampf, der sich in denselben zu Wasser verdichtet, würde eine Hülfsquelle mehr für die Mannschaft. Da die Gefüge der Röhren alle beweglich sind, so könnten die Wärmecylinder im Sommer abgenommen und beseitigt werden. Ein Kilogramm Kohlen verwandelt 5 Kilogramm Wasser in Dampf. Was man an Kohlen mehr zu laden brauchte, würde an Wasser weniger geladen werden können. „Auch an Gewicht des Fleisches würde man bei der Ladung ersparen, indem Knochen 7½ Mal mehr Gallerte geben, als Fleisch,“ sagt Hr. de Puymaurin; allein, wir zweifeln zu sehr an der Möglichkeit die Knochen auf Schiffen genießbar aufzubewahren, als daß wir an die Möglichkeit der Bereitung einer Knochengallertsuppe glauben, auf dieselbe hoffen, oder auch nur dieselbe lieben könnten, wenn sie wirklich möglich wäre. Hr. de Puymaurin führt 1) D'Arcet's Knochenzubereitung zur Aufbewahrung derselben an; wir haben das Unstatthafte derselben im Polytechn. Journ. Bd. XXXIII. S. 222. dargethan. „Man kann auch, „sagt er,“ dieselben aufbewahren, indem man sie in Wasser legt, welchem man den vierten Theil seines Gewichtes Kochsalz zugesezt hat. Ich habe mich dieses Mittels bedient, und obschon nach Verlauf eines Monates sich ein ziemlich starker Geruch wahrnehmen ließ (für Leute nämlich, die nur gewohnt sind frisches Fleisch zu essen), verflüchtigte sich dieser Geruch doch durch das Kochen, und die Gallerteauflösung behielt nicht die geringste Spur von demselben. Dieser Geruch kommt von der Salzlake her, und wenn man die Vorsicht braucht, die Knochen zu waschen, ehe man sie in den Cylinder stekt, so verschwindet der Geruch zum Theile. Als ich diesen Versuch vor den Mitgliedern des Ausschusses der ökonom. Künste wiederholte, hatte die Gallerte, wie sie aus den Cylindern kam, einen beinahe eben so unangenehmen Geruch, wie die Knochen selbst. Ich war hierüber erstaunt, und glaubte die Ursache hiervon darin zu finden, daß die Gallerteauflösung nicht hinlänglich im Cylinder kochte, und wahrscheinlich noch Salzlake enthielt, die an den Knochen hing. Ich nahm in Gegenwart dieser Herren eine Portion dieser übelriechenden Gallerteauflösung und kochte sie in freier Luft in einer Pfanne, wodurch der Geruch sich so merklich verlor, daß an dem weiteren Resultate nicht mehr zu zweifeln war. Die des anderen Tages mit dieser Gallerte bereitete Suppe hatte weder einen faulen Geruch, noch einen unangenehmen Geschmak." Aus diesem offenen Geständnisse geht nun so viel hervor, daß, zu Paris, (es ist nicht gesagt, ob im Sommer oder Winter) in 4 Wochen die Knochen in der Salzlake einen ziemlich starken Geruch bekommen. Wird dieser starke Geruch auf einem dampfigen Schiffe zwischen den Wendekreisen nicht ein Aasgeruch werden müssen, der den Schiffenden das ganze Schiff verpestet? Schwerlich wird sich der Geruch dann durch Kochen in offener Luft beseitigen lassen, selbst für Leute, die gewohnt sind, stinkendes Fleisch zu essen. Hr. de Puymaurin irrt sich sehr, wenn er sagt: „dieser Geruch kommt von der Salzlake her." Die Salzlake, d. i., die Salzauflösung wird in Ewigkeit keinen üblen Geruch aus sich selbst entwikeln. Der garstige Geruch der Salzauflösung kommt von den Knochen her, die man in sie hinein warf, und die sie selbst nicht mehr gegen Fäulniß zu schüzen vermag. Daß durch das Waschen fauler Knochen der Geruch zum Theile verbessert werden kann, wollen wir nicht läugnen; daß man aber aus Knochen, die an ihrer Oberfläche faulen, eine schmakhafte und nahrhafte Suppe bereiten kann, werden wir immer bezweifeln; es sey denn, daß man sie durch Chlorauflösung zog.

Hr. de Puymaurin gibt die Dimensionen seiner Knochensuppe-Küche für 120 Menschen in der Münze der Medaillen. Er hat zwei Dampfkessel sammt Zugehör, mehrere Cylinder von verschiedener Form und Größe. Der ganze Apparat ist in einem Kasten von 160 Decimeter im Gevierte oder von 15 □ Fuß 18 □ Zoll. Die Kessel und die Töpfe nehmen 73 Decimeter im Gevierte, oder 7 □ Fuß ein. Dieser Theil des Apparates braucht allein auf dem Verdeke zu stehen: die Cylinder können dort stehen, wo sie nicht hindern.

Dieser Apparat würde, um ein Fünftel vergrößert, im Durchmesser der Töpfe und der Kessel, für die Bemannung einer Corvette oder Brig von 172 Mann zureichen. Zwei solche Apparate, an zwei verschiedenen Orten angebracht, werden nur ein □ Meter 78 □ Decimeter oder 16 □ Fuß 11 □ Zoll einnehmen, und wenn beide zugleich im Gange sind, können sie 344 Portionen Suppe liefern. Wenn man den Durchmesser der Kessel und Töpfe um 15 Centimeter oder 6 Zoll vermehrt, so können diese beiden Küchen jede einzeln 260, und zusammen 520 Portionen liefern, und beide Küchen würden nicht mehr Raum einnehmen, als ein □ Meter, 84 □ Decimeter, oder 17 □ Fuß und 1 □ Zoll. Sie würden für die Bemannung einer gewöhnlichen Fregate hinreichen.

Eine Fregate von 60 Kanonen würde mit 2 solchen Küchen von 2 □ Metern und 0,99, oder von 28 □ Fuß und ⅓ □ Zoll einzeln 520, und zusammen 1040 Portionen liefern:

Drei Küchen, oder zwei mit drei Kesseln von derselben Größe wie auf der Fregate von 60 Kanonen, würden auf einem Schiffe von 74 Kanonen nur 4 □ Meter und 0,48 einnehmen, oder eine □ Toise und 6 □ Fuß, und von 525 bis auf 1560 Portionen Suppe liefern können.

Vier Küchen, oder vielmehr zwei, jede mit vier Kesseln von obiger Größe, könnten auf einem Schiffe von 120 Kanonen bis an 2080 Portionen liefern, und würden nur 5 □ Meter und 0,98, oder Eine □ Toise 20 Fuß einnehmen.

„Ich hielt es für klüger, „sagt er," die Zahl der Herde und Dampfkessel zu vervielfältigen, obschon ein einziger Herd alle benachbarten Kessel heizen könnte, die entweder Einen Körper bilden können, oder wovon jeder für sich einzeln Einen eigenen Apparat bilden kann. Die Vervielfältigung der Apparate vervielfältigt zugleich die Hülfsmittel, und läßt Speisen verschiedener Art bereiten, die, zugleich mit einander zugerichtet, an Geschmak verlieren würden. Man kann auf diese Weise schnell und langsam kochen. Man kann Gemüse troken in den Topf geben, und sie 30 — 35 Minuten lang in dem Dampfe kochen. Wenn man dann die Gallerte zusezt, kann man die Suppe, oder das Gemüse-Ragout, sobald die Temperatur auf 70° gebracht ist, d. h., nach einer Stunde vom Anfange des Kochens, genießen. Wenn man den Topf im Wasserbade gehen läßt, so braucht man etwas weniger lang als gewöhnlich zum Kochen. Wenn man die Gemüse sehr gut zubereiten will, so gut als es nur immer möglich ist, so sezt man 100 Gramm frisches Rindfleisch auf Ein Liter Gallerte zu, und kocht es in einem Bade von erhizter Luft, wo dann das Sieden weniger rasch vor sich gehen wird. Die Gallerte wird alles Osmazom, das ganze Arom des Fleisches aufnehmen, welches, bei der niedrigen Temperatur und in dem verschlossenen Gefäße, sich nicht verflüchtigen kann. Zu diesem Kochen sind aber 10 bis 12 Stunden nöthig. Es ist überflüssig von den Vortheilen zu sprechen, welche bei geschlossenen Gefäßen und bei Dampfdruke während des Rollens eines Schiffes Statt haben. Bei Dampfbothen habe ich den Dampfherd mit dem Dampfkessel, der die Maschine treibt, in Verbindung gebracht, ohne daß ersterer litte, wenn bei lezterem ein Unfall entsteht.

Hr. de Puymaurin meint für die Gesundheit der Schiffsbemannung mittelst der Knochenleimsuppe vorzüglich dadurch gesorgt zu haben, daß er den Gebrauch des gesalzenen Fleisches mittelst derselben vermindert. „Das Pökeln, „sagt er," kann auf die Qualität des Fleisches Einfluß haben, den Faserstoff erhärten, die Verhältnisse der Bestandtheile desselben verändern; allein es wird immer auf den Knochen selbst unendlich weniger wirken, und man kann daher glauben, daß die Gallerte aus den Knochen des gesalzenen Fleisches in jeder Hinsicht eben so gut ist, wie die aus dem frischen." Man glaubt, wie es uns scheint, bereits nur zu viel. Es ist eine allgemein bekannte Sache, daß im Pökelfleische wie im geräucherten Fleische das Fleisch zuerst am Knochen stinkend wird; man wird also aus den Knochen des Pökelfleisches auf Schiffen keine brauchbare Gallerte erhalten. Hr. de Puymaurin beruft sich hier auf seinen früheren Versuch, Knochen in Salzlake vier Wochen lang frisch erhalten zu haben; allein er bemerkt oben sehr richtig, daß die Salzlake beim Einpökeln des Fleisches „unendlich weniger auf den Knochen wirkt," d. h. also, denselben unendlich leichter in Fäulniß übergehen läßt. Er führt auch Papin's VII. Versuch an, der schon vor 150 Jahren die Idee hatte, aus den Knochen des Pökelfleisches auf Schiffen Gallerte zu bereiten, dieselbe aber nicht aus den wirklichen Knochen des Pökelfleisches, sondern nur aus Knochen, die er zu London 14 Tage lang in Salzwasser gehalten hatte, bereitet hat. Papin schließt aber übrigens bloß a priori aus diesem Versuche auf die Möglichkeit der Anwendung der Knochen des Pökelfleisches zur Gallerte. Hr. de Puymaurin ist der Meinung, daß der Scorbut weit weniger auf den Schiffen herrschen würde, wenn man weniger Pökelfleisch genösse. Er würde sicher nicht weniger herrschen, wenn man das Pökelfleisch mit einer stinkenden Knochenleimsuppe abwechseln ließe. Wir können hier eine Bemerkung nicht unterdrüken, die wir so oft an Kranken zu machen Gelegenheit hatten, nämlich diese: daß sie durch den Genuß von nicht bloß stinkendem, sondern auch nur etwas übelriechendem, Fleische krank geworden sind. Es ist unglaublich, wie viele Menschen aus der unteren Classe dadurch jährlich nicht bloß auf das Krankenlager, sondern selbst in das Grab kommen. Die

Erfahrung hat gezeigt, daß es weit weniger gefährlich ist, frisches Fleisch von Thieren zu genießen, die an der Viehseuche starben, als faules Fleisch von Thieren, die als gesund geschlachtet wurden, und die Gesundheitspolizei würde besser thun, wenn sie den Verkauf des stinkenden Fleisches in Schlachthäusern wie in Garküchen verböte und bestrafte, als daß sie eine wahrhaft lächerliche so genannte Fleischbeschau theuer bezahlt. Man wende nicht dagegen ein, daß auf den Tafeln der Reichen täglich faules Fleisch (Wildpret) gespeiset wird; die Reichen genießen nebenher noch auch etwas Anderes, als bloß faules Fleisch; wo der arme Mann seinen Hunger an faulem Fleische stillen soll, und nebenher nichts Anderes, oft nicht einmal gutes Wasser Statt des Madeira, hat, da wird dieses faule Fleisch gar bald den Armen in ähnliches faules Fleisch verwandeln.

Die Bemerkung des Hrn. de Puymaurin, daß bei Anwendung eines Dampfkessels zum Kochen auf den Schiffen die leeren Cylinder als Verdichter benützt werden können, und dadurch immer eine bedeutende Menge destillirten Wassers erhalten wenden kann, ist sehr richtig, und aus eben diesem Grunde hätte die Dampfküche längst auf Schiffen eingeführt zu werden verdient. Die preußischen Schiffe werden sie vielleicht noch vor den englischen haben.

Hr. de Puymaurin geht nun zur Einführung des Dampfkessels in der Küche der Kasernen bei den Landtruppen über, und zeigt die Vortheile derselben. Während wir diese dankbar anerkennen, und auch gern zugeben, daß das halbe Liter Knochengallerte-Auflösung nur auf 83 Hundertel eines Centimes kommt, zweifeln wir jedoch immer, daß dieses halbe Liter Knochenleimsuppe einem Viertel-Kilogramm, einem halben Pfund Fleisch gleichkommt.

Er empfiehlt dieselbe Dampfkochung mit Recht auch allen Wohlthätigkeitsanstalten, und gibt den Preis eines ganzen Apparates, mittelst dessen man 2000 Portionen Knochengallertesuppe (zu einem halben Liter die Portion) bereiten kann, zu 1200, höchstens zu 1500 Franken an, den Werth der Kessel zum Kochen der Speisen ungerechnet. Ein größeres Volumen des Apparates vertheuert den Preis desselben nicht in gleichem Verhältnisse, weil das übrige Zugehör, die Regulatoren, Klappen, Hähne etc., beinahe immer gleichviel kosten. „Er übergehe," sagt er, „die Einwürfe, die man von Seite der Vorurtheile des Dienstpersonals etc. machen könnte." Allein, diese Einwürfe dürfen nicht übergangen werden; gerade an diesen Vorurtheilen, an dem Ankleben an altem Herkommen, an der Ungeschicklichkeit, vereint mit dem bösen Willen der Dienstboten scheitern Unternehmungen dieser Art, wie wir aus Erfahrung wissen, nur zu oft. Ehe die untere Classe über ihr eigenes Interesse nicht mehr aufgeklärt wird, als sie es gegenwärtig ist (und man scheint nicht zu wollen, daß sie es mehr werde), wird mancher Versuch, für Wohlthätigkeitsanstalten Capitalien zu ersparen, aufgegeben werden müssen.

Hr. de Puymaurin legt folgende Rechnung vor, nach welcher ein Wirth für 11½ Franken 60 Personen excellente Suppen kochen, und noch 100 p. C. dabei gewinnen kann.

Brennmaterial	= Fr.	50	Cent.
15 Liter Wasser	= —	5	—
15 Liter Gallerte	1 —	50	—
6 Pfd. Fleisch zu 50 Cent.	3 —	—	—
Verschiedenes Grünzeug	= —	50	—
Salz, Pfeffer ꝛc.	= —	25	—
Arbeitslohn und Gewinn	5 —	70	—
	11 Fr.	50	Cent.

„Dabei hat nun jede Person für 19⅒ Cent., oder für beinahe 4 Sous, ein halbes Liter Knochenleimsuppe, Grünes, und beinahe ein halbes Viertelpfund Fleisch," sagt Hr. de Puymaurin, „und für dieses sogenannte Ordinäre muß der Arbeiter jezt den Wirthen, die noch kleinere Portionen geben, 30 bis 35 Cent. bezahlen, oder 6 bis 7 Sous." Wir müssen hier, um recht genau zu seyn, bemerken, daß, da das Wasser zu Paris so theuer ist, 5 Liter zu wenig sind; es wird, bis 6 Pfd. Fleisch gar gekocht sind, wenigstens ⅓ davon einkochen. Ferner erhält eine Person nicht „ein halbes Viertel (d. h. ⅛) Pfund Fleisch," wo auf 60 Personen 6 Pfd. Fleisch kommen, sondern nur 3 Loth ²⁄₁₀. Während gegenwärtig ein halbes Liter Gemüse-Ragout bei den Wirthen 20 Cent. oder 4 Sous kostet, könnte es um 9 Cent. gegeben werden, wenn ein Wirth, nach Hrn. de Puymaurin's Methode, auf folgende Weise für 60 Personen kocht:

7½ Liter Gallerte		75	Cent.
½ Scheffel (boisseau) Erdäpfel		25	—
2½ Liter Bohnen		50	—
Zubereitung		15	—
Zwiebel		10	—
Fett ꝛc.		40	—
Brennmaterial		50	—
Arbeitslohn und Gewinn des Wirthes	2 Fr.	65	—
	5 Fr.	30	Cent.

Wenn Hr. de Puymaurin empfiehlt, Körner und Mehl zur Mästung und Nahrung solcher Thiere, welche thierische Kost lieben und gut verdauen, mit Knochenleim zu animalisiren, so mag er in dem Falle Recht haben, wo es sich um Quantität, um Fett allein oder vorzüglich, nicht aber, wo es sich um Qualität des Fleisches des gemästeten Thieres handelt. Schweine, die mit Abfällen thierischer, vorzüglich an Gallerte reicher, Theile gemästet werden, wie die Schweine der Gerber, Leimsieder, werden allerdings von dieser Mast schnell und stark fett; allein ihr Fleisch ist kaum genießbar, und ihr Fett ha-

einen sehr übeln Geruch, und ist dünn und thränicht. Wenn er aber vorschlägt zu versuchen, ob es nicht gut wäre, aus den Knochen der gestochenen Pferde, erschlagenen Hunde, und selbst aus Rinder- und Schafknochen Gallerte zu kochen, um mittelst derselben das Mehl, die Kleien, die Erdäpfel und überhaupt die Vegetabilien, die man den Rindern gibt, zu animalisiren, so scheint uns dieß wirklich etwas zu viel der guten Mutter Natur aufgebürdet. „Ein jedes Thier in seiner Art, so will's die alte Regel;" sagt ein deutsches Sprichwort. Wir wissen zwar aus eigener Erfahrung, daß man Pferde und Schafe zu fleischfressenden Thieren machen kann; wir würden uns aber selbst dann hüten, Fleischkost bei pflanzenfressenden Thieren anzuwenden, wenn wir dieselbe einzelnen Individuen gut bekommen sähen, weil wir besorgten, daß die ganze Rasse dadurch leiden könnte. Sollte die Knochengallerte mit Pflanzenstoffen versezt wirklich den Rindern gut bekommen, so ließe sich vielmehr daraus schließen, daß die Knochengallerte mehr gewissen vegetabilischen Körpern, als dem reinen Fleische ähnlich ist.

Hr. de Puymaurin bemerkt endlich noch, daß die Knochengallerte das Hirschhorn, die Hausenblase ꝛc. ersezen kann; daß, wie schon Papin bemerkte, die Hutmacher mittelst derselben schneller und besser filzen; daß man Früchte, ja sogar Blumen, in Gallerte eine lange Zeit über aufbewahren kann, und daß die Gallerte von denselben Geruch und Geschmak erhält. Hr. de Puymaurin schlägt daher vor, grüne Gemüse in Gallerte aufzubewahren, und schließt mit den naiven Worten, mit welchen Papin sein Werk über seinen Dampfkessel begann:

„Die Leute geben sich nicht so leicht, wie man glaubt, einer neuen Entdekung oder Erfindung hin: jeder ist vielmehr auf seiner Hut, und froh, wenn er gewahr wird, wie ein Anderer sich daran wagt und sieht, wie er durchkommt. Beweise dafür liefert auch die gegenwärtige Schrift: sie beweiset nämlich deutlich, daß mein Topf eine nüzliche Erfindung ist; daß er auf feststehenden Grundsäzen beruht, und daß seine Brauchbarkeit durch Erfahrung erwiesen ist. Indessen sind bereits fünf Jahre seit Bekanntmachung meiner Methode verflossen, und nur Wenige haben von derselben Gebrauch gemacht. Als die Wind- und Wassermühlen noch neu waren, hat Plinius, der doch einer der geistreichsten Männer seiner Zeit war, von diesen Maschinen nur als von einer Curiosität gesprochen: nur die Zeit allein hat klar und deutlich gelehrt, wie sehr diese Curiositäten wirklich nüzlich sind."

Die Zeit hat den geistreichen, und in seinem fanatisch mystischen Zeitalter verkannten, Entdeker der Dampfkraft, den armen Papin, auch wirklich gerechtfertigt: so lang noch ein Dampfschiff fahren und eine Dampfpresse druken wird, wird Papin's Name der Nachwelt unvergeßlich seyn. Allein Papin lebte zu nahe an den Zeiten des guten Heinrich IV., der jedem seiner Bauern ein Huhn in den Topf steken wollte, als daß er daran dachte, seine Zeitgenossen mit stinkenden Knochen, wie Hunde, zu füttern. Die Idee, die Menschheit zu dieser Kost zu verdammen, konnte nur dem Philanthropismus der ersten Decennien des neunzehnten Jahrhunderts vom Schiksale aufbewahrt geblieben seyn. Nil asperius humili dum surgit in altum!

Knochensuppe, aus frischen Knochen, von frisch geschlagenen Thieren bereitet, ist ein gutes Nahrungsmittel für gewisse Kranke; kann als gutes Surrogat für diejenigen Völker dienen, die an das dünne lange Ding, das man Suppe nennt, theils bei Tische, theils in der Kirche, im Schauspielhause und auf dem Katheder der Universität von zarter Jugend an gewöhnt werden: denn die meisten Völker der Erde kennen zu ihrem Glüke den Mysticismus der Suppe nicht, und halten sich an das, was sie mit den Zähnen paken können. Diese Knochenleimsuppe aber als Surrogat für Fleisch erklären, und die arme arbeitende Classe zum Knochenleim verdammen, heißt wahrhaftig die Menschheit entwürdigen. Wehe dem Staate, der seine Bürger nicht mehr kräftig zu nähren vermag: er wird selbst zum Schatten unter den Staaten werden, wenn seine Bürger wie Leichenschatten aus Mangel an Nahrung umherschleichen müssen.

Hr. d'Arcet hat seinen Apparat, der in der Charité seit Ende Januars im Gange ist, bekannt gemacht.[54] Zu dieser Zeit errichtete Hr. de Puymaurin den seinigen in der Medaillenmünze, welcher zwar auf demselben Grundsaze beruht, jedoch in mehreren Stüken von demselben abweicht, weil er nebenher noch zu anderen Zweken benüzt werden sollte.

Der Apparat in der Charité kann nur in Wasser aufgelöste Gallerte liefern, und die Auflösung derselben wird dann in den übrigen Kesseln der Küche weiter verkocht. Hr. de Puymaurin konnte einen solchen Apparat nicht brauchen, indem er bei seinen Arbeitern keine bloße Gallerteauflösung anwenden konnte, sondern Suppe und Ragouts haben mußte, wozu dann eine Menge von Herden nothwendig gewesen wäre. Es mußte die Gallerte zugleich mit den Speisen selbst bereitet werden. Es durfte keine besondere Aufsicht, keine Aufmerksamkeit auf den Apparat nothwendig seyn, und der Apparat mußte regelmäßig Tag und Nacht von sich selbst fortarbeiten. Hr. de Puymaurin versichert, daß er während der zwei Monate, als er sich desselben bedient, denselben seinem Zweke vollkommen entsprechend fand, und nur unbedeutende Veränderungen an demselben vorzunehmen hatte.

54) Wir haben ihn im Polytechn. Journ. Bd. XXXIII. S. 232. geliefert.

Hr. de Puymaurin ließ sich zwei Apparate verfertigen, weil er eine Abwechslung bei den Dampfkesseln für zwekmäßig findet, damit keine Unterbrechung Statt haben kann. Der erste ist tragbar, und in Fig. 1 u. 2. dargestellt. Beide Apparate sind beinahe dieselben, und der einzige Unterschied in der Form der Kessel ward durch die Ortsverhältnisse aufgedrungen. Die runden Kessel sind stärker, und dürfen nicht so dik seyn. Das beste Verhältniß an solchen Kesseln ist 1 in der Weite, und 4 in der Länge. (Siehe Fig. 24.)

„Man kann gegen die walzenförmigen Kessel," sagt Hr. de Puymaurin," das Ausstrahlen der Wärme einwenden: ich glaube aber nicht, daß dieser Nachtheil ihre Vortheile aufwiegt.

Mein Apparat besteht aus einem Mantel aus Blech oder Mauerwerk, aus einem Dampfkessel, aus einem kleineren Kessel, der in den ersteren kommt, und diesem als Dekel dient, so daß er ein Wasser- oder Dampfbad bildet; aus einem Topfe zum Kochen der Speisen und einem Dekel; aus einer Röhre zur Vertheilung des Dampfes, aus sechs Cylindern, aus einem Schwimmer, und aus einer Maschine zum Zerkleinen der Knochen.

Fig. 1., 2 und 3. stellt den allgemeinen Grundriß des feststehenden, und den senkrechten und horizontalen Durchschnitt des tragbaren Apparates vor.

Fig. 18 und 19. sieht man die Aufrisse und Längen- und Seitendurchschnitte des Apparates mit zwei Kesseln.

Fig. 1. Senkrechter Durchschnitt des tragbaren Apparates nach der Linie c d von Fig. 2.

Fig. 2. Horizontaler Durchschnitt in der Höhe von a b. Fig. 1.

Fig. 3. Allgemeiner Grundriß des vollständigen Apparates mit zwei Kesseln.

Fig. 4. Röhren zur Vertheilung des Dampfes von oben gesehen.

Fig. 5. Röhre, die die Wasserhöhe im Kessel andeutet von vorne.

Fig. 18. Senkrechter Durchschnitt des Ofens, und der Töpfe: einer derselben ist im Aufrisse dargestellt sammt Zugehör.

Fig. 19. Seitendurchschnitt des Ofens, des Kessels und eines Topfes, nebst Ansicht der Cylinder von vorne.

Fig. 20. Senkrechter Durchschnitt des Kistchens mit dem Schwimmer.

Fig. 21. Klappe zum Einlassen der Luft in den Kessel, im Durchschnitte und von oben.

Fig. 22. Mechanismus des Regulators des Feuers im Grund- und Aufrisse.

Fig. 23. Stellung des Schwimmers, woraus der Eintritt und Ausgang der verschiedenen zu demselben gehörigen Röhren erhellt.

Fig. 24. Längendurchschnitt des Kessels und Aufriß des Topfes in den bequemsten Dimensionen dieser Theile des Apparates.

Diese Figur ist eine bloße Andeutung, so wie die vorige, und in kleinerem Maßstabe gezeichnet.

Fig. 6. Zaum des Dekels im Aufrisse und Grundrisse.

Fig. 7. Eisernes Kreuz zur Befestigung der Dekel der Cylinder.

Fig. 8. Ein Cylinder, einzeln dargestellt.

Fig. 9. Dekel des Topfes im Grundrisse und Aufrisse.

Fig. 10. Durchschnitt des Topfes.

Fig. 11. Ein anderer Topf, der den vorigen aufnimmt, und in den Dampfkessel kommt.

Fig. 12. Dampfkessel, von der Vorderseite.

Fig. 13. Derselbe von der Seite.

Fig. 14. Hakstok mit einer Platte aus Gußeisen und Spizen in Demantform zum Zerschlagen der Knochen.

Fig. 15. Zwinge oder Ring im Grund- und Aufrisse.

Fig. 16. Kiste zur Aufnahme der Knochen.

Fig. 17. Grundriß und Durchschnitt einer Scheibe aus Gußeisen mit tiefen concentrischen Furchen, auf welcher man die Knochen unter der Presse zerschlägt.

Man hat hier nicht abgebildet:

1) den Cylinder aus Blech, der zur Aufnahme der Knochen dient, indem er schon bei D'Arcet's Apparat abgebildet ist. (Polyt. Journ. Bd. XXXIII. Taf. V. Fig. 5.)

2) den Schlägel aus hartem Holze,

3) die Platte auf dem Hakstoke.

Dieselben Buchstaben bezeichnen in allen Figuren dieselben Gegenstände.

A, Ofen aus Blech oder aus Mauerwerk, mit den gehörigen Oeffnungen, um die verschiedenen Stüke des Apparates durchzulassen. B, Dampfkessel von der zu seiner Größe und Form gehörigen, und nach dem Druke, den er auszuhalten hat, und nach dem Metalle, aus welchem er verfertigt wurde, berechneten Dike. C, Kessel, der kleiner ist als der Dampfkessel, und in diesem angebracht wird, welchem er als Dekel dient: er dient als Wasser- oder als Dampfbad. Starke Bolzen vereinigen ihn mit den Rändern des Dampfkessels. D, Topf zum Kochen der Speisen: er ist aus Eisenblech, mit zwei starken Griffen im Gewinde. Man kann die Speisen darin auf zwei verschiedene Weisen kochen: 1) in Dampf, ohne daß man Wasser in denselben gießt, und bloß den Dampf durch den Hahn, l, einläßt. (Siehe Fig. 3. auf Taf. IV.) 2) als gewöhnlichen Topf in einem Wasser- oder Dampfbade. 3) in einem Bade von erhizter Luft, wie z. B. in einem Ofen. E, Dekel auf den Topf, auch aus Eisenblech. Seine Basis ist mit einem Zeuge[55]) eingefaßt, wodurch er elastisch und in den Stand gesezt wird, den Druk einer Fassung aus Eisen zu ertragen. Der Dekel wird mit Wolle umhüllt. F, Röhre, durch welche der Dampf vertheilt wird. G, Cylinder aus Eisenblech, in welchen die Gallerte ausgezogen wird. Zwei dieser Cylinder sind noch ein Mal so geräumig, als die vier anderen: man kann sie also zusammen als vier gleich geräumige Cylinder betrachten. Es ist gut, wenn man vier Cylinder hat; denn erst nach 97 Stunden haben die Knochen allen Nahrungsstoff verloren.

Man erneuert abwechselnd alle 24 Stunden die Knochen in einem jeden Cylinder; man mischt die erhaltenen Auflösungen, und erhält auf diese Weise eine beständig gleiche Mischung. Die kleinen Cylinder sind nach einem solchen Maßstabe eingerichtet, daß sie am bequemsten verdichten; in den großen wird die Verdichtung durch bleierne Schlangenröhren befördert, die sich um dieselben winden. Das Wasser, welches sich in den unteren Theilen eingeschlossen befindet, und bis auf 100° mittelst etwas Wärme, die sonst verloren ginge, gehizt wird, begibt sich in den Kessel, befördert und regulirt den Gang des Apparates, und vermindert den Verbrauch der Kohlen. Das Wasser, welches in dem oberen Theile erhizt wird, begibt sich zum Hahne, und wird zum Küchendienste verbraucht. H, Röhre, durch welche der Dampf entweicht. I, Herd, welcher groß genug seyn muß, um so viel Brennmaterial aufzunehmen, daß das Feuer die ganze Nacht über unterhalten werden kann: die Menge Dampfes, welche erzeugt werden muß, wird zur Berechnung des Volumens des Brennmateriales dienen. J, Rost. K, Aschenherd. L, Kufe zur Aufnahme der Gallerte. M, Schwimmer, zur Unterhaltung einer gleichen Wasserhöhe in den Kesseln.

a, Hähne zur Einlassung des Wassers. b, Hähne zur Einführung des Dampfes aus einem Dampfkessel, der an der Münze noch zu anderen Zweken verwendet wird. c, Fig. 1., auf Taf. IV. eine Röhre aus Glas sammt Zugehör, durch welche die Höhe des Wassers in dem Kessel angezeigt wird. d, Auslaßhahn des Kessels. e, Auslaßröhre des Dampfes. f, Regulator des Feuers, nach dem Systeme des Bonnemain, welches in N. 242. des Bulletin de la Société d'Encouragement beschrieben ist, (auch im Polytechnischen Journale Bd. XVI. S. 285.)

Der Regulator in vierekigen Kesseln wird nach demselben Geseze geleitet, ist aber einfacher. y, Fig. 3., 4., 12. und Fig. 18., 19. ist die Röhre, durch welche das Wasser eingelassen wird mit verschie-

55) Wir übersezen wörtlich: garnie d'étoffe. Es könnte vielleicht auch garnie d'étoupe heißen, mit Werk. A. d. R.

denen Hähnen. Man kann das Wasser in den einen oder in den anderen Kessel leiten, oder in beide zugleich. h, Fig. 3 und 4., Röhre die an die Hähne, b b, stößt, und zur Einführung des Dampfes dient, der aus einem anderen Kessel kommt. Diese Vorrichtung taugt nur für jene Küchen, die Dampfkessel oder Dampfmaschinen haben. i, Sicherheitsklappe. k, Fang des ersparten Dampfes zu verschiedenen Zweken. l, Hahn, mittelst welchen der Dampf in das Innere des Wasserbades eingeführt wird. mm, Ohren, in welchen der Zaum des Dekels hält. n, kleiner Hahn, welchen man öffnet, um den Dampf herauszulassen, damit man den Apparat leicht öffnen kann. o, eiserne Fassung, welche einen Druk auf die Vereinigung des Dekels mit dem Kessel äussert. p, Zaum aus Eisen und Drukschraube des Dekels. q, Hähne, mittelst welcher man die Verbindung zwischen dem Dampfe mit der Röhre, e, herstellt. r, Klappe an der Röhre, F, die so gestellt ist, daß man im Falle einer plözlichen Abkühlung Luft in den Apparat einlassen kann. Es bildet sich dann ein leerer Raum, und die in den Cylindern enthaltene Gallerte würde, ohne diese Vorsicht, von dem Topfe eingesogen. s, Scheiben aus leichtflüssigem Metall. t, Manometer, welches den Druk anzeigt.

Man kann eben so gut ein Thermometer als ein Manometer anwenden; das erstere dieser Instrumente ist aber besser. u, Röhre, welche den Dampf in die Cylinder leitet.

a′, Fig. 1 und 2., große Röhre aus Eisenblech zum Regulator des Feuers gehörig und in Verbindung mit dem Kessel mittelst der Speiseröhren, die das Wasser immer auf gleicher Höhe erhalten. b′, eine bleierne Stange, welche auf dem Boden der Röhre a′ aufgelöthet ist. c′, kupferne Stange, welche auf dem Ende der bleiernen Stange aufgelöthet ist. d′, Schliessung der großen Röhre aus Eisenblech; a′. Sie ist mit einer Werkbüchse versehen, in welche die Stange, b′, eintritt. e′ Hebel, welcher sich auf das Ende der Stange b′, stüzt, und die Ausdehnung der bleiernen Stange zwölf Mal vergrößert. Die Schraube am Ende desselben regulirt seine Stellung. f′, zweiter Hebel, welcher die Bewegung des ersteren noch zwölf Mal multiplicirt: ein Gegengewicht erhält ihn in seiner Lage. g′, Schraubenmutter, an welcher die Stange befestigt ist, die zum Oeffnen und Schliessen der Klappe dient, durch welche die Luft in den Ofen tritt. Diese Schraubenmutter schiebt sich in einem Falze auf dem Hebel, f′, damit man ihn nach der verlangten Temperatur stellen kann. h′, Klappe des Regulators.

In den Oefen von rechtwinkeliger Form, die immer an derselben Stelle bleiben, wurde der Regulator horizontal auf dem Boden desselben angebracht. Diese Vorrichtung, bei welcher die Werkbüch wegbleiben kann, vermehrt die Empfindlichkeit des Instrumentes: der Unterschied in der Ausdehnung des Bleies und des Eisens muß größer seyn, wenn das leztere dieser Metalle isolirt ist. i', bleierne, an einem Ende offene, Röhre, die gegen die Wände des Kessels befestigt ist. k', eiserne Stange, die an einem der Enden der Röhre i' befestigt ist. Sie zieht sich zurük oder tritt vor, je nachdem das Blei sich ausdehnt oder sich zusammenzieht.[56]) l', eiserne Platte, auf welcher die Hebel gelagert sind. m' n', Hebel, welche die Bewegung der Stange, k', vervielfältigen. Ich hielt es für nüzlich, in den Schornsteinen, H H, gleichfalls eine Klappe anzubringen. Sie wird von dem Regulator bewegt, und beugt den Zufällen vor, durch welche die Genauigkeit des Instrumentes leiden könnte. o', Fig. 7. Hut aus Eisen, um dem Druke Widerstand zu leisten. p', Zäume des Cylinders und Drukschraube. q', Fig. 3 und 19. großer Cylinder, von gleicher Höhe mit den kleineren, und von doppelter Geräumigkeit. Seine Scheidewand, seine Röhre zur Einführung des Dampfes, sein Hahn zum Ablassen der Gallerte, sein Dekel, sein Hut und der Zaum sind auf ähnliche Weise vorgerichtet, wie an den kleinen Cylindern. r', oberer Theil der Wurm- oder Schlangenröhre, durch welche man siedend heißes Wasser zum Küchengebrauche erhält. s', Röhre, welche dem Hahne, o', das heiße Wasser des oberen Theiles der Wurm- oder Schlangenröhre zuführt. t', Hahn, durch welchen dieses Wasser ausgelassen wird. u', unterer Theil der Schlangenröhre, welcher den Kesseln das heiße Wasser liefert. v', Einlaßklappe der Büchse des Schwimmers, die sich nach innen öffnet. x', Zuführungsröhre des Wassers des Behälters: dieser Behälter befindet sich in einer auf den Druk berechneten Höhe. y', Ablaßröhre des Wassers, das sich in die Kessel begibt. z', Einlaßröhre des Dampfes in den inneren Raum der Büchse des Schwimmers, um Gleichgewicht im Druke zu erhalten. Das in den bleiernen Röhren verdichtete Wasser begibt sich in dieselbe Büchse. Diese Vorsicht ist nothwendig, um in der Gallerteauflösung kein Blei zu erhalten.

Ich zerkleine die Knochen in der Kiste Fig. 16. mit der Schlagpresse der Münze. Wo man hydraulische Pressen hat, oder andere Kräfte, die einen großen Druk hervorbringen, können diese auf ähnliche Weise verwendet werden.

Es ist höchst wichtig, daß die Knochen sehr klein zertrümmert werden, indem dadurch das Ausziehen der Gallerte beschleunigt und erleichtert wird. Wo man keine starke Triebkraft zum Zerkleinen der Knochen verwenden kann, kann man sich eines Amboßes und eines Hammers bedienen, dessen Stiel man verlängert, und dann, wie in

56) Hier ist ein offenbarer Drukfehler im Originale: Construction Statt Contraction.

einem Hammerwerke arbeiten läßt. Man kann auch einen Mörser oder eine Mörtelkufe anwenden; muß aber dann den Mörser oben mit einem Tuche zudeken, damit keine Splitter wegspringen. Man könnte die Knochen auch zwischen gefurchten Walzen brechen: nur muß man Acht geben, daß die Stöße oder Schläge nicht zu schnell hinter einander folgen, und die Knochen sich nicht erhizen, indem sie dadurch einen brenzeligen Geruch annehmen würden." [57])

XXXIX.

Sammlung verschiedener Bemerkungen des Hrn. D'Arcet zu seiner Abhandlung über Bereitung der Knochengallerte mittelst Dampfes. [58])

Aus dem Recueil Industriel, N. 54. S. 11.

Der Apparat, den wir im Recueil N. 29. (Polyt. Journ. Bd. XXXIII. S. 222.) beschrieben haben, mußte an mehreren öffentlichen Anstalten errichtet werden, und gerieth so in die Hände verschiedener Leute, die an diesen Anstalten angestellt sind. Es mußten daher nothwendig verschiedene Fragen über dieß und jenes entstehen, und aus diesen Fragen Bemerkungen hervorgehen, die schnell abgefaßt und lithographirt vertheilt werden mußten.

Diese Fragen machten es nothwendig, unseren Apparat neuerdings von allen Seiten zu betrachten, und in den verschiedenen Perioden seiner Arbeiten zu studiren; wir mußten alle Anwendungen, die von demselben gemacht werden konnten, neuerdings einer strengen Prüfung unterziehen.

Hieraus erklärt sich der geringe Zusammenhang unter diesen Bemerkungen von selbst. Wir hielten es indessen für zwekmäßiger, sie so zu belassen, wie die Umstände sie herbeiführten, indem sie auf diese Weise auf der einen Seite das Siegel unserer Ueberzeugung an sich tragen, auf der anderen später zu einem vollständigen Werke über diesen Gegenstand zusammengestellt werden können. Einstweilen wollen wir noch die Erfahrung gewähren lassen. Sie hat bisher alle Fragen, die man uns stellte, hinlänglich gelöset, um uns die Ueberzeugung zu schenken, daß unser Apparat von allgemeinem Nuzen für alle Anstalten ist, wo viele Personen eine gemeinschaftliche Küche haben.

---

57) Wir haben diesen Apparat genau abgebildet und beschrieben, fürchten aber, daß er für deutsche Köche zu zusammengesezt seyn wird. A. d. Ue.

58) Hrn. D'Arcet's Bemerkungen über die Anwendung des Apparates, mit welchem man an der Charité zu Paris täglich tausend Portionen Knochengallertauflösung bereitet, nebst der dazu gehörigen Abbildung theilen wir in dem folgenden Hefte dieses Journales mit. A. d. Red.

Ich reihte diese Bemerkungen hier nach jener Ordnung, in welcher sie erschienen sind.

I. Bemerkung. Ueber Anwendung der Gallerte zur Gemüsesuppe.

In dieser Bemerkung werden bloß die Vortheile gezeigt, welche durch Verbindung eines thierischen oder stickstoffhaltigen Stoffes mit den Gemüsesuppen entstehen, die unter dem Namen der Rumford'schen Suppen (Soupes économiques) bekannt sind. Man weiß, daß diese Suppen den Magen mehr beschweren, als den Menschen nähren, und daß sie dem Taglöhner nicht jene Kraft gewähren, die er zu seinen Arbeiten braucht.[59]) Man erinnert sich, daß der berühmte La Grange erwiesen hat, daß ein gesunder Mensch binnen 24 Stunden nicht bloß ungefähr zwei Pfund fester Nahrungsmittel bedarf, sondern daß diese Nahrungsmittel wenigstens aus zwei Theilen thierischer Stoffe gegen sieben Theile Pflanzenstoffe enthalten müssen.[60]) Ich könnte noch eine Menge Betrachtungen hier beifügen, welche meine Ansicht über die Verbesserung obiger Suppe durch Knochengallerte bestätigen; ich halte aber die Sache bereits für erwiesen, und ich will hier nur noch zeigen, daß diese Verbesserung ohne besondere Auslage geschehen kann, wenn man sich meines Apparates zum Ausziehen der Knochengallerte aus den Knochen der Mezgerei bedient.

Ich will die Auslagen für einen Apparat zur Bereitung von 1000 Portionen Knochengallerteauflösung während 24 Stunden hoch anschlagen, zu 3000 Franken, und die Interessen dieses Capitales zu 20 p. C.; so wird

das Interesse für 3000 Franken für Einen Tag	1 Frank.	65 Cent.
33 Kilogr. Knochen (100 Kilogr. zu 12 Frank.)	4 —	— —
zwei Arbeiter, jedem 3 Franken	6 —	— —
Ein Hektoliter Steinkohlen für Einen Tag	4 —	— —
also tägliche Ausgabe für 1000 Portionen Knochengallerteauflösung	15 Frank.	65 Cent.

Wir wollen sechzehn Franken annehmen.

Man wird also 1000 Portionen Knochengallerte für 16 Franken bekommen, und nur 1,6 Centim brauchen, um eine Portion Rumforder Suppe so nahrhaft zu machen, als wenn sie mit Fleischbrühe bereitet worden wäre.[61]) Nun kann aber eine Portion Rumforder Suppe,

59) Sehr wahr! A. d. Ue.

60) Alle Verehrung für den unsterblichen La Grange; er behauptet hier aber zu viel und vergaß der Millionen, die in Indien in Athleten-Stärke ohne alle animalische Kost leben. A. d. Ue.

61) Hieran zweifeln wir sehr, und werden und müssen so lang zweifeln, als uns nicht Hr. D'Arcet oder irgend ein anderer Chemiker erwiesen hat, daß Knochen Fleisch und Fleisch Knochen sind, und daß diese beiden, wie es uns scheint, sehr verschiedenen Gebilde eines und desselben Thieres dieselben Bestandtheile in demselben Verhältnisse enthalten. Auf Stickstoff allein kömmt es nicht an; man

die neun Centim kostet, wenn man sie gehörig animalisirt, nur ein Drittel verkleinert werden.[52]) Die Anwendung der Knochengallerte bei den Rumforder Suppen wird also, Statt etwas zu kosten, den Armenadministrationen noch ein Mittel an die Hand geben, an jeder Portion solcher Suppe 1,4 Centim zu ersparen.[53])

Man hätte hierbei noch folgende Vortheile:

1) Die Armen würden besser genährt. (und sollten daher um ⅓ weniger bekommen?! Grausam!)

2) Ihr Magen würde nicht mehr beschwert.

3) Sie wären nicht gezwungen anderswo Nahrungsmittel zu suchen, die reicher an thierischem Stoffe sind.

4) Die Suppe würde sich länger aufbewahren lassen.

5) Man erhielte einen Nebengewinn von 2 Kilogramm (4 Pfd.) gutem Fette zum Kochen, also ungefähr 2 Franken Werth.

6) Den Rückstand der verbrauchten Knochen erhielte man so zu sagen um nichts.

7) Man könnte des Apparates sich als Ofen zum Heizen einer Wärm- oder Trokenstube bedienen.

Man kann also als erwiesen annehmen, daß die Anwendung der Knochengallerte bei der Rumforder Suppe nichts kostet, und daß die Administratoren dieser Anstalt, die der Menschheit bereits so viele Dienste leistete, davon Gebrauch machen werden.

II. Bemerkung. Diät in den Spitälern.

Hr. D'Arcet meint, daß man in jedem Spitale einen Apparat aufstellen müßte, um daselbst die Gallerte aus den Knochen auszuziehen, welche man aus dem in dem Spitale verbrauchten Fleische erhält. Man hätte dadurch thierischen Stoff, um zwei und ein halb Mal so viel Suppe aus demselben bereiten zu können, als das Fleisch, nach der bisherigen Methode behandelt, nicht gewährt. Er schlägt vor die Gallerteauflösung auf folgende Weise im Spitale zu benützen.

Das für die Kranken bestimmte Fleisch wird zu schwacher Suppe (bouillon faible) verwendet, ganz wie es bisher geschah, so daß die

---

müßte sonst die Menschen mit Scheidewasser nähren können, das, bekanntlich, sehr stickstoffhaltig ist. A. d. Ue.

52) Das ist, fürwahr, doch gar zu hart! nicht einmal eine ganze Portion Rumforder Suppe soll der arme Franzose mehr bekommen, der immer von Restauration und von Restauration hört! A. d. Ue.

53) Man würde 2.7 Cent. an der Portion gewinnen oder ersparen, wenn die Portion solcher Suppe, wie im Jahre 1828, auf 13 Centim kommt. In diesem Falle dürfte man die Portion dieser Suppen nur um ein Achtel verkleinern, um ohne alle Kosten dieselbe animalisiren zu können. Es würde sich noch mehr ersparen lassen, wenn man Steinkohle Statt Holzkohle nehmen würde, und wenn man die Bereitungskosten durch Centralisirung der Bereitung vermindern wollte. A. d. O.

Kranken ganz so wie bisher behandelt werden.[64]) Wollte man diese Suppe stärker machen, so könnte dieß leicht dadurch geschehen, daß man Statt des Wassers zur Bereitung derselben Knochengallerteauflösung nimmt. Die Kranken hätten dann eine starke Fleischbrühe,[65]) die so reich an thierischen Stoffen wäre, als der Arzt es nur immer räthlich findet.

Das Fleisch für die Reconvalescenten und für die Dienstleute[66]) würde in zwei Theile getheilt. Die eine Hälfte wird mit den Gemüsen gekocht und mit so viel Knochenleimauflösung, als nöthig ist, um eine gute substantiöse Suppe zu bekommen (un bon bouillon bien corsé.)

Die zweite Hälfte des für die Reconvalescenten und Dienstleute bestimmten Fleisches kann zu Boeuf à la mode verwendet oder gebraten werden. Im ersten Falle kann man Knochengallerte zusetzen, um eine hinlängliche Menge gut aromatisirter Knochengallerte zum Boeuf à la mode sowohl, als zu dem schlechten Rindfleische, das nach der Suppenbereitung für die Kranken übrig bleibt, zu erhalten.

Man könnte sich überdieß noch der Knochengallerteauflösung Statt des Wassers zum Kochen der Gemüse für die Reconvalescenten und für die Dienstleute bedienen; man könnte sie zur Bereitung verschiedener süßer Sulzen sowohl für Kranke als für Reconvalescenten verwenden.

Wenn man obige Diät annimmt, so hätten also die Kranken

1) eine schwache Suppe aus Fleisch allein, so wie man sie bisher machte.

2) eine stärkere und an Gallerte so reiche Suppe, als der Arzt sie nur immer wünscht.

3) Fleischsulzen, Pomeranzen- und Citronensulzen ꝛc.

4) gebratenes Fleisch, Boeuf à la mode, oder wenigstens ein schmakhafteres Rindfleisch, als man bisher in Spitälern nicht hatte.

---

64) D. h. also schlecht. Man sieht leider, daß Hr. D'Arcet nicht praktischer Arzt und zumal nicht Spitalarzt ist, und nicht weiß, daß man bei allen jenen Kranken, welche gestärkt werden müssen, eine starke, und keine schwache Suppe braucht; eine Kraftsuppe. Wir verweisen auf unsere Anmerkung über Spitalsuppen für Kranke im Polyt. Journ. Bd. XXXIII. S. 222. bei Gelegenheit von D'Arcet's Aufsaz. A. d. Ue.

65) Knochenbrühe ist so wenig Fleischbrühe, als Knochen Fleisch sind. A. d. Ue.

66) „Reconvalescenten und Dienstleute!" Ein trauriges Niveau, auf welches man zwei himmelweit verschiedene Wesen sezt. Ein Reconvalescent ist noch kein Gesunder. Er braucht bessere, auserlesenere, Speisen als der Gesunde, wann er schnell und vollkommen genesen soll. Reconvalescenten Rost-beef und Boeuf à la mode geben, wird und muß viele Recidive erzeugen. Es wäre fürwahr menschlicher und christlicher, die armen Kranken lieber gleich todt zu schlagen, als ihnen ihren Bedarf an Nahrung verkürzen. A. d. Ue.

Was die Reconvalescenten und Dienstleute betrifft, so erhalten diese

1) weit nahrhaftere, fette oder magere, Suppen, als sie gegenwärtig bekommen.

2) Gebratenes Fleisch oder Boeuf à la mode, oder Rindfleisch mit einer mit Fleisch aromatisirten Knochengallerte, Statt eines schmacklosen Rindfleisches.

3) Gemüse, die so reich an thierischem Stoffe sind, als ob sie mit gewöhnlicher Suppe gekocht worden wären.

4) Fleischsulz, Fleischsulz mit Rum, Pomeranzen, Citronen rc.

Man muß noch bemerken, daß die Knochenleimauflösung in der Spitaldiät ein Mittel gibt, Fleisch zu sparen, und dafür Fisch, Geflügel, Obst und andere Nahrungsmittel zu kaufen, die sich bei den gegenwärtigen Spitaleinrichtungen nicht anschaffen lassen. Die Einführung dieser neuen Spitaldiät, die die alte bessert „(?)" und wohlfeiler macht, könnte vielleicht es sogar möglich machen, den geheilten Kranken, nachdem sie das Spital verlassen haben, noch acht oder zehn Tage lang nahrhafte Suppen auszutheilen, wodurch sie mit Beihülfe der schönen Stiftung des achtbaren Hrn. de Montyon ihre Gesundheit vollkommen herstellen könnten, und Rückfälle vermeiden würden, die so viele Kranke wieder in das Spital zurückführen, wo, leider, die dadurch verursachten Auslagen oft nicht der kleinste Schaden sind.

III. Bemerkung. Ueber die Verbesserung und Ersparung, welche die Einführung der Knochengallerte aus den Knochen des aus der Fleischbank herbei geholten Fleisches in der Diät der Spitäler, und überhaupt in Anstalten wo viele Menschen bei einander sind, herbeiführen kann.

Ich will hier nach einem täglichen Fleischbedarfe von 500 Kilogramm (10 Ztr. ungefähr) rechnen.

500 Kilogramm Fleisch aus der Fleischbank gibt wenigstens 50 Kilogramm Knochen, welche, in meinem Apparate behandelt, 1500 Portionen oder 750 Liter Knochengallerteauflösung geben.

Indem man diese Knochengallerte auszieht, könnte man sich derselben zur Bereitung der Suppe auf folgende Weise bedienen.

Man könnte nehmen:

200 Kilogramm Fleisch aus der Fleischbank.
750 Liter Knochenleimauflösung.
260 bis 270 Liter Wasser.

Man sezt so viel Salz, Gewürz, Gemüse bei, als nothwendig ist, und verfährt damit auf die gewöhnliche Weise, das Feuer genau regulirend.

Man würde also auf diese Weise 2000 Portionen gute Suppe [67])

67) „Die Suppe nach Hrn. D'Arcet's Methode ist wenigstens eben so

erhalten, und 104 Kilogramm gesottenes Rindfleisch. Ueberdieß wären noch 300 Kilogramm Fleisch zum Braten oder Einmachen übrig. Wenn man diese 300 Kilogramm auch noch zur Suppe verwendet hätte, so hätte man nur 156 Kilogramm gesottenes Rindfleisch erhalten, während, wenn man es bratet, man 192 Kilogramm Braten erhält. Man hat also, bei einem solchen Verfahren, wie man sieht, eben so viel gute Suppe, wie gewöhnlich, und 192 Kilogramm Braten, Statt 156 Pfd. ausgesottenes Rindfleisch. Die Nahrung wird also nicht bloß verbessert, sondern selbst vermehrt. Die Verbesserung ist offenbar: was die Vermehrung betrifft, so berechnet sich dieselbe im Gelde auf folgende Weise.

25 Kilogramm Fleisch geben in den Spitälern 16 Kilogramm Braten. Die 36 Kilogramm Braten, welche man demnach mehr erhält, müssen aus 56 Kilogrammen Fleisch kommen, welches 56 Franken, und mit den Kochkosten, 58 Franken kosten. Zieht man nun von dieser Summe die 21 Franken ab, welche man aufwenden müßte, um die Gallerte aus 50 Kilogramm Knochen auszuziehen, so erhält man täglich eine Ersparung von 37 Franken zur freien Disposition, die man zurüklegen kann, wenn man will. 37 Franken sind demnach alle Tage bei dieser Verfahrungsweise rein erspart, und man hat noch den Vortheil, den Leuten im Spitale viel gebratenes Fleisch, Statt wenigerem ausgesottenen schlechten Fleische geben zu können. Ich hätte die Ersparung noch höher berechnen können, wenn ich nur 20 p. C. Knochen in dem Fleische angenommen hätte; ich wollte aber lieber unter ungünstigen Annahmen rechnen, um die Resultate desto sicherer über allen Zweifel zu erheben. [68])

IV. Bemerkung. Ueber den Verkauf der Knochen des Fleisches aus der Fleischbank, welches in den Spitälern der Stadt Paris verkauft wird.

Die Administration der Spitäler wird im Verlaufe des Jahres 1830 nicht weniger als 85,200 Kilogramm Knochen verkaufen.

Diese 85,200 Kilogramm Knochen könnten, wenn sie in meinem Apparate behandelt würden, 25,560 Kilogramm trokene Gallerte geben, oder 2,556,000 Portionen Gallertauflösung, die so reich an thierischem Stoffe ist, als die beste aus Fleisch bereitete Suppe. Man würde 639,000 Kilogramm Fleisch aus der Fleischbank brauchen, um

schmakhaft, als die gewöhnliche Spitalsuppe," sagten die HHrn. Le Roux, Dubois, Pelletan, Dumeril, und Vauquelin in ihrem Berichte an die Faculté de Médecine. A. d. O.

68) Wir haben gegen diese Rechnung und gegen dieses Verfahren nichts einzuwenden, und würden es allerdings in allen Versorgungs- und Waisen-Häusern, Kasernen, Straf- und Arbeits-Häusern, Communitäten empfehlen; nie aber in Spitälern, d. h. in Krankenhäusern, wo man gute Suppe braucht. A. d. Ue.

so viel thierischen Stoff aufgelöst zu erhalten, als sich in obigen 2,556,000 Portionen Gallertauflösung aufgelöst befindet.

Wenn die Administration der Spitäler diese Knochen nicht verkaufen, und in den Spitälern den Knochenleim aus denselben ausziehen ließe, so hätte sie, für höchstens 25,560 Franken, obige 2,556,000 Portionen Knochensuppe, wovon die Portion nicht auf Ein volles Centim kommen würde.

Wenn die Administration aber die Knochen nach dem Preise rechnet, wie sie dieselben verkauft, das 100 Kilogramm zu 12 Franken, so würde die Auslage für obige 2,556,000 Suppen 37,784 Franken betragen, und in diesem Falle käme die Portion Knochenleimsuppe höchstens auf 1,4 Centim.

Es wäre nicht leicht möglich, mit einem geringeren Aufwande mehr Gutes zu wirken, und wir wollen hoffen, daß dieses Verfahren, das eine so große Verbesserung gewährt, einst allgemein in Spitälern und für die ärmere Classe benützt werden wird.

V. Bemerkung. Ueber die Verbesserung und Ersparung, welche die Anwendung der Knochengallerte in der Küche der Versorgungsanstalten hervorbringen kann.

100 Kilogramm Knochen, in meinem Apparate behandelt, geben eine Gallertauflösung, welche eben so viel thierischen Stoff enthält, als man in einer aus 750 Kilogramm Rindfleisch bereiteten Knochensuppe findet.

Man weiß, daß in Versorgungshäusern die Nahrung zu arm an thierischen oder stikstoffhaltigen Stoffen ist; man weiß, daß man in denselben, wie in den Spitälern, aus Mangel an Fleisch nur schwache Suppen bereitet; daß man oft gar keine Fleischbrühe in denselben hat, und aus Mangel an dieser, Gemüse mit Wasser kochen muß. „(Wassersuppe! wie sie Napoleon, der Unsterbliche, am Tage vor der Schlacht zu Abensberg bei seinem königlichen Freunde zu Nymphenburg zum Frühstüke verlangte: Eine abgeschmalzene Zwiebelsuppe.)“

Man weiß, daß der Mensch, wenn er sich wohl befinden soll, 2 Theile thierischen Stoff auf 7 Theile Pflanzenstoffe zu seiner Nahrung braucht. Die Soldatenkost beweist dieß. In Frankreich ißt, wie Lagrange bemerkte, ein Mensch im Durchschnitte nur 2 Theile thierischen Stoff gegen 15 bis 16 Pflanzenstoff; also um die Hälfte weniger Fleisch, als man dem Soldaten zugesteht, und was der Mensch haben muß, wenn er stark seyn soll. [69])

---

69) Auf den Landmann in Bayern wird man in vielen Gegenden nicht ein Mal so viel rechnen können, als Lagrange für den Franzosen rechnet, den Engländer einen Frog-Eater (Frosch-Esser) nennt. Der englische Sold-

Man weiß, daß die Reconvalescenten in den Spitälern nicht nahrhafte Kost genug bekommen, und daß sie aus den Spitälern entlassen werden, ohne Kraft genug wieder erlangt zu haben, ihren Arbeiten ohne Gefahr für ihre Gesundheit vorstehen zu können. Man weiß, daß die Krankenwärter nicht so stark sind, wie die Taglöhner; man ist einverstanden, daß es gut wäre, wenn man allem diesem Unheile durch reichlichere Fleischkost abhelfen könnte;, allein, man kann nicht, weil eine Besserung in der Kost der Spitäler eine ungeheuere Auslage machen würde. Mittelst der Knochengallerte läßt sich aber dieser wohlthätige Zwek erreichen. Man hat zwei und ein halbes Mal so viel Suppe, als man ohne sie nicht hat; man kann den Kranken also mehr Suppe, und eine an thierischen Stoffen reichere Suppe den Reconvalescenten und den Dienstleuten austheilen; man kann die Gemüse animalisiren; man hat außer der besseren Suppe Braten, Boeuf à la mode, Eingemachtes, Fisch 2c. Statt des schlechten ausgesottenen Rindfleisches; man gelangt also mittelst der Knochengallerte zu einer der größten Verbesserungen in der Spitalkost, zu welcher man durch andere Mittel wahrscheinlich nie gelangen wird.[70])

---

kommt beinahe 8 Mal so viel Fleisch, als der französische; daher sagen auch die Engländer: die französische Trommel trommle nur immer: „Garlicks and Shaots, Shalots" (Zwiebel und Knoblauch! Knoblauch!) während die englische „Rostbeaf and plumpudding, plumpudding" lautet. Das war indessen nur in Altengland so; in dem heutigen hat kaum der Officier mehr diese Kost.

A. d. Ue.

70) Es sind allerdings andere, und weit zwekmäßigere, weit wohlthätigere Mittel möglich; Weglassung des nicht nur überflüssigen, sondern sogar überflüssigen alten Plunders und Krames kostbarer Arzneimittel, den die Charlataneria erudita der Aerzte und der blinde Köhlerglaube, den sie im Publicum zu verbreiten wußte, in die Medicin eingepfropft hat. Man vergleiche den Stand der Arzneimittellehre, wie er noch vor 100 Jahren war, mit dem heutigen; man vergleiche die alte Pharmacopoea augustana, norimbergensis, wirtembergensis, vindobonensis mit der heutigen Wiener und Berliner Pharmacopoea; jene waren Folianten, mit welchen man leicht einen Ochsen todt schlagen konnte, wenn man ihm dieselben unsanft an den Kopf warf, und diese haben bequem in der Tasche des Arztes Plaz. So weit ist es in den lezten 100 Jahren gekommen, und es wird, es muß noch weiter kommen. Die nakte Wahrheit wird über den faltenreichen gelehrten Betrug siegen. Natura paucis contenta. Ein weiser Arzt wird an den unnüzen, verderblichen Ausgaben für alberne und schädliche Arzeneien leicht so viel ersparen können, daß er seine Kranken gut nähren kann, wo eine humane Spitaladministration ihm zu Hülfe kommt. Wir wiederholen, was wir im Polytechn. Journal Bd. XXXIII. S. 234. zu sagen uns erlaubten:

„in der Spitalpraxis ist ein Arzt, der mehr als Einen Kreuzer des Tages im Durchschnitte für jeden seiner Kranken an Arzenei braucht, wo das Spital seine eigene Apotheke besizt, oder mehr als vier Kreuzer, wenn er die Arzeneien aus den gegenwärtig über alle Maße theuren Apotheken nehmen muß, ohne daß dadurch unter den Kranken in seinem Spitale eine größere Sterblichkeit herrschen darf, als unter den Gesunden in der Stadt, entweder ein — sehr großer — Gelehrter, oder ein Charlatan (auf Deutsch, ein Quaksalber, ein Betrüger). Von chirurgischen Fällen ist hier nicht die Rede."

A. d. Ue.

Die Oekonomie entstünde auch von dem Gebrauche der Knochengallerte, wenn man die Kost nicht so sehr verbesserte, als es möglich wäre. Wenn man täglich etwas weniger Fleisch nimmt, so gewinnt man an dieser Ersparung leicht so viel, als die Kosten des Ausziehens der Gallerte aus den Knochen betragen können. Man ersparte, ohne die Kost an und für sich selbst schlechter zu machen. Indessen hieße dieß die Sache von der schlechtesten Seite ergreifen. Man kann billiger Weise nicht mehr verlangen, als daß die Verbesserung der Kost keine neuen Auslagen verursacht, und dieß ist, nach dem, was bereits gesagt wurde, möglich.

VI. Bemerkung. Ueber die Ersparung, welche die Einführung der Knochengallerte in der Spitalkost gewähren kann.

Man hat gesagt, daß das von mir vorgeschlagene Verfahren zur Bereitung der Knochengallerte keine Ersparung für das Spital erzeugt; man hat bloß zugestanden, daß, bei gleichen Kosten, die Kost besser wird. Ich will hier die Ersparung erweisen.

Ich nehme an, der Apparat koste (was viel zu hoch gerechnet ist) 3000 Franken.

Das tägliche Interesse dieser Summe zu 20 p. C. beträgt	1 Frank.	65 Cent.
Man kann mit diesem Apparate 34 Kilogramm Knochen aussieden, welche das Spital höchstens verkaufen kann zu	4 —	— —
Arbeitslohn für zwei Arbeiter zu 3 Franken für jeden	6 —	— —
Brennmaterial, ein Hektoliter Steinkohlen	4 —	— —
Gesammtauslage während 24 Stunden	15 Frank.	65 Cent.

Wir wollen 16 Franken annehmen.

Man erhält dafür täglich 100 Portionen Knochengallerteauflösung, welche eben so viel thierischen Stoff enthält, als man aus einer mit 250 Kilogramm Fleisch bereiteten Suppe erhalten würde. Ueberdieß bekommt man noch 2 Kilogramm Fett, das 2 Franken werth ist.

Den Werth des Fettes abgezogen, kommt die Auslage auf 14 Franken. Sezt man nun den Werth eines Kilogrammes Fleisch zu 1 Franken, so dürfte man, wenn das Ausziehen der Knochengallerte gar nichts kosten sollte, nur um 14 Kilogramm Fleisch weniger aus der Fleischbank nehmen.

Diese 14 Kilogramm Fleisch würden nur 56 Portionen Suppe gegeben haben und zwischen 7 und 8 Kilogramm ausgesottenes Rindfleisch. Dafür gibt aber mein Apparat 1000 Portionen Knochengallerteauflösung, die so reich an thierischem Stoffe ist, als die beste Suppe. Nun sind aber diese 1000 Portionen Suppe gewiß mehr werth, als 56 Portionen Fleischbrühe und 8 Kilogramm ausgesottenes Rindfleisch. Es ist also offenbar, daß man mittelst meines Apparates die Spitäler verbessern kann, ohne irgend eine neue Ausgabe zu veranlassen. Wenn man wirkliche Ersparung haben wollte, so dürfte man nur um 14 Kilogramm weniger Fleisch nehmen, und die Ersparung würde noch größer seyn, wenn man die Kost nicht wirklich verbessern wollte. Nun läßt sich aber die Sache leicht so einrichten, daß Ersparung und Verbesserung zugleich Statt haben kann, wenn man nicht die eine oder die andere allein in einem höheren Grade erhalten wollte. Ich habe hier nicht von dem Werthe der Knochen gesprochen, den man aus dem Rükstande derselben erhält, nachdem die Gallerte aus den Knochen ausgezogen wurde, und welcher Rükstand noch 8 bis 10 Hundertel Fett mit Kalk verbunden gibt; nicht von der Hize, die der Apparat während der Arbeit gewährt, und durch welche an den vier Franken, die ich in Ausgabe gesezt habe, noch viel erspart werden könnte. [71])

XL.

Miszellen.

Verzeichniß der Patente, welche zu London vom 26. November bis 14. December 1829. ertheilt wurden.

Dem Franz Westby, Messerschmid zu Leicester in Leicestershire; auf gewisse verbesserte Apparate zum Schärfen und Wezen der Barbiermesser, Federmesser und anderer schneidenden Instrumente. Dd. 26. November 1829.

Dem Joh. Marshall, Theehändler in Southampton Street, Strand; auf ein Verfahren, Cacao-Extract zu bereiten, das er „Marshall's Extract of Cocoa" nennt. Dd. 10. Dec. 1829.

Dem Benj. Goulson, Wundarzte zu Pendleton bei Manchester; auf gewisse Verbesserungen in der Bereitung von Stärkmehl und Zuker aus Pflanzenstoffen. Dd. 14. Dec. 1829.

Dem Karl Derosne, Gentleman, Leicester-Square; auf gewisse Verbesserungen in der Bereitung des Zukers oder der Syrupe aus Zukerrohr und anderen zukerhaltigen Körper, und im Raffiniren des Zukers und der Syrupe. Mitgetheilt von einem Fremden. Dd. 14. Dec. 1829.

Verfallene Patente.

Patent des Georg Young, Gentleman's in Paul's Wharf, Thames Street; auf ein Verfahren, eine besondere Art von Canevaß zu weben, der zum Militärgebrauche und zu anderer Zweken besser taugt, als der jezt gebräuchliche Canevaß. Dd. 5. Dec. 1815.

— des Marquis de Chabarmes, Russel Place, Fitzroy-Square, Middlesex; auf eine oder mehrere Methoden, die Luft durch Häuser oder Gebäude zu leiten und die Temperatur in denselben zu reguliren, Luft oder Flüssigkeiten auf eine schnellere und bequemere und weniger kostbare Weise, als bisher in diesem Königreiche gebräuchlich war, zu kühlen oder zu wärmen; welche Methoden zu verschiedenen

71) Wir müssen unsere Leser wiederholt ersuchen, die Anmerkungen zu vergleichen, welche wir Hrn. D'Arcet's Abhandlung im Polytechn. Journ. Bd. XXXIII. S. 222. beigeschrieben haben. A. d. Ue.

Zweken dienen können und von großem allgemeinen Nuzen sind. Dd. 5. Dec. 1815. (Die Specification ist im Repertory Bd. XXVIII. S. 321.)

Patent des Jak. Lee, Gentleman's in Old Ford, Middlesex; auf gewisse Verbesserungen in den bisher erfundenen Methoden Hanf und Flachs zuzurichten, wodurch auch andere Pflanzenstoffe zu manchem Zweke verwendet werden können, wozu man jezt Hanf und Flachs braucht. Dd. 5. Dec. 1815.

— des Christoph Dill, Esq. in Frith Street, Soho; auf gewisse Verbesserungen in der Methode oder in den Apparaten zur Destillation. Dd. 5. Dec. 1815.

— Joh. Mälzl, Mechanikers in Middlesex, Poland Street; auf ein Instrument oder Instrumente, auf eine Maschine oder auf Maschinen zur Verbesserung der Musik, die er Metronom oder musicalischen Taktbhälter nennt. Dd. 5. Dec. 1815. (Die Specification ist im Repertory XXXIII. Bd. S. 7.)

— Dav. Redmund, Maschinisten in Johnson's Court, Fleet-Street; auf eine Maschine zur Verfertigung von Hähnen und Spunden. Dd. 9. Dec. 1815.

— Sam. Clegg, Mechanikers an den Gaswerken in Peter-Street, Westminster; auf einen verbesserten Gasapparat. Dd. 9. Dec. 1815. (Die Specification ist im Repertory XXX. Bd. S. 1.)

— Rob. Kinder, Gentleman's in Hill Street, Liverpool, Lancashire; auf eine Methode oder ein Verfahren, Schiffe, Bothe oder andere Fahrzeuge vorwärts zu treiben. Dd. 19. Dec. 1815. (Die Specification ist im Repertory XXVIII. Bd. S. 261.)

— Rob. Dickinson, Esq., Great-Queen Street, Lincoln's-Inn Fields; auf eine Verbesserung in den Reifen der Fässer. Dd. 17. Dec. 1815. (Die Specification ist im Repertory XXIX. Bd. S. 157.)

— Wilh. Plenty, Eisengießers zu Newbury bei Berks; auf einen verbesserten Pflug, der zu einem doppelten Zweke, zum Reinigen und zum Pflügen des Feldes, dienen kann. Dd. 22. Dec. 1815. (Die Specification ist im Repertory Bd. XXIX. S. 193.)

— Wilh. Adamson, Gentleman in St. George's, Hanover-Square; auf eine Methode, wodurch ein horizontales Rad von dem Wasser so um seine Achse getrieben werden kann, daß es eine weit größere Kraft erhält, als wenn es in irgend einer anderen Lage sich befindet. Dd. 22. Dec. 1815. (Aus dem Repertory of Arts. Jäner 1830. S. 64.)

Schnellste bisher bekannte Fahrt von New-York nach Havre.

Das Dampfboth Edward Bonaffé hatte eine so glükliche Fahrt von New-York nach Havre, daß es dieselbe in 16 Tagen vollendete. So schnell ist seit 7 Jahren (so lang zwischen New-York und Havre Dampfbothe laufen) noch keines gekommen. Da von New-York nach Havre in gerader Linie 1075 Leagues (ein League = 3 engl. Meilen) sind, so legte dieses Dampfboth täglich 67 Leagues (201 engl. oder 50 deutsche Meilen) zurük. Manchen Tag war die Geschwindigkeit über 100 Leagues! Galignani. N. 4605. (Das neue Dampfboth, the President, fuhr von New-York nach Providence bei einem starken Gegenwinde in 14 Stunden! Es legte 18 Meilen in Einer Stunde zurük. Galign. 4606.)

Neueste Versuche mit dem Novelty des Hrn. Ericsson auf der Eisenbahn zu Liverpool.

Das Mechan. Magaz. N. 333. 26. Decbr. 1829. S. 314. theilt folgende Notizen über die neuesten Fahrten des Novelty (des Dampfwagens des Hrn. Ericsson) mit.

Nachdem der Dampfwagen des Hrn. Ericsson, the Novelty, in der Fabrik der HHrn. Fawcett und Comp. gehörig ausgebessert wurde, erschien er den 17. December wieder auf der Eisenbahn und lief den ganzen Tag über ohne irgend einen Zufall. Er fuhr bald mit, bald ohne Passagiere, und bald mit einer Schnelligkeit von 25, bald von 32 engl. Meilen in Einer Stunde. In mehreren Fahrten fuhr er sogar mit einer Schnelligkeit von 40 engl. Meilen (10 bayer. Postmeilen) in Einer Stunde. Die Hauptgefüge, die Kurbeln, die excentrischen Scheiben, die Achsen wurden den ganzen Tag über nicht geschmiert. Man kann sich nichts sanfteres denken, als die Bewegung dieses Wagens. Der Dampf wurde mit der größten Leichtigkeit und mit dem kleinsten Aufwande von Brennmaterial immer in gehöriger Kraft erhalten. Die Actien auf diese Eisenbahn, die bereits bis auf 80 p. C. Prämium gestiegen sind, werden nach diesen Versuchen noch mehr steigen. Auch der Rocket hat Wunder gethan in Bezug auf Schnelligkeit.

Am 21. Decbr. wurden Versuche mit der Novelty in Hinsicht auf Kraft angestellt. Sie fuhr mit einer zehn Mal größeren Last als ihre eigene Schwere, zwölf englische Meilen (3 bayer. Postmeilen) in Einer Stunde.

Wichtige Versuche über die Reibung an Wagenrädern.

Nach dem Mechan. Mag. a. a. O. haben die HHrn. Mechaniker Hartley und Rastrick auf der Eisenbahn zu Liverpool Versuche angestellt, um 1) zu sehen, welche Patentachsen und Räder für Eisenbahnen die besten sind. 2) den wirklichen Grund der Reibung eines jeden zu bestimmen, oder überhaupt das Verhältniß der Kraft zur Last.

Diese Herren werden ihre Resultate selbst bekannt machen. Bisher verlautet nur so viel.

1) Daß eine Verminderung des Verhältnisses des Lagers der Achsen an Eisenbahnwagen zu dem Umfange der Räder eine bedeutende Verminderung der Reibung veranläßt.

2) Daß, wenn bei beladenen Wagen der lagernde Theil der Achse 1$^1/_2$ Zoll ist und der Durchmesser des Rades ungefähr 3 Fuß, die Reibung weniger als 6 Pfd. auf die Tonne beträgt, das heißt nur wie 1 : 400 ist.

3) Daß, wenn auch Reibungswalzen an den Wagen in gewisser Hinsicht nützlich sind, die neueste Verbesserung, Verkleinerung des Durchmessers der Achse, doch immer weit vortheilhafter ist.

Hiernach scheint bei den früheren Berechnungen der Kraft des Novelty, Rocket ɪc. ein Fehler begangen worden zu seyn, indem man bei denselben die Reibung als 12 Pfd. auf die Tonne annahm, oder 1 : 200. Hieraus ergibt sich ferner, daß Dampfwagen immer nur auf Eisenbahnen mit dem besten Erfolge laufen können. Die Reibung ist hier wie 1 : 400, während sie auf den besten ebenen Straßen im Sommer nur wie 1 : 20, im Winter oder in der Hälfte des Jahres wie 1 : 10 ist. Auf gewöhnlichen ebenen Straßen kann ein Dampfwagen nur als Zugwagen vor schweren Lastwagen, wo keine besondere Eile nothwendig ist, mit Vortheil verwendet werden.

Kraftsprung eines Pferdes.

Hr. Homfray, Eigenthümer des Veterinär-Institutes in Kinnerston-Street wettete, mit einem Pferde über eine Barrière von 2 Fuß Höhe so zu springen, daß die Hinterfüße des Pferdes vor den Vorderfüßen auf die Erde kommen. Man wettete 20 gegen 1, daß dieß nicht möglich ist. Bei dem zweiten Sprunge gewann er die Wette. (Observer. Galignani 4596.).

Ueber Dixon's Pendel, als Kraft angewendet,

bemerkt ein Leser im Mech. Mag. N. 333. S. 320., daß diese Vorrichtung bereits in einem im J. 1635. herausgegebenen Werke beschrieben und abgebildet wurde. Er gibt aber weder den Verfasser noch den Titel des Werkes an.

Neue Vorrichtung, aus jeder geradelinigen Bewegung auf und nieder oder vor- und rükwärts eine Kurbelbewegung zu erhalten, und umgekehrt.

Ein ungenannter französischer Mechaniker bietet im Recueil industriel N. 33. diese neue Erfindung, die vorzüglich für Besizer von Dampfmaschinen wichtig ist, zum Kaufe an. Nach der Ankündigung soll man dadurch sehr viel an Zeit, Kraft und Raum gewinnen. Kauflustige haben sich an den Directeur du Recueil industriel, rue Godot-de-Maurey, N. 2., Paris, zu wenden.

Ueber die neueren Dampfmaschinen mit Gebläse

der Hrn. Braithwaite und Ericsson bemerkt Hr. Hebert im Mech. Mag. N. 332., 19. Dec., S. 292., daß diese Maschinen vorzüglich dadurch gefährlich werden, daß sie die Kessel an jener Stelle, an welcher das Gebläse die Flammen an dieselben anschlagen macht, anbrennen.

Ueber die artesischen Brunnen in Frankreich

gibt auch das Journal de Pharmacie, December-Heft 1829. S. 622. Nachricht, und zwar über jene, die an der Gare von St. Ouen in einer Tiefe von 150 und 200 Fuß gebohrt wurden. Man traf hier zwar nicht auf Quellen von Trinkwasser, aber auf sehr merkwürdige Mineralwasser, deren treffliche Analyse Hr. Henry fils gegeben hat.

Daß es in bedeutender Tiefe, und selbst in Gegenden, die auf Kreideflözen liegen, Wasserspiegel gibt, und daß das Wasser aus einer Tiefe von 150 bis 200 Fuß, wenn man in diese Tiefe Röhren einsenkt, einige Fuß hoch über das Mundloch aus dieser Röhre emporquillt, ist eine durch so viele in Frankreich, England und Nord-America gebohrte artesische Brunnen erwiesene Thatsache. Die Industrie und die Landwirthschaft mancher Gegenden in diesen Ländern haben dadurch unendlich gewonnen, und das Springbrunnenbohren (denn die sogenannten artesischen Brunnen sind eigentlich Springbrunnen) wird in diesen Ländern immer allgemeiner.

Man fand unter den tiefsten Gyps- und Muschelkalklagern und selbst im Chloritsande die herrlichsten Springquellen, und kam bei diesen Bohrversuchen zufällig noch auf andere unerwartete Resultate, z. B., daß die Bohrstange, während sie durch Thon-, Kalk-, Gyps- und Sandstein-Lager bohrte, in hohem Grade magnetisch wurde.

Es wäre der Mühe werth, daß man ähnliche Bohrversuche in wasserarmen Gegenden, z. B. in der oberen Pfalz in Bayern, in Würtemberg auf der rauhen Alp ꝛc. anstellte. Man dürfte sich jedoch nicht abschreken lassen, wenn man bei den ersten 50 Fuß keinen Wasserspiegel trifft: wir sehen, daß man an der Gare d'Ouen Geduld genug hatte, um 150 bis 200 Fuß tief zu bohren. Einzelnen Privaten wollten wir es nie rathen, solche Versuche zu wagen, außer in Gegenden, wo man des Erfolges vollkommen gewiß ist, wie überall in den flachen Gegenden an der Isar, am Lech, am Inn; in den wasserarmen Gegenden, wie die oben angeführten, sollten solche Versuche, wie in England und N. Amerika, auf Subscription unternommen werden, so daß einzelne Individuen nur ein paar Gulden des Jahres dazu beitragen. Es gilt bei solchen Versuchen, wie bei vielen anderen, das alte Sprichwort: „es kommt nur auf den ersten Schritt an;" wenn unter mehreren mißlungenen Versuchen nur Einer gelingt, so kann dieser für eine Menge anderer als Norm dienen, und das Gelingen derselben sichern.

Es wird indessen, wie es scheint, noch mancher Tropfen die Donau hinabfließen, bis ein glüklicher Zufall in irgend einer Gegend eine gehörige Anzahl unternehmender Männer, die eine Ausgabe von einigen Gulden des Jahres zum Besten ihrer Gegend nicht scheuen, zusammenführt, und bis dieses seltene Häuflein einen geschikten Bohrmeister findet, der die Blechröhren auf der Bohrsonde einzuziehen versteht. Wir haben mit einigen Männern, denen wir mehr Kenntnisse und Erfahrung, als uns selbst, in dieser Sache zutrauten, gesprochen, und sie läugneten geradezu die Möglichkeit, 200 Fuß tief zu bohren, und in dieser Tiefe Röhren einzuziehen. Wo man Thatsachen, wiederholte Thatsachen, für Unmöglichkeiten erklärt; wie ist da zu helfen?

Wie jezt in England gebaut wird.

Die Londoner Mauth-Administration und der Baumeister Hr. Peto (ein furchtbarer Name!) führen jezt einen sonderbaren Proceß vor dem Hofgerichte, wovon ein Theil im Spectator und Galignani N. 4593. nachgelesen werden kann. Hr. Peto schloß einen Contract ab, das neue Hauptmauth-Gebäude (Coustom-House) um 165,000 Pfd. Sterl. (1,980,000 fl.) zu bauen. Als das Gebäude fertig war, kostete es aber 371,835 Pfd. (4,462,020 fl.). Man zahlte ihm gutwillig 315,773 Pfd. Nachdem dieß bezahlt war, fiel ein Theil des neu gebau

Mauthgebäudes ein. Man klagte, und die Advocaten der Krone und die Richter riethen zu einem Vergleiche!

Ueber das Brennen des Gypses, um der Paste desselben eine größere Härte zu verschaffen.

Hr. Payen hat gefunden, daß, wenn man den Gyps beim Brennen einer höheren Temperatur aussezt, z. B. einer Hize von 105°, man eine weit härtere Paste bekommt, als wenn man denselben bei der gewöhnlichen Temperatur brennt. Er fand indessen, daß eine Temperatur von 70 bis 80° schon hinreicht, wenn der Gyps in feines Gypsmehl zermahlen wurde, daß aber, bei ganzen Stüken, obige Temperatur immer besser seyn wird. (Journal de Pharm., Dec. 1829, S. 654.)

Die französische oder deutsche Art, Mörtel zu bereiten, ist in England ganz unbekannt.

Ein Ungenannter lehrt im Mech. Mag. N. 333. S. 320., wie man in Frankreich (und auch in Deutschland, das Verfahren ist beinahe dasselbe) Mörtel bereitet, und schließt mit den Worten: „dieses Verfahren ist weit zwekmäßiger und reinlicher, als das schmuzige Durchsieben des ungelöschten Kalkes mitten in den Straßen durch ein grobes Sieb, so daß Alles in der Nachbarschaft umher mit weißem Staube bedekt wird, und die Arbeiter wie die Vorübergehenden dadurch in Gefahr gesezt werden, zu erblinden."

Neuer Apparat zum Schlämmen des Thones. Von Hrn. George.

Ein Hr. Ant. George erbietet sich, allen Steingutfabrikanten, Töpfern, Ziegelschlägern eine neue Vorrichtung zum Schlämmen des Thones mitzutheilen, wodurch sie $^{14}/_{15}$ an Zeit gewinnen. Man wendet sich, wenn man diesen Apparat zu benüzen wünscht, an den „Directeur du Recueil industriel, Paris, rue Gaudot-de-Mauroy, N. 2."

Festungsbau zu Quebec.

Der Festungsbau zu Quebec in Canada schreitet rasch vorwärts. Man hat in zwei Jahren Wunder gebaut. Das Hauptwerk (the Diamond) liegt auf einem hohen senkrechten Felsen am Strome. Es schien unmöglich Steine auf diesen Fels hinauf zu bringen. Eine kleine Eisenbahn von 340 Fuß wurde unter einem Winkel von 45° an diesem Felsen angelegt, am untern Ende derselben eine Dampfmaschine hingestellt, und diese Maschine fördert Karren mit 25 Ztr. Steinen beladen diese 340 Fuß in $2^1/_2$ Minute hinauf. Jede Stunde gehen 8 solche Ladungen hinauf und die Karren kommen wieder leer zurük. (Courier Galignani. N. 4549.)

Leder wasserdicht zu machen.

Der Recueil industriel gibt N. 34., ohne Angabe der Quelle (die er so oft vergißt) folgendes Recept, Leder wasserdicht zu machen, welches mit dem Patente des Baron Wetterstedt (Polyt. Journ. Bd. XXXIV. S. 111.) große Aehnlichkeit hat. In einem Gefäße, das 35—40 Gallons faßt (ein Gallon ist $4^1/_2$ Pariser Pintes und hält 10 Pfd. destillirtes Wasser), löst man 10 Pfd. klein, zu Stüken von einem halben Quentchen zerschnittenen Kautschuk in 20 Gallons Terpenthingeist auf, und stellt dieses Gefäß in einen mit Wasser gefüllten Kessel, der als Wasserbad dient. Auf eine ähnliche Weise löset man in einem anderen Gefäße 150 Pfd. gemeines Wachs, 20 Pfd. burgundisches Pech, und 10 Pfd. Weihrauch in 100 Gallons Terpenthingeist auf. Beide Auflösungen werden unter einander gemischt, und nachdem man sie erkalten ließ, sezt man denselben 10 Pfd. des besten Copalfirnisses zu. Die ganze Masse kommt hierauf in einen großen Behälter, in welchem man sie mit 100 Gallons Kalkwasser anrührt, wovon man aber nur 5 Gallons auf Ein Mal unter beständigem Umrühren zusezt, und damit 7—8 Stunden lang fortfährt. So oft man etwas davon aus dem Behälter herausnimmt, um es in Flaschen oder Fässer zu füllen, muß es neuerdings stark aufgerührt werben. Um die Mischung schwarz zu färben, sezt man ihr 20 Pfd. Kienruß zu, der mit 20 Gallons Terpenthingeist abgerührt wird, welche von obigen 100 Gallons Terpenthingeist abgezogen werden. Dieser Kienruß muß vor dem Kalkwasser zugesezt werden. Die Mischung wird dann mittelst einer Bürste auf das Leder aufgetragen und in dasselbe eingerieben, wie man es mit den gewöhnlichen Wichsen zu thun pflegt, wodurch das Leder vom Wasser undurchdringlich und zugleich weich und nachgiebig wird.

Meisterstüke englischer Messerschmide zu Sheffields.

Sir Richard Phillipps erzählt in seiner lezten Reise, daß er zu Sheffields bei den HHrn. Rodgers folgende Arbeiten gesehen hat: — ein Messer mit 200 Klingen, eine schöner als die andere. Es kostete nur 200 Guineas. Der König von England besizt ein solches Messer. — Ein Messer mit 75 Klingen, wovon man jede zu besonderem Zweke verwenden kann. Dieses Messer ist nicht länger als 4 Zoll, $1^1/_2$ Zoll breit und 3 Zoll dik. Es gilt 50 Guineas. — Ein Miniaturmesser mit 75 Artikeln, das nur sieben Dwts (zwei Quentchen 48 Gran) schwer ist. Es kostet 50 Guineas. — 25 Duzend Scheren in einem Federkiele. — Ich fand, sagt Hr. Richard, daß die Vortrefflichkeit der Stahlarbeiten zu Sheffield vorzüglich auf der zwekmäßigen Vertheilung der Arbeiten beruht. Ich sah Transchir- und Barbier-Messer in wenigen Minuten aus einer Stahlstange verfertigen. (British Traveller. Galignani Messeng. N. 4602.)

Bier aus Runkelrüben.

Ein Hr. Homo empfiehlt im Mech. Mag. N. 332., 19. Dec., S. 298., Runkelrüben zum Bierbrauen Statt des Malzes, und hofft auf diese Weise der Malzsteuer zu entgehen, die in England nicht weniger als 175 p. C. beträgt. Sein Verfahren ist folgendes. Die Runkelrüben werden gewaschen, quer entzwei geschnitten, in einen Kessel gethan und in demselben, beschwert mit einem Gewichte, ungefähr anderthalb Stunden lang gesotten, dann herausgenommen und ausgepreßt. Der Absud und der ausgepreßte Saft wird zusammengemischt und zur beliebigen Stärke eingesotten. Diesem Einsude wird die gehörige Menge Hopfens beigesezt, und dieser eine Stunde lang damit gekocht. Diese Abkochung kühlt man so schnell als möglich ab und sezt derselben die gehörige Menge Hefen zu. Er nahm 150 Pfd. Runkelrüben und kochte den erhaltenen Saft bis auf 28 Pfd. Zukerstoff in 36 Gallons (360 Pfd. ungefähr) nach Saddington's Saccharometer.[72]) Ein Pfund Hopfen wurde eine Nacht über mit obiger Flüssigkeit angebrüht, und dann nach obiger Vorschrift gekocht. Die Abkochung wurde so schnell als möglich auf 70° F. abgekühlt, Ein Pfd. gute Hefen zugesezt und 24 Stunden lang in Gährung gelassen. Die durch die Gährung erzeugten neuen Hefen wurden nach 12 Stunden, und dann von 6 zu 6 Stunden, abgenommen, eine Hand voll Hopfen in das Faß gethan und zugespundet. Auf diese Weise versichert er 16 Gallons (160 Pfd.) gutes, starkes Ale (Bier wie Weizenbier) erhalten zu haben, wovon ihm der Gallon (3,264 Wiener Maß) auf $5^1/_2$ Pence (ungefähr 16 kr.) zu stehen kam. Der Rükstand ist gutes Schweinsfutter. (Schwerlich wird ein Bayer ein solches Weißbier trinken können.)

Schlechtes, der Gesundheit gefährliches, Kochsalz in Frankreich.

Hr. Commesny, Apotheker zu Reims, sandte Hrn. Planche einen Aufsaz über ein unreines, der Gesundheit sehr gefährliches, Kochsalz, welches in mehreren Gemeinden des Marne-Departement vorkommt. Die Academie hat schon öfters Notizen hierüber erhalten. Hr. Mercier hat mehr als 400 Personen gesehen, welche in Folge dieses Salzes geschwollenes Gesicht, Kopfschmerz, brennenden Durst, Entzündung der Mandeln, unaushaltbare Schmerzen im Magen und in den Gedärmen mit blutigem Stuhlgange 2c. bekamen. Hr. Commesny fand in diesem Salze Pottasche-Bromür und Jod. Hr. Boullay bestätigte, daß das Salz von Guérande in der Bretagne, welches nach Veilchen riecht, so wie

---

72) Dieses Saccharometer ist im IX. Bd. S. 361. des Mech. Mag. beschrieben. A. d. R.

das Seesalz aus mehreren anderen Lagunen, Jod enthält. Hr. Laugier bestätigte dieß gleichfalls, und bemerkte, daß auch Brom in geringerer Menge darin vorkommt. Das rosenrothe und violette Steinsalz von Vic erhält seine Färbung, nach den HHrn. Planche und Caventou, nur von Eisenoxyd, und lezterer fand auch Glaubersalz in dem gemeinen Kochsalze. — Man sieht hieraus, wie nothwendig es ist, daß Chemiker, und nicht Schreiber, die in ihrem Leben nichts von Chemie gelernt haben, den Salzsiedereien vorstehen. (Journ. d. Pharm. Octobre. S. 534. Vergl. auch Polyt. Journal Bd. XXXIV. S. 396.)

Analyse der Galle.

Hr. Prof. Braconnot beschreibt in den Annales de Chimie, Octbr. S. 171—185. die von ihm unternommene Analyse der Ochsengalle. Sie ist, nach ihm, gegen Fourcroy, Thenard und Berzelius, eine wahre Seife, wie schon die Alten behaupteten, und der Hauptbestandtheil der Galle, das sogenannte Picromel, besteht nach ihm, 1) aus einem eigenen saueren Harze, welches den größten Theil derselben ausmacht; 2) aus Margarsäure; 3) aus Oehlsäure; 4) aus einem thierischen Stoffe; 5) aus einem sehr bitteren, seiner Natur nach alkalischen, Stoffe; 6) aus einem farbelosen zukerhaltigen Stoffe, welcher durch Schwefelsäure purpur, violett und blau wird; 7) endlich aus einem Färbestoffe.

Ueber Aufbewahrung der Pflanzensäfte

findet sich im Journal de Pharmacie, December-Heft 1829, S. 632. ein langer Aufsaz des Hrn. Gay, in welchem die Brauchbarkeit des bisherigen Verfahrens zur besseren Aufbewahrung der Pflanzensäfte (das wir im Polyt. Journale a. m. O. angegeben haben), nämlich sie in einem siedend heißen Wasserbade zu kochen, und dann die herausgenommenen Flaschen hermetisch zu schließen, bestätigt wird.

Die größten und besten bisher bekannten Linsen zu einem Teleskope.

Die französische Regierung besaß seit einiger Zeit zwei der größten und schönsten Linsen zu einem Teleskope, die die weite Welt aufzuweisen hat: es sollte endlich einmal auch in Frankreich ein kraftvolles astronomisches Instrument auf die Welt kommen. Allein, so gewaltig wirkt die Kraft des Goldes, daß ein einzelner Mann „aus dem Lande des Krämer-Volkes" die Vatersorge der Minister des Unterrichtes und des Inneren in dem heutigen Frankreich dahin galvanisiren konnte, daß dieses für die Ehre Frankreichs und das allgemeine Wohl der Wissenschaften in diesem großen Königreiche bestimmte Teleskop nur das Cabinet eines englischen Physikers in der Nähe von Kensington zieren wird. Ehre den Ministern des heutigen Frankreichs! Sie fördern die Wissenschaften und das Wohl ihres Landes ganz himmlisch. (Atlas. Galignani 4596.)

Explosion durch Unvorsichtigkeit bei Gasbeleuchtung.

In dem Gewölbe eines Liqueurhändlers zu Glasgow, welches mit Leuchtgas erleuchtet wird, mußten die Röhren ausgebessert werden. Die Hauptröhre stand nur eine Minute lang während der Arbeit offen, ehe die Nebenröhren wieder eingesenkt werden konnten. Unglüklicher Weise stand aber auch, aus Versehen, ein Licht an einem Fenster. In dieser Minute entwikelte sich so viel brennbare Luft aus der Hauptröhre, daß das ganze Gewölbe mit Knallluft gefüllt wurde, die sich am Lichte entzündete und eine solche Explosion herbeiführte, daß das Haus in seiner Grundfeste dadurch erschüttert wurde, alle Fenster und Thüren zerschmettert wurden und die Wand einen mächtigen Riß bekam. Von vier Personen, die eben im Gewölbe waren, wurden drei schwer beschädigt. (Glasgow Chronicle. Galignani N. 4596.)

Verbesserung an den Raketen zum Schlagen des Federballes.

Das Federballspiel ist eine gymnastische Uebung, die man den Vätern und Erziehern nicht genug für ihre Kinder empfehlen kann. Im südlichen Deutschland ist dieses Spiel zu wenig bekannt. Man bekömmt in manchen Städten desselben nicht einmal die Werkzeuge dazu, und wenn man sie hier und da in Haupt- und Residenz-Städten findet, so sind sie auch daselbst noch so plump gemacht, daß der Arm eines Erwachsenen, viel weniger der eines Kindes; schnell in dem Spiele mit denselben ermüden muß. Man kaufte neulich ein Paar solcher Rakete in einer Hauptstadt um 1 fl. 30 kr., an welchen der gebogene Reif nicht weniger als Einen Zoll breit ist! Die Nachtheile hiervon sind offenbar.

Gute und zweckmäßige Raketen müssen einen so leichten und elastischen Bogen haben, als möglich. Dazu dient nun ein leichter Streifen Fischbein, nur von höchstens vier Linien Breite und 1½ Linien Dike, in welchem die Löcher, durch welche die Saiten gezogen werden, durchgebrannt wurden. Reife aus gespaltenen, dünnen, sogenannten spanischen Röhrchen, wie man sie zu den gemeinsten Regenschirmen hat, dienen gleichfalls. Am besten sind jedoch schmale, nur zwei Linien breite Stahlfedern, an welchen die Kanten der durchgeschlagenen Löcher jedoch abgefeilt oder zugerundet seyn müssen. Solche Bogen an Raketen geben einen ungemeinen Effekt, und man könnte sie um obigen Preis liefern, und dabei noch reich werden.

Gelegentlich wollen wir noch bemerken, daß der Federball ungemein verbessert wird, wenn man an seinem unteren Ende, mit welchem er auf die Saiten auffällt, ein kleines Käppchen, oder selbst nur eine kleine Scheibe, von Kautschuk (Gummi elasticum) anbringt.

Brand eines Baumwollenlagers.

Zu Glasgow brannte das Baumwollenlager des Hrn. Donaldson ab, auf welchem um mehr als 50,000 Pfd. Sterling (um mehr als 600,000 fl.) Baumwolle aufgespeichert lag. Das Feuer war schreklich, und die ganze Stadt in Gefahr. Zu Paisley, einem Fabrikstädtchen einige Stunden von Glasgow, ward es so hell des Nachts von diesem Brande, daß man glaubte, es brenne daselbst auch. Man weiß nicht, wie das Feuer entstand, und vermuthet bloß, es sey durch einen Funken aus der Tabakspfeife eines Arbeiters entstanden (wahrscheinlicher durch Selbstentzündung). (Glasgow Chronicle. Galignani 4594.)

Baumwollenmarkt zu Liverpool.

In den lezten beiden Monaten wurde zu Liverpool für 1,200,000 Pfd. Sterl. rohe Baumwolle gekauft, und der Preis stieg um 12 p. C. Das Mißrathen der Baumwollenernte in N. Amerika, der Baumwollenbrand zu Glasgow, wird die Preise noch höher treiben. (Globe. Galignani 4589.)

Ueber den Baumwollenbau im südlichen Maratten-Lande

theilt Hr. Dr. Turnbull Christie vorzüglich nach den Bemerkungen des Hrn. J. R. Stevenson zu Darwar, folgende Bemerkungen mit. Die Baumwollenpflanze wird nur im schwarzen Regur-Lande gebaut. Der Boden wird nie gedüngt, es wird aber nur alle drei Jahre Baumwolle auf dasselbe Feld gebaut: in den beiden Zwischenjahren säet man Sorgh (Holcus Sorghum L. Sorghum vulgare) auf dasselbe, welcher in dem ersten Jahre nach der Baumwollenernte außerordentlich üppig gedeiht. Der Baumwollensaame wird mittelst eines Drillpfluges Ende Augusts oder Anfangs Septembers zehn bis zwölf Zoll weit aus einander gelegt: die Saatzeit hängt von dem Ende der Regenzeit ab, das in verschiedenen Gegenden verschieden, in den östlichsten am spätesten, ist. In acht Tagen ist der Saame aufgegangen und ungefähr im November, wo das Gäten beginnt, die Pflanze bereits fünf bis sechs Zoll hoch. Das Instrument zum Gäten ist eine doppelte Haue, deren Blätter drei bis vier Zoll weit von einander stehen und die von Ochsen gezogen wird: sie wird mittelst einer Sterze geleitet. Die beiden Blätter sind etwas nach einwärts gekehrt und zerschneiden das Unkraut, während sie die Erde an die Wurzeln der Baumwollenpflanze werfen. (Dieser Gätepflug heißt im Indischen Yedi, was dem deutschen Gäten oder Jäten ziemlich nahe kommt.) Man gätet alle acht bis zehn Tage, und zuweilen noch öfter. Die Baumwolle muß bis Anfangs Januar zum Ernten reif seyn. Die erste Ernte ist nicht die beste; die reichlichste ist die zweite und dritte, undie Ernte dauert so lang, als die Pflanze trägt, was bis Ende Märzes hinausreicht. Die Arbeiter, die die Baumwolle einsammeln, werden in natura bezahlt: von der ersten Ernte erhalten sie ein Viertel; von der zweiten ein Sechstel oder Achtel, und von den übrigen ein Viertel oder Fünftel. Wenn die Zeit zum Umpflügen herbeigekommen ist, werden die Stängel ausgezogen und als Brennmaterial oder zum Korbflechten gebraucht.

Die Baumwolle kommt nach Hause zum Landwirthe, der sie baut, wird daselbst in die Sonne gelegt und mit Stangen gedroschen, damit die Hülsen abfallen. Hierauf wird die Baumwolle von den Saamen gereinigt, entweder mittelst der sogenannten Gin-Mühle (die aus zwei kleinen hölzernen Walzen besteht, durch welche die Baumwolle durchgezogen wird, so daß der Saame zurükbleibt; sie ist der amerikanischen Gin-Mühle ähnlich, nur daß sie mit der Hand getrieben wird), oder mittelst einer kleinen eisernen Walze, die eine Weibsperson mit ihren Zehen auf einem glatten Steine rollt, während sie mit den Händen die Baumwolle nachgibt. Die Saamen dienen theils zur Fütterung der Hausthiere, theils wird der Arbeiter mit denselben bezahlt. Die Baumwolle wird keiner weiteren Reinigung unterworfen, und so, wie sie ist, zu Markte gebracht.

Die sogenannte Bourbon-Baumwolle wird hier nicht gebaut; sie nimmt, wie man sagt, zu viel Raum weg, gibt nicht so viel Ertrag, und verträgt die Hize nicht an ihren Wurzeln, wenn die Erde im März und April aufspringt; sie müßte begossen werden. Indessen meint Hr. Dr. Turnbull doch, daß sie hier und da, wenn auch nicht auf Regur-Boden, gebaut werden könnte, z. B. westlich von Darwar. Diese Bourbon-Baumwolle ist ausdauernd, nicht einjährig, und würde, obschon sie erst im dritten Jahre trägt, erlauben, daß man zwischen ihre Reihen in den beiden ersten Jahren, wo sie noch klein ist, andere Pflanzen baut. Sie braucht, nach Dr. Turnbull's Erfahrungen in seinem Garten, kein Begießen, und ihre Baumwolle ist weit besser.

Die Baumwolle um Darwar ist gut, aber selten gehörig gereinigt; sie würde mehr Gewinn geben, wenn sie gut gereinigt wäre. Ein sogenannter Candy derselben, von 500 Pfund, gilt zu Darwar 62 Rupien. Paktuch und Paken kommt auf 10 Rupien, und die Fracht bis zum nächsten Hafen, bis nach Sedaschegur, auch 10 Rupien; so daß demnach 500 Pfund Baumwolle auf 82 Rupien kommen. Wenn wir die Rupie zu 1 Shilling 10 Pence (1 fl. 6 kr.) rechnen, so kommt diese Baumwolle, zu Sedaschegur auf das Schiff geladen, das Pfund auf 3½ Pence (10½ kr.). Zu Sedaschegur ist kein Ausfuhrzoll. Ein großer Theil dieser Wolle wird von Parsischen (Parsee) Kaufleuten über Comtah nach Bombay gebracht, wohin es aber zu Land und zur See weiter ist: die Nähe des Pfefferlandes scheint allein diese Kaufleute nach Comtah zu loken. Einige Wolle geht auch nach Mysore. (Edinburgh New Philosophical Journal, July.)

Neue Dreschmaschine von Hrn. George.

Hr. George bietet eine neue Dreschmaschine aus, welche höchst einfach ist und beinahe gar keine Reparatur fordert; die tragbar ist und von Einem Manne mittelst einer Kurbel in Bewegung gesezt werden kann; die nur einen Raum von 15 Fuß Länge und 8 Fuß Breite fordert, wenn sie in Thätigkeit gesezt wird, und selbst nur 8 Fuß lang und 6 Fuß breit ist. Sie drischt mit 8 Flegeln, zerschlägt und verdirbt das Stroh nicht und schwingt zugleich das gedroschene Korn. 2 — 3 Weiber oder Kinder versehen sie mit dem auszudreschenden Getreide. Sie kostet 900 Franken. Man wendet sich an den Directeur des Recueil industriel, Paris, rue Gaudot-de-Mauroy, N. 2.

Wie Verfall der Industrie den Verfall der Landwirthschaft herbeiführt.

Daß Tausende der fleißigsten Einwohner Englands gegenwärtig durch die verkehrten Huskinsonschen Maßregeln im tiefsten Elende darben; daß täglich nach Duzenden in allen Fabrikstädten fleißige Fabrikarbeiter buchstäblich verhungern und bis auf die Knochen abgezehrt todt gefunden werden; davon sind jezt alle englischen Zeitungen voll, diejenigen ausgenommen, welche bezahlt sind, um zu schweigen. Das Unglük, welches so schwer über das arme England gefallen ist, beschränkt sich aber nicht allein auf diejenigen, welche verhungern und bitter darben müssen; auch diejenigen, die sich noch nähren können, müssen sich harten Abbruch thun, wenn sie fortbestehen wollen; sie müssen sich nicht bloß Genüsse, sondern selbst Bedürfnisse versagen; sie können nicht mehr vom Markte heimtragen, was sie ehevor auf demselben kauften, und dadurch, durch Mangel an Absaz, sinken die Preise der Erzeugnisse des Landwirthes zu einer solchen Tiefe, daß dieser nicht länger mehr im Stande ist, seine Abgaben zu bezahlen. Käse (ein Hauptnahrungsmittel des Engländers, mit welchem sogar Kranke in Spitälern genährt werden) sanken jezt von 109 Shill. (65 fl. der Ztr.) auf 55 bis 45 Shillings herab. Butter (ein Hauptbedürfniß des Engländers) sank bis auf 75, sogar bis auf 60 Shill. der Ztr., da sie ehevor zu 94 stand. Schinken sanken auf 43 bis 45 Shill. Die Regierung und die Magistrate gefallen sich bei diesen wohlfeilen Preisen, indem sie die Armee und die Armenhäuser leichter versorgen. Die Rentiers finden gleichfalls ihr Behagen an diesem Fallen der Preise. Allein der Landmann, der Pächter und Güterbesizer, der wahre Nerve des Staates, geht dabei zu Grunde: er geht dem Fabrikanten und Kaufmanne mit der Leiche und fällt in das Grab derselben, in welches auch die Rentiers bald stürzen werden. Da weder in Gewerben, noch im Handel, noch mit Gütern Speculationen zu machen sind, so kauft man Staatspapiere. Diese steigen bei der immer häufigeren Nachfrage nicht nur im Preise, sondern verlieren so sehr in Interessen, daß man jezt in jedem Staate damit umgeht, die Zinsen so sehr herabzusezen, daß es beinahe besser ist, man behält sein Geld im Kasten. (Observer. Galignani N. 4592.) — So wahr ist es, was der gute alte Beckmann sagte, und was so Wenige glauben, daß Wohlfeilheit der Lebensbedürfnisse in einem Lande, das nicht auffallend schlecht bevölkert ist, wie Ungarn, Polen, Rußland etc., der sicherste Maßstab seines Elendes ist.

Gegenwärtiger Zustand der Landwirthe in England.

Die Devizes Gazette und das Falmouth Packet (in Galignani Messenger N. 4599.), die Bucks Gazette (in Galignani N. 4601.) bemerkt, als Maßstab der Tiefe des Elendes, in welches England gegenwärtig gesunken ist, daß ein Duzend Lämmer auf dem Viehmarkte zu Marlborough um 42 Shill. (um 25 fl. 12 kr.) verkauft wurden; daß sechs Jersey-Kühe und Heifer (von den ersteren vier trächtig) für 22 Pfd. Sterl. (um 264 fl.) verkauft wurden, wofür man noch vor zwei Jahren höchstens zwei Kühe kaufen konnte. Die Pächter müssen jezt gemästetes Vieh wohlfeiler verkaufen, als sie dasselbe mager kaufen, und verlieren am Stüke Rind 24 bis 72 fl.; an Schafen 2 fl. 24 — 3 fl. 36 kr. beim Stüke. Dafür hat aber jezt der Treiber des John Bull, bloß für das Treiben allein, jährlich 22,000 Pfd. (264,000 fl.). Nur ein so erbärmliches Blatt, als die Times in neueren Zeiten geworden sind, kann dem Elende der armen englischen Pächter auch noch Hohn sprechen, wo zwei oder drei Zahlen mehr Wahrheit verkünden, als die groß geformten Times in 12 Columnen Lüge.

Akerbau in Indien.

Das Edinburgh New Philosophical Journal, April — July, gibt S. 49. einige Notizen über den Akerbau in Indien, von Dr. Alex. Turnbull Christie, die sehr sonderbar sind. Der sogenannte Regur- oder Baumwollen-Boden in Indien, welcher verwitterter Trapp zu seyn scheint, bildet die ungeheueren Ebenen von Decan und Kandeisch und eines Theiles von Hydrabad. Er ist von 2 — 30 Fuß tief, liegt nie einen Augenblik brach, und erhält nie auch nur eine Spur von Dünger. Selbst die Stämme der Baumwollenpflanze, die er trug, werden ausgezogen, und als Brennmaterial verbrannt, um den Kuhdünger, das Brennmaterial in dieser Gegend, in Glut zu halten. Baumwolle, Sorgh (Holcus Sorghum L.), Weizen und andere Getreidearten werden abwechselnd in demselben gebaut, geben reichliche Ernten, und der Boden, der sie trägt, hat dafür, wenigstens seit zwei bis drei Jahrhunderten mit aller Sicherheit, nichts, vielleicht seit zwei bis drei Jahrtausenden nichts erhalten. „Dieß beweist," sagt Dr. Turnbull, „die Mangelhaftigkeit der Ansicht der Landwirthe, die da behaupten, daß, wenn man dem Boden nicht immer etwas gibt, was dasjenige ersezt, das man aus ihm gezogen hat, er immer schlechter werden muß. Auf Wechsel im Baue muß aber sorgfältig gesehen werden." Wir wollen die Wahrheit obiger Thatsachen durchaus nicht in Zweifel ziehen; wir wissen, daß auch in Ungarn in manchen Boden der Aker ohne Dünger trägt, und

sogar, wie ein schwäbischer Landwirth, der sich daselbst ansiedelte, uns versicher[t]
zuweilen durch Dünger verdorben wird; wir zweifeln aber sehr, daß Dr. Tur[n-]
bull richtig schließt, wenn er von Indien auf Europa schließt, obschon wir ih[m]
gern zugeben wollen, daß Wechsel halber Dünger ist. Hr. Turnbull fin[det]
die Ursache der Fruchtbarkeit dieses Bodens, nach Sir Humphrey Davy, [73])
seiner großen Fähigkeit, Feuchtigkeit aus der Atmosphäre einzusaugen. Da[vy]
fand, daß die fruchtbarsten Erden in England und Schottland, bei 62° Fahren[heit]
sehr nasser Luft ausgesezt und getroknet bis auf 212° F., 16 bis 18 Tausendt[heile]
Feuchtigkeit einsaugen. Hr. Turnbull fand, daß die Erde aus diesem Regu[r-]
Grunde in einigen Wochen 8 p. C. Feuchtigkeit einsaugt, d. h., in feuchter Lu[ft]
so lang aufbewahrt, um 8 p. C. schwerer wird. Nun ist es aber, wenn es [in]
Indien feucht ist, gewiß acht Mal feuchter, als in Europa, indem es dort wä[h-]
rend der Regenzeit in einer Woche mehr regnet, als in England (wo es doch vi[el]
regnet) in Einem Jahre, so daß uns auch dieser Schluß nicht ganz richtig schein[t.]
Hr. Turnbull brachte Erde aus diesem Regur-Boden nach Europa und lie[ß]
sie von einem Hrn. Reid, Lecturer on Chemistry, analysiren. Die S. 5[.]
angegebene Analyse lehrt uns aber so viel als nichts; denn sie sagt bloß, da[ß]
diese Erde aus feiner Kieselerde mit etwas Kalk und Thonerde und Eisenoxyd b[e-]
steht, ohne das Verhältniß dieser, beinahe in allen tragbaren Erden des Erdba[l-]
les vorkommenden, Bestandtheile anzugeben. Aus dem Umstande, daß sie vor de[m]
Löthrohre sehr leicht in eine schwarze Schlake schmolz, und in einem Tiegel g[e-]
schmolzen eine Rinde von Eisenoxyd an der Oberfläche bildete, scheint allerding[s]
hervorzugehen, daß sie, mehr als gewöhnlich, Eisen enthält; allein, nach diese[m]
Umstande sollte sie ehe mehr unfruchtbar als fruchtbar seyn, um so mehr, al[s]
ausdrüklich bemerkt wird, daß sie nur wenig vegetabilische und animalische Rest[e]
enthält. Ob Salze darin vorkommen und welche, wird gar nicht gesagt: mit ei[-]
nem Worte, die angeführte Analyse ist schlechter als keine, und es wundert uns
wie Hr. Jameson sie einrüken konnte, obschon sie nur 9 Zeilen beträgt. Wäh[-]
rend der heißen Jahreszeit zerreißt, wie Dr. Turnbull bemerkt, das Regur[-]
Land nach allen Richtungen in tiefen Sprüngen; während der Regenzeit erschein[t]
es in der Form eines sehr zähen Thones. Eben dieß ist auch in den fruchtbarste[n]
Streken Ungerns der Fall. Fast Alles, was in dieses Land gebaut wird, wir[d]
am Ende der Regenzeit gebaut, und erhält also während der ganzen übrigen Zei[t]
seines Wachsthumes nur äußerst wenig Regen mehr, oft gar nichts, als den Tha[u]
des Himmels.

Ueber Industriebedarf des Inlandes und Handel mit dem Auslande.

Einer der vielen Irrthümer unserer neuen Staatswirthschaftler, sagt der Herald (Galignani N. 4579) ist unter anderen auch dieser, daß sie dem Handel mit dem Auslande einen viel zu hohen Werth beilegen, und den Hausbedarf des Inlandes an Fabrikaten viel zu gering anschlagen oder gar vernachlässigen. Der gesunde Menschenverstand durchschaut sehr bald das Spinnengewebe von Sophismen, in welches diese gelehrten Herren die einfachste Sache zu verhüllen wissen. Wird ein Engländer von gesundem Menschenverstande sagen können: „ihr 15 Millionen meiner lieben Landsleute seyd der Herr Niemand; wir müssen zuerst auf den ausländischen Käufer Rüksicht nehmen." Ist nicht gerade dieser Herr Niemand diejenige Kundschaft, die täglich von uns kauft, und kaufen muß, wenn die Geseze weise sind, während der Ausländer nur eine Kundschaft ist, die, so zu sagen, wie vom Himmel herabgefallen zu unserem Waarenlager kommt? Während die Huskinson'sche Schule den fleißigen Bruder-Bürger des Inlandes gänzlich vernachlässigt, bringt sie dem Ausländer jedes Opfer. „Hol der Guckguck," „sagt sie," den ganzen Verkehr im Inlande, wenn nur unser Handel mit dem Auslande so gestellt ist, daß er den Bedürfnissen und den Forderungen der Finanzminister des Auslandes entspricht." Dieser nagelneuen Theorie haben wir bereits unseren Tribut schwer bezahlt. Wir haben dem Auslande gesagt: „wir legen uns euch zu Füßen; Wir wollen mit euch auf die nachtheiligste Weise für uns, und auf die vortheilhafteste für euch fortan Handel treiben." Und was war das Resultat dieser Unterthänigkeit? Auch nicht eine einzige Kundsch[aft] haben wir dadurch mehr im

73) Elements of Agricultural Chemistry. p. 160.

Auslande erhalten, während wir unseren Absaz und unseren Verkehr im Auslande uns muthwillig erschwerten, indem wir das Ausland an dem Gewinne desselben Theil nehmen ließen. Das Resultat hiervon ist Verarmung der Bürger und folglich auch Erschöpfung der Staatscasse selbst. (Bei dem lezten Termine des Gerichtshofes waren um 5000 Klagen wegen Schulden mehr, als im vorigen Jahre.) Es ist also eine bare Tollheit der Huskinson'schen Schule, auf das Ausland zu sehen, und für die Bedürfnisse des Inlandes blind bleiben zu wollen. Jeder Staat ist ein künstliches Gebäude, und England ist es mehr, als jeder andere. Wir müssen ungeheuere Auflagen bezahlen, um die Interessen unserer Staatsschulden zu entrichten, und es ist eine staatswirthschaftliche Narrheit zu behaupten, daß wir es bei einer solchen Schuldenlast, bei solchen Steuern mit Völkern aufnehmen können, die weniger verschuldet sind, und weniger Steuern zu bezahlen haben.

Neue deutsche Colonie in Britisch-Canada.

Nach dem Globe hat Sir J. Colborne eine große deutsche Colonie (large parties of Germans) in Britisch-Canada angesiedelt. (Galignani. 4606.)

Ueber den Handel der ostindischen Compagnie.

In einem sehr gut geschriebenen Artikel im Herald (Galignani Messenger N. 4589.), in welchem wir mit Vergnügen unsere frühere in diesem Journale ausgesprochene Behauptung bestätigt sehen, daß entweder England oder die ostindische Compagnie zu Grunde gehen muß, wenn die Lage beider gegen einander so, wie bisher, fortbesteht, wird der Ungrund der Behauptungen gegen die ostindische Compagnie aus folgenden, von Hrn. Milburn mitgetheilten, officiellen Ein- und Ausfuhr-Listen erwiesen.

Vom Jahre			wurden nach Ostindien aus England ausgeführt Pfd. Sterl. Waaren:		
1708—9	bis	1733—4	— — 3,064,774	— jährlicher Durchschnitt	117,877
1734—5	—	1765—6	— — 8,434,769	— — — — — —	263,586
1766—7	—	1792—3	— — 16,454,016	— — — — — —	609,408
1793—4	—	1809—10	— — 31,060,752	— — — — — —	1,827,103

Vom Jahre			wurden aus Ostindien nach England eingeführt Pfd. Sterl. Waaren:		
1708—9	bis	1733—4	— — 33,571,798	— jährl. Durchschnitt	1,291,219
1734—5	—	1765—6	— — 64,452,377	— — — — — —	2,014,136
1766—7	—	1792—3	— — 101,383,792	— — — — — —	3,754,953
1793—4	—	1809—10	— — 102,737,954	— — — — — —	6,043,409

Die Ausfuhr im lezten Decennium betrug 21,413,807 Pfd. Sterl., größten Theils in Wollenwaaren; also jährlich 2,141,380. Hieraus wird klar, daß der Handel nach Indien, ungeachtet alles Schreiens gegen die ostindische Compagnie, in schöner Zunahme fortschreitet. Was soll aber das Loos der Millionen armer Indier werden, wenn man Ostindien mit brittischen Baumwollenwaaren überschwemmt? Die armen Hinduhs werden verhungern müssen, und die ostindische Compagnie würde höchstens ihre Knochen nach England führen können, um die Aeker auf dieser Insel damit zu düngen.

Zustand der Weber in Irland.

Ein Correspondent des Globe (Galignani N. 4805.) sagt: „ich habe nun das Elend in der sogenannten „Liberty" gesehen. Ich sah nicht weniger als 1300 Familienhäupter (Seiden-, Baumwollen- und Wollen-Weber), deren jedes der Repräsentant von wenigstens 5 Menschen ist. Diese 6500 Individuen müssen bis Weihnachten, da der Wohlthätigkeitsfond bis dahin erschöpft seyn wird, buchstäblich verhungern, wenn keine Hülfe kommt, so wie bereits schon viele derselben verhungert sind. Man darf gegen Huskisson's System nichts sagen, wenn man von der Regierung etwas erhalten will.

Temperance-Society in Irland.

Es ist höchst erfreulich, daß die amerikanische Temperance-Society betrei-

anfängt in England festen Fuß zu gewinnen, und zwar dort, wo man es am wenigsten hätte vermuthen sollen, und wo es am meisten nothwendig war: in Irland, zu Dublin, und in mehreren Filialen zu New-Roß, Cookestown, Rathfriland, Drogheda ꝛc. Professor Edgar hat sich durch Gründung dieser Gesellschaft bleibende Verdienste um sein Vaterland erworben. Es ist merkwürdig, daß, während wir die Türken jezt Wein trinken lehren, die amerikanischen Christen das weise Gesez Mahomeds: „Du sollst dich aller berauschenden Getränke enthalten," in ihren Katechismus aufnehmen. (Vgl. Mech. Mag. N. 332., 19. Dec. S. 296.).

Die Smithsonean-Institution.

Der Hr. Sir James Smithson, Sohn des Herzogs von Northumberland, stiftete die Smithsonean-Institution „zur Vermehrung und Verbreitung nüzlicher Kenntnisse unter den Menschen." (Courier. Galignani 4606.)

Noth regiert oft weiser, als alte Bürgermeister.

Da die englischen Pächter jezt so sehr in Nöthen sind, und, außer von den alten und neuesten Huskisson'schen Gesezen, auch noch von den Mezgern geschunden werden, so geriethen sie auf den Einfall, ihr Vieh selbst zu schlachten und dasselbe geschlachtet zu verkaufen. Dadurch erhält nun das Publikum von dem Pächter für 5 Pence (15 kr.) so viel Fleisch, als es ehevor von den Mezgern um 8 — 9 — 10 Pence (24, 27, 30 kr.) erhielt. (Brighton Herald. Galignani N. 4606.).

Nordamerikanische Literatur. (Eisenbahnen.)

Report of the Board of Directors of internal Improvement of the State of Massachusett, on the Practicability and Expediency of a Railroad from Boston to the Hudson River, and from Boston to Providence. Submitted to the General Court. January. 1829. To which are annexed the Reports of the Engineers, containing the Results of their Surveys and Estimates of the Cost of Constructing a Railroad on each of the Routes selected. With Plans and Profiles of the Routes. 8. Boston. 1829. b. the Boston daily Advertiser. 76 S. und 119 S. mit 6 großen Karten.

Es ist schwer zu sagen, ob man an den Nordamerikanern mehr ihre Werke oder ihre Ideen bewundern soll. In kaum zwei Generationen haben diese guten Leutchen zwei Mal ein Volk aus ihrem Lande und aus ihren Meeren verjagt, vor welchem alle Staaten Europens zittern, und welchem jezt noch der Ocean angehört; in eben dieser Zeit haben sie, mitten in ihren Waldwüsten, eine Industrie geschaffen, die, in schönem Einklange mit ihrem Akerbaue und mit ihrer Viehzucht, bereits alle Meere aller Welttheile mit ihren Handelsschiffen bedekt; und alles dieses geschah ohne Universitäten, ohne Kanzelleischreiber, ohne alle die vielen Anstalten, durch welche die Staaten in Europa während dieser Zeit theils nicht in demselben Maße fortschritten, theils stehen blieben, theils gar zurüksanken. Es liegt nicht in dem Zweke unserer Blätter, die Ursachen dieser sonderbaren Erscheinungen auf den zwei entgegengesezten Hemisphären zu untersuchen oder zu entwikeln; wir halten es aber für unsere Pflicht, auf dasjenige aufmerksam zu machen, was, in industrieller Hinsicht, in Amerika buchstäblich während jener Zeit geschieht, während welcher wir in Europa schlafen.

Eine Eisenbahn auf einer Streke von 200 engl. Meilen, mit einem Kostenaufwande von 16,435 Dollars für die Meile, also von 3,287,000 Dollars für diese ganze Streke errichten, in einem Lande errichten, das eine Menge schiffbarer Flüsse, die größten Canäle des Erdballes, treffliche Landstraßen und mehrere Eisenbahnen besizt; das auf der ganzen Streke, durch welche diese Straße läuft, nur 75,000 Einwohner zählt, und nicht mehr als 300,000 Einwohner in dem ganzen Lande, nach welchem diese Straße hinführt; das die Hälfte des Jahres über in einem beinahe sibirischen Winter begraben liegt; eine solche Idee wird manchem Europäer Tollheit scheinen: dem Amerikaner, der die Ausführbarkeit derselben wohl berechnete, scheint sie Klugheit. Er hat sich genau erkundigt, wie viel aus jedem Städtchen, durch welches die projectirte Eisenbahn geleitet wird, jährlich aus- und eingefahren wird; wie viel Individuen reisen; und hat gefunden: daß jährlich auf dieser Strecke in verschiedenen Entfernungen von 40, 95, 150 bis 200 Meilen 102,818 Tonnen (die amerik. Tonne hält 2240 amerik. Pfd.; wir wollen sie aber nach englischer Art nur zu 20 Ztr. rechnen, und so diese Last zu 2,056,960 Ztr. anschlagen) hin- und hergefahren werden, und 23,475 Reisende hin- und herreisen. Wenn ich nun, sagt er, für jede Tonne (für 20 Ztr.) mir nur 2 Cents (zwei Hundertel Thaler) und von jedem Reisenden nur 1 Cent auf die engl. Meile bezahlen lasse, so erhalte ich jährlich, größere und kleinere Streken, die auf dieser Bahn befahren werden, mit eingerechnet, einen Wegzoll von 190,780 Dollar. Dabei ist das Capital verzinst, die Bahn hergehalten, und in 50 Jahren wieder in der Tasche meiner Familie oder in der meinigen, wenn ich noch lebe. Während ich mir nüzte, habe ich meinen Mitbürgern noch mehr genüzt; ich schenke ihnen das Kostbarste, was der Mensch auf Erden besizen kann, Zeit; ihre Geschäfte sind drei Mal schneller besorgt; ich erspare ihnen Auslagen, da sie zehn Mal weniger Pferde halten dürfen, also dort für sich Weizen bauen können, wo sie jezt Hafer für ihre Gäule bauen müssen; jedes Feld, jedes Haus, das jezt in dem Verhältnisse weniger werth ist, als es weiter von der Hauptstadt (von Boston) entfernt liegt, erhält durch diese Straße in dem Maße mehr Werth, als seine Verbindung mit der Hauptstadt dadurch erleichtert wird. Und so wird nun in Amerika eine Eisenbahn von 50 deutschen Meilen Länge errichtet, auf Actien mit 5 p.-C., wie das ganze uralte und hochcultivirte feste Land Europens noch keine auf eine Viertelstunde weit aufzuweisen hat.[74])

Es ist uns unmöglich, aus diesem lehrreichen Werke einen Auszug zu liefern, der unseren Lesern einen deutlichen Begriff von der wahrhaft bewundernswerthen Genauigkeit geben könnte, mit welcher der Plan zu diesem Riesenwerke entworfen wurde. Man kann sagen, daß Zoll für Zoll hier abgewogen wurde in der bergigen Streke Landes, durch welches diese „via Frankliniana“ geführt werden soll, die der herrlichsten Römerstraße gleich kommen wird. Nur sehr kleine Streken auf dieser Straße haben eine Neigung von 10—26 Fuß auf die engl. Meile (¹/₄ bayersche Postmeile), die meisten steigen oder fallen mit 30, 40, 60, 80 Fuß auf die engl. Meile. Die musterhafte Genauigkeit in der Nivellirung und Topographie einer Streke von 50 deutschen Meilen, die wir diesem Berichte beigegeben finden, ist für sich allein schon ein Werk der Unsterblichkeit würdig, und wenn auch die Zukunft, die nie in der Gewalt der Gegenwart liegt, die Ausführung dieser herrlichen Unternehmung hindern sollte, so mögen die Amerikaner sich damit trösten, daß sie über Straßen, die sie bauen wollten, genauere und bessere Plane entwarfen, als mancher Staat in Europa nicht über diejenigen besizt, die er wirklich gebaut hat. Diese hart scheinende Bemerkung könnten wir mit Urkunden aus den Archiven des Wasser- und Straßenbaues zweier europäischen Staaten belegen, die wirklich schöne Straßen besizen. Die cultivirtesten Staaten Deutschlands, Preußen und Sachsen, sind erst seit 20 Jahren im Besize einiger Chausseen (Kunststraßen!), die, wenn sie beide aufrichtig seyn wollen, sie vorzüglich ihrem Feinde, Napoleon, zu danken haben. Preußen ist zu entschuldigen; sein Sandmeer konnte auch Friedrichs Kraft nicht überall gewältigen; unverzeihlich war es aber an den Sachsen, die der Steine genug haben in ihrem armen Lande, und noch unverzeihlicher ist es an ihnen, daß sie die schönen Straßen so muthwillig zu Grunde gehen lassen, die Napoleon ihnen erbaute. Die Russen, die vor zwei Generationen noch tiefer standen, als die Nord-Amerikaner vor sechs, besizen, seit ein paar Jahren, eine eigene und ganz ausgezeichnete Zeitschrift für Straßen- und Wasserbau, wie noch kein Staat auf Erden eine aufzuweisen hatte. Es scheint, daß die Staaten, die erst seit Kurzem in den Stand der Cultur getreten sind, sie mögen nun früher die Kinder eines Franklin, eines Czar oder eines Sultans gewesen seyn, weit besser wissen, was ihnen zu ihrem Gedeihen Noth thut, als diejenigen, die in Cultur bereits grau geworden sind, und auf welchen der Schimmel und die Flechten der Zeiten wuchern, die sie werden sahen. So weiß

---

74) Wir kennen die Eisenstraße, die Oesterreich einem geistreichen Böhmen, Hrn. v. Gerstner, verdankt, und ehren ihn und sein Meisterwerk. Er wird uns aber gestehen, daß seine eben so nüzliche als schöne Eisenbahn ein Holzweg ist, wenn man sie mit der Rail-Road von Boston vergleicht. Da wir indessen jezt auf dem festen Lande von Europa alle auf dem Holzwege sind, so sind solche Holzwege das Beste, was wir aufzuweisen haben.

das Kind oft besser, was ihm taugt, als die alte Großmutter, die es auf den Armen wiegt; es schreit und sträubt sich, dasjenige hinabzuwürgen, mit welchem die Ahnfrau ihm den Mund vollpfropft. Die Großväter commandiren sich heiser, wenn sie mit ihren Enkeln sich in's Freie wagen: Lauft nicht! Springt nicht! Die Kinder fühlen, ohne es zu wissen, daß sie sich in den Gebrauch ihrer Glieder einüben müssen, und daß Hüpfen und Laufen ihnen besser bekommt, als großahnherrliches Einherschreiten. Nicht selten hört man sie ganz naiv dem ängstlich warnenden Großvater zurufen: „Fang mich! Fang mich!" Dieß scheint nun in industrieller Hinsicht so ziemlich das Verhältniß zwischen N. Amerika und Europa. „Wer nicht rasch vorwärts geht, der geht zurük," sagen die Amerikaner (Those, who are not positively advancing, are retrograding.) Während dieß in Amerika geschieht, halten wir in Europa Wettläufe im Rükwärtslaufen, und haben wirklich buchstäblich gelernt, vier englische Meilen (1 bayersche Postmeile) in 62 Minuten rüklings zu laufen.[75])

Wir wollen aus diesem herrlichen Berichte nur einzelne Bemerkungen über die Weise ausheben, wie die Amerikaner Eisenbahnen betrachten und behandeln, und bedauern herzlich, das Beste in dieser Schrift, das Detail, die Rüksicht auf die kleinsten Lokalverhältnisse, worin gerade das Meisterhafte derselben gelegen ist, weglassen und uns begnügen zu müssen, diejenigen unserer Leser, die für die Nothwendigkeit und die Vortheile der Eisenbahnen Sinn haben, darauf aufmerksam zu machen. Wir wünschten sehr, daß dieses lehrreiche Werkchen in einer deutschen Zeitschrift für Straßen- und Wasserbau übersezt würde, wenn wir unter unseren vielen papiernen Zeitschriften eine über einen so hochwichtigen Gegenstand besäßen.

Die Amerikaner fanden die englische Methode, Eisenbahnen anzulegen, wegen des hohen Preises, in welchem das Eisen noch bei ihnen steht, unanwendbar, und ziehen auf der hier anzulegenden Straße den Granit, der überall in der Nähe derselben vorkommt, dem Eisen vor. Sie fanden ferner, daß bei ihren strengen Wintern eine weit tiefere Grundlage für die Bahn nothwendig ist, als in England, indem der Frost bei ihnen tiefer in die Erde dringt, und die Grundlage immer frostfrei liegen muß. Sie führen demnach eine gehörig tiefe Steinmauer als Grundlage auf, beleben diese oben, wo die Bahn gebildet werden soll, mit behauenen Granitfelsen von der Größe eines Kubikfußes, und bringen auf diesen die eiserne Schiene an, welche als Bahn oder Geleise dienen soll. Diese Schienen werden mittelst Bolzen und Nieten auf dem Granite befestigt, und stehen 5 Fuß weit von einander entfernt, so daß demnach ein Geleise oder eine Wagenspur von 5 Fuß Breite entsteht. Der Zwischenraum zwischen beiden Geleisen oder Schienen ist ungefähr einen halben Fuß tief mit feinem Schutte oder Sande ausgeschüttet, und dient als Bahn für die Pferde. Weniger oder selbst schuhtiefer Schnee hindert den Gebrauch der Bahn im Winter nicht, indem die Schiene ein paar Zoll mit den Granitwürfeln über der Fläche der Straße emporsteht, und, bei mäßigem Schnee, nur an dem ersten Wagen noch ein Pferd vorgespannt werden darf, welches zwei Streichbretter zieht, die den Schnee zu beiden Seiten von den Schienen abstreifen. Wenn jedoch der Schnee sehr tief ist, oder wenn es stark wehet, geht es natürlich mit der Eisenbahn, wie mit jeder anderen Straße: indessen hat man bei ersterer den großen Vortheil, daß bei eintretendem Thauwetter, wo die gewöhnlichen Straßen so lang grundlos sind, die Eisenbahn beinahe eben so gut ist, wie mitten im Sommer.

„Dieser Bau ist so einfach, und die Vortheile desselben sind so einleuchtend, daß es unbegreiflich ist, wie man sich desselben nicht schon längst bedient hat, indem, auf ebenem Wege, auf einer solchen Bahn, eine Kraft von 11 Pfd. eine Last von einer Tonne (2240 amerik. Pfd.) bewegt; folglich Ein Pferd leicht eine Last von 10 Tonnen (oder 200 Ztrn.) zieht, wenn man die Kraft des Pferdes nicht höher als zu 125 Pfd. anschlägt, bei welcher Kraftäußerung das Pferd bekanntlich 20 engl. Meilen oder 5 deutsche Meilen bequem in Einem Tage zurüklegen kann." Wo die Bahn keine stärkere Abweichung von der vollkommen horizontalen Ebene, als eine Neigung von 26 Fuß auf die engl. Meile (eine halbe Stunde) hat, rechnet man für jede $2^{1}/_{2}$ Fuß aufwärts über die horizontale Ebene Ein Pfd. Kraft mehr auf die Tonne, und eben so viel weniger bei derselben Neigung nach abwärts, in-

---

75) Wir sahen einen wahren Virtuosen in dieser Kunst obiges Meisterstük in mehreren Städten Bayerns aufführen.

[illegible] bei 26 Fuß Neigung auf die engl. Meile die Schwerkraft der Reibung vollkommen gleichkommt. Wenn daher die Bahn unter solchen Neigungswinkeln öfters auf und nieder steigt, so mag es das Pferd sehr wohl aushalten, 200 Ztr. ohne besondere Anstrengung zu ziehen, indem die auf kurzen Streken nöthige größere Anstrengung bald durch gänzliche Arbeitslosigkeit oder freien Gang wieder ersezt wird. Wo aber eine Neigung von mehr als 26 Fuß auf die englische Meile vorkommt, und diese zuweilen bis auf 78 und 80 Fuß steigt, kann man nicht mehr als 5 Tonnen (100 Ztr.) auf das Pferd rechnen. Wenn indessen auch vollkommene Ebene die glüklichste Bedingung zu einer wohlfeilen und guten Eisenbahn ist, so können auch lange Bergrüken, die einen solchen Fall besizen, daß der Wagen von selbst läuft, mit größtem Vortheile zu Eisenbahnen benüzt werden. Dieß ist z. B. in Nord-Amerika der Fall mit der Eisenbahn zu Darlington und zu Mauch-Chunk. Hier wird das Pferd, nachdem es den leeren Wagen hinaufgezogen hat, und dieser oben an den Kohlen- und Erz-Gruben beladen wurde, auf eine Bühne hinter dem Wagen gestellt, und, während es auf dieser Bühne ruhig sein Futter frißt, mit dem Wagen über den Abhang hinabrollen gelassen: es kommt gerade unten in der Ebene an, nachdem es auf dieser Spazierfahrt abgefüttert ist und ausgeruht hat, so daß es dann wieder mit frischer Kraft zur Arbeit kann.

Vergleicht man obige Bemerkungen mit der topographischen Lage Bayerns, so scheint es beinahe unbegreiflich, daß man in Bayern noch nicht auf eine Eisenbahn von Passau nach München und nach Regensburg gedacht hat. Kein Land in Europa ist zu Anlegung einer Eisenbahn glüklicher gelegen, als Bayern auf der hier angezeigten Streke von 24 Postmeilen, wo auch nicht Ein Hügel von einem Falle von 26 Fuß auf die halbe Stunde vorkommt. Von Passau über Vilshofen, Plattling, Pilsting, Wörth, Landshut, Moosburg und zwischen Erding und Freysing durch nach Garching und München ist die Poststraße, wie man zu sagen pflegt, kugeleben. Es ist keine andere Neigung auf dieser ganzen Streke von 24 Meilen, als die höhere Seehöhe Münchens über Passau, die man auf 90 Klafter schäzt, was demnach eine Neigung in einer 48 Stunden langen Eisenbahn von 11 Fuß auf die halbe bayersche Meile, oder 5,5 Fuß auf die englische gibt. Von Plattling bis Regensburg über Straubing und Pfada, auf einer Streke von 9 Postmeilen, ist dieser Fall noch geringer, und die Ebene ist, wenn möglich, noch vollkommener. Am linken Donauufer ist von Passau bis Plattling (und für die Eisenbahn nach Regensburg bis Pfada aufwärts) der herrlichste Granit in Entfernungen von ½ bis 3 Stunden von der anzulegenden Eisenbahn. Wenn die Straße von Passau bis Plattling vollendet ist, so kann von Plattling aus der Granit zur Fortsezung des Baues leicht auf der bereits vollendeten Bahn nachgefahren werden: „Ein Pferd zieht 200 Ztr.!“ Wenn wir nun die Baukosten einer solchen Bahn in Bayern ganz nach dem Ueberschlage der N. Amerikaner berechnen, nämlich zu 16,435 Dollars für die englische, oder zu 65,740 Dollars für die deutsche Meile, so käme die ganze Eisenbahn von 24 Postmeilen von Passau bis München auf 1,577,760 Dollars (oder Laubthaler). Diese amerikanische Rechnung scheint sich so ziemlich auf Bayern anwenden zu lassen, wenn man bedenkt: 1) daß in N. Amerika Alles wenigstens drei Mal so theuer ist, als in Bayern. Das Taglohn eines Arbeiters ist zu 1 Dollar angeschlagen, eines Pferdes zu ½ Dollar. 2) Daß auf der Eisenbahn in N. Amerika häufig Neigungen oder Fälle von 30 bis 80 Fuß auf die engl. Meile vorkommen, während hier 24 deutsche Meilen kugeleben sind. 3) Daß wir kein Geleise von 5 Schuh brauchen. 4) endlich, daß, wenn diese Bahn auf der Streke von Passau bis München zwekmäßiger angelegt würde, als die gegenwärtige Poststraße, die, so oft ohne Noth, mitten in der herrlichsten Ebene zik-zak läuft (wie auf der Straße von Plattling nach Landshut, von Moosburg gegen Erding, von Freising gegen München), sich leicht 8 Stunden ersparen ließen, so daß die ganze Eisenbahn nur 20 deutsche Meilen betragen würde. Man sollte nun, scheint es, sagen können, wenn in N. Amerika 300,000 Menschen für sich allein in ihrem inneren Bedarfe und in ihrer Ein- und Ausfuhr an die Meeresküste, auf einer Straße von 50 deutschen Meilen jährlich 2 Millionen Ztr. hin- und herfahren; so sollten 300,000 Menschen in der Mitte Europa's, die auf der einen Seite die Millionen Menschen in Oesterreich etc., auf der anderen die Millionen in Würtemberg, Baden, Frankreich etc. zu ihren Nachbarn haben, eben so viel auf einer Straße von 20 deutschen Meilen jährlich hin- und herfahren; und wenn folglich der Amerikaner, bei einer

Zoll von 2 Cents auf die engl. Meile für die Tonne, und 1 Cent für den Passagier, 190,789 Dollars gewinnt, sollte man auf dieser Eisenbahn in Bayern, bei gleichem Zolle, 91,579 Dollars jährlich gewinnen. So richtig dieser Schluß von Millionen auf Hunderttausende zu seyn scheint, so möchten wir ihn indessen nicht unbedingt und nicht ehe unterschreiben, als bis wir, so genau wie die ehrenwerthen neun Direktoren von Massachusett's, wissen, wie viel jährlich Fracht auf dieser Straße geht. Man müßte hier genau die Zahl der Wagen, die nicht bloß täglich zu München und Passau an den Endpunkten dieser Straße einfährt, sondern auch die Zahl der Wagen wissen, die, eine bestimmte Streke weit, von einem Orte zum anderen, auf dieser Straße fährt, z. B. an Markttagen nach Vilshofen, Landau, Dingolfing, Landshut, Moosburg, Erding, Freysing mit Holz, Getreide rc. Wenn die Direktoren des Inneren von Massachusetts dieß auf einer Streke von 50 Meilen mit einer solchen Genauigkeit erfahren konnten, daß sie hiernach im Stande waren, eine ähnliche Unternehmung zu gründen, so wird man dieß wohl auch in Bayern können. Es müßte demnach, vor Allem, ein Jahr lang genau beobachtet werden, wie viel Wagen und mit welcher Last, und welche Streke sie jährlich auf dieser Straße fahren. Diese Beobachtung würde nicht den zehnten Theil des Geldes kosten, welches die Direktoren von Massachusetts aufwenden mußten, um ein ähnliches Resultat in N. Amerika zu erhalten. Es ließe sich allerdings erwarten, daß, wenn eine Eisenbahn von Passau bis München ginge, keine Güter von Linz aus über Braunau, Mühldorf, Ampfing nach München und Augsburg gehen würden, und umgekehrt, von Augsburg und München nach Linz; sondern, daß alle schwere Fuhren sich auf die Straße von Passau nach München ziehen würden. Man müßte also auch auf der Straße von München über Ampfing nach Braunau die Zahl der Ztr. notiren lassen, die jährlich auf derselben auf und nieder geht. Ergäben sich 2 Millionen Ztr., in solchen Streken gefahren, daß ein Zoll von 91,579 Dollars hervorginge, so könnte wahrlich kein Capital besser verwendet werden, als die Kleinigkeit von drei Millionen, die zur Erbauung einer solchen Straße nöthig wäre. Indessen scheint uns hier viel zu einer jährlichen Fracht von 2 Millionen Ztrn. zu fehlen. Wir können, nach unserer Erfahrung, nicht mehr als täglich 40 Wagen zu 40 Ztr. Fracht auf der Straße von Passau nach München annehmen: nämlich 20 aufwärts, 20 abwärts; so daß nämlich täglich 4 von München nach Passau, und eben so viel von Passau nach München, abfahren, und 5 Tage unter Weges bleiben. Dieß gibt dann erst eine Fracht von 584,000 Ztr. jährlich. Wenn wir eben so viel Ztr. für die Straße von Braunau nach München rechnen, die sich auf die Eisenbahn werfen würden; so bekämen wir erst 1,168,000 Ztr. Die übrige Million Ztr. müßten die Getreide- und Holz-Fuhren geben. Ob diese Rechnung nicht eine Rechnung ohne Wirth ist, können bloß genaue Beobachtungen, wie jene der neun Direktoren des Inneren von Massachusetts, beweisen oder widerlegen. Es ist der Mühe werth sie anzustellen; es wäre für jeden Fall besser, daß diese Direktoren des Inneren Wagen Statt Ochsen zählten, und ihr Land mit ebenen Wegen Statt der holperigen beglükten. Um den Gewinn an Fracht, an Land, das man mit Weizen, Statt mit Hafer bestellen kann rc., sich anschaulich zu machen, darf man nur bedenken, daß dort, wo jezt 2 Millionen Ztr. gefahren werden, 200,000 Pferdetagwerke nöthig sind, während, wenn diese 2 Millionen Ztr. auf einer Eisenbahn gefahren werden, nur 20,000 Pferde dazu nöthig sind; folglich nicht weniger als 180,000 Pferdetagwerke erspart werden. Von dem Zeitgewinne wollen wir nicht sprechen; für diesen haben wir noch zu wenig Sinn; es heißt bei uns: „Komm' ich heute nicht, so komm' ich morgen."[76])

76) Einen Beweis, wie sehr, in Hinsicht auf Zeitgewinn, der Charakter des englischen Landmanns und des Engländers überhaupt von jenem des Deutschen abweicht, beweist folgende Geschichte, die sich Ende Mai's in einem Landstädtchen Englands zutrug, und in Galignani Messenger 4436. erzählt wird. Ein Verbrecher sollte gehenkt werden. Sein Bruder kam zur Execution, um dem Unglüklichen bei der Beerdigung die lezte Ehre zu erzeigen. Als er hörte, daß die Execution erst um 12 Uhr, Statt um 11 Uhr, Statt haben sollte, ging er zum Sheriff, und bat ihn, „daß man doch die Güte haben möchte, seinen Bruder um eine Stunde früher henken zu lassen, indem er viele Arbeit bei Hause habe, und nicht eine Stunde umsonst verlieren könne."

Polytechnisches Journal.

Eilfter Jahrgang, drittes Heft.

XLI.

Gilman's Dampferzeuger.

Aus dem Mechanics' Magazine. N. 330. S. 258. N. 331.

Mit Abbildungen auf Tab. V.

Ich dachte im J. 1826 über die beste und wohlfeilste Methode nach, Dampf zu erzeugen sowohl für Dampfbothe als zu anderen Zweken, wo es sich vorzüglich um Wohlfeilheit und um Leichtigkeit der Maschine handelt.

Gegenwärtiger Apparat, Fig. 1 und 2., wurde im J. 1826 verfertigt und besteht noch. Ich wollte durch denselben die Vortheile praktisch darstellen, die sich ergeben, wenn man das Feuer mit Luft mittelst Luftpumpen oder auf irgend eine andere zwekmäßige Weise versieht, und zeigen, wie man die verschiedenen Produkte der Verbrennung zur Dampferzeugung benüzen kann. Die Zeichnung Fig. 1. stellt die Maschine von Außen, Fig. 2. im Durchschnitte dar. Die Maschine ist sehr stark wegen des wechselnden und großen Drukes, der zuweilen bis auf 2—300 Pfd. auf den □ Zoll steigt.

Der Dampferzeuger besteht an derselben aus einem inneren und äußeren Cylinder aus Gußeisen, deren jeder Einen Zoll dik ist. Der innere Cylinder, oder eigentlich die Kammer, in welcher das Brennmaterial sich befindet, hält unten 18 Zoll im Durchmesser und verschmälert sich nach aufwärts bis zur Oberfläche des Wassers, wo sie plözlich bis zu einem Durchmesser von 8 Zoll sich verengert, und in diesem Durchmesser bis zu ihrem Ende fortläuft. Der äußere Cylinder ist mit zwei Lagen von Reifen aus geschlagenem Eisen bekleidet, deren jeder einen halben Zoll dik und zwei Zoll breit ist, und roth glühend aufgezogen wird. Auf diese Weise erhält man einen festen Metallkörper von zwei Zoll Dike, nämlich aus 1 Zoll Gußeisen und aus 1 Zoll geschlagenen Eisen. Die beiden Enden dieses Erzeugers, das untere und das obere, sind mittelst 12 langer Bolzen befestigt, wie man in der Figur sieht, um das Ganze gehörig fest zusammen zu halten. Diese Bolzen sind aus sehr zähem Eisen, und ihre Stärke ist so berechnet, daß sie sich bei einer weit geringeren Kraft, als zum Bersten des Erzeugers nothwendig ist, verlängern oder streken können. Auf diese Weise wird bei jedem Druke Sicherheit erhalten; denn in dem Augenblike, wo die Kraft des Dampfes zu stark wird für die Bolzen, dehnen sich dieselben etwas in die Läng aus, und auf diese Weise entsteht augenbliklich oben am Generator eine ungeheuere Sicherheitsklappe von zwei Fuß im Durchmesser. Der Generator selbst wird auf diese Weise augenbliklich von aller Gefahr befreit. Der kleine Cylinder, H, Fig. 2., dient bloß zum Spiele des Schwimmers, B, in demselben. E, ist eine kleine Röhre, welche den Dampf in den oberen Theil der Schwimmkammer leitet, um die Oberflächen des Wassers in den beiden Kammern auszugleichen. C, ist ein Hahn, mittelst dessen das Wasser nöthigen Falles abgelassen wird. D, ist die Röhre zur Nachfüllung des kalten Wassers, welche mit der Drukpumpe in Verbindung steht. A, ist eine Luftröhre, welche mit der Luftpumpe in Verbindung ist, durch welche die Luft unter das Feuer gebracht wird. L, eine Oeffnung, dergleichen zwei einander gegenüber angebracht sind, und an welchen sich Röhren befinden, die armförmig von einer Röhre auslaufen, welche durch den oberen Theil des Generators zieht: auf diese Weise gelangt die Luft in die Kammer über dem Feuer. In der Zeichnung sind diese Röhren weggelassen. E ist eine Röhre, dergleichen vier angebracht sind, und mit der inneren Kammer über dem Feuer in Verbindung stehen. Sie reichen bis beinahe auf den Boden des Wassers herab, welches in dem Raume zwischen dieser Kammer und dem äußeren Cylinder enthalten ist. Das untere Ende einer jeden dieser Röhren ist nach aufwärts gebogen, und mit einer Klappe versehen: diese Klappe verhütet, daß das Wasser nicht durch den Druk des Dampfes in das Feuer getrieben wird. Das Brennmaterial wird von oben hereingeschüttet, und die Oeffnung gelegentlich mit einer Kappe geschlossen: dieß gilt jedoch bloß bei einem Versuche; denn wo die Maschine im Großen angewendet wird, muß das Brennmaterial regelmäßig nachgeschüttet werden. Da es sich hier nur um Darstellung des Principes handelt, so ist es überflüssig die Vorrichtung anzugeben, wie dieß geschieht.

Wenn dieser Generator gebraucht wird, so muß zuerst die Feuerkammer mit Brennmaterial gefüllt werden, und wenn die Kohlen in voller Glut stehen, wird die Kappe des Zuges fest niedergeschraubt. Dadurch wird die mittelst der Pumpen durch die Röhren A und L getriebene Luft sammt den während der Verbrennung entwikelten erhizten Gasarten und Dämpfe in der Feuerkammer verdichtet, und wenn diese eine hinlängliche Kraft zur Ueberwindung des Drukes des Dampfes, welcher in dem Raume zwischen dieser Kammer und dem äußeren Cylinder erzeugt wurde, erhalten haben, werden die Klappen am unteren Ende der vier Röhren, F, gehoben, und die Produkte der Verbrennung fangen an regelmäßig in das Wasser überzugehen: dieß währt nun so lang fort, als die Pumpen das Feuer mit Luft versehen. Es kann also keine Hize entweichen, ohne durch das Wasser durchgegangen und auf eine vortheilhafte Weise benüzt worden zu seyn.

Die elastische Flüssigkeit, welche auf diese Weise gebildet wurde, ist ein Gemenge von Gasarten und Dämpfen, und läßt sich folglich nicht gänzlich verdichten; sie taugt also bloß für Dampfmaschinen mit hohem Druke. Die große Stärke, die dem oben beschriebenen Generator oder Dampferzeuger gegeben wurde, wird selten nothwendig seyn. Gut aufgenietete Platten reichen in den meisten Fällen hin. Es ist auch nicht nothwendig, daß man sich ausschließlich an die hier gegebene Form hält.

Hinsichtlich der Verbrennung unter hohem Druke habe ich immer gefunden, daß sie unter demselben eben so gut von Statten geht, als mittelst Zügen unter dem gewöhnlichen Druke der Atmosphäre. Was die Kosten für die Kraft betrifft, welche zum Treiben der Luft mittelst der Drukpumpen nothwendig ist, so will ich nur bemerken, daß derjenige Theil der atmosphärischen Luft, welcher nicht verbrennt, welcher sich vielmehr während des Verbrennens von dem Sauerstoffe scheidet (das Nitrogen, die Stikluft), obschon er selbst keine Hize entwikelt, während seines Durchganges durch das Feuer einen bedeutenden Grad von Hize erhalten muß. Während nun bei der gewöhnlichen Feuerung mittelst Zügen und Schornsteinen dieses mit Wärmestoff beladene Stikstoffgas beinahe Alles durch den Schornstein davon und verloren geht, geht es hier, nachdem es durch das eingeschlossene Feuer und durch das Wasser auf die oben angegebene Weise gezogen ist, in Folge seiner Erhizung mit einer größeren Kraft und Elasticität durch die Maschine, als die Kraft des Widerstandes, den es bei dem Durchtreiben darbietet.

Was den Sauerstoff betrifft, so wollen wir hier (mit Hinweglassung aller anderer durch Verbrennung erzeugten Produkte) nur annehmen, daß jede 659 Kubikfuß desselben, welche in das Feuer getrieben wurden, sich mit 1355 Kubikfuß Wasserstoffgas verbinden, und so einen Kubikfuß Wasser bilden. Diese 1355 Fuß Wasserstoffgas kommen nun gänzlich von dem Brennmateriale her, und der auf diese Weise gebildete Kubikfuß Wasser, oder vielmehr Dampf, wird unter dem Druke der Atmosphäre ungefähr 1800 Kubikfuß gleich. Wir haben also eine Zunahme von mehr als $^{11}/_{12}$, oder beinahe $^{2}/_{3}$, außer dem Sauerstoffe, der in das Feuer getrieben wurde, und einem Viertel des ganzen Volumens der atmosphärischen Luft gleich ist, welche zur Lieferung der 659 Kubikfuß Sauerstoff nothwendig war, als Ersaz für die Reibung ꝛc. während des Treibens. [77])

[77]) Diese Rechnung scheint uns auf falschen Vorausſezungen zu

Aus obiger Beschreibung erhellt, daß ein solcher Generator nicht mehr Plaz fordert, als zur Verbrennung des zur verlangten Dampferzeugung nöthigen Brennmateriales erforderlich ist, und nebenher noch den kleinen Raum von einigen Zollen, um das Feuer mit Wasser zu umgeben und so eine Dampfkammer zu bilden. Die vier Röhren, F, sollten, Statt in der Feuerkammer über dem Feuer zu stehen, ungefähr in der Mitte der brennenden Masse angebracht seyn.

Man hat noch einige andere Abänderungen, die großen Theils auf demselben Grundsaze beruhen, in demselben Plane umfaßt, und einige derselben in Ausführung gebracht. Eine derselben war die Anwendung der Luft auf das Feuer nach der oben beschriebenen Weise. Statt daß man aber die Produkte der Verbrennung unmittelbar in das sie umgebende Wasser des Erzeugers mittelst der Röhren F trieb, gingen sie durch eine zu diesem Ende an der Kappe angebrachte Zugröhre in ein besonderes Gefäß (wie man in Fig. 1. sieht), in welchem ein weit niedrigerer Druk Statt hat, als jener des Dampfes, der in dem Generator erzeugt wird, und in welchem die Hize verschlungen und das Wasser zum Theile erhizt wurde, welches in den Generator zum Ersaze der Verdünstung nachgefüllt wurde. Ein anderes Verfahren, welches man versuchte, bestand darin, daß man Luft in das geschlossene Feuer eines Dampfkessels trieb, der, wie gewöhnlich, einen hinlänglich langen Zug hat, um die Hize zu verschlingen. Dieser Zug endete sich dadurch, daß er in eine Wassercisterne hinabstieg, und die Tiefe, in welcher er unter die Oberfläche des Wassers sich senkte, diente als Maßstab für die Dichtigkeit der Produkte der Verbrennung in dem Zuge, welche Dichtigkeit nach Belieben und nach Umständen vermehrt oder vermindert werden konnte. Auf diese Weise wurden die Produkte gehindert sich mit ihrer gewöhnlichen Schnelligkeit auszudehnen, und der Wärmestoff wurde in ihnen gebunden. Die Oberfläche des Zuges wird also dadurch mehr freie Hize erhalten, und das mit demselben in Berührung stehende Wasser mehr von derselben verschlingen. Das Wasser, in welches der Zug sich endet, wird die übrig bleibende Hize verschlingen, die Dämpfe verdichten, und alle kohlenstoffhaltigen und anderen schweren Theile zurükhalten, während die Gasarten an der Oberfläche entweichen. Das garstige, lästige Ding, der Schornstein, wird also hier überflüssig.

Die lezte Abänderung, die ich noch anführen will, ist die Anbringung eines Saug- oder Auspump-Apparates über der Oberfläche des Wassers, in welches der Zug sich endet, Statt daß man die Luft mittelst einer Drukpumpe in das Feuer treibt. Auf diese Weise entsteht zum Theile ein leerer Raum über der Oberfläche des Wassers, der jedem erforderlichen Zuge gleich ist. Das Wasser, welches die

Hize des Zuges ꝛc. verschlingt, wie bei der oben zulezt angegebenen Abänderung, kann der Saugpumpe keinen Nachtheil bringen, und der Schornstein fällt hier gleichfalls weg. Eine Zeichnung des Apparates nach dieser Abänderung wurde im Jahre 1826 einigen Herren mitgetheilt.

Diese Vorrichtungen und ihre Abänderungen öffnen ein weites Feld für eine verständige, nüzliche und schäzbare Anwendung der Hize, die man bisher beinahe gänzlich vernachlässigte und verloren gehen ließ. Ich will nun von einigen derselben sprechen, die bereits ausgeführt wurden, und nur vorläufig bemerken, daß, während sie alle für Dampfmaschinen mit hohem Druke anwendbar sind, man mag diese mittelst reinen Dampfes oder mittelst einer zusammengesezten elastischen Flüssigkeit in Umtrieb sezen, dieser Dampf oder diese Flüssigkeit, nachdem sie in der Maschine bereits ihren Dienst geleistet hat, noch mit Vortheil zu anderen Zweken, zum Heizen, Troknen ꝛc. verwendet werden kann. Diese Anwendung habe ich mit dem besten Erfolge an einer großen Papierfabrik in der Nähe von London gemacht. Der Dampf aus der Saug- oder Auszugs-Röhre einer Dampfmaschine von der Kraft von zehn Pferden, die ich neulich an dieser Fabrik errichtete (auf welcher auch Zeichen- und Kartenpapier verfertigt wird), gelangt durch einen eigenen Apparat in die Dampfröhren, welche denselben in die Arbeitssäle und in die Trokenstuben führen. Die Oberfläche der Leitungsröhren beträgt viele hundert Fuß; mehrere derselben laufen in einzeln stehende Gebäude, die weit von der Maschine entfernt sind. Der Dampf wird ferner zur Heizung des Zuges in der Bütte, die hundert Fuß weit von der Dampfmaschine entfernt ist, zur Heizung der Cylinder der Trokenmaschine ꝛc. ꝛc. verwendet; während Alles dieß geleistet wird, ist der Druk des Dampfes mit der höchsten Genauigkeit regulirt, und die Maschine verliert durch diese Dampfbenüzung nur ein Zehntel ihrer Kraft. Mit diesem kleinen Aufwande kann der ganze Dampf einer Maschine von der Kraft von 10 Pferden zu obigen Zweken verwendet werden. Der Widerstand des auf diese Weise benüzten Dampfes gegen das Spiel der Maschine scheint geringer, wenn man den Unterschied zwischen dem Druke des Dampfes in den Röhren und jenem der Atmosphäre berechnet, als ihn die Maschine in der That fühlen sollte. Dieß scheint sich auf folgende Weise erklären zu lassen. Der Dampf, der aus der Auszugs- oder Saug-Röhre entweicht, erleidet von der atmosphärischen Luft einen größeren Widerstand, als er bloß in Folge der Schwere der Atmosphäre erleiden sollte, und dieß zwar in Folge der Geschwindigkeit, mit welcher er ausströmt. Da aber der Dampf, wenn er auch einige Pfunde über dem Druke der Atmosphäre steht durch die ganze Länge der Cylinder und Röhren einer anhaltenden Verdichtung unterliegt, so entsteht ein regelmäßiges Ausströmen desselben. Der Widerstand des Dampfes gegen den Stämpel ist also verhältnißmäßig geringer, als wenn er dem Widerstande der Atmosphäre ausgesezt wird; und es entsteht sogar die Frage: ob, wenn nicht die unvermeidlich vielen Krümmungen der Röhren, die Verengungen an vielen Stellen derselben und in den Hähnen bis auf Einen Zoll und bis auf drei viertel Zoll hier vorhanden wären und vorhanden seyn müßten, weil sie bereits Jahre lang in diesem Gebäude angebracht waren, der Widerstand nicht vielleicht so gering ausfallen würde, daß die Maschine einen Dampf, der drei Pfund über dem Druke der Atmosphäre steht, gar nicht mehr fühlt? Und wenn man bedenkt, daß der Widerstand des so beschaffenen Dampfes das Triebwerk der Maschine selbst nicht im mindesten mehr anstrengt, und daß die ganze größere Anstrengung lediglich auf die beiden Seiten des Stämpels fällt; so wird es offenbar, daß man diese Vorrichtung auf jede vorhandene Maschine mit hohem Druke anwenden und zum Wasserheizen oder zu jedem ähnlichen Zweke verwenden kann. Ueberdieß läßt sich auch der kleine Verlust an Kraft durch eine solche Vorrichtung leicht dadurch ersezen, daß man den Druk im Kessel um einige Pfund auf den Zoll höher treibt.

Ich will nun noch zeigen, wie man die am Ende der Züge aufgefangene Hize bei obigen verschiedenen Abänderungen benüzen kann. Die elastische Flüssigkeit, welche in dem besonderen Wassergefäße, in welches die Produkte der Flüssigkeit unmittelbar (nach der ersten Abänderung) getrieben werden, sich erzeugt, läßt sich mit dem größten Vortheile zum Betriebe des Gebläses verwenden, ohne daß die Maschine dadurch mehr angestrengt würde: dadurch wird die Verbrennung des Brennmateriales begünstigt, und der Dampf während irgend einer Unterbrechung im Gange der Maschine gut erhalten. In diesem Falle muß jedoch der Zug zwischen dem Generator und dem Wassergefäße eine solche Länge besizen, daß alle Hize, welche zur Erzeugung einer Flüssigkeit von hinlänglicher Kraft zureicht, um einen solchen Apparat in Gang zu sezen, aufgenommen wird. Nachdem diese Flüssigkeit ihren Dienst geleistet hat, kann sie auf die oben beschriebene Weise zum Heizen und zu anderen Zweken verwendet werden. Auf diese Weise erhält man reinen verdichtbaren Dampf, welchen man mit dem größten Vortheile in einer Dampfmaschine von hohem Druke mit Verdichtung und Einem Dampfcylinder expansiv benüzen kann.

Was die zweite Vorrichtung betrifft, so darf ich kaum bemerken, daß man mittelst derselben, so wie mit der vorigen, verdichtbaren

Dampf von hohem oder niedrigem Druke erhalten kann. Der Dampf und die erhizte Luft, die aus dem Wasser aufsteigt, in welches der Zug sich endet, läßt sich gleichfalls zum Heizen, Troknen und zu Allem verwenden, wozu man Dampf aus der Auszugsröhre einer Maschine mit niedrigem Druke brauchen kann. Die erste Abänderung geht, mittelst der Dazwischenkunft des Zuges zwischen dem Generator und dem Wassergefäße, wovon oben die Rede war, in die zweite Abänderung über; indessen ist jene, die auch in der Zeichnung dargestellt wurde, diejenige, welche wirklich benüzt wurde.

Was von der zweiten Abänderung so eben gesagt wurde, gilt auch zum Theile von der dritten; denn, obschon der leere Raum, welcher zum Theile über der Oberfläche des Wassers entsteht, in welches der Zug sich endet, nothwendig in der zusammengesezten aus demselben aufsteigenden Flüssigkeit einen geringeren Grad von Elasticität veranlaßt, als jener der Atmosphäre; so läßt sich mit Beihülfe des Saugapparates doch zu den meisten obigen Zweken für denselben Anwendung finden.

Der Werth der aus dem Dampfe erhaltenen Hize, nachdem derselbe durch die Maschine lief, und der elastischen Flüssigkeit am Ende des Generators, hängt nothwendig von den Bedürfnissen der Anstalt ab, an welcher eine solche Maschine errichtet wurde. Abgesehen aber von diesem Vortheile ist es offenbar, daß alle diese Abänderungen dazu dienen, Dampf mit dem geringsten Aufwande an Brennmaterial zu erzeugen, und die unschäzbare Eigenschaft besizen, allen Rauch zu beseitigen, und jeden Schornstein ganz überflüssig zu machen. Die lezte Abänderung, Erzeugung eines Zuges mittelst eines Saugapparates, dient vorzüglich zur Beseitigung des Rauches bei Oefen, an welchen sich eine Maschine befindet, durch welche der Apparat in Gang gehalten werden kann. Man kann dieser Abhülfe gegen das Rauchen nicht die Vorwürfe machen, welche man anderen Apparaten zu demselben Zweke gemacht hat, und dieser Apparat verdient die Aufmerksamkeit der Besizer der Dampfmaschinen zu London und in anderen großen Städten, wo die von Dampfkesseln aufsteigenden Rauchwolken von Jahr zu Jahr lästiger werden.

Es ist nicht nothwendig, daß der Saugapparat unmittelbar über der Oberfläche des Wassers angebracht wird, wie wir oben angegeben haben; er kann auch unter dem Schwungbalken angebracht und von diesem getrieben werden, oder durch eine Kurbelvorrichtung in irgend einer anderen bequemen Lage, welche Vorrichtung mittelst einer Saugröhre mit der Kammer über der Oberfläche des Wassers verbunden ist. Wenn das erhizte Wasser, in welches jeder Zug sich endet, zu irgend einem Zweke benüzt werden könnte, zu welchem es sei-

Unreinigkeiten und kohlenstoffhaltigen Materialien wegen, die sich in demselben befinden, nicht taugt; so kann diesem Nachtheile großen Theils dadurch abgeholfen werden, daß man den Dampf und die Gasarten, die von der Oberfläche dieses Wassers aufsteigen, in ein zweites Gefäß überfließen läßt, auf dieselbe Weise, wie man sie in dem ersten auffing: dieses Wasser kann dann zum Nachfüllen des Kessels und zu mehreren anderen Zweken gebraucht werden.

Wilh. Gilman.

„Wir haben," fügt der Herausgeber des Mechan. Mag. bei, „bereits bemerkt, daß Hrn. Gilman's Plan eine auffallende Aehnlichkeit mit jenem der HHrn. Braithwaite und Ericsson besizt. Diese Aehnlichkeit beschränkt sich nicht bloß auf Gewinnung einer vermehrten Hize mittelst eingepumpter Luft, sondern auch auf die Weise, wie eine Luftströmung durch eine Luftpumpe am Ende des Zuges hervorgebracht wird." Er führt hierauf eine Stelle aus Braithwaite's und Ericsson's Patent an, das wir bereits mitgetheilt haben, um diese Aehnlichkeit noch mehr zu erweisen. „Wem von beiden," so schließt er, „das Prioritäts-Recht angehört, getraue ich mir nicht zu bestimmen, weil ich keine Mittel hierzu besize. Obschon das Datum des Patentes der HHrn. Braithwaite und Ericsson jünger ist, als das hier angegebene Datum dieser Erfindung des Hrn. Gilman, so darf man doch nicht immer von dem Datum einer Erfindung auf das Datum einer Entdekung schließen. Die HHrn. Braithwaite und Ericsson werden uns wahrscheinlich über diesen Gegenstand einige Erörterungen mittheilen."

XLII.

Idee zu einer Schiffspumpe.

Mit einer Abbildung auf Tab. V.

Ein Hr. G. P. theilt im Mechan. Mag. N. 330. S. 264. eine Idee zu einer Schiffspumpe mit; gesteht jedoch, daß er kein Seemann ist, und diese Idee erfahrnen Schiffern bloß zur Prüfung unterlegt.

A, Fig. 7. ist der Hauptmast; B, ein Pendel oder eine Schwingstange; C sind die Pumpen; D, ist der Kielraum.[78])

78) Wenn diese Idee ausführbar ist, so könnte das Pendel B leicht durch eine Art von Windmühle am Schiffe in Bewegung gesezt werden. A. d. Ue.

XLIII.

Eissäge zum Zersägen des Eises.

Aus dem Recueil industriel. N. 35. 1829.

Mit einer Abbildung auf Tab. V.

Die Society for the Encouragement of Arts hat dem Herrn Lieutenant Hood für folgende verbesserte Eissäge, deren sich die Wallfischfänger im Eise des Nordpoles bedienen, um sich aus demselben zu befreien, eine Medaille zuerkannt.

Die Eissäge, deren man sich bisher bediente, hat ein unter dem Wasser hängendes Gegengewicht, und spielt auf einer an einem Dreieke befestigten Rolle, welches Dreiek senkrecht steht, und von Menschen vorwärts geschoben wird, so wie die Säge vorwärts schreitet.

Sie fordert gewöhnlich zwölf der stärksten Leute und ermüdet selbst diese bei den gewaltigen Anstrengungen, die sie erheischt.

Gegenwärtige verbesserte Säge fordert höchstens zwei oder drei Mann zur Bedienung.

AA, Fig. 14. ist ein kleiner Schlitten auf dem Eise.

Bc, ein Hebel mit seinem Stüzpunkte; der Griff an diesem Hebel ist durch punktirte Linien angedeutet.

E, ist die doppelarmige Fassung, in welcher sich das obere Ende der Säge F befindet.

G, eine ähnliche Fassung, an welcher das Gewicht D am anderen Ende befestigt ist.

Die Säge spielt an diesen beiden Enden auf einem Querbolzen frei.

I, ist eine eiserne Stange unten mit zwei Klauen, die in das Eis eingreifen.

K, der Punkt, in welchem diese Stange mittelst eines Bolzens auf dem Hebel spielt, den sie unten gabelförmig umfängt.

L, zweites Gewicht, welches bei M an der Stange I angebracht ist.

N, Stük, in welchem der Hebel, CC, spielt, und welches ihm als Leiter dient.

Ein ähnliches Gestell, wie dieses, das aber hier nicht angezeigt ist, steht nur 18 Zoll weit von diesem entfernt.

Man sieht, daß die Stange mit den Klauen, I, die dieselbe Bewegung hat, wie der Hebel, C, und die Säge, den Schlitten immer in einer gleichförmigen Weise fortschreiten macht, wie die Säge vorwärts schreitet.

Man kann dem Schlitten übrigens jede beliebige Richtung geben, worin ein zweiter Vortheil dieser Vorrichtung besteht.[79])

79) Wenn man diese Vorrichtung am Nordpol brauchen kann, wird man sie auch bei Eisgängen auf Flüssen unter dem 48° bis 54° benüzen können. A. d. U.

XLIV.

Gewehr, das man an der Pulverkammer ladet.

Mit Abbildung auf Tab. V.

Ein Hr. J. W. theilt im Mechan. Mag. N. 330. S. 262. anliegende Zeichnung eines Gewehres mit, das er sich selbst verfertigte und das man an der Pulverkammer ladet. Diese Art von Ladung scheint ihm vortheilhafter, als die gewöhnliche.

Wir müssen uns begnügen, hier auf Tab. V. durch die Fig. 3, 4, 5 und 6. eine treue Copie der Abbildungen seines Gewehres zu geben, da wir, und auch gewiß unsere Leser, aus seiner Beschreibung nicht klug werden können.

Büchsenmacher werden beurtheilen, was an diesem Gewehr Brauchbares ist.

XLV.

Hydraulische Wage.

Aus dem Recueil industriel, N. 33. S. 296.

Mit einer Abbildungen auf Tab. V.

Die Fig. 15. und deren Beschreibung erläutert diesen Apparat hinlänglich.

A, ist ein Cylinder aus lakirtem Zinn, der zum Theile mit Wasser gefüllt ist.

B, ist ein kleinerer Cylinder, der in dem Wasser des Cylinders A schwimmt.

C, ist ein in Grade getheilter Maßstab mit einer gläsernen Röhre, die an dem äußeren Cylinder, A, befestigt ist. Mit ihrem unteren Ende tritt diese Röhre in den Cylinder, damit das Wasser in beiden immer gleich hoch steht.

D, ist eine flache Schale oder Bühne, auf welche man den Gegenstand legt, welchen man wägen will, und welcher durch seinen Druk den inneren Cylinder niedersteigen und in gleichem Verhältnisse das Wasser in der Röhre in die Höhe steigen macht, wodurch dann das Gewicht des zu wägenden und auf der Schale liegenden Körpers durch den Stand des Wassers in der Röhre auf dem graduirten Maßstabe angezeigt wird, so wie die Temperatur der Atmosphäre aus dem an der Maschine angebrachten Thermometer erhellt. Diese Vorrichtung scheint, ungeachtet ihrer Einfachheit, äußerst genau zu seyn.[80])

80) Der Recueil gibt die Quelle nicht an, und schreibt bloß am Ende derselben: „Trad. angl." (aus dem Englischen übersezt.) Da die Reibung der Wände dieser Cylinder nicht immer gleichförmig seyn wird, wenn sie einander berühren, so scheinen die Resultate auch nicht immer sehr genau seyn zu können. A. d. Ue.

XLVI.

Kutsche mit einem einzigen Rade. Von D. Losanna de Lombriasco.

Aus dem Propagatore. Febr. und März 1829. S. 158. im November des Bulletin d. Scienc. techn. S. 204.

Mit Abbildungen auf Tab. V.

Diese Kutsche besteht aus einem einzigen großen Rade rt, Fig. 8 und 12., welches eine Art von Trommel t, Fig. 9. bildet, deren Länge der Länge der gewöhnlichen Kutschen gleich, und die 4 Fuß hoch ist. Zu jeder Seite derselben befinden sich zwei noch größere Räder, r, Fig. 8. Die Trommel ist an ihrem Umfange mit Leder oder mit einem starken Tuche bekleidet, und steht 12 bis 15 Zoll über der Straße oder über dem Boden, und wird durch die Speichen der größeren Seitenräder gehörig gestüzt. In dem Mittelpunkte derselben befindet sich die eiserne Achse, a, um welche sich die Trommel mit ihren Seitenrädern dreht. Diese Achse biegt sich unter einem rechten Winkel, wie man in Fig. 11. bei, u, sieht, so weit es der Hohlraum der Trommel gestattet, ohne daß diese in ihrer Bewegung aufgehalten wird. Auf dieser gebogenen Achse, u, sind die Size, p, für die Fahrenden angebracht. Diese Size sehen aus wie Nachtstühle: sie haben unten einen Korb, und ruhen, mit diesem zugleich, auf hölzernen Querleisten, die sich an die absteigenden Seiten der Achse stüzen, ohne jedoch den Grund derselben zu berühren. Oben sind diese Size mit einem Dekel versehen, wie die oben erwähnten Nachtstühle, und vom Rande derselben steigt ein Vorhang, v, empor, der die Fahrenden schüzt. Hinter den hölzernen Querleisten ist eine Lehne, an welche die Fahrenden sich auf ihrem Size lehnen.

Außerhalb der großen Seitenräder sind die Enden der Achse an dem Gestelle der Kutsche befestigt, mm, so zwar, daß die Achse dem Gestelle als Stüze dient, und die Zuglinie hält. Von dem hinteren Ende dieses Gestelles läuft eine Gabel nach vorwärts, und auf dieser befindet sich der elastische Siz für den Kutscher. Unter den Füßen des Kutschers ist das Gestell mit zwei großen Querleisten versehen, in deren Mitte sich eine horizontale, vierekige Aushöhlung befindet, in welche das Ende der Deichsel oder der Gabel paßt, m, Fig. 12., die daselbst mittelst eines starken Bolzens, x, befestigt ist. An den Seiten der Gabel sieht man in y die Verlängerung des Gestelles gleichfalls in Form einer Gabel, die etwas länger ist, als der halbe Durchmesser des großen Rades, und bei l mittelst eines Riemens an der Gabel befestigt wird. Das Pferd, welches die Gabel zieht, bleibt frei. Damit der Kutscher das Pferd leicht ausspannen kann, dient der

Hebel, z, Fig. 11., wovon der eine Arm, der etwas convex ist, in das Auge des Bolzens, x, paßt, Fig. 11 und 12., der andere c cave Arm, h, aber nach Bedarf von dem Kutscher so gedrükt wer kann, daß der Bolzen los und das Pferd frei wird.

Um das Gewicht des Kutschers aufzuwiegen, und den Plaz gleich zu benüzen, bringt man rükwärts, bei b, Fig. 12. einen Ko an, in dem die Achse sonst die Zuglinie zu sehr erhöhen würde. ter der Gabel sind zwei eiserne Haken, n, angebracht, an welchen Stränge eingehängt werden.

Um in die Kutsche zu gelangen, bleibt nur der Raum zwisc dem Querdurchmesser der Trommel und ihrem Umfange übrig. M könnte, wenn er nicht zureichte, den Durchmesser vergrößern, oder Gestell mittelst des hinteren Gegengewichtes erhöhen.

Fig. 8. zeigt diese Kutsche von der Seite und von Außen. Fig. zeigt sie im horizontalen Durchschnitte, und, um die Figuren nicht vervielfältigen, die Size sammt Zugehör von oben gesehen.

Fig. 9. zeigt die Trommel, t, einzeln, welche sich zwischen großen Rädern, r, Fig. 8 und 12. befindet.

Fig. 11. ist der Hebel, um die Kutsche von der Gabel und v Pferde los zu machen.

Die verschiedenen Größenverhältnisse können, nach Umständ abgeändert werden. Die großen Räder, r, Fig. 8. können kleiner macht werden, vorzüglich in Städten oder auf ebenen Wegen. A die Querleisten, Fig. 11., so wie die Krone und die Vorhänge der S könnten wegbleiben, und die Achse selbst könnte verkleinert werden.

XLVII.
Walzenförmiger Eisenbahnwagen.

Aus dem Franklin Journal im Mechan. Mag. N. 554. 2. Jäner 1830. S. 5

Her. Fleming, Mechaniker zu New-York, ließ sich ein Pat auf folgenden Wagen für eine Eisenbahn ertheilen.

---

81) Diese Kutsche ist nichts, als eine Modification des in unserem Pol technischen Journale beschriebenen amerikanischen Fuhrwerkes, das bere zu Paris zur Förderung der Wasserfässer benüzt wird, welche man dort um i Achse sich drehen läßt. So sehr wir überzeugt sind, daß unsere Kutschen und W gen, so wie sie gegenwärtig noch vorkommen, ein Pasquill auf die Mechanik Jahrhunderte sind, in welchen sie gebraucht wurden (in England kennt und brau man diese Undinge erst seit 1589); so sehr wir überzeugt sind, daß in Ländern, welchen die Straßen so sind, wie man sie jezt beinahe in allen Staaten Europe mit Ausnahme Hollands, findet; diese amerikanische Weise schwere Lasten zu f dern, die zuträglichste für die Straßen und für den Privatmann ist, der diese L sten zu fördern hat, so zwar, daß man diese Förderung sogar gesezlich in jen Ländern befehlen sollte, wo man weder auf gemauerte Straßen noch auf Eisenba nen und Canäle Geld aufwenden will; so wenig glauben wir, daß ein solch Rumpelkasten, wie der hier beschriebene, als Kutsche jemals sein Glük machen wir A. d. Ue.

„Der Wagen ist ein cylindrischer Körper, durch welchen eine Achse laufen kann, oder an welchem Zapfen angebracht seyn können, die an den Enden desselben hervorstehen, und mittelst welcher derselbe gezogen wird. Die Räder sind eiserne Ränder, welche um diesen Cylinder laufen, und wie Reifen denselben umfassen. Diese Ränder stehen in einer solchen Entfernung, daß sie genau auf den Schienen der Eisenbahn laufen: sie sind mit Vorsprüngen versehen, oder überhaupt so geformt, daß sie auf die Eisenbahn passen, auf welcher sie laufen. In die Höhlung dieses Cylinders werden nun Kisten, Fässer, Ballen oder andere Waaren, welche transportirt werden sollen, gepakt. Wenn Eisen, Holzwerk oder andere Artikel von bedeutender Länge gefahren werden sollen, geschieht der Zug auf eine andere Weise. Der Wagen ist dann ein hohler Cylinder ohne Ende; die Eisenstangen, die Breter oder Balken werden ganz durchgeschoben, und Achse oder Zapfen sind dann überflüssig. In diesem Falle wird ein Lauffeil (ein Seil ohne Ende) um den Cylinder geschlungen, der mit einer Doppelreihe von Zähnen versehen ist, durch welche eine Furche gebildet wird, welche dieses Seil oder Laufband an der gehörigen Stelle hält. Dieses Seil läuft über eine Rolle, welche an dem Pferde, oder an irgend einer Zugkraft angebracht ist, so daß hier dasselbe geschieht, was an dem großen und kleinen Rade einer Drehebank Statt hat. Zwei, drei oder mehrere solche cylindrische Wagen können hinter einander folgen, wenn sie durch ähnliche Laufbänder unter einander verbunden sind."

„Bei dieser Art von Wagen wird nothwendig Alles, was gefahren wird, beständig unter und über gekehrt, was bei dem Transporte gewisser Waaren, und namentlich der Passagiere, höchst ungelegen kommen müßte. Um diese Ungelegenheit nun zu beseitigen, ist in dem äußeren Cylinder noch ein kleinerer innerer angebracht, der so klein ist, daß er sich in dem äußeren bequem drehen kann. Dieser innere Cylinder hängt auf der Achse oder auf den Zapfen und ist auf einer Seite mit einem Gewichte beschwert, so daß, während der äußere Cylinder auf der Bahn rollt, der innere sich nicht in demselben drehen kann. Der Patent-Träger schlägt vor den inneren Cylinder mittelst Reibungsrädern aufzuhängen, so daß nur wenig Reibung mehr Statt hat, als bei dem Umlaufen des äußeren Cylinders allein."

„Der Patent-Träger nimmt den Gebrauch eines Cylinders oder eines rollenden Körpers auf einer Eisenbahn als Wagen als sein Patent-Recht in Anspruch; ferner den Gebrauch des Laufseiles zum Ziehen nach der oben angegebenen Methode. Bei einem solchen Wagen und bei diesem Laufseile wird die Reibung mehr, als bei keiner anderen Art von Wagen möglich ist, vermindert. Dieses Laufseil finbei auch noch viele andere nüzliche Anwendungen, wo fortschreitende Bewegung erzeugt werden soll." [82])

XLVIII.

Instrument zur Verfertigung perspectivischer Zeichnungen.

Mit Abbildungen auf Tab. V.

Obgleich es jezt nicht an einem faßlichen Werke über Perspective mangelt, so sind doch die angeführten Regeln nicht immer für alle vorkommenden Fälle so rasch ausführbar, wie es oftmals die Verfertigung einer perspectivischen Zeichnung von irgend einem Gegenstande erfordert.

Das einfachste Mittel, welches alle Regeln der Perspective in sich faßt, wäre daher, den Visirstrahl mit dem Zeichenstift zu bewegen. Es werden sich dann alle Fälle ohne andere Hülfslinien auflösen lassen.

Dieses einfache Princip liegt bei diesem Werkzeuge zum Grunde und hat sich nach mehrfacher Anwendung als ausreichend erwiesen. Es ist nämlich cd Fig. 17. die Projectionstafel, und bei a befindet sich eine Säule, die einen Kopf trägt, in dem sich der Radius sowohl vertical als horizontal durch Achsenbewegung drehen läßt. Dieser Radius ist eine Röhre, in welcher sich ein Stäbchen e fleißig schiebt, und welches vorn mit einem Bleistifte versehen ist. Man kann daher die Tafel cd auf allen dem Auge zugekehrten Stellen nach Gefallen berühren. Sezt man auf diese Röhre gewöhnliche Dioptern fg, jedoch von der Höhe, daß beim niedrigsten Stand des Stiftes noch über die Tafel weg nach dem Gegenstande gesehen werden kann, und bringt man bei h ein Gegengewicht an, so ist der Apparat vorgerichtet. Man darf alsdann nur durch das Oculardiopter sehen, und mit dem Kreuzfaden des Objectivdiopters die Conturen der Gegenstände scheinbar umgehen, während da, wo man zeichnen will und den Stift an die Tafel drükt, der alsdann mit der Leichtigkeit einer Schreibfeder gehandhabt werden kann, um ein Bild des Gegenstandes hervorzubringen. Es ist einleuchtend, daß sich die Größe der Zeichnung alsdann so verhält, wie die Entfernung ik zu il. Für die

82) Diese Cylinderwagen sind in N. Amerika nichts weniger als neu; nur die Anwendung derselben auf einer Eisenbahn, die sich so zu sagen von sich selbst ergibt, ist neu, und es ist gewiß, daß bei dieser Vorrichtung unendlich viel an Zugkraft gewonnen wird. Wir erwarten seit mehreren Monaten die Resultate der Versuche mit einer ähnlichen Vorrichtung, die sich ohne alle Zugkraft bewegt; denn, wie es scheint so werden wir in manchen Ländern des Continentes von Europa keine Eisenbahnen erhalten, wenn nicht die Wagen von selbst auf denselben laufen. Bei uns muß man aus der Schwerkraft, die einige vis inertiae nennen, Nuzen ziehen, wenn man etwas in Gang bringen will. A. d. Ue.

Gebrauch ist es vortheilhaft, den Theil A B verschiebbar zu machen. Eben so können die Dioptern eingerichtet werden, daß man, anstatt über die Tafel, an der Seite weg visiren kann. Die Dioptern können auch durch ein Fernrohr ersezt werden. Ein schwarzer und ein weißer Stift, die sich diagonaliter berühren, als Absehen im Objektivdiopter, sind für Gegenstände, die im Schatten oder Lichte stehen, oder auch ihrer natürlichen Farbe wegen sehr zwekmäßig. Der Projektionstafel kann man sowohl alle Lagen und Neigungen, als auch alle erforderliche Gestalten geben; weil die Verschiebbarkeit des Zeichenstiftes erlaubt, auf alle Flächen zu zeichnen. Ein flaches Kästchen, dessen Dekel zur Zeichentafel dient (so wie der übrige Raum zur Aufnahme der Metalltheile), auf ein Stativ mno geschraubt, ist wohl die zwekmäßigste Form. Die nächste Gesichtsweite bestimmt den Abstand der Diopter f von g, das übrige ist willkürlich. Mittelst eines solchen Werkzeuges läßt sich der Entwurf zu einem Panorama mit aller Bequemlichkeit machen. Der Vortheil bei jeder Tageszeit arbeiten und die ersten Skizzen sogleich rein ausführen zu können, sind Annehmlichkeiten, die Zeichner besonders schäzen. Auch erlaubt das Instrument in natürlicher Größe zeichnen zu können. Man darf nur das Objekt in die Ebene der Projectionstafel bringen.[33])

XLIX.

Maschine zur Verfertigung der Ziegel, nebst einigen Beobachtungen über das Verfahren bei derselben.

Aus dem Recueil industriel, N. 33. S. 297.

Mit einer Abbildung auf Tab. V.

Der Correspondent, welcher diese kleine Beschreibung mittheilte, sagt, daß er diese Maschine zu Montreal in Canada arbeiten sah, und daß sie nur in großen Ziegeleien anwendbar ist, was uns aber nicht so scheint.

Fig. 16. stellt diese Maschine vor, so wie sie in Canada gebraucht wird.

AB ist ein hölzerner Trog aus Einem Stüke, und 18 Fuß lang. (Die Redaktion des Recueil bemerkt, daß er kürzer seyn könnte.)

DE sind zwei kleine Balken, zwischen welche der Keil C fällt.

FG sind leere Model, in welche man den Thon bringt.

Wenn der Widder den Keil stößt, treibt er D und E gegen die in F und G enthaltene Erde mit einer nach dem berechneten Druke erforderlichen Kraft.

Die Figur zeigt hier nur die Bildung zweier Ziegel. Es ist aber

---

33) Weitere Beiträge sind stets willkommen. D. R.

klar, daß man derselben so viel man will erzeugen kann, wenn man den Trog und den Keil größer macht, und die Zahl der Balken und Model darnach vervielfältigt. Ein Stoß des Widders kann dann auf ein Mal einige Duzende Ziegel verfertigen.

Wir müssen noch beifügen, daß man Hohl- und Plattziegel und Thonplatten von allen Formen auf diese Weise verfertigen kann; was man aber in Canada nicht thut, weil man sie daselbst nicht braucht.

Wir glauben auch, daß man noch andere irdene Waaren auf dieselbe Weise bereiten könnte, und theilen hier unsere Bemerkungen mit.

Wir würden FG auf Reibungswalzen sezen, um sie beweglicher zu machen.

Wir würden einen Hebel anbringen, um den Keil zu heben und seine inneren Flächen mit sehr glatten Eisenplatten belegen, die wir beständig mit Fett geschmiert erhalten würden.

Wir würden auch kleine Reibungswalzen an den Seiten von FG anbringen oder längs den Scheidewänden zwischen jeder Linie der Model.

Um sie auf den Punkt zurükzuführen, auf welchem sie die Figur zeigt, nachdem sie die Erde gedrükt haben, würden wir ein kleines Rollenspiel mit Schnüren anbringen, das stark genug ist, um nur eines Kindes zu bedürfen, das dasselbe in Thätigkeit zu versezen vermag.

Da das Ankleben des Thones ein großes Hinderniß ist, so würden wir zur Vermeidung desselben die Model aus Gußeisen und mit sehr glatter Oberfläche machen. Dasselbe Kind, welches FG spielen läßt, sie in den Mittelpunkt zurükführt und den Keil hebt, könnte sie von Zeit zu Zeit mit einem schlechten höchst wohlfeilen Oehle schmieren, oder mit irgend einer Seifenauflösung, oder mit Walkererde, mit Kreide rc.,[84]) und sich hierzu einer Art Wedels aus Borsten bedienen, der eben so groß ist als der innere Hohlraum des Models. Auf diese Weise würde die Arbeit äußerst schnell gehen.

Wir würden den Boden der Model in Falzen auf einer eisernen Seitenstange laufen lassen, die auf derselben entweder in Gewinden, oder fest und unbeweglich angebracht sind, wenn man nämlich die Boden der Model an den Seiten herausziehen wollte, um sie auf ein Mal zu entleeren.

Diese Verbesserung ist wichtig, indem sie dem Ankleben des Thones abhilft. Die gedrukte Platte, die dann keine Stüze mehr hat, würde nothwendig von selbst herabfallen, oder wenigstens, um ganz von dem Model frei zu werden, nur eines sehr leichten Drukes von oben bedürfen, wenn man den Dekel der Model hebt.

Die Ziegel würden unten auf einem langen mit Sand überstreu-

84) Graphit würde noch besser seyn. A. d. Ue.

im Brette aufgenommen, das sich auf Walzen über eine Eisenbahn bis zur Trokenstelle bewegt.

Es würde also bei allen verschiedenen hier nöthigen Arbeiten die Hand so zu sagen nur zur Leitung nothwendig seyn.

Um die Arbeiten zu beschleunigen, würden wir den Thon, welcher gepreßt werden soll, auf eine sehr ebene Bühne legen, die mit Sand überstreut und mit Leisten eingefaßt ist, welche genau so hoch emporragen, als die Ziegel oder Platten, welche gepreßt werden sollen, dik werden sollen. Ueber den Thon würden wir eine schwere Walze laufen lassen, die ihn in der gehörigen Dike zusammendrükt.

Um die Arbeit noch mehr zu beschleunigen, und die Form der Ziegel oder Platten, welche gepreßt werden sollen, so regelmäßig zu machen, als möglich und wie die Model sie verlangen, würden wir eine Reihe Schneid- oder Durchschlageisen anbringen, die auf ein Mal längs der ganzen Länge der Bühne oder nach der Breite derselben so viel vierekige Stüke Thon ausschneidet oder durchschlägt, als die Maschine auf ein Mal Ziegel oder Platten verfertigt.

Die Bühne müßte überdieß nahe genug stehen, um den Arbeiter, der sie mit Thon versieht, seine Arbeit verrichten zu lassen, ohne daß er einen Fuß von der Stelle zu bewegen braucht. Ein beweglicher Widder auf einem kleinen Wagen könnte die Durchschlag- oder Schneideisen eintreiben, und man könnte noch überdieß mehrere kleinere Bühnen, die sich auf Walzen kleinerer Eisenbahnen bewegen, vorrichten.

Wir würden auch eine Menge kleiner Löcher auf diesen Bühnen anbringen, damit, im Falle daß man für mehrere Tage solche durchgeschlagene Platten oder Ziegel im Vorrathe haben wollte, dieselben nach unten etwas abtröpfeln könnten.

Es scheint uns, daß bisher noch kein einfacherer, wohlfeilerer, dauerhafter, schneller arbeitender und mehr im Großen anwendbarer Mechanismus zum Ziegelschlagen, der weniger Kraft und Hände forderte und weniger Mängel und Unbequemlichkeiten besäße, als diese Maschine aus Canada, bekannt gemacht worden ist, vorausgesezt, daß man obige Verbesserungen an demselben anbringen wollte.

In dieser Hinsicht hat sie unsere Aufmerksamkeit verdient, und wir glauben, daß sie, mit unseren Verbesserungen, dem Wunsche der Société d'Encouragement entsprechen könnte: die Theorie ist hier so klar, daß die Praxis an derselben wenig oder gar nichts zuzusezen haben wird.

Wir wollen jedoch noch eine andere Maschine hier angeben, welche Hr. Dixon Vallance im November 1827. bekannt machte.[85])

85) Wir liefern die hier gegebene Beschreibung und Abbildung nicht wieder, Dingler's polyt. Journ. Bd. XXXV. H. 5.

Die großen Fehler an dieser Maschine des Hrn. Wallance ergeben sich bei dem ersten Blike.

1) arbeitet sie äußerst langsam.

2) fordert sie eine sehr große Kraft selbst bei einer geringen Menge Arbeit; sie läßt sich nicht in weitem Umfange anwenden.

3) kommt sie an und für sich und in ihren Ausbesserungen sehr theuer zu stehen.

4) macht der Druk von oben nach unten den Thon nur noch fester am Boden des Models kleben.

Indessen kann man nicht läugnen, daß diese Maschine bei allen ihren Mängeln sinnreich ist, obschon man sie nicht brauchen kann: denn man will schnell, wohlfeil und mit wenig Kraft arbeiten. Wir führten sie hier bloß an, um die Vorzüge der canadischen Maschine deutlicher zu machen, und die Einfachheit, Wohlfeilheit und Festigkeit derselben zu zeigen.

Wir haben alle Maschinen zum Ziegelschlagen, die man in England und in anderen Ländern vorschlug und patentisiren ließ, studiert, und gefunden, daß wenn sie auch sehr sinnreich sind, sie doch zu sehr zusammengesezt, und zu kostbar sind, auch in dem Unterhalte zu viel kosten, zu viel Kraft fordern; daß der Thon zu sehr anklebt u. dgl. Wir behaupten dabei nicht, daß die canadische Maschine (die wir, nach den von uns angebrachten Verbesserungen, die unsrige nennen könnten) vollkommen fehlerfrei ist; wir glauben aber, daß so, wie wir sie beschrieben haben, sie dem größten Theile der Forderungen entspricht, welche die Société d'Encouragement gestellt hat. Wir können nicht nach Frankreich gehen, und den übrigen Forderungen der Société durch Errichtung einer Fabrik ꝛc. Genüge leisten. England besizt gegenwärtig, wir sind hiervon überzeugt, keine Ziegelei, die durch Maschinen betrieben wird, und alle Patente, die man sich daselbst auf solche Maschinenziegeleien geben ließ, beruhen auf sich selbst.

Da wir uns lange Zeit über mit Ziegelschlagen beschäftigten, so glauben wir noch einige Bemerkungen über die Behandlung des Thones und über die Materialien, die man demselben (wie wir glauben, mit Unrecht) in ungeheuerer Menge beimengt, beifügen zu dürfen.

Beigemengte Materialien.

Man siebt die Asche der Steinkohlen durch ein Drathsieb mit weiten Maschen, und bildet mit dieser Asche Zwischenlagen zwischen dem Thone.

Das Verhältniß der Dike dieser Lagen (an der Asche, ehe sie

---

da sie sich bereits im XXVIII. Bd. S. 134. des Polyt. Journ. beschrieben und abgebildet befindet. A. d. Ue.

durch die Schwere des Thones niedergedrükt wurde, berechnet) ist wie ungefähr 1 : 3, und, nach dem Zusammendrüken, wie 1 : 7 bis 8.

Man häuft diese Asche an einer trokenen Stelle, zu ungeheueren Haufen mit dem Thone an. Wir sehen täglich vierekige Haufen von 150 Fuß im Gevierte und 6—8 Fuß Höhe (nachdem die Mischung sich bereits gesezt hat) vor unseren Augen.

Man führt diese Haufen Ende Herbstes auf, und sticht sie im Frühjahre wieder um, ohne dabei besonders regelmäßig zu Werke zu gehen.

Man bringt sie hierauf in eine kreisförmige mit Wasser gefüllte Grube, in deren Mittelpunkte sich ein senkrechter Wellbaum befindet, welcher von einem Pferde oder von zwei Pferden getrieben wird, wodurch zwei oder vier Egen umher gezogen werden, die diesen Thon in allen Richtungen durchschneiden.[86])

Diese Vorrichtung ist immer einige Fuß über großen vierekigen Beken von 2—3 Fuß Tiefe erhoben, welche den zerrührten Thon (den Rahm, der durch das Umrühren mittelst der Egen mit ihren Messern entsteht) aufnehmen.

Damit sich kein Saz und keine Anhäufung bildet, bringt man Reihen von Trögen von leichtem Holze an (die etwas höher sind, als die Ränder des Bekens), wodurch die zerrührte Masse überall gleichförmig vertheilt wird.

Dieser ersten Mischung sezt man eine gewisse Menge von Kreide zu, welche gleichfalls in einer kreisförmigen Grube mittelst einer ähnlichen Roßmühle zerrieben und zerrührt wird, nur daß hier, Statt der Egen, zwei große Räder mit breiten Felgen sich drehen, die die Kreide zerdrüken, indem der Boden Stein oder Gußeisen ist.

Durch die Bewegung dieser Räder wird das Wasser, dessen zu viel seyn mag, in einer Art von Milchstrom durch Tröge auf alle Punkte des Bekens vertheilt, während in diesem die erste Mischung eingerührt, und so auch die Kreide gleichförmig beigemengt wird.

Nachdem das Beken hinlänglich gefüllt ist und sein Wasser durchlaufen ließ, so daß man auf demselben mittelst langer und breiter Bretter hin und her kann, dekt man die Oberfläche desselben mit einer Lage feiner Steinkohlenasche von ungefähr 3 Zoll Dike.

Auf diese Weise macht die Wärme der Luft keine Sprünge in die darunter befindliche Masse, und man erhält dieselbe immer so feucht und teigartig, daß man sich ihrer zu jeder Stunde bedienen kann.

Wenn man sie nun braucht, stürzt man sie in ein Faß, das in seiner Mitte mit einer senkrechten, mit mehreren Messern bewaffneten,

---

86) Dieß ist die holländische Klaymühle. A. d. Ue.

eisernen Achse versehen ist, welche Messer nach abwärts einen Winkel bilden. Ein Pferd dreht diese Achse.

Die Erde, die unten aus dem Fasse austritt, wird alsogleich verarbeitet.

L.

Verbesserung in der Ziegelschlägerei, auf welche Wilhelm Mencke, Gentleman, Park-Place, Peckham, Surrey, sich am 11. Aug. 1828. ein Patent ertheilen ließ.

Aus dem Repertory of Patent-Inventions. Jäner 1830. S. 22.[87])

Nach diesem Patente muß der Thon oder die Ziegelerde in gewissen Verhältnissen (in welchen ist nicht angegeben) mit Kreide gemengt, und mittelst einer von einem Pferde getriebenen Thonmühle, so wie man sie bei Ziegeleien gewöhnlich braucht,[88]) gehörig durchgearbeitet werden: Wasser wird dabei zugleich in gehöriger Menge zugesezt: Man läßt hierauf die ganze Masse in seichte Sümpfe überlaufen, und das Wasser theils durch die Einwirkungen der Sonne und der Luft, theils durch die übrigen gewöhnlich gebräuchlichen Mittel daraus sich entfernen. Nun wird dem Gemenge Schwefelsäure zugesezt. Wie viel und auf welche Weise ist nicht angegeben. Alles, was in Bezug auf diese sonderbare Zuthat vorkommt, ist dieses: „daß die Schwefelsäure diese Mischung troknen hilft, und die Theile sich besser vereinigen macht." Nachdem die Masse hinlänglich von Wasser befreit wurde, so daß man sie in Klumpen heraus nehmen kann, wird sie in die Scheunen gebracht, und daselbst getroknet, bis sie, nachdem sie auf eine gehörige Weise zerkleint wurde, sich klumpert. Nun kommt sie unter die Presse und wird mittelst derselben in Model von der verlangten Form gepreßt.

Die Presse ist eine gewöhnliche Schwung- oder Schlag-Presse, wie man sie in der Münze hat, mit langen Hebelarmen, deren jeder sich mit einem Gewichte von beiläufig Einem Zentner endet. Der Knecht (oder die bewegliche horizontale Bühne unter der Preßspindel, ist an seiner unteren Fläche mit einer Menge hölzerner oder eiserner Blöke von der Form der Ziegel ausgerüstet, die in geringer Entfernung von einander stehen, und so vorgerichtet sind, daß sie in eine gleich

---

87) Wir haben zwar von diesem Patente schon eine Notiz gegeben (Polytechn. Journ. Bd. XXXIII. S. 327.); da aber der hier gegebene Auszug im Repertory etwas umständlicher ist, und das Verfahren in Hinsicht auf Thonbereitung einige Aehnlichkeit mit der canadischen Methode im Recueil hat, so theilen wir auch das mit, was das Repertory hierüber anführt. A. d. Ue.

88) In England und in Holland; in Süddeutschland kennt man die Thonmühlen höchstens dem Namen nach. A. d. Ue.

Anzahl hohler Model ohne Boden passen, welche horizontal auf einer Bühne quer durch die Mitte der Presse stehen, so daß diese mittelst Keilen, die durch Einschnitte in den Pfeilern oder Seiten der Maschine laufen, horizontal gestellt werden kann. Unter diesem Gestelle ist ein zweiter Knecht, der von dem Stämpel einer hydraulischen Presse getragen wird, deren kleine Pumpe und Cisterne an einer Seite der Vorrichtung angebracht ist, und auf diesem Knechte ist eine hölzerne Tafel oder ein Brett von der Größe des Rahmens der Model, welches durch die hydraulische Presse mächtig gegen den Boden der lezteren gedrükt wird.

Nachdem die Presse auf diese Weise gestellt ist, werden die Model oder Formen in der Mitte derselben (deren 18 sind in dem hier gegebenen Beispiele) zuerst mit dem Thone gefüllt, der auf obige Weise zugerichtet wurde, und zwar voll bis an ihre obere Kante. Hierauf werden sie mit der oberen Schraubenpresse stark zusammengedrükt, die auf die Blöke unter ihrem Knechte drükt, der eben so viel ziegelförmige Massen aus denselben bildet. Der Knecht der unteren Presse wird dann bis in eine gewisse Entfernung herabgelassen, indem man einen kegelförmigen Stöpsel an der Seite der Pumpe losschraubt, wodurch dann das Wasser in die Cisterne fließen kann, und die Hebel der Schraubenpresse dann wieder in Bewegung gebracht werden. Dadurch werden die Blöke durch die Model durchgetrieben und die zusammengedrükten Massen auf das darunter befindliche Brett gebracht, auf welchem sie dann auf die alsogleich zu beschreibenden Trokenbogen kommen. Ein anderes Brett liegt auf dem Knechte der hydraulischen Presse, und bereitet so die Vorrichtung zum Wiederbeginnen der eben beschriebenen Arbeiten vor.

Der Trokenbogen ist ein langes, niedriges, gewölbtes Gebäude mit einem Ofen an dem einen Ende und einem Schornsteine an dem anderen, und mit zwei Thüren an jedem Ende. Eine Menge kleiner Oeffnungen befinden sich an den Seiten und in dem Bogen. In diesem Gebäude werden die rohen Ziegel so aufgehäuft, wie man es in den Scheunen auf dem freien Felde sonst zu thun pflegt. In dem Ofen wird ein Feuer angeschürt, wodurch dann die Ziegel zum Brennen fertig werden, und die große Hize auszuhalten im Stande sind, in welche sie in dem Ofen kommen. Wenn sie in dem Ofen gebrannt werden sollen, werden sie von ihren Stellen genommen und wieder frisch in demselben Trokenbogen aufgeschichtet, wo Lagen des Brennmateriales, wie gewöhnlich, zwischen dieselben kommen, und die Löcher in den Seitenwänden und in dem Bogen, welche früher geschlossen wurden, geöffnet werden, so daß nach und nach die Verbrennung des

Feuers und die zum Brennen der Ziegel nöthige Hize gehörig umher geleitet wird.

Das Repertory bemerkt, daß ihm die Anwendung der Schwefelsäure, die der Patent-Träger empfiehlt, höchst problematisch scheint, weil eine ungeheuere Menge derselben bei der großen Masse angewendet werden muß, wenn eine Wirkung Statt haben soll, und folglich die Auslage ungeheuer werden muß. Wenn man sie zusezt, wird sie den Kalk angreifen und denselben mehr oder weniger in Gyps verwandeln, je nachdem man mehr oder weniger von derselben genommen hat, und zugleich auch die Kohlensäure austreiben, so daß dadurch die einzelnen Theilchen mehr von einander entfernt Statt näher an einander gebracht werden, und folglich die Masse mehr porös werden muß. Bei dem Brennen selbst und während der lezten großen Hize wird ferner ein Theil der Schwefelsäure wieder verjagt, und auch dadurch werden die Theilchen der Masse wieder mehr von einander entfernt, und es wird ein furchtbar übelriechender Dampf aufsteigen, der durch die Einwirkung des Dampfes auf das Brennmaterial entsteht. [89])

Die hydraulische Presse scheint überflüssig, indem der Knecht oder die Bühne durch einen Wagebalken und durch Hebel und durch andere einfache Mittel gehoben oder gesenkt werden kann, ohne daß der Gang der Arbeit dadurch litte, und diese minder vollkommen würde. Die hohen Kosten einer so theueren Maschine lassen sich also dadurch ersparen.

Es scheint uns indessen, daß die Presse, nach dieser Weise verbessert, ein sehr nüzlicher Apparat bei dem Ziegelschlagen werden kann, indem dadurch das Troknen beschleunigt und das gewöhnliche Material fester wird. Auch der Trokenbogen ist ein sehr wünschenswerthes Ding für die Ziegelschlägerei. Wenn man bedenkt, wie viel Ziegel in den Scheunen und bei dem gewöhnlichen Brennen in Meilern zu Grunde gehen, zumal von denjenigen, die außen zu liegen kommen, so wird es klar, daß das Capital für den Bau dieser Trokenbogen gut verwendet ist. [90])

89) Hat der Redacteur des Repertory Versuche angestellt? Er würde, wenn er es gethan hätte, vielleicht anders urtheilen. Leider stimmt die Praxis nicht immer mit der Theorie. A. d. Ue.

90) Der größte Gewinn bei diesen Trokenbogen ist der Gewinn an Zeit, und die Möglichkeit, bei jeder Jahreszeit und bei jeder Witterung Ziegel machen und brennen zu können. A. d. Ue.

LI.

Auszug aus dem Berichte der Berathschlagungen der Finanz-Commission in Bezug auf die Eisenerzeugung in Frankreich.

Aus dem Recueil industriel. N. 33. S. 318.
(Im Auszuge.)

Da der Zoll, welcher auf Einfuhr des ausländischen Eisens gelegt wurde, sowohl von Seite derjenigen, welche dieses Materiales bedürfen, als von Seite derjenigen, welche Wein bauen, und mit demselben handeln, Klagen erzeugte; so glaubte die Regierung, daß es vor Allem nöthig ist zu untersuchen, inwiefern diese Klagen gegründet sind. In dieser Hinsicht sezte sie, unter königlicher Bestimmung, und unter dem Vorsize des Ministers des Handels und der Industrie, eine eigene Commission nieder, die aus sieben Pairs von Frankreich, sieben Deputirten der Wahlkammer und aus einem Staatsrathe bestand. Man zog zugleich den Director der Colonien beim Ministerium der Marine, den Director der Handelsangelegenheiten beim Ministerium des Aeußeren, und einen Administrator der Mauth derselben bei. Die Sizung hatte am 20. und 23. December 1828. Statt. Die HHrn. Cordier und Héron de Villefosse, Markscheider, hatten den Auftrag, im Nothfalle die Entwikelung schwieriger Fragen zu erleichtern. Man vernahm 27 Personen: 14 Hochöfenbesizer, welche Steinkohlen- und Eisen-Gruben zugleich besizen; 2 Abgeordnete des Handelsstandes, den einen von Bordeaux, den anderen von Nantes; zwei Eisengroßhändler; zwei Maschinenfabrikanten; einen Gießer; einen Feilenhauer; einen Weingüterbesizer in der Gironde; einen Landwirth; einen Unternehmer einer Eisenbahn; einen Schlosser für Gebäude; einen Bergwerksinspector.

Der Bericht der Commission wurde nur in wenigen Exemplaren abgezogen; er ist zu weitläuftig, um ganz geliefert werden zu können, sagt der Recueil, und man müßte sich auf das Wesentliche beschränken.

Der Berichterstatter, Baron Pasquier, sagt, der Minister des Handels wolle keinen gelehrten Streit über die Theorien der Staatswirthschaftler, vor welchen er allen Respect hat; er wolle nur Thatsachen, die, abgesehen von aller Theorie, sich auf jedes Land anwenden lassen. So hat im ganzen civilisirten Europa, insofern Handelsgeseze in demselben bestehen, der Consument nicht das Recht zu fragen, warum man sich erlaubt ihm zu Gunsten der Industrie seines Nachbars eine Steuer aufzulegen, und der Producent, warum man ihm den Absaz erschwert, sobald das allgemeine Beste darunter leidet. Unter solchen Umständen ein absolutes Prohibitivsystem einführen wollen, hieße alle Völker der Erde isoliren und allen Handel vernichten wollen; auf der anderen Seite aber unbedingte Handelsfreiheit oder freie Einfuhr gestatten, hieße eine Menge von Industrieanstalten, die mit großen Kosten unternommen und errichtet wurden, und die nur mittelst eines besonderen Schuzes bestehen können, mit einem Male vernichten. Dieser Schuz darf aber nicht leichtfertig ertheilt werden, und man muß sorgfältig untersuchen, wie weit er getrieben werden darf. Man baue und fördere Alles, was der Boden und das Klima gestattet und gewährt; man beschüze Alles, mehr oder minder, jedoch mit Maß, was ohne große Hindernisse eingebürgert werden, was den allgemeinen Wohlstand sowohl als jenen der Privaten zu fördern vermag; nur hüte man sich Anstalten in Schuz zu nehmen, die nur unter großen Anstrengungen und mit Hülfe eines ewigen Monopoles fortbestehen können, das nur einigen Einzelnen Nuzen bringt, ohne daß man übrigens den Sturz dieser Anstalten beschleunige, wodurch immer das allgemeine Wohl unsanfte Stöße erleidet. Wir wollen daher nach und nach und mit kluger Langsamkeit zu Werke gehen. Wenn also eine wahrhaft nüzliche und nothwendige Industrieanstalt bei ihrem ersten Entstehen auf ihrem eigenen Herde keine Concurrenz ertragen kann, weil es ihr an Mitteln und an jener Erfahrung gebricht, die nur die Zeit ihrer Rivalinn gewähren konnte; dann muß man sie benüzen und selbst kräftig beschüzen: denn sonst würde man ein Kind gegen einen erwachsenen Mann ringen lassen. Allein dieser, unter solchen Verhältnissen nothwendig gewordene, Schuz muß auf der Stelle aufhören, sobald er nicht mehr nüzlich ist: ob er nicht mehr nüzlich ist, geht aus der Betrachtung der Thatsachen hervor, und dieses Studium der Thatsachen muß vor Allem in die Verwaltung des Handels und der Industrie übergehen. Es ist also gewiß, daß es Verbote und Zollverschärfungen gibt, die, ungeachtet aller wirklichen Unbequemlichkeiten, mit Nuzen und Vortheil vorgeschrieben werden können. Es unterliegt keinem Zweifel, daß der gegenwärtige Zustand der Industrie in Frankreich nicht gestattet, daß man ihr jenen Schuz entzieht, unter welchem sie bisher lebte und gedieh, und bis auf den heutigen Tag immer mehr und mehr emporgestiegen ist; ohne welchen sie nie jenen Umfang erreichen würde, den sie noch erreichen kann; ohne welchen sie selbst großen Schaden ausgesezt seyn würde. Allein man hat die allgemeine Ueberzeugung gewonnen, daß man den Grad dieses Schuzes abmessen und denselben beschränken muß, insofern er auf dem Consumenten lastet, ohne ihm den gehörigen Ersaz dafür zu geben. Diese Frage hängt nun von Thatsachen ab, welche erst untersucht werden müssen. Man fühlt, auf der einen Seite, die Nothwendigkeit, die Arbeit im Lande kräftig zu schüzen, und auf der anderen die Pflicht, die Gränzen dieses nothwendigen Schuzes genau zu bestimmen in Hinsicht auf die Nachtheile, welche dadurch für den Consumenten und für andere Zweige der Industrie entstehen können. [91]) Dieß ist das Re-

91) Unsere Leser werden, ohne unsere Erinnerung, bemerken, daß Hr. Baron Pasquier hier von seiner ministeriellen Schaukel herab auf ministerielle Weise mit vielen kahlen glatten Worten und Gemeinplären nichts sagte. Wenn er die Wahrheit hätte sagen wollen, so hätte er sagen müssen: „Ihr wißt, meine Herren, so gut wie ich, daß Frankreich vor der Revolution keine andere Industrie hatte, als Europa mit Lyoner-Waaren und mit Mode-Tand zu versehen; daß Napoleon durch Einfuhrverbote englischer Fabrikate aller Art Baumwollenspinnereien, Baumwollenfabriken, Tuchfabriken, Eisenwerke in Frankreich gründete, welche so schnell gediehen, daß sie der englischen Industrie einen tödtlichen Stoß zu versezen vermochten. Wenn wir auf der von Napoleon uns vorgezeichneten Bahn fortfahren, so sind wir, nicht bloß in industrieller, sondern auch in politischer Hinsicht von England's Fesseln frei und ledig. Damit wir jedoch dieses Glükes nie theilhaftig werden, führen unsere guten Nachbarn jezt ganz im Stillen den Krieg mit denselben Waffen im Cabinette und in unserer Administration, mit welchen sie uns auf dem Schlachtfelde besiegten, mit Gold und mit der Feder. Sie suchen das Vorurtheil, welches das feste Land bisher für Alles, was ein Engländer spricht, schreibt oder thut, in blinder Ergebenheit und Unterwürfigkeit wie angezaubert hält, so kräftig als möglich zu nähren, und wissen dort, wo ihre Sophismen keinen Eingang finden, ihren Guineen Zutritt zu verschaffen. Da sie die Gefahr ihres Unterganges voraussehen, wenn Frankreich dasselbe System befolgt, welches Oesterreich, Rußland, Preußen, die Niederlande mit solchem unendlichen Vortheile für ihre Industrie ergriffen haben; wenn ihr Markt in Europa nur mehr auf Portugal, Spanien und Unteritalien, auf Leipzig und Frankfurt und die Hanseestädte beschränkt ist; so müssen sie Alles aufbieten ein solches System bei seinem Entstehen zu Grunde zu richten. Man kann Fabriken nur in den ersten Jahren ihrer Errichtung mit Leichtigkeit zu Grunde richten: wenn man sie einmal bis auf eine gewisse Höhe sich heben läßt, dann prellen die Pfeile des Verderbens zurük gegen denjenigen, der sie dagegen abschoß. Jezt muß die Industrie in Frankreich vernichtet werden, wenn Frankreich ein zweites Portugal, ein zweites Spanien für England werden soll; jezt oder nimmer. Ein Mann wird leicht mit hundert Kindern fertig; aber nicht immer mit einem Manne, wenn das Kind zum Manne und er zum Greisen geworden ist. Frankreich ist, jezt noch, in zwei Parteien getheilt. Die eine hängt mit Dankbarkeit noch an England, dem sie Alles schuldig ist, was sie ist; seine Wohlthaten sind noch im frischen Andenken; die schönen Bande der Dankbarkeit wurden bei vielen Individuen dieser Partei durch Familienbande noch enger geknüpft. Soll man seinen Wohlthäter zu Grunde richten helfen? Er verspricht uns neuen Schuz, wenn die Tage der Gefahr wiederkehren sollten. Sollten wir ihm die Hände binden, damit er uns nicht zu Hülfe kommen kann, wenn wir seiner Hülfe neuerdings bedürfen? Diese Partei für England ist groß in Frankreich; sie ist mächtig; sie hat über Vieles zu gebieten. Es bedarf nur eines leise gesprochenen Wortes, nur eines Winkes, um dort verstanden zu werden, wo das Herz offen steht und zittert. Der anderen Partei, die von tödtlichem Hasse gegen diese entflammt ist, darf man nur das Wort Freiheit in die Ohren krachen lassen, um sie aufzuregen gegen alles, was auch nur den Schein irgend eines Zwanges an sich trägt: sie will lieber in ungebundener Freiheit zu Grunde gehen, als unter dem Schuze irgend eines verständig abgewogenen Zwanges gedeihen. Bei solchen Elementen eines Volkes ist es leicht dasjenige zu zerstören, was bei den Unternehmungen desselben irgend eine Gefahr zu drohen vermag; es gehört nicht einmal ein bedeutender Aufwand von Goldstaub dazu, den man gewissen Leuten in die Augen oder in die Perüke zu streuen hat, wenn man etwas durchsezen will. Auf der einen

sultat der ersten Sizung der Commission in Hinsicht auf Eisenerzeugung in Frankreich.

Da diese Fragen die wichtigsten Interessen berühren und laute Klagen erregten, so konnte man die Untersuchung derselben nicht umgehen. Auf der einen Seite erhöht die Eisenerzeugung, so wie sie jezt in Frankreich betrieben wird, und in der Ausdehnung, die sie bei den vielen darauf verwendeten und noch zu verwendenden Capitalien erreichen kann, den Werth der Wälder, die einen so wichtigen Zweig der Staatseinnahme bilden, so wie auch der Einnahmen der Gemeinden und einer großen Anzahl von Güterbesizern; in vielen Gegenden erhöht sie den Werth der Steinkohlengruben, welche noch eine

---

Seite ein paar Winke, auf der anderen das Wort Freiheit! Handelsfreiheit! freie Ausfuhr! ertönen lassen, und man ist des Erfolges gewiß. Während man durch gut bezahlte staatswirthschaftliche Missionäre Handelsfreiheit predigen läßt, gibt man zu Hause ein kleines Beispiel der redlichen Absichten, die man bei diesen Umtrieben hat. Man läßt 10—12,000 arme Teufel bei freier Einfuhr von Seidenwaaren, Handschuhen ꝛc. in England erhungern; denn man kommt bei diesem Verluste von 10—12,000 Mann doch wohlfeiler durch, als wenn man einen neuen Krieg zur Zerstörung der französischen Industrie führte, indem die Schulden des früheren Krieges, welchen man in dieser Absicht geführt hat, noch nicht getilgt sind, und schwerlich jemals getilgt werden können. Man sezt ferner den Zoll auf französische Weine um ein Drittel herab, indem es, wo es sich um bloßen Mauthgewinn handelt, eine ewige Wahrheit ist, daß die Mauth für eine allgemein beliebte Waare desto mehr trägt, je niedriger der Zoll ist. Während man dieß bei Hause thut, läßt man in dem Lande, dessen Industrie man untergraben will, die Bauern hezen gegen den Fabrikanten; man macht ihnen weiß, daß sie mehr Wein absezen würden, daß sie denselben theurer an den Mann bringen würden, wenn ihre Regierung fremdes Eisen einführen ließe, wenn auch der arme Eisenarbeiter in England und in Schweden sich das ganze Jahr über nicht so viel verdienen kann, daß er rechnen darf sich zum neuen Jahre mit einem Gläschen Wein stärken zu können. Man erhizt die Köpfe der Kaufleute, die mit Wein handeln, und mahlt ihnen den Gewinn mit Ellen langen Ziffern vor, den sie haben könnten, wenn fremdes Eisen zollfrei eingeführt werden, wenn Altengland für Neufrankreich arbeiten dürfte, und 300,000 Franzosen, die jezt von Eisenerzeugung leben, ihre Hände ruhig in die Tasche steken und dabei verhungern wollten. An dieser Aufregung der untersten Classe, der Akerbauer, denen man vorspiegelt, daß sie jezt das Eisen an jedem Pfluge um die Hälfte theurer zahlen müßten; der Weinbauer, denen man die Pfennige zu Franken anrechnet, um welche ihnen ihre Haue theuerer kommen soll; der Consumenten des Eisens überhaupt nimmt die eine der obigen Parteien lebhaften Antheil, und auf diese Weise entsteht Zittern und Zagen bei der anderen, Mißtrauen und Schwanken bei den Capitalisten, die die aufkeimende Industrie mit ihren Capitalien unterstüzen sollten, und Lähmung aller Kraft bei den Unternehmern. „Wenn Hr. Baron Pasquier so gesprochen hätte, so würde er nur die reine Wahrheit gesprochen, und durch diese erwiesen haben, daß eine Commission, die untersuchen soll, ob man den Einfuhrzoll auf ausländisches Eisen herabsezen muß, eben so viel ist, als eine Commission, die untersuchen soll, ob man die französische Industrie schon bei ihrer Geburt und so zu sagen in ihren Windeln lebendig zu Grabe tragen soll; daß sie also entweder ganz überflüssig oder höchstens ein Blictri ist, wodurch man entweder den Engländern Sand in die Augen streuen will, wenn man den erhöhten Zoll beibehalten will, oder dem armen französischen Volke, wenn man denselben herabsezt. Für jeden Fall kann man dann, die Commission mag zu einem Resultate führen, zu welchem sie will, und man mag dann entweder nach dem Ausspruche derselben oder nach einem tel est mon plaisir handeln, sich damit entschuldigen, daß man die Sache habe untersuchen lassen. A. d. Ue.

vorzügliche Quelle des Nationalreichthumes werden können; sie beschäftigt ferner eine große Anzahl Hände in Gegenden, deren Bevölkerung höchst nothwendig einer Beschäftigung bedarf. Auf der anderen Seite hingegen hat der Schuz, welchen man diesem Zweige der Industrie gewährte, den Preis des Eisens in Frankreich sehr erhöht, und hält ihn noch auf dieser Höhe; das französische Eisen ist im Vergleiche zu dem ausländischen, und namentlich zu dem englischen, da man in England das Eisen sehr wohlfeil erzeugt, viel theuerer. Da nun das Eisen für den Akerbau ein höchst wichtiges Bedürfniß ist; da es bei dem Baue der Schiffe sowohl als der Häuser nicht entbehrt werden kann; da alle Künste beinahe wohlfeiles und gutes Eisen fordern; so fragt es sich: Haben wir gutes Eisen, wohlfeiles Eisen; haben wir es in hinlänglicher Menge?[92]) Reichen unsere Hochöfen sowohl in Hinsicht auf die Menge, als vorzüglich auf die Güte, für unseren Bedarf hin, der täglich größer wird? Ist es wahr, daß der erhöhte Einfuhrzoll auf ausländisches Eisen dem ausländischen Fabrikanten alle Mittel benimmt unsere Weine zu kaufen, und daß also dadurch unsere Weinbauer eine Quelle verlieren, die für das allgemeine Beste so hochwichtig ist? Die Commission hatte diese Verhältnisse alle zu untersuchen, und Mittel ausfindig zu machen, die dem erwiesenen Schaden abhelfen konnten.

Sie hat kostbare Urkunden hierüber bei den Administrationen gefunden. Um aber die Meinungen der in dieser Angelegenheit interessirten Parteien über diese Urkunden zu beruhigen, mußten sie einer Controle unterzogen werden, die nur durch eine Untersuchung in Gegenwart der interessirten Parteien erlangt werden konnte; man mußte

---

92) Diese Frage, im Allgemeinen so hingestellt, kann nur von dem thörichten Grundsaze ausgehen, ernten zu wollen, ehe man gesäet hat; von einem Kinde die Stärke und Gewandtheit eines Mannes zu fordern. Fabriken, die erst im Entstehen sind, können weder so wohlfeil, noch so gut arbeiten, als andere, die bereits seit Jahrzehenden bestehen. Daß die französischen Eisenwerke desto wohlfeileres und besseres Eisen liefern, je älter sie werden; daß sie von Jahr zu Jahr wohlfeileres und besseres Eisen liefern, ergibt sich aus dem Verlaufe der Commissionsacten selbst. Entzieht man ihnen jezt schon den Schuz, dessen sie so sehr bedürfen, auch nur um 1 p. C., so handelt man eben so thöricht, als ob man einem Kinde, das man gesund und stark haben will, die eine Brust seiner Mutter und Amme entzöge. Bei einem Fabrikanten kommt auf 1 Procent gar vieles an. Läßt man ihm dieses nicht, so hat es mit aller Fabrikation ein Ende. Man seze z. B. nur den Ertrag einer Fabrik von 6 p. C. auf 5 p. C. herab; so wäre jeder Mensch ein Thor, der sich mit Fabrikunternehmungen abgibt, und die Sorgen und Gefahren einer Fabrik auf sich ladet, da er, ohne alle diese Plakereien, 5 p. C. für sein Capital überall findet. Güte und Wohlfeilheit der Fabrikate entsteht erst aus der Concurrenz mehrerer Fabriken. Kattun, der jezt um 12 kr. die Elle zu haben ist, kostete vor 50 Jahren noch 1 fl. 12 kr. Wenn man Fabriken bei ihrem ersten Entstehen drükt, wird man jedem die Lust benehmen, Fabriken zu errichten; also immer wenig Fabriken, und folglich immer theure und schlechte Arbeit haben. A. d. Ue.

ein Kreuzverhör vornehmen, um diese wichtigen Fragen durch wechselseitige Aufklärungen zu lösen, die Wahrheit dadurch in ihrem Glanze hervortreten zu lassen und die Parteien allmählich zu überzeugen.

Der Minister entwikelt nun in der zweiten Sizung die Gründe, warum Zoll auf ausländisches Eisen bei seiner Einfuhr nach Frankreich gelegt wurde, und legte die Hauptfragen vor, welche sich in Hinsicht des Handels über die Zwekmäßigkeit oder Unzwekmäßigkeit dieser Auflagen von selbst stellten. Die Commission hatte verschiedene Tabellen vor Augen: 1) über die Menge der Erzeugung von Roh- und Hammer-Eisen und über die Steinkohlen in Frankreich. 2) über die Einfuhr des Roh- und Hammer-Eisens nach Frankreich vor und nach dem Jahre 1822 mit Angabe der Länder, aus welchen dasselbe kam. 3) über die Zölle, welche auf fremdes Eisen sowohl in England als in den Vereinigten Staaten gelegt sind, und über unsere Eisenausfuhr nach diesen beiden Staaten. Andere Tabellen zeigten die Zölle, welche England, Schweden, Rußland und die Vereinigten Staaten auf unsere bei ihnen eingeführte Weine und Brantweine seit dem J. 1787 gelegt haben. Diese wichtige Arbeit veranlaßte eine Reihe von Fragen, die nothwendig gelöset werden mußten, und die nur durch eine Commission ausgemittelt werden konnten.[93]) Sie wurden sorgfältig gesammelt und in einer gedrängten Uebersicht dargestellt, die einer weiteren sehr strengen Prüfung unterzogen wurde. Der Gestehungspreis, die Erzeugungskosten des Eisens (le revient du fer) auf den französischen Hochöfen war einer der wichtigsten Punkte, welcher ausgemittelt werden mußte, um diesen Preis mit jenem des ausländischen Eisens vergleichen und darnach einen Maßstab aufstellen zu können, mittelst welchen der Einfuhrzoll auf das ausländische Eisen erhöht oder vermindert oder beibehalten werden konnte, um dadurch dem Schuze, den man dem französischen Eisenfabrikanten gewährte, die gehörige Kraft zu ertheilen. Man fand wohl den mittleren Preis des französischen Eisens für die beiden verschiedenen Arten der Erzeugung derselben mittelst Holzkohlen oder Steinkohlen; wenn man aber beide zusammennahm, konnte sich der Mittelpreis nur zum Nachtheile der Eisenerzeugung mittelst Holzkohlen stellen lassen, und man fragte sich dann, warum diese seit der Revolution so theuer geworden ist, und woher die hohe Steigerung des Werthes des Holzes in der neuesten Zeit: soll man sie natürlichen Ursachen oder dem

---

93) Wenn man dem Publicum diese Urkunden mitgetheilt hätte, so hätte dasselbe selbst urtheilen können; es hätte keiner so kostspieligen Commission bedürft. Das Volk ist nicht so dumm, als man glaubt, oder als man hier und da wünscht, daß es seyn möchte. A. d. Ue.

erhöhten Einfuhrzölle auf ausländisches Eisen zuschreiben?[94]) Eine Thatsache, deren Erläuterung höchst wichtig ist.

Wenn man die Wirkungen des erhöhten Einfuhrzolles in Hinsicht auf Tauschhändel betrachtet, z. B. auf den Weinhandel, so wird man sehen, daß, um ein Resultat von einiger Wichtigkeit und eine bedeutende Eiseneinfuhr zu erhalten, welche man mit einer großen Menge Weines bezahlen könnte, nicht nur der Einfuhrzoll auf fremdes Eisen herabgesezt, sondern die Erlaubniß ertheilt werden müßte, fremdes Eisen um einen Preis zu verkaufen, mit welchem unsere Hochöfen durchaus nicht Concurrenz halten könnten. Dann hätte man aber das System des Schuzes, ohne welchen sich unsere Eisenerzeugung nicht erhalten kann, gänzlich aufgegeben. Die Commission war hier das einzige Mittel, Alles nach seinem genauen Werthe abzuwägen; sie ward gefragt, und jeder wünschte sie zu hören. Man mußte sich auf die wichtigsten Zeugnisse beschränken, um nicht in endlosen und werthlosen Streit zu verfallen. Um dem Interesse der Eisenfabrikanten Genüge zu leisten, mußten die Besizer von Hochöfen und von Wäldern und Steinkohlengruben befragt werden. Unter den Consumenten kamen die Eisenhändler, die Landwirthe, die Schiffsbesizer sowohl in Hinsicht auf Schiffsbau als auf Kauffahrdei, die Baumeister, die Fabrikanten der Maschinen, die Guß- und anderes Eisen bedürfen, die Abgeordneten des Handelsstandes zu betrachten, wenn man ihre Wünsche und Ansichten hierüber kennen lernen wollte. Man mußte unter diesen verschiedenen Kategorien von Individuen eine Auswahl treffen, die der Minister selbst getroffen und die die Commission gut geheißen hat.

In der dritten Sizung gaben die Mitglieder, welche mit Aufstellung der zu behandelnden Fragen beauftragt waren, Kenntniß von ihrer Arbeit. Man sah, in welchem Geiste diese Fragen, sieben und zwanzig an der Zahl, ausgewählt und zusammengestellt waren; man fand eine gedrängte Darstellung des früheren und des gegenwärtigen Zustandes der Eisenfabrikation in Frankreich; eine Vergleichung der verschiedenen Produkte derselben mit jenen des Auslandes in verschiedenen Epochen; eine Uebersicht der verschiedenen Berührungspunkte derselben mit anderen Zweigen der Industrie sowohl als unmittelbare

---

94) Der Preis des Holzes in Frankreich wurde theils durch die früheren schlechten Forstgeseze vor der Revolution, theils durch die schlechte Wirthschaft, die während der Revolution mit den Wäldern in Frankreich getrieben wurde und noch jezt getrieben wird (denn das Forstwesen steht auf schlechten Füßen in Frankreich), theils durch die zunehmende Bevölkerung erhöht. In allen Ländern Europens, auch in solchen, wo kein Eisen erzeugt wird, wird das Holz von Jahr zu Jahr theurer. Daß bei der häufigeren Nachfrage nach Holz seit Errichtung der Eisenwerke in Frankreich der Preis desselben steigen mußte, ist offenbar, und ist eine Wohlthat für den Güterbesizer. A. d. Ue.

Consumenten des Eisens, als auch bloß als Betheiligte im Tauschhandel ihrer Produkte gegen ausländisches Eisen.

Aus dieser Darstellung erhellt, daß vor der Revolution und so lang Eisen nur mit Holzkohle in Europa erzeugt wurde, Frankreich nicht nur Eisen genug für seinen Bedarf erzeugte, sondern selbst für den Bedarf eines guten Theiles seiner angränzenden Staaten [95]). einige besondere Eisensorten, die es aus Schweden erhielt, müssen jedoch hier ausgenommen werden. [96]) Damals erzeugte England noch wenig und theureres Eisen, als Frankreich. Damals versah sich der größte Theil unserer Hochöfen, deren viele bloß errichtet wurden, um dem Walde einigen Werth zu geben, auf eine sehr wohlfeile Weise bloß durch Waldrecht mit Brennholz. Die Revolution entzog ihnen diesen bequemen [97]) Weg, sich Holz zu verschaffen, und die Kriege, welche durch die Revolution herbeigeführt wurden, vermehrten den Eisenbedarf in einem solchen Grade, daß, da aller Handel daniederlag, die inneren Hülfsquellen Frankreichs nur eine wohlfeile Erzeugung des Eisens gestatteten. Hierdurch entstand aber nothwendig Erhöhung des Arbeitslohnes und des Holzpreises. Mit der Restauration nahmen die Hochöfen einen regelmäßigeren Gang; die Theuerung des Holzes aber blieb, weil auf der einen Seite die Industrie, auf der anderen der Luxus in den Wohnungen [98]) zunahm, und es drohte unseren Eisenfabrikanten noch eine weit größere Gefahr.

England, das eine lange Zeit über außer aller Verbindung mit uns geblieben ist, hat seine Eroberungen im Gebiete der Industrie mit großer Thätigkeit verfolgt, und die wichtigste unter allen diesen Eroberungen war vielleicht die Entdekung, in den Steinkohlen ein Mittel zum Schmelzen des Eisens gefunden zu haben. Die unerschöpflichen Steinkohlengruben dieser Insel, in welchen auch reiches Eisenerz bricht,

95) Das war damals leicht möglich. Frankreich hatte keine Fabriken; viele der benachbarten Staaten desselben haben noch keine; hundert Dinge, die jezt aus Eisen zehn Mal besser sind, waren damals aus Holz. Das feste Land Europens war damals in industrieller Hinsicht, wie man zu sagen pflegt, auf dem Holzwege. A. d. Ue.

96) Und müssen für immer ausgenommen bleiben. Ganz Europa, England bei seinem englischen Stahle und seinen guten Eisenerzen so gut wie Steyermark bei seinem herrlichen Stahle und trefflichem Eisen wird immer, zu gewissen Arbeiten, das äußerst geschmeidige und zähe schwedische Eisen nothwendig haben. Rußland allein kann es bei seinem sibirischen Eisen vielleicht entbehren. Eine gewisse Menge schwedischen Eisens, so viel als jedes Land zu gewissen Arbeiten bedarf, sollte in jedem Lande zollfrei eingeführt werden dürfen; denn alles, was ein Land nicht selbst zu erzeugen vermag, und dessen es zur Arbeit bedarf, soll zollfrei eingeführt werden dürfen. Zoll auf rohes Material legen, das eingeführt werden muß, wenn im Lande gearbeitet werden soll, das im Lande nimmermehr erzeugt werden kann, heißt Arbeitsamkeit, Fleiß, heißt die höchste Volkstugend bestrafen, um das höchste Laster, Faulheit, zu belohnen. A. d. Ue.

97) Aber eben so ungerechten als verderblichen Weg. A. d. Ue.

98) Und auf der dritten Vernachlässigung aller Grundsäze der Pyrotechnik. Es ist, als ob kein Rumford jemals gelebt hätte. A. d. Ue.

das leicht gewältiget werden kann, die Wohlfeilheit der Fracht in England und die ungeheueren Capitalien, [99]) die dem Fabrikanten zu Gebote stehen, alle diese Umstände machten es den Engländern möglich Eisen um einen so wohlfeilen Preis zu liefern, daß es durchaus unmöglich ward mit denselben in Concurrenz zu treten. Dieses hohe Gedeihen der Eisenerzeugung in England, von welchem Frankreich nichts wußte, indem die Insel wie abgeschnitten war von der übrigen Welt, zeigte sich gleich in den ersten Augenbliken der Restauration mit allen seinen Folgen für Frankreich, und seit dieser Restauration hat England seine Eisenfabrikation auf einen so hohen Grad von Vollkommenheit emporgebracht, daß unsere Eisenfabrikanten in Schuz genommen werden mußten, wenn nicht alle Eisenmärkte Frankreichs eine Beute des englischen Monopols werden sollten. Im Jahr 1814 fand man, nach den damaligen Preisen, einen Einfuhrzoll von 15 Franken auf 100 Kilogramm (ungefähr 2 Ztr.) grobes Stangeneisen hinreichend, um Gleichgewicht zwischen dem englischen und französischen Eisen her-

---

99). Es ist ein verderbliches Vorurtheil, das auf dem festen Lande beinahe überall über die Größe der englischen Capitalien herrscht. Die Engländer haben uns Continentalen in ihrem Pfund Sterling einen schweren Bären aufgebunden, und wir tragen uns härter an diesem Pfunde, als wir an manchem Viertel Zentner tragen. Es geht uns hier, wie mit den Millionen Reis der Portugiesen, von welchen der Lord-Mayor zu London eine halbe zu einer einzigen Tafel braucht. Ein Pfund Sterling, nach unserem Geldwerthe 12 fl., ist nicht mehr, als bei uns in Süddeutschland 2 fl.; was man bei uns in Deutschland an den ersten Lebensbedürfnissen für den Tagesgebrauch um 2 fl. haben kann, dazu sind in England 12 nöthig. Was man also in England nur mit einer halben Million richten kann, das ist bei uns füglich mit 83,333 fl. gethan. Da es im nördlichen Deutschland um die Hälfte, in Frankreich um ein Drittel rc. theurer ist, als im südlichen Deutschland, so bemißt sich hiernach die, für uns, bloß imaginäre Größe des englischen Capitales mit dem Maßstabe der Wahrheit, und der Nimbus fällt weg. Der Mann, der bei uns 2000 fl. Einnahme hat, lebt eben so gut, als der Engländer, der 1000 Pfd. Sterling, 12,000 fl. Einnahme besizt. Wenn der Deutsche, wenn der Franzose mit diesem Gefühle in seine Tasche langt oder zu seiner Casse tritt, wird er finden, daß auch er englische Capitalien besizt, und daß ihm, bei diesem Capitale, nichts fehlt, als englischer Unternehmungsgeist, englischer Fleiß, englische Sparsamkeit mit Zeit und mit Lebensgenuß. Der Fabrikant auf dem festen Lande, der englischer Maschinen zu seinem Fabrikate bedarf, ist allein zu beklagen; denn er verliert an denselben wenigstens (Mauth- oder Schwärz-Kosten und Transport-Kosten nicht mit eingerechnet) 5/6 des Capitales, das der Engländer rein gegen ihn gewinnt. Wenn einem Engländer eine Maschine 12.000 fl. kostet, so zahlt er eigentlich nur so viel, als wenn er, nach dem Preise der Dinge in Süddeutschland gerechnet, 2000 fl. bezahlte. Wenn nun der Süddeutsche für diese Maschine gleichfalls 12,000 fl. bezahlen muß, so verliert er, an dieser Maschine allein, gegen seinen Concurrenten, ein Capital von 10,000 fl. sammt Interessen, woran Jahre lang gearbeitet werden muß, bis es aus dem Nettogewinne hereingebracht werden kann. Wenn nun Frankreich gegenwärtig ein Capital von 100 Millionen Franken in runder Zahl (97 ist urkundlich erwiesen) auf seinen Eisenwerken liegen hat, so ist es so viel, als ob es, nach englischem Werthe, 500 Millionen Franken in seinen Eisenwerken steken hätte, und so viel stekt nicht in den Hochöfen Englands. Man gebe unseren Capitalisten und Fabrikanten englischen Geist: nummos sibi ipsi parabunt.

A. d. Ue.

zustellen. Da aber die ungeheure Ausdehnung, welche die Engländer ihrer Eisenerzeugung später noch gegeben haben, eine neue Störung und Verwirrung hervorbrachte, so berücksichtigte die Regierung das Nothgeschrei, das die Eisenarbeiter in Frankreich erhoben, und erhöhte im J. 1822 den Einfuhrzoll von 15 Franken auf 25 Franken für 100 Kilogramm (ungefähr 2 Ztr.) grobes mit Steinkohlen und auf Strekwerken gearbeitetes Stangeneisen. Diese Erhöhung des Zolles erleichterte zwar das Schiksal unserer Eisenarbeiter, zwang aber die Consumenten das Eisen weit über jenem Preise zu bezahlen, um welches sie dasselbe aus dem Auslande hätten haben können. Diese fragen: wann und wo dann endlich der Schuz, den man den Eisenarbeitern ertheilt, sein Ende, sein Ziel haben wird? Sie wollen daß, da die Hochöfen, welche mit Steinkohlen arbeiten, noch nicht die Resultate gegeben haben, die man von Ihnen erwartete, die Ausfuhr der übrigen Produkte nicht wegen derselben gehemmt werde, indem ihnen, wegen dieser die Möglichkeit entzogen wurde, ihre Erzeugnisse gegen ausländisches Eisen auszutauschen. Unter diesen Produkten steht nun der Wein oben an. Um nun alle Ansprüche und Forderungen sich kreuzender Interessen gehörig gegen einander abzuwägen, muß man nothwendig in frühere Zeiten zurük hinauf, und sehen, wie vor und nach dem erhöhten Einfuhrzoll auf fremdes Eisen unser Tauschhandel gegen jene Länder stand, aus welchen wir das Eisen einführten, und in welcher Menge der Wein in's Besondere in diesem Tauschhandel inbegriffen war. Ja man wird sogar prüfen müssen, ob und in welchem Grade der erhöhte Einfuhrzoll der Weinausfuhr wirklich geschadet hat, und in dieser Hinsicht müssen die verschiedenen Epochen der Zolleinführungen und Erhöhungen unter einander verglichen werden. Diese verschiedenen Interessen stellen daher die Fragen etwas anders, als sie früher gestellt wurden, und ihr Gegenstand wird folgender:

1) Menge des in Frankreich erzeugten Eisens aller Art.

2) Hinreichen oder Nichthinreichen dieser Menge für den Bedarf.

3) Preis der verschiedenen Eisenfabrikate an und für sich und im Vergleiche mit den ausländischen sowohl an dem dortigen Hochofen, als auf dem französischen Markte.

4) Wirkung dieses Preises auf den Akerbau und auf verschiedene Gegenstände der Eisenconsumtion überhaupt; Wirkung der erschwerten Eiseneinfuhr auf den Tauschhandel, und namentlich auf den Weinhandel; wahrscheinliche Wirkungen, wenn die Erschwerung der Einfuhr aufhören sollte.

5) Summe der Capitalien, die sich auf Eisenwerken befinden; Summe der Taglohne.

6) Weitere Entwikelung und Vervollkommnung, deren diese

Zweig, und vorzüglich die Eisenerzeugung mittelst Steinkohlen, noch fähig ist.

7) Welche Weine und wie viel Wein hat Frankreich nach jenen Ländern ausgeführt, welche ihr Eisen dafür bei ihm einführten? Welches Verhältniß hat zwischen den Unterschieden in unseren veränderten Zöllen und den Unterschieden in den ausgeführten Mengen Statt? Zeigt sich irgendwo eine Spur, daß unsere Produkte von dem Auslande aus Gegenrache zurükgewiesen wurden, weil wir die Einfuhr seines Eisens erschwerten?

Wenn man im Geiste der Consumenten schließen und eine bedeutende Verminderung des Einfuhrzolles verlangen wollte, so würde man zulezt auf gänzlichen Untergang aller französischen Eisenwerke und auf eine große Verminderung in dem Ertrage der Wälder hingeführt werden. Man hat geantwortet, daß ein solches Resultat unter einer schüzenden Regierung gar nicht möglich ist; daß es sich nicht darum handelt, der Eisenerzeugung einen Schuz zu entziehen, den sie nicht entbehren kann, sondern bloß denselben auf das gehörige Maß zurükzuführen, so daß der Consument gegen übermäßigen Gewinn des Producenten, und dieser gegen eine Concurrenz, die ihn von seinem eigenen Markte vertriebe, gesichert ist.[190])

190) Die herkömmliche und allgemein geduldig nachgebetete Eintheilung einer Volksmasse in Consumenten und Producenten klingt zwar sehr gelehrt, ist aber, wie das Stokgelehrte es sehr oft ist, geradezu gegen den gesunden Menschenverstand. Jeder Mensch ist Consument; jeder braucht etwas; jeder Mensch ist Producent, entweder mit seinen Händen oder Füßen, oder mit seinem Kopfe, oder mit seinen Capitalien. Nach dem herkömmlichen Systeme der Staatswirthschaft finden wir überall den Consumenten, d. h., denjenigen, der verzehrt, gegen den Producenten, d. h. gegen denjenigen, der erzeugt (insofern man nämlich die stokgelehrten Begriffe gelten läßt), in Schuz genommen; man schüzt also die Faulheit und besteuert die Arbeitsamkeit, den Fleiß. Wer Schwefelhölzer verfertigt oder verkauft, muß eine Steuer dafür bezahlen, daß er wenigstens etwas arbeitet; wer ein Tagdieb ist, und nichts arbeitet, hat für seine Faulheit nichts, nicht einmal eine Strafe zu bezahlen, wenn er auch ein reicher Capitalist ist, und mit Staatspapieren, eigentlich mit dem Blute seiner Mitbürger und seines Fürsten, wuchert, und folglich Strafe zahlen könnte. Woher kommt diese Ungerechtigkeit? Es scheint daher, daß die Gelehrten, welche Theorien über Staatswirthschaft, und leider oft sogar Gesetze, entwerfen, und die Beamten, welche diese Geseze handhaben sollen, fühlen, daß sie nichts producirt haben und produciren können, das einigen Werth hätte; daß sie zu den Consumenten, zu den fruges consumere nati gehören; daß sie, wenn nicht der schottischen Distel, doch der „Lilie auf dem Felde" gleichen, die nicht spinnt und nicht webt. Daß nun solche Gesezfabrikanten und Gesezinspectoren zunächst auf sich und ihres Gleichen, die Consumenten, und nicht auf die Producenten denken; daß sie alles wohlfeil haben und dem Producenten jeden Häller Gewinn abdrüken, ist eben so natürlich als menschlich. Die Classe der reinen Consumenten, insofern man Leute so nennen könnte, die nur verzehren und nichts arbeiten, die der Beamten und Capitalisten ist aber verhältnißmäßig so klein in jedem Staate und wird so sehr zur Null gegen jene der Producenten, gegen die akerbau- und gewerbtreibende Classe, daß sie gar keine Berüksichtigung verdient. Die producirende Classe, die unter sich im stäten Wettkampfe lebt, weiß sich sehr gut gegen einander auszugleichen; wie der eine mit seinem Erzeugnisse steigt, steigen alle — man schlage hierüber nur das Buch der Geschichte auf und vergleiche,

Was die Verminderung des Ertrages der Forste und der Steinkohlen betrifft, so darf man diese Verminderung nicht als reinen Schaden betrachten. Das, was der Forstbesizer verliert, gewinnt der Consument zu seiner Erleichterung, und, bei dieser Veränderung, wäre der Schaden vielleicht nicht zu gar groß. Frankreich hat, auf der anderen Seite, keine Capitalien,[101]) und ein großes Land, in welchem der Akerbau den wesentlichsten Theil der Beschäftigung der Einwohner bildet,[102]) kann nur durch Ersparungen von dem guten Ertrage des Grundbesizes zu solchen gelangen: wird dieser Ertrag zu sehr verdünnt,[103]) würde allen Unternehmungen einen tödtlichen Streich versezen. Indessen gehören diese Betrachtungen in die Theorie der Staatswirthschaft, wo Alles nur mit der größten Vorsicht aufgestellt werden darf; sie stehen in keinem unmittelbaren Bezuge mit dem Zölle auf fremdes Eisen. Es gibt Gegenden, wo die Wälderbesizer weit mehr durch den Einfuhrzoll auf fremdes Eisen gewannen, als der Eisenfabrikant.

---

wie die Preise der Lebensmittel und der gröberen Kleidungsstüke vor 100 Jahren standen und wie sie jezt stehen, und man wird sehen, daß der Schuh und der Bauernhut, daß der Taglohn im Verhältnisse um eben so viel theuerer geworden ist, als das Brot. Nur die feineren Kleidungsstüke sind ohne Vergleich wohlfeiler geworden, so daß der fleißigste Bürger, der Fabrikant, eigentlich derjenige ist, der am wenigsten bei der allgemeinen Erhöhung der Preise aller Dinge gewinnt. Dafür soll er also noch tiefer hinabgedrükt werden in der Reihe der Staatsbürger!! — Die Beamten werden von einer sehr eitlen Furcht geplagt, wenn sie besorgen, daß sie bei höheren Preisen der Lebensmittel und Bedürfnisse zu kurz kommen. Je höher diese steigen, desto höher steigt die Einnahme des Staates, und mit dieser auch der Gehalt der Beamten. Beamte, die vor 100 Jahren 300 fl. hatten, haben jezt 1000 fl. u. s. f. Man sorge nicht so eitel für Consumenten, sondern denke auf die Producenten, wenn man die Staatseinnahme, die Kraft des Staates, fördern will. Man vergesse nicht, daß der Mensch zum Arbeiten, nicht zum Verzehren auf der Welt ist. „Im Schweiße deines Angesichtes ꝛc.“ A. d. Ue.

101) Dieß heißt seiner guten Mutter Hohn sprechen. Das Land der Ternaux, der Lafitte, der Delessert, um drei Statt 30,000 zu nennen, hätte keine Capitalien! Sterben nicht alle Prälaten in Frankreich als Millionäre? A. d. Ue. Vergl. Anm. 99. S. 101.

102) Frankreich ist kein akerbauender Staat. Es erzeugt nicht einmal seinen Bedarf an Getreide und Vieh. Es muß ersteres aus Rußland und aus Afrika holen und lezteres aus Deutschland. Wenn es nicht durch Fabriken sich Geld zu verschaffen, oder wenigstens das, was es besizt, innerhalb seiner Gränzen zu behalten weiß, so muß es wieder so arm werden, als es vor der Revolution gewesen ist. A. d. Ue.

103) Das ist eine heillose Maxime, die hier gleichsam eingeschwärzt ist. Je mehr der Ertrag des Akerbaues verdünnt ist, d. h., je mehr kleine Grundbesizer, wovon jeder so viel besizt, als zum Unterhalte seiner Familie nothwendig ist, desto besser; desto besser wird der Grund bebaut; desto höher ist der Ertrag. Je größer eine Landwirthschaft, desto größer ist der Schaden im Verhältnisse zum Gewinne. Sobald des Herren Auge nicht täglich jeden Ochsen beschauen kann, der zu Felde geht, nicht täglich jeden Aker begehen kann, ist es um das Maximum des Ertrages einer Landwirthschaft geschehen: und diese Bedingungen sind bei jeder großen, übergroßen Landwirthschaft unmöglich. Der Besiz großer Güter mit Aker- und Weingründen macht Pächter nothwendig, und Pächter waren fast immer nur der Untergang des Bodens, wenn sie auch die Stüze des Be-

„Ein Mitglied der Commission bemerkte, daß das Schiksal der Bergwerke von der weiteren Entwikelung der Eisenerzeugung mittelst Steinkohlen abhängt; daß es daher unerläßig ist zu wissen, was man von der Verminderung der Frachtkosten mittelst der Canäle und Eisenwerke zu erwarten hat. Er führte das Departement de l'Aveyron an, das reichste Departement an Steinkohlen in ganz Frankreich. Man schob dieß auf die Gestehungskosten des Eisens zurük. Man verlangte aus urkundlich erwiesenen Thatsachen zu wissen, wie viel Eisen aller Art in Frankreich verbraucht wird. Hierüber erhielt man nur eine Annäherung, indem man die Einfuhr aus den Mauthregistern zur Summe der an den Eisenwerken erzeugten Eisenmenge addirte.

Hiermit endeten sich die vorläufigen Arbeiten der Commission, und das Publikum hoffte, dieselbe werde, um seiner gerechten Ungeduld zu entsprechen, täglich die Fragen bekannt machen, welche erläutert werden sollen. Es bildeten sich Vereine, um vorläufig die Fragen zu erörtern, von welchen man wußte, oder zu wissen glaubte, daß sie behandelt werden sollten; man sah aber in der Folge ein, daß die Fragen über die laufenden Preise und ihre Verhältnisse zu den ausländischen, über die Wirkung des erhöhten Zolles auf den Consumenten und den Tauschhandel nichts Vollständiges und Interessantes liefern, und selbst die Gewerbsleute und den Handel beunruhigen könnten. Man glaubte demnach, daß die Commission es so machen müsse, wie in England die Commissionen es zu thun pflegen: nachdem sie die Zeugen kreuzweise verhört haben, lassen sie einen Bericht mit den Fragen und Antworten druken; und so that es auch diese Commission.

Der Bericht-Erstatter brachte nun Alles unter folgende Kapitel.

I. Kapitel. Eisenerzeugung in Frankreich. Verhältnisse der Produkte. Betrag der Einfuhr.

Die jährliche Erzeugung des gehämmerten Eisens in Frankreich beträgt Eine Million, vier oder fünf Mal hundert tausend metrische Zentner, die Hochöfen à la Catalane inbegriffen, die das Eisenerz unmittelbar in Eisen verwandeln.

Die jährliche Erzeugung des Gußeisens in Frankreich beträgt zwei Millionen, zwei bis drei Mal hundert tausend metrische Zentner, mit Inbegriff der zwei Mal hundert funfzig bis drei Mal hundert tausend metrischen Zentner weichen Guses.

Das gehämmerte Eisen wird entweder mit Steinkohlen, oder mit

tiers desselben gewesen sind. Wehe dem Lande, wo man durch Akerbau, oder vielmehr durch Besiz vieler und großer Grundstüke, zu Capitalien gelangen will. Diese gewährt nur der Handel und das Glük. Fabriken fordern sie, gewähren sie aber nicht immer, sondern erhalten sie nur, wenn Alles gut geht.
A. d. Ue.

Holzkohlen (das kaum besser ist, als käufliches Eisen; fer marchand) erzeugt, oder es ist feines Eisen mit Holzkohlen gewonnen.

Ungefähr der dritte Theil wird mit Steinkohlen erzeugt; die zweite Sorte (das käufliche Eisen) bildet beinahe die Hälfte der Gesammterzeugung, und das feine Eisen den sechsten Theil.

Eingeführt wurden im J. 1828, 80,760,140 Kilogramm rohes Gußeisen, und 5,794,942 Kilogramm Stabeisen. Dabei war der Bedarf weniger als die Erzeugung, und das Gußeisen und Stabeisen war nur wegen gewisser Sorten gesucht. Ersteres kam aus England, letzteres aus Schweden.

Frankreich hat 14 Hochöfen, die mit Kohks arbeiten, 12 solche Oefen stehen im Baue und mehrere im Antrage.

II. Kapitel. Erzeugungskosten oder Gestehungspreis. Elemente dieser Preise. Wechsel in den Currentpreisen. Wahrscheinliche Erniedrigung dieser Preise.

Der Gestehungspreis von hundert Kilogr. (ungefähr 2 Ztr.) Gußeisen ist

mit Kohks, im Bassin de St. Etienne 18 Frank. 80 Cent.; im Creusot 11 Frank. 50 Cent.

mit Holzkohlen, und dann mit Steinkohlen geschmiedet, zu Fourchambault, 46 Frank. 50 Cent.

mit Holzkohlen, und mit denselben geschmiedet

in der	Champagne	44 Frank.	50 Cent.	bis	46 Frank.	10 Cent.	
—	Franche Comté	47 —	80 —	—	57 —	20 —	
—	Normandie	54 —	0 —	—	58 —	70 —	
—	Bretagne	50 —	90 —	—	52 —	50 —	

Die Capitalien liegen in diesen Preisen zu 5 p. C. 1000 Kilogr. Eisen mit Holz erzeugt, fordern ein Capital von 1250 Frank.; mit Kohks und Steinkohlen 800 Franken.

Der Gesammtwerth des jährlich an den Eisenwerken verbrauchten Holzes ist 30 Millionen, ungefähr der vierte Theil des Ertrages der Förste.

Das Stere Holz kostet im Berri 2 Frank. 80 Cent.; in der Champagne 4 Frank. 50 Cent.; in der Franche Comté 5 Frank.; in der Normandie 4 Fr. 45 Cent.; in der Bretagne 2 Frank. 25 Cent.

Im J. 1821 kostete er 1 Frk. 55 Cent. im Nivernais und im Berri; 3 Frank. 10 Cent. in der Champagne; 2 Frank. 95 Cent. in der Franche Comté; 3 Frank. 60 Cent. in der Normandie; 2 Frank. 5 Cent. in der Bretagne.

Der mittlere Preis der Steinkohlen ist 46 Cent. zu St. Etienne; 40⅓ Cent. im Creusot; gestellt nach Fourchambault kommt er auf 2 Fr. 15 Cent.

Der Preis des mit Holz gewonnenen Eisens ist 49 Frank. 12 Cent.;

der des Eisens, das mit Steinkohlen erzeugt wurde, 38 Frank. 50 C.; des mit Holz und Steinkohlen zugleich gewonnenen, mittlere Sorte (qualité marchande) 43 Frank. 18 Cent.

Ueberall, wo das Eisenerz und die Steinkohlen aus einander liegen, erhöht die Fracht den Gestehungspreis um 10 bis 13 p. C.

Seit dem erhöhten Einfuhrzolle im J. 1822 stieg der Preis von 100 Kilogramm Eisen mittlerer Güte (fer marchand), der damals auf 43—44 Franken stand, im J. 1825 auf 54—55 Franken, weil damals in der Hauptstadt sowohl als in den Provinzen so viel gebaut wurde;[104]) die Tonne englischen Eisens, die im J. 1822 nur 175 Fr. kostete, stieg auf 400 Franken. Seit Ende des Jahres 1826 aber, wo nicht mehr so viel Eisen gebraucht wurde, fiel der Preis desselben wenigstens um 20 p. C., so daß heute zu Tage 100 Kilogramm Eisen nur mehr 44 bis 45 Franken kosten. Eben dieß hatte auch beim englischen Eisen Statt, von welchem die Tonne nur mehr 6 bis 7 Pfd. Sterl. kostet, 162 Franken 25 Cent. bis 175 Franken.

Das Gußeisen erlebte ähnlichen Wechsel im Preise, und dieser Fall des Preises des Eisens, verbunden mit der Theuerung des Holzes, machte eine Ersparung in der Kohle von $1/16$ bis $1/11$ nothwendig.

An jenen Eisenwerken, wo man Steinkohlen um mäßige Preise haben kann, erspart man an 1000 Kilogramm 25 bis 60 Franken. An vielen Eisenwerken, wo das Guß- oder Roheisen mit Holzkohlen erzeugt wird, wird das Hammereisen nach englischer Art um wohlfeilen Preis mit Steinkohlen ausgeschmiedet.

Die beiden Eisenhändler zu Paris, die man vernahm, sind der Meinung, daß der Preis des Eisens noch mehr fallen muß, da die Eisenerzeugung aller Eisensorten mit Kohks und Steinkohlen immer mehr zunimmt. Nach ihrer Aussage hat die Eisenerzeugung seit zwei Jahren um ein volles Fünftel zugenommen und fängt auffallend an über den Bedarf zu steigen. Dieser Aussage stimmt die Bergwerksdirection vollkommen bei. Die Unternehmer der Eisenbahn hoffen, daß die französischen Eisenwerke in Bälde, wenigstens jene zu St. Etienne und im Creusot, 100 Kilogramm Stabeisen um 34—35 Franken werden liefern können. Die Administration der Eisenwerke im Creusot erklärt, daß es gegenwärtig um 32 Franken, später um 28 Franken das Eisen aus dem Roheisen von Creusot, und um 39 Franken das Eisen

104) Diese Bauwuth im J. 1825 war es vorzüglich, die die Eisen- und Holzpreise so sehr erhöhte, und die das Geschrei über die hohen Eisenpreise und den Einfuhrzoll veranlaßte. Es ist kein Wunder, wenn ein Artikel, der allgemein gesucht wird, rasch in die Höhe geht. Man sieht, daß die Engländer, als bessere Speculanten als die Franzosen, mit ihren Preisen noch weit mehr in die Höhe stiegen, als die französischen Eisenhütten. Man muß, im Handel, den Augenblik benüzen. A. d. Ue.

aus den Hochöfen de la Nievee, aus Burgund und aus der Champagne erzeugen wird. [105])

III. Kapitel. Betrag der Capitalien, die auf den Eisenwerken liegen. Betrag der Taglöhne, die sie gewähren.

Auf 379 Hochöfen mit Holzkohlen, jeden zu 100,000 Franken, liegen	37,900,000 Frank.	
— 14 Hochöfen mit Kohks, jeden zu 175,000 Frank.	2,450,000	—
— 1125 Frischfeuern, jedes zu 40,000 Franken	45,000,000	—
— 40 Eisenwerken nach englischer Art (forges à l'anglaise)	4,000,000	—
— 150 Eisenwerken à la Catalone	4,500,000	—
Liegendes Capital	93,850,000	—
Im Umlaufe (Capital p. fonds de roulement)	93,850,000	—
Gesammtsumme der auf den Eisenwerken liegenden Capitalien	97,700,000	—

Von diesem Capitale läßt sich aber, wenn man es auf seinen wahren und gegenwärtigen Werth zurück führt, eine bedeutende Summe abziehen.

Bei den Eisenwerken mit Holzkohlen beträgt der Lohn und der Transport 43 p. C. der Gestehungskosten: bei jenen mit Kohks und Steinkohlen 29 p. C.; also im Mittel von beiden: 38 ⅓ p. C.

Frankreich braucht jährlich an Guß- und anderem Eisen für 80 Millionen Franken. Hiervon 38 ⅓ p. C. abgezogen für Lohn und Transport, gibt 3 Millionen 666,000 Franken. Die Eisenwerke, welche mit Holzkohlen arbeiten, beschäftigen 110,000 Arbeiter. Wenn man die weitere Verarbeitung dieses Eisens zu Blech, Reifen, Drath ꝛc. ꝛc. berechnet, so wird man eine neue Summe von 20 Millionen als Lohn finden, so daß, den Werth des Roheisens und des verarbeiteten Eisens zu 110 Millionen gerechnet, wenigstens 50 Millionen auf die Arbeiter kommen. [106])

IV. Kapitel. Güte des inländischen Eisens im Vergleiche mit dem ausländischen.

Feines Eisen von vorzüglicher Güte kann nur mittelst Holzkohlen

105) Was kann man von einem so schwierigen, so gefahrvollen Zweige der Industrie, als die Eisenerzeugung ist, Höheres und Schöneres verlangen oder auch nur wünschen, als das Zeugniß, welches hier Sachverständige so zu sagen gegen ihr Interesse von derselben ablegen. Wenn Frankreich es binnen 10 Jahren dahin bringen könnte, so wird es, wo die englische Minierkunst nicht alle Eisen- und Steinkohlenbergwerke in Frankreich in die Luft sprengt, in 10 Jahren wenigstens im Creusot, wohlfeileres und besseres Eisen haben, als England. A. d. Ue.

106) Es ist eine Unterlassungssünde in diesem Kapitel, wenn nicht vielleicht mehr, daß die Zahl der Eisenarbeiter nicht wenigstens Approximativ angegeben wurde. Wenn 50 Millionen Franken wirklich als Arbeitslohn auf die französischen Arbeiter kommen, und man rechnet den Arbeitslohn eines jeden täglich zu 2 Franken, also für das Jahr zu 600 Franken mit Weglassung der Sonntage, Festtage ꝛc., so hätte Frankreich nur 83,333 Eisenarbeiter; eine Summe, die viel zu gering scheint. A. d. Ue.

erzeugt werden. Was das sogenannte fer marchand betrifft, das mit Steinkohlen und mit Holzkohlen zugleich verfertigt wird, so hängt der Unterschied, den man bei demselben macht, vielleicht mehr vom alten Herkommen als von einer genauen und richtigen Schäzung desselben ab.

Anders verhält es sich mit dem Gußeisen, welches man mittelst dieser beiden verschiedenen Brennmaterialien erhält. Die beiden Eisenhändler, welche man vor der Commission vernahm, behaupten, daß das französische, mit Kohks und Steinkohlen erzeugte, Gußeisen eben so gut ist, als das englische; sie ziehen selbst jenes von Creusot dem englischen vor; beide sind aber der Meinung, daß kein französisches Eisen, zu gewissen Arbeiten, das schwedische Eisen zu ersezen vermag. Nur das sibirische Eisen ist noch besser, als das schwedische. Man findet in Frankreich, namentlich in den Pyrenäen, das beste Eisen zur Stahlerzeugung. Einer dieser Eisenhändler gibt zu, daß die Gießer das englische Gußeisen zu Mühlenwerken und Maschinen dem englischen vorziehen; er versichert aber, daß man in Frankreich auch zu diesem Zweke Gußeisen in gehöriger Menge und Güte erzeugt.[107])

Der Feilenhauer zu Amboise erklärt, daß man in Frankreich endlich Stahl zu erzeugen gelernt hat, welcher dem englischen Stahle in nichts nachsteht. Er braucht kein anderes ausländisches Eisen, als schwedisches, und kauft im Departement der haute Saone und der Vogesen das Eisen vor seine Thüre gestellt um 82 Franken. Dieser außerordentlich hohe Preis rührt aber von der ganz besonderen Bearbeitung her, die er dem Eisen geben läßt.

Einer der Unternehmer der Eisenbahn von St. Etienne nach Lyon versichert, daß das Eisen, welches er zu Charenton und im Creusot kauft, nicht mehr demjenigen, welches er aus England bezog, gleich ist, sondern daß es noch besser ist.

V. Kapitel. Einfluß der gegenwärtigen Eisenpreise auf den Feld- und Weinbau, auf den Bau der Häuser, der Schiffe, der Maschinen rc.

Frankreich braucht jährlich 300,000 metrische Zentner Gußeisen zu 18 Frank. 64 Cent.

Englisches Gußeisen in den Niederlagen in unseren Häfen kostet nur . . . . 13 — 75 —

---

107) Diese Aussage, von Eisenhändlern selbst zu Papier gegeben, die doch mehr dabei gewännen, wenn sie für englisches Eisen sprächen, verdient alle Aufmerksamkeit, und zeigt, wie absichtlich oder thöricht falsch die Behauptung jener Apostel der freien Eiseneinfuhr und der Handelsfreiheit überhaupt in Frankreich ist, die da behaupten, das französische Eisen stünde an Brauchbarkeit dem englischen nach. Streng genommen, ist das englische Hammereisen kein besonders gutes Eisen und steht dem steyermärkischen und kärntherschen weit nach. Auch haben die englischen Eisenwerke noch bis zur Stunde keine Gußarbeiten geliefert, wie die preußischen, böhmischen und mährischen Eisengießereien, obschon man alle Achtung vor der Güte einiger Sorten des englischen Gußeisens haben muß. A. d. Ue.

Dieß gibt einen Unterschied von wenigstens 4 Fr. 89 Cent.
für den metrischen Ztr. oder 100 Kilogramm,
u. für den ganzen Eisenbedarf von 1,467,000 Fr.;
also . . . . 1,467,000 Fr. 00 C.

Der mittlere Preis des Mitteleisens (fer marchand), so wie es in Frankreich erzeugt wird, ist . . . . 48 Fr. 18 C.
Der mittlere Preis des englischen in unseren Häfen . . . 23 — 88 —
Dieß gibt einen Unterschied von wenigstens . . . . 20 Fr. 30 C.;
und am ganzen Bedarfe 29,435,000 . 29,435,000 — 00 —

Das franz. Eisen kommt also theurer im Ganzen um 30,902,000 Fr. 00 C. [108])

108) Wir können nicht umhin, gegen diese Rechnung zu bemerken, daß sie uns weder auf einer richtigen noch auf einer billigen Basis zu beruhen scheint, und daß folglich alle darauf gegründeten Schlüsse, insofern sie zu einer Herabsetzung des Einfuhrzolles führen sollen, unrichtig und unbillig sind. Nur zu St. Etienne ist der Preis des Gußeisens 18 Frank. 64 Cent. Im Creusot, wo, wie in England, Steinkohlen und Eisen dicht neben einander brechen, ist der Preis des Gußeisens 11 Frank. 50 Cent.; also um 2 Frank. 25 Cent. wohlfeiler als das englische in den französischen Häfen. Es läßt sich wahrhaftig nicht absehen, warum man bei Vergleichung der Eisenpreise nicht lieber den wohlfeileren niedrigeren als den höheren theueren gewählt hat, um so mehr, als die Eisenwerke zu St. Etienne erklärten, daß sie mit Nächstem (sobald nämlich die Eisenbahn fertig seyn wird) ihr Eisen um ein Drittel wohlfeiler werden geben können. Wenn man auch nur gerecht, nicht billig hätte seyn wollen, so hätte man zwischen dem höchsten hier angenommenen Preise des französischen Gußeisens (18 Frank. 64 Cent.) und dem geringsten 11 Fr. 50 Cent. das Mittel nehmen sollen; also 15 Frank. 14 Cent.; und hiernach wäre die Differenz zwischen dem Preise des englischen und französischen Eisens nur 1 Frank. 29 Cent., als um welche Kleinigkeit 2 Ztr. französischen Eisens theurer sind als 2 Ztr. englischen. Die mächtige Last von 1,467,000 Franken, welche die Gußeisen-Consumenten in Frankreich jährlich in Folge des erhöhten Einfuhrzolles tragen sollen, wäre demnach zu der Kleinigkeit von 366,550 Frank., 10 Cent.; eine Kleinigkeit, von welcher es bei einem so zahlreichen Volke nicht der Mühe werth thut zu sprechen. Noch weit größer ist der Rechnungsfehler bei dem Mitteleisen, dessen Preis hier zu 48 Frank. 18 Cent. angegeben ist, während er doch, nach der Angabe der Commission selbst seit 1826 nur mehr 44 ist und täglich wohlfeiler wurde. Die Eisenwerke zu Creusot liefern gegenwärtig schon dieses Eisen um 32 Frank., und versprechen es nächstens um 28 Franken zu liefern. Es ist ungerecht einen Preis hier in die Rechnung bringen, der längst verschollen ist, und Recht und Billigkeit fordert es, daß man den Preis vom J. 1826 in der Hauptstadt zu 43 Frank., und den wohlfeilsten Preis in den Provinzen zu 32 Frank. als Gränzen, und aus beiden das Mittel nimmt, also 37 Frank. 5 Cent. Hiernach ergibt sich der Unterschied zwischen englischem und französischem Eisen zu 14 Frank. 17 Cent. Statt 20 Frank. 30 Cent. Wollte man nach aller Strenge rechnen, so müßte man den Mittelpreis zwischen 38 Frank. 50 Cent. und 32 Frank. nehmen; denn 38 Fr. 50 Cent. ist der Preis des in Frankreich bloß mit Steinkohlen, nach englischer Art erzeugten Hammereisens. Wir wollen indessen nur bei dem bleiben, was billig ist, bei 14 Frank. 17 Cent., um welche das französische Eisen theurer ist als das englische; so wird die Buße, welche der französischen Nation dafür aufgelegt wird, daß sie nicht jährlich 80 Millionen Franken nach England schikt, nicht 29,435,000 Franken, sondern nur 20,546,500 Franken. Nun fragen wir, ob nicht jeder Bettler in Frankreich gern des Jahres einen Franken zahlen wird, um aus den englischen Eisen zu kommen, und wenn jeder Bettler in Frankreich dafür seinen Franken zu finden wissen wird, so kommt auf jeden Franzosenkopf nicht gar ein Frank. Wo ist der Bankier, der nicht willig 20 Millionen hergibt, um 80 Millionen als sein

Dieser höhere Preis mußte nun in seinem Einflusse auf den verschiedenen Gebrauch, den man von dem Eisen in den wichtigsten Verhältnissen des Lebens macht, untersucht werden.

Was den Akerbau betrifft, so erklärt ein sehr geschikter Landwirth, der viel Eisen braucht, daß er für drei Pflüge, mit welchen er 120 Hektaren Landes bebaut, jährlich 233 Kilogramm (2 Ztr. 70 Pfd. ungefähr) Eisen für den Pflug, oder in runder Zahl 700 Kilogramm für alle drei Pflüge braucht; daß er also bei dem auf 47 Franken 50 Cent. durch den höheren Zoll erhöhten Preis von 100 Kilogramm Eisen jährlich 192½ Franken mehr ausgibt. Nun ist der Brutoertrag von 120 Hektaren 418,930 Franken; die höhere Auflage also 40 p. C. Das Hektoliter Weizen wird also dadurch um 0,071 Centim, oder um 7 Hundertel und 1 Tausendtel eines Franken theurer, wenn es 18 Franken kostet.

Ein Weinbauer aus der Gironde schäzt die Bearbeitung eines Hektar Weingarten, dessen Brutoertrag 488 Franken ist, um 4½ Franken durch den höheren Eisenpreis erhöht, so daß der höhere Zoll auf das Eisen 93 p. C. des Brutoertrages verschlänge und das Hektoliter Wein um 17 Centim theurer würde.

In Bezug auf den Schiffbau versichert der Abgeordnete der Handelskammer von Nantes, daß der Bau eines Schiffes von 200 Tonnen

---

volles Eigenthum zur freien Disposition in jedem Jahre seines Geschäftes bei der Hand zu haben? Wenn die Franzosen jährlich den Engländern für 80 Millionen Franken Eisen abkaufen, werden sie ihnen erlauben dafür um 3 Millionen Wein einzuführen, dafür den ungeheueren Einfuhrzoll zu bezahlen, und an 3 Millionen Gut, für 80 Millionen baar Geld, vielleicht mit harter Mühe 30,000 Franken Netto Gewinn zu machen.

Wie die Commission diese Rechnung stellen konnte, ob wachend oder schlafend, oder schlafend sich stellend, das mag sie auf dem Altare ihres Vaterlandes bekennen, oder dem Bischofe von Hermopolis beichten.

Wir finden die auf eine solche Rechnung folgenden Rechnungen des Landwirthes und des Weinbauers, des Schiffbaumeisters und des Schlossers keiner Revision nöthig oder würdig; sie beruhen auf ganz falschen Elementen, wie wir so eben erwiesen haben. Allein, wenn wir auch annehmen, daß der Franzose sein Hektoliter (d. i 5471 Kubikzoll oder 70 Maß Weizen) nach dieser ganz ungegründeten Rechnung um den siebenhundertsten Theil von 27 Xrn. theurer bezahlt wegen des höheren Zolles auf Eisen; bemerkt er dieß, auch wenn er ein Bettler ist? Der Landwirth, der für seine Pflüge um 192½ Frank. mehr ausgeben muß, bemerkt dieß allerdings in seiner Casse. Allein, er läßt sich diese Summe von den Abnehmern seines Getreides wieder bezahlen, und da kommt dann, wie gezeigt, für 70 Maß Weizen, der siebenhundertste Theil von 27 Xrn. nebst einem Tausendtel von 27 Xrn. Ein Hektoliter (70 Maß) Wein kommt dadurch um $^{17}/_{2700}$ Xr. theurer! Die Fracht auf Schiffen kommt dadurch für eine Last von 20 Ztrn. um $^{21}/_{2700}$ oder um $^{9}/_{300}$ Xr. theurer! Der Bau eines Hauses von 100,000 Franken kommt beinahe um 2 p. C. theurer! Eine Spinnbank, die 2,700 Franken kostet, wird um einen halben Laubthaler dadurch theurer! Ist es der Mühe werth, ist es nicht eine Schande in einer Angelegenheit, in welcher es sich um die Erhaltung von 80 Millionen Franken für das Land handelt, von solchen Bruchtheilen eines Kreuzers, die der ärmste Bettler nicht fühlt, als Einwürfen gegen die Zollerhöhung zu sprechen? Heißt dieß nicht nugas et inania captat?

A. d. Ue.

für die Tonne auf 300 Franken kommt; daß man für jede Tonne 37 Kilogramm Eisen, das mit Steinkohlen erzeugt wurde, nöthig hat; daß also, da auf solchem Eisen ein Zoll von 16½ Franken ruht, für jede 37 Kilogramm Eisen 6 Franken 11 Cent. für die Tonne mehr bezahlt werden muß, oder 2 Fr. 4 Cent. pro Cento mehr, wodurch, bei einem Interesse von 10 p. C. und der Löschung des Werthes des Schiffes, die Schifffahrtskosten ungefähr um 21 Centim für die Tonne erhöht werden.

Der Abgeordnete der Handelskammer zu Bordeaux schäzt die höhere Auslage gar auf 49 Cent. mehr für die Tonne, wornach, nach obiger Berechnung, die Schifffahrtskosten also um 22 Cent. für die Tonne erhöht würden.

Was den Häuserbau betrifft, so schäzt ein Schlosser das Eisenwerk an einem Gebäude von 100,000 Franken im Durchschnitte auf 8500 Franken, wovon die eine Hälfte für gröbere, die andere für Schlosserarbeit kommt. In der ersten Hälfte, zu ⅝, beträgt der Werth des Eisens 2,656 Fr. 25 Cent.; in der zweiten, zu ¼, aber 1,062 Frank. 50 Cent.; dieser Werth von 3,718 Frank. 75 Cent. Eisen stellt aber 7,000 Kilogramm Eisen dar, wofür der Einfuhrzoll, zu 27½ Franken für 100 Kilogramm, 1925 Frank. beträgt, also in der Auslage des ganzen Baues 1 Franken 92 Cent. pro Cento höhere Auslage veranlaßt.

In Bezug auf Gußwerke und Maschinenbau erklären die Gießer zu Paris und der Maschinenfabrikant zu Essonne, daß sie eine Spinnbank zur Baumwollenspinnerei von 48 Spindeln um 2700 Franken verkaufen; eine Bank von 36 Spindeln zum Feinspinnen um 3,300 Frank. und einen Weberstuhl um 350 Franken. Diese drei Stüke geben zusammen 6,350 Franken. Hierzu brauchen sie 1,200 Kilogramm Gußeisen. Der Einfuhrzoll für dieses Eisen, zu 9 Franken 99 Cent. für 100 Kilogramm, beträgt 118 Franken 80 Cent. Ferner brauchen sie 450 Kilogramm Eisen, wovon der Einfuhrzoll zu 27 Fr. 50 Cent., 122 Fr. 75 Cent beträgt. Hierdurch wird demnach der Werth dieses Eisens um 241 Frank. 55 Cent. erhöht, was bei dem obigen Verkaufspreise von 6,350 einen höheren Werth von 3 Frank. 80 Cent. gibt.

Der Gießer zu Rouen, der größere Maschinen verfertigt, als die vorigen, sagt, er finde kein brauchbares Eisen zu seiner Arbeit in ganz Frankreich. Das Eisen von Fourchambault nähere sich allein dem englischen Eisen in Bezug auf Flüssigkeit, ist aber nicht so zähe.

VI. Kapitel. Verhältniß zwischen den Zöllen, die zu verschiedenen Zeiten auf das ausländische Eisen gesezt wurden, und der damals ausgeführten Menge Weines.

Hier sind die Resultate der Commission und die Urkunden der Administrationen nicht gleichlautend.

Der Abgeordnete der Kammer zu Nantes findet nicht, daß eine Herabsezung des Zolles auf fremdes Eisen mehr Gelegenheit zum Austausche der Produkte unserer Weingärten darbieten würde; er glaubt jedoch, daß eine Verminderung desselben der Regierung die Erlangung eines Aequivalentes erleichtern wird. Er glaubt, wie der Abgeordnete von Bordeaux, daß unsere Weine leichter mit jenen von Madeira und mit den portugiesischen Weinen würden concurriren können, und daß die Engländer, die große Liebhaber von Bordeaux sind, den portugiesischen Weinen nur deßwegen den Vorzug geben, weil sie wohlfeiler sind. Er bezieht sich in dieser Hinsicht auf die Thatsachen, die während der Wechselfälle des Handels zwischen Frankreich und den Ländern, welche Eisen nach demselben einführen, Statt hatten. Nach dem Delegirten des Handelstandes von Bordeaux kauft Schweden unter dem gegenwärtigen Einfuhrzoll zu Bordeaux nur 150 Tonnen Wein, während es thevor bis an 4000 Tonnen Weines ausführte.[109]) Er schreibt aber dieß keineswegs einer Gegenmaßregel von Seite Schwedens zu, indem der übrige Handel mit diesem Lande keine Veränderung erlitt, sondern dem Mangel an Geld in Schweden, das sich nur dasjenige beilegen darf, was es durch seine Produkte einzutauschen vermag. Er sagt, Frankreich führt heute zu Tage nach Schweden, Preußen, Dänemark und nach den Hanseestädten, nach Rußland und nach den Niederlanden nur 40,000 Tonnen Wein aus, während es im J. 1789 zwischen 70 und 80,000 Tonnen Wein dahin ausführte.[110]).

Der Weingutbesizer aus der Gironde behauptet, daß die Weinausfuhr Frankreichs nach dem nördlichen Europa sich im J. 1788 auf mehr denn 70,000 Tonnen belief; daß die Weinausfuhr in den Jahren 1819, 20 und 21 im Durchschnitte jährlich nur 48,000 Tonnen betrug; daß die Ausfuhr in den Jahren 1824—26 im Durchschnitte jährlich nur mehr auf 30,000 stieg; daß also dieser Handelszweig merklich abnahm. Er zweifelte nicht, daß eine Herabsezung des Einfuhrzolles auf das Eisen einen größeren Absaz des Weines herbeiführen würde; die Herabsezung müßte aber bedeutend seyn. Man müßte den Zoll auf das mit Holz erzeugte Eisen von 15 Cent. auf 10, und den für Eisen mit Steinkohle von 25 Franken auf 15 herabsezen. Er gesteht jedoch, daß die Erhöhung dieses Zolles im J. 1822 nicht im Mindesten nachtheilig

---

109) Wir übersezen hier Tonneaux mit Tonne. Vom Wein- und Branntweinmaß hält der Tonneau 4 Barriques oder Oxhoft, 6 Tierçons, 128 Veltes oder Viertel. Die Commission, die $^1/_{2700}$ Xr. berechnete, hätte hier wohl den Inhalt ihrer Tonneaux etwas genauer angeben können. A. d. Ue.

110) Preußen besaß im J. 1789 noch nicht die Rheinprovinzen, aus welchen es sich gegenwärtig mit seinem Weinbedarfe versieht. Es fällt also ein guter Theil der verminderten Weinausfuhr Frankreichs auf die Ergebnisse des Krieges, nicht aber auf die Erhöhung des Einfuhrzolles auf Eisen. A. d. Ue.

auf den Absaz der französischen Weine nach England wirkte, welches dieselben nicht mehr belastete, als andere fremde Weine; eben so wenig auf den Absaz nach Schweden, wo die französischen Weine um nichts härter behandelt wurden, als andere ausländische Weine; nur Rußland allein hat, wie er behauptet, die ungrischen und die Moldauer Weine weniger hoch mit Zoll belastet, als die französischen, und er schreibt diesen höheren Zoll auf die französischen Weine unseren Beschränkungen der Einfuhr russischer Waaren zu, und namentlich der Einfuhr des russischen Eisens.[111])

Nach den authentischen Urkunden der Staatsverwaltung hingegen ist es nichts weniger als richtig, daß die Ausfuhr unserer Weine sich so sehr verminderte, als diese Herren augegeben haben. In keinem Jahre vor dem Jahre 1822 wurden 4000 Tonnen Wein aus Bordeaux ausgeführt, und nie betrug die Ausfuhr so viel, daß sie dieser Zahl auch nur nahe kam. Im Jahre 1788 wurden nur 800 Tonnen ausgeführt, und seit dem Jahre 1822 sind nie weniger als 1000 Tonnen aus dem Hafen von Bordeaux ausgeführt worden; im J. 1822 wohl sogar 1800. Was die Gegenrache betrifft, die andere Staaten an dem französischen Weine wegen des erhöhten Einfuhrzolles auf ausländisches Eisen hätten nehmen können, so muß man England hier vor allen übrigen Staaten annehmen: es verminderte seinen Einfuhrzoll auf französische Weine um ein Drittel. In Schweden wurde der Einfuhrzoll vom J. 1824 in dem Jahre 1826 herabgesezt; er ist, für den Wein, der in Fässern eingeführt wird, selbst geringer, als er im J. 1816 gewesen ist, für den in Flaschen eingeführten Wein aber noch höher, als in diesem lezteren Jahre. Hier läßt sich kein Zusammenhang mit dem französischen erhöhten Einfuhrzoll auf fremdes Eisen finden. In Rußland wurde der Einfuhrzoll auf Wein in Flaschen von 169 Franken nur auf 127 Franken, von Wein in Fässern aber von 169 Franken auf 42 Franken herabgesezt. Der höhere Zoll auf Wein in Flaschen wurde von Rußland gegen alle ausländischen Weine angenommen, und wenn man eine Gunst für ungrische Weine von Seite Rußlands anführt, so kann sich diese gewiß nicht auf Reciprocität stüzen; denn in Oesterreich herrscht noch ein weit strengeres Prohibitivsystem, als in Frankreich. Was die Zolltarife der übrigen Länder betrifft, die den französischen Weinhandel belästigen, so führen diese kein Eisen nach Frankreich ein, und der erhöhte Einfuhrzoll auf Eisen in Frankreich hat mit denselben keine Verbindung.[112])

111) Diesen Irrthum des Weingutbesizers aus der Gironde hat die Commission weiter unten, nebst vielen anderen Irrthümern der Weinhändler selbst widerlegt, und wir werden darauf noch zurük kommen. A. d. Ue.

112) Es ist eine ganz andere Ursache vorhanden, warum der Weinbauer in

VII. Kapitel. Wahrscheinliche weitere Entwickelung der französischen Eisenerzeugung.

Eine der Hauptursachen, welche die Aufnahme der englischen Eisenwerke so mächtig förderte, war, daß man in England das Eisenerz neben der Steinkohlengrube hat, oder gar in derselben, während in ganz Frankreich dieß nur in Creusot der Fall ist, wo die Steinkohlengrube zugleich unerschöpflich ist. Die Eisenwerke zu St. Etienne erhalten einen Theil ihres Bedarfes an Eisenerz aus der Franche-Comté. Es ist wahr, daß seit drei oder vier Jahren die Thäler des Alais im Departement du Gard, und des Aubin, im Aveyron, ein reiches Einbrechen von Steinkohlen und von reichhaltigem guten Erze neben einander versprechen, und daß auf diesen beiden Punkten die Eisenbergwerke einen solchen Aufschwung nehmen können, daß der Bedarf durch dieselben gedekt werden kann, indem sowohl das Brennmaterial als das Erz allen Forderungen entspricht. Es sind nur noch hinreichende Capitalien und Wege nöthig, um sie von den Eisenwerken nach dem Markte zu führen. Die reichen Lager von Steinkohlen und Eisenerz finden sich alle im südöstlichen Frankreich, weit vom Meere und von allen Märkten, während die Eisenwerke, die in Frankreich ihr Eisen mit Kohlen erzeugen, ihre Waare nach allen Seiten hin leichter abzusezen im Stande sind. Man muß also auf bequemere Verbindungswege, auf Canäle und Eisenbahnen denken, und dann wird die französische Industrie jeder anderen die Stirne bieten können. Der Bergwerks-Inspector hat diese Wahrheit durch die klarsten Rechnungen erwiesen und dargethan, daß auf der kleinen Streke von Lyon nach St. Etienne 100 Kilogramm Erz und Zuschlag, wenn die Eisenbahn fertig seyn wird, nur mehr 5⅓ Franken kosten wird, während sie jezt 15⅓ Franken kosten.

Nachdem die Commission die Aussagen über die Gestehungspreise und ihre Elemente an verschiedenen Orten alle gehört, die Angaben über die Menge und Güte des Eisens und über die verschiedene Verfahrungsweise, die Aeußerungen über die Vortheile und Nachtheile des höheren Einfuhrzolles auf fremdes Eisen, über die Nothwendigkeit,

---

[Fr]ankreich gegenwärtig weit weniger Wein absezt, als ehemals, und es wäre [P]flicht der Commission gewesen, auf dieselbe aufmerksam zu machen. Wir haben [im] Polyt. Journ. gezeigt, daß die Tranksteuer auf den Wein in Frankreich [se]it Napoleon um das Vierfache erhöht wurde. Wenn nun eine Sache, die nicht [ge]radezu Bedürfniß ist, um das Vierfache theurer wird, ist es da ein Wunder, [w]enn vier Mal weniger von derselben verbraucht wird? Die höheren Abgaben, [di]e in Frankreich in den neuesten Zeiten auf den Wein gelegt wurden, sind die [U]rsache, warum der Weinbauer in Frankreich jezt weniger Wein absezt. Der [F]ranzose muß jezt in seinem eigenen Lande mehr Tranksteuer bezahlen für seinen [W]ein, als irgendwo im Auslande, für die Einfuhr desselben. Im Durchschnitte [b]eträgt die Tranksteuer auf den Wein in Frankreich 20 p. C.; an manchem Orte [ü]ber 200 p. C. Hinc illae lacrymae. A. d. Ue.

denselben aufrecht zu halten, herabzusezen, aufzuheben, gesammelt und verglichen hat, beschäftigte sie sich mit der Frage über den Nachtheil welcher durch diesen Zoll für den Handel mit anderen inländischen Produkten entstehen könnte.

Die Ausfuhr des Weines, der Tauschhandel mit demselben, beschäftigte vorzüglich ihre Aufmerksamkeit. Sie verglich die Zeugenaussagen mit den Urkunden der administrativen Behörden und überzeugte sich, daß die ersteren sich täuschten, vorzüglich in Hinsicht auf die Menge der nach dem Norden ausgeführten Weine sowohl vor als nach dem Jahre 1822, da doch das Eisen allein aus dem Norden eingeführt wird. Es ist erwiesen, daß im J. 1788 die Ausfuhr des Weines nach dem Norden 40,400 Tonnen nicht überstieg, während in den Jahren 1825, 26 und 27 jährlich im mittleren Durchschnitt 47,600 Tonnen ausgeführt wurden. Es ist möglich, daß der Unterschied in den Summen auch von einem Wechsel in den Ausfuhrorten herkommt, und daß die Weine des Languedoc und der Provence ihren Weg nach Norden fanden, ohne über Bordeaux dahin ausgeführt zu werden; in jedem Falle muß aber, da die Ausfuhr nach diesen Ländern größer wurde, auch ein größerer Austausch mit den Produkten dieser Länder Statt gehabt haben.

Man kann nicht wohl sagen, daß die Staaten in Europa im Allgemeinen seit 40 Jahren wohlhabender geworden sind, und daß man folglich auf reichlicheren Absaz und größeren Weinverbrauch rechnen und hoffen durfte. Wenn man diese Ansicht auf jene Länder anwenden wollte, welche Eisen erzeugen (denn auf die übrigen läßt sie sich nicht anwenden), so paßt sie durchaus nicht auf Schweden, das seit dieser Zeit nicht reicher, sondern vielmehr kleiner geworden ist, und dessen Bevölkerung nicht sehr zugenommen hat. Der Weinverbrauch dieses Landes konnte also keinen bedeutenden Ausschlag im Weinhandel erzeugen. Was Rußland betrifft, so haben unsere Weine dort mit einer Concurrenz zu kämpfen, aus welcher sich sehr leicht erklären läßt, warum unsere Weine nicht mehr die alte Gunst finden. Der Weinbau wird jezt in den Rheingegenden und in Oesterreich stärker betrieben, als ehemals und gedeiht auch im südlichen Rußland selbst. Es kommt also viel Wein jezt nach Rußland, der unseren Weinen, wenn sie gleich besser sind, starken Abbruch thut. Es läßt sich daher nicht einsehen, wie wir in der Ausfuhr unserer Weine Ersaz für die Nachtheile erlangen könnten, welche eine stärkere Einfuhr des ausländischen Eisens der Industrie Frankreichs verursachen müßte. Da Preußen, Dänemark, die Hanseestädte kein Eisen, die Niederlande nur wenig Eisen erzeugen; so bleibt nur noch die Frage übrig, ob England uns solche Vortheile gewähren könnte, als es selbst dadurch erhalten würde wenn man sein Eisen, woran es so viel Ueberfluß besizt, bei uns frei einführen ließe. Der Abgeordnete der Weingartenbesizer um Bordeaux meint, daß, wenn man hier zu einem bedeutenden Resultate gelangen wollte, man den Zoll auf englisches Eisen von 25 Franken auf 15 herabsezen müßte; dieß wäre aber eben so viel, als ob man englisches Eisen ganz frei wollte einführen lassen. Indessen erlauben erwiesene Thatsachen auch nicht einmal die Hoffnung, daß man durch eine solche Concession seine Zweke erreichen würde, indem, da der Einfuhrzoll auf französische Weine im J. 1825 in England um ein Drittel vermindert wurde, die Weinausfuhr in Frankreich, die im J. 1823 sich auf 922 Tonnen belief, sich im J. 1825 nur auf 2,171 Tonnen hob, und im J. 1827 auf 1,498 Tonnen zurükfiel. Es müßte also der Einfuhrzoll auf unsere Weine noch um Vieles vermindert werden. Dadurch müßte zugleich aber auch der Einfuhrzoll auf die portugiesischen Weine herabgesezt werden, die nur zwei Drittel des Einfuhrzolles der französischen Weine bezahlen. Hierüber bestehen Tractate, welche England nicht aufgeben wird, außer wenn es sicher ist einen Ersaz zu finden, der dem Lande, mit welchem es einen neuen Handelstractat abschließt, theuer zu stehen kommen würde. Der Weinverbrauch in England beträgt nicht über 25,000 Tonnen, und könnte nur auf Kosten des Bierverbrauches erhöht werden, worauf die Tranksteuer, in Verbindung mit dem Malzaufschlage und der Brantweintaxe, mit einer Summe von 250 Millionen Franken beruht, und wodurch der englische Akerbau so sehr gewinnt. Man darf sich also nicht schmeicheln, daß England seine Gefälligkeit für unsere Weine und für ausländische Weine überhaupt jemals sehr weit wird herabsteigen lassen. Ueberdieß steht zu besorgen, daß der Geschmak an portugiesischen Weinen, an welche die Engländer sich seit Jahren gewöhnt haben, denselben noch lang den Vorrang geben wird, selbst bei gleichem Zolle und ungeachtet ihrer schlechteren Qualität. Man weiß ferner, daß der Weinbau am Vorgebirge der guten Hoffnung auf alle mögliche Weise unterstüzt wird, um den Pflanzern einen Ertrag für ihren Aufwand und ihre Arbeiten zu sichern.

Frankreich darf also nicht erwarten in seinem Weinhandel mit England mehr zu gewinnen, als daß es einige gute Sorten (nicht aber mittelmäßige und gemeine) von seinen Weinen dahin absezt; für die mittelmäßigen und gemeinen ist keine Hoffnung, daß sie jemals das Loos des Weinbauers auf eine kräftige Weise erleichtern werden. Man kann daher mit Recht sagen, daß die Länder, welche Eisen erzeugen (und unter diesen steht England an der Spize), gerade diejenigen sind, bei welchen die wenigste Wahrscheinlichkeit Statt hat, daß jemals ein bedeutender Absaz von Weinen möglich ist.

Schweden ist, wie gesagt, zu wenig reich, um viele Weine, von was immer für einer Sorte, kaufen zu können. Rußland wird wenig kaufen, weil es selbst anfängt Wein zu bauen, und seine Einwohner, an Brantwein und saures Getränk gewöhnt, unsere weniger geistigen milden Weine nicht achten. Ueberdieß besteht die Haupteinnahme Rußlands in der Brantweinsteuer, mit welcher die Regierung nach Belieben schaltet. Aus diesen Verhältnissen ergibt sich von selbst, warum sein Tarif unseren Weinen wenig günstig ist. Rußland kann ferner, so wie Schweden, bei dem niedrigen Preise des englischen Eisens, uns nur wenig Eisen liefern, und dieses nur von vorzüglicher Güte, so daß hier nur wenig Gelegenheit zum Austausche gegen unsere Weine Statt hat.

Es wäre also nur wenig Vortheil zu erwarten, dagegen aber große Gefahr zu besorgen, wenn man, im Interesse der Weinbauer und Weinhändler, den Einfuhrzoll auf ausländisches Eisen vermindern wollte; wir würden dadurch unsere Industrie gänzlich aufopfern. Wenn Frankreich seinen Eisenmarkt den Engländern überließe, so würde es sich der Gefahr aussezen in seinem Inneren mehr zu verlieren, als es im Handel mit dem Auslande gewinnt. Die Eisenerzeugung verbreitet Wohlstand unter einer Menge von Familien, die in Gegenden wohnen, wo die Weingärten nur mittelmäßige und schlechte Weinsorten erzeugen, die gerade dieser Classe als Consumenten bedürfen.

Es bleibt nun noch zu untersuchen, ob der erhöhte Einfuhrzoll vom J. 1822 wirklich ein feindseliges System von Seite des Auslandes gegen die Einfuhr unserer Weine erzeugt hat. Von Seite Englands ist dieß nicht geschehen, indem dasselbe im J. 1825 seinen Einfuhrzoll auf Wein um ein Drittel herabsezte; es geschah auch nicht von Seite Schwedens, das im J. 1826, seinen Einfuhrzoll auf Wein vom J. 1824 um ein Bedeutendes herabsezte. Auch Rußland hat, im J. 1823, einen bedeutend niedrigeren Zoll, im Vergleiche gegen jenen von 1810 festgesezt. Wenn die ungrischen Weine und die Moldauer Weine mehr begünstigt werden, so hängt dieß von Localverhältnissen ab, und nicht von Rüksichten einer Reciprocität, indem, wie gesagt, das österreichische Prohibitivsystem strenger ist, als das russische. [113])

113) Es liegt auf der einen Seite eben so viele Weisheit und Humanität von Seite der russischen Regierung in dem höheren Zolle auf französische Weine und in dem niedrigeren auf russische und Moldauer Weine, als diplomatische Feinheit. Französische Weine werden in Rußland nur von den Reicheren als Luxus und von vermöglicheren Kranken als Arzenei getrunken; der minder bemittelte Bürger zieht den geistigeren feurigeren wohlfeileren ungrischen Wein dem französischen vor. Es ist also sehr weise und human, daß man den ärmeren Unterthan weniger für eine Lebensfreude bezahlen läßt, als den reicheren. Was endlich die di-

Diesen Thatsachen zu Folge war nun die Commission der Meinung, daß der Einfuhrzoll auf fremdes Eisen nur einen unbedeutenden Einfluß auf den Weinhandel mit dem Auslande haben konnte, und daß man die Aufhebung dieses Zolles nicht als ein Mittel gegen den geringeren Absaz des Weines fordern kann. Selbst diejenigen, die bei dieser Frage unmittelbar betheiligt waren, gelangten zu dieser Ansicht, und drükten den Wunsch aus, daß man auf ein anderes Mittel denken möchte, der traurigen Lage der Weinbauer abzuhelfen. [114])

Die Commission hat alle Zweige der Eisenindustrie sorgfältig untersucht, und es hat sich bei einer so viel umfassenden und verwikelten Frage nur eine kaum merkliche Verschiedenheit der Meinungen und Ansichten ergeben. Da man bei Untersuchung und Aufstellung der Thatsachen sehr sorgfältig zu Werke ging, und dem Streitpunkte auf diese Weise eine feste Grundlage gegeben hat, so ward es nicht mehr nöthig sich in Theorien einzulassen und die Meinungen näherten sich einander auf dem Felde der reinen Wirklichkeit. Die Commission hat den Gesichtspunkt, aus welchem man die Eisenerzeugung in Frankreich betrachten und die hohe Wichtigkeit desselben würdigen muß, wenn nicht verändert, doch anders gestellt. Man hat, schon in der ersten Sizung der Commission, eingesehen, daß, wenn man in einem vernünftigen Schuzsysteme der Industrie überhaupt denjenigen Zweigen derselben auf eine kräftige Weise zu Hülfe kommen muß, die mit Recht

---

plomatische Seite der Begünstigung der ungrischen und moldauischen Weine betrifft, so war und ist es Rußland immer daran gelegen, mit den Griechen in der Moldau und in Ungarn (wo man die nicht unirten Griechen Razen nennt) in guter Verbindung zu bleiben. In der türkischen Moldau sind es bloß die Griechen, die Weinbau treiben, und die Hierarchie der russischen Kirche begünstigt ihre Glaubensgenossen, sehr natürlich, überall. Ebendieß ist auch der Fall mit den Razen im südlichen Ungarn, wo die stärksten und feurigsten Weine gezogen werden, Weine, die, wenn sie in Deutschland gehörig gekannt wären, dem französischen Weinhandel noch weit mehr Abbruch thun würden. Ueberdieß sind in Ungarn auch sehr viele Slovaken, die mit den Russen so zu sagen dieselbe Sprache sprechen. Religion und Sprache sind ein mächtiges Band zwischen Völkern, und die slavischen Völker halten mehr zusammen, als die celtischen. Rußland weiß diesen wichtigen Umstand eben so gut für Gegenwart und Zukunft zu benüzen, als Oesterreich ihn nur zu gut zu würdigen weiß. A. d. Ue.

114) Das einfachste und sicherste, für den Bürger wie für den Weinbauer und für den Staat gleich wohlthätige Mittel wäre eine Herabsezung des Aufschlages, der übermäßigen Tranksteuer auf den Wein. Wenn diese um die Hälfte herabgesezt würde, so würde gewiß um die Hälfte Weines in Frankreich mehr getrunken und auch in die benachbarten Staaten ausgeführt werden, und der Ertrag der halben Weinsteuer würde dadurch dem Ertrage der gegenwärtigen zu hohen Steuer gewiß gleich kommen. – Der alte griechische Sänger Hesiod hat vor bald 3,000 Jahren in seinem staatswirthschaftlichen Werke einen Vers für unsere Tariffabrikanten geschrieben, den wohl nur wenige derselben gelesen und noch wenigere beherzigt zu haben scheinen:

Νηπιοι, ουδ᾽ ισχσιν όσῳ πλεον ἥμισυ παντος!

Er heißt auf Deutsch:

Die Narren, sie wissen noch nicht, daß die Hälfte oft mehr ist als's Ganze!

auf diesen Schuz Anspruch haben, man auf der anderen Seite diesen Schuz sorgfältig für jeden Zweig der Industrie bemessen muß, und dem Consumenten nur jene Lasten auflegen darf, die er nothwendig ertragen muß. Es handelte sich nun darum, den Grad der Aufmerksamkeit zu bestimmen, den die Eisenwerke verdienen, und man erklärte einstimmig, daß sie einer hohen Aufmerksamkeit würdig sind, indem sie Dinge von großem Werthe erzeugen, eine große Menge von Arbeitern nähren, und dem Lande eine höchst kostbare Unabhängigkeit gewähren, während sie dasselbe zugleich mit einem unentbehrlichen Artikel versehen, so daß aller Bedarf dadurch gedekt ist, ohne daß man fürchten dürfte, jemals in schweren Zeiten unter den Druk hoher Preise zu fallen. Man fühlte zugleich aber auch, daß Eisen ein Gegenstand ist, dessen beinahe alle Künste als Material bedürfen, der in allen Verhältnissen des Lebens beinahe unentbehrlich ist. Man konnte nicht unbedingt den hohen Preis desselben begünstigen, ohne einen wesentlichen Schaden dadurch zu veranlassen. Man mußte also untersuchen, ob der durch den erhöhten Zoll vom J. 1822 ertheilte Schuz für Eisenwerke, Statt daß er den französischen Kunstfleiß gegen eine Concurrenz sichert, die er selbst auf seinem eigenen Markte nicht auszuhalten im Stande ist, nicht zu hohe Preise des Eisens und einen übermäßigen Gewinn bei der Erzeugung derselben, ob er nicht zu übel berechnete, zu weit aussehende Unternehmungen veranlaßte; ob es an der Zeit wäre, den Einfuhrzoll vom J. 1822 fortbestehen zu lassen, oder zu vermindern, und in welchem Verhältnisse man denselben vermindern sollte? (Fortsezung folgt.)

LII.

Bemerkung über die Anwendung des Apparates, mit welchem man an der Charité zu Paris täglich tausend Portionen Knochengallerteauflösung bereitet. Mitgetheilt von Hrn. D'Arcet.

Im Recueil industriel. N. 55. S. 505.

Mit einer Abbildung auf Tab. V.

Der ununterbrochene Gebrauch, den man seit mehreren Monaten von meinem im X. Bd. S. 168. des Recueil industriel (im Polytechn. Journ. Bd. XXXIII. S. 222.) beschriebenen Apparat machte, veranlaßte mich eine Verbesserung an demselben anzubringen, die ich für sehr nüzlich halte, und die ich mich beeile hier bekannt zu machen, um denjenigen, die sich dieses Apparates bedienen wollen, die Schwierigkeiten zu ersparen, die ich gefunden habe, wenn man mit großen Cylindern arbeiten muß.

Ich habe gesagt, daß man die Menge des verdichteten Wassers

in den Cylindern abändern kann, wenn man denselben eine große Oberfläche im Verhältnisse zu ihrem Würfel gibt; wenn man der Oberfläche derselben die Politur nimmt, und sie matt braun macht, und wenn man sie endlich durch was immer für ein Mittel gehörig abkühlt. Die Erfahrung hat mich zeither gelehrt, daß man die Verdichtung des Dampfes bei der Achse der Cylinder anfangen müsse; auch habe ich dieses Mittel sogleich in dem Hospiz der Charité an dem daselbst befindlichen Apparate angebracht, und den erwünschten Erfolg dadurch erhalten. Diese Verbesserung besteht in Folgendem.

Ich bringe kaltes Wasser in jeden Cylinder über die Knochen und in den Mittelpunkt eines jeden Korbes. Dieses Wasser, welches aus einem ziemlich hoch gelegenen Behälter kommt, gelangt so zu sagen Tropfen für Tropfen und nur in solcher Menge in jeden Cylinder, daß es genau diejenige Menge Wassers bildet, welche zur Verfertigung so vieler Rationen Knochengallerteauflösung gehört.

Dieses Wasser wird, sobald es auf die Oberfläche der Knochen gelangt, die auf eine Temperatur von 106° des hundertgradigen Thermometers erhizt sind, schnell heiß und vermengt sich mit dem Wasser, welches durch Verdichtung des Dampfes entsteht, läuft durch den Cylinder in der Richtung der Achse desselben, wäscht nach und nach die Knochen, und löst die Gallerte in dem Maße auf, als sie auflöslich wird.

Die Röhre, welche das kalte Wasser in jeden Cylinder führt, ist mit einem Hahne versehen, welcher das Wasser nach Belieben absperren und den Zufluß desselben so reguliren kann, daß unter dem Druke, welchen das Wasser erleidet und welcher immer gleichförmig erhalten werden muß, man immer diejenige Menge Wassers erhält, deren man bedarf, so daß man immer in gleichen Zeiträumen gleiche Mengen Wassers bekommt. Ein Beispiel wird die Sache erläutern.

Die vier Cylinder des Apparates am Spitale der Charité, welche zusammen eine Oberfläche von vier Quadratmeter bilden, können in Einer Stunde 6 Liter Wasser brauchen. Wenn man aber mit diesem Apparate 1000 Portionen Knochengallerteauflösung in Einem Tage erhalten will, so würde man ungefähr 21 Liter solcher Auflösung in jeder Stunde erhalten müssen. Man muß also ungefähr 15 Liter kalten Wassers in Einer Stunde auf die Oberfläche der Knochen oben in dem Cylinder einführen. Die 5¼ Liter Knochengallerteauflösung, die dann in Einer Stunde aus jedem Cylinder ausfließen werden, werden bestehen aus

1,50 Liter Gallerteauflösung, die durch den in dem Cylinder verdichteten Dampfe erzeugt wird; und aus

3,75 Liter Gallerteauflösung, die durch das oben in dem Cylinder nach der Richtung seiner Achse eingelassene kalte Wasser gebildet wird.

Die Vortheile dieses Verfahrens sind einleuchtend. Wenn der Dampf in der Mitte der Cylinder, und nicht an den Wänden, verdichtet wird, kann man niedrigere Cylinder brauchen, die, im Verhältnisse zur Oberfläche, einen größeren Würfel bilden, und vorzüglich weniger kosten; man erhält mehr concentrirte Auflösungen; man kann, wenn man will, bei einer höheren Temperatur arbeiten, ohne Gefahr zu laufen, daß entweder die in der Mitte befindlichen Knochen nicht aufgelöst werden, oder daß die Gallerte derselben zersezt wird; man erhält eine mehr klare Auflösung, die man alsogleich Statt des Wassers zum Kochen der Gemüse und zur Verfertigung der Suppen brauchen kann; die Knochen werden in dem Apparate alle gleichförmiger ausgezogen; man kann sich endlich dikerer Cylinder oder solcher Gefäße bedienen, die schlechtere Wärmeleiter sind und wenig Wasserdampf verdichten, was zur Bereitung einer concentrirten Gallerteauflösung, die bei dem Abkühlen leicht stokt, sehr zuträglich ist.[115])

Die Figur und die Erklärung, die ich hier beifüge, werden diese Einrichtung leicht begreiflich machen.

In Fig. 13. auf Tab. V. ist

ABDF, ein senkrechter Durchschnitt eines der vier Cylinder.

GHIK, ist der senkrechte Durchschnitt des mit Knochen angefüllten Korbes in dem Cylinder.

ECC, eine Röhre, welche den Dampf in den unteren Theil des Cylinders führt, wie oben angegeben wurde.

LL, Röhre zur Einführung des kalten Wassers in das Innere des Cylinders.

M, Hahn auf der Röhre L, um den Zufluß des kalten Wassers nach Belieben zu reguliren und zu sperren. Das Loch dieses Hahnes ist so groß, daß unter dem im Cylinder bestehenden Druke nur 3,75 Liter kalten Wassers in Einer Stunde einfließen können.

N, kleine zinnerne Röhre, die sich in die Röhre L einreibt, wie

---

115) Hr. Jourdan, Administrator des Spitales der Charité, der mit vielem Eifer und mit großer Beharrlichkeit sich den Vorurtheilen und dem Schlendrian in Hinsicht auf Anwendung der Knochengallerte als Nahrungsmittel widersezte, ließ zum Dienste des Spitales Saint Louis, an welchem er gleichfalls Administrator ist, einen Apparat von derselben Größe, wie an der Charité, erbauen. Er hat zu diesem neuen Apparate vier Röhren aus Gußeisen verwendet, die ehevor als Wasserleitungen dienten. Dieser Apparat arbeitet sehr gut und erzeugt eine sehr reine Knochengallerteauflösung. Hr. Jourdan gab auch ein Beispiel, wie in theuren Zeiten solche Apparate aus Materialien gebaut werden können, die sich in jeder großen Stadt finden. Sein Apparat im Spitale St. Louis zeigt deutlich, daß Röhren aus Gußeisen sehr gut als Cylinder dienen können, und daß es folglich möglich ist Apparate zur Knochengallerteauflösung zu erhalten, die beinahe keiner Ausbesserung bedürfen und unzerstörbar sind. A. d. O.

man bei S sieht. Diese Röhre leitet das kalte Wasser in den Mittelpunkt des Cylinders. Sie ist an dem Ende, R, zugestöpselt, und hat nur unten ein kleines Loch, bei o.

Man bringt diese Röhre an ihre Stelle, nachdem man den mit Knochen gefüllten Korb in den Cylinder herabgelassen hat, ehe man den Dekel aufsezt.

LIII.

Ueber die Selbstentzündung der fetten Baumwolle, von Hrn. Houzeau, Pharmaceut zu Rheims.

Aus dem Bulletin de la Société industrielle de Mulhausen, N. 10, S. 416.

Mit Abbildungen auf Tab. V. (Fig. 18 und 19.)

Da die Selbstentzündung organischer Substanzen in wissenschaftlicher Hinsicht so interessant und in ihren Folgen so gefährlich ist, so muß man sich wundern, daß man sich nicht früher damit beschäftigt und ihre Ursache auszumitteln, besonders aber Mittel aufzufinden gesucht hat, wodurch man sie verhindern könnte. Zu Rheims wurden im Jahre 1827 zwei heftige Feuersbrünste, wovon ich selbst Augenzeuge war, durch die Selbstentzündung der Abfälle fetter Wolle veranlaßt. Ich glaubte, daß wenn man die Ursache dieser Selbstentzündungen nicht genau kennt, sie gewiß sich wieder einstellen würden, und suchte durch Versuche diese schrekliche Wirkung einer chemischen Reaction auszumitteln und sie unter meinen Augen wieder hervorzubringen, um meine Mitbürger von einer Geißel zu befreien, gegen welche sie sich nicht hätten verwahren können.

Diese Versuche lege ich nun der Société industrielle zu Mülhausen vor, um ihren philanthropischen Absichten zu entsprechen. Um alle Erscheinungen, welche die Selbstentzündung darbietet, gehörig studiren zu können, halte ich es für zwekmäßig, hier an die elementare Zusammensezung der organischen Substanzen, welche sie verursachen, zu erinnern, weil das Verhältniß ihrer Bestandtheile nicht ohne Einfluß auf die Erscheinungen ist, welche ich nun untersuchen will.

Die organischen Substanzen bestehen alle aus Sauerstoff, Wasserstoff und Kohlenstoff (ich übergehe die anderen Körper, welche darin nicht immer vorkommen): man theilt sie ein, 1) in solche Substanzen, worin der Sauerstoff vorherrscht; 2) in Substanzen, welche den Sauerstoff und Wasserstoff in dem zur Wasserbildung erforderlichen Verhältnisse enthalten; 3) endlich, in Substanzen, worin der Wasserstoff überschüssig ist. Wir haben kein Beispiel, daß die der ersten Reihe angehörigen Substanzen sich von selbst entzündet hätten. Bei denjenigen von der zweiten Reihe war dieß allerdings der Fall; sie müssen aber dann durch zufällige Umstände begünstigt werden; hieher gehört zum Beispiel die Selbstentzündung des Heues, welche gewöhnlich nur dann Statt findet, wenn die Pflanzen schlecht getroknet sind und die Temperatur der Luft sehr hoch ist. Uebrigens wird bei diesen Selbstentzündungen immer Sauerstoff verschlukt und Wasser und Kohlensäure gebildet. Die Substanzen der dritten Reihe endlich können sich sogar dann von selbst entzünden, wenn die Temperatur der Luft nicht hoch ist, unter Umständen, welche sich viel leichter wieder einstellen können, und in weniger beträchtlichen Massen. Da sie nämlich in einem gleichen Volum viel mehr Wasserstoff und Kohlenstoff enthalten, so muß offenbar der Sauerstoff viel stärker verschlukt werden und folglich die Entzündung schneller Statt finden, wenn sich ihre Elemente durch irgend eine Veränderung zu trennen streben.

Meine Versuche scheinen zu beweisen, daß die Selbstentzündung der fetten Baumwolle und der geöhlten Wolle nur von dem Oehl herrührt, womit sie getränkt sind, zu dessen Veränderung (Entmischung) sie aber durch die außerordentliche Zertheilung ihrer Fasern mächtig beitragen. Was die Baumwolle betrifft, so entsteht die Entzündung auf den Rükständen von fetter Baumwolle, welche sich während des Spinnens an die Achsen oder Küssen angehängt und ihnen alles Oehl entzogen haben, womit man sie beständig wegen der Reibung tränkt: dieses Oehl, welches schon deßwegen verändert ist, weil es lange der Luft ausgesezt war, kann viel leichter als jedes andere ranzig werden und sich folglich von selbst entzünden. Derselbe Fall findet bei Baumwollenmassen Statt, welche öhlige Saamen enthalten, die sich in Berührung mit der Luft entmischen, dadurch sehr stark erhizen und folglich entzünden. Die Rükstände von fetter Wolle können sich ebenfalls sehr schnell entzünden, denn sie sind mit Olivenöhl getränkt, das fast immer ranzig und oft durch fremde Oehle, besonders aber durch die Berührung mit der Luft, welche durch die Operation des Webens selbst vorzüglich begünstigt wird, verändert ist. Auf die Veränderung dieses Oehls so wie auf diejenige der fetten Baumwolle, hat die zufällige Gegenwart von Eisen großen Einfluß, indem es durch seine elektrische Wirkung die Ursachen der Entzündung noch vermehrt.

Von der Baumwolle und Wolle habe ich stets angenommen, daß sie bei der Selbstentzündung bloß mechanisch wirken, indem sie die Berührungspunkte zwischen dem Oehl und der Luft beträchtlich vermehren; deßwegen stellte ich hauptsächlich über die Veränderung, welche das Oehl durch diese elastische Flüssigkeit erleidet, Versuche an. Wir haben in der That auch kein Beispiel, daß sich trokene Baumwolle oder entfettete Wolle von selbst entzündet hätte; eben so können sich die fixen Oehle nicht von selbst entzünden, so lange sie in größeren Massen vereinigt und gegen den Zutritt der Luft verwahrt sind. Die außerordentliche Zertheilung der Fasern ist also die begünstigende und die Veränderung der fetten Körper die eigentliche Veranlassung der Entzündung: auf diese fetten Körper mußte ich daher natürlich meine Versuche richten.

Von fixen Oehlen gibt es zwei Gattungen: die einen ändern ihren flüssigen Zustand nicht merklich, wenn sie lange Zeit der Luft ausgesezt bleiben, und diese werden fette Oehle genannt; die anderen nehmen eine teigartige Consistenz an und werden daher troknende Oehle genannt. Diese lezteren sind, da sie sich leichter verändern, schon viel mehr als die fetten Oehle zur Selbstentzündung geneigt: indessen entzünden sich auch die fetten Oehle von selbst, brauchen aber dazu längere Zeit oder günstigere Umstände.

In diesen beiden Gattungen von Oehlen mußte ich mir die Muster für meine Versuche auswählen; da das Mohnsaamenöhl und das Olivenöhl im Handel sehr verbreitet sind, folglich viel gebraucht werden, so habe ich mich derselben zu den folgenden Versuchen bedient.

Fünfundzwanzig Grammen frisches Olivenöhl wurden in den ersten Tagen des Monats März in ein offenes Gefäß gegossen, um zu erfahren, wie die Luft auf dasselbe wirkt und ob die Einwirkung derselben durch eine Temperaturerhöhung begünstigt wird; in die Mitte stelle ich eine hohle Röhre, welche an ihrem oberen Ende verschlossen war.

Fünfundzwanzig Grammen Mohnsaamenöhl wurden in ganz gleiche Umstände versezt, um eine Vergleichung anstellen zu können.

Nach Verlauf von zwei Monaten hatte eine kaum merkliche Einwirkung auf das Olivenöhl Statt gefunden; während das Mohnsaamenöhl in der kleinen Röhre zwei Centimeter hoch gestiegen war: leztere hatte 0,05 Meter im Durchmesser. Vier Monate nach Beginn des Versuches war das Olivenöhl um zwei Centimeter gestiegen, das Mohnsaamenöhl aber um fünf; von dieser Zeit an veränderte sich lezteres Oehl nicht mehr, weil es, wie ich bald fand, fast allen in der Röhre enthaltenen Sauerstoff verschlukt hatte, so daß diese nur noch den Stikstoff und die Kohlensäure enthielt; die Absorption des Mohnsaamenöhls verhielt sich also zu derjenigen des Olivenöhls = 5 : 2.

Diese Oehle waren bei weitem noch nicht mit Sauerstoff gesättigt; denn als ich wieder eine Röhre in ihre Mitte tauchte, zeigten sich dieselben Erscheinungen wie vorher und noch dazu stärker.

Um sicherere Data zu erhalten, wiederholte ich diese Versuche, welche nur sehr unvollkommen waren, mit einigen Abänderungen. J brachte unter eine graduirte Gloke von 0,08 Meter Durchmesser, die mit trokner Luft gefüllt war, auf Quekſilber eine Schichte Olivenöhl von 0,02 Meter Dike. Eine gleiche Quantität Mohnſaamenöhl wurde in ein dem vorigen gleiches Gefäß gebracht und wie jenes einer Temperatur von 15° C. ausgeſezt. Während der drei erſten Monate war bei dem Olivenöhl die Abſorption kaum merklich, während das Mohnſaamenöhl ſein gleiches Volum Sauerſtoff verſchlukte. Vier Monate nach Beginn des Verſuches hatte das Olivenöhl ſein dreifaches Volum Sauerſtoff verſchlukt und das Mohnſaamenöhl ſein ſiebenfaches: zu dieſer Zeit ſezte ich die Gloken der directen Einwirkung der Sonnenſtrahlen aus, wobei in fünf Tagen das Olivenöhl ſein fünfzehnfaches und das Mohnſaamenöhl ſein fünfundvierzigfaches Volum Sauerſtoff verſchlukte. Während dieſer lezteren Einwirkung mußte ſehr viel Wärmeſtoff frei werden, aber wegen der geringen Quantität Oehl konnte er nicht mittelſt des Thermometers wahrgenommen werden.

Das Olivenöhl war ein wenig getrübt; es hatte Syrupsconſiſtenz und einen unangenehm bitteren Geſchmak; das Mohnſaamenöhl war dik, klebrig, klarem Terpenthin ähnlich; es war noch bitterer als das Olivenöhl: in Alkohol waren dieſe Oehle jezt viel auflöslicher; ſie ertheilten ihm, als man ſie damit ſchüttelte, ein milchartiges Ausſehen, welches bald durch die Fällung öhliger Kügelchen verſchwand. Die in den Gloken zurükgebliebene Luft enthielt nur wenig Sauerſtoff, den ich durch Phosphor abſorbirte; der Rükſtand wurde mit Aezkali behandelt, welches davon nahe ein Fünftel verſchlukte; der hiebei gebliebene Rükſtand fällte das Kalkwaſſer nicht und löſchte brennende Körper aus, beſtand alſo offenbar aus Stikſtoff.

Während dieſes Zeitraumes wurden die Oehle nicht vollſtändig mit Sauerſtoff geſättigt, denn Hr. Theodor v. Sauſſure beobachtete, daß eine dünne Schichte Nußöhl in zehn Monaten im Schatten ihr hundertfünfundvierzigfaches Volum Sauerſtoff abſorbirte; aber dieſes Oehl befand ſich in reinem Sauerſtoffgas und nicht in atmoſphäriſcher Luft wie die meinigen. Dieſer berühmte Phyſiker fand auch, daß die gebildete Kohlenſäure der Quantität des abſorbirten Sauerſtoffs bei weitem nicht entſprach.

Der Sauerſtoff war alſo mit dem Oehl gemiſcht oder verbunden zurükgeblieben; die größere Auflöslichkeit des Oehls in Alkohol und die Veränderung ſeines phyſiſchen Zuſtandes muß dieſem abſorbirten Sauerſtoff oder dem Verluſt ſeines Kohlenſtoffs, aber eher jenem zugeſchrieben werden. Wenn der Sauerſtoff ſich nicht mit dem Waſſerſtoff des Oehls zu Waſſer vereinigte, ſo rührt dieß daher, daß ſich die Temperatur nicht hinreichend erhöhte, um dieſe Wirkung hervorzubringen; denn wenn ich dieſe veränderten Oehle einer zur Abſcheidung des öhlerzeugenden Gases hinreichend hohen Temperatur aus- setzte, bemerkte ich öfters, daß sich eine Menge Wassertropfen in den Vorlagen verdichteten. Die Quantität des erzeugten Wassers betrug immer mehr als sie hätte betragen müssen, wenn das Oehl nicht oxydirt worden wäre; denn der Sauerstoff des Olivenöhls könnte nur äußerst wenig Wasser erzeugen, da lezteres dem Gewichte nach aus

Wasserstoff	11,10
Sauerstoff	88,90

und das Olivenöhl aus

Kohlenstoff	77,21
Wasserstoff	13,36
Sauerstoff	9,43

besteht.

Nachdem ich nun diese Thatsachen mitgetheilt habe, bleibt mir bloß noch zu untersuchen übrig, was bei diesen verschiedenen Reactionen vorging: aus dieser Untersuchung müssen sich natürlich die Ursachen der Selbstentzündung ergeben. Da Sauerstoff aus der Luft absorbirt und Kohlensäure gebildet wurde, so fand eine wirkliche Verbrennung Statt; der Kohlenstoff des Oehls mußte, indem er sich mit dem Sauerstoff der Luft verband, eine beträchtliche Menge Wärmestoff entwikeln, und wenn wir bedenken, daß bei der Baumwolle und Wolle, welche sich entzündet hat, das Oehl der Einwirkung der Luft tausend Berührungspunkte darbot, so werden wir uns nicht mehr verwundern, daß sich die Temperatur auf 550 bis 600° C. erhöhen konnte. Da wir gesehen haben, daß die Reaction durch Temperaturerhöhung begünstigt wird, so folgt daraus, daß der während des Beginns der Veränderung der fetten Substanzen entbundene Wärmestoff die Zersezung der anderen Theile nur noch beschleunigt und daß mit ihrem beständigen Vorschreiten die Menge des entbundenen Wärmestoffs in Verhältniß stehen muß. Man bemerkt auch, daß diese Wolle, ehe sie sich entzündet, einen starken empyreumatischen Geruch verbreitet, ähnlich demjenigen von halb zerseztem Oehl. Wenn man in diesem Zeitpunkte sich nicht beeilt, sie zu zertheilen und mit kalter Luft in Berührung zu bringen, so steigt die Temperatur in wenigen Augenbliken so sehr, daß sich die ganze Masse entzünden kann. Die während der Verbrennung sich entbindende Wärme entsteht offenbar durch die Vereinigung des Kohlenstoffs des Oehls mit dem Sauerstoff der Luft; aber sie wäre schwach und es würde keine Entzündung Statt finden, wenn sie nicht von elektrischen Erscheinungen begleitet wäre.

Bekanntlich enthalten die Körper eine gewisse Menge Wärmestoff, welcher durch das Thermometer nicht entdekt werden kann, den man gebundenen Wärmestoff nennt, und welcher in umgekehrtem Verhältniß mit ihrer Cohäsion steht; jedes Mal wenn ein Körper von dem gasförmigen in den flüssigen und von diesem in den festen Zustan-

übergeht, wird Wärmestoff frei, dessen Quantität von der Natur des verbrannten Körpers abhängt; wenn dieser fest ist, wird eine ungeheure Menge Wärmestoff entbunden, wenn er flüssig ist, weniger, und wenn er gasförmig ist, fast gar keiner. Worin besteht nun das Produkt von der Verbrennung des Oehls? Aus Kohlensäure: diese ist gasförmig. Da ihre Dichtigkeit beträchtlicher als die des Sauerstoffs ist, so könnte sie eine Ursache der Wärme seyn; da aber der Kohlenstoff in den Oehlen flüssig ist, und derselbe, um in gasförmigen Zustand überzugehen, Wärmestoff absorbirt, so folgt daß nicht nur keine Wärme entbunden, sondern im Gegentheil solche absorbirt werden sollte. Eine andere Quelle von Wärme könnte, wie wir gesehen haben, die Quantität Sauerstoff seyn, welche absorbirt wurde, ohne Kohlensäure hervorgebracht zu haben und indem sie mit dem Oehl flüssig wurde, eine Quantität Wärmestoff entbinden mußte; so beträchtlich sie aber auch seyn kann, so ist sie doch bei weitem nicht hinreichend, um die Temperatur auf 600° zu erhöhen, die erforderlich sind, damit Licht hervorgebracht wird, wie es wirklich der Fall ist.

Wenn die entbundene Wärme, welche die Entzündung hervorbringt, nicht von einer Entmischung des Oehls herrührt, so kann man sie nur der merkwürdigen Eigenschaft zuschreiben, welche in neuerer Zeit von den HHrn. Becquerel und Pouillet so gründlich untersucht wurde, und die alle Körper besitzen, welche eine chemische Verbindung eingehen, nämlich sehr viel elektrisches Fluidum und folglich um so mehr Wärmestoff zu entbinden, je inniger die Verbindungen sind. Wenn wir das Oehl in seinem reinen Zustande und den Sauerstoff vor seiner Vereinigung mit demselben untersuchen, so finden wir, daß sie mit natürlicher Elektricität begabt sind, d. h. zwei elektrische Flüssigkeiten vereinigt enthalten, daher sie kein Zeichen von Elektricität geben; leztere, welche so zu sagen verborgen ist, wird sogleich merklich, wenn sich aus irgend einer Ursache die beiden Elektricitäten trennen. Nun ist aber die chemische Verbindung eine sehr mächtige Veranlassung zur Zersezung der Elektricität und da das Oehl in Berührung mit Luft Sauerstoff aus derselben aufnimmt und sich entmischt, so finden wir hier ganz natürlich die Ursache der Trennung und Wiedervereinigung der Elektricitäten und folglich eine reichliche Quelle von Wärmestoff. Der Sauerstoff entwikelt, indem er sich mit dem Kohlenstoff des Oehls vereinigt, positive Elektricität; seine natürliche Elektricität ist folglich zersezt und er ist nun negativ elektrisirt: dieser Schluß ist ganz folgerecht. Andererseits entbindet der Kohlenstoff des Oehls negative Elektricität und ist daher positiv elektrisirt. Durch diese chemische Wirkung wird also der Sauerstoff mit negativer und der Kohlenstoff mit positiver Elektricität begabt: diese Elektricitäten haben ein großes Bestreben sich zu vereinigen und verbinden sich, sobald sich Kohlensäure bildet. Bekanntlich wird bei einer elektrischen Verbindung eine große Menge Wärmestoff entbunden; auf der Wolle, wo diese chemischen und elektrischen Verbindungen Statt finden, wird daher beständig Wärmestoff frei, und dieser Quelle allein müssen wir die Selbstentzündung zuschreiben. Diese Theorie wird man um so eher billigen, wenn man bedenkt, daß ähnliche Erscheinungen beständig vor unseren Augen Statt finden; daß die Vegetation, die Verbrennung und die chemischen Vereinigungen fruchtbare Quellen von Elektricität sind, die sich beständig in die Atmosphäre ergießen, und die Wolken mit entgegengesezten Elektricitäten beladen, welche durch ihre Wiedervereinigung jenes lebhafte und plözliche Licht hervorbringen, das wir Bliz nennen. Da wir bei Haufen von Wolle und fetter Baumwolle ähnliche Resultate haben, so dürfen wir uns nicht mehr wundern, daß eine Temperatur, gleich derjenigen, welche sich in den oberen Regionen erzeugt, auf der Oberfläche der Erde die Entzündung von Substanzen, welche ohnedieß sehr brennbar sind, verursacht.[116])

Diese Grundwahrheit wird durch folgenden Versuch völlig außer Zweifel gesezt: wenn man auf eine Kohle, welche sich im luftleeren Raume befindet, sowohl positive als negative Elektricität strömen läßt, so wird die Kohle rothglühend und dann weißglühend, ohne Kohlensäure zu bilden oder von ihrem Gewicht etwas zu verlieren, obgleich 600° Wärme entstehen. Wie groß muß also die Intensität der Wärme seyn, wann ähnliche Erscheinungen auf einer ungeheuren Masse Statt finden; da nach Hrn. Pouillet Ein Gramm reine Kohle, wenn sie in Kohlensäure übergeht, Elektricität genug entwikelt, um eine Leydener Flasche zu laden; und da nach Lavoisier und Laplace Ein Gramm Olivenöhl durch seine Verbrennung Einen Gramm Wasser von 0 auf 11°,116 oder mit anderen Worten, 11,116 Grammen Wasser um einen Wärmegrad erhöht?

Diese Thatsachen zusammengenommen, erklären, wie ich glaube, hinreichend die Selbstentzündungen, deren Schauplaz Rheims und andere Städte waren.

Die Erfahrung lehrt, daß das Oehl sich Anfangs unmerklich oxydirt, sich aber immer mehr und mehr verändert, so daß endlich ein Zeitpunkt eintritt, wo die Oxydation so rasch vor sich geht, daß es

116) Oft tritt der Umstand ein, daß die Rükstände von Baumwolle und Wolle Eisentheilchen enthalten, die entweder von den Zähnen der Krämpel herrühren oder von den Achsen oder Küssen abgerieben worden sind; diese Eisentheile können die elektrische Bewegung, welche auf den Wollenmassen Statt findet, unterstüzen und sie zur Selbstentzündung bestimmen. A. d. O.

sich entzündet. Man hat allgemein gefunden, daß die genannten Wollabfälle sich besonders leicht entzünden, wenn sie dem Sonnenlicht und der Wärme ausgesezt sind, und daß man sie, um Feuerbrünste zu vermeiden, nur in geringen Quantitäten, an möglichst kalten Orten und immer ausgebreitet aufbewahren muß; denn wenn sie in Haufen vereinigt sind, ist die Temperatur im Inneren immer höher als auf der Oberfläche, welcher die Luft beständig den überschüssigen Wärmestoff entzieht.

Ich habe vergleichende Versuche mit zwei Portionen Wolle angestellt, die ich derselben Temperatur unter verschiedenen Umständen aussezte; aus dem Einfluß, welchen leztere auf das Resultat hatten, ergaben sich die verläßlichsten Mittel, wodurch man sich gegen die Selbstentzündung verwahren kann.

Ein Stük fetter Wolle, welches 6 Decimeter Grundfläche hatte, wurde bei einer Temperatur von 20° C. sich selbst in einer Lage überlassen, worin es einige Sonnenstrahlen empfangen konnte.

Eine gleiche Quantität ähnlicher Wolle wurde unter dieselben Umstände versezt, aber in einer 1 Decimeter diken Schichte ausgebreitet.

Nach Verlauf von zwei Tagen fühlte man schon in der Mitte der aufgehäuften Wolle eine Erwärmung, während die ausgebreitete Wolle bloß die Temperatur der Atmosphäre hatte. Acht Tage nachher hatte sich die Wärme, welche allmählich zunahm, schon so sehr vermehrt, daß das Thermometer auf 60° stieg: die Außenseite war nicht viel wärmer als die sie umgebende Luft, bloß einige Dämpfe fingen an daraus sich zu erheben; bald nahm die Wärme so zu, daß man die Hand nicht mehr in der Mitte der Wolle halten konnte: die empyreumatischen Dämpfe, welche sich daraus entwikelten, bewiesen daß sie verbrannte und ihre Entzündung nicht mehr fern war. Die ausgebreitete Wolle hatte sich im Gegentheil während dieser Zeit wenig verändert; sie sah noch ganz so aus, wie vor dem Versuche, verbreitete bloß einen ranzigen Geruch und hatte sich nie merklich erhizt; sie veränderte sich sogar in längerer Zeit nicht mehr.

Diese Versuche zeigen deutlich, daß wenn auch das Oehl sich zersezt und in Folge davon eine Oxydation (Verbrennung) Statt findet, doch niemals eine Entzündung eintreten kann, wenn in einer bestimmten Zeit nicht genug Wärme frei wird; wenn eine Wolle ausgebreitet ist, so entzieht ihr die umgebende Luft die Wärme in dem Maße als sie entsteht, während in einer Masse, deren Inneres gegen die Erkältung durch das Aeußere geschüzt ist, die entstandene Temperatur beibehalten wird, die Zersezung vermehrt und dadurch sogar sich selbst so lange verstärkt, bis sie endlich die Entzündung veranlaßt.

Da es nicht immer möglich ist, die Baumwollen- und Wollenrükstände in dünne Oberflächen zu zertheilen, so scheint es mir in diesem Falle sehr vortheilhaft, das auf Tab. V. Fig. 18 u. 19. abgebildete Metallthermometer zu gebrauchen. Sein Gang zeigt die innere Temperatur der Baumwollenrükstände an; seine Einrichtung ist so einfach, daß es jeder Spinnereibesizer selbst verfertigen kann. Man befestigt es für immer auf einen vierekigen Ringnagel und bringt die Rükstände so auf seine Stelle, daß es ihre Mitte einnimmt. Sobald ihre Veränderung seine Temperatur zu erhöhen anfängt, zeigt die Nadel an, was im Mittelpunkte vorgeht; dadurch wird der Spinnmeister zu guter Zeit von der Gefahr unterrichtet und kann sie dadurch beseitigen, daß er den Rest der fetten Rükstände schleunig zertheilt; man kann auch, wenn man will, am Ende des Messingbleches einen Drüker anbringen, welcher losgehen und so ein Schlagwerk in Bewegung sezen kann; aber bei einem aufmerksamen Spinnmeister glaube ich, ist dieses unnüz.

Dieses Verfahren hielt ich für das einfachste, um die Selbstentzündung zu vermeiden: es wird ohne Zweifel immer vortheilhaft seyn, die Rükstände auszubreiten, um eine Temperaturerhöhung zu vermeiden; wenn aber der Plaz oder andere Ursachen dieß nicht zulassen, muß durchaus ein Metallthermometer gebraucht werden.

Beschreibung und Gebrauch des Metallthermometers.

Die Einrichtung dieses Thermometers ist außerordentlich einfach; man braucht bloß einen Messingstreifen von 1 Millimeter Dike (ich ziehe das Messing anderen Metallen vor, weil es sich bis zu 100° verhältnißmäßig am meisten ausdehnt); man befestigt in der Mauer eine Eisenstange, an deren Ende man den Metallstreifen anlöthet, und windet diesen Streifen fünf bis sechs Mal um sich selbst, so daß zwischen den Windungen ein kleiner Zwischenraum bleibt. Nach dem lezten Umwinden endigt man den rükständigen Streifen unter einem rechten Winkel und bildet daraus eine Stange, welche am oberen Theile gespalten ist, deren Länge sich nach der Menge von Rükständen richtet, welche man gewöhnlich aufhäuft.

Andererseits befestigt man auf einer Platte eine sehr leichte und sehr bewegliche Nadel; der untere Theil dieser Nadel wird mit einem Seidenfaden versehen, wenn die Nadel horizontal ist, und mit einem ausgespannten Eisendrathe, wenn sie senkrecht ist: [117]) dieser Drath

117) Dieser Unterschied ist nothwendig: denn wenn der Apparat die in der Figur gezeichnete Lage hätte, so würde zwar wohl die Temperaturerhöhung angezeigt, aber die Temperaturerniedrigung könnte nicht angezeigt werden, denn da der Drath biegsam ist, so würde nichts die Nadel zurükbringen, während der Drath dazu hinreicht, wenn sie senkrecht ist, weil das Gewicht der Nadel sie immer herabzuziehen sucht. A. d. O.

endigt sich in einen kleinen Knopf. Wenn man nun das System in Thätigkeit sezen will, braucht man bloß den Faden oder Drath in die Spaltung der Messingstange zu bringen.

Um das Instrument zu graduiren, bemerkt man mit einem guten Quekfilberthermometer die Temperatur der Luft, oder, was noch besser ist, man umgibt den Rand des Messings mit Eis und bemerkt 0 auf der Gradleiter. Man nimmt sodann ein kleines Pfännchen mit reinem Wasser und erhält dieses einige Zeit im Sieden, bezeichnet den Punkt, auf welchem die Stange ruhig geblieben ist, mit 100 und theilt den Raum zwischen diesen beiden Punkten genau ab. Da die Versuche, wozu das Thermometer bestimmt ist, nicht sehr delikat sind, so ist es unnüz den Luftdruk zu berüksichtigen.

Nachdem das Thermometer so hergestellt ist, braucht man es bloß mit den Rükständen zu bedeken und den Seidenfaden in der so gestellten Stange zu befestigen: wenn sich die Baumwolle nur im Mindesten erhizt, zeigt die Nadel die Temperatur an. Man könnte auch an Statt einer Nadel einen empfindlichen Druker mit einem Schlagwerk befestigen, welches erst dann schlagen würde, wenn die Nadel 100° erreicht hat; wenn man aber auch nur von Zeit zu Zeit den Plaz, wo die Rükstände aufbewahrt werden, besucht, wird das Thermometer mit der Nadel hinreichen, um Gefahren vorzubeugen.

Bericht, welchen Hr. Penot im Namen des chemischen Comité's der Société industrielle über vorstehende Abhandlung erstattete.

Sie waren, meine Herren, öfters Zeugen von Feuersbrünsten, welche durch die Selbstentzündung von fetter Baumwolle veranlaßt wurden; Sie haben eine Medaille demjenigen bestimmt, der Ihnen die beste Abhandlung über die Ursachen, welche diese gefährliche Erscheinung veranlassen und abändern, so wie über die wirksamsten und wohlfeilsten Mittel, wodurch sie verhindert werden kann, einschikt. Es hat sich nur Ein Preisbewerber gezeigt, um dieses wichtige Problem zu lösen: seine Abhandlung, welche mehrere interessante Thatsachen enthält, verdient die Beachtung der Gesellschaft. Sie zerfällt in zwei Abtheilungen.

In der ersten Abtheilung untersucht der Verfasser die Ursachen der Selbstentzündung. (Den Bericht über diesen Theil der Abhandlung lassen wir hier weg, da er bloß ein Auszug aus derselben ist.)

In der zweiten Abtheilung beschreibt der Verfasser ein Metallthermometer um der Entzündung zuvorzukommen, es wird mitten in die Baumwolle gestellt und zeigt jeden Augenblik ihre Temperatur an.

Dieses Mittel schien Ihrem Comité nicht genügend. Außerdem daß man mehrere Thermometer anwenden müßte, wenn man eine große Masse fetter Abfälle oder geöhlter Zeuge hätte, wie dieses oft der Fall ist, müßte man noch befürchten, nicht zeitig genug bei einem sehr raschen Erhizen aufmerksam gemacht zu werden. Es ist Thatsache, daß geöhlte Zeuge, welche aus der heißen Trokenstube kamen, sich eine halbe Stunde nach ihrer Untersuchung entzündeten. Wir haben auf dem Bureau verkohlte Wolle deponirt, welche von zwei Stüken Tuch erhalten wurde, die des Abends noch kalt waren und sich von selbst einige Stunden nachher während der Nacht entzündeten.[118]) Die Anwendung eines Metallthermometers würde eine ununterbrochene Aufsicht erheischen; ein Arbeiter aber, welcher sich beständig bei den Abfällen aufhielte, hätte kein Thermometer nöthig. Die Wärme, welche die Hand verspüren würde, wenn man sie von Zeit zu Zeit in die Baumwolle stekt; der Geruch, welcher sich im Anfang der Zersezung verbreitet, wären hinreichende Anzeigen, daß man sich beeilen muß, die der Luft ausgesezten Oberflächen zu wechseln, um das Innere zu erkälten.

Ihr Comité hätte ein sichereres Mittel und besonders ein solches gewünscht, welches nicht ganz und gar von der Aufmerksamkeit eines Arbeiters abhängt, welcher bisweilen mehr oder weniger nachlässig seyn kann; besonders des Nachts und am Sonntage. Ein solches Mittel würde man vielleicht in der Anwendung eines chemischen Agens finden, durch welches dem Oehl die Eigenschaft Sauerstoff zu verschluken benommen würde.

Das Comité ist jedoch mit dem ersten Theile vorstehender Abhandlung zufrieden, obgleich darin nicht alle Ursachen, welche auf die Selbstentzündung Einfluß haben können (wie die Temperatur und der hygrometrische Zustand der Luft u. s. w.), angegeben sind und schlägt Ihnen vor die Abhandlung ganz in Ihrem Bulletin abdruken zu lassen und dem Verfasser eine Ehrenerwähnung zuzuerkennen.

---

118) Nach diesen längst bekannten Thatsachen sollten Türkischrothfärbereien nicht in Städten, sondern nur in von Wohnungen abgelegenen Lokalitäten errichtet und ausgeübt werden dürfen. Durch die Ansichten und Berichte unseres Magistrates, der k. Kreisregierung, der k. Akademie der Wissenschaften und einiger unserer sogenannten guten Freunde vom Fache, wurde im vorigen Jahre gestattet, troz mehreren vorausgegangenen Feuerausbrüchen in gleichen Etablissements außer der Stadt, eine solche Färberei in größerntheils baufälligen und pulverdürren hölzernen Gebäuden dicht neben unserer Wohnung, inmitten der bewohntesten und gewerbreichsten, aber ziemlich engen Straßen, zu errichten und ausüben zu dürfen, wodurch wir stets der Gefahr ausgesezt sind, daß, wenn in der Nacht Feuer ausbricht, bei lebendigem Leibe verbrannt, und gleichsam muthwillig um Hab' und Gut gebracht zu werden. A. d. R.

LIV.

Vergleichung der Wirkungen eines Gebläses, das mit kalter und mit warmer Luft geht.

Aus dem Mechanics' Magazine. N. 334. S. 555.

Wir haben N. 308. S. 336. (Polytechn. Journ. Bd. XXXIII. S. 326.) einige Versuche des Hrn. Neilson zu Glasgow angeführt, durch welche eine große Ersparung an Brennmaterial bei Anwendung von heißer, statt kalter Luft an dem Gebläse eines Ofens erwiesen werden soll, und bei dieser Gelegenheit unsere Meinung dahin geäußert, daß die Kosten des Heizens der Luft den Gewinn, den man bei heißer Luft hat, aufwägen werden. Wir liefern hier einen Auszug aus einer neueren Angabe im Glasgow Chronicle, die von unserer gegebenen Ansicht sehr abweicht. Thatsachen sind allerdings Starrköpfe, die nicht nachgeben; indessen gestehen wir, daß wir noch immer die Ursachen nicht deutlich einsehen, die hier obwalten.

„Seit wir von der Anwendung heißer Luft im Gebläse der Hochöfen sprachen, hat man ununterbrochen Versuche an den Eisenwerken zu Clyde (Clyde Iron Works) angestellt, und die Resultate fielen höchst günstig aus. Es ist durch diese Versuche hinlänglich erwiesen, daß Eisen mittelst erhizter Luft mit drei Viertel der Kohlenmenge geschmolzen werden kann, die man bei kalter Luft, d. h. nicht künstlich geheizter, Luft nöthig hat, und daß die Menge Eisens, die man dadurch erhält, noch um ein Bedeutendes vermehrt wird. Alle Gebläse an den Clyde-Eisenwerken werden nun mit heißer Luft versehen, die bis auf 220° Fahr. (+ 83° R.) gehizt ist. Die Luft wird in eisernen Gefäßen, die den Dampfkesseln ähnlich sind, und die auf den Ofen gestellt werden, gehizt. Man ist der Meinung, daß eine noch höhere Temperatur, als 220°, eine verhältnißmäßig noch stärkere Wirkung hervorbringen wird: hierüber müssen aber erst noch Versuche angestellt werden. Man berechnet den Vortheil, welcher für ganz England durch diese Verbesserung an den Gebläsen bei den Eisenwerken entstehen kann, auf eine jährliche Ersparung von wenigstens 200,000 Pfd. (2,400,000 fl.). Die Thatsache, daß heiße Luft besser zum Verbrennen taugt, als kalte, ist nun einmal durch Versuche erwiesen. Daß Feuer bei kaltem Wetter, wie man sagt, besser brennt, als bei warmem, ist kein Beweis für das Gegentheil. Das Feuer brennt in dem ersten Falle stärker, nicht weil die Luft kalt, sondern weil sie trokener „(und auch dichter, folglich mehr sauerstoffhaltig)" ist. Man erhize kalte Luft künstlich, und es wird sich zeigen, daß sie, künstlich gehizt, das Verbrennen mehr fördern wird, als die kalte Luft. Man hat diese Thatsache auf verschiedene Weise zu erklären gesucht. Die einfachste Theorie scheint diese, daß Luft nicht ehe zum Verbrennen taugt, bis sie nicht eine hohe Temperatur erreicht hat, und daß man viel Brennmaterial verbrennen muß, ehe man die Temperatur der Luft auf einen solchen Grad erhöht, daß Verbrennung dadurch gefördert werden kann. Die Frage: ob durch das Hizen der Luft für die Gebläse der Hochöfen Ersparung an Brennmaterial Statt hat? läßt sich demnach auf folgende Frage zurükführen: ob es, in Hinsicht auf Brennmaterial, wohlfeiler kommt, die Luft in dem Ofen selbst zu erhizen, wo sie mit den Kohks in Berührung kommt und als kohlensaures Gas entweicht, oder sie vorläufig in einem besonderen Ofen zu heizen? Nach den Versuchen an den Clyde-Eisenwerken kann die Luft in einem besonderen Ofen mit dem eilften Theile des Brennmateriales geheizt werden, das zur Erhizung derselben in dem Brennofen selbst nöthig ist, wo die Luft mit den Kohks in Berührung kommt. Ein Grund hiervon läßt sich leicht von selbst einsehen: in dem Schmelzofen müssen Kohks hierzu gebraucht werden; in dem besonderen Ofen kann man Steinkohlen brennen. Diese Bemerkung läßt sich aber nicht auf das Heizen der Luft in geschlossenen Gefäßen anwenden, das durch den Schmelzofen selbst geschieht, ehe es in demselben mit den Kohks in Berührung kommt. Die Versuche werden noch immer fortgesezt." A. d. Ue.

LV.

Verbesserung in Verfertigung des Filzes oder ähnlicher Waaren zur Bekleidung des Bodens der Schiffe, und zu anderen Zweken, worauf Thom. Robinson Williams, Esqu., Norfolk-Street, Strand, sich am 21. Mai 1829. ein Patent ertheilen ließ.

Aus dem Repertory of Patent-Inventions. Januar 1830. S. 29.

Das Repertory gibt a. a. O. bloß folgenden Auszug:

„Diese Verbesserung besteht darin, daß man das Haar, die Wolle, Baumwolle, den Hanf, oder überhaupt das Material, welches man zu verarbeiten gedenkt, zwischen einem Lauftuche aus zwei Drathgeweben so durch Pech oder Theer, worin das Lauftuch eingesenkt ist, durchlaufen läßt, daß nur die nothwendige Menge Peches oder Theeres eingesogen werden kann. Der Patent-Träger braucht auch Statt des Theeres ꝛc. Leim oder Stärke, wenn er Artikel erzeugen will, die dem Kartenpapiere oder Pappendekel oder den Bodenteppichen gleichkommen sollen.

Die Maschine, deren der Patent-Träger sich hierzu bedient, besteht aus einem Gefäße, in welchem das Pech oder der Theer sich befindet, und welches auf einem Gestelle ruht. Das Gefäß wird entweder mittelst Dampfröhren, die sich in demselben winden, oder unmittelbar mittelst eines darunter angebrachten Feuers geheizt. In der Nähe des einen Endes, und eingetaucht in die Flüssigkeit, welche in dem Gefäße enthalten ist, befindet sich eine Walze, unter welcher ein Stük Drathgewebes hinläuft, das den Filz durchführt und gegen zwei Drukwalzen hinführt, die in der Nähe des anderen Endes, aber über der Flüssigkeit, sich befinden. Ein anderes Drathgewebe läuft unter der oberen dieser Walzen hin, und da beide Gewebe in umlaufende Bewegung versezt sind, so führen sie den Filz zwischen die Drukwalzen, wo derselbe ausgedrükt wird. Der überflüssige ausgedrükte Theer tröpfelt wieder in das Gefäß zurük, während der Filz auf einen Tisch geleitet wird, wo man denselben in Stüke oder in die beliebige Form schneidet. Eine Reihe von Leitungswalzen unterstüzt den Filz auf seinem Laufe. Der Patent-Träger beschränkt sich auf keine besondere Vorrichtung zur Ausbreitung des Materiales, sondern sagt bloß, daß es entweder eine Kardetschenmaschine, ein Gebläse oder ein sogenannter Teufel (devil) seyn kann, den man hierzu verwenden kann.

LVI.

Gewisse Verbesserungen an den Maschinen zum Spinnen der Baumwolle und anderer faseriger Stoffe, worauf G. W. Lee, Kaufmann, Bagnio Court, Newgate Street, sich d. 2. Mai 1829 in Folge einer Mittheilung eines Fremden ein Patent ertheilen ließ.

Aus dem Repertory of Patent-Inventions. Jänner 1830. S. 30. und aus dem Register of Arts P. XXIX. S. 155.

Das Repertory beschreibt diese Verbesserung, wie folgt:

„Der Zwek dieses Patentes ist ein Surrogat für die gewöhnliche Fliege an der Spinnmaschine. Der Patent-Träger sagt, man soll ein Gestell aus Gußeisen verfertigen lassen, welches mit Löchern versehen ist, in welchen eine Spindel und eine Spule laufen kann. Ein kreisförmiger Rand oder ein Reifen steigt über die Oberfläche des Gestelles empor, und hat in seinem Umfange eine Furche, in welcher ein Ring sich mit Leichtigkeit bewegt. Ein kleiner Haken, der das Garn zu der Spule leitet, ragt an lezterer hervor, und ist in die relative Lage des unteren Endes des Armes der gewöhnlichen Fliege gestellt. In der Patent-Erklärung sind zwei Abänderungen dieses Apparates angegeben: die eine derselben besteht in einer Furche in der äußeren Kante des Randes, in welchem das Segment eines Ringes läuft, an welchem gleichfalls ein Haken angebracht ist. Das Segment muß in diesem Falle groß genug seyn, um einen gehörigen Grad von Reibung zu veranlassen so daß die Spannung des Garnes regulirt wird. Nach der anderen Abänderung läuft der Rand selbst, der mit einem Zahne an seiner Kante versehen ist, welcher Statt des oben erwähnten Hakens dient, auf Reibungsrollen umher, die in den an seinem Umfange eingeschnittenen Furchen arbeiten. Der Patent-Träger bemerkt, daß in beiden der hier angegebenen Abänderungen die Spindeln so, wie an den gewöhnlichen Maschinen, zittern müssen, um eine gleichförmige Vertheilung des Garnes zu erhalten, und daß die Spulen bei denselben mit allem Vortheil noch ein Mal so lang seyn können, und darüber, wenn nur das Zittern oder die Schwingung (vibration) gehörig regulirt ist. Er versichert, daß er, mittelst obigen Apparates, eine größere Geschwindigkeit erhält, als die Fliege und die gewöhnlichen Bewegungen der Spule gestatten, und daß er daher, ohne zu wechseln, eine größere Menge Garnes spinnen kann, welches zugleich, wegen der Reibung des Ringes, eine mehr gleichförmige Spannung erhält. Die zitternde Bewegung, welche durch Abnüzung der Spindel entsteht, ist hier von nicht so hoher Bedeutung."

Das Register of Arts beschreibt denselben Apparat, wie folgt:

„Diese Erfindung besteht darin, daß Statt der gewöhnlichen Fliege, die den Faden um die Spule führt, ein kleiner Haken angebracht ist, der um die Spule läuft, entweder dadurch, daß er an einer kreisförmigen Fläche angebracht ist, die sich in einer Furche eines Reifes oder eines hohlen Cylinders befindet, welcher die Spule einschließt, oder an dem hohlen Cylinder angebracht ist, welcher sich selbst um die Spule dreht, und so den Faden aufwindet. Nachdem dieß geschehen ist (und diese Methode empfiehlt der Patent-Träger vorzüglich), wird der hohle Cylinder auf eine Metallplatte gestellt, durch welche die Achse der Spule läuft, und welche durch ein Laufband in Bewegung gesezt wird, das denselben gegen zwei Gegenreibungswalzen drükt, die sich an der Seite desselben zunächst an der Trommel befinden, welche die Spulen und Haken bewegt. Der Spulenrahmen läuft auf die gewöhnliche Weise rükwärts und vorwärts, und vertheilt so den Faden eben auf den Spulen. Die hohlen Cylinder sind groß genug, um die größte Menge aufzunehmen, die auf ein Mal auf dieselben gebracht werden kann.

Die Vortheile, die durch diese Methode erhalten werden sollen, sind größere Geschwindigkeit bei geringerer Reibung, größere Gleichförmigkeit der Bewegung, und folglich geringere Abnüzung der Theile, die sich bewegen. Es ist aber, wie es uns scheint, eine große Frage, ob diese Vortheile die größere Complication der Theile, und die größere Gefahr, daß die Maschine dadurch in Unordnung geräth, aufwägen. Die erste Methode halten wir aus diesem Grunde nicht für fehlerfrei, weil die Bewegung eines Metallstreifens in einer Furche großer Reibung und einiger Unregelmäßigkeit unterliegt, und bei der zweiten ist zu viel Masse in Bewegung für die Arbeit, die geleistet werden soll; es ist zu viel Reibung für die kleine bewegende Kraft." [119])

LVII.

Miszellen.

Uebersicht der Anzahl der Patente, welche vom J. 1675 bis 1829 ertheilt wurden. Von Hrn. Wyatt.

Aus dem Repertory of Patent-Inventions. Januar 1830, S. 89.

Ertheilt wurden

	Jahr	Anzahl
	unter Karl II.	
im J.	1675	4
—	1676	2
—	1677	3
—	1678	5
—	1679	2
—	1680	—
—	1681	5
—	1682	7
—	1683	7
—	1684	12
	unter Jakob II.	
—	1685	5
—	1686	3
—	1687	6
—	1688	4
	unter Wilhelm und Maria	
—	1689	1
—	1690	3
—	1691	20
—	1692	24
—	1693	19
—	1694	9
—	1695	8
—	1696	3
—	1697	3
—	1698	8
—	1699	4
—	1700	2
—	1701	1
	unter der Königinn Anna	
—	1702	—
—	1703	1
—	1704	4
—	1705	1
	unter der Königinn Anna	
im J.	1706	4
—	1707	5
—	1708	3
—	1709	3
—	1710	—
—	1711	5
—	1712	5
—	1713	2
	unter Georg I.	
—	1714	4
—	1715	5
—	1716	8
—	1717	6
—	1718	6
—	1719	3
—	1720	7
—	1721	7
—	1722	15
—	1723	7
—	1724	14
—	1725	9
—	1726	6
	unter Georg II.	
—	1727	7
—	1728	13
—	1729	8
—	1730	11
—	1731	9
—	1732	5
—	1733	6
—	1734	8
—	1735	6
—	1736	—
—	1737	3
—	1738	6

119) Man sieht hier, wie zwei Mechaniker über dieselbe Maschine sprechen, wo sie ihrem Kopfe und nicht jenem des Erfinders folgen. Wäre es nicht besser gewesen, die Erklärung des Patent-Trägers und eine Figur dazu zu geben? Mechaniker dürfen nie unsere Philosophen nachahmen, die sich erlauben, die Dinge so darzustellen, wie sie ihnen erscheinen, und nicht demjenigen, der sie gemacht hat. A. d. Ue.

Ertheilt wurden

	unter Georg II.			unter Georg III.	
im J.	1739	3	im J.	1785	60
—	1740	4	—	1786	59
—	1741	8	—	1787	54
—	1742	6	—	1788	43
—	1743	7	—	1789	44
—	1744	17	—	1790	68
—	1745	4	—	1791	57
—	1746	4	—	1792	84
—	1747	8	—	1793	43
—	1748	11	—	1794	55
—	1749	13	—	1795	50
—	1750	7	—	1796	73
—	1751	8	—	1797	54
—	1752	6	—	1798	77
—	1753	11	—	1799	82
—	1754	9	—	1800	96
—	1755	12	—	1801	104
—	1756	3	—	1802	105
—	1757	9	—	1803	74
—	1758	14	—	1804	60
—	1759	10	—	1805	95
	unter Georg III.		—	1806	99
—	1760	8	—	1807	96
—	1761	14	—	1808	95
—	1762	9	—	1809	102
—	1763	20	—	1810	95
—	1764	14	—	1811	115
—	1765	14	—	1812	119
—	1766	30	—	1813	145
—	1767	23	—	1814	94
—	1768	23	—	1815	99
—	1769	36	—	1816	118
—	1770	30	—	1817	98
—	1771	22	—	1818	130
—	1772	30	—	1819	101
—	1773	29		unter Georg IV.	
—	1774	36	—	1820	98
—	1775	20	—	1821	108
—	1776	29	—	1822	113
—	1777	33	—	1823	138
—	1778	30	—	1824	181
—	1779	38	—	1825	249
—	1780	32	—	1826	131
—	1781	34	—	1827	148
—	1782	39	—	1828	152
—	1783	64	—	1829	37
—	1784	46			5539

Patente, die noch in Kraft sind.

Jahr	1815	Jun. bis Dec.	53	Jahr	1823	Jan.	bis	Dec.	138
—	1816	Jan. — —	118	—	1824	—	—	—	181
—	1817	— — —	98	—	1825	—	—	—	249
—	1818	— — —	130	—	1826	—	—	—	131
—	1819	— — —	101	—	1827	—	—	—	148
—	1820	— — —	98	—	1828	—	—	—	152
—	1821	— — —	108	—	1829	—	—	Mai	37
—	1822	— — —	113						1855

Rich. Williams's Verbesserung an Dampfmaschinen.

Hr. Rich. Williams, Mechaniker in Canterbury Buildings, Lambeth, ließ sich am 15. Dec. 1828. ein Patent auf Verbesserungen bei Anwendung elastischer und dichter Flüssigkeiten zum Treiben der Maschinen ertheilen, aus welchem das Repertory of Patent-Inventions, Jäner, 1830. S. 25. einen kurzen Auszug ertheilt, ohne alle Abbildung. Die dichte Flüssigkeit, die der Patent-Träger anwendet, ist Oehl, die elastische Dampf. Der Dampf treibt das Oehl aus den Gefäßen, die sich in einem mit dieser Flüssigkeit gefüllten Sumpfe befinden. Die Gefäße werden leichter als das sie umgebende Oehl, so wie dieses aus denselben ausgtrieben wurde, und steigen mit einer Kraft in die Höhe, die der Gewalt, mit welcher das Austreiben bewirkt wird, gleich ist. Das Repertory bemerkt, daß Hr. Bryan Donkin sich im August 1803. ein Patent auf eine Methode umdrehende Bewegung zu erzeugen ertheilen ließ, welches auf denselben Grundsäzen beruht, und nach welchem eine Reihe von Eimern an einer Kette über zwei senkrecht einander gegenüberstehende Walzen lief, und in eine mit Wasser oder Oehl gefüllte Cisterne getaucht war. Der Dampf wurde unter die untersten Eimer an jener Seite der Kette gelassen, wo die Mündung derselben nach abwärts gekehrt war. Noch eine andere vor mehreren Jahren von Hrn. Latour erfundene Maschine gehört gleichfalls hierher, da eine elastische Flüssigkeit, Luft, unter kaltes Wasser durch eine verkehrte archimedische Schraube hinabgetrieben wurde, und von da in siedend heißes Wasser gelangte, in welchem ein Wasserrad angebracht war, das durch die Eimer an demselben, in welche die Luft getrieben wurde, umgedreht ward.

Die Maschine des Hrn. Donkin, so wie jene des Hrn. Williams, ist als Dampfmaschine zu betrachten, und als solche kömmt in Hinsicht auf Kraft keine derselben der gewöhnlichen Dampfmaschine der HHrn. Boulton und Watts gleich: was Wohlfeilheit der Gestehungs- und Unterhaltungskosten betrifft, so kann Hrn. Donkin's Maschine dort, wo Kohlen wohlfeil sind, vielleicht wohlfeiler kommen; nicht aber jene des Hrn. Williams, die so zusammengesezt ist, daß ihre Gestehungskosten gewiß höher kommen, als eine Dampfmaschine von gleicher Stärke. Auch die große Menge Oehles muß theuer kommen, um so mehr, als viel davon durch den durch dasselbe durchziehenden Dampf verdorben werden muß. Es scheinen auch die Dampfmesser hier nicht gehörig gegen das Eindringen des Oehles gesichert zu seyn.

Ueber die angeführten Verbesserungen, auf welche Hr. Gilman Anspruch macht,

findet sich ein so pöbelhafter Aufsaz im Mech. Mag. N. 334. S. 323. von einem praktischen Mechaniker, daß wir uns wahrhaftig wundern, wie der Redacteur dieses Blattes denselben aufnehmen konnte, obschon er sich damit entschuldigt, daß er sagt, ein Redacteur müsse Alles aufnehmen, was er von seinen Correspondenten erhält. Wir wollen, Statt seiner, die Thatsachen ausheben, welche hier vorkommen, und alle Beleidigungen weglassen. Es wird Hrn. Gilman vorgeworfen, daß er in seinem Aufsaze nur vom J. 1826. schrieb, da er sich doch am 13. April 1825. ein Patent auf gewisse Verbesserungen in der Dampferzeugung geben ließ. Man fragt ihn: ob er sich seiner früheren Arbeiten über die Dampfmaschine vor dem J. 1826. schämt? und haut nun dieses Patent in die Pfanne. Man läugnet, daß er jemals bei seiner oben beschriebenen Dampfmaschine einen Druk von 200 bis 300 Pfd. anbrachte, oder auch nur anbringen konnte; man fordert ihn auf zu beweisen: daß er bei dieser Feuerung jemals einen Druk auch nur von 1 Pfd., vielweniger von 300 Pfd. gehabt habe, und tadelt seine frühere Heizung mit Pech und Theer nebst dem gewöhnlichen Feuermateriale, obschon auch diese nicht neu ist, und Hr. Joh. Christie am 9. Oct. 1823. und am 28. Febr. 1824, also früher, sich ein Patent auf Pech- und Theer-Heizung geben ließ. Man behauptet, daß sein neuerlich beschriebener Generator durchaus keinen Dampfdruk ertragen kann, und daß dieser ganze Generator an und für sich eine Sicherheitsklappe, oder vielmehr eine doppelte Sicherheitsklappe ist. Man behauptet, daß sein Ofen nimmermehr nach seiner Weise geheizt werden kann; daß seine Maschine nie im Gange war; daß Beschreibung und Abbildung derselben durchaus nicht mit einander stimmen; daß Wasser in den Feuerherd kommen müsse; daß die Röhren sich verlegen würden und kein weiterer Zug mehr durch dieselben Statt haben würde. Man sagt, er habe seine Ideen zu dem Verbrennungsapparate aus zwei Patenten entnommen, wovon das eine, Hrn. Hall angehörig, vom 8. April 1824, das andere, gleichfalls Hrn. Hall's Eigenthum, erst vom 31. Mai 1828 ist, und seine Erfindung sey bloß eine rohe Nachbildung von Hall's Maschine. Auch aus Wilh. Wilmot Hall's Patent vom 15. Jäner 1827. aus Burstall und Hill's Patent vom 3. Febr. 1825, aus Hrn. Jak. Neville's Patente vom 14. März 1826. soll er entlehnt haben. Dieß sind die Vorwürfe, die man ihm gemacht hat, und die sich hätten ohne alle Grobheit und Bitterkeit machen lassen. Ob Hr. Gilman sich wird vertheidigen können oder wollen, werden wir bald sehen, wenn wir bis dahin die Augen noch offen haben.

Dutton's Patent-Maschine zum Treiben der Bothe.

Hr. J. Dutton jun., Tuchmacher zu Wotton-under-Edge, Gloucestershire, ließ sich am 19. Mai 1829. ein Patent auf gewisse Verbesserungen beim vorwärts Treiben der Schiffe, Bothe und anderer schwimmenden Körper durch Dampfkraft oder durch andere Kraft ertheilen. Der Patent-Träger schlägt vor, zu jeder Seite des Schiffes, welches getrieben werden soll, mehrere hohle cylindrische Stämpel in schiefgeneigten Höhlungen anzubringen, so daß sie mit der vor denselben befindlichen Oberfläche des Wassers einen Winkel von ungefähr $22^1/_2{}^\circ$, und mit der Oberfläche des Wassers hinter denselben einen Winkel von ungefähr $157^1/_2{}^\circ$ bilden. In diesen Höhlungen bewegen sich die Stämpel an der Seite des Schiffes, und sind oben mit Gegenreibungshalsbändern versehen, gegen welche die hohlen und folglich leichteren Stämpel, als das Wasser, gedrükt werden. Jeder dieser Stämpel ist an dem Ende einer Stämpelstange angebracht, die durch einen kleinen Dampfcylinder läuft, welcher wieder mit einem Stämpel versehen ist; der durch Dampf, welcher durch das Oeffnen und Schließen einer Einlaß- und Ausgangsklappe in den Cylindern in diese nach und nach eingelassen wird, getrieben wird. Nachdem der Dampf in einen Cylinder eingelassen wurde, und den Stämpel hinausgetrieben hat aus seiner Höhlung, läßt man ihn entweichen, wornach der Stämpel, der leichter ist als das Wasser, wieder in seine ursprüngliche Stellung kommt.

Unter allen den verschiedenen Planen Schiffe vorwärts zu treiben, die uns zu Gesichte kamen, ist, sagt das Register of Arts P. XXIX. S. 136., dieser der ungereimteste. Die höchste Geschwindigkeit, mit welcher man die Dampfstämpel treiben kann, wird das Schiff in Einer Stunde nicht drei Meilen weiter bringen. Die schiefe Stellung der Stämpel und ihre Rükwirkung auf das Wasser bei ihrem Rükzuge wird die Wirkung derselben noch mehr schwächen. Wenn die schiefe Richtung noch mehr schief wäre, würden die Stämpel am Ende gar nichts nüzen.

Notizen über Eisenbahnen.

Hr. Gray macht im Mech. Mag. N. 334. S. 332. den Redacteur aufmerksam, daß er schon vor mehreren Jahren, im J. 1824. die Einwohner der Stadt London, das Parliament ꝛc. auf die Vortheile der Eisenbahnen in jenem Sinne aufmerksam machte, in welchem man sie jezt nach dem gelungenen Versuche auf der Liverpool- und Manchester-Eisenbahn auffaßt, und daß sein Werk: „Observations on a general Iron Railway etc.“ London by Baldwin, Cradock and Joy, viele Jahre älter ist, als irgend ein anderes Werk über Eisenbahnen; daß er schon im J. 1822. bewies, daß Eisenbahnen besser sind, als Canäle, und daß man unendlich gewinnen könnte, wenn man Dampfkraft auf den Eisenbahnen anwenden wollte. Er schlug eine große Eisenbahn in England zwischen Edinburgh und London vor, und empfahl Seitenbahnen nach den mehr bevölkerten Städten Englands anzulegen. „London, sagte er, braucht jährlich 2 Millionen Chaldrons Steinkohlen (ein Chaldron ist 36 Bushels, und ein Bushel = 0,5734 Wiener Mezen). Würden die Kohlen wohlfeiler seyn, so würde man vielleicht noch ein Mal so viel brauchen. Ein Kohlenschiffer fährt im Durchschnitte des Monates Ein Mal, und kehrt mit Ballast heim. Eine Dampfmaschine zieht eben so viel Kohlen auf einer Eisenbahn auf Kohlenwagen, als ein Schiff

Kohlen ladet; nur mit dem Unterschiede, daß sie in drei Tagen von New-Castle nach London fährt, und als Rükfracht die Wagen mit verschiedenen Bedürfnissen für die Gegenden, durch welche sie heimkehrt, befrachten kann. Die ganze Fahrt von New-Castle nach London und zurük beträgt demnach eine Woche, und gibt so im Jahre den Gewinn von 52 Kohlenfahrten, den der Kohlenschiffer nur 12 Mal im Jahre nicht so einträglich machen kann. Die Fahrt eines Kohlenschiffes auf der See beträgt 500 Meilen; zu Lande, in voller Sicherheit, nur 200 Meilen." Hr. Gray ist durchaus, und mit Recht, gegen die Anwendung der stehenden und wechselseitig wirkenden Dampfmaschinen auf Abhängen und auf großen Bahnen, obschon er sie, eben so richtig, auf kleinen Streken, bei Kohlengruben 2c. billigt. Er findet, wie im Straßenbaue, das Planiren und das Umfahren eines Berges besser, als das gerade Ueberfahren desselben.

Das Mech. Mag. ist der Meinung, daß, obschon Hr. Gray der Erste war, der auf die Vortheile der Eisenbahnen aufmerksam machte, die Zeitschrift, the Scotsman, es gewesen ist, welche den glüklichen Eindruk auf das Publicum machte, den Hr. Gray bezwekte, aber nicht das Glük hatte hervorzurufen. Die Ursache hiervon, sagt das Magazine, ist leicht begreiflich. Hr. Gray verbreitete sich über diese Sache nur im Allgemeinen, und obschon seine Angaben richtig waren, so unterließ er doch die Beweise für dieselben, und seine Berechnungen schienen mehr nach dem Probabilitäts-Calcül, als nach wirklichen Daten abgefaßt. Der Scotsman hingegen drükte, wenn man so sagen darf, seinen Gegnern das Mark aus den Knochen; er war klar und deutlich und ausführlich; er war faßlich für den gemeinsten Mann, obschon er zugleich so tief wissenschaftlich gewesen ist, daß er des Beifalles der Gelehrten gewiß seyn konnte. [120])

---

120) Mit aller Achtung für den Scotsman und seine Methode, die auch wir für die zwekmäßigste halten: „klar und deutlich und derb!" können wir doch nicht umhin Hrn. Gray höher zu stellen, als das Mech. Mag. ihn stellt. Der Mann, der seinem Zeitalter auch nur um ein Decennium voraus ist in seinen Ideen, ist nicht der Lezte unter seinen Zeitgenossen. Er hatte den Muth herauszutreten aus der Linie und den Kampf zu eröffnen mit dem Feinde (mit der Quadruple-Allianz der Faulheit, der Unwissenheit, dem Vorurtheile und dem Herkommen); nicht jeder Krieger hat den Muth, den Kampf zu eröffnen und der Erste auf dem erstürmten Walle zu seyn. Die meisten dieser Muthigen fallen; wer verwundet zurükkehrt, wird nicht selten ausgelacht von den Feigen, die zurükblieben; wenn die Batterie, der Wall erstürmt ist, dann ziehen nicht bloß Bataillone in schöner Ordnung mit wehenden Fahnen und klingendem Spiele über die Leichen derjenigen hin, die die Bresche stürmten: auch der Reitknecht, der das Pakpferd führt, sagt dann: „wir haben erobert!" Es ergeht denjenigen um kein Haar besser, die in dem Reiche der Ideen hervorzutreten wagen vor ihren Zeitgenossen. Wenn sie nicht zerschmettert werden bei dem ersten Schritte, den sie vorwärts wagen, und, zertreten vom Feinde oder Freunde, in Vergessenheit begraben werden, so werden sie fast immer verwundet von den Pfeilen des Neides oder von den leichten Waffen beleidigter Eitelkeit. Sie werden dann verlacht, und ihrer wird nicht mehr gedacht, wann der Strom der Zeit oft erst nach Jahrhunderten das feste troknes Land abgesezt, wo sie zuerst im Wasser noch bis an die Kehle sich aufzustellen wagten. Wenn wir einst eine Geschichte der Cultur der Völker haben werden, die wir seit 6000 Jahren noch nicht erhielten, wird sie mehr die Geschichte der Uncultur derselben, als ihrer Cultur seyn: nur die Namen derjenigen, die Tausende zur Schlachtbank führten, die in eitlen Speculationen müssiger Wissenschaften sich gefielen, blieben erhalten: die Namen derjenigen, denen wir die wohlthätigsten Erfindungen verdanken, durch welche das Leben allein Genuß für uns haben kann, sind, wie die Geschichte der Erfindungen aller Völker und aller Zeiten lehrt, ausgetilgt aus dem Buche der Geschichte, in welchem wir zuweilen nur noch so viel finden, daß die Wohlthäter der Menschheit mit dem gröbsten Undanke für das Gute belohnt wurden, das sie ihren Zeitgenossen und der Nachwelt erwiesen. Indessen, Mahomet befahl den Hunden Almosen zu geben; Brama befahl den Affen Futter zu streuen, und eine weit höhere Stimme, die keine Scheiterhaufen, keine Folter und keine Kerkermauern zu erstiken vermögen, gebietet Kenntnisse unter den Menschen zu verbreiten, mögen sie die Gabe auch mit dem gröbsten Undanke lohnen. A. d. Ue.

Errichtung einer landwirthschaftlichen Lehr- und Erziehungs-Anstalt in Verbindung mit einer Armencolonie zu Erching.

Wir haben in diesem polytechnischen Journale S. 75. von der Armenpflege in England und von den Armenanstalten in Holland Nachricht gegeben, und glauben, daß vielen Lesern die Mittheilung der nachstehenden Anzeige, die Errichtung einer fast gleichartigen Anstalt in Verbindung einer landwirthschaftlichen Lehranstalt durch den so vielseitig verdienten Hrn. Geheimenrath von Uzschneider in München von Interesse seyn wird. Hr. v. Uzschneider sagt:

Die Zukerfabrikation aus Runkelrüben zu Obergiesing ist im vollen Gange; — es werden dort jährlich gegen hundert Zentner Zuker erzeugt, welcher so beliebt ist, daß er immer raschen Absaz hat; so daß aus dieser Fabrik in dem verflossenen Jahre 1829 mehr als hundert Zentner Zuker verkauft wurden; — es wurden bei dieser Zukerfabrik auch bereits mehrere junge Leute unterrichtet, welche im Stande sind, bei anderen Landwirthen, die sich mit dem Anbau von Runkelrüben befassen wollen, Zuker aus denselben zu erzeugen. Indessen kann ich in Obergiesing dem Anbau von Runkelrüben jährlich nicht mehr als dreißig Tagwerke widmen, weil ich den dort eingeführten Fruchtwechsel nicht unterbrechen will, indem der Getreidebau nicht vernachlässigt werden darf. Um also mehr Grund und Boden zur Erzeugung von Zuker aus Runkelrüben in Bereitschaft zu haben, kaufte ich im vorigen Jahre das in der Nähe der Hauptstadt München gelegene Landgut Erching, welches 1486 Tagwerke groß ist, und auf welchen im vorigen Jahre die Runkelrüben sehr gut gediehen.

Damit dieser große Flächenraum zu Erching zwekmäßig benüzt werde und in Bezug auf Landwirthschaft verschiedene Vortheile gewähre, so bin ich entschlossen, allda nicht allein eine landwirthschaftliche Lehr- und Erziehungs-Anstalt für junge Leute, welche sich seiner Zeit dem Akerbaue widmen, einzurichten, sondern auch eine Art von Armencolonie, in der mehrere verlassene arme Knaben für den Akerbau und die Landwirthschaft erzogen werden, dort anzulegen.

A. In der landwirthschaftlichen Lehr- und Erziehungs-Anstalt wird alles dasjenige gelehrt und eingeübt, was dem gebildeten Landmanne unumgänglich nöthig und nüzlich ist:

Uebung in der Sprache und Schrift, dann Unterricht im Rechnen und in der Größenlehre überhaupt, in so weit sie auf zwekmäßige Leitung der landwirthschaftlichen Arbeiten rc. angewendet werden kann, womit zugleich der Unterricht in der landwirthschaftlichen Buchhaltung verbunden wird, in der Naturlehre und in der Naturgeschichte, in den Grundsäzen der rationellen Landwirthschaft und in der Agricultur-Chemie, in so weit sie auf Kenntniß von Grund und Boden, auf Mischung der Erdarten, auf Düngererzeugung und Auswahl desselben Bezug hat, in einzelnen landwirthschaftlichen Gewerben, vorzüglich in der Zukerfabrikation, dann in der landwirthschaftlichen Baukunde.

Dieser Unterricht wird immer mit praktischer Anwendung und mit nüzlicher Selbstthätigkeit verbunden seyn.

Auf diesem meinem Landgute zu Erching finden mehrere Zöglinge Raum, wo sie fortwährend den Unterricht mehrerer Lehrer genießen und zugleich eine solche christliche und moralische Bildung erhalten sollen, daß sie seiner Zeit als angehende Landwirthe dieser Erziehungs-Anstalt Ehre machen werden. Sittlichkeit und zwekmäßige Anwendung der Zeit wird man vorzüglich immer unter Aufsicht nehmen; Müssiggang soll durchaus vermieden und auch den sogenannten Vacanzen nicht Statt gegeben werden. Der Landwirth darf keinen Tag im Jahre vernachlässigen.

Die Zöglinge werden im Alter von 12 bis 15 Jahren in diese Lehr- und Erziehungs-Anstalt aufgenommen; sie erhalten Wohnung, Nahrung und Unterricht und überhaupt die ganze Verpflegung, wie diese bei selbstthätigen Landleuten gewöhnlich ist, für einen jährlichen noch zu bestimmenden Betrag (jedoch Bett, Wäsche und Kleidung nicht mit eingerechnet). Derjenige Familienvater, welcher wünscht, daß sein Sohn oder Pflegsohn in obige Lehr- und Erziehungs-Anstalt aufgenommen werde, beliebe sich gegen den Unterzeichneten zu äußern und zugleich die Vorkenntnisse des aufzunehmenden Zöglings näher anzugeden, worauf alsdann die Nachricht über die wirkliche Aufnahme oder Nichtaufnahme erfolgen wird.

B. Für die Armencolonie werden acht hundert Tagwerke bestimmt, und darauf vierzig Häuser gebaut, so daß an jedem Hause 20 Tagwerke Grund und Böden sich befinden. In jedes dieser Häuser wird eine wohlgesittete arme Familie, welche anderswo bereits ansässig ist, dort aber sich nicht nähren kann, mit der Bedingung aufgenommen, die 20 Tagwerke Grund und Boden, welche am Hause liegen, nach Vorschrift zu bearbeiten und zugleich sechs arme Knaben, für welche ihr jährlich eine bestimmte Summe bezahlt wird, zu verpflegen und unter Aufsicht des Inspectors obiger landwirthschaftlichen Lehr- und Erziehungs-Anstalt zu erziehen.

Sobald diese armen Knaben, für welche bei der Armencolonie eine eigene Elementarschule errichtet ist, gehörig vorbereitet und im Alter vorgerückt sind, nehmen sie an dem Unterrichte obiger landwirthschaftlichen Lehr- und Erziehungs-Anstalt Theil, aus welcher sie am Ende als gesittete, gut unterrichtete und für die Landwirthschaft brauchbare Vorarbeiter, Baumeister und auch als Verwalter austreten.

Die Familien, welche in obige Häuser aufgenommen werden, haben ein Capital zum Ankauf des Hauses und der dazu gehörigen 20 Tagwerke Grund und Bodens nicht nöthig, indem diese Häuser, welche der Verpflegung und Erziehung armer Knaben gewidmet bleiben, nicht verkauft werden; sondern sie entrichten jährlich nur so viel an Naturalien, als Kartoffeln, Runkelrüben rc., welche auf den zum Hause gehörigen 20 Tagwerken erzeugt werden, an den Eigenthümer des Hauptgutes, als zur Dekung der Zinsen des Hausbaues und des Werthes von Grund und Boden erforderlich ist.

Auf diese Weise kann diese Anstalt gedeihen, denn die Familien in obigen Coloniegebäuden haben eine baare Geldeinnahme für die Verpflegung und Erziehung armer Knaben, und gewinnen den ihnen zugewiesenen 20 Tagwerken Grund und Bodens, wo sie bei anwachsender Menschenkraft auch den Spaten zur Vermehrung der Fruchtbarkeit des Bodens gebrauchen, so viel ab, daß sie davon leben, die jährliche Grundrente an den Eigenthümer entrichten, und sich auch noch etwas ersparen und zur Versorgung ihrer eigenen in obiger Lehr- und Erziehungs-Anstalt gleichfalls ausgebildeten Kinder zurüklegen können.

Erching ist so gelegen und mit so viel unangebautem, doch fruchtbarem Grund und Boden umgeben, daß obige Anstalt leicht eine solche Ausdehnung und Richtung erhalten kann, welche zur Verminderung der zahlreichen Armen in der nahe gelegenen Hauptstadt beizutragen, und mehrere Kreise unseres Vaterlandes mit tüchtigen Landwirthen zu versehen, im Stande seyn wird.

Die göttliche Vorsehung wache über unsern König und unser Vaterland Bayern!

J. v. Utzschneider.

Beitrag zur ältesten Geschichte des Akerbaues und der nüzlichen Künste.

Der berühmte k. k. Consul in Aegypten, Jos. Acerbi, der sich durch seine Reisen nach dem Nordpol und durch Gründung der Biblioteca italiana (die, so lang er sie redigirte, die beste gelehrte Zeitschrift Italiens war) einen unsterblichen Ruhm verdiente, theilt im Novemberhefte der Biblioteca italiana (welches am 3. Jäner 1830 ausgegeben wurde) S. 137—162 eine Notiz über die Versuche mit, welche von Herodot bis auf die neuesten Zeiten durch die Expedition Napoleons, durch die Engländer Salt, Burton, Felix und Wilkinson,[121] und vorzüglich durch die neueste französisch-toscanische Commission (Com-

---

121) Der leztere dieser Gelehrten hat vor Champollion über Aegypten mehr gesammelt, als alle seine Vorgänger, und Champollion würde einen großen Theil seines Ruhmes verloren haben, wenn er um ein Jahr später gekommen wäre. A. d. Ue.

missione franco-toscana) unter der Leitung des Hrn. Champollion d. jüng. zur Erklärung der alten Hieroglyphen gemacht wurden.

Da dieser mit so vielem Geiste und so vieler Sachkenntniß an Ort und Stelle geschriebene Aufsaz, bei dem allgemeinen Interesse, das er besizt, wohl bald in mehreren deutschen Zeitschriften übersezt erscheinen wird, so begnügen wir uns bloß dasjenige unseren Lesern aus demselben mitzutheilen, was zunächst auf Akerbau und auf die nüzlichen Künste und Gewerbe der alten Aegypter Bezug hat, und zwar bloß dasjenige, was die französisch-toscanische Commission in den neuesten Zeiten aus den Gräbern der alten Aegypter zu Tage förderte.

Mehr als tausend Zeichnungen, welche Hr. Acerbi in den Portefeuilles dieser Commission nach Muße zu studiren Gelegenheit hatte, enthalten Darstellungen der Sitten und Gebräuche, Spiele, Künste und Gewerbe und Beschäftigungen des häuslichen Lebens eines der ältesten civilisirten Völker des Erdballes. Diese Zeichnungen sind in folgende Abtheilungen geordnet: Akerbau, Viehzucht, Künste und Gewerbe, häusliches Leben, Justizpflege, Spiele, Militär, Gesang, Musik und Tanz, Schifffahrt, Jagd und Fischerei, Naturgeschichte.

Akerbau.

„Meine gelehrten Landsleute in Italien haben gesagt, daß unser Pflug genau derselbe ist, den Ennius und Virgil besangen und Varro und Columella beschrieben haben. Der ägyptische Pflug und das ägyptische Joch für die Ochsen an demselben ist noch älter: Wir sehen diese Instrumente hier, wie sie noch vor der XVIII. Dynastie der Pharaonen, also vielleicht vor 3000 Jahren, gewesen sind. Es scheint, daß die Werkzeuge zu den ersten Bedürfnissen des Lebens aus der Hand des Menschen eben so hervorgingen, wie Minerva aus dem Haupte Jupiters hervortrat, schön und vollendet. So schwer und plump der ägyptische Pflug beim ersten Anblike zu seyn scheint, so dürfte es vielleicht schwer fallen, ein einfacheres und zugleich wohlfeileres Akerbaugeräth zu erfinden, als diesen ägyptischen Pflug: und die eben erwähnten Eigenschaften sind an einem Pfluge gewiß die wesentlichsten. Alle Feldarbeiten, auch die Weinlese, die Bamien-Ernte (die Ernte der Früchte des Hibiscus esculentus), die Weise, wie gesäet, geschnitten, gedroschen wird, sind hier gezeichnet, und so, wie sie noch heute zu Tage in diesem Lande sind. Was das Dreschen betrifft, kann ich hier ein Bildchen nicht mit Stillschweigen umgehen, das einen Dichter zu einer Ekloge begeistern könnte. Es stellt zwei Ochsen auf der Dreschtenne vor, die bis in die Mitte in Aehren waten, und von einem Bauern mit der Spize seines Treibstokes gekizelt werden, damit sie schön im Kreise umher laufen, und das Korn aus den Aehren treten. Unter dem Bilde steht in Hieroglyphen die Unterschrift: „Dieß ist die Dreschtenne, und dieß ist das Lied, das der Bauer singt." Dieses Lied heißt nun wörtlich übersezt also: „Drescht ihr Ochsen, drescht fleißig, damit ein Mäßchen Korn für euch ausfällt; das Uebrige gehört dem Herren." Dieses Lied ließe sich ziemlich treu auf folgende Weise übersezen:"

> Tretet, ihr Ochsen, die Körnlein hübsch aus;
> Kommt ihr des Abends dann wieder nach Haus,
> Kriegt ihr, ihr Ochsen, ein Mäßchen davon;
> Alles das Andre gehört dem Patron. bis.[122])

„Das „Bis," die Wiederholung des lezten Verses, ist in den Hieroglyphen deutlich ausgedrükt. Auf diesem Bildchen kommen noch drei andere Figuren vor.

---

122) „Trebbiate bene, o buoi:
Non trebbierete in vano.
Un quarticel de grano
Anche per voi sarà.
{Quel che riman di poi
{Il signor nostro avrà!"} bis.

Ein englischer Archäologe meint, dieß Liedchen sey eine Satyre, ein Sneer, auf die alte ägyptische Priesterkaste, die das Volk in ägyptischer Finsterniß (in Ochsendummheit) zu erhalten wußte, und dasselbe die Körnlein austreten ließ, mit welchen sie sich in Müssiggang mästete.

Ein Bauer kommt vom Felde her und trägt einen Korb voll Aehrenbündel; ein anderer geht mit dem leeren Korbe weg, den er unter die Ochsen schüttete; die dritte Figur ist ein Junge, der mit einem Besen das Korn zusammenkehrt, das die Ochsen ausgetreten haben. Die Alten haben in ihren Bildern gewöhnlich die kleinsten Umstände ausgedrükt. Was mich am meisten unterhielt, war die Darstellung der Weinlese und der Weinbereitung.[123]) Nach den Gemälden und Bildhauereien in den Gräbern von Beni-Hassan und Elethia können wir mit Gewißheit das Verfahren angeben, nach welchem die Aegypter in den ältesten Zeiten die Trauben traten, den Most auspreßten, und ihn in gebrannte irdene Gefäße füllten, um ihn in denselben gähren zu lassen. Das Verfahren war einfach, aber unvollkommen und forderte großen Aufwand von Menschenkraft. Die Pressen mit der Schraubenspindel waren noch unbekannt. Die Trauben wurden von den Bauern mit den Füßen ausgetreten, und die Treter hielten sich mit den Händen an einem Strike fest, der an der Deke angemacht war, und dessen unteres Ende sich in mehrere Trümmer zertheilte. Um die Kerne und Kämme aus dem Maische wegzuschaffen, schüttete man dasselbe in einen Sak, der dann ausgewunden wurde, wie man auf unseren Bleichen die Leinwand auswindet. Die Gefäße, in welchen man den Wein aufbewahrt, waren klein; die meisten hielten nur 50, bis höchstens 100 Flaschen."[124])

„Es ist sonderbar, daß unter so vielen Gegenständen und Darstellungen aus dem Gebiete des Akerbaues, die das kleinste Detail desselben mit so vieler Treue

---

123) Hr. Acerbi hat vor einigen Jahren, als er noch auf seinem Gute Castel Goffredo in Italien lebte, eine treffliche Classification der italiänischen Traubensorten in der Biblioteca italiana entworfen, und ist einer der ausgezeichnetesten Oenologen Italiens. A. d. Ue.

124) Es ist fürwahr sonderbar und nur ein Beweis des Zustandes der Barbarei, in welcher wir und unsere noch mit Wäldern überdekten Ebenen uns befinden, daß, während das ganze Alterthum seine classischen Weine in ungeheueren Töpfen aufbewahrte, während der Spanier und der Portugiese noch heute zu Tage seine köstlichen Weine in irdenen großen Gefäßen aufbewahrt, wir unsere Weine in hölzernen Fässern aufkeltern, und den besten, den edelsten Theil des Weines, den Alkohol, durch die Dauben entweichen lassen. Wie viel Wein jährlich aus den Fässern entweicht, weiß jeder, der ein großes Weinlager auf den Kentern liegen hat. Unsere Töpferkunst scheint noch nicht jenen Grad von Vollkommenheit erreicht zu haben, auf welchem sie bei den Alten stand. Wenn die wakeren Töpfer in Debreczin und in den Umgebungen dieser Stadt daran denken wollten, für das holzarme Ungarn, wo Weinfässer so kostbar und oft so schlecht sind, kleine Weinfässer aus Thon zu verfertigen und sie außen zur größeren Sicherheit so niedlich in Drath zu flechten, wie ihre schönen Pfeifenköpfe, so würden die ungrischen Weine, die zu den feurigsten Weinen Europens gehören, und die sich eben deßwegen in Fässern nicht so leicht verfahren lassen, weil sie ihren Alkohol durch das Holz so leicht entweichen lassen, bald eben so gesucht seyn, wie die französischen des südlichen Frankreichs oder die spanischen und portugiesischen. Allerdings würde ein solches Faß im ersten Gestehungspreise höher kommen, als ein hölzernes, doch nicht so unverhältnißmäßig theuer in Ungarn, als in Deutschland, da man in Ungarn in guten Weinjahren öfters den Fässern den Boden einschlägt, und den Wein schlechterer Jahre auslaufen läßt, bloß um Fässer zu haben. Die Güte des Weines, der, in einem solchen Gefäße aufbewahrt, nichts von seinem Geiste, seinem Alkohol, verliert, keines Nachfüllens bedarf, die Dauer eines solchen thönernen Fasses (bei den Römern dauerten die Amphorae Jahrhunderte lang), die Leichtigkeit, dasselbe zu reinigen, den Wein aus denselben in Flaschen zu ziehen oder in Krüge, alles dieß wird den Gestehungspreis eines thönernen Fäßchens wohlfeiler machen, als den eines hölzernen. So sehr man jezt über diese Idee lächeln mag, so sehr sind wir überzeugt, daß vielleicht noch vor dem Ende dieses Jahrhundertes irgend ein edler Magyar Ember den von Probus dem alten Pannonien geschenkten Rebensaft auch probâ testâ, und nicht nach Art der Fotos Nemet in schlechtem Holze, seine Landsleute aufbewahren lehren wird. Wenn der Ungar seinen hohen Geist Jahrhunderte lang zu erhalten wußte, so wird er auch lernen seinen Weinen den Geist des ungrischen Weines erhalten.

A. d. Ue.

liefern; keine Sachie vorkommen: so nennt man nämlich die Schöpfräder zum Bewässer der Wiesen auf Arabisch, die von Ochsen getrieben werden. Man findet keine andere Spur von künstlicher Bewässerung, als die im Arabischen sogenannten Seduf, eine Art Schöpfbrunnen nach Art der Schlagbäume, welche derjenigen ähnlich ist, deren sich die Gärtner in Europa bedienen. Der auf den alten Denkmälern dargestellte Schöpfbrunnen ist ganz derselbe, wie man ihn noch heute zu Tage in Aegypten und in Nubien findet, mit denselben Mängeln: mit dem gekrümmten Pfahle, mit dem Gegengewichte aus Kothe und Miste, und mit dem Schöpfkübel aus Palmen geflochten. Dieß gibt uns keine vortheilhafte Idee von den Fortschritten in diesem Zweige des Akerbaues, und läßt uns sogar glauben, daß die eigentliche Cultur des Bodens bloß auf jenen Theil des Nilthales beschränkt war, welcher vom Nile jährlich überschwemmt wurde. Es scheint also, daß die Streke, welche ehevor vom Nile überschwemmt worden ist, unendlich größer gewesen seyn muß, wenn wir bedenken, daß Aegypten unter den Pharaonen 14 Millionen Einwohner zählte, während es deren heute zu Tage kaum drei besizt!![125]) Man berechne hiernach den Fleiß und die Geschiklichkeit, die zur zwekmäßigen Anlage, zum Graben so vieler Canäle gehörte. Die Bewässerung mit der Hand mußte sich lediglich auf die Gärten beschränken; dafür mußten aber auf der anderen Seite vier Monate des Jahres über mehrere Millionen Einwohner ganz müssig seyn, und diese konnten von den Regenten des Landes zur Aufführung jener colossalen Denkmäler verwendet werden, mit welchen ganz Aegypten bedekt ist. Ich stelle diese Muthmaßungen nicht ohne einige Scheu auf: indessen ist so viel gewiß, daß diese Denkmäler keine große Schonung der Kraft der Menschenarme und der Menschen überhaupt beurkunden. Vielleicht komme ich auf diesen Gegenstand bei einer schiklicheren Gelegenheit noch ein Mal zurük."

„Die übrigen Instrumente des ägyptischen Akerbaues sind höchst einfach. Es sind überdieß ihrer nur wenige, und sie sind ganz von derselben Form, wie man sie noch heute zu Tage in Aegypten sieht."

Viehzucht und Thierarzeneikunde.

„Auch in dieser Hinsicht ist das Portefeuille der Commission sehr reich. Man sieht auf einem Bilde einen Hirten mit einer großen Herde Schweine, zum Beweise, daß der Genuß des Fleisches dieser Thiere keine Verunreinigung, keine irreligiöse Handlung war.[126]) Herodot sagt uns, daß die Aegypter sich der Schweine bedienen, um das Saatkorn in den Schlamm des Niles mit ihren Füßen eintreten zu lassen; diese Art von Feldarbeit wird aber auf den Denkmälern als das Tagwerk der Ochsen dargestellt.[127]) Es scheint überhaupt, daß das männliche verschnittene Schwein kein so verhaßtes Thier bei den Aegyptern gewesen ist, obschon das Mutterschwein bei ihnen die Göttinn Off, und die Mutter des Typhon war. Man findet hier einen Ziegenhirten, einen Ochsenhirten, die Vermehrung der Rinder im Bespringen, die Geburt und das Säugen der Kälber bildlich dargestellt:

---

125) Dieß erklärt sich leicht aus dem seit Jahrtausenden von dem Nile jährlich abgesezten Schlamme, durch welche der Boden des Nilthales nothwendig erhöht werden mußte. Es ist nicht dem Despotismus der Menschen allein, sondern auch der Allmacht der Natur zuzuschreiben, wenn jezt dort weniger Menschen pflügen und ernten, wo vor Jahrtausenden noch mehrere Akerbau trieben.
A. d. Ue.

126) Vielleicht ist aber dieses Bild eine Scene aus einem anderen Lande. Vielleicht wollte der Aegypter, an dessen Grabe dieses Bild gemalt ist, seinen Landsleuten sagen, daß er in einem Lande war, in welchem man so schweinisch ist, daß man Schweine ißt. Moses und Mahomet waren sehr weise, daß sie den Genuß des Schweinfleisches verboten. Es erzeugt Hautkrankheiten und verschlimmert dieselben. Man esse, wenn man sich hiervon überzeugen will, nur Schweinfleisch, wenn man an der Kräze oder an der Flechte leidet, und man wird sehen, wie weise Moses und Mahomet gewesen sind, und wie gescheidt Juden und Türken sind, wenn sie ihren Propheten gehorchen. A. d. Ue.

127) Im südlichen Ungarn und auch auf Minorca werden Felder noch in unseren Zeiten auf die Weise bestellt, die Herodot oben anführt. A. d. Ue.

zu dem säugenden Kalbe ist ein Kind hingezeichnet. [128]) Auch das Melken der Kühe, die Käsebereitung, das Schlachten und Ausziehen einer Ziege ist hier bildlich dargestellt. Ueber jedem Bilde ist in Hieroglyphen in Koptischer Sprache eine Aufschrift, welche das Bild erklärt. Eine malerische Gruppe von belasteten Eseln, einige derselben in wahrhaft eselhafter Positur, andere das Maul weit aufgerissen, um die Lüfte von ihrem Eselsconzerte wiederhallen zu lassen, füllt ein anderes Gemälde. Auch die Thierheilkunde findet hier ihre Bildchen. Eines derselben stellt einen Ochsen dar, wie er geknebelt wird, um ihn auf die Erde niederzuwerfen. Ein Thierarzt führt seinen Arm in das Maul eines Ochsen. Drei kranke Ochsen sind mit sehr vieler Wahrheit dargestellt: man sieht die Krankheit ihnen auf den Naken sizen. Auf einem anderen Bilde hielt man kranke Gänse: einer derselben wird die Darre genommen. Man sieht einen Arzt mit Ziegen, einen anderen mit Gazellen beschäftigt. Ein Hirte hütet eine Herde Störche. Man sieht hieraus, daß die alten Aegypter die Gazellen zähmten, und die Störche aßen. Daß leztere ganz köstlich schmeken, habe ich auf einer Reise nach Nubien erfahren. Merkwürdig ist es, daß man in den Denkmälern nirgendwo eine Spur von Kameelen oder Büffeln findet, die, wie es scheint, erst durch die Araber nach Aegypten gekommen sind. Wie konnte aber, ohne Kameele, Aegypten einen so großen Handel mit Indien und dem Inneren von Afrika treiben?"

Nüzliche Künste und Gewerbe.

„Das Portefeuille enthält so viele Zeichnungen über diesen Gegenstand, daß wir nur im Vorbeigehen das Wichtigste andeuten können. Es finden sich sehr viele Abbildungen von Töpfen in demselben, und viele derselben haben ganz die Form derjenigen, die die Araber heute zu Tage Barbacha nennen. Die Töpferscheibe, die wir heute zu Tage mit dem Fuße drehen, drehten die Aegypter mit der Hand. Alle Arbeiten des Webers, vom Spinnen bis zur Vollendung des Gewebes, sind hier abgebildet. Aber auch hier ist die Kunst noch in den Windeln und ganz so, wie sie der Beduine unter seinem Zelte treibt, und wie sie in der Bibel beschrieben ist. Der Holzhauer in der Stadt und im Walde ist hier gleichfalls abgebildet, und der Zimmermann und der Schreiner, der Gerber und der Schuhmacher, der Waffenschmid und der Anstreicher hat sein Conterfei gefunden. Man sieht Lastträger große Balken tragen, Bildhauer Sphinxe, Bildhauer und Mahler Kolosse aushauen und anstreichen, Waffenschmiede, die einen Kriegswagen ausrüsten, Steinmeze, Farbenreiber, Gold- und Silberarbeiter, Arbeiter die eingelegte Arbeiten verfertigen, Seiler, Schiffszimmerleute, Glasbläser und Glasperlenmacher, Gräber unterirdischer Gänge, Goldwäger, Wäscherinnen ꝛc. ꝛc. Einige Bilder stellen auch Arbeiten dar, die man sich heute zu Tage nicht erklären kann. Bei den Gießern sieht man eine Art von Blasebälgen, die ein Mann mit Händen und Füßen zugleich mit vieler Plumpheit in Bewegung sezt. Bei den Geldwägern kommt ein sonderbarer Umstand vor, den ich nur durch die Güte des Hrn. Champollion erklären kann. In einer Wagschale steht eine kleine Figur, die einen Ochsen darstellt; in der anderen liegen viele goldene Ringe. Auf einer anderen Darstellung eines Goldwägers ist Statt des Ochsen ein Kalb in der Wagschale; in einem anderen Bilde ist eine Ziege, in noch einem anderen ein Frosch in der Wagschale. Dieß erklärt sich nach Hrn. Champollion aus dem Münzsysteme der Pharaonen, das, wie alle Welt weiß, bisher in Dunkelheit begraben war. Nach ihm waren die Scarabäi, deren es eine große Menge von jeder Größe und aus jedem Stoffe gibt, mit und ohne Schrift, eine Art Münze. Für Dinge von höherem Werthe waren die Ringe aus Gold oder Silber die Münze. Wenn man also sagte, daß irgend eine Waffenrüstung, ein Gefäß, zwei Ochsen oder zwei Kälber werth waren, so wollte dieß nichts anderes sagen, als so viel Gold oder so viel goldene Ringe, als zwei solche Ochsen- oder Kälber-Figürchen, deren Gewicht bestimmt war, in der Wagschale wogen. Ich erzähle hier bloß diese Vermuthung, die vielleicht später zur Wahrheit werden kann."

---

128) Wollte der Aegyptier durch dieses Bild den Müttern zeigen, wie es Pflicht der Natur ist, daß die Mütter ihre Kinder selbst stillen, indem er das Kind zum säugenden Kalbe hinstellte, oder wollte er, mit einem galanten Arzte unserer neuen Zeit, sie von dieser Pflicht lossagen, und andeuten, daß es besser ist, wenn ein Kind an der Kuh trinkt, als an seiner lieben Mutter? A. d. Ue.

„Ich kann hier eine Bemerkung nicht unterdrücken, die für die nützlichen Künste in Aegypten, so wie für die Menschheit überhaupt äußerst traurig und herabwürdigend ist; nämlich diese, daß man überall neben dem arbeitenden Künstler oder Gewerbsmanne einen Aufseher mit der Peitsche findet, wie es in Colonien bei der Sklavenwirthschaft Sitte ist: nur zu oft sieht man auch schöne Künstler, Mahler und Bildhauer unter der Geißel sich krümmen. Was kann jemals aus einem Volke werden, das auf eine ähnliche Weise regiert wird?" 129)

Unter dem Hausgeräthe fand Hr. Acerbi Sofas, sehr elegante und mitunter auch sehr bizarre Zimmermöbel, größere Filtrirapparate und auch kleinere, die man in der Hand hält, und in welchen man das Wasser bloß mittelst hineingeworfenen Mandelteiges klar macht; was noch heute zu Tage Sitte in Aegypten ist. Im Toilettenzimmer kommt häufig eine Harfe vor. Die Küche besorgt ein männlicher Diener, ein Mann. Die ganze Kochkunst von dem Abschälen der ägyptischen Zwiebel bis zur feinen Zukerbäkerei ist hier bildlich dargestellt. Die Bäker kneten den Teig mit den Füßen. 130) Die Aegypter verstanden bereits das Gänsemästen, das sie abbildeten. Hr. Acerbi sah einen sehr eleganten Tragsessel abgebildet, der auf den Schultern getragen wurde; einen anderen der, wie ein Schlitten gebaut, auf der Erde gezogen wurde. Das Schach- oder Damen-Spiel war den Aegyptern schon bekannt. Auch das Mora-Spiel, das in Italien so allgemein verbreitet ist, fand sich schon bei den Aegyptern, 131) wo es Errathungs-Spiel hieß.

Die Waffen der alten Aegypter scheinen sehr prunkvoll zu seyn, und hatten schon Jahrhunderte vor Troja's Belagerung einen hohen Grad von Vollkommenheit. Die Aegypter kämpften nur auf Streitwagen oder zu Fuße: sie hatten keine Reiterei; sie hatten aber Eilboten (Couriere und Staffeten) zu Pferde, die jede Station ihre Pferde wechselten: 132) dieß ist jezt aus ihren Denkmälern erwie-

---

129) Was aus einem solchen Volke werden kann? „Futter für Schießpulver;" der einzige Zwek, wozu den Rhamses die Völker bestimmt scheinen. „Wenn man die Soldaten nicht mehr halb todt prügeln darf," sagte neulich ein englischer Stabsofficier vor Gericht," werden sie sich auch nicht mehr todt schießen lassen wollen." Die Jesuiten im Paraguay behandelten ihre Völker ganz so, wie die altägyptischen Theodemokraten: 12 Prügel zu Ehren der 12 Apostel jedem armen Teufel, der dem Aufseher zu wenig oder nicht zu Dank arbeitete. In welchem Ansehen stehen heute zu Tage bei uns in Europa die Meister und Gesellen manches Handwerkes? Steht nicht der gebildeteste und reichste Fabrikant bei uns unter der Ferulà bloßer Schreiber? A. d. Ue.

130) Dieß geschieht noch heute zu Tage in mehreren Militärbäkereien Europens. Hr. Acerbi bemerkt mit einer Art von Befremden, „daß es immer an mechanischen Vorrichtungen fehlt." Dieß ist überall der Fall, wo Theokratie die Bildung des Volkes und den Gang der Geschäfte leitet: das Volk muß unter solchen Verhältnissen in tiefer Unwissenheit bleiben, und es ist an kein Fortschreiten des menschlichen Geistes, an keine Mathematik und an keine Anwendung derselben auf das Leben zu denken. A. d. Ue.

131) Der Uebersezer wurde vor vielen Jahren in einem Antikencabinette, in welchem unter anderen auch Zeichnungen ägyptischer Hieroglyphen vorkamen, in deren einer zwei männliche Figuren vorkamen, wovon die eine die Finger der rechten Hand unter den linken Oberarm gestekt hatte, während die andere den Daumen und den Zeig- und Mittelfinger seines ausgestrekten rechten Armes vorstrekte, ganz wie im Mora-Spiele der Italiäner. Man fragte ihn um seine Meinung über diesen Hieroglyphen. Er sagte lächelnd, daß dieß nichts anderes als das Mora-Spiel der Italiäner wäre. Der fromme Geistliche, der diesem Cabinette vorstand, ward über diese Erklärung so entrüstet, und wußte davon bei dem hohen Besizer des Cabinettes einen solchen Gebrauch zu machen, daß eine Person, die bei dem Besizer des Cabinettes in Ansehen stand und die dem Uebersezer gewogen war, lezteren freundschaftlich warnte: er möchte doch nicht so irreligiös seyn, und heilige Sachen nicht so freigeisterisch persiffliren. Der Himmel weiß, wie der geistliche Herr diese Hieroglyphen seinem Besizer erklärt haben mochte. A. d. Ue.

132) Es ist merkwürdig, daß die Aegypter, die keine Reiterei bei ihrer Ar-

sen. Strabo spricht von 40 Stationen zum Wechseln der Pferde zwischen Memphis und Theben. Die Griechen lernten mehrere Jahrhunderte später erst reiten: sie waren noch vor Troja nicht zu Pferde, sondern in dem Pferde.

Von musikalischen Instrumenten bildeten die Aegypter auf ihren Denkmälern die doppelte Tibia, die gerade und die Querflöte, und das Cimbal ab, die Trompete und eine Mandolinn mit sehr langem Griffe: von Geigen zeigt sich keine Spur; diese sind, nach Zeichnungen der späteren Griechen, eine griechische Erfindung, die dem alten Chiron zugeschrieben wird. [133])

Schiffe kommen von verschiedener Größe und reich verziert im schönsten Geschmake vor. Die Segel sind vierekig oder lateinische Segel, wekenförmig, wie das bayersche Wappen, geschildert, die Weken von zwei oder mehreren Farben, und mit schön geziertem Saume. Das Steuerruder ist schön verziert. Die Cajüte ist durchbrochen gearbeitet, und ein schön verzierter Siz ist auf dem Verdeke für den Herrn des Schiffes. Die Reiseschiffe waren anders gebaut, als die Transportschiffe.

Die Aegypter kannten bei ihrem Vogelfange das Deknez, und fingen Wasservögel damit. Sie fingen auch Vögel in der Schlinge: die Schlinge ist genau so, wie die unserer Jungen.

Hr. Acerbi bemerkt, daß die Masse der Kolossen, Obelisken, Katakomben in der großen Description de l'Egypte, die von Hrn. Cajet. Rosellini neu gemessen wurden, nichts weniger als genau sind. Auch das Detail der großen Landkarte von Aegypten ist voll Fehler. Hr. Rosellini wird dieß in einem eigenen Werke erweisen. Es läßt sich allerdings sagen, daß die französisch-toscanische Commission, im Frieden reisend, auf den Händen des heiligen Rechtes der Gastfreundschaft durch Aegypten getragen, es unendlich bequemer hatte bei ihren Beobachtungen, als die Gelehrten, die dem Helden unseres Jahrtausendes nach Aegypten folgten; die mit allen Gefahren des Krieges gegen einen zehn Mal mächtigeren Feind, mit allen Drangsalen des Krieges, mit allem Jammer menschlichen Elendes, mit den Einflüssen des Klimas, mit der Pest selbst kämpfen mußten. Wenn, unter solchem Drange, bei dem Messen einer Pyramide oder eines Kolosses, auch um ein paar Klafter gefehlt wurde, so verdienen Fehler, unter solchen Umständen begangen, eher Nachsicht als Tadel. Napoleon und seine Begleiter haben auf ihrem Fluge durch Aegypten und Syrien mehr für Wissenschaft gethan, als das weit größere Heer der Engländer, das so lang in Aegypten in theuer bezahlter Garnison lag. A. d. Ue.

---

mee hatten, ihre Reiter zum Postdienste verwendeten, während heute zu Tage, wo so viel Reiterei im Frieden in müssiger Garnison liegt, gar kein Gebrauch von derselben gemacht wird. Würde man auf den Straßen Piquets von leichter Reiterei von halber Stunde zur halben Stunde aufstellen, so würde nicht bloß die Briefpost weit sicherer, schneller und wohlfeiler für den Staat expedirt, sondern Roß und Mann würden abgehärtet, an die Strapazen des Krieges gewöhnt, und die öffentliche Sicherheit der Straßen würde ungemein gewinnen. Für jeden Fall ergibt sich aus obigen Denkmälern, daß die Post nicht, wie es in einigen Lehrbüchern der Weltgeschichte für die Jugend heißt, eine Erfindung des Tyrolers Thurn und Taxis war, sorndern daß man sie schon Jahrhunderte lang vor dem trojanischen Kriege wenigstens in Aegypten kannte. A. d. Ue.

133) Wahrscheinlich sind die Geigen noch eine ältere Erfindung, die den Hinduhs angehört, deren Cultur in Hinsicht auf Alter jenem der Aegypter wenig nachsteht. Die Zingalesen (die Zigeuner) hatten die größten Meister im Spiele der Violine zu allen Zeiten und bei allen Völkern. A. d. Ue.

Polytechnisches Journal.

Eilfter Jahrgang, viertes Heft.

LVIII.

Aëromechanische Presse. Erfunden und beschrieben von Dr. Ernst Alban.

Mit einer Abbildung auf Tab. VI. (Fig. 1.)

In meiner, in diesem Journale [134]) gelieferten Vertheidigung des Hochdrukdampfmaschinen-Princips und Würdigung seiner Vortheile, habe ich als einen Hauptgewinn bei Anwendung dieses vortrefflichen Princips und der darnach construirten Maschinen angeführt, [135]) daß der in lezteren gewirkt habende Dampf, der alle seine Wärme mit sich führt, noch zu mannichfachen, nüzlichen, technischen Zweken verwandt werden könne. Hier will ich eine Methode mittheilen, wie dieser Dampf, der sich bei Ausströmen aus der Maschine bis zum Druke der Atmosphäre herunter ausdehnt, benuzt werden kann, um sehr mächtige Pressen in Bewegung zu sezen, die ohne allen Kraftaufwand von Seiten irgend einer bewegenden Maschine, oder irgend eines menschlichen Individuums eine Kraft zu äußern im Stande sind, welche der vollkommen an die Seite gesezt werden kann, die die berühmten sogenannten Wasser- oder hydromechanischen Pressen hervorbringen, eine Kraft, die, was diese neue Art von Pressen vor den hydromechanischen noch auszeichnet, nicht, wie in diesen, nur allmählich und sehr langsam bis zu ihrem Maximum gesteigert wird, sondern, wo es erforderlich ist, in einem sehr kurzen Zeitraume, oft sogar fast augenbliklich bis zum höchsten Grade erhoben werden kann, und dieß durch eine sehr einfache Zusammenstellung von Apparaten, die durch ein Kind in Thätigkeit gesezt und erhalten, und ohne Sachkenntniß bei ihrer Arbeit bedient werden können.

Die Idee zu diesen vortheilhaften Pressen entwarf ich im Jahre 1818, als ich beschäftigt war, eine Oehlmühle durch eine Hochdrukdampfmaschine in Arbeit zu sezen, jedoch kam ich mit meinen Plänen zu spät zu Stande, um noch eine wirkliche praktische Anwendung davon machen zu können. Eine Abhandlung, die ich im Jahre 1821 darüber schrieb, theilte ich meinem würdigen Freunde, dem Herrn Professor Flörke mit, der meine Idee für sehr leicht ausführbar hielt, und der Erfindung ein großes Gewicht beilegte. Bei meinem Hin-

134) Siehe den XXVIII. Bd. die 81. Seite dieses Journales.
135) Siehe die 107. Seite desselben Bandes.

gange nach England nahm ich Beschreibung und Zeichnung davon mit, habe aber daselbst keine Gelegenheit gefunden, die Sache in's Werk zu sezen, auch mußte ich sie später daselbst ganz aufgeben, als ein gewisser Herr Hall während meiner Anwesenheit in England ein Patent auf eine ähnliche Vorrichtung nahm. Sie ist im Dingler'schen Journale im XVI. Bd. auf der 439. S. beschrieben, wo man sie mit der meinigen vergleichen kann. Obgleich Hr. Hall nicht den aus Hochdrukmaschinen kommenden Dampf dabei besonders anzuwenden beabsichtigt haben mag, und auch die Uebertragung der Kraft auf die zu pressenden Körper, namentlich auf Oehlsaamenkuchen auf eine von der meinigen verschiedene Weise beschikt, so ist doch die Sache dem Wesen nach nicht weit von der meinigen verschieden zu nennen, und Hr. Hall steht in Hinsicht des aus dieser Erfindung erwachsenden Verdienstes nur in so fern mir nach, als er erst mehrere Jahre später dieselbe entwarf und in Anwendung zu bringen versuchte.

Ich will jezt eine Presse dieser Art so beschreiben, wie ich sie Anfangs zum Pressen des Oehls anzuwenden beabsichtigte, und zu diesem Zweke in meiner vorher angeführten Abhandlung beschrieb und abbildete. Nach Auffassung des Princips derselben wird jeder Mechaniker leicht ihre Anwendung für andere technische Zweke zu modificiren verstehen. In meinen Plänen, die ich mit nach England nahm, hatte ich verschiedene Methoden angegeben, die gewonnene Kraft vortheilhaft auf die zu pressenden Gegenstände zu appliciren und hierzu unter andern mich eines Systems combinirter Hebel bedient. Vielleicht daß ich später in diesem Journale auch noch einiges über diese Pläne mittheile. Der jezt zu liefernde Abriß meiner Presse zum Pressen des Oehls ist vorzüglich darum empfehlenswerth, weil er sich durch besondere Einfachheit auszeichnet, und die Möglichkeit in sich schließt, an jedem gewöhnlichen Oehlpreßbloke leicht in Ausführung gebracht werden zu können. Auch möchte dessen Princip für viele andere Fälle anwendbar seyn, wo man Körper in engern Behältern zusammenpressen soll, und darum namentlich bei der Auspressung des Runkelrübensaftes aus den Runkelrüben mit Nuzen gebraucht werden können.

Meine Presse muß durchaus nicht mit der Römershausen'schen Dampfpresse verwechselt werden, die nur zur Ausziehung wirksamer Bestandtheile aus vegetabilischen und animalischen Stoffen dient, und wobei die in einem Gefäße eingeschlossenen und comprimirten Dämpfe durch ihre Elasticität und Temperatur auf die auszuziehenden Stoffe wirken. Bei meiner Vorrichtung brauchen die Wasserdämpfe den Druk der Atmosphäre um nichts zu übertreffen; sie wirken in meinem Apparate nur dadurch, daß durch ihre Hülfe ein luftleerer Raum gebildet wird, den die atmosphärische Luft auszufüllen strebt und dabei auf die Maschine einen Druk äußert, der zur Pressung der zu pressenden Gegenstände verwendet wird. Bei dieser Einrichtung vermag man durch eine geringe Menge Dampf den stärksten Druk hervorzubringen, und hat dabei die Schnelligkeit, das Erneuern und Nachlassen desselben ganz in seiner Gewalt, ohne irgend eine erhebliche Kraft, als die zum Drehen kleiner Hähne nöthige anzuwenden, weßhalb die Kräfte, wie gesagt, eines nicht zu kleinen Kindes zur Leitung des Preßgeschäftes ausreichen.

Eine Preßvorrichtung dieser Art ist da allenthalben anzubringen, wo man Dämpfe zu ihrem Betriebe auf irgend eine einfache und billige Weise gewinnen oder als Nebenprodukt erhalten kann. Wo dieß nicht der Fall ist, wird es auch Vortheile gewähren, sie durch einen eigenen Kessel mit Dampf versorgen zu lassen, der in einer Oehlmühle allenfalls durch das die Saamenwärmer heizende Feuer mit in Thätigkeit gesezt werden kann, ohne daß deßhalb viel mehr Brennmaterial aufgeopfert wird, als zur Heizung solcher Saamenwärmer gewöhnlich erforderlich ist.

Die Haupteinrichtung dieser Preßvorrichtung, so wie ich sie zum Pressen des Oehles anwenden möchte, besteht in einem Cylinder von größerm Durchmesser, Tab. VI., A, der aus Gußeisen, gleich den größern Dampfcylindern, gearbeitet werden kann, und gut gebohrt und polirt seyn muß. In demselben bewegt sich ein Kolben, a, mit seiner Stange, b, der ganz wie an Dampfmaschinen eingerichtet und mit Hanfflechten geliedert ist, und über welchen man zur Verhütung des Vorbeidringens von Luft etwas geschmolzenen Talg, c, gießen kann, der sich während der Arbeit des Cylinders, wobei er immer warm bleibt, stets im flüssigen Zustand erhalten wird. Dieser Talg dient zugleich als Schmiere für den Kolben, weßhalb man dahin sehen muß, daß er immer rein bleibe. Da der Cylinder unter dem Preßbloke befestigt ist, und dieser seinen innern Raum gleich einem Dekel vor Verunreinigung schüzt, so dürfte der Talg leicht in einem reinen Zustande erhalten werden können.

Der Cylinder ist unten mit einem Boden, d, versehen, der genau luftdicht angeschroben wird. In diesen Boden dringen von unten vier Röhren.

Die erste ist die Dampfröhre, e, die den Dampf aus dem Exhaustionsrohr der Hochdrukmaschine, oder irgend einem Kessel in den Cylinder unter den Kolben führt, und mit einem Hahne, f, versehen ist, den der Arbeiter regieren kann. Sie ragt im Cylinder gegen 1½ bis 2 Zoll hoch über den Boden desselben hervor.

Die zweite, die Injectionsröhre, g, ist gleichfalls mit einem, von dem Arbeiter zu regulirenden Hahne, h, versehen, kommt von irgend einem Behälter mit kaltem Wasser, und ihre gegen 1½ bis 2 Zoll hoch über den Boden des Cylinders erhabene Oeffnung ist nur klein, so daß das aus derselben strömende Wasser den Dampf im Cylinder nur langsam verdichten kann.

Die dritte ist die Abflußröhre, i, für das in den Cylinder gespritzte und erwärmte Wasser. Diese Röhre geht 1 bis 2 Fuß tief nach unten, krümmt sich dann beinahe eben so hoch wieder nach oben, und ist hier mit einem leichten Kegelventile, k, versehen, was dem Wasser aus dem Cylinder den Abfluß verstattet, während der Gegenwart des luftleeren Raums im Cylinder aber keine Luft in denselben dringen läßt.

Die vierte ist die Ausblaseröhre, l. Sie ist, wie die beiden ersten, mit einem Hahne, m, versehen, ragt auch wie sie, über dem Boden des Cylinders hervor, und führt in's Freie.

Der Kolben des Cylinders wirkt durch seine Stange, die die Form eines einfachen Keiles hat, entweder auf zwei Preßladen im Preßkloze zugleich, oder auch nur auf eine, je nachdem man die Anlage der Oehlmühle mehr oder weniger groß beabsichtigt.

In der doppelten Oehlpresse, wie sie in der gegebenen Figur abgebildet ist, ist ein Cylinder von 2 Fuß Durchmesser im Lichten, und 2½ bis 3 Fuß Kolbenhub, unter dem Preßbloke B durch mehrere Schraubenbolzen, n, befestigt, die durch seinen oberen Kranz, o, gehen. Dieser Kranz darf nicht zu schmal seyn, damit er beim Anliegen an den Preßblok, in dem Acte der Pressung, wo er mit der ganzen Kraft des niedersteigenden Kolben gegen diesen angedrükt wird, selbigem Fläche genug darbiete, und sich nicht in das Holz desselben eindrüke. Der Cylinder liegt in einer ausgemauerten Grube C, unter dem Fußboden und ist hier vor jeder Beschädigung gesichert. Diese Grube muß tief und geräumig genug seyn, damit man gut an den Cylinder kommen könne, wenn bei einer neu vorzunehmenden Liederung des Kolbens der untere Dekel des Cylinders abgeschraubt werden muß. Die Kolbenstange operirt in einem Kanale p, der senkrecht durch den Preßkloz geht. Sie ist von Gußeisen oder, noch besser, von geschmiedetem Eisen, und ihre keilförmigen Seitenflächen q und r sind glatt befeilt.

Oben an der Kolbenstange ist ein starkes Seil, s, befestigt, das an der Deke der Mühle oder des Maschinengebäudes über eine große Rolle geht, und woran ein Gewicht hängt, dessen Schwere groß genug ist das Gewicht der Kolbenstange und des Kolbens nicht allein im Gleichgewichte zu erhalten, sondern es sammt der Friktion des Kolbens im Cylinder noch zu überwältigen. Beim Nachlassen der Pressung hebt dieses den Kolben und befördert dadurch die Füllung des Cylinders durch Dämpfe.

In dem Preßkloze sind zwei Preßladen D und E mit Näpfen und Kernen oder zwei gewöhnlichen Preßplatten t und u, von denen zu beiden Seiten der Kolbenstange eine steht, angebracht. Auf den Kern oder die innere Preßplatte drükt ein Drukkloz v, der durch die Kolbenstange seitwärts gegen selbige gedrängt wird. Er bewegt sich genau in der Preßlade und rutscht auf dem Grunde derselben mit messingenen Schienen w, w, w, w auf eisernen Führern x x. Nach oben ist er durch eine starke eichene Platte y gegen das Ausweichen gesichert. Diese liegt quer über der Preßlade und ist zu beiden Seiten derselben auf den Preßkloz fest angeschraubt. Nach der Kolbenstange hin ist jeder Drukkloz mit einer starken Friktionsrolle z von hartem Gußeisen versehen, deren Stellung aus der Zeichnung deutlich wird.

Um die in die Preßlade eingesezten Oehlsaamenkuchen zwischen den beiden Preßplatten gleich nach dem Einsezen so fest als möglich einzuengen, sind die beiden Beikeile 1 und 2 angebracht, die nach dem Einsezen der Kuchen und Platten eingeschoben und mit einem hölzernen Hammer eingetrieben werden können, ehe man die Presse in Thätigkeit sezt. Auf diese Weise kann die Presse beim Anlassen sogleich ihre Wirksamkeit auf die Kuchen äußern, und braucht nicht Raum und Zeit zu verlieren durch Hebung der Zwischenräume zwischen Platten und Kuchen. Dieses Beisezen und Antreiben der Keile ist auch in der Hinsicht empfehlenswerth, als eine mögliche Ungleichheit in der Dike der Kuchen dadurch für die Presse unschädlich gemacht wird. Wenn nämlich die Keile mit gleicher Kraft eingetrieben werden, so ist die Folge, daß beide Kuchen, einer mag diker als der andere seyn oder nicht, gleich stark gegen die Drukklöze, und diese dadurch gegen die Kolbenstange des Cylinders angedrängt werden, und daß dann die Kolbenstange bei ihrem Niedergange auf beiden Seiten immer gleichen Widerstand findet, und so genau senkrecht niedersteigen kann, ohne durch größere Nachgiebigkeit der Kuchen auf der einen oder der andern Seite abgelenkt zu werden, was für den exakten Gang des Kolbens im Cylinder von Nachtheil seyn würde.

Die keilförmigen Flächen q und r der Kolbenstange müssen eine Curve beschreiben, um den ungleichen Widerstand der Oehlsaamenkuchen während ihrer Zusammenpressung zwekmäßig zu besiegen, und zwar in der Art, daß, was im Anfange der Pressung bei größerer Nachgiebigkeit der Kuchen an Kraft der Presse überschüssig ist, benuzt wird, das Fortschreiten der Pressung in dem Grade zu beschleunigen, als der Widerstand geringe erscheint, hingegen die Geschwindigkeit der Bewegung des Drukklozes gegen die Laden immer mehr zu verzögern in dem Verhältnisse, als der Widerstand mit der immer größern Zusammendrükung des Kuchens wächst. Auf diese Weise wird bei völlig gleichförmiger Abwärtsbewegung des Kolbens die Geschwindigkeit in der die Kuchen zusammendrükenden Bewegung der Drukklöze stets gegen den Widerstand der Kuchen so abgemessen, daß die Kraft des Kolbens für die lezten Momente der Pressung auf einen außerordentlichen Grad gesteigert wird.

Soll die Maschine wirken, so ist folgendes Verfahren nöthig: Man treibt den Kolben bis auf zwei Zoll Entfernung von dem Boden des Cylinders hinunter, was leicht geschehen wird, wenn man das am Seile hängende Gegengewicht etwa durch einen kleinen Flaschenzug aufwärts zieht, und so die Last der schweren Kolbenstange auf den Kolben zur Besiegung seiner Friktion wirken läßt; läßt dann Dämpfe durch die Dampfröhre e in den Cylinder strömen, und öffnet die Ausblaseröhre l. Aus dieser läßt man die Dämpfe einige Zeit ausströmen, damit die Luft aus dem innern Raume des Cylinders vollkommen ausgetrieben werde. Ist dieß geschehen, so schließt man dieselbe und bringt den Kolben zum Steigen, indem man das Gegengewicht wieder niederläßt. Hierauf versorgt man die Preßladen mit Saamenkuchen, wie gewöhnlich, schließt nun den Dampfhahn f und öffnet den Injectionshahn h. Das durch die enge Oeffnung in einem feinen Strahle 3 in den Cylinder einsprizende Wasser verdichtet darauf allmählich die Dämpfe in demselben, worauf der Kolben von der Atmosphäre nach und nach und mit immer steigendem Druke, so wie der luftleere Raum unter ihm immer vollkommener wird, gegen den Boden des Cylinders oder wenigstens so weit niedergedrükt wird, als es die zu pressenden Oehlkuchen erlauben. Die keilförmige Kolbenstange wirkt durch die Friktionsrollen auf die Drukklöze und diese auf die Kerne oder Preßplatten und Kuchen. Je langsamer das Sinken des Kolbens und die darauf folgende Pressung der Kuchen geschehen soll, um so schwächer muß die Einsprizung erfolgen. Man kann dieselbe durch den Injectionshahn h nach Gefallen modificiren. Sinkt der Kolben nicht mehr, so schließt man den Injectionshahn h, und läßt nun einige Zeit die Maschine in diesem Zustande, damit das Oehl gehörig ablaufen könne. Darauf öffnet man den Dampfhahn f, worauf der Kolben allmählich wieder steigt und das eingesprizte Wasser durch den Druk der Dämpfe und durch seine eigene Schwere aus der Abflußröhre i so lange ausgetrieben wird, bis es in beiden Schenkeln derselben beinahe wieder in gleicher Höhe steht. Dieses erwärmte Wasser kann man bei etwaniger Anwendung einer Dampfmaschine in der Oehlmühle zur Speisung des Kessels derselben anwenden, und es durch Kanäle ihrer Drukpumpe zuleiten. Um die Hähne bequem regieren zu können, sind kleine Hebel und Zugstangen an denselben angebracht, welche leztere oberhalb der Presse mit kleinen Handgriffen versehen werden können. Sollte sich nach und nach etwas Luft in den Cylinder einschließen, so kann man diese von Zeit zu Zeit, bei gehemmtem Steigen des Kolbens, durch die Dämpfe aus dem Ausblaserohre austreiben lassen.

Die Methode der Einsprizung in den Cylinder ohne besondern Condensator hat zwar bei Dampfmaschinen ihre großen Mängel, hier aber, wo die Auf- und Niederbewegung des Kolbens nur alle drei bis vier Minuten einmal Statt findet, kommt die kleine Portion Dampf, die sich im Dampfcylinder, nach erfolgter Abkühlung desselben, durch die Einsprizung des kalten Wassers, Anfangs, bis zu seiner völligen Wiedererhizung durch die einströmenden Dämpfe verdichtet, nicht in Betracht, zumal wenn man eine Hochdrukdampfmaschine in der Oehlmühle anwendet, die Dämpfe im Ueberflusse liefert, und deren Dämpfe gewöhnlich doch nur in die Luft geblasen werden.

Die Kraft einer solchen Presse ist bedeutend. Auf einen Kolben von 2 Fuß Durchmesser drükt die Atmosphäre mit einem Gewichte von beinahe 7000 Pfunden, welches Gewicht indessen durch die Unvollkommenheit des Vacuums unter dem Kolben und dessen Friktion wohl auf 5000 reducirt wird. Wenn dieser Druk durch den keilförmigen Kolben gegen das Ende seines Hubes, wo sein Keil immer mehr an Höhe abnimmt, und einen immer mehr steigenden Druk ausübt, nur um das Zwanzigfache vermehrt wird, so beträgt der Druk auf die beiden Kuchen gegen 100,000 Pfund, ein Druk der bei den gewöhnlichen Keilpressen wohl schwerlich so hoch steigen dürfte. Zur Füllung des Cylinders von den genannten Dimensionen ist, da diese Füllung nur alle drei bis vier Minuten Statt hat und ganz langsam geschieht, wenig Dampf erforderlich, indem die Menge desselben nicht drei Kubikfuß für die Minute übersteigen wird, eine Quantität, die bei Anwendung eines eigenen Kessels für diese Presse, nur eine Feuerberührungsfläche von einem einzigen Quadratfuße an demselben, und höchstens anderthalb bis zwei Pfund Steinkohlen für die Stunde zum Brennmateriale fordert.

Will man eine Presse mit Einer Preßlade haben, so bedarf man nur eines Cylinders von kleinern Dimensionen, da die Kolbenstange dann nur Eine keilförmige Seitenfläche zu haben braucht und daher die Länge des Keils in Verhältniß zur Höhe desselben um das Doppelte gewinnt, die durch ihn hervorgebrachte Wirkung also in eben dem Verhältnisse erwächst. Der Keil muß auch bei einer solchen Presse zwischen zwei Friktionsrollen spielen, deren eine jedoch in dem Preßkloze angebracht wird. Die dieser Rolle zugewandte Fläche des Kolbens steht senkrecht und gibt dem Kolben die nöthige Leitung in dieser Richtung.

Wo man diese Pressen bei einer Hochdrukmaschine anwenden will wird es, um dem Dampf im Erhaustionsrohre Antrieb nach der Presse hin zu geben, nöthig seyn, dieses Rohr oberhalb der, von demselben nach der Presse abgehenden Röhre mit einer Klappe zu versehen, die mit ½ bis ¼ Pfund für den Quadratzoll belastet wird. Ohne diese Vorkehrung wird der Dampf gern den kürzern und leichtern Weg wählen und zum Erhaustionsrohre ohne Wirkung auf die Presse heraus entweichen. Ich machte diese Erfahrung, als ich einmal den Dampf des Erhaustionsrohres einer Hochdrukmaschine zu Dampfwärmern für Oehlsaamen leiten wollte. Das geringe Gewicht der Klappe wird durch Hemmung der Erhaustion für die Hochdrukmaschine von so äußerst unbedeutendem Einflusse seyn; daß es nicht in Rechnung gebracht zu werden verdient, indem es bei einer mit hundert Pfund Druk auf den Quadratzoll arbeitenden Maschine kaum den vierhundertsten Theil ihrer Leistung verschlingen möchte.

In den meisten Fällen dürfte es sehr zwekmäßig seyn, den aus der Hochdrukmaschine kommenden Dampf, vor seiner Hinleitung zur Presse, zuerst in einen Recipienten von größerem kubischen Inhalte zu führen, worin er sich gehörig ausdehnen kann, um gleichmäßiger zu dem Preßcylinder zu strömen, als er aus der Maschine, die ihn in abgesezten Stößen von sich gibt, kommt. Einen solchen Recipienten könnte man dann mit jener oben genannten Klappe versehen, und ihn allenfalls von Holz construiren. Ein gewöhnliches hölzernes Faß würde seine Stelle gewiß genügend ersezen.

Wollte man diese Art Pressen bei einer Dampfmaschine mit niederem Druke anwenden, so könnte man das Dampfrohr derselben mit dem Kessel in Verbindung bringen, während man zur Verdichtung der Dämpfe im Cylinder diese in den Condensator der Maschine allmählich überführte, und auf diese Weise die Einsprizung in den Cylinder selbst ganz aufgäbe. Die Behandlung der Vorrichtung würde dann ganz dieselbe bleiben.

Daß man beim Betrieb einer Hochdrukmaschine mehrere solcher Pressen durch den aus der Maschine kommenden Dampf in Thätigkeit sezen könne, halte ich für überflüssig zu bemerken. Eine Hochdrukmaschine vou zwei Pferdeskräften wird füglich funfzehn solcher Pressen mit doppelten Preßladen nebenher in Thätigkeit sezen und so eine ungeheuere Wirkung hervorbringen können durch ein Mittel, das man für gewöhnlich ungenüzt — in die Luft blasen läßt.

Ich hoffe; daß diese Beschreibung in Verbindung mit den gelieferten Abbildungen genügen wird, um das Princip einer solchen aëromechanischen Presse, [136]) wie ich sie zum Unterschiede von den

136) Dieser Name scheint mir bezeichnend, da der Druk der Luft das eigent-

hydromechanischen Pressen genannt habe, aufzufassen und sie darnach wirklich in's Leben einzuführen.

Klein-Wehnendorf im Monate October 1829.

LIX.

Verbesserungen an der Buchdrukerpresse, worauf David Napier, Warren-Street, Fitzroy-Square, Middlesex, sich am 2. Octbr. 1828. ein Patent ertheilen ließ.

Aus dem London Journal of Arts. October 1829. S. 28.

Mit Abbildungen auf Tab. VII.

„Die hier vorgeschlagenen Verbesserungen an Buchdrukerpressen sind zweierlei: 1) an Cylinderpressen, die Anwendung von vier Speisungsapparaten bei einer solchen Presse von Einem Cylinder und Einer Fläche; 2) an flachen Pressen, eine solche Stellung der Kraft, welche den Druk gibt, daß sie in der Mitte zwischen vier Flächen und zwei Formen kommt, wobei die äußeren Flächen während des Drukes befestigt sind. Da die Drukerpressen gegenwärtig so allgemein bekannt sind, beschränke ich mich bei meinen Figuren bloß auf meine Verbesserungen. Fig. 2. stellt die vier Speisungsbretter und Apparate, a, dar, die an einer Cylinderpresse mit Einem Cylinder, b, angebracht sind, welcher Cylinder auf beiden Seiten drukt, so daß Papier und Schwärze von beiden Enden herbeigeschafft werden muß. Der Drukcylinder erhält seine Bewegung von der Fläche, mit welcher er mittelst Zahnstöken, c, auf die gewöhnliche Weise verbunden ist. Die Fläche wird unten mittelst einer Kurbel in Bewegung gesezt, oder auf irgend eine andere gewöhnliche Weise. Die Apparate zum Auftragen der Schwärze, d, sind in jeder Hinsicht so, wie an Napier's Pressen," welche dem Publikum allgemein bekannt sind, nur mit dem Unterschiede, daß sie hier mittelst des Rades und der Triebstöke, e, von dem Cylinder bewegt werden, dort mittelst des Zahnstokes und Triebstokes von der Fläche."

„Die Speisungsapparate sind im Grunde dieselben, wie an meinen einfachen und doppelten Imperialpressen (single and double imperial machines) (welche gleichfalls allgemein bekannt sind), mit der Ausnahme, daß sie in diesem Falle in einige Entfernung von dem Drukcylinder gebracht werden, und folglich in ihrer Bewegnng durch ein starkes Laufband aus Saite, f, geleitet werden. Wir wollen hier bemerken, daß beide Enden der Presse gleich sind, und folglich von dem einen der-

liche Agens in dieser Presse ist. Der Dampf wirkt nur negativ darin, indem er benüzt wird, durch seine Zernichtung ein Vacuum zu formiren, und dadurch die Luft zur Wirkung aufzurufen.

selben eben das gilt, was von dem anderen; nämlich: ein Ende der Saite, f, ist zwei Mal um die Laufscheibe, g, geschlagen, welche am Ende des Drukcylinders, b, fest ist. Von da läuft sie ein Mal um die Laufscheibe, h, welche auf der Spindel des Speisungscylinders, i, loker befestigt ist, und wird von dort einwärts nach dem Rahmen geleitet, (siehe die punktirte Linie), und um die correspondirende Laufscheibe an dem entgegengesezten Ende geführt, und wieder an der Laufscheibe, g, befestigt."

„Es ist nun offenbar, daß, so wie der Cylinder, b, sich rükwärts und vorwärts durch die Einwirkung der Fläche bewegt, eben so die lokeren Laufscheiben, h, wovon jede mit einem Zahnrade und einem Sperrkegel versehen ist, sich rük- und vorwärts bewegen werden, indem sie nämlich nach einer Richtung loker laufen, nach der anderen aber befestigt werden, und so den Speisungscylinder, i, bei jeder Rükkehr mit sich herumführen. Dieser Speisungscylinder, i, bewegt die Speisungscylinder, k, mittelst der Laufbänder, welche das Papier zu dem Drukcylinder führen. (Siehe die Pfeile.)"

„Die Speisungsleiste, l, wird bei jeder zweiten Umdrehung des Cylinders, i, zur Aufnahme eines Bogens herabgebracht, gerade so, wie bei meinen oben angeführten Imperialmaschinen; die Speisungsstange, l, ist aber an der Speisungsstange, m, mittelst der Verbindungsstange, n, befestigt; es kommen also beide zu gleicher Zeit hinab, und nehmen einen Bogen Papier auf; und daher der Vortheil der größeren Entfernung des einen Speisers vor dem anderen von dem Cylinder. Beide Bogen laufen, wie man sieht, zwischen denselben Laufbändern zu dem Drukcylinder, wie die Pfeile zeigen. Das Laufband aus Saite, o, welches um die Laufscheibe, p, auf der Spindel des Speisungscylinders, k, läuft, dient dazu, um die Walzen, g, in Bewegung zu sezen, und dadurch auch ihre Laufbänder, welche das Papier von der Drukwalze auf das Brett, r, führen (siehe die Pfeile), auf welchem es mit der gedrukten Seite aufwärts niedergelegt wird. Die Laufbänder, welche das Papier zu dem Drukcylinder führen, kehren um die Walzen s und t zurük, (siehe die zurükkehrenden Pfeile); es laufen also drei Bänder unter dem Drukcylinder über die Walzen, s, und um die Walzen u, wo ihre Enden auch befestigt sind, und auf welche sie sich abwechselnd aufwinden, so wie der Cylinder abwechselnd sich hin und her umdreht. Diese Bänder werden mittelst einer Rolle und einer Schnur mit Gewicht an dem entgegengesezten Ende der Walze in einem gewissen Grade von Spannung gehalten: die Schnur windet sich auf, so wie die Bänder sich abwinden, und umgekehrt. Diese Bänder dienen zur Aufnahme des Bogens von den Laufbändern, zum Umschlagen desselben um den Umfang des Cylinders, während derselbe bedrukt wird, und zum Wegführen desselben an das gegenüberstehende Ende. Ueberdieß sind noch drei Laufbänder ohne Ende da, welche um den Drukcylinder und um die kleinen Rollen, v, laufen, und zum Ablösen des gedrukten Bogens von dem Cylinder dienen, und denselben auch zwischen die Walzen, q, mit ihren endlosen Laufbändern einführen, damit er auf das Aufnahms=brett, r, gebracht wird."

„Der zweite Theil meiner Erfindung ist in den Figuren 3, 4 und 5. dargestellt, in welchen dieselben Buchstaben dieselben Gegenstände bezeichnen: a, b, c und d stellen vier Drukflächen dar mit der Kraft e zwischen denselben. Das einzelne Stük des Gestelles ist hier bloß deßwegen dargestellt um zu zeigen, was man unter oberer und unterer Oberfläche, a und d, versteht. Da a und d während des Drukes feststehend sind, wird eine Letternform, f, auf die untere Fläche, d, gelegt, die andere Form g auf die Zwischenfläche b. Die Zwischenflächen b und c haben senkrechte Leiter, h, damit sie nicht nach der Seite hin abweichen können, und hängen an Hebeln i (siehe Fig. 4.), so daß sie wechselseitig sich im Gleichgewichte halten: die obere Fläche, b, hat dabei etwas Uebergewicht. Sie sind zugleich jede mit vier flachen Lagern versehen, gegen welche die Walzen, l, der Kraft, e, wirken sollen. Die bei e dargestellte Kraft besteht aus zwei Spindeln, m, mit hervorspringenden Armen und Walzen l (siehe Fig. 5.), die durch die Räder, n, verbunden sind. Es ist also klar, daß, wenn das eine oder das andere dieser Räder mittelst eines Hebels oder auf eine andere Weise umgetrieben wird, die beiden Zwischenflächen b und c mit gleicher Kraft nach entgegengesezten Richtungen gedrükt werden, wie Widerstand und Kraft, so daß man zwei Abdrüke mit demselben Kraft= und Zeitaufwande erhält, mit welchem man sonst nur einen erlangt."

„Da diese hier vorgeschlagene Methode, das Papier von einer Form auf die andere zu bringen, etwas Neues hat, will ich zuerst bemerken, daß die Cylinder o und p ein Lauftuch von starkem Maschinentuche um sich geschlagen haben, (das einfach auf dem Druke ist), und die obere Fläche, a, einschließt. Die Cylinder q und r haben ein Lauftuch von dünnem Tuche (das auf dem Druke doppelt liegt) um sich geschlagen, mit dem doppelten Durchgange zwischen den Flächen c und d: der obere Theil dieses Tuches wird mittelst der Walzen s zur gehörigen Höhe herab gebracht.

Es sind auch Laufbänder hier angebracht, und zwar in solcher Zahl, wie die Ränder an den Formen sie fordern. Sie laufen über die Cylinder o, p, t, u, v, und kehren unter q zurük, zwischen den Flächen c und d hinauf um r herum, und zwischen den Flächen a und b durch und hinauf um die Speisewalze w. Ueberdieß läuft eine correspondirende Anzahl von Bändern rund um die Cylinder x, q, r, und geht zwischden Flächen a und b durch, und zurük zwischen den Flächen c und d. Tuch und Bänder müssen hinlänglich dicht an den unteren Seiten der Flächen a und c hinlaufen, damit die Schwärzwalzen durchziehen können, indem man hier die Schwärze auftragen will, ohne die Flächen zu bewegen, auf welchen die Formen liegen."

„Das Papier kommt von dem Brette, y, auf irgend einem der gewöhnlichen Wege, und durch eine einzige Umdrehung des Cylinders q. Ein Bogen wird zwischen die Flächen, a und b, mittelst der Laufbänder und des Tuches gebracht. Eine zweite Umdrehung bringt es um das Hintertheil des Cylinders, r, während ein zweiter Bogen an die Stelle des ersten tritt. Eine dritte Umdrehung bringt den ersten Bogen zwischen die Flächen c und d, und einen dritten Bogen zwischen die Flächen a und b, und nach jeder Umdrehung des Cylinders q wird auf obige Weise ein Abdruk genommen. Das Papier kommt, nach und nach auf beiden Seiten bedrukt, auf das Aufnahmbrett z."

„Das Patent-Recht besteht, ohne Rüksicht auf Speisungs- und Schwärzungsapparate ꝛc. in den vier Speisern für Einen Drukcylinder, und Eine Fläche, und in der Anwendung einer Kraft zum Druken im Mittelpunkte zwischen den vier Flächen und zwei Formen, wovon die zwei äußeren während des Drukes fest stehen."

Die Erklärung ist von dem Patent-Träger.

LX.

Beschreibung eines neuen Hygrometers von der Erfindung des Hrn. A. Benoit, welches derselbe Hygroskop nennt.

Aus dem Recueil industriel. N. 54. S. 45.

Mit einer Abbildung auf Tab. VI. (Fig. 2.)

Unter allen bisher bekannten Hygrometern ist das Saussure'sche ohne allen Zweifel das beste und das genaueste; man wird indessen gestehen, daß es, in Hinsicht auf Empfindlichkeit, noch manches zu wünschen übrig läßt. Mehrere Ursachen in dem Baue desselben tragen nämlich dazu bei, daß das Haar, die Seele des ganzen Instrumentes, leichtere Veränderungen im hygrometrischen Zustande dem Zeiger nicht mehr mitzutheilen vermag. Das Hygrometer ist nämlich beständig dem häufigen Wechsel der Feuchtigkeit und Trokenheit der Atmosphäre ausgesezt, und dadurch oxydiren sich die Zapfen der Achse des Zeigers in einem solchen Grade, daß sie eine bedeutende Reibung bei der Bewegung der Achse erzeugen. Ferner erzeugt der Zeiger und sein Gegengewicht, so leicht auch immer beide seyn mögen, immer einen gewissen Grad von Widerstand, wenn sich die Veränderungen des Haares demselben mittheilen. Endlich bildet auch die Drehung des Haares, welche dasselbe erleidet, wenn es sich um die Rolle windet, abgesehen von dem Gewichte des Haares, welches dasselbe spannt, so oft das Instrument auf den Trokenpunkt hinzieht, einen mehr oder minder bedeutenden Widerstand, je nachdem das Haar, der Durchmesser desselben und seine Zubereitung verschieden ist. Hieraus folgt nun, daß sehr kleine Wechsel im hygrometrischen Zustande der Atmosphäre dem Saussure'schen Hygrometer immer entgehen mußten, was für genaue Versuche, wo man der möglich höchsten Bestimmtheit bedarf, sehr nachtheilig ist.

In dem gegenwärtigen Hygroskope habe ich versucht einem Theile dieser Mängel abzuhelfen, und wenn es mir auch nicht gelungen ist meinen Zwek gänzlich zu erreichen, so glaube ich doch ein bequemeres, kleineres und ohne Vergleich empfindlicheres Instrument, als jenes des Hrn. Saussure, verfertigt zu haben.

Der Bau dieses Instrumentes gründet sich auf die bekannte Eigenschaft des Papieres, sich in Folge der Einwirkung der Feuchtigkeit oder Trokenheit mächtig auszudehnen oder zusammenzuziehen. Papier, und vorzüglich das im Handel unter dem Namen Pflanzen-Papier (Papier végétal) vorkommende Papier, besizt die hygrometrischen Eigenschaften in dem höchsten Grade, in einem weit höheren Grade als das Haar, und wenigstens in einem so dauerhaften. Ueberdieß hat dieses Papier, außerdem daß es sehr dünn ist und wenig Masse darbietet, eine regelmäßige und ziemlich gleichförmige Textur, die ganz für den Zwek taugt, zu welchem dasselbe bestimmt ist.

Der Haupttheil dieses Hygroskopes besteht in einem außerordentlich dünnen Metallstreifen von ungefähr 0,25 Meter Länge und 0,0015 Breite. Dieser Metallstreifen ist spiralförmig gewunden, und außen mit einem Papierstreifen von der oben erwähnten Sorte belegt, welches genau dieselbe Breite hält. Beide Streifen sind mittelst eines Leimes, welcher durchaus nicht für Feuchtigkeit empfindlich ist, auf einander geleimt. Diese Spirale bietet nun unter einem sehr geringen Umfange eine bedeutend große Oberfläche der hygrometrischen Einwirkung dar, und man begreift leicht, welche Folge diese Einwirkung auf die Spirale haben muß. Sobald nämlich die Spirale mit feuchter Luft in Berührung kommt, so wird, da nur die äußere Oberfläche derselben empfindlich ist, die innere aber nicht, nothwendig eine drehende Bewegung entstehen, welche durch die Ausdehnung des Papieres in Folge der Feuchtigkeit veranlaßt wird. Diese ausdehnende Kraft des Papieres wird so lang fortwirken, als sie größer ist als die Elasticität des Metallstreifens, auf welchen sie angeleimt ist. Diese drehende Bewegung der Spirale wird nun durch einen Zeiger sichtbar:

dargestellt, in welchen die Spirale sich endet, und welcher einen in Grade getheilten Kreis durchläuft. Das Entgegengesezte wird geschehen, wenn das Papier einer trokenen Luft ausgesezt wird, und die Nadel wird in entgegengesezter Richtung laufen. Die Länge der Spirale ist so berechnet, daß der Zeiger für 40 Grade an Saussure's Hygrometer, nämlich vom 60° an demselben bis zum 100°., bis zur höchsten Feuchtigkeit, den ganzen Kreis durchläuft.

Wenn man die Länge des Streifens gehörig verkürzt, so könnte man die beiden äußersten Punkte der Feuchtigkeit und Trokenheit erhalten; allein man erhielte sie auch nur auf Kosten der Empfindlichkeit des Instrumentes, und würde dasselbe dadurch seines Hauptvorzuges vor dem Hygrometer des Hrn. de Saussure berauben, ohne es dadurch eigentlich besser gemacht zu haben. Man wird weiter unten sehen, daß die Hauptsache nicht in der Graduirung liegt, da es nicht zu demselben Zweke, wie jenes Hygrometer, bestimmt ist.

Wenn aber auch mein Hygroskop äußerst empfindlich ist, so hat es dafür mehrere Mängel, die man nothwendig kennen muß. 1) wenn es sich auf Feucht stellt, so nimmt die Elasticität des Papieres nothwendig immer desto mehr und mehr ab, je mehr die Feuchtigkeit zunimmt, und es muß ein Zeitpunkt kommen, wo diese Kraft nicht mehr zureichen wird, um den Widerstand zu überwinden, welchen die Elasticität des Metallstreifens entgegenstellt. Diese Kraft und dieser Widerstand werden demnach im Gleichgewichte stehen, und der Zeiger wird einen Augenblik über still stehen. Wenn nun die Feuchtigkeit immer zunimmt, wird die Elasticität des Metallstreifens von ihrer Seite wieder stärker werden, als die des Papierstreifens, und die Spirale zwingen, sich in entgegengesezter Linie zusammenzuziehen: der Zeiger wird also zurüklaufen, und dann wird es scheinen, als ob das Hygrometer zurük auf Troken liefe, obschon die Feuchtigkeit zunimmt. Dieser Fehler ist, glaube ich, der größte, den man dem Instrumente vorwerfen kann, und könnte selbst zu bedeutenden Irrungen Veranlassung geben, wenn man nicht darauf vorbereitet wäre. Da indessen dieser Umstand erst Statt hat, wann das Instrument beinahe den höchsten Grad der Feuchtigkeit, den 95° zeigt, so hat er bei gewöhnlichen Graden von Feuchtigkeit keinen Einfluß, und die gewöhnlichen Versuche und Beobachtungen werden meistens unter diesem äußersten Punkte angestellt. 2) Da die Elasticität des Metallstreifens bei verschiedener Temperatur verschieden ist, so könnte auch hieraus noch ein neuer Fehler entstehen, der wichtig seyn könnte, wenn die Versuche und Beobachtungen bei sehr verschiedener Temperatur angestellt werden. 3) Die Ausdehnungen der Streifen der Spirale sind ungleich; folglich muß auch die thermometrische Wirkung ungleich und so seyn, wie an Breguet's Thermometer. Da ferner der innere Streifen nicht mehr ausdehnbar ist, als der äußere, so vereinigt sich hier die thermometrische Kraft beider mit der hygrometrischen. Kälte wird immer das Instrument auf Feuchtigkeit zeigen machen, so wie Wärme immer auf Trokenheit.

Aus diesen verschiedenen Wirkungen folgt, daß dieses Instrument nur unter derselben Temperatur mit sich selbst verglichen werden kann, und daß, wenn man sich desselben als Hygrometer bedienen wollte, man eine Tabelle von Correctionen für jeden Thermometergrad an den verschiedenen Graden desselben entwerfen müßte; dieß würde aber bei den Unrichtigkeiten im Gange dieses Instrumentes sehr schwierig seyn. Ich glaube daher nicht, daß man es so, wie es ist, in Hinsicht auf die Genauigkeit der Resultate an die Stelle des de Saussure'schen Hygrometers stellen kann. Sein Maßstab hat überdieß eine zu geringe Ausdehnung, als daß es zu demselben Zweke dienen könnte. Ich gebe es nur als ein Instrument, mit welchem man Versuche anstellen kann, indem man mittelst desselben die allerkleinsten Wechsel und Abweichungen, in dem hygrometrischen Zustande der Luft, die dem Saussure'schen Hygrometer entgehen, wenn sie auch nur eine sehr kurze Zeit über dauern, wahrnehmen kann. Und in dieser Hinsicht kann dieses Instrument bei gewissen meteorologischen Untersuchungen von Nuzen werden. Es hat dann vor dem Saussure'schen Instrumente noch den Vortheil, daß es augenbliklich wirkt; ein Vortheil, den es seinem Baue zu danken hat, der vorzüglich deßwegen den Vorzug verdient, weil gar kein mechanisches Zwischenmittel zwischen dem eigentlich hygrometrischen Stüke und dem Zeiger angebracht wird. Ich denke also, daß, wenn man dieses Hygroskop zugleich mit dem Hygrometer braucht, dessen Supplement es gewisser Maßen ist, man zu genaueren Resultaten gelangen kann, als diejenigen sind, welche man durch lezteres allein nicht zu erreichen vermag. Der Versuch, den wir sogleich anführen wollen, wird überdieß eine Idee von dem Grade seiner Empfindlichkeit gewähren können, die, so zu sagen, unendlich ist, indem man, ohne das Instrument sehr zu vergrößern, die Länge und Breite des Streifens, aus welchem die Spirale besteht, vergrößern und dadurch die Empfindlichkeit desselben vermehren kann.

Hr. de Saussure gibt in N. 135. des 6ten Capitels seines Second Essai sur l'Hygrométrie das Detail eines Versuches, in welchem er den Einfluß der Verdünnung der Luft auf sein Hygrometer zeigen will, und bedient sich hierbei folgender Worte:

„Das Hygrometer, welches ich in dem mit Luft gefüllten Recipienten einschloß, stellte sich auf 63°,3, und der Thermometer auf 16,6. Als ich nun die Stämpel der Luftpumpe drei Minuten lang spielen ließ, verdünnte ich die Luft dadurch auf einen solchen Grad, daß das Barometer der Luftpumpe nur 6 Linien niedriger, als das äußere Barometer stand, und während dieser kurzen Zeit ging das Hygrometer um ungefähr 15 Grade auf Troken, d. h., es stieg auf 48°,3, obschon das Thermometer von 16°,6 auf 15°,25 gefallen war, wie dieß immer geschieht, wenn man den Recipienten schnell auspumpt. Ich hörte dann auf auszupumpen, und in der nächst folgenden Minute ging das Hygrometer noch um ungefähr 0,3° auf Troken. Auf diesem Punkte schien es Eine Minute lang still zu stehen, und zog sich dann auf Feucht so, daß es binnen der zwei folgenden Minuten beinahe einen halben Grad in dieser Richtung durchlief." Hr. de Saussure fragt bei dieser Gelegenheit: ob unter allen bekannten Hygrometern das Haarhygrometer nicht das einzige ist, das Abänderungen nach entgegengesezten Richtungen, die mit solcher Schnelligkeit auf einander folgen, anzuzeigen vermag?

Um nun zu sehen, welche Resultate das Hygroskop unter ähnlichen Umständen im Vergleiche mit dem Haarhygrometer zu geben vermag, wiederholte ich den obigen Versuch, und bediente mich bei demselben des Hygroskopes. Ich brachte es zugleich mit einem guten de Saussure'schen Hygrometer unter den Recipienten einer Luftpumpe. Ich wartete einige Augenblike, bis sie mit der Luft unter dem Recipienten sich in's Gleichgewicht gesezt hatten. Das erste stellte sich auf 49°,5, das zweite auf 48°. Das Thermometer stand auf 18°. Ich fing dann an die Luft so schnell als möglich auszupumpen, und erhielt folgende Resultate. Nach einigen Zügen der Stämpel, in einem Zeitraume von 6 bis 7 Secunden, stieg das Hygroskop von 45°,5 auf 59°, d. h., es ging um 12½ Grad auf Feucht; stand dann einen Augenblik über still; und da ich immer fort fuhr zu pumpen, fing es an sehr schnell auf Troken zu laufen, so daß es in den folgenden 12 Sekunden den ganzen Umfang des Kreises durchlaufen hatte, folglich um mehr als 40 Grade auf Troken ging. Ich hörte dann auf zu pumpen, und ließ Luft herein. In 8 Sekunden war das Instrument wieder auf dem Punkte, von welchem es ausgegangen ist, was demnach einen Unterschied im Ganzen von 105° in weniger denn einer halben Minute beträgt. Saussure's Hygrometer zeigte während dieser Zeit die erste Bewegung des Hygroskopes auf Feucht durchaus nicht an; nur in der zweiten Periode ging es um 2½° auf Troken.

Diese Resultate reichen, wie es mir scheint, zu, um die Weise zu zeigen, wie dieses Instrument wirkt, und einen Begriff von der außerordentlichen Schnelligkeit zu geben, mit welcher es im Vergleiche des Haarhygrometers, des empfindlichsten, das man bisher kennt, seine Andeutungen gibt. Man sieht, daß in dem von Hrn. de Saussure angestellten Versuche sein Hygrometer in einem Zeitraume von 7 Minuten nur um 14,8° auf Troken ging, während das Hygroskop in einer 14 Mal kürzeren Zeit einen Unterschied von 105° gab, wovon 12,5 auf Feucht; eine Wirkung, die dem Saussure'schen Hygrometer gänzlich entging, da die Zeit, während dieselbe Statt hatte, zu kurz war. Man könnte, wie es mir scheint, diese Versuche auf verschiedene Weise abändern, und dadurch zu sehr interessanten Resultaten gelangen. Ich überlasse es geschikteren Händen, dieselben anzustellen, als die meinigen sind. Ich wollte nur den Nuzen dieses Hygroskopes bei feinen Versuchen zeigen, und die Vorzüge desselben vor allen anderen Hygrometern in Bezug auf Empfindlichkeit auf eine unbestreitbare Weise darthun.

Dieselben Buchstaben bezeichnen im Grundrisse im kleinen Alphabete dieselben Gegenstände, die die großen im Aufrisse andeuten.

AB ist die Spirale.

CD der am unteren Ende derselben angebrachte Zeiger.

EF der in Grade getheilte Kreis.

G ein Stük, welches sich in dem Ende N des Trägers MN in sanfter Reibung schiebt, und die kleine Zange, x, führt, welche die Spirale in einer senkrechten Lage hält. Da dieses Stük sich in dem Halsbande N drehen läßt, so kann man den Zeiger in jeder schiklichen Stellung nach der Graduirung des Instrumentes mit Leichtigkeit befestigen.

HI, ein kleiner Stift, der durch das Stük G läuft, und sich bis auf die Platte, OP, verlängert. Es hindert die Spirale während des Uebertragens des Instrumentes von einem Orte zum anderen zu stark zu schwanken. Man kann ihn mittelst des gerändelten Stükes, H, leicht herausziehen.

K und L sind kleine an der Scheibe EF befestigte Säulen, die sich in Bayonettgefüge auf der Platte OP stellen, so daß man nöthigen Falles das Instrument leicht ausheben kann.

MN, Stüze der Spirale, die auf der Gradscheibe mittelst der Scheibe z befestigt ist.

OP, Platte zur Aufnahme der unteren Enden der Säulen. Diese Platte ist mittelst dreier Schrauben auf einer hölzernen Unterlage befestigt.[137])

---

137) Man hat in England bereits Hygrometer aus Papier, wovon wir im polytechn. Journal Nachricht gegeben haben. A. d. Ue.

LXI.

Hrn. K. Child's Instrument zur Beschreibung einer Hyperbel.

Aus dem Mechanics' Magazine. N. 554. S. 528.
Mit einer Abbildung auf Tab. VI.

ABC Fig. 19. sind drei cylindrische Stangen, auf welchen sich die respectiven Schieber, h, M und K, bewegen. C bewegt sich auf einem Mittelpunkte an dem flachen Ende von B, wie bei D, und kann mittelst des Bogens, o p, unter jeden beliebigen Winkel mit B gestellt werden. Eben so kann A mittelst des schiebbaren Stiefels auf F und der Daumschraube a unter jeden Winkel mit B gestellt werden. Die flache Stange G hat eine Furche, in welcher die Stifte der Schieber K und H laufen, welche in ihrer respectiven Lage mittelst der Daumschrauben b, d, festgehalten werden können: der eine in der Furche, n, (im Schieber M), der andere auf der Stange C; jedoch so, daß G sich frei um dieselben drehen kann. Die Stange F bewegt sich um einen Mittelpunkt auf dem Schieber M.

Der Mittelpunkt der Bewegung von A ist in S, (genau über dem Mittelpunkte der Stange B) und, damit sie nicht wankt, hat sie eine Kerbe an der inneren Seite des Endes E, wodurch sie sich in den halbkreisförmigen Theil des Schiebers, M, bewegt unter der Stellung nach dem verlangten Winkel.

Bei dieser Richtung des Instrumentes stellt die Stange B eine der Asymptoten der verlangten Hyperbel dar, und die Stange A ist immer parallel mit der anderen.

Der Schieber h bewegt sich längs der Stange A, und erlaubt zugleich der flachen Stange G sich frei um den Stiefel l zu bewegen, in welchem der Zeichenstift sich befindet.

Wenn nun die Stange G mittelst des Griffes L bewegt wird, so beschreibt der Stift l die Hyperbel Q W T.

Es mag nicht überflüssig seyn zu bemerken, daß jeder andere Punkt in der Stange G, außer jenem, in welchem der Zeichenstift sich befindet, eine besondere Art von krummer Linie beschreibt, deren Eigenschaften dem Mathematiker bei Untersuchung derselben einiges Vergnügen gewähren werden.

Die Stange C ist noch mehr nöthig, wenn mittelst dieses Instrumentes unter einer anderen Einrichtung der Theile Hyperbeln gezogen werden, oder wenn man mit diesem Instrumente andere Krummen beschreibt.

LXII.

Verbesserungen im Baue und in der Befestigung künstlicher Maste, worauf Thom. Hillmann, Mastmacher zu Mill-Wall, Poplar, Middlesex, sich am 1. November 1828. ein Patent ertheilen ließ.

Aus dem Repertory of Patent-Inventions. Jäner 1830. S. 15.

Mit Abbildungen auf Tab. VI.

Meine Verbesserung besteht darin, daß ich Maste aus mehreren starken Latten verfertige, welche innenwendig durch der Länge nach hinlaufende schwalbenschweifförmige Kehlen oder Falze unter einander verbunden sind. Sie ist in folgender Beschreibung und Abbildung dargestellt.

Fig. 9. zeigt meinen künstlichen Mast nach meinem Patent-Plane. ABC sind die drei Hauptstüke, aus welchen der Mast zusammengezimmert ist. DEF sind die drei Latten, an ihren Kanten schwalbenschweifförmig ausgekehlt oder gefalzt, wodurch die drei Stüke ABC zusammengehalten werden. Fig. 10. zeigt einen Theil des Hauptstükes, A, und stellt die Weise dar, wie die Latten D und E in die Furche passen, welche zur Aufnahme derselben in das erstere eingeschnitten sind. Man wird bemerken, daß diese Latten an ihren unteren Enden, r s, etwas breiter sind; denn sie müssen sich wirklich ihrer ganzen Länge nach von unten nach aufwärts etwas verschmälern; wenn indessen ihre Seiten nur parallel sind, dienen sie auch, obschon nicht so gut. Fig. 11. zeigt eine Weise, wie die Hauptstüke angesezt (bemäntelt, scarfing) werden können, wenn sehr lange Maste gebaut werden müssen, oder wenn es, der größeren Wirthschaft wegen, gut ist, kurzes Holz zu brauchen. Q ist ein der Quere nach schwalbenschweifförmig ausgekehlter Stift oder eine solche Latte, die das Gefüge, den Mantel, zusammenhält. Wenn dieser Stift sich gleichfalls an einem Ende verdünnt, so wird er das Gefüge desto stärker an einander schließen, und fester zusammenhalten. V ist die schwalbenschweifförmig ausgehöhlte Furche zur Aufnahme des Stiftes Q, der in Fig. 12. besonders dargestellt ist. Fig. 13. stellt einen Theil eines nach meinem Patent-Plane verfertigten Mastes aus vier Stüken dar. GHIK sind die Hauptstüke und LMNO die Längen-Latten, welche als aus dem Hauptstüke hervorragend dargestellt sind. Diese Figur muß mehr als eine Skizze als eine regelmäßige Zeichnung betrachtet werden, da man das Perspectiv hier der deutlicheren Darstellung opferte. Fig. 14. zeigt die Art, wie ein Mast, der aus acht Hauptstüken besteht, nach meiner Art befestigt wird. Maste dieser Größe können auch in de

Mitte hohl seyn, was ich für besser halte, oder eine Seele, 1, besizen, in welchem Falle schwalbenschweifförmig ausgekehlte Latten, wie bei P, auf derselben hervorragend ausgeschnitten und in correspondirende Furchen in den Hauptstüken passen müssen, wie die Figur zeigt. Fig. 15. zeigt eines dieser Hauptstüke eines achtstükigen Mastes mit seinen zwei gefurchten Latten und mit der Furche für die sogenannte Seele. Fig. 16. ist ein Querdurchschnitt eines Mastes nach meinem Patent-Plane, welcher zeigt, wie die Latten, Statt aus einzelnen losen Stüken zu bestehen, auf den Hauptstüken des Mastes selbst erhaben ausgeschnitten, oder in dieselben vertieft eingeschnitten werden können: in diesem Falle ist an jedem Hauptstüke eine Furche und eine hervorragende Leiste Statt der zwei Furchen, die man im vorigen Falle nöthig hatte. Fig. 17. stellt dieselbe Verbindungsart an einem Maste dar, der aus vier Hauptstüken besteht, und Fig. 18. an einem Maste aus acht Stüken. Maste aus drei Hauptstüken empfehle ich für Maste von 17 bis 21 Zoll im Durchmesser; aus vier Hauptstüken für Maste von 21 bis 30 Zoll im Durchmesser; Maste aus acht Stüken für Maste von 30 bis 42 Zoll im Durchmesser. Uebrigens hängt dieß von dem Ermessen des Mastmachers ab, da jede Zahl von Hauptstüken auf obige Weisen vereint werden kann.

Wenn mein Mast, auf obige Weise verfertigt, zusammengesezt werden soll, werden alle einzelnen Theile, jeder nett ausgefalzt, auf den Zimmerplaz gebracht, und entweder gebunden, oder vorläufig mit Reifen versehen. Der weitere Theil der Furchen oder Falze kommt immer unten, und die Latten werden mit dem dünneren Ende voran eingetrieben: dieses Eintreiben geschieht langsam und sanft, bis die Latte der ganzen Länge nach durch ist, wo sie dann nöthigen Falles abgeschnitten wird.

Nach der Länge des Mastes können die Latten aus zwei oder aus mehreren Längenstüken bestehen. Nachdem dieß geschehen ist, kann das vorläufige Band abgenommen, und der Mast wie gewöhnlich bereift werden.

Mein Patent-Recht besteht in den schwalbenschweifförmig gekehlten oder gefalzten Längen-Latten.

Das Repertory of patent-Inventions hat in seinem October-Hefte (VIII. Bd. S. 595.) eine harte Kritik über diese Maste gefällt, worauf wir unsere Leser im Polytechn. Journ. Bd. XXXIV. S. 304. aufmerksam machten. Es rükt dafür in seinem Jäner-Hefte S. 31. ein Schreiben des Hrn. Hillmann an den Redacteur ein, in welchem er sagt, daß, insofern diese Beurtheilung seine ersten Versuche im J. 1828 betrifft, er nicht gegen diese Beurtheilung sich beklagen will; seit so vielen Monaten aber habe er so viele Maste verfertigt, daß es ihm scheint, ein billiger Richter dürfe nicht nach Theorie allein, sondern müsse zugleich auch nach Erfahrung urtheilen. Er meint, daß, wenn der Hr. Redacteur seine 100füßigen Maste von 34 Zoll Durchmesser aus 23 — 24 Hauptstüken in Einer Länge gesehen hätte, wo die Falze so genau passen, daß nicht eine einzige Querverbindung nothwendig war, so würde er nicht so hart geurtheilt und diese Maste nicht „eine Stümperey, ein Machwerk" genannt haben.

Was die Arbeit an diesen Masten betrifft, sagt er, so ist diese, indem hier so viel auf dieselbe ankommt, nichts weniger, als ein erbärmliches Machwerk. Alles ist auf das Genaueste zugesägt und zugehobelt: Linie paßt genau auf Linie und Fläche auf Fläche. Die innere Linie der Furche ist immer parallel mit der inneren Fläche des Holzes, wodurch die Festigkeit des Mastes sicher gestellt ist; die äußere Linie verstärkt sich um ein Achtel Zoll in der Quere nach der gegebenen Länge. Eine stärkere Erweiterung könnte nach den Gesezen des Keiles zu stark auf die Seiten der Furche drüken. Er will nur, daß die Falze genau ziehen und binden, und daß die Latten als zusammenziehende Keile auf die Längenverbindungen wirken, und so eine Querbefestigung bilden. Er hat eigene Hobel für seine Arbeiten ausgedacht, die wie ein Pflug und äußerst genau arbeiten; Hobel, die das Holz so zu sagen pflügen, wodurch das Mittelstük leicht herausgeschafft werden kann. Die Hobel, welche die schiefen Flächen bilden, schneiden der eine unten, der andere seitwärts. Er hat einen eigenen Hobel, zur schnelleren und zur genauesten Verfertigung der schwalbenschweifförmigen Falze. Der Mast ist so schnell, ohne Strike, zusammengefügt, daß man in 8 Stunden mit dem größten Maste fertig ist. Die Latten sind gewöhnlich nur 34 Fuß lang, obschon er auch einige Masten mit 60 Fuß langen Latten verfertigte. Nie hat sich ein Sprung ergeben: man bedient sich keines Hammers, sondern man rammt die Latten mit einer Ramme von 5—6 Ztr. Schwere ein. Man muß sehen, sagt er, wie gearbeitet wird, um es glauben zu können, wie stark gute Falze binden. In mehreren Fällen haben die Furchen, wo die Stüke zusammengefalzt sind, sich so sehr verzogen, daß sie beinahe gänzlich verschwanden, und man die verschiedenen Stüke nur mehr an der verschiedenen Farbe des Holzes erkannte.

Der sel. Hr. Thomas Tredgold schrieb an Hrn. Hillmann am 18. Jul. 1828: „Die Kostbarkeit ganzer Mastbäume und die Seltenheit eines ganz gesunden Baumes, die Ungewißheit, in welcher man beständig über seine Fehler schwebt, macht jede Methode, aus kleineren, aber gesunden Bäumen große Maste zu bauen, aller Aufmerksamkeit werth. Die Methode, die Sie vorschlagen, ist, was die Zusammenfügung der Theile in Hinsicht auf die genaueste wechselseitige Berührung derselben betrifft, die zwekmäßigste, die ich bisher gesehen habe; der einzige Zweifel, den ich hierbei habe, ist, daß die schwalbenschweifförmigen Längen-Latten nicht so kräftig auf die Längen-Fugen drüken, daß alle einzelnen Stüke zusammen nur ein Ganzes bilden." Ich darf mit Sicherheit sagen, bemerkt Hr. Hillmann, daß dieser „Zweifel" beseitigt ist."

Von meinen Masten mit Furchen und Vorsprüngen, fährt er fort, hatte ich, ich muß es gestehen, nie sanguinische Hoffnungen; ich führte sie bloß wegen der Möglichkeit eines Patent-Eingriffes an. Ich habe jezt große Masten auf Reisen, die aus einer Menge kleiner Stüke verfertigt sind, ohne alle Querbolzen.

Hr. Hillmann hat neulich ein Schiff von 500 Tonnen, das zwei seiner Masten führte, auf der trokenen Werfte zufällig umgeworfen gesehen. Die Maste mußten unten umgehauen werden. Man hatte lang daran mit der Axt zu hauen. Die vier Stüke wurden aus einander genommen, und der Mast ward in kurzer Zeit wieder für wenig Geld fertig.

Das Repertory bemerkt hier bloß, daß Hr. Tredgold denselben Zweifel äußerte; daß es diesen Zweifel nicht als Glaubensartikel aufstellen will, und daß Zeit und Erfahrung allein hier uns lehren kann, inwiefern er gegründet ist, oder nicht ist.

LXIII.

Ueber die parallele Bewegung an einer Dampfmaschine. Von J. R. Aris.

Aus dem London Journal of Arts. N. 18. S. 281.

Mit Abbildungen auf Tab. VI.

Da ich in mehreren Abhandlungen über die Dampfmaschine den Grundsaz, nach welchem die parallele Bewegung eines Theiles derselben dem anderen mitgetheilt wird, nicht erklärt fand; so wird vielleicht folgende Erklärung einigen Lesern nicht unangenehm seyn.

Die gewöhnliche Methode, nach welcher der obere Theil der Stämpelstange einer Dampfmaschine auf und nieder bewegt wird, während das Ende des Balkens sich in einem Kreisbogen bewegt, ergibt sich aus Fig. 17., wo c den Mittelpunkt des Balkens bezeichnet, und a das Ende desselben. adbe und de ist eine Verbindung von Hebeln, die an dem Balken angebracht ist, und welche Hebel durch die Mittelpunkte a, d, b und e verbunden sind, so daß sie das Parallelogramm adbe bilden, in welchem ad = be, und der Hebel de =

den Theilen des Balkens ab oder bc. rs ist ein anderer Hebel, der an einem Ende mit o verbunden ist (an einem Winkel des Parallelogrammes), und mit dem anderen Ende an dem befestigten Mittelpunkte r, und dessen Länge gleich ist ab und bc, so daß, wenn der Balken sich in horizontaler Lage befindet, der Mittelpunkt r mit dem Punkte d zusammentrifft. Die Hebel ad und be bedürfen keiner bestimmten Länge: je länger sie sind, desto genauer wird die parallele Bewegung.

Da nun der Punkt b, Fig. 18., des Balkens von dem feststehenden Mittelpunkte c aufsteigt, und der Hebel rs von dem feststehenden Mittelpunkte r; da rs = bc; so wird der Punkt b (welcher sich in dem Kreisbogen, bu, bewegt) beinahe eben so viel rechts hin abweichen, als s (welches sich in dem Kreisbogen, st, bewegt) links; folglich wird der Punkt, f, an welchem das obere Ende der Stämpelstange befestigt ist, und welcher sich mitten zwischen b und s befindet, nach keiner Seite hin abweichen, und sich in senkrechter Richtung auf und nieder bewegen. Man ziehe aus dem Mittelpunkte des Balkens, c, Fig. 17., eine Linie durch den Punkt f, und sie wird, verlängert, durch den Punkt, d, laufen, und jeder Punkt in dieser Linie, der mit dem Parallelogramme a, b, o, d, verbunden ist, wird sich auf eine ähnliche Weise, wie f, verhalten; folglich wird auch der Punkt, d, (an welchem der obere Theil der großen Stämpelstange gewöhnlich angebracht ist) sich in senkrechter Richtung auf und nieder bewegen, und die Bewegung wird doppelt so groß seyn, als jene von f, da die Entfernung von dem Mittelpunkte des Balkens das Doppelte beträgt.

Die Mittheilung der Bewegung für den Punkt d, wie für den Punkt f, geschieht nach dem Grundsaze des Storchschnabels, (Pantographes, „[der hier Pentagraph heißt]“) mit welchem man Landkarten nach demselben, oder nach vergrößertem oder verjüngtem, Maßstabe copirt. Man sieht dieß, wenn man den Hebel rs von seinem feststehenden Mittelpunkte r los macht. Er führt jeden Punkt der Linie cd, welche mit dem Parallelogramme abod verbunden ist, in senkrechter Richtung. Wenn man den Punkt f eine Ellipse beschreiben läßt, so wird der Punkt, d, und jeder andere Punkt in der Linie cd, gleichfalls eine Ellipse beschreiben, deren Größe aber im Verhältnisse zur Entfernung vom Mittelpunkte des Balkens c verschieden seyn wird. Wenn daher eine parallele Bewegung zwischen den Punkten f und d Statt haben soll, so muß sie irgendwo auf der Linie cd, wie bei g, h, Fig. 20., oder zwischen den Punkten c und f außer dem Parallelogramm, wie bei i, geschehen.

Da es nun besser ist, wenn der Punkt r des Hebels rs so weit von dem Punkte d entfernt liegt, daß er dem Ende des Balkens andem Wege kommt, so wird, wenn die Lage des lezteren gegeben ist, es leicht seyn, die Länge von rs (s. Fig. 19.) auf folgende Weise zu bestimmen.

Man finde den horizontalen Abstand zwischen r und s, theile diesen in zwei gleiche Theile, und trage ihn, von c aus, auf. Er wird auf b fallen, und bc wird gleich rs, nicht aber ab, wie in der vorigen Figur. Wenn nun die Eke d des Parallelogrammes sich parallel bewegen soll, ziehe man die Linie, dc, und sie wird die Linie be in f durchschneiden, näher gen e als gegen b fallen; man verlängere die Linie b gegen s, und zeichne fs = fb. Man bringe dann das Ende s des Hebels rs auf den Punkt s, und stelle das andere Ende dieses Hebels so, daß rs vollkommen horizontal ist; so werden, wenn der Balken in dieser Lage ist, die Punkte f und d sich in senkrechter Richtung bewegen. Wenn aber das Ende s des Hebels rs mit der Eke, e, des Parallelogrammes verbunden werden muß; dann ziehe man eine Linie von dem Mittelpunkte c, Fig. 20., durch den Punkt f, und sie wird den Hebel ad in g durchschneiden, etwas über d, wo die Stämpelstange eingehängt werden muß, wenn sie sich in senkrechter Linie bewegen soll.

Die Anwendung der hier beschriebenen parallelen Bewegung sieht man in Fig. 21., wo das Ende des Balkens abc gehoben ist: die punktirte Linie zeigt seine horizontale Lage.

LXIV.

Ueber die vorzüglichsten gegenwärtig in England bestehenden Eisenbahnen.

Das Register of Arts gibt Part. 29. S. 145., größten Theils aus Tredgold's Werk über die Eisenbahnen folgende Notiz über die gegenwärtig in England bestehenden vorzüglichsten Eisenbahnen.

Da man nun endlich ein Mal auch in der Mitte des festen Landes von Europa anfängt auf Eisenbahnen ernsthaft zu denken, und Oesterreich die so schön gelegene Welserheide zwischen Linz und Lambach, und den beinahe ebenen Weg von diesem unglükseligen Horter nach Gmünden zur Förderung seines Salzes nach Böhmen und an die Donau zu verwenden gedenkt, so wie es früher, und zwar der Erste unter den Staaten auf dem festen Lande, durch Hrn. v. Gerstner zur Förderung des Holzes aus dem Böhmerwalde Eisenbahnen an die Donau, oder wenigstens Holzbahnen anzulegen versuchte; so wird diese Notiz vielleicht auch für andere Länder von Nuzen seyn können, die die ebensten Streken in ganz Europa besizen. Doch vielleicht wartet man in diesen Ländern, bis die Wagen von selbst laufen lernen; und dieß scheint auch noch möglich werden zu können.

Die Kraft der menschlichen Faulheit ist eine Kraft, die auch der höchste Fleiß des größten Rechenmeisters nicht zu berechnen vermag. Die Eisenbahnen sind beinahe so alt, als der Bergbau. Wir sahen Jahrhunderte und Jahrtausende lang eine Last, an welcher ein Gaul zu schleppen hat, durch einen Jungen, (den sogenannten Hundsstößer) mit größerer Schnelligkeit als der Gaul in der Nacht der Bergwerke zu dem Schachte oder auf die Halden fördern, und Jahrhunderte und Jahrtausende lang dachten wir nicht, daß dasjenige, was unter der Erde Kraft und Geschwindigkeit zu vervielfältigen mag, auch über der Erde dasselbe leisten wird und muß. Die Naturhistoriker haben längst das Faulthier in die Nachbarschaft des Menschen gestellt, und sie haben sehr Recht gethan, daß sie den Menschen vor das Faulthier stellten; denn er übertrifft dasselbe an Faulheit im Denken und Thun eben so sehr, als der Wallfisch die Milbe, die im Käse wohnt, und die das Auge nur unter tausendfältiger Vergrößerungskraft eines Mikroskopes zu erkennen vermag, an Schwere seiner Masse.

Wäre in England nicht eines der ersten Bedürfnisse des Lebens seit dem J. 1357. an den Bergbau geknüpft worden (in diesem Jahre kamen nämlich die ersten Steinkohlen nach London), so würden vielleicht die Engländer selbst noch bis zur Stunde der Eisenbahnen entbehren: denn sie haben ihre Eisenbahnen bloß ihren Steinkohlengruben zu danken, und brauchten, wie man sieht, ein halbes Jahrtausend dazu, um die Eisenbahnen, wie der Bergmann sagt, aus den Tiefen der Erde zu Tage zu fördern.

Eine ihrer vorzüglichsten Eisenbahnen ist der Hetton-Railway. Er ist 7⅝ engl. Meilen lang, und 13 bis 17 Lastwagen werden mittelst eines Dampfwagens, den eine Dampfmaschine mit hohem Druke treibt, getrieben. Diese Maschine ist im Register of Arts, IV. Bd. S. 445. (I. Series) beschrieben und abgebildet. Obige 17 Wagen führen, wenn sie mit Kohlen beladen sind, eine Last von 64 Tonnen (1280 Ztrn.). Die Unebenheiten auf dieser Bahn betragen von der Grube bis zum Abladungsorte 812 Fuß, wovon ein Theil durch schiefe Flächen, der andere durch einen regelmäßigen Fall von 335 Fuß ausgefüllt ist. Die Schienen sind von der Kanten-Art; ihre äußerste Länge ist 3 Fuß 11 Zoll, und die Breite an ihrer oberen Oberfläche 2⅓ Zoll. Die Verbindung geschieht mittelst eines Kragengefüges (scarf-joint). Die Geschwindigkeit, mit welcher die Wagen laufen, beträgt 3½—4 engl. Meilen (Eine deutsche) in Einer Stunde. Aehnliche Eisenbahnen sind in Cumberland in der Nachbarschaft von Whitehaven. Von diesen Eisenbahnen aus verbreitete sich der Gebrauch derselben nach verschiedenen Oertern in Yorkshire, Derbyshire, Wales und Schottland.

Die Surrey-Rail-road fängt am südlichen Ufer der Themse an in der Nähe von Wandsworth und läuft südöstlich, ungefähr 9½ engl. Meilen bis Croydon, und von da in einer mehr südlichen Richtung 8 Meilen nach Merstham. Die Schienen sind flache Platten, vier Zoll breit, beinahe Einen Zoll dik, und sind zur Leitung der Räder mit einem drei Zoll tiefen und einen halben Zoll diken Leistenrande versehen. Die Wagen sind ungefähr Eine Tonne (20 Ztr.) schwer, fünf Fuß breit, acht Fuß lang, zwei Fuß tief, und dürfen nicht über 3¼ Tonne (65 Ztr.) Last laden.

Die Räder sind aus Gußeisen, am Reife anderthalb Zoll breit, und halten 32 Zoll im Durchmesser. Sie laufen um kegelförmige Achsen, die hinter der Schulter 2⅞ Zoll und am Nagel 1½ Zoll im Durchmesser halten. Nach Hrn. Palmer's Versuchen zieht Ein Pferd sechzig, wo die Bahn vollkommen eben ist und zwar mit einer Geschwindigkeit von 2½ engl. Meilen auf die Stunde, d. h. ein Pferd von mittlerer Stärke zieht im Durchschnitte mit dieser Geschwindigkeit 9 Ztr. (Register of Arts I. Bd. I. Series.)

Die Kohlenwerke in der Nähe von Leeds und Wakefield sind mit den benachbarten Canälen mittelst zahlreicher Eisenbahnen verbunden. Die Stadt Leeds erhält ihre Kohlen aus den Middleton-kohlengruben durch eine Eisenbahn, auf welcher die Wagen durch eine Dampfmaschine getrieben werden. Diese Dampfwägen weichen von jenen in der Gegend von Newcastle und Sunderland ab; denn, statt daß ihr Widerstand von der Reibung der Räder des Maschinenwagens abhinge, haben die Schienen der Rennbahn Zähne, in welche Zahnräder eingreifen, die von der Maschine getrieben werden, und folglich eben so wirken, wie ein Triebstok, der in einem Zahnstoke läuft. Hr. Blenkinsopp hat diese Art von Dampfwägen im J. 1811 eingeführt. Sie sind im Register of Arts Bd. IV. S. 441. (I. Series) beschrieben und abgebildet.

Der Dewsbury und Birstal Railway führt Steinkohlen aus den Gruben von Birstal in die Calder und Hebble Navigations-Schiffe. Er ist ungefähr 3 engl. Meilen lang, und ward im J. 1805. vollendet.

Der Ashby — de la Zouch Canal, welcher im J. 1805. eröffnet wurde, endet sich in eine drei drei Achtel engl. Meilen lange Eisenbahn bis zu den Ticknall-Kalkgruben in Derbyshire. Eine andere Eisenbahn ist an den Kohlengruben zu Measham, fünf engl. Meilen lang; noch eine andere, sechs und eine halbe englische Meile lang, an den Kalkgruben zu Cloudshill.

Mit dem Derby=Canal verbinden sich mehrere Eisenbahnen: jene von den Kohlengruben zu Hörseley; von den Smithey-houses bei Derby, von 4 Meilen Länge; und die 1½ Meilen lange Eisenbahn von Smalley=Mills.

Auch mit dem Cromford= und Erewash=Canäle verbinden sich Eisenbahnen; so ist auch der Charnwood=Forest Canal mit dem schiffbaren Flusse Soar mittelst einer zwei Meilen und eine halbe langen Eisenbahn verbunden. Diese unter dem Namen Charnwood-Forest railway bekannte Eisenbahn hat, auf ihrer kurzen Strecke, einen Fall von 185 Fuß.

Die Eisenbahn von Chapel Milton nach Loads Knowl läuft von dem Peak=Forest Canal bei Chapel Milton in Derbyshire nach den Kalkgruben zu Loads Knowl im Peake auf einer Länge von sechs engl. Meilen, hat auf dieser Strecke einen Fall von 204 Fuß und eine schiefe Fläche von 1545 Fuß. Hr. Benj. Outram hat sie angelegt.

Die Lancaster=Canal=Eisenbahn läuft von Clayton Green quer durch das Thal Ribble bis an den Gipfel der gegenüberstehenden Hügelreihe. Die Verbindung zwischen den einzelnen Theilen des Canales wird mittelst dieser Eisenbahn unterhalten, die zu jeder Seite des Thales eine schiefe Fläche und einen Fall von 222 Fuß hat, während sie nur drei englische Meilen und ein Viertel lang ist.

Vom Flusse Wye geht bei Mitchell Dean eine Eisenbahn durch den Wald von Dean nach Lydney an der Severn, die bei Colford einen Nebenzweig nach Monmouth abgibt. In derselben Nachbarschaft läuft eine andere Eisenbahn von der Severn fünf englische Meilen lang nach den Steinkohlengruben im Walde.

Die Vortheile, welche Eisenbahnen bei einem häufig unterbrochenen und unebenen Boden gewähren, zeigen sich nirgendwo deutlicher, als bei den schiefen Flächen des Shropshire=Canals.[138])

Der Shropshire=Canal läuft durch eine äußerst häufig unterbrochene Gegend, wo die Abhänge steil und bedeutend sind. Man hielt es daher für zwekmäßig, schiefe Flächen anzuwenden, um die Bothe zu den höheren Wasserständen im Canale hinauf zu fördern. Die erste schiefe Fläche hält 1053 Fuß in der Länge und 207 Fuß in der Höhe. Sie hat eine starke doppelte Eisenbahn, so daß Bothe mit 100 Ztr. Last sammt Zugehör über diese schiefe Fläche hinauf=

138) Bei uns auf dem festen Lande hält man einen schnellen Wechsel von bergauf bergab für ein unübersteigliches Hinderniß einer Eisenbahn. Die Oerter Burghausen, Landshut, Wolfartshausen, Dachau, Friedberg ꝛc., die bei ihren steilen Abhängen so viel gewännen, wenn sie dieselben in eine Eisenbahn verwandelten, verlören ja den Gewinn an der Vorspann! A. d. Ue.

gefördert werden können. Die zweite schiefe Fläche hat 1800 Fuß in der Länge und 120 Fuß Fall. Diese schiefen Flächen sind nach dem Plane des Hrn. Wilh. Reynolds, der schon im J. 1788 einen Plan zu einer ähnlichen bei 73 Fuß Höhe für Bothe von 160 Ztr. Last entworfen hat.

In Cornwall läuft eine fünf engl. Meilen lange Eisenbahn vom Hafen Portreth nach den Gruben von Redruth.

Eine lange Eisenbahn von Stockton bei Darlington nach den Steinkohlengruben an der Südwestseite von Durham, ist nun vollendet. Sie läuft von Stockton westwärts, und ungefähr 3½ engl. Meilen von da geht ein zwei engl. Meilen langer Seitenarm nach Yarm südwärts, während die Haupteisenbahn bis dicht an Darlington, und noch ungefähr vier engl. Meilen darüber hinausläuft, wo ein beinahe zwei engl. Meilen langer Seitenarm südlich nach Pierce Bridge führt. Ungefähr fünf engl. Meilen weiter auf der Hauptlinie trennt sich der Black Boy Arm, und führt nordöstlich in die Black Boy Kohlengruben und in die Coundor Kohlengruben. Dieser Arm ist ungefähr fünf engl. Meilen lang. Die Hauptlinie zieht sich vor Evenwood vorbei nach den Norwood Kohlengruben, und läuft in einer nordöstlichen Richtung zurük zu den Etherly und Witton Park Kohlengruben. Die ganze Länge der Hauptlinie dieser Eisenbahn beträgt ungefähr 32 engl. Meilen. Sie hat Kantenschienen.

In Wales sind sehr viele Eisenbahnen, welche die Eisenwerke und Steinkohlengruben unter einander verbinden, und die Eisenwerke mit den Canälen und schiffbaren Flüssen: sie haben erwiesen, wie nützlich Eisenbahnen für den Unternehmer und für das Publikum sind. Die Haupteisenbahnen sind durch viele kleinere Eisenbahnen, welche Privaten angehören, verbunden: man nennt leztere tram-roads. Sie gewähren dem Verkehre in einem so rauhen Lande, wo die Hauptstraßen so schlecht sind, unendliche Vortheile. Im J. 1791 war kaum noch eine einzige Eisenbahn in South-Wales; im J. 1811 haben die bereits fertigen Eisenbahnen zur Herstellung einer Verbindung zwischen den Canälen und Gruben rc. in Monmouthshire, Glamorganshire, und Caermarthanshire bereits eine Länge von hundert und funfzig englischen Meilen, die unterirdischen (die unter Tages, unter der Erde, hin laufen) nicht mit begriffen. Eine dieser lezteren, die einer Gesellschaft in Merthyr Tidvil angehört, ist allein an dreißig engl. Meilen lang.[139]) Die Menge der Eisenbahnen in Wales nimmt täglich zu, und wir können nur von den wichtigsten sprechen.

139) Sollte es möglich seyn, daß der gesammte Verkehr einer Stadt, wie München, Augsburg rc. nicht mehr beträgt, als ein einziges Eisenwerk einer Compagnie in Wales? Diese Annahme wäre lächerlich, wenn man bedenkt, daß bloß

Da es im oberen Theile des Cardiff- oder Glamorganshire-Canales häufig an Wasser gebricht, so wurde die Cardiff- und

---

auf die Schranne zu München allein jährlich für wenigstens 2 Millionen Gulden Getraide gefahren wird, und daß die gesammte Eisenerzeugung von South-Wales, wo 90 Hochöfen sind, nur ungefähr 3 Millionen Gulden werth ist. Wenn wir der Merthyr-Compagnie den dritten Theil dieser Erzeugung zurechnen, also jährlich eine Million, und sie fand es vortheilhaft, hierzu eine Eisenbahn von 8 deutschen Meilen unter der Erde anzulegen: sollte es keinen Gewinn geben, wenn man zur Förderung eines Werthes von 2 Millionen über der Erde Eisenbahnen anlegte, wo die Anlage zehn Mal leichter ist, als unter der Erde? Es ist wahr, daß bei uns eine Eisenbahn sechs Mal theurer kommt, als in England, wenn wir den Werth des Eisens bei uns, die Kosten der Anlage bei der Ungeschicklichkeit und Unerfahrenheit unserer Arbeiter mit der Wohlfeilheit des Materiales und mit der Geschicklichkeit der englischen Arbeiter vergleichen. Wir haben gesehen, mit wie vielen Schwierigkeiten ein kleiner Versuch, nur von einigen hundert Klaftern, bei der Anlage einer Eisenbahn auf dem ebensten Wege von der Welt, in der Nähe der Hauptstadt, wo alle Hülfsmittel, die das Land besizt, bei der Hand waren, selbst unter der Leitung eines Mannes verbunden waren, der sich seit 25 Jahren mit Eisenbahnen beschäftigt, die englischen Eisenbahnen in England selbst studierte, der selbst ein Patent auf Eisenbahnen in England nahm, und als Schriftsteller über Eisenbahnen bekannt ist. Das einfachste Mittel, zu einer Eisenbahn zu gelangen, über deren Nuzen, wir wollen nicht sagen Nothwendigkeit, wohl nicht mehr der mindeste Zweifel übrig seyn kann, würde daher dieses seyn, mit einer englischen Eisenbahn-Compagnie in Unterhandlung zu treten, dieselbe das Eisen aus England, wo dieses Material jezt, bei dem tief gedrükten Zustande der englischen Industrie, in einem so niedrigen Preise steht, wie es bei Menschen Gedenken nicht gestanden ist, und wie auch der eisenreichste Staat auf Erden es nicht zu erzeugen vermag, bis an irgend einen am Mayne gelegenen Ort liefern, und von diesem Orte aus eine Eisenbahn nach Augsburg, Nürnberg, Regensburg, und von dieser lezteren Stadt nach München legen zu lassen. Preußen verfuhr auf eine ähnliche Weise, um sich für Berlin die Vortheile einer Gasbeleuchtung zu verschaffen; es unterhandelte mit einer englischen Compagnie, und wenn hier die Resultate nicht allen Wünschen entsprachen, so lag dieß zum Theile im Materiale, aus welchem das Leuchtgas bereitet wurde, zum Theile in dem Charakter des Engländers, an welchen man sich wendete, und dessen Genie mehr zur Zerstörung von Städten, als zur Verschönerung derselben geschaffen schien. Es unterliegt keinem Zweifel, daß der Engländer, der eine Eisenbahn auf dem festen Lande anzulegen unternimmt, die Wichtigkeit der Entdekung der HHrn. Gaudillot, daß hohle Eisenstangen von einer gewissen Dike in jeder Hinsicht bei gleicher Masse stärker sind als volle, so daß man wenigstens ein Drittel an Eisen ersparen kann (Vergl. Polytechn. Journ. Bd. XXXIII. S. 47.) benüzen wird, sobald man ihn darauf aufmerksam macht. Man kennt in England, wo man sich im stolzen Selbstgefühle um das Ausland wenig kümmert, diese für Eisenbahnen so hochwichtige Entdekung nicht, und wir wissen, daß man sie auch in Deutschland zu wenig achtet. Vielleicht, daß man sie bei der in Oberösterreich neu zu errichtenden Eisenbahn benüzt, da die Kosten des Materiales dadurch um ein volles Drittel vermindert werden. Wenn auch noch manches Wasser durch den Mayn und durch die Donau hinabrinnen wird, bis wir, wenn wir auch Eisenbahnen hätten, zum Gebrauche der Dampfwagen auf denselben gelangen; so ergibt sich schon aus der bloßen Anwendung der Pferde auf derselben Gewinn genug, wenn man bedenkt, daß ein Pferd auf einer guten Eisenbahn mit einer Last von 9 Ztr. Eine halbe deutsche Meile in Einer Stunde läuft; unsere schweren Fuhrleute laden gewöhnlich 10 Ztr. auf ein Pferd, und fahren damit den ganzen Tag über, je nachdem der Weg ist, 8 bis 10 Stunden Weges. Es ist demnach auf einer Eisenbahn die Hälfte der Zeit gewonnen, woran bei gewissen Waaren viel gelegen ist, und es ist die Hälfte des Unterhaltes der Pferde auf der Straße, um welchen die Fracht an und für sich wohlfeiler wird. Würde man nun die Hälfte dieser ersparten Unterhaltungskosten des Pferdes auf der Straße als das Maß des Zolles für die Erlaubniß die Eisenbahn benüzen zu dürfen betrachten, so würde das Capital

Merthyr-Eisenbahn oder Tramroad parallel mit dem Canale au einer Streke von neun engl. Meilen angelegt, vorzüglich für die Ei senwerke von Plymouth, Pendarran und Dowlais.

Der Parliamentsact für diese Tram-road wurde im J. 179 (35sten Georg III.) durch die HHrn. Hompray, Hill und Comp bewirkt, und es scheint, daß dieser Act der erste ist, den das Parlia ment für eine solche Straße erließ. Die Breite des Landes, desse Ankauf man erlaubte, war 21 Fuß, und die ganze Länge der Straß beträgt ungefähr 26¾ engl. Meilen. Diese Bahn läuft in einer Ge gend, wo wegen der Rauhheit und Unebenheit des Landes alle Verbin dung wie abgeschnitten ist. In solchen Gegenden sind Eisenbahne weit besser als Canäle.

Auf dieser Tram-Road machte man am 21. Februar 1804 die Versuche mit Trevithick's Dampfmaschine mit hohem Druk, um mittelst derselben Wagen zu ziehen. Hr. Blenkinsopp und anderen gelangen diese Versuche später besser.

Der Aberdare-Canal, (nebst Zweigen des Carliff-Canales) wird mittelst Eisenbahnen mit dem Neath-Canal verbunden. Ein ungeheuere schiefe Fläche stellt diese Verbindung her, und eine Dampf maschine mit hohem Druke treibt die Wagen über den Berg.

Die Sirhoway-Eisenbahn oder Tram-road fängt bei dem Monmouth-Canal zu Pillgwelly an, läuft durch Tredegar Park an den Ebwy-Fluß bei Risca, sezt über diesen Fluß auf einer Brüke von 16 Bogen, folgt hierauf dem Laufe des Flusses Sir howay bei den Tredegar- und Sirhoway-Eisengruben bis zu den Kalkgruben von Trevill: durchläuft also eine Streke von 28

---

der Eisenbahn verzinst, das Publicum gewänne an Wohlfeilheit der Fracht und an Schnelligkeit der Expedition.

Es ist offenbar, daß in jedem Lande, wo man 5 Monate auf den Winter rech nen muß, die Eisenbahn dem Canale vorzuziehen ist; die Zeit, wo man Canäle bald wegen Wassermangels, bald wegen Hochwassers und bald wegen Eises nicht benüzen kann, verhält sich zu derjenigen, in welcher Eisenbahnen durch Schnee und Reparationen unbrauchbar wurden, wie 20 zu 1.

Wenn auch nicht zu erwarten steht, daß durch den neuen Handelsverein mit Preußen und durch die Erhebung der guten Stadt Paris zu einem Freihafen der Activhandel mit Oesterreich einen regeren Umschwung gewinnt, indem Oesterreich seine Colonialprodukte theils, und zwar größten Theils, über Hamburg auf der Elbe, theils über Triest, und in einem kleinen Theile seiner östlichen Provinzen über Danzig bezieht, so wird doch der Transitohandel aus Frankreich und aus den Niederlanden nach dem schwarzen Meere und in die neu organisirten Fürstenthü mer an der Donau seinen Weg durch Würtemberg finden. Der große Deutsche, der dem Bodensee und dem Rheine das erste Dampfschiff gab, wird auch seinem Vaterlande die erste Eisenbahn schenken. Ob diese nun in Würtemberg ihren An fang und ihr Ende finden soll; oder ob sie durch die Ebenen an der Donau von Ulm bis in das Lechfeld nach der Augusta Vindelicorum, von hier in die große Ebene Bayerns von Fürstenfeld bis nach Passau fortgesezt werden soll, wird uns die große Lehrmeisterinn, die Zeit lehren. A. d. Ue.

engl. Meilen. Neben dieser Eisenbahn läuft eine sehr gute Chaussee. Von der Sirhoway-Eisenbahn laufen mehrere Zweige zu verschiedenen Steinkohlengruben, eine zu den Romney-Eisengruben, andere zu dem Monmouth-Canal. Ein Pferd zieht auf dieser Eisenbahn 10 Tonnen (200 Ztr.) hinab, und geht mit dem leeren Wagen zurük. Der Parliaments-Act ist vom 42sten Regierungsjahre Georgs III.

Die Brinore-Eisenbahn ist ein Zweig der vorigen, und läuft über den schwarzen Berg (Black Mountain) in das Thal des Uske bei Brecon, und von da nach Haye am Flusse Wye. Durch diese Verbindung ist der Preis der Kohlen in den oberen Theilen von Herefordshire und Radnor um vieles wohlfeiler geworden.

Auch die Blaen-Avon-Eisenbahn führt an den Monmouthshire-Canal, und ist 5⅓ engl. Meilen lang. In dieser Streke fällt sie 610 Fuß bis zum Blaen-Avon-Hochofen.

Die Caermarthenshire-Eisenbahn beginnt an der Werfte des Hafens Llanelly an, und erstrekt sich 15 engl. Meilen weit durch ein reiches Steinkohlenland bis zu den Kalkgruben von Llanbedie. Gegen Osten laufen mehrere Seiten-Eisenbahnen zu den großen Kohlenwerken des Generals Waide. Auf dieser Eisenbahn wird Steinkohle, Eisen und Blei gefahren. Sie ist so alt, als jene von Sirhoway. Nach Hrn. Palmer's Versuchen zieht Ein Pfund auf dieser Eisenbahn nur 59 Pfund, wo sie eben läuft. (Siehe dessen Description of a Railway on a New Principle. 2 edit. S. 29.)

Die Oystermouth-Eisenbahn läuft von Swansea sieben Meilen lang längs der Küste hin bis zum Dorfe Oystermouth, und dient vorzüglich zur Förderung des Kalksteines. Sie ist aus dem 44sten Regierungsjahre Georgs III.

Die Abergavenny-Eisenbahn läuft vom Brecknock-Canal mittelst einer Brüke über den Uske nach Abergavenny. Von demselben Canale läuft ein Arm der Eisenbahn nach Uske und Haye, und mehrere andere gehen nach verschiedenen Kohlen- und Eisenwerken. Bei den Eisenwerken von Pontypool sind mehrere hohe schiefe Flächen.

Die Ruabon Brook-Eisenbahn fängt bei einem großen Teiche zu Pontcysylte am nördlichen Ufer des Flusses Dee an. Sie ist doppelt angelegt, steigt hinter Hrn. Hazledine's Eisenwerken sanft empor, und läuft durch eine Menge Eisengruben nach Ruabon Brook auf einer Streke von drei engl. Meilen.

Unter den Welsh-Railways wollen wir nur derjenigen erwähnen, die die Schieferplatten aus den Schieferbrüchen von Penrhyn fördert, indem sie von den übrigen Eisenbahnen abweicht. Die übrigen Eisenbahnen in Wales haben alle, beinahe ohne Ausnahme, flache

Schienen. Diese Eisenbahn, die von den Schieferbrüchen in Caernarvonshire nach Port Penrhyn führt, läuft auf einer Streke von 6¼ engl. Meilen hin, und ist in mehrere Absäze getheilt. Sie hat auf drei Fuß drei Achtel Zoll Fall; also 1 auf 96, und überdieß drei schiefe Flächen. Sie wurde im J. 1800 begonnen, und im Julius 1801 geendet. Ihre Schienen sind oval, aus Gußeisen, 4½ Fuß lang und zwei Fuß breit. Zwei Pferde ziehen 24 Wagen auf einem Absaze sechs Mal des Tages, und fördern so eine Last von 24 Tonnen (480 Ztrn.) auf jeder Fahrt oder 2880 Ztr. des Tages. Die Räder sind aus Gußeisen, 14 Zoll im Durchmesser und wägen 35 Pfd. (Repertor. of Arts III. Bd. S. 285. XIX. Bd. S. 16. (New Series) Nach Hrn. Palmer's Versuchen (Description of a Railway S. 29.) zieht Ein Pfund 78 Pfd., wo die Bahn eben ist, während auf den Kantenschienen zu Newcastle 1 Pfd. hundert und sechs und siebzig Pfunde zieht, was von den kleinen Rädern auf der Penrhyn-Eisenbahn herrührt. So unvollkommen diese Eisenbahn ist, so war sie von unendlichem Vortheile für die Besizer dieser Schieferbrüche, indem sie ihnen viele Menschen und viele Pferde ersparte.[140]) Die Wagen sind sehr niedrig und sehr bequem, um die Schieferplatten auf kleine Streken zu fahren: sie sind mehr Truhen als Wagen.[141])

LXV.

Beschreibung eines parabolischen Schallbrettes an der Kanzel der Attercliffe-Kirche.[142]) Von dem hochw. Hrn. Joh. Blackburn, M. D., Pfarrer zu Attercliffe-cum-Darnall.

Aus dem Philosoph. Magazine and Annals of Philos. N. 51. S. 21.

Mit Abbildungen auf Tab. VII.

Im J. 1826 wurde zu Attercliffe bei Sheffield eine neue Kirche nach T. Taylor's Plane erbaut. Sie bildet in ihrem Inneren ein recht-

140) Solche Eisenbahnen wären bei den großen Schieferbrüchen zu Solenhofen, bei den Steinbrüchen zu Kellheim und in der Nähe der Loisach höchst wohlthätig; wir zweifeln aber sehr, daß sie jemals daselbst werden errichtet werden. Es gibt gewisse Menschen, die ihrem Bruder eine Wohlthat zu erweisen glauben, wenn sie ihn vor einen Karren spannen und ziehen lassen, wie einen Esel: „so kann er sich doch etwas verdienen," sagen diese Menschenfreunde. Was man solchen Menschenfreunden für ihre Humanität schuldig ist, wird jeder Leser mit uns fühlen. A. d. Ue.

141) Es befremdet uns, daß bei der in den neueren Zeiten in England so allgemein anerkannten Wohlthat hoher Räder Hr. Hebert hier nicht bemerkt hat, daß, wenn auch die Räder 6 Fuß hoch sind, die Brüke doch so niedrig an denselben gehängt werden kann, daß man die schwersten Lasten leicht auf denselben aufzuladen und von denselben abzuladen im Stande ist. A. d. Ue.

142) Da man gegenwärtig so viele neue Kirchen baut, obschon die alten lei-

winkeliges Parallelogramm von 95 Fuß Länge und 72 Breite. Am östlichen Ende ist eine elliptische Vertiefung von 32 Fuß Weite und 10 Fuß Tiefe, so daß die ganze Länge der Kirche in der Mittellinie von Ost gen West 105 Fuß beträgt. Die Deke ist gewölbt und getäfelt, und der höchste Punkt in derselben im Schiffe ist 56 Fuß über dem Fußboden. An den Seiten und am westlichen Ende sind Gallerien.

Der Wiederhall in dieser Kirche war sehr kräftig; der Laut aber undeutlich und unvernehmlich, man mochte sprechen, wie man wollte. Alle Anstrengung, alle Mühe von Seite des Predigers, sich verständlich zu machen, war vergebens. Man machte mehrere Versuche diesem großen Unheile abzuhelfen, allein immer ohne Erfolg. Die Kanzel wurde an verschiedenen Punkten der Kirche angebracht, und obschon ihre gegenwärtige Stellung sich als die brauchbarste zeigte, so blieb doch selbst an dieser der allgemein beklagte Fehler. Man stellte sie nämlich in den mittleren Gang, 15 Fuß vor dem Altargitter. Sie bildet ein Achtek. Ihr Boden steht 9 Fuß hoch von dem Boden der Kirche. Eine Schnekentreppe führt zu derselben hinauf, und die Thüre ist an der Seite. Vorne ist das Pult und der Siz für den Clerk.[143]) Man versuchte das gewöhnliche horizontale Schallbrett, was allerdings für einige Stühle um die Kanzel nüzte, aber leider nur für diejenigen, welche dieser Beihülfe am wenigsten bedurften: im Ganzen war die Wirkung so entschieden nachtheilig, daß man es wieder herabnehmen mußte. Dieß erklärt sich auch aus dem Grundsaze, daß der Einfallswinkel dem Zurükprellungswinkel gleich ist.

Die Hauptsache war, einen deutlichen Laut auch in die entferntern Theile der Kirche gelangen zu lassen. Ich versuchte, unter der Voraussezung, daß dieses vielleicht möglich seyn könnte, wenn man den Schall, der sich nach rükwärts verlor und daselbst aus der gewölbten Deke wiederhallte, auffinge, und demselben zugleich eine gerade Richtung gäbe, die Parabel, die mir zu diesen Zweken geeignet schien,

---

der, leer bleiben, und mancher Prediger seine Brust so anstrengen muß, daß er zum Blutspeier wird, wenn er sich von der Kanzel aus vernehmlich machen will, so hoffen wir den Predigern durch Mittheilung dieses Aufsazes einen Dienst zu erweisen. Vielleicht gibt ihnen dieß zugleich Gelegenheit sich mit der Mathematik auszusöhnen, die einer ihrer Amtsbrüder (der ehemalige Pfarrer und geistliche Rath, P. Salat) in seinen philosophischen Werken so sehr verschrieen hat, und bringt sie zugleich zur Ueberzeugung, daß sehr oft die mathematische Parabel nothwendig ist, um die theologischen Parabeln hörbar zu machen. Auch auf der Tribüne der Deputirtenkammern würde ein ähnliches Schallbrett den ehrenwerthen Mitgliedern, die nicht zu den Schreiern gehören, gute Dienste leisten können.

A. d. Ue.

143) In den englischen Kirchen sizt immer der Capellan oder ein minderer Geistlicher (Clerk) unter der Kanzel, auf welcher der Pfarrer predigt.

A. d. Ue.

und der Erfolg hat meinen Hoffnungen und Erwartungen mehr als entsprochen.

Dankbar für dieses Resultat, und in der Meinung, daß die Aufmerksamkeit gelehrterer Mathematiker und Akustiker, als ich nicht bin, auf diesen Gegenstand gelenkt zu werden verdiente, und vielleicht interessante und wichtige Resultate gewähren könnte, schikte ich einen Aufsaz hierüber an die Royal Society. Seit dieser Zeit hat man mit allen möglichen Formen von Parabeln Versuche gemacht, und sich überzeugt, daß die Parabel am besten taugt. Ich theile die Resultate mit.

Das Schallbrett ist aus Fichtenholz. Es ist concav, und die Höhlung ist durch eine halbe Umdrehung eines Armes einer Parabel um ihre Achse gebildet.

Die Entfernung des Brennpunktes vom Scheitel ist = 2 Fuß.
Die Länge der Abscisse . . . . . . = 4 Fuß.
Die Länge der Ordinate auf der Achse . . = $\sqrt{32}$ Fuß
= beinahe 5,7; = Halbmesser des äußeren Kreises.

Die Achse ist unter einem Winkel von ungefähr 10 bis 15 Graden vorwärts gegen die Fläche des Bodens geneigt, und so hoch gestellt, daß der Mund des Predigers in den Brennpunkt kommt.

Unten ist zu jeder Seite ein kleiner krummliniger Ausschnitt weggenommen, damit man von der nördlichen und südlichen Gallerie aus den Prediger sehen kann: daher ist der äußere Kreis unvollkommen.

Fig. 6. zeigt die Kanzel von der Vorderseite, Fig. 7. von der Seite.

Diese Form ist nicht ganz unelegant. Die äußeren Kanten sind mit Schnörkeln und Laubwerk verziert, und oben auf ist ein Knopf. Die concave Oberfläche ist angestrichen, als ob sie mit Eichenholz ausgetäfelt wäre, und sieht, wie man sagt, gut aus. Von der unteren Kante des Himmels hängt ein Vorhang zu jeder Seite auf ungefähr 1½ Schuh herab, um den Laut aufzufangen, der unter dem Schallbrette entweichen, und dadurch Undeutlichkeit erzeugen könnte. Wir werden hierauf zurükkommen.

Durch diese Vorrichtung wird der Körper der Stimme bedeutend vergrößert, und gelangt kraftvoll an die entferntesten Punkte der Kirche, so daß, da man vorher kaum einen verständlichen Laut wahrnehmen konnte, dieser Nachtheil gegenwärtig gänzlich beseitigt ist.

Man verstand ehevor den Prediger selbst nicht in den Stühlen, die der Kanzel zunächst standen; in den entfernteren durchaus nicht; gegenwärtig hört man ihn überall.

Man sollte glauben, daß die Stimme in einer mit ihrer Achse parallelen Richtung zurükgeworfen wird. Denn, wenn A auf der Kanzel steht, und B zuerst in der westlichen Gallerie der Kanzel gegenüber stand, und später in den Seitengallerien, so hört B doch, obschon es in dem lezteren Falle näher bei A ist, entschieden besser, wenn es A gegenübersteht, d. h., weiter von A entfernt ist.

Die Seitengallerien scheinen mehr durch den verstärkten Körper der Stimme zu gewinnen, und durch die nachfolgenden Schwingungen in einer Seitenrichtung.

Es scheint auch, daß die Schwingungen, die von einem entfernten Punkte auslaufen, und sich nach der Richtung der Achse bewegen, von der parabolischen Oberfläche gegen den Brennpunkt zurükgeworfen werden. Denn, wenn A auf der Kanzel, und B an einem entfernten Punkte gegenüber von A steht, so kann B mit A durch Lispeln sprechen, während C, das zwischen beiden steht, die von B gelispelten Worte durchaus nicht wahrnimmt, obschon C hört, was A sagt. Ebenso hört A, wenn B in einer Entfernung von dem Schallbrette gegenüber spricht, während A ein Ohr gegen den Brennpunkt der Parabel hält, und das andere gegen B, die Stimme von B so deutlich, als ob sie ihm vor dem Ohre spräche; aber nur mit dem Ohre zunächst am Brennpunkte, also gerade in entgegengesezter Richtung, in welcher die Stimme, der Laut, sich bewegt.

Das Umgekehrte hat Statt, wenn A, während B auf der vorigen Stelle stehen bleibt, sein Gesicht gegen die parabolische Höhlung kehrt, und B den Rüken zuwendend, von dem Brennpunkte aus spricht. B wird A so deutlich vernehmen, als wenn lezteres sein Gesicht gegen ersteres gekehrt hätte. [144])

Wenn der Mund des Sprechers weit innerhalb oder außer, über oder unter dem Brennpunkte gehalten wird, so wird die Wirkung verhältnißmäßig vermindert. Indessen braucht der Sprechende doch nicht immer sich durchaus auf einen Punkt zu beschränken. Er kann es sich bequem machen, und wird doch noch immer die Vortheile des Himmels, der über seinen Kopf gespannt ist, wahrnehmen: so wie aber sein Mund sich dem Brennpunkte nähert, wird der Zuhörer ein Schwellen der Stimme wahrnehmen, das man nicht ganz unrecht (parvis componere magna!) mit dem sanften Crescendo einer Orgel vergleichen kann. Je größer die Entfernung zwischen dem Brennpunkte und dem Scheitel, desto weniger wird man diesen Unterschied wahrnehmen.

Dieses Schallbrett taugt für eine starke Stimme eben so gut, wie

---

144) Diese Eigenschaften der Parabel, und selbst in kleineren Räumen der Segmente der Ellipse, waren den alten Akustikern auf dem festen Lande sehr bekannt; man kannte sie sogar in Klöstern, wo die Unwissenheit zu Hause war. Man hat in gut gebauten Theatern den Souffleur so gestellt, daß er gegen die Höhlung einer Paraboloide spricht, die gegen die Bühne gekehrt ist, um nicht das Publikum mit seiner Stimme eben so sehr zu belästigen, als die Theaterprinzen und Prinzessinnen mit der Langmuth desselben durch ihre Faulheit Unfug treiben.
A. d. Ue.

für eine schwache; die leztere gewinnt noch an Stärke; in beiden Fällen bleibt die Deutlichkeit der Aussprache vollkommen erhalten. Dieß läßt sich vielleicht so erklären. Man nehme an, daß der Laut, der aus dem Brennpunkte ausgeht, in einer mit der Achse parallelen Richtung zurükgeworfen wird; man nehme an, daß die Schnelligkeit des Lautes gleichförmig ist; so werden die Schwingungen der Luft, die von dem Brennpunkte ausgehen und wo immer hin auf die parabolische Fläche fallen, in demselben Augenblike der Zeit auf eine auf die Achse senkrechte Fläche stoßen. Denn, nach den Eigenschaften der Parabel, sind die Summen der Entfernungen von dem Brennpunkte zur Paraboloide und von der Paraboloide zu der nach obiger Bestimmung gelagerten Fläche immer unter sich gleich. Man muß indessen zugestehen, daß die Geschwindigkeit des Lautes zu groß ist, als daß man sich gänzlich auf einen solchen Schluß verlassen könnte: so viel bleibt jedoch unbestreitbar, daß eine parabolische Oberfläche mit Vortheil als Schallbrett angewendet werden kann. Ob andere auf ähnliche Weise aufgestellte concave Oberflächen eben so gut dienen würden; [145]) ob ein anderes Material besser hierzu geeignet ist, als ein Brett aus Fichtenholz (pine), [146]) verdiente noch durch Versuche ausgemittelt zu werden. Es ist übrigens klar, daß, wenn das Schallbrett nicht mit mathematischer Genauigkeit verfertigt und mit eben derselben Genauigkeit aufgestellt wird, viel von der Wirkung verloren geht.

So lang, die Figur des Himmels über der Kanzel genau dieselbe blieb, war die Wirkung immer gleich vollkommen. Vielleicht ließe sie sich noch verstärken, wenn man die Paraboloide größer baute, oder, mit anderen Worten, wenn man sie nach vorne noch verlängerte; allein, die Entfernung des Brennpunktes von dem Scheitel, wodurch die krumme Linie bestimmt wird, muß von der Lage des Sprechenden abhängen, die nach dem Durchmesser der Kanzel verschieden seyn wird.

Der Umriß Fig. 8. stellt ein verbessertes paraboloidisches Schallbrett vor, welches durch eine ganze Umdrehung der Parabel um ihre Achse gebildet wird, sammt der Kanzel, dem Lesepulte, und dem Standorte für den Clerk. Ich habe das Modell hierzu verfertigt, und zugleich mit dem Schallbrette Fig. 6 und 7. der Society of Arts überreicht.

Die Verzierungen können nach dem Style, in welchem die Kirche

145) Viele Mathematiker haben die Hyperboloide vorgezogen, weil sie die Schallstrahlen noch weit mehr zerstreut; einer meiner Freunde hat eine logarithmische Krumme vorgeschlagen. A. d. O.

146) Einige haben Stein vorgeschlagen, oder ein Bretterwerk, das mit römischem Mörtel überzogen ist; indem eine solche Vorrichtung sich nicht schwingen und folglich den Schwingungen der Luft kräftig Widerstand leisten wird, von welchen der Laut abhängt. A. d. O.

erbaut ist, eingerichtet werden. Der Altar-Tisch könnte vorne angebracht seyn.

Der Laut würde von dem unteren Theile in derselben Richtung zurückgeworfen werden, wie von dem oberen, d. h. parallel mit der Achse, und die Wirkung würde wahrscheinlich doppelt so stark seyn, als an dem Schallbrette N. 1. Wahrscheinlich läßt sich auch noch eine Menge anderer Verbesserungen anbringen.

Wäre es, wo man eine Kirche neu erbaut, nicht zwekmäßig, dem östlichen Ende derselben die Form einer hohlen Paraboloide zu geben, und die Kanzel in den Brennpunkt derselben zu stellen? [147])

Das Schallbrett Fig. 6. wurde auf folgende Weise verfertigt. Die krumme Linie wurde zuerst nach folgender Methode gezogen. Auf der geraden Linie, LN, Fig. 14., wurde LA = AS = SN genommen. Aus dem Punkte A wurde die Senkrechte AB = AL gezogen, und B mit L verbunden. LB wurde dann bis C verlängert, und AN in eine beliebige Anzahl gleicher Theile bei a, b, c ꝛc. getheilt, und aus a, b, c, wurden a a, bb, cc ꝛc. parallel mit AB so gezogen, daß sie LC in a, b, c berührten. Man ließ nun gerade Linien = AB, a a, bb, cc ꝛc. sich um S als gemeinschaftlichen Mittelpunkt drehen, so daß sie AB in A, a a in p, bb in q, cc in r ꝛc. durchschnitten. Man verband nun A, p, q, r, s, t, und die erhaltene krumme Linie ward eine Parabel, deren Scheitel A, deren Brennpunkt S, und deren Achse AN ist; die Entfernung zwischen dem Munde des Sprechers und der hinteren Wand der Kanzel ist 2 Fuß = AS = SN = AL.

Ich füge eine andere Methode aus dem Mechanics' Weekly Journal N. 24 bei.

„Da die Parabel diejenige krumme Linie ist, welche am besten zur Zurükwerfung der Hize taugt, und daher zur Bildung von Metallspiegeln, Kamingewölben, Kuppeln in Schmelzöfen nothwendig ist, wollen wir eine der Fassungskraft der Handwerker angemessene Methode zur Verzeichnung dieser Linie angeben."

„Hr. Leslie beschreibt in seinem Enquiry into the Nature and Propagation of Heat die Verfertigung einer Schablone zu Metallspiegeln auf folgende Weise."

„Es sey AB, Fig. 15., die äußerste Breite und CD die verlangte Tiefe. Man theile AB in 20 Theile und ziehe senkrechte Li-

147) Dieß ist nur bei evangelischen Kirchen möglich, wo der Altar vor der Kanzel seyn kann; in katholischen, wo die Predigt Nebensache ist, und die Messe die Hauptsache, ist in den meisten ohnedieß durch eine Art von Paraboloide um den Hochaltar für Verbreitung der Stimme des an demselben singenden Priesters gesorgt. A. d. Ue.

nien aus jedem Theilungspunkte. Man nehme die Tiefe CD als 100 an. Man mache nun die nächste Ordinate oder Senkrechte = 9×11, d. i. = 99 auf demselben Maßstabe, was durch die Linien-Linie auf einem Sector-Lineal leicht geschehen ist; ferner die nächste Ordinate zu jeder Seite = 8 × 12, = 96 u. s. f.: diese Zahlen verhalten sich wie die Rechteke der Segmente, in welche CD getheilt ist.“ [148])

Es wurde ein Gerüst aus drei Halbkreisen (Fig. 12.) KL, MN, PZ errichtet, welche senkrecht auf der Achse der Parabel so befestigt wurden, daß diese durch die Mittelpunkte derselben lief. Nachdem dieß geschehen war, wurden drei parabolische Sectoren (Fig. 9.) AB, AC, AD, aus einem drei Zoll diken Fichtenbrette ausgeschnitten, und so gestellt, wie man in Fig. 9. sieht, die Spize nach dem Boden gekehrt. Sie wurden in zwei Querrippen, EF, GH eingelassen, die aus zähem, schon von Natur aus gekrümmtem Holze ausgeschnitten wurden, damit man nicht gegen die Richtung der Fasern schneiden durfte, und an jedem Ende mit einem Schwalbenschweif-Ausschnitte versehen waren, um die drei Sectoren fest in ihrer Lage zu erhalten. Die Räume zwischen IC, CB, BD, DK wurden mit Sectoren aus 1½ Zoll dikem Holze ausgefüllt, aufgenagelt und gut zusammengeleimt. Zulezt wurde die innere Fläche gepuzt und mit dem Sector (Fig. 14.) geprüft. In regelmäßigen Entfernungen wurden (Außen und Innen) drei eiserne Platten oder Bänder eingelassen, und gehörig mit Schrauben befestigt. Die horizontale Kante, IAK, wurde mit zwei Sectoren aus hartem Holze vollendet, und die hintere Seite, wo die Spizen vorzüglich zusammenstießen, mittelst eines zähen Zoll diken Brettes verstärkt. Dieses Schallbrett wurde nun an der hinteren Wand der Kanzel mittelst Schrauben-Bolzen und Nieten befestigt, und in der Nähe seines Schwerpunktes mittelst einer eisernen Stange, die oben von der Deke herablief, festgehalten.

Das Holz war gut ausgereift und wurde sechs Wochen lang in der Nähe eines Ofens aufbewahrt. Das Schallbrett hängt nun neun Monate lang, und hat durch die Witterung nicht gelitten.

Fig. 10 und 11. zeigt die Querrippen EF, GH in Fig. 9.

Fig. 13. stellt einen parabolischen Sector von verlangter Concavität dar.

Fig. 16. stellt einen parabolischen Sector dar, dessen Convexität

---

148) Weit leichtere, einfachere und genauere Methoden zur Verzeichnung von Parabeln hat Hr. Hofr. Parrot uns schon vor 30 Jahren auf dem festen Lande gelehrt. A. d. Ue.

mit der Concavität von Fig. 13. correspondirt. Er dient zur Prüfung der Arbeit, wenn diese vollendet ist, wo man ihn dann auf dem Punkte A um seine Achse AZ dreht.

LXVI.

Schornsteine ohne Schornsteinfeger zu kehren.

Aus dem Repertory of Patent-Inventions. April 1829. S. 232.

Mit einer Abbildung auf Tab. VI.

„Wenn man berechnet, „sagt der Einsender," daß viele Schornsteine nur 9 Zoll auf 14 im Gevierte in der Weite haben, so muß ein kalter Schauder uns überlaufen, so oft wir bedenken, daß menschliche Wesen, Kinder in ihrem Wachsthume, durch solche enge Räume durchgejagt werden, und es wäre zu wünschen, daß die Gesezgebung diese Barbarei verböte und bestrafte, sobald es möglich ist die Schornsteine *auf eine andere* Weise zu reinigen." [149])

„In Schottland kehrt man die Schornsteine zuweilen dadurch, daß man einen Bündel Ginster oder Stechpalmen mittelst eines Seiles oben durch den Schornstein herabläßt, und dann in demselben hin und her zieht. In vielen Gegenden Englands kehrt man auf dieselbe Weise. Diese Kehrmethode wurde seit einigen Jahren dadurch sehr verbessert, daß man sich einer biegsamen Stange bedient, die aus mehreren leicht zusammenzufügenden Stüken besteht, an diesen die Stechpalmen oder den Ginster befestigt, und damit in den Schornstein hinauffährt, so daß das gefährliche Hinaufklettern auf das Dach zum Herablassen der Leine durch den Schornstein gänzlich vermieden wird."

„Dieser leztere Apparat hat selbst wieder, sowohl in Hinsicht auf die Stangen als auf die Kehrbesen, mehrere Veränderungen erhalten. Die Besen erhielten eine zahllose Menge von Formen, und die Stange wurde in ihren einzelnen Stüken der Länge nach in der Mitte durchbohrt, so daß man einen Strik durch diese Röhren ziehen und sie zur Stange zusammenbinden konnte, während sie im Schornsteine hinaufgeschoben wurde. Allein alle diese Verbesserungen hatten, abgesehen von dem gewöhnlichen Baue der Schornsteine, der sie oft ganz unbrauchbar macht, ihre Fehler, von welchen die wichtigeren folgende sind. 1) Wenn die Stange nicht die gehörige Dike hat, so kann der Besen nur klein seyn, und wird folglich nicht gehörig

149) Die Geseze in England, die schlechtesten in der Welt, so sehr sie auch gepriesen werden mögen, kümmern sich um Menschenleben wenig, nur um Taxen. Wir haben schon öfters von den menschenfreundlichen Gesellschaften zu London zur Abstellung des Kindermordes durch das Schornsteinfegen gesprochen. Erst im vorigen Hornung verbrannten lebendig, erfielen sich und erstikten drei kleine Schornsteinfegerknaben zu London. A. d. Ue.

kehren. 2) Ein größerer Besen wird bei der weiteren Oeffnung des Schornsteines allerdings leicht eingeführt werden können, um aber bis zu dem obersten Ende des Schornsteines hinauf zu gelangen, muß die Stange sehr stark seyn, sonst bricht sie. 3) Wenn man einen großen, oder nur einen mittelmäßig großen Besen braucht, so muß man sorgfältig darauf Acht geben, daß ein Zeichen gegeben wird, sobald der Besen oben am Schornsteine durch ist, besonders wo Kappen oben aufgenagelt sind. 4) Während der Besen in die Höhe geschoben wird, geräth das zur Aufnahme des Rußes bestimmte Tuch mehr in Unordnung, als wenn man denselben herabzieht, und doch wirkt gerade im ersten Falle der Besen auf diejenigen Stellen, wo der Ruß am dikſten sizt. Diese Bemerkungen beziehen sich auf alle bis jezt öffentlich bekannt gemachten Vorrichtungen zum Schornsteinkehren, und gelten entweder einzeln oder alle zusammen von jeder derselben."

„Nach meiner Art kann ein großer Besen eben so leicht und in eben so kurzer Zeit in den Schornstein hinaufgeführt werden, als ein kleiner, indem die Stüke, aus welchen die Stangen bestehen, sehr leicht durch die Hand laufen. Bei Vergleichung der Ursachen, warum ein Besen, wenn er etwas groß ist, schwer in den Schornstein hinauf-, aber leicht herabgeht, fand ich, daß wenn man dem Besen eine Art von Band gibt, er eben so leicht hinauf-, als herabgehen muß; und darauf gründete ich eine Vorrichtung, die meinen Erwartungen entsprach. An meinem Apparate sind alle Stüke an den Gefügen beweglich, bis man endlich einen Ring über dieselben zieht, der sie befestigt. Der Besen ist in eine Hülle eingeschlossen, und nimmt dann wenig Raum ein: diese Hülle wird durch Ringe und ein Ende eines langen Kupferdrathes festgehalten. Wenn meine Vorrichtung in Ordnung gebracht ist, läßt sie sich sehr leicht und schnell in dem Schornsteine hinaufführen, und eben so leicht wieder zurükführen, wenn sie zu hoch hinaufgekommen wäre. Sobald sie auf die gehörige Höhe gekommen ist, zieht man an dem Drathe, die Binde um die Hülle wird los, die Fischbeine, aus welchen der Besen besteht, öffnen sich, in Folge ihrer Elasticität, nach auswärts, und die Bürste fällt dann entweder von selbst herab, oder wird mittelst des Drathes und einer an demselben befestigten Schnur herabgezogen. Auf diese Weise kann man einen großen Besen, der weit besser kehrt, leicht anwenden, und seine Arbeit fängt von oben an."

„Die Stange kann nun sehr leicht gebaut werden, da der härteste Theil ihrer Arbeit, das Hinaufschieben des Besens, von ihr genommen ist. Ich habe aber noch einen anderen Vortheil bei meiner Einrichtung, der eben so wichtig ist; das Tuch nämlich, welches den Ruß auffängt (oder der sogenannte Vorhang) und so eingerichtet ist, daß kein Stäubchen Ruß herabfallen kann, und die Maschine dadurch doch nicht in ihrer Arbeit gehindert wird. Es ist so einfach und so leicht anzuwenden, daß man es auf keine andere Weise bequemer und schneller brauchen kann; wenigstens ist dieß nicht der Fall mit den geknöpften Vorhängen, welche der Schornsteinfeger nie gehörig einknöpft, und wodurch er, zuweilen absichtlich, alle Kehr-Apparate bei den Parteien in Mißcredit bringt. Diesen Vorhang werde ich unten beschreiben."

„Fig. 22. stellt den ganzen Apparat in seiner Vollkommenheit dar. Er besteht aus einer Menge von Stüken, die der Länge nach in ihrer Mitte durchbohrt sind: das Loch, in welches der Drath eingezogen wird, befindet sich ungefähr zwei Zoll weit von den Enden eines jeden Stükes. Diese Drathe sind unter einem beweglichen Ringe verbunden und halten die Stüke zusammen, während sie bei der Arbeit herabgezogen werden. Von den ersten zwölf Stüken zunächst am Besen mag jedes Einen Fuß lang seyn. Die folgenden zwölf Stüke können jedes anderthalb Fuß lang seyn. Die übrigen (die Stange mag so lang seyn, als sie will) dürfen nie über zwei Fuß lang seyn. Die Durchmesser am Ende des Holzes sind ungefähr drei Viertel Zoll, und die Zunahme oder Verdikung, die den Ring vor dem Auf- oder Absteigen hindert, braucht nicht viel mehr als die Metalldike zu betragen."

„Fig. 23. zeigt das obere und untere Ende zweier solchen Stangenstüke vergrößert, um die Art zu zeigen, wie die Gefüge gebildet sind. Bei a, a, sind Löcher zur Aufnahme des Drathgewindes, b b, durchgebohrt, welches dadurch gebildet wird, daß man ein gerades Stük Drath in das Loch, a, des Stükes, dd, bringt, und dasselbe in die Figur ebb biegt, (Fig. 24.). Das Stük cc wird dann dicht auf das Stük, d, d, gesezt, der Drath bei e offen gestrekt, und die beiden Enden des Drathes in das Loch a des Stükes cc eingefügt, worauf der Ring, cc, über diese ganze Vorrichtung gezogen wird." [150])

„Fig. 24. ist das Drathgewinde, dessen Seiten vier bis fünf Zoll lang seyn können, während der Ring sechs Zoll lang ist."

„Fig. 25. die lederne Hülle, die das Fischbein des Besens umhüllt und zusammenhält. aa ist eine Reihe von Knopfblechen. bb, eine Reihe kleiner in das Leder eingelassener Ringe. cccc vier lederne Spizen, deren jede an ihrem Ende mit einem Ringe versehen ist."

„Fig. 26. ein doppelter Kupferdrath, der durch die Ringe durch-

---

150) Diese Beschreibung ist nicht deutlich, und für jeden Fall ist die ganze Vorrichtung zu zusammengesezt, zu langweilig, und doch nicht fest genug. A. d. Ue.

gezogen wird, nachdem diese durch die Knopfbleche oder Knopflöcher durchgezogen wurden."

„Fig. 27. die Hülle auf dem Besen aufgezogen. Die oberste Reihe der Besenreise steht frei heraus, und die Enden des Kupferdrathes, a a, sind durch die Ringe, c, c, c, c, gezogen, und halten die vier ledernen Spizen nieder. e, ist ein starker messingener Glokendrath, von der Länge der Stange, oder noch länger. Ein Ende desselben ist in dem Auge des doppelten Drathes befestigt, und eine kleine Kette oder Schnur, f f, ist an diesem und an der Hülle festgemacht, wodurch, wenn der Drath aus den Ringen gezogen wird, dieses Kettchen oder die Schnur die Hülle festhält." [151])

„Fig. 28. ist der Vorhang vor dem Kamine. Ein rundes Loch ist in der Mitte desselben ausgeschnitten, und an den Rand desselben der obere Rand eines weiten Sakes angenäht, n, welcher sich in einen Aermel endet, h. Das Stük der Stange zunächst unter dem Besen wird innenwendig durch den Aermel durchgeschoben (von der Seite des Kamines heraus) und an dieses Stük werden nach und nach die übrigen befestigt. Da die untere Oeffnung des Aermels klein ist, so schließt sie die Hand leicht, wenn dieselbe die Stange bei dem Kehren an diesem Orte pakt. Der weite Sak dient dazu, um die Stange auch senkrecht zu führen, da man öfters weit in den Schornstein hinein mit derselben fahren muß."

Fig. 29. zeigt die Art, wie dieser Apparat gebraucht wird. Die Stüke ABCDEFG werden in dem Zimmer, in welchem man den Kamin kehren will, quer neben einander hingelegt, und wenn der Boden mit einem Teppiche belegt ist, wird denselben ein altes Tuch untergebreitet. Nachdem die Stange A in den Schornstein hinaufgebracht und das Ende h in die Hand gebracht wurde, wird der Drath von B aufgezogen oder ausgestrekt, und in die Löcher von A eingefügt, der Ring darüber herabgezogen, und auf ähnliche Weise mit den übrigen Stüken verfahren, nur daß der Ring abwechselnd hinaufgezogen und herabgeschoben werden muß. Der Ring i wird dann den Drath C bedeken, u. s. f. mit k, l, m, bis n über G kommt."

„Wenn man die Stüke immer in derselben Ordnung brauchen will, und es sollten deren 8 seyn, so braucht man nur die ersten vier Stüke mit den Zahlen 1, 2, 3, 4, zu bezeichnen, und eine Kerbe darunter zu schneiden, die anderen mit 1, 2, 3, 4 und einem kupfernen Nägelchen zu bezeichnen.

„Beim Tragen kann man diese Stangen in Stüke von 6 Fuß Länge

---

151) Es ist offenbar, daß alle diese Vorrichtungen viel zu zusammengesezt und viel zu langweilig sind. A. d. Ue.

zusammenbringen, und in ein enges Futteral steken, nachdem man die Bürste abgenommen hat."

„Wenn die Stange auch 70 Fuß lang seyn sollte, so läßt sie sich doch leicht paken und transportiren: jeder Junge kann sie in einer Hand tragen. Der Vorhang schließt so genau, daß man bei Anwendung desselben den Kamin eines Sizzimmers gekehrt hat, ohne daß es nöthig gewesen wäre den Fußboden wegzunehmen." [152])

---

152) Es sey uns erlaubt über diesen Apparat und über das Kehren des Schornsteins überhaupt, wo man mit Steinkohlen heizt, einige Bemerkungen beizufügen: denn es ist ein wesentlicher Unterschied, bei dem Kehren der Kamine, wenn mit Steinkohlen oder Torf, und wenn mit Holz, vorzüglich mit weichem, harzigen Nadelholze, geheizt wird. In den lezteren wird es wohl nie möglich seyn, mit Besen allein zu kehren, und man wird immer die Kraze (die Keke) brauchen. Es wird also eine Menschenhand nothwendig seyn, die das Pech abkrazt, abschlägt. So mühselig auch das Handwerk der Schornsteinfeger, und so gefährlich es ist, so wird es doch in Ländern, wo man Holz brennt, schwerlich durch Maschinen zu ersezen seyn. Wären indessen die Oefen und Feuerherde in den Ländern, in welchen man Holz auf dem Herde und im Ofen gewöhnlich mehr verwüstet, als verbrennt, so eingerichtet, daß sie ihren Rauch selbst verzehren, so könnte man die Schornsteine so einrichten, wie man sie in England und Holland hat, sehr eng. Wenn man sich über die oben angegebene Enge der Schornsteine in England wundert, so sollte man sich noch mehr darüber wundern, daß sie noch so weit sind; denn es ist durchaus kein pyrotechnischer Grund vorhanden, warum sie nicht noch weit enger, warum sie nicht eine Röhre von einem halben Schuhe im Durchmesser seyn könnten, die sich unten über dem Herde oder im Ofen trichterförmig erweitert. Es ist eine bekannte Sache, daß enge Schornsteine besser ziehen, als weite, und daß viele Schornsteine bloß darum rauchen, weil sie zu weit sind. Wie enge Schornsteine seyn können, und wie gut sie sind, wenn sie eng sind, sieht man am besten in Glashäusern. Unsere Baumeister haben indessen, sowohl in Ländern, wo man Holz brennt, als in Ländern, wo man Steinkohlen und Torf brennt, ihr bestimmtes Normale für Schornsteine, von welchem sie eben so wenig abweichen, als von ihrem Normale für Abtritte ꝛc. Unsere Baumeister sind wie gewisse Aerzte, und wie weiland Pontius Pilatus, und sagen mit diesem: „wir haben ein Gesez und nach dem Geseze muß er sterben." Von Pyrotechnik können unsere Baumeister, in der Regel, kaum das Wort, viel weniger die Sache, und so wird noch wohl manches Wasser durch den Rhein und durch die Themse laufen, bis man dort, wo man mit Steinkohlen und Torf heizt, Gußeisenröhren oder auch nur Blechröhren von 1/2 Fuß im Durchmesser, die man mit Ziegeln ummauert, zum Schornsteine macht. Eine Hauptursache der unendlichen Mängel und Gefahren beim Kehren der Schornsteine liegt im Baue der Schornsteine selbst: wenn denselben abgeholfen werden soll, muß eine Radical-Reform im Baue der Schornsteine selbst vorgenommen werden. Da es indessen mit dieser Radical-Reform vielleicht noch länger hergehen dürfte, als mit der Parliaments-Reform, so wollen wir, um nicht für einen Radicalen-Schornsteinfeger zu gelten, die Schornsteine so nehmen, wie sie sind, und nur obigen Apparat vereinfachen.

Das Erste, was an demselben zu vereinfachen ist, sind die Gefüge, und das einfachste, wohlfeilste und am leichtesten anzuwendende Gefüge ist dasjenige, dessen jener ehrenvolle Stand sich so häufig bedient, bei welchem Alles einfach, wohlfeil und leicht zu handhaben ist und seyn muß: wir meinen das Bayonettgefüge. Wenn die Enden der Theile der Stange durch Bayonettgefüge verbunden werden, so ist man längstens in drei Minuten mit dem Aufeinandersezen der acht Stangentheile fertig, während man, bei obiger Drathverbindung, gewiß eine Viertelstunde zu thun haben wird. Das Bayonettgefüge dauert Menschenalter aus, und das Drathgefüge bricht vielleicht beim dritten Kehren.

Die Hülle mit ihren alttestamentischen Ringen und Knopflöchern ist ganz überflüssig. Wenn man den Bündel Fischbein mit einem Ringe schließt, der aufspringt, sobald man an demselben zieht, so ist er fest genug gebunden, und al

LXVII.

Ueber die Anwendung und Verbesserung des Gußeisens. Von Hrn. Daniel Treadwell, Mechaniker in den Vereinigten Staaten N. Amerik.

Aus dem Boston Journal of Science. In Gill's technological and microscop. Repository. Bd. V. N. IV. S. 222.

Der häufige Gebrauch, den man heute zu Tage von Gußeisen selbst zu Zweken macht, an welche man vor wenigen Tagen noch gar nicht dachte, gibt jeder Untersuchung der Eigenschaften und der Verfertigung desselben einen gewissen Grad von Wichtigkeit. Gußeisen ist heute zu Tage nicht mehr bloß das Material zu unserem Küchengeschirre und grobem Hausgeräthe; es wird nicht bloß beinahe ausschließlich zu Maschinen aller Art verwendet; man baut heute zu Tage Häuser [153]) und Schiffe aus Gußeisen, und Straßen und Brüken. Es gibt in England allerdings Verhältnisse, die einen weit ausgedehnteren Gebrauch des Gußeisens begünstigen, als bei uns (in den Vereinigten Staaten Nord-Amerikas). Eisen und Steinkohlen sind in England im Ueberflusse, während das Holz daselbst theuer und selten ist. Wir, in Neu-England, haben dafür keine guten Steinkohlen, aber große Wälder von Bauholz.

Indessen ist der Gebrauch des Gußeisens zu Maschinen bei uns ziemlich allgemein geworden. Ohne Gußeisen könnten die Erfindungen unseres Zeitalters gar nicht ausgeführt werden. Eine Maschine aus Holz, das beständig dem Schwellen, Schwinden und Werfen unterworfen ist, so oft der hygrometrische Zustand der Atmosphäre sich ändert, ist immerdar in Gefahr in Unordnung zu gerathen. Man kann sagen, daß eine Maschine aus Holz morgen ein ganz anderes Ding ist, als sie heute war; daß sie sich selbst nicht zu erhalten weiß. Eine Maschine aus Gußeisen bleibt hingegen immer dasselbe Ding, und die Ausdehnungen und Zusammenziehungen derselben bei Wechsel der Temperatur sind unbedeutende Kleinigkeiten.

---

das Urim und Thumim ist überflüssig. Solcher einfachen Ringe, die durch einen leichten Zug oder Druk aufspringen, haben wir nach Duzenden in der Mechanik. Es bedarf aber nicht einmal eines solchen Ringes, sondern nur eines starken Bindfadens oder einer Schnur, mit welcher man eine Zugschleife um den Besen anlegt, die man durch bloßes Ziehen an dem bis zur untersten Stange herabreichenden Ende dieser Schnur leicht und sicher öffnen kann.

Ob Fischbeine das zwekmäßigste Material sind, zweifeln wir sehr. Zurükgebogene Stahlfedern, auf welchen, sey es nun Fischbein oder sogenanntes Spanischrohr, befestigt wäre, oder anderes festes elastisches Reisig, scheinen besser zu taugen. Der Besen muß im Zurükziehen kehren, nicht im Hinausschieben, und dabei immer gedreht werden: er muß schwer zurükgehen. A. d. Ue.

153) Man hat den Uebersezer verhöhnt, als er vor 8 Jahren im Polyt. Journ. von Häusern aus Gußeisen sprach. Was man in Europa verhöhnt, wird in Amerika ausgeführt. Es ging selbst den Dampfbothen nicht besser. A. d. Ue.

Es bleibt indessen noch Manches zu thun übrig, um das Gußeisen bei uns zu vervollkommnen. Leider wird es, so schlecht es auch seyn mag, so sehr gesucht, daß sich kaum erwarten läßt, daß unsere Eisenhütten- und Gußmeister der Verbesserung ihrer Arbeiten die gehörige Aufmerksamkeit schenken werden. Der senkrechte Guß ist in den Gießereien in unserer Nachbarschaft noch nichts weniger als gemein, obschon er Vortheile gewährt, die so allgemein anerkannt sind, daß er längst hätte allgemein eingeführt werden sollen. Man hat durch Versuche erwiesen, daß die Stärke einer senkrecht gegossenen Eisenstange sich zu jener einer horizontal gegossenen, wie 1218 zu 1166 sich verhält; sie ist überdieß weit weniger blasig und weit weniger jenen Mängeln ausgesezt, die so oft alle Berechnung und alle Geschiklichkeit des Mechanikers zu Schanden machen. Diese Vorzüge der senkrecht gegossenen Eisenstange sind nicht, wie man sagt, die Wirkung der bloßen Lage, sondern des Drukes der senkrechten Metallsäule. Wenn dieser Druk noch durch die Schwere eines fremden äußeren Metalles vermehrt wird, so wird der Guß noch kräftiger, oder, wie man sagt, gesunder. Man hat diesen Grundsaz erst neuerlich so weit getrieben, daß man den Guß durch mechanische Mittel preßte.

Man hat das Gußeisen in drei verschiedene Arten getheilt, in weißes, graues und schwarzes; allein diese Arten gehen in jedem Grade so sehr in einander über, daß manches derselben weder zur einen noch zur anderen Art zu gehören scheint. Der weiße Guß ist hart und brüchig, und es scheint, daß man noch nicht recht weiß, woher dieß kommt. Der schwarze Guß ist dagegen weich und mürbe, und trägt alle Spuren einer zu großen Menge Kohlenstoffes an sich. Der graue Guß, oder, wie man ihn zuweilen nennt, das Kanonenmetall, ist den beiden übrigen zu jedem Zweke vorzuziehen; es ist weich genug, um der Feile nachzugeben, und ist doch dabei stärker, als die beiden anderen.

Gußeisen sollte, wo man es zu Maschinen oder zu Gebäuden verwendet, niemals einem Gewichte oder Druke unterworfen werden, der eine bleibende Veränderung in der Figur desselben, oder, wie es die Arbeiter nennen, ein sogenanntes Sezen erzeugt. Da dieß nur bei einer Veränderung der Verhältnisse der lezten Theilchen gegen einander geschehen kann, so wird eine kleine Vermehrung einer Kraft, die bereits hinreicht, diese Veränderung zu erzeugen, auch hinreichend seyn, dieselbe so sehr zu vergrößern, daß endlich alles Verhältniß unter diesen Theilchen aufhören muß. Obschon man diese Bemerkung als Grundsaz gelten lassen kann, so findet dieser Grundsaz jedoch in der Anwendung seine Gränze, welche von der Gestalt und Größe der

Stange, von der Art des Eisens und von der Richtung der Kra abhängt. Es scheint bei einigen Körpern der Fall zu seyn, vorzü lich bei solchen, welche ein krystallinisches oder glasiges Gefüge h ben, daß, wenn sie stark gespannt werden, oder wenn ihre Theilch einmal über einen gewissen Punkt hinaus von einander entfernt sin die Trennung derselben vollkommen wird. Dieser Punkt steht im Ve hältnisse mit ihrer Elasticität, d. h. mit derjenigen Kraft, durch welc sie in ihre vorigen Verhältnisse gegen einander, oder abstände von ei ander zurük zu treten vermögen. Bei diesen kann keine bleibende Ve änderung in ihrer Figur erzeugt werden; der Bruch ist die Folge d Anwendung einer jeden Kraft, die ihre Elasticität zerstört.

Die harte Art des Gußeisens nähert sich diesem glasartigen G füge, und man hat bei dem Gebrauche desselben den bedeutenden Vo theil, daß, wenn diese Art von Gußeisen bricht, sie auf der Stel bricht, während, bei den weicheren Arten von Gußeisen, die eine bleibenden Veränderung ihrer Figur fähig sind, der Bruch oft dan erst erfolgt, wann die Kraft einige Zeit über zu wirken fortfuhr. Wen nun eine Kraft auf dieses Eisen wirkt, die im Stande ist eine solch Veränderung zu erzeugen, und eine Zeit lang forgesezt wirkt, ode wenn die Richtung, unter welcher sie wirkt, beständig wechselt, wi dieß bei Maschinen oft der Fall ist, so wird am Ende ein Bruch zum Vorscheine kommen. Es hängt indessen sehr viel von der Gestalt de Stange ab; und von der Richtung der Kraft, wenn diese beständig ist. So kann an einer Gußeisenstange, wann die Kraft quer an der selben angebracht und das Eisen weich ist, eine Veränderung in de Entfernung der Theilchen über die Gränze ihrer elastischen Kraft hin aus Statt haben, ohne daß diese Theilchen ihre Zusammenhangsan ziehung (cohesive attraction) verlieren. In diesem Falle erleiden di Theilchen in der Mitte der Stange keine Spannung, bis nicht di Stange etwas gekrümmt wird, wo sie dann noch eine stärkere Kraf auszuhalten vermögen, ehe die äußeren Theile bis auf den Brech punkt gespannt werden. In jenen Fällen hingegen, wo die Richtung des Bruches unter einem rechten Winkel auf die Richtung der Kraf steht, gilt der oben aufgestellte Grundsaz, nämlich, daß die angewen dete Kraft nicht hinreichen darf eine bleibende Veränderung in der Figur zu erzeugen. Doch dieß könnte vielleicht zu tief aus dem dunk len Abgrunde der lezten Atome gegriffen seyn, und wir hoffen, daß man uns entschuldigen wird, wenn wir obige Thatsachen auf diese Weise unter einander verbanden.

Bei Gußeisenstüken, welche eine Spannung oder eine Gewalt nach der Quere erleiden müssen, macht man gewöhnlich die Tiefe an mehrere Male größer, als die Breite, indem man allgemein annimmt, daß die Stärke sich wie das Quadrat der Tiefe multiplicirt mit der Breite verhält. Allein, nach den Versuchen des berühmten sel. Hrn. Rennie (Phil. Trans. P. 1. 1828.), galt diese Regel bei einer Eisenstange von 4 Zoll Tiefe und ¼ Zoll Breite nicht ganz, obschon sie derselben ziemlich nahe kam, und dieser Herr hält es für offenbar, daß das System des Stellens auf die Kante (deeping) beinahe seine Gränze erreicht hat.

Versuche über die absolute Stärke des Eisens wurden von mehreren Physikern sowohl als Mechanikern angestellt. Die oben erwähnten Versuche des Hrn. Rennie verdienen alle Aufmerksamkeit: sie wurden mit einem Apparate angestellt, der ganz geeignet war genaue Resultate zu liefern. Sie zeigen die Kraft, mit welcher das Eisen dem Zusammendrüken widersteht; die Kraft, mit welcher dasselbe dem Drehen widersteht; die Zähigkeit desselben, wenn die Kraft an demselben in der Richtung seiner Achse, und wenn sie unter rechten Winkeln auf dieselbe angewendet wird.

Seine Versuche in Hinsicht auf die Kraft, mit welcher das Eisen dem Zusammendrüken widerstrebt, gaben folgende Resultate. Würfel von einem Achtelzoll, aus der Mitte eines großen Blokes genommen, wurden von einem Gewichte von 1440 Pfd. zerquetscht; und, was etwas anomal zu seyn scheint, bei mehreren Versuchen mit Würfeln von derselben Fläche mit dem vorigen, aber von einer größeren Höhe, wurde die Kraft, die zum Zerquetschen derselben erforderlich war, vergrößert. Würfel von einem Viertelzoll wurden im Durchschnitte von keiner geringeren Kraft, als von 10,351 Pfd. zerquetscht. Die Kraft des Widerstandes verhält sich, wie man erwarten konnte, nicht wie die Fläche, sondern stieg in einem noch rascheren Verhältnisse.

Hr. Rennie führt nur zwei Versuche über Gußeisen an, um die Kraft zu bestimmen, mit welcher dasselbe eine Last zu tragen vermag, die unmittelbar an den Enden der Stange aufgehängt ist. Diese Versuche wurden mit einer Stange von 1/16 Zoll Fläche angestellt, und gaben ein Mittel von 1193 Pfd.; also 19,088 Pfd. auf den Zoll. Nach Müschenbroeck's Versuchen trägt eine Stange von Einem Zoll Fläche 63286 Pfd. Hr. Rennie hat gefunden, daß wenn Stangen von einem Viertelzoll im Gevierte mit einem Ende in einem Schraubenstoke festgehalten werden, und ein drei Fuß langer Hebel an derselben so angebracht wird, daß man sie drehen oder winden kann, sie eine Kraft von 9 Pfd. an den Enden des Hebels auszuhalten vermag.

Seine Versuche über die Stärke einer Eisenstange, mit welcher dieselbe einer quer auf sie angebrachten Kraft zu widerstehen vermag, gaben folgende Resultate. Eine Stange von einem Zoll im Gevierte brach unter einem Gewichte von 1086 Pfd., wann die Stüzen, welche sie zu beiden Seiten trugen, 2 Fuß 8 Zoll von einander entfernt waren; als diese Stüzen nur Einen Fuß vier Zoll von einander entfernt waren, brach eine Stange von derselben Größe unter 2320 Pfd. Eine Stange von zwei Zoll Tiefe und einem halben Zoll Dike bei zwei Fuß acht Zoll Länge brach unter 2185 Pfd., und als die Stüzen Einen Fuß vier Zoll weit von einander standen, brach sie mit 4508 Pfd. Dreiekige Prismen, deren Querdurchschnitt dieselbe Fläche mit den vorigen Stüken hatte, brachen unter 1437 Pfd., wenn einer der Winkel nach oben gekehrt war, und mit 840 Pfd., wenn der Winkel nach unten gekehrt war: in beiden Fällen standen die Stüzen 2 Fuß 8 Zoll von einander. Stangen, die drei Zoll tief und ein Drittelzoll dik sind, und vier Zoll tief und ein Viertelzoll sind, forderten die eine 3588 Pfd., und 3979 Pfd. die andere um zu brechen, wenn die Stüzen 2 Fuß 8 Zoll von einander waren. Hr. Rennie wiederholte auch den paradoxen Versuch des Hrn. Emerson, und fand ihn bestätigt, nämlich daß, wenn die Kraft auf eine Seite eines dreiseitigen Prismas wirkt, dieses Prisma stärker wird, wenn man den Theil, welcher den gegenüberstehenden Winkel bildet, wegschneidet, d. h., ein Theil ist stärker als das Ganze.

Wir beschließen diesen Aufsaz mit einer vergleichenden Uebersicht der Stärke einiger verschiedenen Metalle gegen Gewichte, welche an denselben aufgehängt werden. So halten, nach Hrn. Rennie's Versuchen, Stäbe von Einem Viertelzoll im Gevierte, an denselben aufgehängt, bis sie reißen:

Eine Stange aus Gußeisen, horizontal	. . . .	1166 Pfd.
— — — vertical	. . . . .	1218 —
— aus Gußstahl, vorher gehämmert,	. . .	8391 —
— Blasenstahl, verdünnt durch Hämmern,	. .	8322 —
— Scharstahl, do	. . . .	7977 —
— Schwedisches Eisen, do	. . .	4504 —
— Englisches Eisen, do	. . . .	3492 —
— hartes Kanonenmetall,	. . . . .	2273 —
— Kupfer, gehämmert	. . . . . .	3112 —
— Kupfer, gegossen	. . . .	1192 —
— aus schönem gelben Messing,	. . . .	1123 —
— Zinn, gegossen	. . . .	296 —
— Blei, gegossen	. . . .	114 —

LXVIII.

Verbesserung in Verfertigung der Rüken der Sensen und Strohmesser und Heumesser, worauf Jak. Griffin, Sensenschmid in Witty Moor Works bei Dudley, Warwickshire, sich am 26sten April 1828. ein Patent ertheilen ließ.

Aus dem Repertory of Patent-Inventions. Jäner 1830. S. 11.

Mit Abbildungen auf Tab. VI.

Meine Verbesserung bei Verfertigung der Rüken der Sensen und Stroh- und Heumesser besteht darin, daß ich dieselben mit hervorstehenden Stiften oder Zapfen versehe, um die Gußstahlplatte darauf aufzunieten. Diese Stifte oder Zapfen bilden einen Theil dieses Rükens und ein Ganzes mit demselben. Um meine Verbesserung deutlicher zu machen, will ich zuerst die jezt gewöhnliche Art beschreiben, nach welcher man solche Rüken verfertigt, und hierauf die meinige, so daß jeder Arbeiter meine Verbesserung hiernach benüzen kann. Die jezt gewöhnliche Art, nach welcher man die Rüken für Sensen aus Gußstahl verfertigt, ist das Schweißen; oder man schmiedet ein Stük Eisen in die verlangte Form aus, und bohrt oder macht auf irgend eine andere Weise Löcher in gehöriger Entfernung in dasselbe, welche zur Aufnahme der Stifte oder Zapfen dienen, wodurch die Klingen mit dem Rüken zusammengenietet werden. Es ist offenbar, daß, durch dieses Verfahren, der Rüken bedeutend geschwächt werden muß, indem an jeder Stelle, wo ein Loch in demselben sich befindet, beinahe der dritte Theil der Breite des Metalles wegfällt.

Der Zwek meiner Verbesserung ist, die Rüken mit senkrecht stehenden Stiften oder Zapfen zu versehen, die ein Ganzes, Ein Stük mit denselben bilden. Rüken, welche auf diese Weise gebildet sind, werden folglich weit stärker seyn, als jene, welche nach der oben angegebenen Weise durchlöchert sind. Fig. 7. zeigt einen nach meiner Verbesserung verfertigten Rüken, der in Fig. 8. von der Kantenseite dargestellt ist. aaa sind die hervorstehenden Stifte oder Zapfen, wodurch die Klinge mit dem Rüken zusammengenietet ist. Die Klinge ist in beiden Figuren durch punktirte Linien angedeutet. Die Weise, die ich zur Verbesserung solcher Rüken nach meiner Erfindung am bequemsten fand, ist folgende. Ich lasse das Eisen (oder irgend ein anderes hierzu dienliche Metall) bis zur Schweißhize oder zum gehörigen Grade hizen, und dann durch ein Paar Strekwalzen laufen, welche auf folgende Weise vorgerichtet werden.

Ich schneide rings umher in dem Umfange einer dieser Walzen eine Furche von der erforderlichen Form und Größe, und senke in dieser Furche in gehöriger Entfernung Löcher ein, so daß, wenn das erhizte Eisen (oder andere hierzu dienliche Metall) zwischen dieser gefurchten Walze und einer glatten Walze durchläuft, es aus diesem Walzenpaare mit den hervorragenden Stiften oder Zapfen versehen zum Vorscheine kommt: diese Zapfen oder Stifte werden nämlich dadurch gebildet, daß das Metall sich in die vertieften Löcher einsenkt. Das Ende des Rükens bei b wird dann durch Schweißen und Schmieden in die gehörige Form ausgearbeitet, mit der rauhen Feile ausgeglichen, und ist so bis auf das Aufnieten der Klinge auf denselben fertig. Dieses Aufnieten geschieht durch das Niederhämmern dieser Stifte oder Zapfen, a, welche über den Löchern der Klinge breit geklopft werden. Eben so können auch die Rüken an den Stroh- und Heumessern verfertigt werden, die bloß eine andere Form haben. Die Strekwalzen sind das beste und vollkommenste Mittel, solche Rüken zu verfertigen; ich beschränke mich jedoch nicht hierauf allein, sondern nehme jede Methode, Sensen- und Strohmesserrüken mit Zapfen oder Stiften zu verfertigen, die ein Ganzes mit denselben bilden, als mein Patent-Recht in Anspruch.

LXIX.

Apparat um Messer und Gabel zu puzen; auch zum Schuhe- und Stiefelpuzen.

Aus dem Mechanics' Magazine. N. 554. S. 522.

Mit Abbildungen auf Tab. VI.

Ein Gastwirth fragte neulich im Mech. Mag.: „ob es keine wohlfeile Vorrichtung zum Puzen der Messer und Gabeln gibt?" Ein Hr. F. theilt hier eine solche Vorrichtung mit.

Fig. 20. zeigt sie vom Ende her gesehen, Fig. 21. von der Vorderseite. A ist, in beiden Figuren, eine leichte eiserne Rolle, die auf der Doke C, Fig. 21. aufgezogen ist. Der Rand dieser Rolle ist ringsumher ein Zoll dik mit Holz eingefaßt, und auf dieses ist ein Streifen eines diken, schwammigen, gegerbten Leders aufgeleimt, welches mit einem Gemenge aus Schmergel oder Ziegelstaub, in etwas Hammelfett und Bienenwachs gekocht, so daß dann beim Erkalten eine feste Masse entsteht, überdekt wird. Dieses Gemenge läßt sich in Kuchen formen, und kann, wenn die Rolle läuft, aufgerieben werden. Nachdem dieß geschehen ist, wird der Tretschämel, M, mittelst des Fußes getreten, und die Kurbelachse L dadurch sammt der Rolle, K, bewegt, um welche der Riemen läuft, der die Rollen D, A, B auf der Doke C bewegt. Wenn man dann das Messer sanft an die Oberfläche der Rolle A anlegt, wird das Messer alsogleich glänzen, wenn die Rolle schnell genug getrieben wird.

Die Gabeln und die Griffe können entweder mittelst einer steifen kreisförmigen Bürste, wie bei a auf der Rolle A, oder mittelst der Rolle B aus zusammengeleimten Brettchen, in welchen sich Furchen für die Zaken und Erhöhungen und Vertiefungen der Gabeln befinden, gepuzt werden. Diese Vorrichtung muß gleichfalls mit obiger Masse bedekt seyn.

Diese Vorrichtung kann auch, bei einer kleinen Abänderung, zum Puzen der Stiefel und Schuhe verwendet werden. Man nimmt eine andere Doke, auf welcher, Statt zweier Rollen A und B, zwei kreisförmige Bürsten gebraucht werden müssen, die eine um den Koth wegzuschaffen, die andere um das Leder zu glänzen, nachdem die Schwärze aufgetragen wurde. EE sind zwei Kappenlager (Sie-, oder weibliche, Mittelpunkte nennt sie der Engländer, She-Centres), in welchen die Doke, C, läuft, die sich durch den Knopf, EF, des eisernen Gestelles, GG, schrauben. Die Enden des Gestelles, G, sind mittelst eines eisernen Kissens oder einer Spange, H, zusammengehalten, und auf dem Boden mittelst der Bolzen, XX, befestigt. Die Rolle, K, hält 24 Zoll im Durchmesser, die Rolle D hält deren 4. A und B haben 18 Zoll im Durchmesser und sind 4 Fuß breit. Der Tretschämel läuft bei YY auf zwei Stiften.[154])

LXX.

Verbesserung in Verfertigung der Kämme aus Schildkröte.

Aus Gill's technological and microscopic Repository. November 1829. S. 317.

Ich wußte wohl schon lang, daß man aus Einem Stüke Schildkröte zwei großzähnige Kämme verfertigen kann, indem die Zwischenräume zwischen den Zähnen des einen Kammes das Material zu den Zähnen des anderen geben, und umgekehrt; ich wußte aber nicht, daß es möglich wäre zwei feinzähnige Kämme aus Einem Stüke zu schneiden. Dieß geschieht nun auf folgende Weise. Man erweicht, wie gewöhnlich, die dünne Platte Schildkröte mittelst Feuers, und schlägt einen feinen eigens hierzu geformten Meißel so durch, daß die Platte in Zähne und Zwischenräume getheilt wird, ohne daß es nöthig wäre, etwas von der Masse des Schildkrötes selbst wegzunehmen; und so erhält man zwei Kämme aus einem Stüke und erspart viel an diesem kostbaren Materiale.

Ein deutscher Kammmacher, der sich bei uns (in England) niederließ, hat gleichfalls eine große Ersparung an diesem Materiale auf folgende

154) Man könnte diesen Apparat zum Puzen der Stiefel in einer Kaserne versuchen, wo so viel Zeit mit Stiefelpuzen unnüz verloren geht. A. d. Ue.

Weise eingeführt. Er verfertigt das große breite Stük des langzähnigen Kammes, den jezt unsere Frauenzimmer so häufig tragen, aus Schildkröte, macht aber die Zähne aus gemeinem Horne, und löthet sie, mittelst Erhizung des Hornes, so geschikt an das Stük Schildkröte, daß ich, obschon er mir die Stelle zeigte, wo er sie angelöthet hatte, nicht im Stande war die Löthung zu bemerken. Er hat das Horn so schön wolkig mit Aezkalk und Bleioxyd oder mit Auripigment zu machen gewußt, und dadurch die zusammengefügten Stellen so künstlich verborgen, daß Niemand sie zu entdeken vermag.[155])

Die englischen Kammmacher färben ihre Kämme auf dieselbe Weise; sie werden aber sehr bald dunkelbraun, indem das Blei sich nach und nach wieder in metallischen Zustand herstellt.[156]) Die Kämme, die der Deutsche macht, haben aber eine sehr schöne Politur, so daß sie aussehen, als ob sie mit Firniß überzogen wären, und bleiben lange Zeit über sehr schön. Es ist nicht unwahrscheinlich, daß er französischen oder deutschen Schellakfirniß nimmt, und mit Oehl aufträgt, wodurch dann die Kämme den schönen Glanz und die Politur erhalten.

Hr. Rob. Hendrie, Parfümeur in Fishborne-Street hat mich auf diese Verbesserung in der Kammmacherei aufmerksam gemacht.

LXXI.

Verbesserung an der Maschine zum Zurichten des Tuches, worauf Sg. Haden, Mechaniker zu Trowbridge, Wiltshire, sich am 2. März 1829. ein Patent ertheilen ließ.

Aus dem London Journal of Arts. N. 18. S. 287.

Mit Abbildung auf Tab. VII.

Nach der jezigen Mode wünscht man an feinen Tüchern einen hohen Grad von Glanz auf der Oberfläche derselben.[157]) Gewöhnlich gab man dem Tuche diesen Glanz durch Sieden auf der Walze (roll boiling), d. h., man wikelte das Tuch fest auf einer Walze

155) Als der Gebrauch, bei welchem diese Zähne zu dem großen Aerger der Frauen, die sie tragen, und der Herren, die sie bezahlen müssen, oft bei dem ersten Einsteken in das Haar schon abspringen. Das ist Stükelei! A. d. Ue. Das Verfahren, Horn und Schildkröte zu löthen, ist in Bd. XXVII. S. 367. des Polyt. Journ. ausführlich beschrieben und die dazu erforderlichen Werkzeuge sind ebendas. auf Tab. VIII. abgebildet. A. d. R.

156) Es ist gewiß weniger die Reduction des Bleioxydes, als das natürliche schmuzige Fett, das die Haare absondern, und das Fett der Pomaden, das die Kämme mit der Zeit dunkel macht. A. d. Ue.

157) Die gegenwärtige französische Mode will aber durchaus keinen Glanz mehr auf dem Tuche, und ist, in dieser Hinsicht, weit natürlicher und weit verständiger, da jeder kluge Mensch dem Tuche den Glanz nehmen läßt, ehe er es trägt. A. d. Ue.

auf, und tauchte es in Gefäße, die mit heißem Wasser oder mit Dampf gefüllt waren, und nachdem man es auf diese Weise mehrere Stunden lang der Einwirkung der Hize ausgesezt hatte, ließ man es abkühlen, wodurch es dann ein höchst glänzendes Ansehen erhielt, und diesen Glanz behielt, so lang noch ein Faden an demselben ganz war.

Ein anderer Zwek bei dem Zurichten der Tücher ist aber der, die Enden der Wollenhärchen auf der Oberfläche desselben flach niederzulegen, so daß es sich sanfter und glatter auf derselben anfühlt; und dieß geschah entweder mittelst der natürlichen Karden, oder mit Drathkarden oder mit Bürsten, die man längs der Oberfläche des Tuches hin bewegte.

Der Zwek des Patent-Trägers ist, diese beiden Methoden zu verbinden, und durch eine Maschine ausführen zu lassen; er legt das Haar durch Bürsten nieder, die sich langsam drehen, und glättet die Oberfläche des Tuches durch schnell über dieselbe hinlaufende heiße Cylinder.

„Die hier dargestellte Maschine, „heißt es in dem Patente,“ ist einer Rauh-Mühle „(Gig-Mill)“ nicht unähnlich. Ich nehme nicht die Theile derselben als mein Patent-Recht in Anspruch, sondern nur die neue Vorrichtung, die ich hier traf, und die Anwendung heißer auf ihren Achsen sich drehender Cylinder an einer Appretir-Maschine.“

„Fig. 22. zeigt die ganze Maschine von der Vorderseite. Fig. 23. stellt sie von der Endseite zur Rechten, Fig. 24. von der Endseite zur Linken, und Fig. 25. von der Hinterseite dar. Fig. 26. ist ein senkrechter Durchschnitt quer durch die Maschine nach der punktirten Linie AB in Fig. 22 und 25. Dieselben Buchstaben bezeichnen überall dieselben Gegenstände.“

„Die Maschine wird durch eine Dampfmaschine oder durch irgend eine andere Triebkraft mittelst Laufriemens und Laufscheibe in Umtrieb gebracht, oder auch durch ein Räderwerk, welches an der Hauptachse, a, angebracht ist. Diese Achse sezt die übrigen arbeitenden Theile der Maschine in Bewegung. bb sind zwei Trommeln oder offene Cylinder, bloß aus hölzernen Latten gebildet, und auf Achsen aufgezogen, die in Büchsen im Gestelle der Maschine laufen. Auf eine dieser Trommeln, b, wird das Tuch, welches zugerichtet werden soll, zuerst aufgewunden, das Ende desselben dann über die Spannungswalzen, cc, gezogen, und mittelst angenähten Canevasses auf der anderen Trommel befestigt.“

„In der Nähe des Endes der Achse einer jeden dieser Trommeln ist ein Zahnrad, dd, aufgezogen, welches sich loker auf derselben, wie auf seiner Achse, umdrehen läßt. Diese beiden Räder, d, greifen in das Zwischenrad, e, ein, welches loker auf einem Zapfen aufgezogen ist, der in der Seite des Gestelles fest steht, und von einem kleineren Zahnrade, f, auf der Hauptachse, a, getrieben wird.“

„Copulir-Büchsen, gg, mit einem Zahnrade schieben sich auf der vierekigen Theile der Achsen der Trommeln, und werden durch eine Bewegung der senkrechten Stange, h, mit ihren Klopfern, die in die Furchen der Copulir-Büchsen eingreifen, hin und her geschoben, wodurch die Spindeln mit den Trommeln abwechselnd in und außer Umlauf gesezt werden sammt ihren respectiven Rädern, d."

„Dieß geschieht durch Wechslung des Hebels oder Griffes, k, nach der rechten oder linken Seite, wodurch eine Seitenbewegung der horizontalen Stange, l, entsteht, die mit der senkrechten Stange, h, verbunden ist, und veranläßt, daß die Klopfer ihre respectiven Copulir-Büchsen in und außer Umlauf sezen."

Wir wollen nun annehmen, daß das Stük Tuch auf die untere Trommel aufgewunden, mit seinem Ende über die Spannungswalzen, cc, geführt, und an der oberen Trommel auf die oben angegebene Weise befestigt ist. Es muß nur die obere Trommel in Umtrieb gebracht werden, um das Tuch nach und nach von der unteren Trommel abzuziehen, deren Achse außer Umtrieb steht, und folglich sich frei dreht, wie das Tuch von der Trommel abgezogen wird. Die Spannung des Tuches wird durch die Reibung eines mit einem Gewichte beschwerten Hebels unterhalten, m, der auf den Umfang des Reibungsrades, n, drükt, wie man in Fig. 24. deutlich sieht.

„Nachdem nun die Weise gezeigt wurde, wie das Tuch durch die Maschine gezogen wird, müssen die Theile beschrieben werden, durch welche das Tuch zugerichtet wird."

„Auf der Hauptachse, a, ziehe ich die Tragräder, cc; auf, deren Arme die Bürsten oder Karden oder Kardenkreuze tragen, pp, welche auf denselben mittelst Schraubenbolzen oder auf irgend eine andere schikliche Weise befestigt sind, und quer über die ganze Maschine hinlaufen. Zwischen den Bürsten oder Karden befinden sich die Cylinder, qqq, welche hohl und aus Kupfer oder aus einem anderen Metalle sind, und sich auf Achsen oder Zapfen drehen, die in Büchsen auf dem Umfange der Tragräder, oo, laufen. Diese Cylinder werden mit Dampf geheizt, welcher aus einem Kessel durch die Röhre, r, herbeigeleitet wird, und durch die Achse, a, welche deßwegen zum Theile hohl ist, in die Dampfbüchse, s, gelangt. Aus der Dampfbüchse, s, zieht der Dampf durch kleine Röhren, ttt, welche mit Sperrhähnen versehen sind, und deren Enden in die hohlen Achsen der respectiven Cylinder, q, laufen. Der auf diese Weise herbeigeführte Dampf fließt durch kleine Oeffnungen in den hohlen Achsen so aus, daß er die Cylinder füllt, und ihre Oberfläche erhizt, während der verdichtete Dampf sich durch irgend eine bequeme Oeffnung an den Enden oder sonst wo entleert."

„An einem Ende der Achse eines jeden Cylinders ist ein Triebstök, u, u, u, angebracht, und diese Triebstöke greifen in ein feststehendes Rad, v, ein, welches an dem Gestelle der Maschine mittelst Schraubenbolzen, Fig. 24. befestigt ist."

„Man wird nun sehen, daß, wenn die Hauptachse, a, mittelst eines Laufbandes oder auf andere Weise in Umtrieb gesezt wird, die Tragräder, o o, die man als eine Rauhtrommel (gig barrel) betrachten kann, sich umdrehen werden, so daß dadurch die Bürsten oder Karden, p p, gegen die Oberfläche des Tuches gebracht werden, welches zwischen den Spannungswalzen, c c, ausgespannt ist, und folglich das Haar auf denselben bürsten und niederlegen werden. Zugleich werden aber auch die Calandrircylinder, q, von den Tragrädern herumgeführt, und werden mittelst ihrer Triebstöke, u, die in die Zähne des an dem Gestelle befestigten feststehenden Rades, v, eingreifen, schnell umhergetrieben, und durch die Reibung ihrer erhizten Oberflächen auf der Fläche des Tuches das Haar auf demselben flach niederlegen, und dieselbe glätten und ihr einen bleibenden Glanz ertheilen."

„Die Bürsten, Karden oder das Rauhwerkzeug auf den Armen des Tragrades, o, müssen in einer Krummen gestellt seyn, deren Halbmesser dem Durchmesser des Tragrades gleich ist, indem auf diese Weise die Spizen der Bürsten oder Karden nach und nach in Berührung mit der Oberfläche des Tuches nur unter einem spizigen Winkel gerathen, und so weit sanfter auf das Haar des Tuches wirken, als wenn die Halbmesser desselben dem Halbmesser des Tragrades gleich sind."

„Das Bürsten des Tuches, und folglich auch der Druk gegen die glättende Oberfläche, kann vermehrt oder vermindert werden, indem man die Lage der unteren Speisungswalze, c, wechselt. Dieß kann geschehen, indem man die Triebstöke, w w, mittelst der Kurbel und der Schraube ohne Ende, x, dreht, wo dann die Triebstöke in die Zahnstöke, y y, eingreifen, die sich in Segmentfurchen schieben, und die Zapfen der unteren Spannungswalze führen, wie man in Fig. 24. sieht."

„Nachdem das Tuch auf die beschriebene Weise in seiner ganzen Länge von der unteren Trommel auf die obere gezogen wurde, wird der Griff, z, des Reibungshebels gehoben, so daß die untere Trommel frei wird, und die Bremse gegen das Rad der oberen Trommel gebracht wird. Auf diese Weise wird die Umdrehung der Räder das Tuch zurükziehen, und auf die untere Trommel aufwinden, indem die Reibung der oberen Bremse die Umdrehung der oberen Trommel langsamer macht, und so das Tuch gehörig spannt, während es zu einer wiederholten Zubereitung aufgewunden wird."

„Ich nehme diese Arbeiten vor, während das Tuch noch naß ist, und ich finde, daß sie noch besser gelingt, wenn man zuweilen ein Strömchen kaltes Wasser darauf sprizen läßt, was durch die Röhre, j j, g schehen kann, die quer über die Maschine hinläuft, und mehrere kleine Oeffnungen hat, nebst einem Sperrhahne zum Oeffnen und Schließen, so wie man es eben braucht."

„Ich beschränke mich nicht ausschließlich auf die hier gezeichneten Vorrichtungen der Theile, indem sich mehrere Abänderungen zu demselben Zweke treffen lassen, ohne daß eine wesentliche Verschiedenheit in der Arbeit dadurch entstünde; eben so wenig beschränke ich mich auf die hier dargestellte Anzahl von Bürsten und Cylindern."

Die Patent-Erklärung wurde von Hrn. Newton abgefaßt.

LXXII.

Nachtrag zu Hrn. Sevill's Patent: „Verbesserungen beim Rauhen und Zurichten der Tücher und anderer Wollenzeuge."

Aus dem Repertory of Patent-Inventions. Januar 1830. S. 6.
Mit Abbildung auf Tab. VI.

Wir haben von diesem Patente im XXXII. Bd. S. 318. des Polytechn. Journales nach dem London Journal of Arts, Februar 1829. S. 285., Nachricht gegeben.

Das London Journal unterdrükte die Abbildung der Scheren, welche das Repertory a. a. O. mittheilt. Wir tragen hier diese Figur mit der Beschreibung derselben nach.

„Fig. 6. ist ein Grundriß eines Theiles einer „(jezt in England)" gewöhnlichen Tuchschermaschine, und zeigt eine meiner Verbesserungen an dem Lieger angebracht. A ist ein Cylinder mit der spiralförmig gewundenen Klinge. B ist der Lieger (die liegende Klinge der Schere), die in der Leiste C befestigt ist, welche auf den Lagern, DD, beweglich ist. E ist ein Hebel, auf welchen die Spiralfeder, F, drükt, um dem Lieger mehr oder weniger Druk gegen die laufende Klinge, den Läufer A, zu geben. Y, ist eine runde Stange, welche die Spiralfeder, F, führt: diese Stange ist in den messingenen Lagern, DD, beweglich. HH, sind Schraubenbolzen, welche diese Doppellager an dem Rüken aus Gußeisen, I, befestigen. K ist ein Zahnrad mit einer an der Stange G befestigten Schulter. L ist ein vierekiges Ende an der Stange G, woran man einen Spanner oder Knecht anbringen kann, um die Feder zu spannen oder nachzulassen. M ist ein loses Gefüge, oder eine Schulter „(ein Tölpel, Paul)", der an dem Rüken I befestigt ist, und das Rad K hält."

LXXIII.

Ueber Glasmanufaktur, von Horatius N. Fenn, M. Dr.[158])

Aus Silliman's Americ. Journal. Bd. XVI. N. 1.

Mit Abbildung auf Tab. VII.

Töpfe oder Häfen.

Es ist auf allen Glashütten gebräuchlich, daß man sich die Töpfe oder Häfen selbst bereitet. Wer sich nicht selbst praktisch mit Glasmacherei beschäftigt hat, kann weder die Wichtigkeit noch die Schwierigkeiten der Verfertigung dieser Töpfe gehörig beurtheilen. Wenn die Töpfe schlecht sind, geräth die ganze Arbeit in Unordnung: nicht bloß die ersten Gestehungskosten der rohen Materialien, sondern auch die Arbeit bei Zubereitung derselben und die Arbeitskosten sind rein verloren. Wenn aber, im Gegentheile, die Töpfe gehörig bereitet sind, so ist der Glasmacher zum Voraus seiner Glaserzeugung sicher; er weiß, was er erhält, und kann es zum höchsten Vortheile verwenden. Er kann die Wirkung des Feuers reguliren, die glasartigen Materialien nach Belieben wechseln, und, mit einem Worte, die ganze Arbeit nach seinem Gutbefinden leiten und übersehen. Es ist daher höchst wichtig, daß man der Verfertigung der Töpfe die höchste Aufmerksamkeit schenkt, damit dieselben so vollkommen als möglich ausfallen.

Hierzu wird nun vor Allem wesentlich erfordert, daß die Materialien, aus welchen die Töpfe verfertigt werden, durchaus von der besten Qualität sind. Man führt bei uns für unsere Glashütten drei verschiedene Arten von Thon zu den Töpfen ein: den weißen und blauen deutschen Thon, und den englischen blauen Thon. Alle diese Thonarten sind aus der Classe des sogenannten Porzellanthones. Der blaue Thon erhält seine Farbe von kohlenstoffhaltigen Stoffen, indem er sich in dem Ofen weiß brennt. Wir haben in unserem Lande viele Thongruben, welche einen Thon liefern, der Statt des ausländischen eingeführten Thones gebraucht wird. Die einzige Art, die ich anwenden sah, ist der Philadelphia- oder New-Castle-Thon, der, wie man mir sagte, am Flusse Delaware, bei New-Castle, unter dem Hochwasser-Zeichen gefunden wird.

Dieser Thon kommt in Massen von der Größe eines Manns-

158) Hr. Dr. Fenn beschäftigte sich praktisch mit der Glasmacherei, und theilte Hrn. Dr. und Prof. Silliman gegenwärtige Bemerkungen auf Ansuchen des lezteren mit. Es sind noch nicht 30 Jahre, daß Böhmen und zum Theile auch Bayern, den größten Theil Nordamerikas mit Glas aus seinen Glashütten und auch mit Glasmacherei versah. Wenn die Amerikaner so fortfahren, werden sie uns in 30 Jahren mit Glas versehen. A. d. Ue.

kopfes zu uns, und ist weiß mit rosenfarbenen Fleken von verschiedener Grösse, die durch die ganze Masse desselben zerstreut sind. Diese Fleken rühren offenbar von Braunsteinoxyd her, indem sie in der Hize des Ofens schwarz werden. Dieser Thon ist äußerst unschmelzbar, und, wenn er im gehörigen Verhältnisse mit den übrigen Thonarten gemengt wird, bildet er eine Mischung zu Töpfen, die jeder einzelnen Thonart für sich allein vorzuziehen ist.

Zur Verfertigung der Töpfe bedienen wir uns gleicher Theile rohen Thones, gebrannten Thones und Scherben der alten Töpfe. Leztere erhält man durch Zerschlagen der alten Töpfe, die aus dem Ofen geschafft werden mußten, und von welchen man das anhängende Glas und die Glasur abgeklopft hat. Diese Materialien werden, jedes für sich einzeln, gemahlen und durch ein feines Sieb durchgesiebt, dann zusammen in einen Trog gethan, und, troken, auf das Innigste unter einander gemengt. Man gießt hierauf Wasser zu, bis die ganze Masse die Consistenz eines Mörtels erhält. In diesem Zustande läßt man sie 10 bis 14 Tage mit einem nassen Tuche bedekt stehen. Nach Verlauf dieser Zeit wird sie eine teigartige Masse bilden, und beinahe eben so zähe seyn. Nun läßt man sie von einem Arbeiter umkehren und mit den Füßen treten. Dieser fängt hierauf an sie in Stüke von der Dike eines Zolles drei bis vier Zoll breit zu schneiden, und legt sie auf den Boden des Troges von dem hinteren Ende desselben anfangend; wenn der Boden auf diese Weise bedekt ist, steigt er auf die Stüke und tritt sie mit seinen Füßen fest. Auf diese Weise fährt er fort, bis die ganze Masse durchgetreten ist. Diese Arbeit geschieht täglich, bis der Thon fest wird, oder, in anderen Worten, bis die Luft aus demselben ausgedrükt ist, so daß er, wenn man ihn schneidet, eine vollkommen gleiche und ebene Masse bildet. Wenn er nun die gehörige Consistenz hat, können Töpfe aus demselben verfertigt werden. Man glaubt, daß er besser wird, wenn man ihn in diesem Zustande sechs bis zwölf Monate lang liegen läßt, ehe man Töpfe daraus verfertigt, und, so weit meine Erfahrung reicht, ist dieß auch wirklich so.

Zur Verfertigung der Töpfe bedienen wir uns walzenförmiger Model aus Holz mit eisernen Reifen gebunden, und zu jeder Seite sich öffnend. Auf diese legt der Arbeiter Stüke Tuches, die so befeuchtet sind, daß sie an den Seiten des Models anhängen, bis die ganze innere Seite damit bedekt ist. Dieß geschieht, um die Töpfe leichter aus den Modeln nehmen zu können. Nachdem der Model so vorgerichtet wurde, schneidet der Arbeiter ein Stük Thon ab, ungefähr von der Größe, wie er sie zur Bildung des Bodens des Topfes und zu vier bis fünf Zoll Seitenwand desselben nöthig glaubt. Dieses

Stük bringt er auf ein Brett, welches gross genug ist den Boden des Models zu bedeken, stellt nun den Model auf dasselbe, steigt auf den Thon, und tritt denselben rings um den Boden nieder. Der Mittelpunkt des Thones wird nun mittelst eines eigenen hiezu verfertigten hölzernen Blokes zur gehörigen Dike des Bodens des Topfes nieder gestampft, und der Rest desselben rings um die Seiten des Models mit der Hand in der gehörigen Dike aufgeschlagen. Die Seiten des Topfes werden dann dadurch ausgebildet, daß man innenwendig in dem Model so lang kleine Rollen von Thon mit der Hand anlegt, bis man mit der Wand beinahe bis an den Rand des Topfes hinauf gekommen ist. Die innere Wand des Topfes wird nun mit einem eisernen Instrumente flach gepuzt; und der obere Rand desselben gehörig zugeformt und vollendet. Man stellt jezt den Topf be iSeite, um ihn troken werden zu lassen, und wenn man glaubt, daß er fest genug geworden ist, um für sich allein stehen bleiben zu können, was gewöhnlich in zwei Mal vier und zwanzig Stunden der Fall ist, wird der Model abgenommen, und der Topf an seiner Außenseite sorgfältig vollendet. Mit dem Abebenen (Puzen) und dem weiteren Festmachen des Topfes wird täglich so lang fortgefahren, bis der Topf so hart und troken geworden ist, daß er keinen Eindruk von Außen mehr aufzunehmen vermag. Der Topf wäre nun allerdings fertig; allein er muß noch 6 oder 12 Monate lang stehen, ehe er gebraucht werden kann; denn die Erfahrung hat auf das Deutlichste erwiesen, daß ein Topf, der ein Jahr lang über ruhig gestanden ist, weit weniger der Gefahr ausgesezt ist, im Ofen zu leiden, als ein ganz neuer Topf. In die Kammer, wo diese Töpfe aufbewahrt werden, darf kein Frost eindringen, indem sonst das Wasser in denselben (und sie enthalten noch immer einiges Wasser) frieren und sie zerstören würde.

Wir verfertigen unsere Töpfe gewöhnlich zwei Fuß hoch, und geben denselben am oberen Rande 20 Zoll, am Boden 16 Zoll im Durchmesser. Der Boden ist zwei und einen halben Zoll dik; die Seitenwand hat oben anderthalb, unten zwei Zoll Dike. Ein Topf von dieser Größe faßt, nachdem er gebrannt ist, 250 Pfd. Glas. Wir haben gewöhnlich zwischen 80 und 100 Töpfe in der Topfkammer vorräthig, so daß wir nie zu neuen Töpfen Zuflucht zu nehmen brauchen. Wenn die Töpfe gut gemacht sind, und wenn das Material derselben gut ist, so hält ein solcher Topf drei bis sechs Wochen im Ofen aus. Wenn sie aber schlecht gearbeitet wurden, und der Thon mager (arm) ist, so bersten sie gern an der Seite, die dem Mittelpunkte des Ofens zugekehrt ist, und gewöhnlich, wann die eingesezte Masse anfängt in vollkommenen Fluß zu gerathen. Wo dieß geschieht, ist die ganze Masse im Topfe verloren, und fließt in die Mitte des

Ofens, wo sie sich mit der daselbst befindlichen Kohle in Asche vermengt.

Wenn ein neuer Topf eingesezt werden soll, so kommt er in den Kühlofen, und wird in demselben mit aller Sorgfalt aufgestellt. Das Feuer in diesem Ofen wird nach und nach bis zur hellen Rothglühhize verstärkt, und fünf bis sechs Stunden lang auf diesem Punkte erhalten. Wenn die Arbeiter aufhören zu blasen, läßt man den Ofen bis zur Temperatur des Kühlofens abkühlen, und bringt dann den Topf bei der hinteren Thüre (dem Tiegelloche) ein: er wird mittelst einer langen eisernen Stange und mittelst Haken auf die Bank unmittelbar unter das Fenster oder das Arbeitsloch (the ring) gestellt.

Der Verlust, der durch mißlungene Töpfe entsteht (und das Mißlingen derselben kann ungeachtet aller Sorgfalt und Geschiklichkeit der erfahrensten und verständigsten Arbeiter nicht immer verhütet werden), erhöht die Erzeugungskosten des Tafel- oder Fenster-Glases schon auf der Hütte um ein Bedeutendes. Wenn wir irgend eine Masse entdeken könnten, die, nebst den wesentlichen Eigenschaften des Thones, auch noch die Tugend besäße, nicht gebrechlich zu seyn, so würde dadurch ein großes Desideratum in der Glasmacherkunst erreicht werden.

Die verschiedenen Gebäude, die in einer Glashütte, in welcher man Tafel- oder Fenster-Glas verfertigt, nothwendig werden, sind:

1) Röst- oder Calcinir-Oefen zur Zurichtung der Materialien.
2) Ein Reverberir-Ofen zum Schmelzen derselben.
3) Ein Strekofen, zum Streken und Abkühlen des Glases.
4) Trokenöfen oder Holzdarren zum Troknen des Holzes.
5) Ein Brennofen (Tempering-oven) zum Brennen der Töpfe und des Thones überhaupt.

Von allen diesen Oefen das Nöthige im Verlaufe der Beschreibung der Arbeit.

Die glasartigen Materialien und die Verhältnisse derselben, wie man sie bei uns zum Glase braucht, sind folgende:

Verona-Sand	100	Theile
Potasche	34	—
Salz	18	—
Kalk	5	—
Hausasche	15	—
Glasscherben	30	—

Sand	100	Theile
Soda [159] (Sul)	60	—
Kalk	5	—

159) Wenn dieses Salz noch sein Krystallisationswasser hat, wo man es zu Glas verwendet, müssen 140 Theile genommen werden. A. d. O.

Asche	20	Theile
Sägespäne	2	—
Glasscherben	20	—

Sand	100	Theile
Kelp	65	—
Kalk	8	—
Glasscherben	30	—
Hausasche	25	—

Sand	100	Theile
Potasche	20	—
Kelp	28	—
Kalk	5	—
Hausasche	15	—
Glasscherben	25	—

Sand	100	Theile
Potasche (Sal)	45	—
Kalk	8	—
Hausasche	15	—
Sägespäne	2	—
Glasscherben	30	—

Diese Mischung ist diejenige, welche wir gewöhnlich gebraucht haben; in mancher Hinsicht ist sie allen übrigen vorzuziehen.

Der Sand wird in den Calcinir-Ofen geworfen, und in diesem fünf oder sechs Stunden lang geglüht. Die Hausasche wird auf dieselbe Weise behandelt. Der Zwek dieses Ausglühens bei beiden ist: Verbrennung der Pflanzenstoffe, und Verjagung des Wassers und der Kohlensäure, welche in diesen Materialien enthalten seyn könnten. Sobald dieser Zwek erreicht ist, werden diese Materialien aus dem Ofen genommen, man läßt sie abkühlen und siebt sie durch ein Sieb, dessen Löcher 1/30 Zoll im Durchmesser halten.

Der Kalk wird in ein Hydrat verwandelt (gelöscht) und gleichfalls durchgesiebt. Die Potasche wird in Stüke gebrochen, die nicht größer sind, als eine Wallnuß. Das Salz braucht keine Zubereitung.

Kelp. So nennt man ein Salz, das aus der Asche unter den Kesseln der Salzwerke zu Salina bereitet wird. Es wird auf dieselbe Weise, wie Potasche, durch Auslaugen und Abdampfen gewonnen. Man braucht es auf unserer Glashütte als Surrogat für Salz und Potasche. Es scheint mir ein zusammengeseztes Salz, welches aus kochsalzsaurer Potasche und kohlensaurer oder basisch kohlensaurer Soda in beinahe gleicher Menge besteht. Dieses Salz wäre der Potasche bei der Glaserzeugung vorzuziehen, wenn man sich immer auf das gehörige Verhältniß seiner Bestandtheile verlassen könnte; da aber

dieses zuweilen sehr wechselt, so entsteht dadurch zuweilen bedeu
der Verlust.

Wenn man schwefelsaure Potasche oder Soda nimmt, so m
diese fein gepülvert werden. Sägespäne nimmt man, weil sie be
dienen als Holzkohle. Beide zersezen die schwefelsauren Salze, ind
sie sich des Sauerstoffes der Schwefelsäure bemächtigen, und mit d
selben Kohlensäure bilden, die durch die Masse entweicht, während
Schwefel der Schwefelsäure, der dadurch frei wird, durch die ang
wendete Hize verjagt wird, und so das Alkali in seiner reinsten Fo
zur Vereinigung mit der Kieselerde zurükläßt.

Nachdem die Materialien auf diese Weise zubereitet wurden, we
den sie so innig unter einander gemengt, daß alle die verschieden
Bestandtheile derselben gleichförmig in der ganzen Masse vertheilt sin
Wo es die Umstände erlauben, sollte man die Masse in diesem Zustan
drei Monate lang ruhen lassen.

Die oben angegebenen Mischungsverhältnisse der Fritte erzeug
nur sehr geringe Verschiedenheiten in der Qualität des Glases, un
die Zeit, deren sie bedürfen, um in Fluß zu gerathen, ist beinahe di
selbe. Was die verschiedenen Kosten derselben belangt, so hängen die
nothwendig von den Schwankungen der Marktpreise einzelner Artik
ab, und sind daher nach denselben verschieden.

Zuweilen, wenn nämlich diese Materialien nicht vollkommen fr
von allen vegetabilischen Unreinigkeiten sind, bekommt das Glas ein
gelbliche Farbe. Um dieß nun zu verhüten, oder, wo es bereits ein
getreten ist, zu verbessern, nimmt man zuweilen weißes Arsenikoxyd
schwarzes Braunsteinoxyd, Salpeter und die Bleioxyde. Alle dies
Oxyde scheinen dadurch zu wirken, daß sie Sauerstoff liefern, welche
sich mit dem Kohlenstoffe verbindet, und denselben als kohlensaures Ga
entweichen läßt.

Um diese Materialien auf den Boden der Töpfe hinabzubringen,
so daß sie sich mit dem Glase vereinigen und die gewünschte Wirkung
hervorbringen können, ist es am besten, sie in nasses Papier einzu
wikeln, und mittelst einer eisernen Stange unterzutauchen. Mit schwar
zem Braunsteinoxyde gelang mir dieses Verfahren gewöhnlich auf die
vollkommenste Weise. Die Wirkung des Kalkes, welcher zu allen
Fritten kommt, ist, wie man glaubt, Erleichterung des Flusses; noch
eine andere Wirkung, die der Kalk hervorbringt, ist zuverlässig aber
diese, daß er das Glas zum besseren Wärmeleiter macht, so daß es
bei dem Abkühlen und bei den übrigen darauf folgenden Arbeiten an
demselben weniger in Gefahr ist zu brechen, vorzüglich dann, wann
es der Einwirkung des Demantes ausgesezt wird.

Das Holz, mit welchem der Werkofen, worin das Glas ge

schmolzen und geblasen wird, geheizt wird, ist zwischen drei- und vierthalb Fuß lang, und so fein gespalten, daß ein Scheitchen nicht mehr als zwei Zoll im Durchmesser hat. Alles dieses Brennholz muß in der Darrstube (im Darrofen, Kiln) getroknet werden. Sechs solche Darrofen sind in der Mitte der Glashütte angebracht, und jeder derselben faßt eine halbe Maß (cord) Holz. Wenn der Werkofen im Gange ist, braucht er in 24 Stunden sechs Maß (cords) Holz.

Der Werkofen selbst wird entweder aus feuerfesten Baksteinen, aus demselben Thone, wie die Töpfe, oder aus irgend einem natürlichen Sandsteine erbaut, der so wenig als möglich, oder gar nicht schmelzbar ist bei der Temperatur des Glasofens.[160])

Der Sandstein, den man gewöhnlich hierzu wählt, kommt von Haverstraw am North-River.

In dem Werkofen stehen 10 Töpfe, fünf zu jeder Seite desselben, auf Bänken, die der Länge des Ofens nach hinlaufen, und die 10 Zoll hoch über der Sohle (tone) stehen: so nennt man nämlich den Raum in der Mitte des Ofens zwischen den Töpfen. Jedem Topfe nach Außen gegenüber ist der Fensterstein (ring stone), durch welchen ein Loch läuft, (das Arbeitsloch, the ring) von ungefähr 7½ Zoll im Durchmesser. Durch dieses Loch kommt die Fritte in den Topf und wird das Glas zum Blasen herausgenommen. Diese Löcher sind zugleich auch die einzigen Zuglöcher, wodurch der Zug mittelst kleiner Ziegelsteine (cookies) regulirt wird. An jedem Ende des Ofens ist ein Feuerherd von hinlänglicher Größe, um die Töpfe durch denselben in den Ofen bringen zu können. Nachdem die Töpfe eingesezt wurden, werden die Herde mit einer Thüre aus Baksteinen von acht Zoll Dike geschlossen. In dieser Thüre bleibt eine Oeffnung von vier Zoll im Durchmesser, durch welche das Holz in den Ofen gebracht wird. Unten an der Sohle der Thüre bleibt auch noch eine Oeffnung, um der Luft Eingang zu verschaffen, und die Sohle des Herdes (the lock stone) ist zu demselben Ende gleichfalls durchbohrt.

Der Ofen wird an seinen vier Eken von Säulen aus Baksteinen getragen. Gewöhnlich bringt man an jedem derselben einen Kühlofen an, der mittelst eines Zuges mit dem Werkofen in Verbindung steht. Durch diese Einrichtung erspart man Brennmaterial, welches sonst für die Kühlöfen einzeln verbrannt werden müßte.

Wenn ein Werkofen erbaut ist, so braucht man drei bis vier Wochen um den Ofen auszuheizen, d. h., ihn auf jene Temperatur zu erhöhen, welche zum Schmelzen des Glases nothwendig ist. Wenn

160) Talg ist das beste Material zu einem Glasofen, wo er, wie in Kärnthen, in schönen derben Bloken zu haben ist. Gewiß findet sich auch solcher Talg in Amerika. A. d. Ue.

diese Temperatur einmal erreicht ist, wird sie auf folgende Weise immer gleichförmig unterhalten. Der Heizer (the Stoaker) fängt seine Arbeit damit an, daß er zwei Scheite trokenen Holzes nimmt, und eines derselben durch das Loch in der Baksteinthüre, die ihm zunächst steht, einbringt, hierauf um den Ofen herumgeht, und in das Loch der anderen Baksteinthüre das andere Scheit auf dieselbe Weise einführt. Auf diese Weise geht er immer um den Ofen herum und versieht sich zugleich mit dem nöthigen Holze. Sein Gang ist so bemessen, daß er, immer gleichen Schritt haltend, in diesem Schritte drei (englische) Meilen in Einer Stunde zurüklegen würde. [161]) Auf diese Weise versieht er sechs Stunden lang den Ofen regelmäßig und ununterbrochen mit Holz, nach welcher Zeit er von einem anderen Heizer abgelöst wird, den er nach 6 Stunden neuerdings wieder ablöst. Wir verwenden zu diesem Dienste immer alte und unbrauchbar gewordene Bläser, indem sie mit der Art bekannt sind, in welcher das Feuer unterhalten werden muß, wenn Glas mit der möglich kleinsten Menge Holzes auf die schnellste Weise geschmolzen werden soll. Obschon diese Arbeit höchst einfach zu seyn scheint, so kann man doch durch einen erfahrnen und geschikten Heizer bei jeder Schmelzung an zwei Stunden Zeit ersparen.

Das Schmelzen. Nachdem der Ofen bis zur sogenannten Weißhize gehizt wurde, wird die Fritte (mixing) durch die Fenster oder Arbeitslöcher mittelst einer eigenen eisernen Schaufel in die Töpfe eingetragen. Wenn nun die Töpfe gefüllt sind, werden die Ziegelsteine (cookies) in den Fenstern wieder vorgelegt, und das Feuer auf den höchsten Grad gebracht, auf welchem es so lang regelmäßig unterhalten wird, bis die ganze Fritte vollkommen im Fluß ist. Während dieser Arbeit untersucht der Werkmeister (Master stoaker) gelegentlich das Glas mit einem eisernen Stäbchen, um zu sehen, ob es mit dem Flusse gehörig vorwärts schreitet. Nachdem nun der erste Einsaz oder Eintrag (laying in) geschmolzen ist, wird neuerdings Fritte zugesezt, und hiermit so lang fortgefahren, bis die Glasmasse nur mehr drei Zoll weit vom Rande des Topfes absteht. Damit die Mischung der verschiedenen Einsäze der Fritte gehörig, und so innig als möglich geschieht, um eine vollkommen gleichförmige Masse zu erhalten, wird jezt umgerührt.

Dieses Umrühren geschieht entweder mittelst eines eisernen Stabes, oder besser mittelst eines Erdapfels an einem eisernen Stängelchen. Diesen führt man bis auf den Boden des Topfes durch das

---

161) Die englische Statute-Mile hat 5280 engl. Fuß, oder 1609 Meter. A. d. Ue.

geschmolzene Glas hinab, wo dann die plözliche Verwandlung des in demselben enthaltenen Wassers in Dampf in der ganzen Masse eine Bewegung erzeugt, die dem Aufwallen beim Sieden ähnlich ist, und das Glas bis an den Rand des Topfes hebt. Da sich hierauf die Masse bald wieder sezt, werden die Töpfe mit Glasscherben gefüllt, und die Baksteine wieder in die Fenster eingelegt.

So wie das Feuer fort unterhalten wird; steigt Luft aus der Fritte in Form einer Menge von Blasen auf, die an der Oberfläche bersten, bis endlich die flüssige Masse vollkommen klar wird.

Wenn man sich nun einmal von der Klarheit der Fritte überzeugt hat, läßt man den Ofen sich etwas abkühlen, und erhält ihn eine Stunde lang oder überhaupt so lang in dieser Temperatur, bis das Glas an dem oberen Rande der Töpfe anfängt steif zu werden. Während dieser Zeit werden die Thüren an dem Ofen geöffnet, um die Schlaken, Asche und Kohlen, die sich während des Schmelzens auf der Sohle des Ofens angehäuft haben, herauszuschaffen. Das Feuer wird nun wieder allmählich verstärkt, bis die Glasmasse (the metal) die zum Blasen gehörige Consistenz erhält. Nun werden die Bläser angestellt, und der Werkmeister am Ofen (Master-stoaker) überträgt die Aufsicht auf den Ofen dem Blasmeister (Master blower), der während des Blasens die Heizung des Ofens zu besorgen hat. Wenn der Ofen neu ist, so werden im Durchschnitte vier und zwanzig Stunden zum Schmelzen erfordert, und wenn er bereits sechs Monate im Feuer steht, dreißig Stunden. Gewöhnlich hält man einen Ofen neun Monate lang im Gange, vom September bis Junius, und verwendet dann die übrigen drei Monate zur Ausbesserung desselben. Ein Ofen mit zehn Töpfen von gewöhnlicher Größe erzeugt zwischen sieben hundert und tausend Kisten (boxes) Glases im Monate, je nachdem nämlich die Arbeit mehr oder minder gut gelingt.

Das Blasen. Für jeden Topf ist ein Bläser und ein Junge oder Lehrling bestellt. Der Bläser fängt seine Arbeit damit an, daß er zuerst das Ende seiner Pfeife durch das Fenster einführt, und dieselbe so lang darin läßt, bis sie beinahe rothglühend wird, worauf er sie in Wasser stößt, wo dann das Oxyd abspringt und eine reine metallene Oberfläche läßt. Diese wird in die Glasmasse des Topfes (the metal) eingetaucht, und, indem sie in derselben umgedreht wird, bleibt eine gewisse Menge von lezterer an ihr hängen. Der Bläser nimmt nun diese Masse heraus, und richtet sie, wenn es nothwendig ist, mit dem Streicheisen (strike iron) zu, worauf sie wieder in den Topf gebracht wird, bis endlich durch wiederholtes Eintauchen eine hinlängliche Menge zur Bildung eines Cylinders daran hängen bleibt, wozu, nach der Glashüttensprache (der Amerikaner), drei Sammlungen (three gatherings) nothwendig sind. Der Arbeiter bringt nun die Glaskugel in eine geringe Entfernung von dem Fenster im Ofen, und dreht sie daselbst einige Augenblike lang ununterbrochen um, damit sie die gehörige Temperatur bekommt. Hierauf nimmt er sie heraus, und streicht mit dem Streicheisen die halbflüssige Masse nahe an das Ende der Pfeife, die er dann in einen hohlen Untersaz, einen ausgehöhlten hölzernen Blok, bringt, in welchem sich etwas Wasser befindet: in dieser Höhlung dreht er sie einige Augenblike, um der Masse die gehörige Form zu geben. Nun führt er das Mundstük der Pfeife an die Lippen, bläst nach und nach den Ballen (die Blase) auf und fährt dabei immer mit dem Umschwenken fort, bis dieser die gehörige Größe erreicht hat. Auf diese Weise bildet sich eine hohle Kugel an dem oberen Ende der Blase. Diese Kugel führt der Arbeiter durch das Fenster neuerdings in den Ofen, um ihr daselbst wieder die gehörige Hize zu geben, die sie bei der vorigen Arbeit verloren hat, nimmt sie dann wieder aus dem Feuer und sezt das Mundstük neuerdings an die Lippen, und schwingt, auf einer Bank stehend, die Pfeife von einer Seite zur anderen, dreht sie im Kreise, und bläst die Kugel auf. Während dieß geschieht, wird durch die Centrifugalkraft, unterstüzt und berichtigt durch die Gravitation noch während des Aufblasens, die Kugel in einen hohlen Cylinder (die Tute) verwandelt, der mit einem Ende an der Pfeife hängt, und an dem anderen Ende von einer hohlen Halbkugel geschlossen wird. Der Cylinder wird nun nahe an das Fenster gehalten, so daß er an seinen äußersten Enden erweicht wird; man schlägt ferner ein Loch durch den Mittelpunkt desselben und schwenkt ihn schnell im Kreise, wo dann durch die Centrifugalkraft, die auf die erweichte Hemisphäre wirkt, dieselbe Anfangs in eine Fläche, die quer über die Wände des Cylinders läuft und senkrecht auf dieselben steht, verwandelt, und endlich, so wie die Umdrehung fortgesezt wird und die Oeffnung im Mittelpunkte sich erweitert, plözlich in die Weite der übrigen Theile des Cylinders ausgedehnt wird. Man hält nun den Cylinder einige Augenblike über senkrecht, bis das Glas ganz abkühlt, wo er dann dem Jungen übergeben wird, welcher denselben auf einer hölzernen Unterlage von der Pfeife absprengt, indem er den Hals mit einem nassen Eisen berührt. Noch ist eine andere Arbeit nothwendig, um den Cylinder ganz zu vollenden, die man das Käppeln (cappling) nennt. Man nimmt zu diesem Ende etwas flüssige Glasmasse mit einer eisernen Stange aus dem Topfe, und bringt sie mittelst Zangen rings um jenes Ende des Cylinders, welches an der Pfeife hing. Dieser glühende Glasfaden sprengt, wenn er mit dem bereits erkalteten und noch nicht im Kühlofen behandelten Glase in Berührung kommt, die

Kappe weg, und läßt einen reinen Cylinder zurük. Um nun den Cylinder zum Streken (flattening) herzurichten, wird ein glühendes Eisen von einem Ende des Cylinders zu dem anderen geführt, wo dann, wenn man dasselbe zurükzieht, und mit einem nassen Finger über die Stelle fährt, über welche man das Glüheisen gezogen hat, der Cylinder beinahe der ganzen Länge nach in einer geraden Linie springt, worauf er zum Streken aufbewahrt wird.

Das Streken. Bei dieser Arbeit sind zwei Gegenstände zu bezweken: erstens, die Verwandlung der Cylinder oder Tuten in Flächen; zweitens das Abkühlen (Anlassen, annealing tempering). des Glases. Der hierzu nöthige Bau besteht aus drei Theilen: A dem Hintertheile oder Eingange in den Strekofen. B dem eigentlichen Strekofen und C dem Kühlofen. Diese Oefen werden dadurch zu dieser Arbeit hergerichtet, daß man die Temperatur des Kühlofens auf ungefähr 500° F. (212° R.) mittelst des Zuges, a, erhöht, welcher mit einem darunter angebrachten Herde und Roste in Verbindung steht. Der Ofen B wird bis zur Glühhize gebracht, was durch den Zug b geschieht, während das Hintertheil, welches mit diesem Ofen in Verbindung steht, seine Hize durch denselben erhält, welche jedoch, da das Gewölbe, das denselben dekt, viel niedriger ist, als das Gewölbe des Ofens, immer nach und nach abnimmt, so daß sie am Eingange dieses Hintertheiles niedriger ist als die Hize des siedenden Wassers. Da nun die Tuten oder Cylinder noch nicht abgekühlt oder angelassen wurden, so wird es, wenn sie nicht brechen sollen, unerläßlich, die Hize mit der größten Vorsicht an denselben anzubringen. Dieß wird nun durch die Anlage dieses Hintertheiles leicht möglich. Innerhalb desselben sind nämlich auf dessen Sohle zwei eiserne Stangen angebracht, die der ganzen Länge nach (gewöhnlich 10 Fuß lang) hinlaufen. Wenn nun diese Oefen auf die gehörige Hize gebracht sind, wird eine eiserne Platte über den Zug, a, gelegt, welche denselben gänzlich schließt: man wirft einige Spreißel Holz in den Ofen, um denselben in der Hize zu halten, und den Arbeitern zu leuchten. Ein Junge muß nun die Tuten (Cylinder) herbeitragen, und sie auf die eisernen Stangen in dem Hintertheile legen, auf welchem er sie mittelst eines Stabes nach und nach vorwärts schiebt, bis dieses ganze Hintertheil voll ist. Ein Mann, der bei der Oeffnung, D, aufgestellt ist, bringt nun mittelst einer eisernen Stange die Tute, welche zuerst in das Hintertheil eingebracht wurde, auf den Stein E, dessen Temperatur so hoch steht, daß, da das Glas biegsam ist, die Tute sich auf demselben flach ausbreitet. Man führt jezt einen hölzernen Blok, der an einer eisernen Stange angebracht ist, über diese Glasplatte, und drükt dieselbe fest auf dem Steine an. Nachdem dieß geschehen ist, schiebt dieser Arbeiter die Platte mittelst eines anderen Eisens, das man bei Schieber (the cropper) nennt, unter der Scheidewand der Oefe durch auf den Stein F. Auf diesem Steine läßt man sie liegen, bi sie kühl genug geworden ist, um ihre Form behalten zu können. Ei anderer, bei G angestellter, Arbeiter zieht sie dann an das Hintertheil des Ofens, wo er sie beinahe senkrecht auf ihre Kante stellt.

Jede Tute geht nach und nach durch alle diese verschiedenen Manipulationen durch, bis zulezt alle zusammen in den Kühlofen übertragen werden. Wenn dieser voll geworden ist, läßt man das Feuer ausgehen, und verstreicht jede Oeffnung des Ofens mit Mörtel. Im Winter läßt man die Glastafeln eine Woche lang in dieser Lage, im Sommer zehn Tage: nach Verlauf dieser Zeit wird der Ofen geöffnet, und nachdem das Glas kühl genug geworden ist, um es ohne Nachtheil herausnehmen zu können, wird es herausgenommen und in die Schneidstube gebracht, in welcher es nach und nach bis zur Temperatur der Atmosphäre abkühlt.

In der ganzen Glasmacherei ist vielleicht nichts, was dem Zuschauer so viel Vergnügen gewährt und so viel Erstaunen abzuloken vermag, als die Leichtigkeit, mit welcher ein erfahrner Glasschneider seine Arbeit verrichtet. Wirklich fordert auch keine bloße Handarbeit in irgend einem Gewerbe mehr Zeit und Geduld, um die erforderliche Geschiklichkeit zu erlangen, als gerade diese. Man hat allerlei verschiedene Meinungen über die Art aufgestellt, nach welcher der Demant bei dem Zerschneiden des Glases wirkt. Wenn der Demant quer über eine Glastafel hingezogen wird, und einen guten Schnitt bildet, so ist die Linie, die er gezogen hat, kaum merklich, und der Bruch erstrekt sich doch durch die ganze Dike der Tafel. Der Glasschneider beurtheilt das Gelingen seines Schnittes mehr mit dem Ohre, als mit dem Auge. Wenn der Schnitt gut geräth, so entsteht ein eigener knarrender Laut. Wenn hingegen eine weiße Linie unter einem knirschenden Laute zum Vorscheine kommt, kann man sicher seyn, daß die Tafel nicht durchgeschnitten ist. Es scheint beinahe in dem lezteren Falle, daß der Bruch, statt von der Spize des Demantes senkrecht abwärts zu steigen, sich seitwärts erstrekt, und von da wieder nach der Oberfläche zurükkehrt, und auf diese Weise kleine Glasstüke losreißt, die muschelförmig sind. Ich wähle zum Glasschneiden immer vollkommen ganze Demante, mit dreiekig rhomboidalen Flächen (triangular rhomboidal faces), deren Kanten nicht gerade, sondern etwas convex sind, sie mögen übrigens Oktaëder oder Dodekaëder seyn. Die ganz eigene Feinheit, die die Kante des Demantes haben muß, wenn sie gut schneiden soll, wird durch anhaltenden Gebrauch derselben, ungeachtet aller Härte des Demantes, doch sehr bald abgenüzt;

und das Auge hält oft noch eine Demantkante für scharf, die es nicht mehr ist.

Das gewöhnliche Tafel- oder Cylinderglas steht weit unter dem Kronenglase. Einige Mängel desselben hängen nothwendig von der Verfahrungsweise bei seiner Verfertigung ab, und lassen sich nimmermehr gänzlich verhüten. Andere Fehler hingegen lassen sich durch Fleiß und Geschiklichkeit gänzlich beseitigen.

Der geringere Glanz oder die geringere Politur, die unregelmäßige Zurükwerfung des Lichtes von der Oberfläche desselben, die leichten Krazer und Rize, die man mehr oder minder an allen diesen Arten von Glas wahrnimmt, gehören zu den unvermeidlichen Uebeln; viele derselben können jedoch durch aufmerksame und sorgfältige Behandlung dieses Glases in einem hohen Grade vermindert werden.

Der geringere Glanz rührt vorzüglich davon her, daß das Glas bei dem Streken noch ein Mal gehizt werden muß. Wenn die Temperatur nicht höher getrieben werden dürfte, als bloß nothwendig ist, um das Glas biegsam zu machen; so würde die Verminderung des Glanzes so unbedeutend seyn, daß man sie kaum wahrnehmen könnte; da aber eine größere Hize die Arbeit des Strekens sehr erleichtert, so gerathen die Arbeiter immer in Versuchung, eine stärkere Hize anzuwenden. Es ist wahrscheinlich, daß diese große Hize das Alkali von der Oberfläche des Glases, welche mit derselben in unmittelbare Berührung kommt, verflüchtigt, und daß die Kieselerde, die hierdurch ihres Auflösungsmittels beraubt wird, die Ursache dieser Trübheit des Glases wird. Dieselbe Wirkung hat, bekanntlich, auch Statt, wenn eine Fensterscheibe lang den Einflüssen der Witterung ausgesezt gewesen ist, und zeigt sich ganz besonders deutlich an Glasstüken, die Monate lang in den Streköfen lagen: sie werden so matt und undurchsichtig, daß sie Porzellanscherben ähnlich werden.

Das unvollkommene Zurükwerfen der Lichtstrahlen rührt von der Unmöglichkeit her, eine Glasplatte in vollkommen gleiche Berührung mit dem Steine zu bringen, indem immer Luft und Staub zwischen beiden vorhanden ist. So wie heute zu Tage die Strekofen gebaut sind, wird auch die höchste Sorgfalt diesen Fehler nicht gänzlich vermeiden können.

Die leichten Rize und Krazer entstehen durch das Schieben der Glasplatte von einem Steine auf den anderen. Diese Fehler könnten auf folgende Weise vermieden werden. Man verfertigt eine sehr dike (¼ bis ⅓ Zoll dike) Glastafel, legt diese auf den Stein, und die Tute oder den Cylinder auf sie, und läßt jenen auf dieser sich streken. Beide Platten werden dann zugleich auf den anderen Stein hinabgeschoben, die obere Glasplatte wird von der unteren weggenommen, und die untere dike, die man den **Lieger** (legger) heißt, wird wieder auf den vorigen Strekstein zurükgeschoben. Alles sogenannte falsche Kronenglas (imitation crown) wird auf diese Weise gestrekt, und wenn dieses Glas sorgfältig nach obiger Art behandelt wurde, kommt es beinahe dem Kronenglase der Qualität nach gleich, und hat zugleich noch den wichtigen Vorzug, daß es diker ist.

So unvollkommen indessen das Cylinder- oder Tafelglas auch gewöhnlich seyn mag, so ist es doch bei seinem geringen Preise (es ist um die Hälfte wohlfeiler als Kronenglas) eines ungeheueren Absazes sicher, vorzüglich in jenen Gegenden unseres Landes, wo die Einwohner mit ihrem Landgute bereits ins Reine gekommen sind, und ihre alte Residenz, die Hütte aus unbehauenen Baumstämmen, mit bequemeren und eleganteren Wohnungen zu vertauschen beginnen. Im Staate von New-York sind gegenwärtig bereits nicht weniger als acht Glashütten, welche Tafel- oder Cylinderglas verfertigen, und jährlich zwischen 60 und 80,000 Kisten Glas zu Märkte bringen. Die Concurrenz der Glashütten ist in dem gegenwärtigen Augenblike bereits so groß in unserem Lande, daß der Preis des Tafelglases gegenwärtig bei uns um volle zwei Drittel niedriger steht, als er vor zwölf Jahren gestanden ist. [162]) Tafelglas hat gegenwärtig bei uns gerade den Preis des Einfuhrzolles auf ausländisches Glas, so daß folglich das ausländische Glas von unseren Märkten gänzlich ausgeschlossen ist. So viel ich weiß, ist bis jezt nur eine einzige Glashütte in unserem Lande, die Kronenglas verfertigt, und diese ist zu oder bei Boston. Sie hat bisher mit Vortheil, wie ich höre, gearbeitet, obschon ihr das Brennmaterial vier Mal höher zu stehen kommt, als es an vielen anderen Oertern bei uns nicht der Fall ist. Bei dem Unternehmungsgeiste, der Nationalgeist bei uns geworden ist, bei den ein-

---

162) Die Freunde der freien Einfuhr behaupten immer, daß, wo Einfuhr fremder Waaren verboten ist, die Fabrikate wegen des Monopoles, das die Fabrikanten hierdurch erhalten, im Preise steigen und in der Güte sinken. Nordamerika liefert uns neuerdings den Beweis, den zuerst England, dann Oesterreich und Preußen, endlich Frankreich und zulezt Rußland durch seine Einfuhrverbote vor Jahrhunderten und Jahrzehenden geliefert haben: „daß Einfuhrverbote den Preis der Fabrikate nicht nur nicht vertheuern, sondern mächtig verringern, sobald die Fabriken keine Privilegien besizen;" daß also obige Einwendung gegen Einfuhrverbot nichts anderes, als eine gelehrte Professorsgrille ist. Die gelehrten Herren, die sich fürchten, die paar Lappen, mit welchen sie ihre Nudität à priori und à posteriori zu bedeken gezwungen sind, theuerer bezahlen zu müssen, wenn diese Lappen nicht mehr aus dem Auslande eingeführt werden dürfen, belieben nur, wenn es ihnen gefällt, eine Tinten- und Papier-Fabrik zu errichten, und sie werden bald sehen, daß ein Hr. Collega sich bemühen wird, ihre Lumpenwaare noch wohlfeiler und noch schöner zu liefern. Es ist heute zu Tage in der ganzen Welt so eingerichtet, daß dort, wo Ein Fabrikant reich werden könnte, ein halbes Duzend Fabrikanten desselben Artikels sich so brüderlich in diese vermeinten Reichthümer theilen, daß allen nichts anderes übrig bleibt als Gottes Segen: „im Schweiße deines Angesichtes sollst du dein Brot verdienen." A. d. Ue.

ladenden Verhältnissen unserer gegenwärtigen Lage und den vielen Localvortheilen, die wir auf eine auffallende Weise vor anderen voraus haben, bleibt es wahrhaftig ein Räthsel, zu erklären, wie wir vergessen konnten unsere Capitalien auf einen so einträglichen Erwerbszweig zu verwenden. Es ist sehr zu wünschen, daß wir in Hinsicht auf einen eben so schönen als nothwendigen Artikel nicht länger mehr vom Auslande abhängen. [163])

LXXIV.

Verbessertes Verfahren mittelst Flußspathsäure (Acide hydrofluorique liquide) auf Glas zu graviren oder zu stechen; von Hrn. Hann zu Warschau.

Aus den Annales de l'Industrie. Juillet. 1829. S. 518.) Bulletin des Scienc. techn. 1829. N. 8.

Um einen sorgfältig gehaltenen, zarten Stich von verschiedener und bestimmter Tiefe zu erhalten, ohne die Zeichnung der Gefahr des Mißlingens auszusezen, überziehe ich die Oberfläche des Glases, auf welches gestochen werden soll, mit einem undurchsichtigen Firniß. Der beste Firniß hierzu, der gehörig am Glase kleben bleibt, ohne in den folgenden Bearbeitungen von demselben abzuspringen, und der mir immer gelang, ist troknendes Leinöhl, oder noch besser fetter Copalfirniß, mit gebranntem Kienruße geschwärzt, der fein abgerieben, und mit Terpenthinöhl angemacht wird. Dieser Firniß wird in sehr dünnen Lagen aufgetragen, die man ehevor vollkommen troken werden läßt, ehe man eine neue aufträgt. Man hört mit dem Auftragen desselben auf, sobald man wahrnimmt, daß das Glas kaum mehr einen Lichtstrahl durchläßt: denn es geschieht nur zur Erleichterung der Zeichnung (?). Man muß sich indessen hüten, daß die gesammte Firnißmasse nicht zu dik wird; das Zeichnen würde dadurch erschwert werden, und der Firniß würde sich leicht abschuppen, vorzüglich an jenen Punkten, wo die Linien sehr nahe an einander kommen oder sich kreuzen.

Der Firniß der Kupferstecher auf Kupfertafeln kann hierzu nicht leicht verwendet werden, weil die Schwierigkeiten hier weit größer sind als man glaubt, vorzüglich in Händen, die nicht gewohnt sind das Glas nach und nach zu erwärmen.

Auf das auf obige Weise gefirnißte und sorgfältig getroknete Glas wird nun die Zeichnung gepaust, und mit dem Griffel oder mit der Nadel von verschiedener Feinheit der Firniß weggenommen. Jeder

163) Bayerische Glashüttenmeister, die bekanntlich sehr schönes Kronenglas verfertigen, dürften diesemnach in Nordamerika ihr Glük machen. A. d. R.

Zeichner kann dieß eben so gut wie der Kupferstecher (?!), und er wird sehr bequem arbeiten, wenn er seine Zeichnung von unten beleuchtet, und sie unter einem Winkel von 45° auf einen Pult hinlehnt. In dieser Lage wird er die feinsten Striche bemerken können, sobald sie auf dem Firnisse zum Vorscheine kommen.

Nachdem die Zeichnung aufgetragen wurde, muß sie mit der Flußspathsäure geäzt werden. Ehe man aber hiermit beginnt, muß man, um nicht seine Arbeit in Gefahr zu bringen, das Glas kennen, auf welches man dieselbe gezeichnet hat, so wie die Stärke der Säure, die man anwendet; man muß, mit einem Worte, die Gegenwirkung dieser beiden Dinge auf einander kennen. Man muß also vorher auf einem Stüke desselben Glases, auf welches man gezeichnet und das man überfirnißt hat, einen Versuch machen. Man theilt dieses Stük Glas zu diesem Ende in 5 bis 6 Theile, die man mit Nummern bezeichnet, und macht auf jeden dieser Theile Striche mit der Nadel, und überzieht diese nach und nach mittelst eines Pinsels mit der Flußspathsäure, deren Stärke man noch nicht kennt; man fängt bei N. 6. an. Nach einer Minute überzieht man N. 5., nach der dritten Minute N. 4., u. s. f. die Nummern 3., 2., 1.; so daß, wenn die Säure Eine Minute lang auf N. 1. gewirkt hat, sie bereits sechs Minuten lang auf N. 6. wirkte. Nachdem dieß geschehen ist, wäscht man das Stük Glas, auf welchem man die Probe angestellt hat, in einer großen Menge Wassers, und nimmt mit einem Messer und mit Therpenthingeist den Firniß weg. Auf diese Weise läßt sich nun die Länge der Zeit mit Leichtigkeit bestimmen, während welcher man die Säure auf das Glas einwirken lassen muß, um die Zeichnung in der gehörigen Tiefe in das Glas einzuäzen. Man trägt nun mit einem Pinsel aus Kamehlhaar die Säure auf die Zeichnung auf, und nachdem jene auf dieses die gehörige Zeit über eingewirkt hat, wäscht man das Glas in einer großen Menge Wassers, und nimmt den Firniß ab.

Obiger Versuch ist bei dieser Art von Arbeit unerläßlich, selbst für jeden Gegenstand im Einzelnen. Der Künstler erhält dadurch nicht bloß den Vortheil, daß er das Gelingen seiner Arbeit vorher sehen, sondern selbst in derselben Zeichnung verschiedene bestimmte Nüancen hervorrufen kann, theils durch die Stärke der Striche, theils durch die Länge der Zeit, während welcher er die Säure auf dem Glase läßt; eine Wirkung, die sich durch das gewöhnliche Verfahren der Kupferstecher, die Säure auf die Zeichnung zu schütten, nicht erreichen läßt. Der Gebrauch des Pinsels erleichtert noch überdieß die Arbeit, und spart Säure. Es ist beinahe überflüssig zu bemerken, daß der Unterschied in der Temperatur einen sehr merklichen Einfluß auf die

Wirkung der Säure hat, und daß man, nöthigen Falles, alle Verbesserungen anbringen kann, welche in der Kunst des Kupferstechens möglich sind, wenn man das Glas theilweise mit fettem Firnisse bedeckt. Man arbeitet sich noch leichter, als auf Kupfer oder Stahl, mit dem kalten Firnisse der Kupferstecher, der immer sehr klebrig ist.

Es scheint mir, daß diese Art die Stärke der Säure zu prüfen sich auch mit Vortheil auf das Aezen mit Scheidewasser auf Kupfer anwenden ließe, da die käuflichen Aräometer, deren die Kupferstecher sich bedienen, oft sehr von einander abweichen. Dieses Verfahren ist weit kürzer, als jede chemische Analyse, sowohl um den Grad der Säure zu bestimmen, die bereits zu mehreren Arbeiten gedient hat, als auch um die Flüssigkeiten zu bestimmen, die aus Sublimat und Alaun (Deutochlorure de Mercure et d'alun) oder aus Kochsalz und essigsaurem Kupfer, oder endlich aus saurem salpetersaurem Kupfer bestehen und deren man sich bei dem Aezen auf Stahl bedient.

Um die Flußspathsäure auf eine eben so wohlfeile als leichte Weise zu bereiten, habe ich im Jahre 1823. einen Apparat vorgeschlagen, der mir eben so einfach, als leicht anwendbar scheint.

Er besteht aus zwei Flaschen und aus einer Röhre, die alle aus Blei sind. Man gibt den flußspathsauren Kalk mit der Schwefelsäure, die mit der Hälfte ihres Gewichtes Wasser verdünnt ist, in die Flasche, die als Retorte dient. Die Flußspathsäure verdichtet sich in der anderen Flasche, in welcher man dieselbe aufbewahren kann. Sie ist nie concentrirt. Wenn die Arbeit geschehen und der Apparat erkaltet ist, nimmt man die Flasche, die als Vorlage diente, weg, stöpselt sie zu, und wirft die Flasche, die als Retorte diente, sammt der Röhre in Wasser, ohne die Röhre abzunehmen, wodurch aller Nachtheil beseitigt wird, der dabei entstehen könnte.

In der Röhre ist außen eine der Länge nach hinlaufende Furche, um die in dem Recipienten enthaltene Luft entweichen zu lassen.[164])

---

164) Wir liefern hier diese Notiz, nicht um die Zarteste der bildenden Künste, die Kupferstecherkunst, die jezt in der Kunst auf Stahl zu äzen und zu stechen, ihre höchste Vollkommenheit erreicht hat, durch Tändeleien auf das gebrechliche Glas entheiligen zu helfen, sondern um den Instrumentenmachern, die physische und chemische Apparate verfertigen, zu zeigen, wie sie die Maßstäbe besser, als bisher, auf Glas äzen und dadurch ihre Instrumente vervollkommnen können.
A. d. Ue.

LXXV.

Apparat des Doctors Cottereau, um Lungensüchtige und Brustkranke Chlorgas einathmen zu lassen.[165])

Aus dem Recueil industriel. N. 34. S. 59.

Mit einer Abbildung auf Tab. VI.

Wir theilen diesen Apparat hier bloß in der Absicht mit, um diejenigen Kranken, deren Arzt oder deren Einbildung sie in der Anwendung des Chlorgases ein Mittel gegen ihre Krankheit erwarten läßt, nicht sehnsuchtsvoll harren zu lassen bis der kostbare Apparat aus Paris kommt, um unsere Instrumenten- und Glasmacher in den Stand zu sezen, denselben auf der Stelle zu verfertigen.

Der neueste Apparat in dieser neuesten Curart, der Apparat des Hrn. Drs. Cottereau, Professor zu Paris, besteht aus zwei Theilen.

165) Die Medizin hat, wie Alles, was auf Meinungen nnd Spekulationen beruht, ihre Moden. Gegenwärtig ist es in derselben Mode, die Lungensucht, eine Krankheit, die den fünften Theil der Gestorbenen jährlich dahin rafft; die die Natur zuweilen, der Arzt nie, zu heilen vermag; die man so oft verkennt und dort zu sehen glaubt, wo sie nicht ist, während sie öfters wieder dort ist, wo man sie nicht sieht oder sehen will; es ist in Frankreich und England heute zu Tage Mode, diese furchtbare und unheilbare Krankheit mit Chlor zu behandeln, und sich einzubilden, man habe sie geheilt, wenn sie auch wirklich in dem Kranken, welchen man mit diesem neuen Mittel behandelte, gar nicht vorhanden gewesen ist. Nirgendwo als in der Medizin (die Philosophie vielleicht allein ausgenommen) schließt man häufiger eben so, wie jener fromme Capuciner, der den ersten Theil seiner Predigt mit dem Saze begann: „dieweil der Löwe des Evangelisten ein grimmig Thier ist, also müsset ihr Gott den Herrn anbeten." Eben so oft schließt man auch so: „ich sag' es euch Leute, es stekt eine Kaze in euerem Ofen; denn ich habe sie selbst hineingestekt." Und eben so: „weil meine Mutter sagt, der ist mein Vater; also bin ich sein Sohn." Auf solchen Schlüssen beruhen so ziemlich neun Zehntheile der gesammten Medizin, vorzüglich die Systeme und die Moden in derselben. Die Mode, Lungensucht mittelst Chlor zu curiren, ist bereits auch bis nach Deutschland gedrungen, wie alle Moden von der Themse und von der Seine nach Deutschland kommen, und wird vielleicht bei uns noch Mode seyn, wann sie es an der Themse und an der Seine längst nicht mehr ist. Das Einathmen verschiedener Gasarten in der Lungensucht und bei chronischen Brustbeschwerden ist nichts weniger als neu. Die Moden sind in der Medizin, wie in der Toilette; während die neue veraltet, wird die alte, längst vergessene und verbannte, wieder zur neuen Mode. Schon vor 30 Jahren hoffte Beddoes die Lungensucht durch eingeathmete Gasarten zu heilen, und hat hierzu nicht bloß ähnliche Apparate, sondern hermetisch geschlossene Zimmer erbaut, die mit der vermeintlich heilbringenden Gasart gefüllt wurden. Einige wenige Kranke, welche nicht lungensüchtig waren, wurden in diesen Zimmern eben so gesund, wie sie es in jedem anderen geworden seyn würden; die meisten aber starben. Ein so vortreffliches Mittel auch das Chlor in manchen Fällen, vorzüglich in chirurgischen, seyn mag; so sehr es selbst den Gestank fauler Fische zu verbessern vermag, so wird es doch sicher faule Lungen nicht wieder frisch machen. „Wo Lunge und Leber faul ist, hat alle Medizin ihr Ende," sagt ein großer weiser Mann: Friedrich der Einzige unsterblichen Andenkens. So wenig Chlor die Kräze zu heilen vermag, so wenig wird es Lungensucht heilen, wenn es auch den Gestank des Athems und des Auswurfes mildert. Uebrigens ist dieser Apparat sehr zwekmäßig, und läßt sich, wo man denselben nicht besonders elegant haben will, aus alten Woolfe'schen Flaschen, unter welchen man eine Lampe anbringt, und aus einem alten gebrochenen Sicherheitsrohre sehr leicht in jeder Apotheke ex tempore zusammenstöpseln.

A. d. Ue.

„1) aus einer Flasche, A, Fig. 3., welche ungefähr Ein Pfund Wasser hält, und mit drei Tubulirungen versehen ist. Durch die mittlere dieser Tubulirungen, O, läuft eine gläserne Röhre, F, die in ihrem inneren Durchmesser 6 Linien weit ist, und ein hundertgradiges Thermometer, G, aufnimmt. Die obere Mündung dieser Röhre steht mit der atmosphärischen Luft in Verbindung; die untere reicht bis in eine Entfernung von 3 Linien von dem Boden der Flasche. Die zweite dieser Tubulirungen, P, wird von einem Stöpsel, E, geschlossen, der nach der Richtung seiner Achse hohl ist, mit einer Furche versehen ist, und sich auf ungefähr zwei Zoll Tiefe in die Höhlung der Flasche verlängert, in welcher er sich in Form eines Mundstükes einer Flaute endet. Dieser Pfropfen stüzt ein Gefäß, B, welches mit schwarzem Papiere oder mit einer Lage schwarzen undurchsichtigen Firnisses versehen ist, und ungefähr eine Unze Wassers faßt. Ein Hahn, C, öffnet und schließt nach Belieben die Höhlung des Pfropfens, nur daß auf dem krystallnen Zapfen D und D′ (Fig. 4.) dieses Hahnes sich eine kleine Furche befindet, deren Grad der Vertiefung die Menge der Flüssigkeit bestimmt, welche ausfließen kann. Der Pfropfen N und N′, Fig. 5., des Gefäßes B hat eine kleine Furche, durch welche die Luft eintritt, ohne welche das Chlor sich nicht entwikeln kann. In der dritten Tubulirung, Q, endlich ist eine gekrümmte Röhre, H, die mittelst eines Hahnes, I, nach Belieben geöffnet oder geschlossen wird, und durch welche der Kranke athmet.

2) aus einem Fußgestelle, L, aus Eisen oder Kupferblech, welches als Ofen dient, der mittelst einer Weingeist- oder Kohlenlampe, M, welche unter die mittlere Scheidewand R gestellt wird, geheizt wird.

Man gießt nun in die Flasche A vier bis fünf Unzen Wasser, so daß dasselbe bis nach K steigt, und die untere Oeffnung der Röhre F, in welcher sich das Thermometer G befindet, in dasselbe eintaucht. Man füllt das auf der Tubulirung P angebrachte Gefäß B mit sehr reinem Chlor, welches bei einer Temperatur von 15° am hundertgradigen Thermometer bereitet wurde, und läßt dasselbe, mittelst der Furche des Hahnes, D, tropfenweise in das Wasser der Flasche, A, fallen, welches die Lampe M des kleinen Ofens L erwärmt, und durch dieselbe immer in einer Temperatur von 50 bis 60° am hundertgradigen Thermometer erhalten wird. Nun nimmt der Kranke das Rohr, H, zwischen seine Lippen, und athmet, ohne alle Anstrengung, durch dasselbe. Die Luft, welche durch die Röhre, F, eintritt, kommt mit Chlor- und Wasserdämpfen beladen in seine Lungen.

Der Ofen, der die Form des Fußgestelles einer Säule hat, ruht auf einem hölzernen Untergestelle, S, welches an einer seiner Seiten, mit zwölf kleinen Oeffnungen, T T T 2c. versehen ist, an welchen der Kranke die Zahl der Einathmungen, die er täglich machte, mittelst eines kleinen elfenbeinernen Stiftes, U, bemerkt.

Dieser Apparat ist, nach dem Ausspruche mehrerer Commissionen, welche verschiedene gelehrte Gesellschaften hierzu ernannten, besser als jener des Chemikers Gannal, indem 1) das Chlor nur langsam aus seinem Gefäße und im Verhältnisse des Athemholens ausfließt, wodurch der Kranke gegen alle Nachtheile geschüzt wird, die dadurch entstehen könnten, daß er auf ein Mal zu viel Chlor einathmet. 2) daß die Temperatur des Wassers hier immer auf demselben Grade erhalten wird; was ein wesentlicher Umstand ist, indem es bei einer niedrigeren Temperatur reizend wirkt. 3) daß kein Gas umsonst verloren geht, da keines entweichen kann, und man daher nicht, nach jedem Einathmen, das Wasser erneuern muß. Hierdurch ist man auch in den Stand gesezt, die Menge des angewendeten Chlores genau zu bestimmen. 4) daß der Kranke endlich, welcher sich dieser Vorrichtung bedient, durch den Gebrauch derselben nicht ermüdet wird, und daß er das Einathmen des Gases auf der Stelle unterbrechen kann, wenn es ihm nicht zuträglich ist, ohne daß während dieser Unterbrechung Chlorgas verloren geht."

LXXVI.

Miszellen.

Verzeichniß der vom 12. Jänner 1830 bis 21. Jänner zu London ertheilten Patente.

Dem Wilh. Hale, Maschinisten zu Colchester in Essex; auf eine Maschine zum Heben oder Treiben des Wassers, um Schiffe vorwärts zu treiben. Dd. 12. Jänner 1830.

Dem Jak. Carpenter, zu Willenhall, Pfarre Wolverhampton, Staffordshire, und Joh. Young, ebendaselbst; beide Schlosser; auf gewisse Verbesserungen an Schlössern für Thore und zu anderen Zweken. Dd. 18. Jänner.

Dem Wilh. Barr, Gentleman am Union-Place, City-Road, Middlesex; auf eine neue Methode abwechselnde Bewegung mittelst umdrehender Bewegung zu erzeugen, welche Vorrichtung sich an Pumpen, Mangen und allen Maschinen, welche derselben bedürfen, anbringen läßt. Dd. 18. Jänner.

Den Edw. und Jak. Oakeyne, beide Kaufleute zu Darley Dale in Derbyshire; auf eine hydraulische Maschine, um die Kraft oder den Druk des Wassers, Dampfes oder anderer elastischer Flüssigkeiten zum Treiben der Maschinen und anderen Zweken, bei welchen man Kraft braucht, zu verwenden; auch zum Heben der Flüssigkeiten. Dd. 21. Jänner 1830.

Verfallene Patente.

Dem Jos. Reynolds, Esq. in Kitley, Pfarre Wilting, Salop; auf gewisse Verbesserungen im Baue der Wagen und Pflüge und anderer Wirthschaftsgeräthe, die mittelst Dampfes, erhizter Luft oder Gasarten bewegt werden. Dd. 9. Jänner 1816.

Dem Edw. Cooper, Eisenhändler und Maschinisten zu Newington Butts; auf eine Methode Papier zu Papier-Tapeten zu druken. Dd. 10. Jänner 1816.

Dem Thom. Deakin, Eisenhändler am Ludgate Hill city of London, und J. R. Haynes, Eisenhändler in St. John's Street, Middlesex; auf einen verbesserten Ofen, Rost oder Herd. Dd. 15. Jänner 1816.

Dem Jak. Barron, Messinggießer in Wells-Street, Oxford-Street; auf eine Verbesserung an Laufrollen unter Möbeln. Dd. 23. Jänner 1816. (Aus dem Repertory of Patent-Inventions. Februar. 1830. S. 128.

Mottershead's elastischer Metallkolben (s. Polyt. Journal Bd. XXXIV. Seite 248) ist nicht seine Erfindung, sondern ein neues Beispiel eines, von einem Engländer an einem deutschen Erfinder begangenen Diebstahls.

Wenn manche meiner Landsleute, die meine Aufsäze im Dinglerschen Polyt. Journale gelesen, und mich vielleicht einen zu starken Eiferer gegen die englischen Maschinenbauer, und parteiischen Zweifler an der Großmuth und Liberalität der englischen Nation genannt, vielleicht auch den, in der Note der 22sten Seite des XXXII. Bandes dieses Journales ausgesprochenen Verdacht gegen meinen Werkmeister, als ohne gegebene Beweise, ungerecht gefunden haben können, so erlaube ich mir, sie auf den von einem Herrn Mottershead bei der Societé of Arts eingegebenen neuen Metallkolben (s. Polyt. Journal Band XXXIV. Seite 248), angeblich von seiner Erfindung, aufmerksam zu machen und sie zu ersuchen, selbigen, dem Principe und der Metallmischung nach, aus der er verfertigt werden soll, mit dem von mir im Polyt. Journale Band XXXII. Seite 161 beschriebenen, zu vergleichen, zugleich aber ihnen mitzutheilen, daß jener mein Werkmeister R. Mottershead hieß, und sie zu bitten, wenn noch einige Zweifel über den wahren Erfinder dieses Kolbens bei ihnen sich regen möchten und die Wage zwischen mir und Mottershead, der von mir mit Güte überhäuft worden, dem ich also gewiß keine Veranlassung zur Kränkung meiner Ehre gegeben habe, schwanken sollte, sie sich bei meinen Herren Interessenten in London, dem Herrn John Bent, Wilkinson, Porter und Kreeft (Fenchurch-street N. 121) und wenn dieses nicht möglich wäre, bei dem Herrn Fabrikencommissionsrathe Webbin in Berlin, und den beiden Bergräthen, Herrn von Oehnhausen und Herrn von Decken, die als Schriftsteller rühmlichst bekannt sind und während ihres Aufenthaltes in London, im Jahre 1826, meine Verhältnisse daselbst in Bezug auf diesen Kolben genau kannten, erkundigen mögen, wer, Mottershead oder ich, der eigentliche Erfinder dieses Kolbens sey, und wer sich eines schändlichen Diebstahls gegen den andern schuldig gemacht habe.

Herr Haevel, der in der, im Polyt. Journale, Band XXXIV. Seite 248 gegebenen, Note meiner Behauptung, daß der Barton'sche oder vielmehr Brown'sche Kolben durch seine Keile den Cylindern schabe, widersprechen will, erwiedere ich, daß ich in England viele Klagen darüber gehört habe und von Leuten, die Erfahrungen von der Zerstörung der Dampf- und Pumpencylinder selbst gemacht haben wollten. Ob das plus der Erfahrungen für eine oder die andere Behauptung entscheiden solle, überlasse ich meinen Lesern. Wer von diesen die Theorie zu Hülfe nimmt und die Anordnung und Stellung, so wie die Art des Vordringens der genannten Barton'schen Keile einer wissenschaftlichen Prüfung unterzieht, der dürfte vielleicht auf meiner Seite bleiben. Sollte Herr Hävel auch wohl genau genug untersucht haben? Die Abnuzung des Cylinders ist nach einer kurzen Zeit der Arbeit des Kolbens für das menschliche Auge und Gefühl oft sehr unmerklich, wird aber von dem Dampfe der Hochdrukmaschinen desto schneller gefunden.

Klein-Wehnendorf im Monate Januar 1830.

Dr. E. Alban.

Neue Hängebrüke über die Seine zu Paris.

Die neue Hängebrüke über die Seine von den Champs Elysées nach Gros-Caillou wurde den 20. Dec. 1829. eröffnet. Sie ist 380 engl. Fuß lang. Hr. Berges leitete den Bau derselben. (Galignani. a. a. O.)

Preis von 100 Pfd. (1200 Pfd.) auf einen Dampfpflug.

Hr. Heinr. Handley, zu Culverthorpe, Sleaford, bietet im Scotsman (Galignani Mess. 4617.) einen Preis von 100 Pfd. für einen brauchbaren Dampfpflug, um schweren Thonboden zu pflügen, da die Pflügkosten eines solchen Bodens in Schottland auf 12 — 15 Shill. p. Acre kommen. Er berechnet, daß man mit einer Dampfmaschine am Pfluge diese Arbeit um 3 bis 5 Shill (1 fl. 48 kr. bis 3 fl.) leisten könnte.

Ueber Poole's Ruderrad.

Wir haben über dieses Rad im gegenw. Bande des Polyt. Journales S. 90. Nachricht gegeben nach dem London Journal of Arts. Das Mechanics' Mag. N. 335. beruft sich auf eine Notiz über dasselbe, die Hr. Merryweather im Register of Arts liefert, und bemerkt, daß dieses Rad ganz demjenigen ähnlich ist, welches Chelmeriensis in N. 276. des Mech. Mag. Octbr. 1828. beschrieben hat, und das später N. 298. S. 173. einem Hrn. Joel-Lean zu Fishponds zugeschrieben wurde. Das Register, und aus diesem das Mechanics' Magazine a. a. O. S. 341. gibt folgende Uebersicht der Resultate von Poole's Ruderrädern an drei auf dem Flusse Witham fahrenden Dampfbothen, nämlich:

	Länge	Breite	Pferdekraft der Dampfmaschinen.	Tauchung unbeladen.	Gewicht der Maschine sammt Zugehör.	Mittlere Geschwindigkeit. bei den alten Ruderrädern.	Mittlere Geschwindigkeit. bei Hrn. Poole's Ruderrädern.	Kohlenverbrauch. bei den alten Ruderrädern.	Kohlenverbrauch. bei Hrn. Poole's Ruderrädern.
	Fuß.	Fuß.			Tonnen.	engl. Meil.	engl. Meil.	Bush.	Bush.
Favorite, 27. Jul. 1829.	67	10½	8	2' 8''	9	5	6	40	30
Countiß of Warwick, 22. Sept.	68	10	10	3' 3''	11	5	6	40	30
The Witham, 6. Dec.	74	12	9	3, 3''	13	4½	5½	48	40

Die Ruderräder der Herren Steenstrup, Oldham u. A. haben eine Menge Räderwerke, Laufketten, Walzen ꝛc., um die Schaufeln unter den verlangten Winkel zu bringen: Hr. Poole, der ein Schmid zu Lincoln ist, machte sein Rad auf die einfachste Weise, und machte es gut. Hier haben wir endlich einmal den Erfolg eines Patentes.

Ueber Hrn. Winans's Patent-Rad

theilt das Mechanics' Magazine N. 335. S. 346. eine sehr interessante Notiz mit, die jedoch für uns weniger brauchbar ist, da keine Figur dazu gegeben wurde, und wir auf dem festen Lande mit dem Baue der Wagen für Eisenbahnen noch zu wenig bekannt sind. Hr. Winans ließ sich in Amerika ein Patent auf seinen Wagen für Eisenbahnen ertheilen, und nahm auf denselben auch ein Patent in England. Statt die Patent-Erklärung mit Abbildung zu geben, theilt das Mechanics' Magazine a. a. O. bloß Hrn. Sullivan's Beschreibung dieses Rades aus dem Journal of the Franklin Institute, April 1829. mit, und fügt demselben den lehrreichen Bericht des Ausschusses der Mechaniker am Franklin Institute bei, der, leider, ohne Abbildung, nicht deutlich ist. Wir müssen uns begnügen unsere Leser, die sich für Eisenbahnen interessiren, auf diesen Bericht aufmerksam zu machen, auf welchen wir zurückkommen werden, wenn wir Winans's Wagen werden in einer Abbildung liefern können.

Vorzüge eiserner Bothe vor hölzernen.

Versuche am Forth- und Clyde-Canal haben erwiesen, daß eiserne Bothe sich im Verhältnisse von 7 : 4 leichter in Canälen ziehen lassen, als hölzerne. Ein Pferd zieht 70 Tonnen (1,400 Ztr.) in einem eisernen Bothe, während es in einer hölzernen Gabarre kaum 40 zu schleppen vermag. (Scotsman. Galignani Messeng. 4615.)

Perkins's Dampf-Kanonen.

Das Journal de Commerce, und das United Service Journal, Jänner 1830, und aus diesen das Mech. Mag. N. 335. 9. Jänner 1830. S. 348. berichtet, daß Hrn. Perkins's Versuche mit seinen Dampfkanonen zu Vincennes bei Paris keinen glüklichen Erfolg hatten. Vierpfündige Kugeln blieben auf 40 Schritte auf ein Schiffsgerippe geschossen in demselben steken. Man findet die Maschine überdieß zu complicirt.

Berstung eines Dampfkessels zu Rouen.

Zu Rouen wurde eine Dampfmaschine mit hohem Druke, die vor 7 Jahren von Hrn. Hall zu London verfertigt wurde, und deren Kessel aus Gußeisen 1½ Zoll dik war, Baumwollenspinnern überlassen, die ihre Stühle in der Nähe hatten. Am 19. December 1829. barst der Kessel mit einer furchtbaren Explosion in drei Stüke. Ein Seitenstük flog in einen Saal, in welchem eben gearbeitet wurde, so glüklich, daß kein Arbeiter verlezt wurde. Das zweite Stük flog in einen zweiten Nebensaal, in welchem glüklicher Weise Niemand sich befand; denn Alles ward in demselben zu Atomen zerschmettert. Der oberste Theil des Kessels aber flog senkrecht in die Höhe, und schleuderte die Stühle aus dem zweiten Stokwerke in das dritte hinauf. Drei Arbeiter wurden auf der Stelle getödtet; acht andere schwer, drei davon tödtlich verwundet. (Galignani. N. 4614.)

Camera lucida, als Stellvertreter des Storchschnabels.

Ein Hr. J. J. gibt in der neuesten Nummer des Mech. Mag. N. 336. 16. Jänner 1830. S. 354. Beschreibung und Abbildung der in Deutschland noch zu wenig von bildenden Künstlern benüzten Camera lucida. Er zeigt, wie mittelst derselben nicht bloß Maschinen copirt, sondern auch Porträte verfertigt werden können. Als Muster der ersteren gibt er die amerikanische Luftpumpe mit zwei Stiefeln, welche in Europa noch wenig gekannt, höchst einfach, dauerhaft und kräftig ist, und an welcher die Klappen sich mechanisch mittelst des Griffes öffnen. Sie soll weit besser seyn, als die Cuthbertson'sche, die mehr zusammengesezt ist, und daher auch leichter in Unordnung geräth. Leider kann jedoch nach der hier gegebenen Zeichnung kein Instrumentenmacher diese Luftpumpe nachmachen, indem das Wesentliche, die Klappen, nicht besonders gezeichnet sind. Auch wird schwerlich ein optischer Instrumentenmacher die Camera lucida nach der hier gegebenen Zeichnung und Beschreibung verfertigen können. Die beste Beschreibung dieses höchst nüzlichen und noch zu wenig benüzten Instrumentes findet sich im „Supplement to the Encyclopedia britanica" in dem Artikel „Hooke's Camera lucida" mit Verbesserungen von dem unsterblichen „Wollaston." Die beigefügte Zeichnung auf einem Quartblatte ist ein Meisterwerk der Kunst.

Elias Carter's Dachbedekung.

Wir haben von dieser Dachbedekung aus Eisenplatten, auf welche Hr. E. Carter am 11. Oct. 1827 sich ein Patent ertheilen ließ, schon im XXVII. Bd. S. 176. des Polytechn. Journales ausführliche Nachricht gegeben. Es freut uns, unser früheres beifälliges Urtheil jezt, obgleich sehr spät erst, im Repertory of Patent-Inventions, N. 54. S. 720, bestätigt zu sehen. Der Porticus der neuen Londoner Universität, der nach den besten Mustern der griechischen Baukunst erbaut wurde, hat eine solche Bedekung bekommen. Man machte gegen diese Dächer die Einwendung, daß sie blizgefährlich sind; allein, kupferne und bleierne Dächer müßten es noch weit mehr seyn, da Kupfer und Blei noch ein besserer Leiter für Elektricität ist. Man hat in England noch kein Beispiel, daß eine eiserne Brüke, deren es doch so viele auf dieser Insel gibt, vom Blize beschädigt worden wäre.

Ueber Bestimmung des Verhältnisses der Länge und Weite der Schornsteine

findet sich unter der Aufschrift: „Mémoire sur la manière de déterminer les dimensions d'une cheminée" eine Abhandlung des Hrn. Achill Penot in dem schäzbaren Bulletin de la Société de Mulhausen. N. 12. S. 105—151. Diese Abhandlung zerfällt in drei Abschnitte; sie betrachtet in dem ersten die gewöhnlichen Schornsteine; in dem zweiten diejenigen, die bloß zur Reinigung der Luft bestimmt sind; im dritten die Schornsteine für Trokenstuben. Sie ist, in jedem dieser Abschnitte, mit großer Ausführlichkeit und in einem rein mathematischen Geiste bearbeitet, so daß nur Techniker, denen die Algebra sehr geläufig ist, dieselbe benüzen können. Nach dem von Hrn. Jos. Köchlin im Namen des Ausschusses für Mechanik erstatteten Berichte, welcher 30 Seiten einnimmt, ist die Erfahrung nicht immer mit den Formeln, die Hr. Penot aufgestellt hat, im Einklange, und durch die Berichtigungen, welche Hrn. Penot's Abhandlung aus der Hand der Erfahrung empfing, erhielt sie erst für den Techniker, der nur dann der Theorie trauen darf, wenn sie mit der Erfahrung übereinstimmt, wahren Werth. Bei dieser Gelegenheit wird zugleich Hrn. Peclet's Werk, das beste, was wir bisher über den Bau der Schornsteine besizen, in manchen Fällen berichtigt. Es wäre sehr zu wünschen, daß der deutsche Uebersezer Peclet's die Abhandlung des Hrn. Penot und die Berichtigungen des Hrn. Jos. Köchlin seiner Uebersezung so einverleibte, daß hieraus ein leitendes Ganzes für den Techniker hervorginge, welches vermöchte, wie der alte Weise sagte, ex fumo dare lucem. Wo, in zwei langen Abhandlungen, die Widerlegung der Theorie der einen durch die Thatsachen der anderen, 50 und mehr Seiten weit aus einander liegt, ist die Sache nicht so klar dargestellt, als sie es zu seyn verdiente. Dieß wird die Arbeit des Uebersezers Peclet's seyn, der sich hierdurch sehr verdient machen wird, wenn es nicht Hrn. Köchlin selbst gefällig seyn sollte, in einer künftigen Nummer des trefflichen Bulletin de la Société de Mulhausen auf diesen Gegenstand zurükzukommen, und uns ein Précis succinct de la méthode de déterminer les dimensions d'une cheminée zu schenken, das aus der Hand der Erfahrung hervorging, und durch den feinsten Calcul die lezte Feile erhielt.

Sicheres und durch wiederholte Erfahrungen bestätigtes Mittel, das Feuer zu löschen, wenn es bloß im Schornsteine brennt.

Wir beeilen uns aus dem Berichte, den der Gesundheitsrath zu Paris an den Polizei-Präfecten über seine Arbeiten im J. 1828 [166]) erstattete, den Artikel mitzutheilen, welcher das Löschen des Feuers betrifft, wenn es bloß im Schornsteine brennt. Da nicht selten die verheerendsten Feuersbrünste aus dem Brande im Schornsteine entstehen, so glauben wir sowohl dem Publicum als den Feuer-Assecuranzanstalten dadurch einen wesentlichen Dienst zu erweisen. Wir haben auf dieses Mittel schon vor einigen Jahren in dem Polytechnischen Journale aufmerksam gemacht, hatten aber damals noch nicht jene Autorität und Erfahrung, welche nachstehender Ausspruch einer so achtbaren Commission, wie die des Gesundheitsrathes zu Paris, gewährt.

---

166) Dieser Bericht findet sich in dem Recueil industriel T. XII. N. 35. S. 127. unter dem Titel: Rapport général des travaux du conseil de Salubrité de la ville de Paris pour l'année 1828, présenté à Mr. le Préfet de Police. Er ist unterzeichnet von den Hrn. Adelon, Andral, Barruel, D'Arcet, Deyeux, Dupuytren, Gauthier de Claubry, Girard, Huzard père et fils, J. Juge, Labarraque, Le Roux, Marc, Parent-Duchatelet, Pelletier, Petit, und vom Polizei-Präfect Mangin. Er verdiente in der Polizei-Fama in mehr denn einer Rüksicht ganz, wie er ist, übersezt und für Deutschland bekannt gemacht zu werden.

A. d. Ue.

„Anwendung der sogenannten Schwefelblüthe zum Löschen des Feuers in den Schornsteinen.“

„Schon vor mehreren Jahren, Hr. Polizei-Präfect, hat einer ihrer Vorgänger den Gesundheitsrath aufgefordert, eine Commission zu ernennen, welche durch Versuche prüfen sollte, ob die Dämpfe des brennenden Schwefels das Feuer im Schornsteine auszulöschen vermögen, wenn es in demselben brennt. Man hat nun vielfältig wiederholte Versuche in der königlichen Münze mit dem glüklichsten Erfolge hierüber angestellt. Man hat sich überzeugt, daß Ein Pfund sogenannter Schwefelblüthe „(kein gepülverter gewöhnlicher Schwefel, wie man denselben in den Apotheken immer vorräthig hat),“ wenn man es auf das auf dem Herde brennende Holz oder Kohlen wirft, hinreicht um das Feuer selbst in dem größten Schornsteine in wenigen Minuten zu löschen, selbst wenn die Flamme schon zwei Klafter (3 Meter) hoch über den Schornstein hinausschlägt. Man läßt, wenn man auf diese Weise löschen will, das Feuer auf dem Herde fortbrennen, und umgibt den Mantel des Herdes bloß mit einem gut durchnäßten Tuche. Man wirft dann handvollweise die Schwefelblüthe in das auf dem Herde brennende Feuer: augenbliklich werden die schwefeligsauren Dämpfe in dem Schornsteine emporsteigen und einen für die Luft undurchdringlichen Mantel bilden, so daß das Feuer auf der Stelle gelöscht ist. Diese Art, das Feuer in dem Schornsteine zu löschen, gewährt, außer der Schnelligkeit, mit welcher sie wirkt, auch noch den großen Vortheil, daß sie sich auf alle Nebenschläuche ausdehnt, die mit dem brennenden Schornsteine in Verbindung stehen, und selbst auf die Sprünge wirkt, wenn welche vorhanden seyn sollten. Dieses Mittel wirkt so sicher, und ist so leicht anzuwenden, daß Ein Löscher (Pompier)[167] hinreicht, das Feuer in jedem Schornsteine, mag er auch noch so groß seyn, augenbliklich zu löschen. Wir waren selbst im vorigen Jahre drei Mal in dem Falle, uns der Schwefelblüthe zum Löschen des Feuers in dem Schornsteine bedienen zu müssen, und jedes Mal geschah es mit dem besten Erfolge. Um eine Idee von der Schnelligkeit zu geben, mit welcher dieses Mittel wirkt, wollen wir nur folgende Thatsache anführen. Es kam in dem Schornsteine einer Küche in der Gasse Taitbout N. 15. Feuer aus. Man ließ auf der Stelle die Löscher aus der Gasse Chantereine kommen. In demselben Augenblike schikten wir aber auch um Ein Pfund Schwefelblüthe, und gingen in die Küche, die sich im ersten Stoke befand. Man hatte das Feuer vom Herde weggeräumt; wir ließen es wieder auf denselben werfen. Das nasse Tuch, das wir um den Mantel des Herdes hängen konnten, umgab denselben nur auf eine sehr unvollkommene Weise. So mangelhaft indessen auch diese Vorrichtung war, warfen wir doch die Schwefelblüthen in das Feuer, und der Brand im Schornsteine war gelöscht ehe die Löscher kamen.

Wenn nun solche auffallende Thatsachen schon so lang bekannt sind; wenn Versuche und Erfahrungen, die in Folge höheren Auftrages angestellt wurden, die Wirksamkeit eines in seiner Anwendung eben so einfachen, als in seinem Erfolge sicheren Mittels, beurkundet und erwiesen haben, so muß man mit Recht mit Erstaunen fragen, warum die Löscher (le corps de Pompiers) noch immer auf ihren altherkömmlichen Schlendrian angewiesen sind, der, in so vieler Hinsicht, weit hinter der Anwendung der Schwefelblüthen steht, deren Gebrauch übrigens nicht mit der geringsten Gefahr oder Ungelegenheit verbunden ist.“[168]

---

167) Es ist zu Paris ein eigenes Corps von Löschern (Pompiers-Sappeurs) aufgestellt, und in den Vierteln der Stadt in verschiedenen Gassen vertheilt, um jeden Augenblik bei der Hand zu seyn. Dieses Corps wird von einem eigenen Obersten commandirt. A. d. Ue.

168) Die Anwendung dieses Mittels, der Schwefelblüthe, gründet sich darauf, daß in den Dämpfen, welche sich bei dem Verbrennen des Schwefels entwikeln, nämlich in dem schwefeligsauren Gase, keine Flamme zu brennen vermag und jede brennende Flamme folglich augenbliklich verlischt. Da es aber in diesem schwefeligsauren Gase auch unmöglich ist, zu athmen, so würde die Commission vielleicht gut gethan haben, wenn sie den Hrn. Präfecten erinnert hätte, daß, wenn Schwefelblüthe auf den Herd gestreut wird, kein Löscher oder Schornsteinfeger nach der gewöhnlichen Löschpraxis, wo es im Schornsteine brennt, durch denselben herabfahren darf; denn dieser arme Teufel würde eben so sicher erstiken, als

Brand-Assecuranzsteuer in England.

Wer in England sein Haus in Brand-Assecuranz stellt, muß dafür der Regierung eine besondere Steuer bezahlen, daß er so klug und verständig war sein Haus assecuriren zu lassen. Diese Steuer trug der Regierung im J. 1829 nicht weniger als 718,000 Pfd. Sterling (7,360,000 fl.). Sollte man diese Feuer-Assecuranzsteuer (Fire Insurance Duty) nicht Steuer auf Vorsicht nennen? fragt die Sun (Galignani Messenger. N. 4625). (Es ist so ziemlich allgemein bei den Finanzschreibern Sitte, daß Fleiß, Thätigkeit, Geschiklichkeit, Verstand rc. besteuert wird; Faulheit und Dummheit dagegen unbesteuert bleibt, und sogar noch Gratificationen erhält.)

Ueber künstliche Behälter des Regenwassers und über gebohrte springende Brunnen.

Die Biblioteca italiana gibt in ihrem im Jäner 1830 ausgetheilten November-Hefte 1829 einen weitläuftigen Auszug aus einem Werke, welches so eben zu Turin unter folgendem Titel erschienen ist:

Serbatoj artificiali d'acque piovane pel regolato innaffiamento delle campagne prive d'acque correnti, giuntavi un' Appendice sui pozzi artesiani o saglienti del Prof. Giacinto Carena, Segret. della classe fisico-matematica della reale Accademia delle scienze di Torino. Prima edizione italiana. 8. Torino 1829. p. Pio. 115 S.

Wenn auch wir in mehreren Gegenden des südlichen Deutschlandes mehr auf Trokenlegen der Gründe, als auf Bewässerung derselben zu denken haben, und in dieser Hinsicht ein ganz anderes Interesse bei den Serbatoj artificiali d'acque piovane haben müssen, als der Italiäner; so haben wir doch auch mehrere große Streken, namentlich in der sogenannten bayerischen Pfalz und in einigen Gegenden Würtembergs, in welchen Sommer und Winter Wassermangel ist, so daß Akerbau und Viehzucht dadurch bedeutend leiden. Für diese Gegenden ist vorliegendes Werk, insofern man die darin gegebenen Rathschläge daselbst benüzen kann, in doppelter Hinsicht, sowohl in Bezug auf die Anlage künstlicher Behälter des Regenwassers, als der sogenannten artesischen Brunnen, ein wahres Noth- und Hülfsbüchlein, das allerdings eine deutsche Uebersezung verdiente.

Hr. Carena hat schon im J. 1811 ein kleineres Werk in französischer Sprache unter dem Titel: „Reservatoirs artificiels, ou manière de retenir l'eau de pluiv etc.“ herausgegeben, das mit allgemeinem Beifalle aufgenommen, und von der Gesellschaft des Akerbaues zu Paris mit der goldenen Medaille belohnt wurde. Da diese Auflage nun längst vergriffen war, so veranstaltete der Hr. Verfasser eine neue, sehr vermehrte, Ausgabe in italiänischer Sprache, welcher er einen Anhang über die gebohrten springenden Brunnen, die unter dem Namen der artesischen Brunnen bekannt sind, beifügte.

Es ist unmöglich in einem bloßen Auszuge aus einem Werke, in welchem das Detail der Anlagen künstlicher Wasserbehälter mit so großer Genauigkeit angegeben ist, und angegeben werden mußte, wenn das Werk von wahrem Nuzen seyn sollte, auch nur das Wesentlichste aus demselben zu liefern, und wir müssen uns begnügen, unsere Leser auf das Werk selbst zu verweisen. Sie werden hier finden, daß die Alten, vor welchen wir oft so weit voraus zu seyn uns einbilden, so wie in vielen Stüken, so auch in Hinsicht auf die Anlage dieser künstlichen Wasserbehälter, uns weit voraus gewesen sind. Wenn wir stehen geblieben wären, wo sie standen, würden wir jezt weiter voran stehen. Es ist nicht immer richtig, daß Stillstehen ein Rükwärtsschreiten ist: wo Alles rükwärts schreitet, wird derjenige am weitesten voran stehen, der ruhig und fest auf der Stelle stehen bleibt, auf welcher er früher stand. Wir bilden uns sehr oft ein, vorwärts zu schrei-

---

das Feuer selbst durch dieses Gas erstikt wird. — Da nun dieses Mittel erprobt ist, und jeder durch Versuche sich von der Wirksamkeit desselben überzeugen kann, so wäre nur zu wünschen, daß jeder Bäker, Brauer, Töpfer rc. und überhaupt jeder Gewerbsmann, der ein Feuer gefährliches Handwerk treibt, sich mit einem Vorrathe von Schwefelblüthe oder fein gestoßenem gewöhnlichem Schwefel zum Löschen bei Hause versehe. A. d. Ue.

ten, wo wir mit starken Schritten rückwärts gehen. Wir finden uns sehr oft bei unseren vermeintlichen Fortschritten in dem Falle eines Menschen, dem man die Augen verbunden, einige Male auf der Stelle, auf welcher er steht, im Kreise umhergedreht hat, und den man dann: Marsch! commandirt. Der gute Mensch wird, je nachdem man ihn nämlich bei verbundenen Augen gedreht hat, sehr oft glauben desto schneller vorwärts zu kommen, je schneller er einher schreitet, während er nur in eben dem Maße wieder schnell dahin zurückkehrt, wo er ausgegangen ist. So täuschen wir uns bei unserem vermeintlichem Fortschreiten sehr oft selbst und andere, und werden von diesen wieder getäuscht. Dieß ist die Binde des Schicksales, die den Menschen so oft bei dem besten Willen eine falsche Richtung nehmen läßt.

Hr. Carena gibt die mittlere Höhe des jährlich zu Turin fallenden Schnees auf 4,02 Meter an, und sezt, daß die Hälfte desselben in tropfbares Wasser verwandelt wird. Der Hr. Verfasser der Anzeige dieses Werkes in der Biblioteca italiana bemerkt dagegen, daß man zu Mailand und an drei verschiedenen Orten sehr genaue Beobachtungen über die Menge des auf ein □ Meter jährlich fallenden Schnees anstellt, um hiernach Contracte zur Reinigung der Stadt abschließen zu können, und daß, nach diesen Beobachtungen, der gefallene Schnee bald 1/4, bald 1/12 der Menge, in welcher er fiel, Wasser gibt; im Durchschnitte also Ein Kubikmeter Schnee ein Siebentel Kubikmeter Wasser gibt, und nicht ein Viertel.

Die Geschichte der artesischen Brunnen ist hier mit vieler Umständlichkeit behandelt. Der berühmte Cassini, der im J. 1671 Mitglied der Akademie zu Paris war, bemerkte zuerst, daß in den gewöhnlichen Brunnen im Modenesischen der Boden eine feste klingende Thonlage ist, die, wenn sie mit einem gemeinen Erdbohrer durchbohrt wird, das Wasser mit einer großen Gewalt durch das Bohrloch emporquellen und zuweilen so hoch springen läßt, daß es selbst über die obere Oeffnung des Brunnens emporspritzt, und dann immer fort quillt. Eben dieß bemerkte Cassini auch in der Steyermark. Ein halbes Jahrhundert später schrieb der berühmte Arzt Ramazzini über diese Quellen im Herzogthume Modena seine berühmte Abhandlung: de fontium mutinensium admiranda scaturigine. Genevae. 1717.

Ramazzini beschreibt genau das Verfahren, dessen man sich im Modenesischen zur Anlage solcher Brunnen bediente; er meinte jedoch, daß mit der Zeit der Wasserspiegel des unterirdischen Wasserbehälters, wenn viele solche Brunnen gegraben würden, niedriger fallen, und folglich das Wasser durch die Bohrlöcher nicht mehr so hoch springen könnte. Hr. Carena schrieb daher an Hrn. Lombardi, Secretär der Società italiana zu Modena, und erkundigte sich über den heutigen Zustand dieser Brunnen im Modenesischen. Hr. Lombardi antwortete ihm, nach eingezogenen Erkundigungen bei dem berühmten Chemiker und Physiker zu Modena, Hrn. Prof. Barani, daß das Wasser in den Brunnen zu Modena noch so hoch steigt, wie zu Ramazzini's Zeiten, und daß, wenn es in einigen derselben nicht mehr so hoch empor quillt, dieß mehr dem Verfalle des Baues des Brunnens, als der Verminderung des Wassers in dem großen unterirdischen Wasserbehälter zuzuschreiben ist; daß jedoch heute zu Tage, bei den neu gegrabenen Brunnen, das Wasser nicht mehr mit jener Schnelligkeit empor steigt, von welcher Ramazzini sprach, als er schrieb: „illico tanto impetu erumpit aqua, saxa et arenam eructans, ut temporis fere momento totus puteus impleatur.“ [169])

Wenige Jahre nach Ramazzini gab Belidor im J. 1729 in seinem Werke: „la science des Ingenieurs,“ die erste vollständige Beschreibung des Baues der artesischen Brunnen, bei welchem in dieser kurzen Zeit schon wichtige Veränderungen eingetreten sind.

Nach ihm schrieben Milizia, Venturi, Borgnis (in seinem Traité complet de Mécanique) über diese Brunnen. Das wichtigste Werk hierüber aber ist jenes von Garnier, der im J. 1821 den Preis der Société d'Encouragement zu Paris erhielt: Traité sur les puits artésiens ou sur les différentes espèces de terrains, dans lesquels on doit rechercher des eaux sou-

---

169) Mit dieser von Ramazzini beschriebenen Geschwindigkeit stieg vor 20 Jahren noch zu Wien das Wasser in einem daselbst am Neubau gegrabenen und dann gebohrten Brunnen empor. A. d. Ue.

terraines. 4. Paris 1822 (auf Kosten d. Ministeriums des Inneren); 2. édit. augm. 4. Paris 1826. ch. Bachelier. [170]) Das lezte und neueste Werk über diesen Gegenstand ist von dem Hrn. Vicomte Héricart de Thury: Considérations géologiques et physiques sur le gissement des eaux souterraines, relativement au jaillissement des fontaines artésiennes. Paris 1828. ch. Mad. Huzard. Durch diese beiden Werke ist die Kunst des Brunnengräbers auf einen Grad von Vollkommenheit gebracht worden, den sie bisher nicht hatte. Es wäre sehr zu wünschen, daß diese beiden Werke eine gut gearbeitete deutsche Uebersezung erhielten.

Die Natur hat ihre Gaben nicht auf Modena und Steyermark, nicht auf das Departement von Pas de Calais allein beschränkt. Man gräbt jezt artesische Brunnen auch an der Themse und zu Boston in Amerika, und vor wenigen Jahren quoll zu Florenz bei dem Bohren eines Brunnens das Wasser mit solcher Heftigkeit empor, daß es die starke Stange des Bohrers aus Eichenholz brach, und die Arbeiter sich nur mit höchster Mühe und mit der größten Schnelligkeit aus dem Brunnen retten konnten. Das Brunnenbohren ist zwar auch in Deutschland längst bekannt; allein, die Art, die Quelle zu fassen, wo die Ader stark genug ist, daß sie über die Erde emporspringen kann, dieses Verfahren, das man bei Garnier und Carena lernen kann, ist in Deutschland noch so wenig bekannt und angewendet, daß es mehrere große Länder in Deutschland gibt, die noch zur Stunde auch nicht einen einzigen artesischen Brunnen besizen, wenn die Natur ihnen nicht zufällig einen schenkte.

Was man in England mit dem Schnee treibt.

Im Herald, und aus diesem im Galignani Messenger. N. 2625. steht folgender Artikel, den wir wörtlich übersezen wollen.

„Gestern Morgens haben viele Einwohner Londons, in Folge eines Versuches, welchen Hr. Roe in Marlborough-Street anstellte, den Schnee eingesalzen, und von dem Pflaster vor ihrem Hause weggeschafft. Das Verfahren, zu welchem Hr. Roe (eine Magistratsperson) seine Zuflucht nahm, ist folgendes. Er empfiehlt zwei Pfund gemeines Kochsalz, (was Einen oder höchstens zwei Pence [3 — 6 kr.] kostet,) über 6 oder 8 Yards (36 oder 64 □ Fuß) Pflaster zu streuen, und in weniger denn Einer Stunde wird das Eis so sehr aufgelöst seyn, daß man es mit einem Besen wegkehren kann.“

Das Mechanics' Magazine bemerkt hierüber in N. 337., 23. Jänner, S. 400: „Mancher wird zu sehr von Zweifelsucht besessen seyn, als daß er diesen Versuch anstellen, oder denselben gar als eine chemische Thatsache betrachten könnte, die auf der hygrometrischen Eigenschaft dieses und eines jeden Salzes mit alkalischer Basis beruht. Salze, welche eine Verwandtschaft mit Feuchtigkeit haben, eine Verwandtschaft, in Folge deren sie in einer Luft zerfließen, die, unserem Gefühle nach, selbst nicht feucht zu seyn scheint, und deren Auflösungen den Wärmestoff nicht so leicht fahren lassen, daß ihre wässerigen Bestandtheile in einem Klima, wie das unsrige, frieren könnten, müssen, wenn sie im trokenen krystallinischen Zustande auf das Eis gestreut werden, in Folge der oben angegebenen Verwandtschaft, einen sehr kräftigen Einfluß auf die gefrornen Wassertheilchen äußern; diese Wirkung wird auf das Eis weit schneller und kräftiger seyn, als auf den Schnee, indem die Porosität des lezteren die Theilchen beider dieser Körper hindert in genauere Berührung zu kommen. Salz kann auf niedergetretenem Schnee Stunden lang liegen, ohne daß das Salz oder der Schnee zergeht; mit dem Eise hingegen verhält sich die Sache ganz anders: hier wirkt das Salz auf eine dichte Masse, und die Oberfläche des Eises wird in kurzer Zeit mit einer starken Salzauflösung bedekt. Wenn Schwefelsäure einer starken Kälte ausgesezt wird, so friert nicht die Säure, sondern das Wasser. Eben dieß gilt auch von dem Eise am Nordpole, oder überhaupt von gefrornem Seewasser: das Eis des Seewassers, des Meeres, gibt, aufgethaut, gutes trinkbares Wasser, und wird auch als solches auf Schiffen benüzt.“

170) Wir haben von Garnier's Versuchen und von seinen Werken in dem Polytechnischen Journale Nachricht gegeben. A. d. Ue.

Wenn Kochsalz auf der Oberfläche des Eises sich auflöst, so entsteht ein leichtes Krachen, welches durch die Zusammenziehung des Eises veranlaßt wird, wenn dieses sich auflöst. Wenn obiger Versuch auf einer dünnen Eisrinde oder dünnen Rinde von gefrornem Schnee, die flache Pflastersteine überzieht, gemacht wird, so schmilzt diese Eis- oder Schneedeke sehr bald, wo immer Salz auf dieselbe hinfiel; dieses Schmelzen verbreitet sich aber langsam, und das Eis wird dadurch nicht, wie man glauben sollte, los, so daß es sich in kleinen Schollen wegkehren ließe, sondern nur die aufgelösten Theile können weggekehrt werden, und wenn dieses künstliche Aufthauen auf einer großen Streke Statt haben soll, wird viel Salz dazu erfordert.

Ueber Knall-Silber

findet sich folgende Notiz in Hrn. Serullas Beobachtungen über Stikstoff-Jodür und Chlorür (in den Annales de Chimie. XLII. Bd. S. 200.)

„Das Silber-Präparat, welches man erhält, wenn man Silber-Oxyd und Ammonium in Berührung bringt, und welches Berthollet entdekte, wurde von dem Entdeker und von einigen Chemikern als ein Silber-Ammoniür, von anderen als ein Azotür betrachtet; d. h., es sollte, nach der ersten Ansicht, eine Verbindung des Oxydes mit dem Ammonium Statt haben, nach der zweiten aber während der Bereitung der Wasserstoff des Ammoniums sich mit dem Sauerstoffe des Oxydes verbinden, und Wasser bilden, während der Stikstoff sich mit dem reducirten Metalle vereint."

„Nach demjenigen, was wir über Stikstoff-Jodür und Chlorür wissen, unterliegt es keinem Zweifel, daß diese Knall-Composition aus Stikstoff und Silber bestehe."

„Ich führe hier die Versuche an, die ich darüber anstellte."

1) „Ich goß auf Knall-Silber, das unter Wasser stand, nachdem es bereits mehrere Tage bereitet war, Hydrochlor-Säure im Ueberschusse; es bildete sich auf der Stelle, ohne Gasentwikelung, Silber-Chlorür und hydrochlorsaures Ammonium."

2) „Unter verdünnter Schwefelsäure ließ das Knall-Silber etwas Stikstoff fahren; der größte Theil verwandelte sich aber in schwefelsaures Silber und in schwefelsaures Ammonium."

3) „Geschwefelter Wasserstoff verwandelte es in Schwefel-Silber und schwefelwasserstoffsaures Ammonium."

„Alle diese Erscheinungen lassen sich auf zweierlei Art erklären, je nachdem man das erhaltene Präparat als ein Azotür oder als ein Ammoniür betrachtet; indessen erlaubt die ziemlich bedeutende Entwikelung von Stikstoff, welche bei Berührung der Schwefelsäure entsteht, uns nicht anzunehmen, daß das Ammonium unter Einwirkung dieser Säure zersezt werden kann; woraus hervorgeht, daß das Knall-Silber eine binarische Verbindung von Silber und Stikstoff ist, wie Hr. Gay-Lussac es bereits vor mehreren Jahren behauptet hat." (Annales de Chimie. T. XCI. S. 117.

Reduction des salpetersauren Silbers.

Hr. Karl de Filière ließ im J. 1826 von einem seiner Schüler eine ziemlich große Menge Höllenstein (salpetersaures Silber) bereiten. Die schönsten Krystalle, die er bei dieser Gelegenheit erhielt, wikelte er in Drukpapier. Sie wurden zufälliger Weise in ein Kästchen aus Pappendekel geworfen, und waren auf diese Weise gegen allen Zutritt der atmosphärischen Luft gesichert. Anfangs Novembers 1829 fand man zufällig diese Krystalle wieder. Das Papier, in welches sie eingewikelt waren, war, wie gewöhnlich, dunkel violett geworden, und die schönen Krystalle, die übrigens ihre Form nicht verloren hatten, waren nur mehr — Blätter eines metallischen, sehr hämmerbaren Silbers geworden. (Annales de Chemie. T. 43. S. 555.)

Gutes Auflösungsmittel für Kautschuk (Gummi elasticum).

Nach dem amerikanischen Journal für Pharmacie (aus welchem das Journal de Pharmacie de Paris. Octobre 1829. S. 540. einen Auszug liefert) ist das flüchtige Oehl des Copaiva-Balsams ein treffliches Auflösungsmittel des Kautschuk oder Gummi elasticum. Da man diesen Körper jezt so häufig in technischer Hinsicht braucht und Copaiva-Balsam in der Medicin immer mehr überflüssig wird, so wird die Kenntniß dieses Solvens für einen so schwer auflöslichen Körper manchem Techniker vielleicht nicht unangenehm seyn.

Wink für deutsche technische Chemiker.

Der Engländer, so reinlich er ist, brennt häufig Fischthran in seinen Lampen. Die englischen Journale sind voll von Anfragen, ob es kein Mittel gibt, dem Gestanke, Rauche 2c. abzuhelfen; sie gestehen offen, daß die Franzosen sogar die Saamenöhle weit besser zu behandeln wissen, als sie. Wenn ein deutscher Chemiker Versuche über Verbesserung des Fischthranes, als Lampenöhl, anstellen würde, und eine wohlfeile und sichere Methode hierzu ausmittelte, könnte er in wenig Jahren ein großes Vermögen damit in England gewinnen, wenn er sich daselbst ein Patent darauf geben ließe. „Es ist außerordentlich," sagt das Mech. Mag. N. 335. S. 343., „wie wenig wir noch über die chemische Behandlung unseres Lampenöhles wissen." (It is extraordinary we know so little about chemicising it.)

Schädlichkeit schimmeliger Nahrung für Menschen und Thiere.

In dem trefflichen „Veeartsenykundig Magazin" des Directors der Reichsthierarzeneischule, Drs. A. Reeman, einer Zeitschrift, die wir unseren Thierärzten und Landwirthen nicht dringend genug empfehlen können, finden sich mehrere Fälle angeführt, aus welchen erhellt, daß Thiere kurz auf den Genuß schimmelig gewordenen Futters aller Art erkrankten, und dahin starben. Daß dieß auch bei Menschen auf den Genuß von schimmeligem Brote geschieht, weiß jeder erfahrne und richtig beobachtende Arzt, und diejenigen, die es nicht wissen, können es bei den Hrn. Westerhoff (Bydragen etc. door H. C. van Hall etc. IV. D. 2. St. S. 110) und bei Hrn. Reeman und Marchand lernen. Die Ursache dieser traurigen Folgen wird selbst dem Nichtarzte klar und einleuchtend seyn, wenn er weiß, daß der Schimmel nichts anders, als eine eigene Gattung, (oder vielmehr mehrere Gattungen, eine ganze Familie) kleiner Schwämme oder Pilze ist; also einer Classe von Gewächsen angehört, die zu den giftigsten zu zählen sind. Möchte Unwissenheit und Habsucht, die sogar an Waisen, an Armen, an Gefangenen wuchert, und diesen oft nur schimmeliges Brot als Nahrung reicht; die so oft Getreide und Küchen-Abfälle, welche für Menschen ungenießbar geworden sind, dem Viehe mit der Bemerkung vorwirft: „für's Vieh ist's schon noch gut; für's Vieh ist Alles gut;" durch die traurigen, an den angeführten Orten erzählten, Fälle physische und moralische Belehrung über die ewige Wahrheit finden, „daß bei dem Geizigen nichts gedeihen kann."

Lawson, über die Ursachen des Brandes im Getreide, berichtigt von R. Westerhoff, M. Dr.

Lawson's Ansichten über die Ursache des Brandes im Getreide finden sich bekanntlich in W. Weißenborn's Neues und Nuzbares aus dem Gebiete der Haus- und Landwirthschaft Bd. V. N. 93. August 1828. S. 65 u. ff. in einer deutschen Uebersezung mitgetheilt. Hr. Dr. Westerhoff unterzieht nun Lawson's Ideen in den „Bydragen". Bd. IV. S. 384 auf dem Prüfsteine der Erfahrung einer strengen Untersuchung, und zeigt, daß sie grundlos sind. Es wäre sehr zu wünschen, daß diese lehrreiche Abhandlung bald in irgend einer deutschen Zeitschrift für Landwirthschaft übersezt würde. Mit dieser müßte dann auch Hrn. Profs. van Hall Anhang (a. a. O. S. 411),

über den Unterschied zwischen dem Brande im Weizen und dem Brandstaube

verbunden werden. Ersterer ist Uredo Caries Dec. Fl. fr. VI. Bd. S. 78, lezterer Uredo Carbo Dec. a. a. O. S. 77., Später, im II. Th. S. 229, 230, hat Hr. Decandolle beide unter dem Namen Uredo segetum vereinigt.

Winter=Kohlsaat im Frühjahre gebaut.

Hr. Dr. Westerhoff erzählt in den „Bydragen" IV. Bd. S. 414 den Versuch eines geschikten Landwirthes seiner Gemeinde, Krijn Derks Bekema, welcher im vorigen Jahre Winter=Kohlsaat (Brassica campestris, var. oleifera) als Sommerfrucht baute. Ungeachtet des exemplarisch schlechten und kalten Sommers des Jahres 1829 wurde doch dieser Kohlsaat schon Anfangs September reif, und übertraf an Menge und Güte (Schwere) des Samens den Sommer=Kohlsaat bei weiten; in Hinsicht auf leztere kam er dem Winter=Kohlsaat beinahe gleich. Hr. Bekema wird diesen interessanten Versuch, durch welchen die Landwirthschaft viel gewinnen kann, wenn er Stich hält, wiederholen. „Ist es gut, so wird's bestehn; ist es schlecht, wird's untergehn;" sagt Dr. Westerhoff mit unserem unsterblichen Dr. Luther.

Ueber Hrn. S. J. Rienk's Pflug.

In der Alg. Konst- en Letterbode, April 1829, N. 15, wurde Hrn. S. J. Rienk's, optischen und physik. Instrumentenmachers zu Leyden, neuer Pflug beschrieben. Hr. R. Westerhoff, M. D. zu Warffum, zeigt nun in den „Bydragen" IV. Bd. 3. D. S. 239, daß dieser Pflug nichts anderes, als der in Deutschland unter dem Namen Planir=Pflug bekannte Pflug ist, welcher sich in Putschke's allgemeiner Encyclopädie der gesammten Land= und Hauswirthschaft der Deutschen, V. Bd. S. 122. T. XIX. Fig. 4—6 beschrieben und abgebildet findet, und auch dem flammändischen Mollebart oder Moulebart sehr ähnlich ist, welcher in Relbroeck's werkdadige Landboeuv-Konst der Vlamingen etc. Gend. 1823. S. 95 beschrieben ist.

Mittel gegen das furchtbare Unkraut, Flachsseide genannt. (Cuscuta europaea.)

Bekanntlich wird der Flachs auf den Aekern nicht selten durch ein Unkraut, das seine Stängel umwindet, und ihn aussaugt und erstikt, gänzlich verdorben. Der vortreffliche Landwirth, Bonafous aus Turin, hat in einer kleinen Schrift (Note sur un moyen de préserver les champs de la Cuscute. 8. Paris 1828, 16 S.) ein einfaches und sicheres Mittel gegen dieses Unkraut für Aeker, die bisher davon frei geblieben sind, angegeben. Er empfiehlt nämlich den Lein, welcher zur Aussaat bestimmt ist, in ein Sieb zu schütten, welches mit so feinen Löchern versehen ist, daß kein Leinsaame, wohl aber der kleine Saame der Flachsseide, durch dieselben durchfallen kann. Auf diese Weise kann man den Lein von diesem Unkraute vollkommen reinigen. Bydragen a. a. O. S. 208. (Man sollte alle Saamen, deren Pflanzen den Verheerungen der Cuscuta ausgesezt sind, auf diese Weise vor der Aussaat reinigen.)

Manufaktur= und Akerbau=Elend in England.

Zu Barnsley sind 3710 Weberstühle. Davon sind 314 voll beschäftigt; 1202 haben halbe Arbeit; die übrigen 2194 stehen ganz still. (Leed's Patriot. Galignani. N. 4625.) Zu Sybling=Fair wurden fünf junge, zum ersten Male trächtige Kühe um 15 Pfd. (also das Stük um 36 fl.) verkauft. (Herald. Galign. 4623.) Zu Norwich, wo erst vor Kurzem ein blutiger Auflauf von Webern war, haben sich die Bestellungen auf die Stapelwaare dieser Stadt, die Bombasins, um 50 bis 75 p. C. vermindert. Der Magistrat wollte den Taglohn der Weber noch tiefer herabsezen; der Mayor widersezte sich aber, da eine Weberfamilie sich nur mehr täglich 2½ Pence (7½ kr., im Werthe zu den dasigen Lebensmitteln ungefähr so viel als 1½ kr. in Bayern) verdienen kann. (Atlas. Galignan. N. 4621.) Zu Coventry, wo 26,000 Bandmacher und Seidenzeugweber leben, hat das Elend einen noch nie erhörten Grad erreicht. Globe Galign. a. a. O.

Kohlenwucher in England.

Durch einen Verband (combination) der Steinkohlengrubenbesizer in England stiegen die Preise der Steinkohlen zu London vom September, wo sie zu 34 Shill. der Chaldron standen, bis zum October auf 37 Shill.; eine Erhöhung, die den Herren 500,000 Pfd. trug. (Courier. Galignani. N. 2614.)

Zwekmäßige Preise für Landleute als Neujahrsgeschenke.

Lady Shelley gab, als Preis, zum Neuen Jahre, den Unterthanen auf ihrem Gute: 2 Guineen dem Hausvater, der die größte Familie zu ernähren hat, und dabei am hülflosesten ist; 30 Shillings dem Pächter, der seine Wirthschaft am besten bestellte; 30 Shillings der Pächterin, die die reinlichste Hütte im Dorfe hat; 30 Shilling derjenigen, die sich am meisten durch Arbeit außer ihrem Hause, und eben so viel derjenigen, die sich am meisten durch Arbeit in ihrem Hause verdiente. Hr. Orbel Ray Oakes, Newton, schlachtete für die Armen in seinem Dorfe ein Schaf, das 8 Stane (112 Pfd.) wog. (Observer. Galignani 2628.)

Armen-Colonien in Irland.

Nach dem Traveller (Galignani Mess. N. 4621.) beschäftigt man sich gegenwärtig in Irland mit Errichtung von Armen-Colonien nach Art der holländischen, wovon wir im Polyt. Journ. Bd. XXXV. S. 75. Nachricht gegeben haben.

Gedeihen der Viehzucht in Van Diemen's Land.

Gemästete Ochsen, die noch vor Kurzem um 8 — 9 Pfd. Sterl. verkauft wurden, kauft man jezt in Hobart-Town für $1\frac{1}{2}$ Pfd. (Globe. Galignani N. 4620.)

Fischerei- und Thran-Gewinn in Labrador.

Nach dem Greenock Advertiser (Galignani N. 4624) betrug der Ertrag der Labrador-Fischereien im lezten Jahre 1,100,000 Dollars (Halifax currency), oder mehr als die Ausfuhr der beiden englischen Canada. Diese Fischerei beschäftigt 2108 Schiffe und 24,100 Seeleute, während der ganze Handel in Canada nur 9000 Seeleute unterhält. Alle Nordamerikanisch-Englischen Colonien zusammengenommen (und Alt-England mit eingerechnet) hatten im vorigen Jahre nur 608 Fischerschiffe mit 9110 Matrosen bemannt: der Fang betrug 678,000 Ztr. Fisch und 6730 Hogsheads Thran, während die Vereinigten Staaten Nordamerika's 1500 Fischerschiffe mit 15,000 Matrosen bemannt, in diesen Gewässern hatten, und, unter den drükendsten Verhältnissen (sie dürfen ihre Fische nicht am Lande troknen, sich nicht auf eine Meile weit den Küsten nähern, in keinem Hafen einlaufen), 1,100,000 Ztr. Fische fingen, und 11,000 Hogsheads Thran gewannen.

Berichtigung eines fehlerhaften Citates

über Barker's Mühle (Barker's Mill) in Nicholson's Operative Mechanic und im Franklin Journal.

Das Franklin Journal citirte in seinem Juliushefte 1828, nach Nicholson's berühmtem Werke (Operative Mechanic), Barker's Mühle in Desaguliers Course of experimental Philosophy, Th. I. S. 453 der dritten Ausgabe. Die daselbst beschriebene Mühle, deren Beschreibung Nicholson und das Franklin Journal daraus entlehnte, ist aber durchaus nicht Barker's Mühle, welche in Desaguliers a. a. O. erst Seite 459 beschrieben wird. Dieser Irrthum, der in viele andere Werke überging, wird im Franklin Journal, October 1828. S. 273. von einem Hrn. S. C. berichtigt.

Polytechnisches Journal.

Eilfter Jahrgang, fünftes Heft.

LXXVII.

Ueber Anwendung und Zeichnung der Cycloide, Epicycloide und Hypocycloide. Vom k. p. Bauinspector von Cardinal in Birnbaum im Großherzogthum Posen.

Mit einer Abbildung auf Tab. VIII.

Im ersten Novemberhefte des Polytechn. Journ. vom Jahrgange 1829. befindet sich die Beschreibung und Abbildung eines Werkzeugs, vermittelst dessen man Cycloiden (nicht aber Epicycloiden und Hypocycloiden) zeichnen kann, und da diese Curven zur Abründung der Zähne und Kämme beim Räderwerk gut gebaueter Maschinen eine höchst nöthige Anwendung finden sollten, so nehme ich daraus Veranlassung, hiermit den Technikern eine einfachere und wenig kostende, auch von jedem Schlosser anzufertigende Vorrichtung zum Zeichnen der vorgenannten drei Arten der Cycloide anzugeben.

Vielleicht hat zufällig schon ein Anderer ein ähnliches Werkzeug vorgeschlagen, doch ist mir solches nicht bekannt und ich nehme deßhalb meine vorliegende Angabe als neu an.

Bekanntlich wird die Bewegung in Maschinen, bei denen Räderwerk angebracht ist, durch das Ineinandergreifen von Zähnen und Stöken, Zähnen und Zähnen, Kämmen und Stöken, oder Kämmen und Zähnen fortgesezt. Die Räder und Getriebe sind entweder cylindrisch oder conisch, auch wird zuweilen ein Getriebe im Umfange eines Rades angebracht, wo dann bei der Gestaltung der Zähne oder Kämme die Hypocycloide angewendet werden muß. Hierüber so wie über die vortheilhafteste Gestalt der Kämme und Zähne bei Räderwerk und Anwendung der Cycloiden hierbei, hat der preuß. Ober-Landes-Baudirector Hr. Eytelwein, im 1sten und 3ten Bande seines Handbuchs der Statik fester Körper, sehr ausführlich und gründlich gehandelt und gibt im 3ten Bande das Verfahren an, wie die verschiedenen Arten der Cycloide mittelst Berechnung und Auftragung der Coordinaten construirt werden können. Obgleich nun vorerwähntes Werk wohl in der Bibliothek eines jeden theoretisch und praktisch gebildeten Mechanikers seyn sollte: so ist doch die darin enthaltene Angabe zur Construction der Cycloiden theils zu umständlich, theils für Manchen wegen Ermangelung der nöthigen mathematischen Kenntnisse unausführbar, weßhalb es um so wünschenswerther seyn muß ein Werkzeug zu besizen, vermittelst dessen auch de-

Nichtmathematiker auf eine leichte Art die Chablunen zur Abründung der Zähne und Kämme vorzeichnen kann.

Es sey in Fig. 1. Tafel VIII. die punktirte Linie E der Halbmesser vom Theilkreise eines Stirnrades und F der Halbmesser vom Theilkreise eines Getriebes; es soll die Abründung der Zähne des Stirnrades angegeben werden. Hierzu dient nachstehend beschriebene Vorrichtung, die ich bereits selbst in Anwendung gebracht habe.

a' a ist ein vierkantiger Stab von Eisen oder festem Holze, h eine eiserne Hülse oder Scheide, an deren unteren Seite ein etwa zwei Zoll langer eiserner gehärteter und scharf zugespizter runder Stift festgemacht ist. Diese Hülse kann, wenn sie über den Stab geschoben ist, mittelst einer Drukschraube auf demselben an beliebigen Orten festgestellt werden; i ist eine ebenfalls verschiebbare Scheide von Eisen, an deren oberen Ende eine eiserne vierkantige längliche Platte q q angelöthet ist. Eine ähnliche Platte kk ist am oberen Ende des Stabes a' a festgemacht und an ihrer unteren Seite sind zwei starke Stahlfedern befestigt, die gegen die Platte q q anstreben. An der Scheide i befindet sich unterhalb die eiserne Scheibe n n nebst den daran unbeweglich festgemachten eisernen Schenkeln m m, die nach ihrer Länge vom Mittelpunkt i der Scheibe aus, in Fuße und Zolle getheilt sind. Die Scheibe n ist so mit der Scheide i verbunden, daß sie sich nebst ihren Schenkeln in derselben Ebene von m und n centrisch um den Mittelpunkt i herumdrehen läßt; p p sind zwei Zwingen von Eisen, mittelst denen das hölzerne Bogenstük H H vermöge der an ihnen befindlichen Drukschrauben zum Mittelpunkte i centrisch befestigt werden kann.

Um nun mittelst dieses Werkzeuges die epicycloidische Abründung der Zähne vorzuzeichnen, befestigt man das Brett g an das Brett G und rundet dieses mit dem Halbmesser E des Theilkreises ab: und zwar so, daß die Stirnfläche auf der Ebene G g G senkrecht steht. Eben so rundet man das Brettstük H H mit dem Halbmesser F vom Theilkreise des Getriebes ab und befestigt solches centrisch zu i an die Schenkel m. Bei o wird an das Bogenstük eine eiserne Zwinge mit einem im Berührungspunkte der Kreisbögen A B und C D abwärts gehenden eisernen Stift oder einer spizen Bleifeder angeschraubt. Hierauf nimmt man ein oben behobeltes Brettchen s s von Lindenholz, reißt auf demselben durch die Mitte eine gerade Linie vor, zieht auf dem Brette g g längs der Mitte durch den Mittelpunkt bei h eine gerade Linie über G G hinweg und legt das Chablunenbrettchen s s so unter G G, daß die darauf gezogene Mittellinie genau in die Verlängerung der auf g g vorgezeichneten fällt. Nachdem nun g, G und s in dieser Lage auf einen Tisch oder Reißboden befestigt worden ist, wird das Instrument, so wie es die Figur zeigt, auf die Bretter gelegt, der an der Scheide h befindliche

Stift in den Mittelpunkt bei h gedrükt, der Stab aa' in der Richtung von a' nach a stark angezogen und vermittelst der Drukschraube bei h an die Scheide befestigt, wodurch dann das Bogenstük H an das Bogenstük G vermöge der Stahlfedern angepreßt wird. Drükt man nun ferner mit der Linken den Stift bei o gehörig auf das Brettchen s und dreht das Instrument mit der Rechten bei a' fassend, nach der Richtung des Pfeils, so beschreibt der Stift o auf s eine richtige Epicycloide.

Es muß noch bemerkt werden, daß der Stift bei o ganz in HH einzulassen ist, damit er nicht die Anpressung der beiden Bogenstüke hindere. Durch eine etwas schräge Richtung wird man seine Spize genau in den Theilkreis CD bringen können. Uebrigens versteht sich von selbst, daß für verschiedene Zähne oder Kämme auch die Bretter g G und H angemessen verschieden seyn müssen und es ist deren Anfertigung keinen Schwierigkeiten unterworfen.

Will man vermittelst dieses Instruments die Abründung eines Hebedaums oder eines Zahns zur Bewegung einer gezahnten Stange vorzeichnen, so ist hierzu der Stab aa' nicht nöthig, sondern die Vorzeichnung geschieht mittelst der Theile n, m und H Statt des Bogenstüks G; wird dann ein an der oberen Kante gerade gehobeltes Brett befestigt, dessen Oberkante die Theilungslinie der Zahnstange vorstellt, und indem man die Schenkel m mit den Händen faßt, das Bogenstük H gegen die Kante des geraden Bretts preßt, einen Zweiten den Stift o niederdrüken läßt und H wie ein Rad auf der geraden Brettkante umwälzt, so wird auf diese Art eine Cycloide auf dem Brettchen s beschrieben.

Für die Abründung der Zähne an conischen Rädern ist dieß Instrument ebenfalls geeignet, nur müssen sodann die Kanten von G und H nach den Neigungswinkeln der betreffenden Räder conisch abgeschrägt, und die Scheide bei h nebst dem unteren Ende des Stabes durch eine auf g festgemachte Unterlage erforderlich erhöhet werden. Auch ist in diesem Falle für die Abründung eines Zahnes die Vorzeichnung zweier ähnlichen Epicycloiden nöthig, nämlich für beide Enden oder Grundflächen des Zahns eine besondere.

Aus dem Vorstehenden erhellt genugsam die allgemeine Anwendbarkeit des sehr einfachen Instruments; wer es aber zwekmäßig beim Baue der Maschinen anwenden will, muß sich zuvörderst aus dem oben angeführten Eytelwein'schen Werke oder anderen Büchern eine gründliche Kenntniß von der zwekmäßigsten Gestalt der Zähne und Kämme bei den verschiedenen Räderwerken verschafft haben.

Daß das vorstehend beschriebene Instrument richtige Cycloiden beschreibt, kann freilich nur der einsehen, der die Entstehung dieser krummen Linien kennt.

LXXVIII.

Ueber die Theorie der parallelen Bewegung. Von J. R. Arris.

Aus dem London Journal of Arts. November 1829. S. 61.

Mit Abbildungen auf Tab. VIII.

Hr. Arris erklärt, daß er mit Plumb's Bemerkungen im London Journal of Arts October, (Polyt. Journal Bd. XXXV. S. 81.) einverstanden ist, wenn er sagt: daß die Bahn der Stämpelstange einer Dampfmaschine dann einer geraden Linie am nächsten kommt, wann die Länge der Zaumstangen dem Halbmesser gleich ist, oder der Entfernung der hinteren Glieder von dem Mittelpunkte des Balkens. Er wünscht Folgendes eingerükt zu sehen.

Ich will, sagt er, das Verhältniß der Theile der parallelen Bewegung nach dem aufgestellten Grundsaze geben, dasselbe aber zuerst in die Gestalt einer geometrischen Aufgabe bringen, und mit jenem Falle, als Muster, beginnen, wo der Halbmesser, oder die Entfernung der hinteren Glieder von dem Mittelpunkte des Balkens, gleich ist der Hälfte des großen Hebels, wie in Fig. 5., wo abc der große Hebel oder die Hälfte des Balkens, c der Mittelpunkt, bf das hintere Glied in der Mitte zwischen a und c eingehängt. In diesem Falle wird, wenn der Balken sich in horizontaler Lage befindet, die Zaumstange, pq, mit der parallelen Stange, df, zusammenfallen. Wenn aber das hintere Glied unter irgend einem anderen Halbmesser aufgehängt ist, werden sich sehr leicht die Stellen der feststehenden Mittelpunkte der Zaumstangen auf folgende Weise finden lassen.

Wenn der Balken in horizontaler Lage bleibt, führe man eine Linie von c durch d, und die Ebenen der feststehenden Mittelpunkte der Zaumstangen werden irgendwo in dieser Linie sich befinden. Man führe eine andere Linie von c durch f, und die beweglichen Enden der Zaumstangen werden sich irgendwo auf dieser Linie befinden. Ihre Ebenen lassen sich auf folgende Weise finden.

Man seze die hinteren Glieder hängen in g, näher gegen das Ende a des Balkens. Man ziehe eine Linie aus g parallel mit bf, und sie wird cf irgendwo durchschneiden, wie bei s. gs ist dann die Länge des hinteren Gliedes. Man bringe dann das bewegliche Ende der Zaumstange (welches immer gleich ist dem Halbmesser, oder der Entfernung des hinteren Gliedes von dem Mittelpunkte) auf das

Ende s, des hinteren Gliedes parallel mit af, so wird das andere Ende auf den Punkt r der Linie cd fallen. Eben dieses Verfahrens kann man sich bei jeder anderen Lage der hinteren Glieder bedienen.

Ein Fall reicht hin, wann der Halbmesser des hinteren Gliedes dem Mittelpunkte näher als b ist (siehe Fig. 6), bei h. Man ziehe eine Linie von h parallel mit bf; sie wird die Linie cf in k durchschneiden. hk wird dann die Länge des hinteren Gliedes seyn, und kl die Zaumstange, die noch immer gleich ist dem Halbmesser h, c des hinteren Gliedes. In diesem Falle ist eine parallele Stange nothwendig, das hintere Glied mit dem Parallelogramme zu verbinden. Ich habe sie etwas höher gestellt, damit man sie desto deutlicher sieht.

Man mag nun irgend eine der Zaumstangen p, q, r, s, t, v, w, x und ihrer correspondirenden hinteren Glieder brauchen, so wird der Theil des Punktes d immer identisch derselbe seyn. Zum Beweise hiervon kann man ein Modell erbauen, an welchem alle Zaumstangen angebracht sind, und alle ihre hinteren Glieder so gestellt wie in Fig. 5., und man wird finden, daß sie alle zugleich arbeiten können.

Da die Länge der hinteren Glieder im Verhältnisse zu ihrer Entfernung von dem Mittelpunkte steht, so wird es leicht nach dem Gesetze der Verhältnisse ihre Längen auf folgende Weise zu finden. Wenn der Halbmesser bc, Fig. 5., bf fordert als Länge seines hinteren Gliedes, was wird der Halbmesser gc fordern? Das Resultat wird, gs, seyn, die Länge seines hinteren Gliedes. Durch die kleine Zugabe zur Länge der hinteren Glieder wird die Nothwendigkeit umgangen die Zaumstangen länger zu machen, als ihren Halbmesser oder die Entfernung vom Mittelpunkte.

Bei dieser Einrichtung sieht man, daß in dem äußersten Falle die Zaumstange nie die Länge des großen Hebels, abc, überschreiten kann, noch die hinteren Glieder mehr als die Hälfte der vorderen betragen können.

Im Allgemeinen sind in der parallelen Bewegung nur zwei Punkte, die sich in senkrechter Richtung bewegen, nämlich der Punkt d und der Punkt m in Fig. 5., wo gewöhnlich die Luftpumpe aufgehängt wird. Es kann aber jede beliebige Anzahl derselben von einem Ende des Balkens zu dem anderen sich befinden (siehe Fig. 7.), wenn sie nur alle auf den Linien cd sind, und mit dem Parallelogramme verbunden sind, wie ab, cd, ꝛc. und jenseits des Mittelpunktes, bei i ꝛc.

LXXIX.

Verbesserungen in den Vorrichtungen und Maschinen zur Leitung der Wärme und zur Anwendung derselben zum Waschen, Scheuern, Reinigen, Walken, Zurichten, Färben und Appretiren der Wollentücher; zum Calandriren, Spannen, Glänzen und Glätten und Zurichten der Seiden-, Baumwollen-, Leinen- und Wollen-Zeuge und aller Zeuge, welche dieser Arbeiten bedürfen; worauf Jos. Rayner, Mechaniker in Kingsquare, St. Luke's, Middlesex, sich am 5. Februar 1829. ein Patent ertheilen ließ.

Aus dem Journal of Arts. N. XVIII. S. 506.

Mit Abbildungen auf Tab. VIII.

Das Eigene in diesem Patente ist, die Wärme durch eine Flüssigkeit, wie z. B. Wasser, durch Heizröhren oder Gefäße von irgend einer Form, deren Oberfläche hierdurch erhizt wird, so durchlaufen zu lassen, daß sie in Tuchfabriken zu verschiedenen Zweken verwendet werden kann. Der Apparat besteht aus einem mit Wasser gefülltem Gefäße, das in Berührung mit Feuer gebracht, und in welchem das Wasser erhizt wird. Aus diesem Gefäße werden Röhren in solcher Richtung abgeleitet, daß der heißeste Theil des Wassers durch die oberen Röhren in jenen Theil des Apparates übergeht, wo die Hize zur Arbeit benüzt werden soll; wenn das Wasser daselbst durch Entziehung des Wärmestoffes kühler geworden ist, tritt es wieder in den Kessel zur neuen Erwärmung zurük. Da nun Gefäße und Röhren immer mit Wasser gefüllt sind, wird hier so zu sagen ein beständiger Kreislauf unterhalten. [171])

„Diese Verbesserungen sind in Folgendem beschrieben und abgebildet."

Fig. 19: zeigt den Durchschnitt eines Dampfkessels, der aus Gußeisen oder aus geschlagenem Eisen seyn kann, oder aus irgend einem schiklichen Materiale. Er ist an seinem Ende mit einer Sicherheitsklappe versehen, und in dem Mauerwerke aufgehängt, wie die Figur zeigt. Das Feuer ist unter dem einen Ende des Kessels angebracht, und die Züge laufen spiralförmig oder auf eine andere Weise um den Kessel über eine große Fläche desselben hin, und ersparen folglich eine große Menge Brennmaterials. Mit diesem Kessel kann auch ein pneumatischer Apparat verbunden seyn, wodurch das Brennmaterial vollkommen verbrannt, und folglich auch wieder Auslage erspart wird. Dieser Ap-

171) Dieß ist die, ursprünglich von dem Émigré, Marquis de Cabannes, ausgegangene Idee der Heizung mittelst Wassers, welche in England auch, zur Heizung der Wohnungen, Glashäuser ꝛc. angewendet wurde, und worüber wir im XXIX. Bd. S. 190 u. a. m. O. des Polyt. Journ. Nachricht gegeben haben. A. d. Ue.

parat kann in ein paar Blasebälgen von der gewöhnlichen Einrichtung bestehen, oder in einem Röhren- oder Cylinder-Gebläse, so wie die Umstände dasselbe erfordern. Der Kessel wird beinahe ganz voll Wasser gefüllt (Wasser ist, der Wohlfeilheit wegen, die beste Flüssigkeit) und bis auf den gehörigen Grad erhizt. Sollte durch irgend eine Oeffnung an den Gefügen etwas von der Flüssigkeit verloren gehen, so wird frisches Wasser aus der Cisterne nachgelassen. An den hervorstehenden Ansäzen, b c, werden Röhren angebracht, die die erhizte Flüssigkeit umher leiten. d d d ist eine Sicherheitsklappe mit ihrem Hebel und ihrem Gewichte. e e ist eine Röhre oder Anzeiger, mittelst welcher man den Grad von Hize erkennt, den die Flüssigkeit erhalten hat. Sie dient auch als Luftröhre, wenn der Kessel mit Flüssigkeit gefüllt ist, und zeigt zugleich die Menge Wassers in dem Erzeuger. f f stellt den Ofen oder Rost dar. g g sind die Rümpfe, durch welche das Brennmaterial auf den Rost geschüttet wird.

An dem hier beschriebenen Kessel wird an dem Absaze b eine Röhre angebracht, welche in beliebiger Richtung geleitet werden kann, und mit Cylindern, mit der äußeren Bekleidung hölzerner Fässer, und mit anderen Vorrichtungen in Verbindung steht, und dann mit einer zurükführenden Röhre verbunden ist, welche bei dem Ansaze c eintritt, wodurch der ganze Kreislauf der erhizten Flüssigkeit entsteht, welche zum Färben in Kesseln, zu Walkmühlen und zu anderen Arbeiten benüzt wird, wo ein äußeres und inneres Gefäß so angebracht werden kann, daß die erhizte Flüssigkeit frei auf den zu erhizenden Gegenstand wirkt. Der Grad der nöthigen Hize läßt sich durch die Hize reguliren, welche man der Flüssigkeit in dem Kessel, Fig. 19., ertheilt.

Ich fahre fort die Art zu beschreiben, wie man mittelst im Kreise umherlaufender Flüssigkeit die Hize anwenden kann.

Fig. 20. ist eine horizontale Ansicht eines Apparates dieser Art, um eine Trokenstube für Tücher oder Zeuge zu hizen, und überhaupt zu allen Arbeiten, wo eine gelinde milde Hize nothwendig ist, und wo man vorzüglich gegen Feuersgefahr gesichert seyn will. Denn, da die Hize auf diese Weise in jede nicht gar zu große Entfernung geleitet werden kann, und der Kessel in einer solchen Entfernung von der Trokenstube steht, daß diese vollkommen sicher ist, so ist die Gefahr vor Feuer hier auf ein Minimum reducirt, oder wenigstens die möglich kleinste, die bei irgend einer Heizungsanstalt Statt haben kann. h ist der obere Theil des Hizkessels (den man in Fig. 19. sah); die erhizte Flüssigkeit läuft durch die Röhren i i i i. j ist der Gegenkessel (counter generator), wodurch der schnellere Umlauf der erhizten Theilchen gesichert wird. Die gekrümmten Röhren bieten eine ausgebreitete Oberfläche dar, von welcher die Hize nach und nach schnell ausstrahlt.

Die Kessel werden in diesem Falle um so viel niedriger gestellt, als die Trokenstube, als die Umstände es erlauben, und die Röhren liegen an einer Mauer, oder auf irgend einer festen Unterlage, wodurch sie gehörig gestüzt und in der Lage erhalten werden, in welcher man sie aufstellte. Eben dieser Apparat läßt sich auch unter einigen Abänderungen zum Heizen der Zimmer, Fabriksäle benüzen, worauf ich aber kein Patent-Recht in Anspruch nehme.

Fig. 21. stellt eine Anwendung dieses Apparates zum Färben aus der Indigokûpe dar, wobei eine beliebige Anzahl von Kûpen auf ein Mal gehizt werden kann. Die Hize wird von der Flüssigkeit in den Röhren herumgeführt, und um ein Gehäuse oder um eine Röhre in dem Inneren des Flusses geleitet. Die Hize kann durch Drehung eines Sperrhahnes vermehrt oder vermindert werden. k k ist der Kessel und Gegenkessel. llll ꝛc. sind die Kûpen im Durchschnitte. n n, ist das Gehäuse oder die kreisförmige Röhre, in welcher die heiße Flüssigkeit umherläuft. m m, sind die Sperrhähne, durch welche die Flüssigkeit in das Gehäuse der Fässer tritt. o o o o sind die Röhren, durch welche die Flüssigkeit umherläuft.

Fig. 22 und 23. zeigt die Anwendung dieses Apparates zum Troknen der Calicos, gedrukten Zeuge und anderer Fabrikwaaren. p p p p sind Walzen, auf welche die Stüke Calico abwechselnd aufgerollt werden. Sie laufen dann über die heißen Cylinder, q q q q, zu den Walzen, p p, an dem anderen Ende, auf welchem sie durch die Bewegung der Spindel, r, die mittelst eines Laufriemens getrieben wird, aufgewunden werden. Wenn das Stük, welches getroknet werden soll, bis an das Ende ausgezogen ist, wird die Bewegung der Spindel, r, auf irgend eine Weise, nach welcher die Richtung der Bewegung gewechselt wird, umgekehrt, und das Stük wieder auf den Walzen, p p, an dem anderen Ende aufgerollt. Diese Arbeit wird so lang wiederholt, bis das ganze Stük gehörig getroknet ist.

Die Cylinder werden durch den Generator oder Kessel erhizt, und die Hize gelangt nach und nach durch jeden Cylinder. Die Flüssigkeit läuft zu dem Kessel zurük um sich wieder zu wärmen. s s sind die Röhren, durch welche die heiße Flüssigkeit nach und nach in jeden Cylinder heiß eintritt. Diese Vorrichtung läßt sich auf verschiedene Weise abändern, und Fig. 23. ist eine dieser Abänderungen, nach welcher ganze Stüke Zeuges getroknet werden können. t t ist ein Gehäuse, welches mit heißer Flüssigkeit gehizt wird, und breit genug ist, um das ausgebreitete Stük troknen zu können. u u sind die Ansäze, durch welche die Hize herbeigeführt wird, und die Flüssigkeit zu dem Generator zurükkehrt. v v v, sind die Walzen, um welche das Stük abwechselnd umgeschlagen wird. w w w w sind Leitungswalzen quer über das erhizte Gehäuse, so daß der Zeug frei über die Oberfläche desselben hinreichen kann. Nach der verschiedenen Art des Zeuges, nach seiner verschiedenen Stärke und Feinheit können diese Walzen angewendet werden oder nicht.

Fig. 24. stellt den Durchschnitt eines Generators und seine Anwendung zur Erwärmung eines Cylinders oder anderen Gefäßes von verschiedener Form zu den unten angeführten Fabrikarbeiten dar. Der Generator oder Kessel A muß in jedem Falle immer mit der Flüssigkeit vollgefüllt seyn, welche geheizt werden soll, und zur Verbreitung der Hize zu verschiedenen Zweken umhergeführt wird. Diese Flüssigkeit ist in den meisten Fällen Wasser, kann aber auch Oehl oder eine andere Flüssigkeit seyn, deren Siedepunkt auf dem Thermometer noch einige Grade höher steht. Nachdem der Generator, A, und auch die Röhre B und der Cylinder C mit der hizenden Flüssigkeit gefüllt ist, tritt, während des Heizens, die heiße Flüssigkeit aus dem oberen Theile des Generators oder Kessels, A, in die Röhre B und in den Cylinder C nach der Richtung der Pfeile, und kühlt sich in ihrem Verlaufe nach und nach ab. Die kälteren Theilchen treten aus dem Cylinder C nach und nach aus, und laufen durch die Röhre D unten bei c in den Generator, wo sie neuerdings erhizt werden, und auf diese Weise ein beständiger Kreislauf der heizenden Flüssigkeit unterhalten wird. Hier ist die Anwendung dieses Grundsazes, die Wärme umher im Kreis laufen zu lassen, höchst einfach und deutlich. Die Röhren B und D können von jeder beliebigen Gestalt oder Form seyn, die die Umstände erfordern und der Cylinder C kann entweder fest stehen, wie in Fig. 22., oder mittelst Räder und Triebstöke, oder durch irgend eine andere Vorrichtung in Umtrieb gesezt werden, wie in Fig. 25., 26., 27 und 28 beschrieben werden wird. Bei EE in Fig. 24. ist ein dampfdichtes Gefüge, wodurch es also möglich wird den Cylinder zu drehen, während die Röhren B und D still stehen. Der Bau dieser dampfdichten Gefüge ist in EE (Fig. 24.) so deutlich gezeichnet, daß jeder erfahrne Mechaniker dieselben ohne alle weitere Beschreibung darnach verfertigen kann. Diese Art von Heizung läßt sich zu dem sogenannten Calendriren auf die wohlthätigste Weise anwenden, und man kann mit aller Bequemlichkeit jeden Grad von Hize auf der sogenannten Calenderwalze erzeugen. Der in Fig. 24. dargestellte Apparat läßt sich, unter geringen Abänderungen, auf alle gebräuchlichen Calendrirmaschinen mit Vortheil anwenden, und wird das Glätten, Glänzen und Appretiren der Seiden-, Baumwollen-, Leinen- und Wollenzeuge, und aller Zeuge, welche einer Appretur bedürfen, sehr erleichtern und vervollkommnen. Eben dieser Apparat in Fig. 24. kann auch zum sogenannten Dämpfen mit allem Vortheile angewendet werden: also bei Walkmühlen, wo man Statt des Cylinders ein Gehäuse oder eine Fütterung braucht. Färbekessel können auf dieselbe Weise gehizt werden. Eben dieser Apparat in Fig. 24. dient auch zur Erwärmung der Kufen und Kessel bei chemischen Waarenfabrikanten und Bleichern, wo dann für jeden einzelnen Fall die gehörigen Abänderungen getroffen werden müssen, ohne daß man sich jedoch von dem hier in Fig. 24. dargestellten Grundsaze des Kreislaufes der Wärme entfernen darf. Eine Trokenstube nach Fig. 21., geheizt von einem Kessel, wie Fig. 19., wird auf einer Pulvermühle, und überall wo von dem Feuer hohe Gefahr zu befürchten ist, mit Vortheil angewendet werden können.

Figg. 25 und 26. stellen eine Maschine zum Bürsten, Pressen und Appretiren des Tuches dar. 1 1 1 1 ist das Gestell aus Gußeisen, auf welchem die Maschine aufgezogen ist, und 2 eine Achse, welche quer durch die ganze Maschine läuft, und auf welcher eine feste und lokere Rolle angebracht ist, oder irgend ein anderer Apparat, durch welchen die Maschine in Thätigkeit gesezt werden kann. 3 ist ein Triebstok in der Achse 2, der in das Rad 4 am Ende des geheizten Cylinders C eingreift und dasselbe bewegt. Die Walzen 6 bewegen die Walzen 7, 7, 7, 7 durch Reibung oder durch Druk. F ist eine eiserne vollkommen glatt abgedrehte Walze, welche auf die Oberfläche des geheizten Cylinders C drükt, Der Cylinder C kann aus Gußeisen, oder aus irgend einem anderen schiklichen Materiale seyn, und die Walzen 7 7 rc. können auf gewöhnliche Weise aus Holz oder aus Eisen verfertigt werden. 8 ist ein Rad an der mittleren Achse 2, welches in die Räder 9 9 am Ende der Bürsten, H H, eingreift, und dieselben mit bedeutender Geschwindigkeit treibt. 10 10 sind Hebel, von welchen ein Gewicht herabhängt, das die Walzen 7 7 auf die Walze 6 drükt, wodurch das Tuch während des Bürstens fest gehalten wird. 11 11 sind Schrauben, um die Walze F auf den Cylinder niederzudrüken, wodurch das Bürsten und Pressen zugleich geschieht. 12, 12, 12 sind drei geglättete eiserne Walzen, durch welche das Tuch gestrekt und gespannt erhalten wird, während es durch die Reibungswalzen 7, 7 und 6 läuft. 13, 13 ist eine kreisförmige Mulde oder Einfassung aus Holz zur Aufnahme des Tuches, wenn dasselbe von den Reibungswalzen 7, 7, und 6 herabkommt. Diese Mulde ist innenwendig glatt, so daß das Tuch, während es hier durchläuft, nicht beschädigt werden kann.

Da nun die arbeitenden Theile dieser Maschine beschrieben sind, ist es nöthig den Verlauf der Bearbeitung zu bestimmen. Das Tuch, welches bearbeitet werden soll, kommt in die kreisförmige Einfassung oder Mulde, 13, 13, läuft über und unter den Walzen 12, 12, in der in der Figur angezeigten Richtung hin, und gelangt über die Reibungswalzen 7, 7, zur Bürste H, dann zu dem gehizten Cylinder C, über welchem es unter der Walze F auf dieselbe Weise zur Bürste H, zu den Reibungswalzen und von diesen in die Mulde 13 herabsteigt. Auf diese Weise wird die Arbeit so lang fortgesezt, bis sie vollendet ist. Der Cylinder erhält seine Hize, C, durch den in Fig. 6. beschriebenen Apparat, und kann dadurch an seiner Oberfläche die gehörige Temperatur erhalten. Da die Walze, F, ihrer ganzen Länge nach überall gleichförmig auf denselben drükt, so geschieht das Heißpressen, Bürsten, Glanzgeben oder Zurichten auf ein Mal und durch dieselbe Bearbeitung. Auf die Oberfläche des Tuches selbst kann man während dieser Bearbeitung Dampf oder heißes Wasser einwirken lassen, wodurch dasselbe einen ganz eigenen Glanz erhält. Der erhizte Cylinder kann, nach Bedarf, schneller oder langsamer gedreht werden. Eben dieß gilt auch von dem Bürstencylinder. Die oben angegebenen Verhältnisse sind von der Art, daß man sie mit Vortheil anwenden kann.

Fig. 27 und 28. stellt eine Seitenansicht einer Maschine dar, welche eine andere Anwendung dieses Heizapparates zum Zurichten und Puzen (cleansing or moizeing) zeigt. 15, 15, 15 ist ein Gestell aus Gußeisen oder Holz, worauf die Maschine ruht. 16 ist ein Triebstok an der Achse L, die quer durch den Mittelpunkt der Maschine läuft, und an ihren Enden äußere und innere Reibungsräder, und eine feste und eine lokere Rolle hat, wodurch die ganze Maschine in Bewegung gesezt wird. Der Triebstok 16 greift in das Rad 17 ein, und bewegt dasselbe. Es stekt an dem erhizten Cylinder M. N ist eine Walze aus geschlagenem Eisen oder aus Gußeisen von gleicher Länge mit dem erhizten Cylinder, und beide sind an ihrer Oberfläche glatt abgedreht. Die Achse des gehizten Cylinders ist mit Vorstößen versehen, in welche die Röhren, durch die der Cylinder gehizt wird, mittelst dampfdichter Gefüge, wie bei EE, Fig. 24., eingefügt sind. 18 ist ein Rad an der Achse O, welches von dem Triebstoke 16 ergriffen und bewegt wird. 19 19 sind Räder, in welche das Rad 18 eingreift, so daß sie von demselben getrieben werden. Diese Räder bewegen die Walzen, 20, 20, an deren Achse sie sich befinden, so daß sie sich frei und unabhängig bewegen, wenn sie außer Umtrieb sind. Auf der Achse der Tuchwalzen, 20, 20 sind Copulirzahnräder, welche mittelst Zähnen in correspondirende Zähne an der Seite der Achse der Räder 20, 20 eingreifen.[172])

Diese Copulirzahnräder werden abwechselnd in und außer Umtrieb gesezt, so wie das Tuch während der Bearbeitung von einer Walze zur anderen durchläuft; der Wechsel geschieht, wenn das Tuch das Ende der Länge erreicht hat. 21 ist ein Hebel, der sich um einen

172) Es wird vielleicht 19, 19 heißen sollen. Die Figur ist zu klein, und die Beschreibung zu dunkel. A. d. Ue.

Mittelpunkt 22 bewegt, wodurch die Räder in und außer Umtrieb gesezt werden, oder neutral bleiben, so wie die Umstände es eben fordern. 23, 23 sind die Bürsten aus Drath oder aus Borsten, oder aus irgend einem anderen schiklichen Materiale, die eine derselben oder beide können wie der gewöhnliche Rauhmühle- (gig-mill) Cylinder eingerichtet seyn, nämlich mit Brettchen zur Aufnahme der Karden oder Drathe, die auf irgend eine Weise zum Rauhen vorgerichtet seyn können.

Diese Bürsten oder Cylinder können mit der verlangten erforderlichen Geschwindigkeit gedreht werden, je nachdem man das Rad 28 wechselt. 24, 24 sind Reibungsräder, die an den Enden der Tuchwalzen 20, 20 befestigt sind. 25, 25 sind Hebel, an welchen ein Gewicht befestigt ist, und wodurch das Reibungsrad in seiner Bewegung aufgehalten und stillstehend gestellt wird, wenn das Rad 19 außer Umtrieb kommt. Die Hebel 25, 25 sind mit dem großen Hebel, 26, mittelst Ketten an jedem Ende verbunden, und so, wie die Enden des Hebels 26 auf- und niedersteigen, werden die Hebel 25, 25 abwechselnd auf die Reibungsräder 24, 24 wirken, und zu gleicher Zeit wird das Auf- und Niedersteigen des Hebels 26 auf den Hebel 21 wirken, und diesen in oder außer Thätigkeit sezen, wie die Umstände es erfordern: dieß geschieht mittelst abwechselnder an einer senkrechten Stange befestigter Muschelräder. 28 ist ein Rad am Ende der Achse L; es wirkt treibend auf die Räder an den Enden der Achse PP, auf welcher die Drath- oder Borsten-Bürste oder der Rauhmühl-Cylinder wohl befestigt ist, und mit der verlangten Geschwindigkeit getrieben wird. 30, 30 sind Reibungswalzen, wodurch die Karden oder Drathe eine größere oder geringere Einwirkung auf das Tuch erhalten. 31 31 sind Schrauben, um der Walze N nöthigen Falles einen größeren Druk zu geben.

Noch eine andere Vorrichtung kann hier angegeben werden, um dem Tuche während des Rauhens mittelst der Karden, Bürsten oder Drathe, und während des Zurichtens diese Bearbeitung zuträglicher zu machen, und eine doppelte Rauhmühle zu bilden. Beim Reinigen des Tuches (moizeing) wird das wiederholte Begießen mit Wasser durch Beihülfe der Wärme, die auf jede erforderliche Temperatur erhöht werden kann, nur noch kräftiger wirken.

Fig. 27. stellt den äußeren Ring einer Rauhmühle (gig-mill) dar. 33, 33 sind die Bretter derselben, auf welchen die Karden oder die Drathe ruhen. Zwischen diesen Brettern kann eine Walze aus Kupfer oder aus irgend einem anderen Materiale, 34, 34, von vier Zoll ungefähr im Durchmesser angebracht seyn. Da sie auf ihrer Achse hängt, so wird sie sich durch den Druk des Tuches in der Rauhmühle drehen. Es kann auch in dem Raume zwischen den Brettern eine convexe Röhre, oder ein Gehäuse aus Kupfer eingefügt seyn, welches an und auf dem Ringe der Rauhmühle befestigt ist, wie man in 35, 35, Fig. 27. sieht. Diese Walzen oder Röhren können auf folgende Weise erhizt werden. Bei der Achse des Rauhcylinders, P, wird durch ein dampfdichtes Gefüge mit einem Gehäuse aus Kupfer oder aus Gußeisen der Dampf eingelassen. Dieses Gehäuse hat einen hohlen Raum von ungefähr zwei Zoll, und einen hinlänglich weiten Durchmesser, um sich bis zu den Kupferwalzen zu erstreken und dieselben zu tragen. Diese Kupferwalzen sind in die Seiten des Gehäuses durch eine Schließbüchse eingestekt, oder durch irgend eine andere Vorrichtung, die jedes Auslaufen der Flüssigkeit hindert. Wenn nun die heiße Flüssigkeit bei der Achse P eintritt, was durch ein dampfdichtes Gefüge aus einem Generator, wie Fig. 24. geschieht; so wird das hohle Gehäuse auf der Achse die erhizte Flüssigkeit den kupfernen Walzen oder Röhren mittheilen, und diese wird durch die hohle Achse der Walzen oder Röhren durch die ganze Breite der Rauhmühle hinlaufen, und durch ein ähnliches Gehäuse an dem anderen Ende der Achse herabsteigen, und durch ein dampfdichtes Gefüge in den Generator zurükkehren, wie Fig. 6. zeigt. Diese Hize kann an der gewöhnlichen Rauhmühle angewendet werden, und zwei, vier oder mehrere gehizte Walzen können während des Zurichtens des Tuches zugleich angewendet werden, während die Karden oder Drathe ihre Arbeit verrichten.

Man wikelt oder windet bei dieser Arbeit das Tuch auf die Walze 20 nach der in der Figur angezeigten Richtung über den Rauhmühl-Cylinder, oder über die Bürste oder über den erhizten Cylinder, dann vorwärts zu der Bürste oder zu dem anderen Rauhmühl-Cylinder, zu der Tuchwalze 20, und wenn das Tuch seiner ganzen Länge nach durchgelaufen ist, kehrt es zur anderen Tuchwalze zurük, wie oben beschrieben wurde, und die Arbeit wird so lang fortgesezt, bis sie vollendet ist.

Mein Patent-Recht besteht bloß in Anwendung der Hize, die durch eine im Kreise umherlaufende Flüssigkeit durch meinen Apparat, nach Fig. 24. zu den verschiedenen oben angegebenen Zweken umhergeleitet wird, die Flüssigkeit mag was immer für eine Beschaffenheit, oder die Maschine was immer für eine Einrichtung haben: von lezterer nehme ich keinen Theil besonders in Anspruch. Flüssigkeiten sind ein bequemeres Mittel zur Leitung der Wärme, als irgend ein anderes. Die angegebene Form in Fig. 24. ist mehrerer Abänderungen fähig; doch der Grundsaz bleibt immer derselbe. Der Kreislauf der Flüssigkeit wird so lang anhalten, bis sie überall dieselbe Temperatur angenommen hat, was aber nie der Fall seyn wird, so lang die Wärme durch Ausstrahlen aus den Oberflächen, welche dieselbe zu den genannten Zweken mittheilen, entweicht."

LXXX.

Verbesserung im Aufziehen der Kanonen auf die Laffeten, zum Schiffsdienste und zu anderem Dienste, worauf Jak. Marshall, Lieutenant in der k. Flotte, sich am 26. Junius 1827. ein Patent ertheilen ließ.

Aus dem London Journal of Arts. November 1829. S. 70.

Mit Abbildungen auf Tab. VIII.

(Im Auszuge.)

Der Patent-Träger sagt, daß, seit England der erste Seestaat in der Welt geworden ist, kein Geld- und kein Kraftaufwand gespart wurde, die Flotte auf einen Achtung gebietenden Stand zu setzen; daß aber indessen, bei allen Verbesserungen im Baue und in der Ausrüstung der Schiffe, die Artillerie in Hinsicht des Aufziehens der Kanonen auf die Laffeten, obschon man die Mängel der gegenwärtigen Einrichtung einsieht und mehrere Versuche zur Abhülfe derselben angestellt hat, noch weit zurückgeblieben ist; daß, da die Schiffsartillerie so wichtig ist, als der Schiffbau selbst, man nicht die eine auf Kosten des anderen vernachlässigen darf, und die Admiralität daher auch auf das Strengste befahl, die Bedienung der Schiffskanonen in Hinsicht auf Schnelligkeit und Pünktlichkeit nach allen Kräften zu vervollkommnen. Wenn daher die Kanonen auf den Schiffen jezt noch dasselbe unbehülfliche Ding sind, was sie unter Heinrich VIII. waren, wo man sie zum ersten Male auf Schiffe brachte; [173]) so ist es weder der Fehler der Admiralität, noch der Officiere, sondern es sollte scheinen, daß entweder die gegenwärtigen Schiffslaffeten ihrem Zweke entsprechen, oder daß man sie, nach den jezt bestehenden Grundsäzen, nicht verbessern kann.

Und doch ist es offenbar, daß es beinahe keine Maschine, keine Vorrichtung zu einem so wichtigen Zweke, wie der des Geschüzes auf Schiffen, gibt, an welchem weniger Mechanik, weniger Hülfsmittel zur Erleichterung ihres Gebrauches angebracht wären.

„Eine Kanone muß schnell in verschiedenen Richtungen bewegt und angehalten werden können, und doch findet man sie auf einer Laffete, deren Achsen unbeweglich parallel gegen einander zusammengebolzt sind, so liegen, daß beinahe ihre ganze Schwere auf einem Ende derselben zu liegen kommt. Hieraus ergeben sich die Nachtheile, die während des Gebrauches derselben durch die Gewalt, mit welcher sie in die Höhe springt, und durch die Schwierigkeit einer Seitenbewegung des vorderen Theiles der Laffete entstehen müssen.

173) Ungefähr um das J. 1539. A. d. Ue.

Wenn eine Kanone durch anhaltendes Feuer stark erhizt wird, wird der Rüklauf derselben immer mehr und mehr unregelmäßig; sie muß folglich öfters in ihre gehörige Stellung zurükgeführt werden. Dieß sollte nun mit so geringer Mühe, als möglich geschehen; denn wenn das Gefecht länger anhält, wird das Schießen in dem Maße immer nothwendiger, als die Mittel hierzu abnehmen: die Kraft und die Menge der Artilleristen verschwindet desto mehr, je länger das Gefecht dauert. Um aber eine Kanone auf den jezigen Laffeten nach der Seite zu bewegen, braucht man mehr Kraft und es finden sich größere Schwierigkeiten, als bei irgend einem anderen Dienste an derselben.

Es ist offenbar, daß, je weiter die Kanonen vorwärts gegen den Bogen (bow or quarter) des Schiffes gerichtet sind, desto kräftiger sie das Schiff vertheidigen und den Feind beschießen werden. Man wird daher glauben, daß die Größe des Schußloches die Gränze des Winkels seyn wird, unter welchem eine Kanone durch dasselbe gerichtet werden kann. Dieß ist aber nicht der Fall. Die Form der alten Laffete hindert fast allgemein die Kanonen einen so großen Bogen zu beschreiben, als sie auf einer besseren Laffete beschreiben könnten, um beinahe 18 bis 24 Grade. So wird, durch die Unbehülflichkeit des Instrumentes, die Anwendung desselben gehindert.

Es wird vielleicht gut seyn, wenn man einige Gründe aufstellt, warum man die Nachtheile der alten Laffeten nicht beseitigen kann, so lang man die alte Methode nicht aufgibt, die Schiffskanonen bei ihren Zapfen aufzuziehen.

Da die Breite der vorderen Achse hindert, die Kanone in dem möglich größten Winkel durch ihr Schußloch drehen zu lassen, so müßte diese Vorderachse verschmälert werden, um diesen Einwurf zu beseitigen. Da aber beinahe die ganze Schwere der Kanone auf der Vorderachse ruht, so würde das Feststehen der Kanone, die immer eine Neigung hat sich zu stürzen, durch diese Verschmälerung ihrer Unterlage sehr gefährdet: man mag die hintere Achse noch so sehr erweitern und breiter machen, der feste Stand der Kanone wird dadurch nimmer wieder so viel gewinnen, als er durch Verschmälerung der vorderen Achse verliert, indem der heftige drehende Stoß, den die unregelmäßige Wirkung der Pulverkammer zuweilen veranlaßt, die Kanone in demselben Augenblike hebt, und ihre ganze Schwere auf die Vorderachse wirft, welche allein jeder Neigung der Kanone zum Umsturze Widerstand zu leisten hat.

Da die Richtigkeit dieser Bemerkungen offenbar ist, so wird die Nothwendigkeit, den Bau der Laffeten nach anderen Grundsäzen ein=

zurichten, jedem einleuchten, der, mit dem Patent-Träger, wesentlich
Verbesserungen in der Schiffsartillerie wünscht.

Die neue Schiffs-Laffete des Patent-Trägers besteht aus zw
verschiedenen, abgesonderten, Theilen, deren Bewegungen von eina
der ganz unabhängig sind, und die, obschon sie beide zugleich die K
none tragen, doch verschiedene Dienste zu leisten haben: der eine Th
ist die Brust-Laffete (breast carriage), der andere die Kam
mer-Laffete (breech carriage).

Die Brust-Laffete a, Fig. 16., besteht aus einem Blok U
menholz, in welchem zwei Platten von beinahe gleicher Form fla
und eben mit der oberen und unteren Oberfläche eingelassen, und dur
Bindbolzen befestigt sind. Die obere Platte ist viel diker, als d
untere, und ein Bolzen ist stärker, als die anderen. Durch die
Platten, die man Augenplatten (eye plates) nennt, wird die Brus
Laffete an dem Mittelpunkte des Schußloches mittelst des Brustbo
zens, g, befestigt, der durch die Löcher, ee, läuft, und durch d
Lager, cd, welche in der Wand des Schiffes befestigt sind.

In den Augenplatten bilden die Löcher xx, einen Stiefel, i
welchem die Spindel der Krüke spielt: es läuft nämlich ein Loch durc
den Brustblok, welches weit genug ist, um die Spindel frei in der
selben spielen zu lassen, so daß sie nie darin fest steken bleibt. A
dem unteren Theile des Brustblokes ist eine eiserne Achse, w, auf
gebolzt, auf welcher eine starke hölzerne Rolle läuft, mittelst welche
die Brust-Laffete rechts und links bewegt werden kann. Das ober
Lager, c, ist in der Wand des Schiffes mittelst Bolzen befestigt, di
durch das Gebälke derselben laufen, und die obere Augenplatte ruh
auf diesem Lager. Das untere Lager (oder, wenn man es bequeme
findet, ein unter dem Wasserwege angebrachter Stiefel) dient blo
als Stüze für den unteren Theil des Brustbolzens, und hat selb
nichts von der Schwere der Kanone zu tragen.

Die Krüke, h, (in Fig. 17. besonders abgebildet) besteht aus
geschlagenem Eisen, und nimmt in ihrer Tiefe einen kleinen Holzblo
auf, auf welchem die Kanone ruht und arbeitet. Dieser Blok ist
zur Aufnahme der Kanone, oben etwas ausgehöhlt, und, in der an
deren Richtung seiner Oberfläche so abgeschnitten oder convex gemacht
daß die Kanone beinahe auf dem Mittelpunkte des Blokes aufliegt,
wenn er gehoben oder gesenkt wird.

Die Kammer-Laffete b, ist der gewöhnlichen alten Laffete
ähnlich, nur daß ihr vorderer Theil weggeschnitten ist. pp sind eiserne
Klammern mit einem Gewinde bei o. Der untere Theil ist an den
vorderen Theile der Kammer-Laffete mittelst eines Bolzens befestigt,
und mittelst des Augenstiftes, der bei v angezogen ist. Der obere oder

bewegliche Theil spannt über die Zapfen, und, da er auf den Augenstift nieder gesperrt ist, so befestigt er den vorderen Theil der Kammer-Laffete an der Kanone. Die Kammer der Kanone liegt auf einem Lager und auf einem Keile, und wird auf die gewöhnliche Weise gehoben oder gesenkt.

Ein Umstand, welcher diese Art von Laffeten zum Aufziehen langer Kanonen auf Schiffen brauchbar macht, ist, daß auf Schiffen, im Gegensaze vom Kanonendienste auf dem Lande, die Kanone in ihrem Rüklaufe mittelst eines starken Seiles aufgehalten wird, sobald sie so weit mit ihrer Mündung innerhalb des Schußloches zurükgetreten ist, daß man sie wieder mit Bequemlichkeit laden kann. Da nun die eigentliche und gewöhnliche Weite, in welcher eine Kanone zurükläuft (einläuft, runs in), im Durchschnitte ungefähr der Entfernung des Zapfenkreises von der Mündung gleich ist (denn alles weitere Zurük- oder Einlaufen der Kanone würde nur mehr Aufenthalt und Mühe verursachen, als man bei dem Vorschieben (Auslaufen, running out) der Kanone ohnehin hat); so folgt, daß der ganze Spielraum, den man einer Kanone bei ihrem Ein- und Auslaufen aus dem Schußloche belassen darf, nicht größer seyn darf, als der Raum von ihrem Zapfen bis zu ihrer Mündung, und diesen Raum durchläuft sie, indem sie sich auf dem Bloke in der Krüke vorwärts und rükwärts schiebt. Gegen ein weiteres Auslaufen ist die Kanone durch ihre Zapfen gesichert oder durch den Zapfenkreis, der mit der Krüke in Berührung kommt, und gegen ein zu starkes Zurük- oder Einlaufen, gegen ein zu starkes Annähern der Mündung gegen die Krüke, wird sie nicht bloß durch ein starkes Hintertheil der Laffete, sondern auch durch ein starkes doppeltes Seil gehindert, das an der Brust-Laffete angebracht ist, und um die Krüke läuft.

Auf diese Weise sind die beiden Theile der Laffete gegen jedes Zusammenstoßen gesichert, so wie gegen jedes zu weite Auseinanderfahren, während die Kanone selbst die Verbindung zwischen diesen beiden Theilen sichert.

Das Neue dieser Patentart, die Kanone auf die Laffeten zu legen, besteht darin, daß man das Lager, den Druk der Kanone, von den Zapfen, die mit der Schwere der Kanone gar nichts zu schaffen haben, auf einen feststehenden Punkt an dem Hintertheile der Laffete (an der Kammer-Laffete) übertrug, und auf einen beweglichen irgendwo zwischen der Mündung und den Zapfen befindlichen Punkt.

Die Achse der Bewegung, in welcher die Kanonen gehoben und gesenkt werden, ist also nicht mehr bei den Zapfen, sondern an jenem Punkte, wo das Vordertheil der Kanone auf dem Bloke der Krüke ruht. Bei jeder Veränderung, welche die Achse hier erleidet, erhält die Kanone dort eine Stüze, wo sie derselben vorzüglich bedarf. Denn wenn man die Kanone auslaufen läßt (die einzige Lage, in welcher sie gestellt oder gerichtet wird), ist die Achse der Bewegung beinahe in dem Mittelpunkte der Kanone, wodurch das Richten erleichtert wird. Und wenn die Kanone einläuft, und durch das Seil zu aufgehalten wird (der einzige Fall, in welchem sie umschlagen könnte) wird die Achse ein Pfropfen an der Mündung, der dem Umschlagen vorbeugt.

Was die Bewegung der Kanone auf dem Bloke der Krüke betrifft, so muß man hier bemerken, daß die Stärke der Reibung, die hierbei Statt hat, großen Theils von der Härte und von der Größe der Oberfläche des Blokes abhängt. Auf einem Metallbloke läuft die Kanone zu schnell; auf einem breiten Bloke von Ulmenholz zu langsam. Lignum sanctum (Quajakholz) scheint für schwere Kanonen am besten zu taugen, Ulmenholz für leichtere.

Die Brust-Laffete stüzt nicht bloß das Vordertheil der Kanone, sondern gibt zugleich ein Mittel, dieselbe mit Leichtigkeit von einer Seite des Schießloches nach der anderen drehen zu können. So sieht man in Fig. 18. die Kanone mit ihrer ganzen Schwere auf dem Punkte x der Krüke ruhen, und die Kanone kann mit aller Leichtigkeit mittelst der kleinen Seile, dd, in die durch Punkte angedeuteten Lagen gebracht werden: das Hintertheil der Laffete wird indessen auf die correspondirende Seite geschoben, und die Kanone ist in die verlangte Lage gestellt. Da die Kanone nach Belieben bei x auf dem Stiele der Krüke in der Quere herumgerichtet werden kann, so ist es bei diesem Richten nicht nöthig, daß die Brust- und Kammer-Laffete zugleich bewegt wird; es ist sogar nicht nöthig, daß beide diese Theile der Laffete sich in einer und derselben geraden Linie befinden, wenn die Kanone abgefeuert wird. Man kann also durch Aenderung der Lage der Brust- oder Kammer-Laffete ein anderes Ziel nehmen, und die Kammer-Laffete kann in jeder Richtung zurüklaufen, ohne dadurch irgend eine Drehung an der Krüke oder an der Brust-Laffete hervorzubringen.

Man hat bei dem Baue dieser neuen Laffete auf Wohlfeilheit gesehen. An den Kanonen darf, so wie sie gegenwärtig sind, keine Veränderung wegen dieser neuen Laffeten vorgenommen werden, und die gegenwärtigen alten Laffeten lassen sich zu diesen neuen verwenden, wenn man das Vordertheil derselben davon trennt. Das übrige Material des Artilleristen bleibt dasselbe.

Was das Gewicht der Laffeten betrifft, so wird hier aus einer alten Laffete von 7 Ztrn. eine neue Brust-Laffete von 3, und eine Kammer-Laffete von 5 Ztrn.; die Laffete eines Vier und Zwanzig

Pfünders wird also bei diesem neuen Verfahren um Einen Ztr. schwerer. Der bewegliche Theil der Laffete, oder das, was die Artilleristen an derselben zu bewegen haben, wenn sie die Kanonen auslaufen lassen, ist jedoch um zwei Ztr. an der neuen Laffete leichter, als an der alten.[174])

LXXXI.

Leeson's und Taft's Patent-Sicherheits-Federhaken. Von T. Reilly.

Aus dem Mechanics' Magazine. N. 335. S. 344.

Mit Abbildungen auf Tab. VIII.

Hr. Reilly theilt im Mech. Mag. a. a. O. den Patent-Federhaken der HHrn. Leeson und Taft mit, und lobt denselben als höchst einfach und sicher. Wenn ein Pferd, sagt er, mittelst desselben in der Gabel eines Cabriolets oder eines Wagens oder Karrens eingespannt ist, so kann man dasselbe auf der Stelle aus seiner peinlichen Lage befreien, und dadurch in 9 Fällen unter 10 dem Unglüke vorbeugen, welches meistens dadurch entsteht, daß das gefallene Thier sucht loszukommen und sich aufzurichten, und es nicht vermag.

Die HHrn. Leeson und Taft nahmen ihr Patent ursprünglich bloß auf Pferdegeschirre, und zwar vorzüglich auf die Schnalle, mit welcher das Pferd an die Gabel gespannt wird, indem sich der Dorn an derselben oft so verzieht, daß ein paar Männer nicht im Stande sind denselben loszumachen, was überdieß bei einem scheuen Rosse auch zugleich gefährlich ist. Später wendeten sie dieselbe Vorrichtung auch bei dem übrigen Geschirre, an den Strängen, Verbindungsringen u. s. w. an.

Hr. Reilly meint, daß eben dieses Schloß auch von den Damen an ihren kostbaren Halsketten, Armbändern ꝛc., und von galanten Herren, die kostbare Taschenuhren bei sich tragen, zur Sicherung derselben, als Uhrwächter (watch-Guards) benüzt werden könnte.

Fig. 30. A, der Haken. B, die schiebbare Röhre. C, der Federhälter, welcher den Schieber vor dem Zurüktreten schüzt. D, der Rand.

Fig. 31. zeigt die schiebbare Röhre zurükgezogen.

Fig. 32. A eine Stange der Gabel des Cabriolets. B, der Ha-

174) Wir haben von diesem Patente bereits im XXIX. Bd. d. Polyt. Journ. nach dem Repertory of Patent-Inventions Nachr wo keine Abbildung geliefert wurde.

ken zur Aufnahme derselben. C, die Sicherheitsröhre, die sich schieben läßt. D, der Federhälter. F, das Rukenband.[175])

LXXXII.

Hrn. King Williams's Ruderrad für Dampfbothe.

Aus dem Register of Arts. P. XXIX. S. 140.

Mit Abbildungen auf Tab. VIII.

Hr. King Williams hat dieses Ruderrad im National-Repository aufgestellt. Es hat denselben Zwek, den alle Verbesserer des gewöhnlichen Ruderrades sich vorstekten: Beseitigung der unvortheilhaften Stellung bei dem Eintauchen der Ruderschaufel in das Wasser, und bei dem Austreten derselben aus dem Wasser.

a, in Fig. 2. ist die Achse des Rades. bbbb, sind Ruderarme, die wie Halbmesser gestellt sind. cd, cd, cd, sind die Ruder mit ihren Armen oder Stangen, wovon die lezteren, d, unbiegsam an die ersteren, c, befestigt sind, und, in ihrer Verbindung unter einander, die dargestellten stumpfen Winkel bilden. Sie bilden ein Gefüge, eeee, damit sie sich an dem Ende eines jeden Armes drehen können. f, ist die Wasserlinie. g, ist eine Kurbel, die im Mittelpunkte der Achse des Rades befestigt ist, jedoch so, daß sie sich nicht mit demselben dreht. Diese Kurbel läßt sich nach Belieben durch eine Stellschraube stellen, wodurch die Ruder, mittelst der Verbindungsstangen, iiii, einen solchen Winkel mit der Oberfläche des Wassers bilden, der zum Treiben des Bothes am zuträglichsten ist. Die Stangen i sind jedoch mit einem sich drehenden Halsbande verbunden, das in Fig. 4. besonders dargestellt ist, und sich auf der Kurbel befindet, so daß sie also sich frei im Kreise umher drehen können, während die Kurbel sie gleichförmig in die in der Zeichnung dargestellten Lagen zieht, wodurch der Arm in die horizontale Lage 2 kommt. Die punktirten Linien zeigen die Stellung, welche die Ruder in den Zwischentheilen ihrer Umdrehung nehmen, oder die relative Stellung, die sie nehmen würden, wenn 8 Ruder an dem Rade angebracht wären. Fig. 3. zeigt den Grundriß eines Ruders und ihrer Verbindungsstange einzeln dargestellt unter den Buchstaben von Fig. 2.

---

175) Fig. 33. ist nicht erklärt. Wir haben solche „Schließen" an Halsketten, Uhrketten etc. in Deutschland schon früher gesehen.

A. d. Ue.

LXXXIII.

Verbesserung im Baue der Angelzapfen oder Kegel (Pintles) des Gewindes zum Einhängen der Steuerruder, worauf Joh. Lihou, ein Befehlshaber an der k. Flotte, zu Guernsey, jezt in Naval-Club-House, Bond-Street, Middlesex, sich am 14. April 1829. ein Patent ertheilen ließ.

Aus dem Journal of Arts. November 1829. S. 64. und dem Repertory of Patent-Inventions. Jänner 1830.

Mit Abbildungen[176] auf Tab. VIII.

Die traurigen Folgen (sagt das London-Journal), welche so oft dadurch entstehen, daß das Steuerruder in stürmischem Wetter beschädigt wird, und das Schiff nicht mehr gehörig gesteuert werden kann, hat den Erfindungsgeist der Schiffer schon in früheren Zeiten theils auf Verfertigung von Nothrudern, theils auf Ausbesserung des beschädigten Ruders geleitet. Die neue Methode ein Steuerruder einzuhängen, welche Capitain Lihou hier vorschlägt, scheint neue Vortheile zu gewähren, durch welche die bisherigen Unbequemlichkeiten und Gefährlichkeiten großen Theils, wenn nicht gänzlich, beseitigt werden können. Nach dem Zeugnisse einiger der geschiktesten und ausgezeichnetesten Officiere an der Flotte scheint seine hier vorgeschlagene Verbesserung wirklich von hohem Werthe zu seyn.

Der Patent-Träger theilte uns folgende Bemerkung, die wir hier mit seinen Worten geben, als Einleitung zu seinem Patente gefälligst mit:

„Es ist eine nur zu bekannte Thatsache, daß, wenn das Steuerruder am Schiffe während seiner Fahrt weggebrochen wird, das Gewinde meistens am Halse oder am Zapfen (Kegel) gebrochen ist. Wo ein solches Unglük eintritt, kann das Schiff nicht mehr gesteuert werden, auch wenn das Ruder nicht gänzlich verloren ging. Unter solchen gefährlichen Umständen muß das Schiff trachten so schnell als nur immer möglich einen Hafen zu erreichen, um das gebrochene Rudergewinde ausbessern zu können oder ein neues zu erhalten: es verliert dadurch nicht nur viel kostbare Zeit und hat theure Auslagen zu bestreiten; es läuft zugleich die größte Gefahr, indem es sich in seinem unlenkbaren Zustande dem Lande nähern muß. Alle diese

176) Das Repertory liefert dieses Patent ohne Abbildungen mit Anmerkungen; das London Journal of Arts gab die beigefügten Abbildungen.
A. d. Ue.

Nachtheile entstehen durch die gegenwärtig gebräuchliche Methode, das Steuerruder einzuhängen, bei welcher, wenn der Zapfen im Kegel bricht, das ganze Ruder unbrauchbar geworden ist. Das Ruder muß, wegen dieses an und für sich geringfügigen Unfalles, neu gebaut werden, und, wenn der Zapfen allenfalls in seinem Bande (googing) eingezwengt bleibt, so muß das Schiff auf die Werfte, und, wenn keine solche zu finden ist, muß es niedergelassen werden. Ich spreche hier von Unfällen an Kriegsschiffen, Ostindienfahrern und anderen großen Seeschiffen: bei kleineren Fahrzeugen können andere Mittel angewendet werden.

Um nun solche Unfälle zu vermeiden, und das Schiff in den Stand zu sezen von seinem Bord aus einem der größten Unglüke auf der weiten See und an fremden Küsten, wo keine Hülfe zu finden ist, abzuhelfen, nahm ich zu folgender leichten und bequemen Methode meine Zuflucht, die mich die Noth und eine theuer bezahlte Erfahrung in einem Unglüke in den Torres-Engen lehrte. Ich verfertige nämlich das Rudergewinde aus zwei einzelnen Stüken; die Zapfen oder Kegel abgesondert von ihren Bändern oder Stiefeln, in die sie genau passen, und aus welchen sie gelegentlich ausgehoben werden können, wie der Winkelhebel an einer Dampfmaschine."

Patent-Erklärung.

„Obiges verbessertes Rudergewinde wird aus demselben Metalle, wie bisher, oder aus irgend einem anderen hierzu tauglichen, oder aus einer schiklichen Metallcomposition verfertigt. Es besteht aus zwei verschiedenen Arten, die man durch verschiedene Benennungen von einander unterscheiden kann: die einen sind die lebendigen oder hängenden Angeln oder Gewinde (live or hanging pintles), die anderen die stummen oder Lager- oder Reibungsangeln (dumb or bearing or friction pintles). Sie weichen von den bisherigen dadurch ab, daß sie sich weit schneller ausbessern lassen, indem jeder Angel aus einzelnen Theilen besteht, wie unten beschrieben werden wird. An meinen verbesserten Rudergewinden ist der Zapfen oder Kegel des hängenden Angels und der tragende oder Lagerzapfen des Lager- oder Reibungsgewindes einzeln und abgesondert von den übrigen Theilen des Rudergewindes oder der Angeln, und kann nach Belieben herausgezogen und eingesezt werden. Wenn also der Zapfen oder Kegel, oder der Trag- oder Lagerkegel beschädigt oder gebrochen wird, kann jeder herausgenommen und durch einen neuen ersezt werden, ohne daß es nöthig wäre die Bänder neu zu machen. Die gemeinen Bänder (googings) können zugleich mit meinen verbesserten Hängekegeln gebraucht werden, um das Ruder an dem Pfosten des Hintertheiles des Schiffes zu befestigen.

Die verbesserten hängenden Angeln bestehen aus den gewöhnlichen Seitenbändern mit Bolzenlöchern zur Befestigung derselben an dem Ruder, und aus dem Kopfe oder Knopfe, oder aus der Metallmasse, aus welcher der Zapfen oder Kegel herabsteigt. Statt daß aber dieser Zapfen oder Kegel aus Einer Masse mit dem Kopfe oder Knopfe gegossen oder geschmiedet ist, muß ein Loch in dem Kopfe oder Knopfe angebracht seyn, durch welches der eigentliche Zapfen desselben laufen kann: dieses Loch kann walzenförmig, eiförmig, vierekig, vielekig oder etwas kegelförmig und verdünnt zulaufend seyn.

Es mag nun übrigens was immer für eine Form haben, so muß der obere Theil des Zapfens oder Kegels damit correspondiren, und genau, ohne zu wanken, in dasselbe passen, damit er darin festhalten, und sich weder drehen noch durchfallen kann. Damit dieser Zwek desto sicherer erreicht wird, kann das obere Ende des Zapfens mit Vorsprüngen (Flügeln, feathers oder fins) versehen werden, die sich in Vertiefungen an dem oberen Theile des Knopfes oder Kopfes einsenken.

Nachdem diese Zapfen von oben in die Stelle eingeführt wurden, in welcher sie bleiben und arbeiten müssen, werden sie durch den Kopf oder Knopf des Angels, der in das Holz des Ruders eingesenkt oder eingelassen ist, welches auf den Zapfen und Knopf genau passen und auf demselben ruhen muß, in ihrer Lage gehalten, und gehindert in die Höhe zu steigen. Die Seitenbänder und die Knöpfe der hängenden Angeln, so wie auch die Bänder (the googings), müssen stärker als die Zapfen oder eigentlichen Kegel seyn.

Man wird aus dieser Beschreibung ersehen, daß einige oder alle dieser Zapfen herausgenommen, und andere (die immer für den Nothfall bereit bei der Hand seyn müssen) an ihrer Stelle eingesezt werden können. Um dieß aber thun zu können, ist nichts anderes nöthig, als die Seitenbänder wegzunehmen, oder auch nur ein hinlängliches Stük Holz von dem Ruder wegzunehmen, dasjenige nämlich, welches auf die Köpfe oder Knöpfe der besagten Kegel drükt.

Mein verbessertes Lager- oder Reibungsrudergewinde besteht aus ähnlichen Seitenbändern und Knöpfen, wie das hängende, und kann aus demselben Materiale verfertigt werden, das ich oben angegeben habe. Es wird auf dieselbe Weise befestigt. Statt, daß man aber einen walzenförmigen Zapfen oder Kegel in das Loch des Kopfes oder Knopfes, nach der oben beschriebenen Weise einfügt, führe ich einen Lagerzapfen oder Kegel aus irgend einem harten Metalle oder aus einer Metallcomposition in das Loch von unten aufwärts. Dieser Lager- oder Tragkegel besteht aus einem Schenkel und aus einem hervorstehenden Theile, Knopfe oder Kopfe, an seinem unteren Ende.

Ich mache diesen Knopf halb kugelförmig, parabolisch, flach, oder in Form eines umgekehrten abgestuzten Kegels, und den Schenkel, der aufwärts in das Loch des Knopfes in dem Gewinde angebracht werden muß, um so viel kleiner im Durchmesser, als die besagte Masse, damit er eine bedeutende Schulter erhält, mit welcher er gegen das untere Ende des Knopfes drükt. Der Schenkel, welcher aufwärts durch diesen Knopf, und durch das Loch, das ihn aufnimmt, zieht, muß vierekig oder von einer solchen Form seyn, daß der Lagerzapfen sich darin nicht drehen kann; und zu diesem Ende Flügel (feathers or fins) haben, wie der obere Theil des Zapfens des hängenden Gewindes. Das obere Ende dieses Schenkels muß durch den Knopf laufen, und etwas über demselben emporragen, damit er daselbst durch ein Niet, oder durch eine Kreuzschließe, oder durch Vernietung oder auf irgend eine andere schikliche Weise an seiner Stelle erhalten wird, und nicht aus derselben herausfallen kann.

Die Zapfen oder Kegel der hängenden Gewinde können gleichfalls auf diese Weise eingeführt und in ihren respectiven Lagen erhalten werden. Die Reibungs- oder Lagerwinde kann auf den gewöhnlichen Bändern arbeiten; um aber die Reibung zu vermindern, muß der Reibungs- oder Lagerkegel auf einem Gegen- oder verkehrten Reibungskegel arbeiten. Der Stift oder Zapfen eines solchen verkehrten Gewindes muß einzeln seyn, und nach obiger Weise in seinem Knopfe befestigt werden; er muß entweder eine flache, convexe oder concave, eingekerbte oder ausgehöhlte Hervorragung aus hartem Metalle an seinem Ende haben, um die untere Seite der correspondirenden Hervorragung oder den Knopf des Reibungs- oder Traggewindes des Ruders aufzunehmen oder zu stüzen.

Bei Anwendung oder Befestigung dieser Lager- oder Reibungsgewinde müssen ihre respectiven Lagen auf dem Ruder und Pfosten des Hintertheiles so vorgerichtet werden, daß der ganze verticale Druk oder die Schwere des Ruders auf dieselben geworfen wird. Zwei solche Trag- oder Reibungsgewinde werden, wie ich glaube, für das Ruder eines Schiffes von tausend Tonnen hinreichen, obschon man auch mehrere anwenden kann. Die Zahl der hängenden Gewinde hängt von dem Befunde ab, nach welchem man sie zur Befestigung des Ruders an dem Pfosten des Hintertheiles des Schiffes für nothwendig hält. Die Stelle selbst, oder der Ort, wo sie an diesem Pfosten und an dem Ruder befestigt werden müssen, ist, der ganzen Länge desselben nach, willkürlich.

Die Reibungsgewinde können an dem Pfosten des Hintertheiles angebracht seyn, und die hängenden an dem Ruder, oder umgekehrt:

an kann deren so viele anwenden, als die Größe und die Art des ichiffes erfordert.

Mein Patent-Recht besteht allein darin, daß ich die Kegel und ie Knöpfe von den übrigen Theilen des Gewindes unabhängig und bgesondert mache."

Fig. 8. ist A ein Ruder, und B der Pfosten am Hintertheile es Schiffes, mit den verbesserten hängenden Angeln oder Gewinden, cc, und den Reibungsgewinden dd. Fig. 9. zeigt die Hinterseite ines Ruders, A, welche in der Furche B eines ausgekehlten Pfostens m Hintertheile eines Schiffes paßt, und wo man die hängenden und Reibungsgewinde in ihren correspondirenden Lagen sieht. Fig. 10. tellt einen hängenden Angel oder ein hängendes Gewinde vergrößert ar mit seinem correspondirenden Bande (googing). Fig. 11. ist der Zapfen dieses Gewindes, aus seinem Bande herausgenommen und nit seinen Flügeln versehen, die das Drehen und Durchfallen dessel- en hindern. Das Holz, in welches diese Angeln eingelassen sind, vie man in Fig. 8 und 9. sieht, hindert das Aufsteigen der Kegel. Fig. 12. zeigt die Reibungsangeln vergrößert mit ihrem correspondi- renden Bande, um die Schwere des Ruders zu tragen. Fig. 13. ist der Kegel oder Zapfen für das Reibungsgewinde, herausgenommen. Fig. 14. zeigt ein Stük einer Kette mit einem Drehestifte, um ein Ru- derende für den Fall daran zu befestigen, daß es abgebrochen würde, Statt daß man dasselbe nach der gewöhnlichen Weise befestigt, wo- durch es eine schiefe Richtung erhält, und leicht verloren geht.

Das Repertory macht hierüber folgende Bemerkungen. Es er- klärt den Gegenstand dieses Patentes als einen Nationalgegenstand, indem die Sicherheit eines Schiffes von jener seines Ruders abhängt. Capitän Lihou hat in einer kleinen Schrift über diesen Gegenstand die Nachtheile geschildert, die dadurch für die Schifffahrt entstehen, daß ein Steuerruder unbrauchbar wird.

Was die erste Methode betrifft, das Einlassen der Vorsprünge in die Substanz des Holzes, so scheint sie uns nicht kräftig genug. Einige andere Vorrichtungen trifft dieser Vorwurf nicht, namentlich die „hängenden Angeln oder Gewinde" (hanging pintals), von wel- chen die Sicherheit des Schiffes weit mehr abhängt, als von den „tragenden," welche der Capitän empfiehlt. Von lezteren haben wir nicht den hohen Begriff, den ihr Erfinder hat. Sie nehmen den Plaz ein, den die hängenden Gewinde hätten ausfüllen können. Dadurch wird die Verbindung des Ruders um so viel schwächer. Es scheint ferner nicht, daß der Widerstand, den man bei Bewegung des Ru- ders durch die Reibung erleidet, welche die Schwere desselben erzeugt, von irgend einer bedeutenden Folge ist, indem man bekanntlich das größte Ruder mit einer unbedeutenden Kraft bewegen und kehren kann, selbst noch ehe das Schiff vom Stapel gelassen wurde, wo die ganze Schwere des Ruders auf die Bänder drükt: wo das Ruder vom Wasser getragen wird, geht es noch weit leichter. Indessen ist Ein Traggewinde, oder sind ein Paar derselben, allerdings vortheilhaft an jedem Ruder, wenn sie oben dicht über der Oberfläche des Wassers angebracht sind, wo sie die hängenden Gewinde, deren Lage so wichtig ist, nicht hindern. Die Bänder (googings) würden dadurch kräftiger gegen die Stöße des Ruders geschüzt seyn, wenn das Schiff stark stampft, als sie es gegenwärtig nicht sind. Es scheint uns auch, daß dadurch eine Verbesserung angebracht werden könnte, daß man die Oeffnungen der Bänder weit genug läßt, um die Kegel durchfallen zu lassen, wenn sie gebrochen sind, indem sowohl nach der Angabe des Patent-Trägers, als anderer Seefahrenden, die Schwierigkeit des Ausbesserns des Ruders und des Auswechselns derselben dadurch sehr vermehrt wird, daß die Kegel in den Bändern steken bleiben.

Eine solche Verbesserung würde selbst dem Patent-Rechte auf diese Ruder nicht schaden.

Das Repertory verweist, wegen der großen Gefahren, die durch Beschädigung des Steuerruders entstehen, auf den V. Bd. der gegenwärtigen Series S. 303.[177])

LXXXIV.

Versuche, welche über das Sprengen des Eises mittelst Schießpulvers im J. 1829. angestellt wurden.

Aus dem Pamietnik Warszawski im April 1829. S. 85. Bulletin d. Sc. technol. N. 11. 1829. S. 315.

Folgende Versuche, mit welchen man jene des Hrn. Gluck und Engelmann im Polytechn. Journ. Bd. XXXIII. S. 378.[178]) vergleichen kann, wurden auf Befehl des Generals Bontemps, Directors des Artillerie-Materiales in Polen angestellt.

Das Maß ist englisches Maß.

Das Gewicht ist polnisches. 2¼ poln. Pfund sind beinahe Einem Kilogramm (2 Pfd. ungefähr, 29 Kilogramm sind 62 preuß. Pfd.) gleich.

Die Dike des Eises auf der Weichsel bei Warschau war beinahe überall 26 Zoll, und das Wasser reichte bis an die untere Fläche des Eises.

---

177) Es hätte noch auf andere Mittel, selbst auf Patente über Einhängen der Steuerruder verweisen können, die man im Polytechnischen Journale finden wird. A. d. Ue.

178) Die Methode der Hrn. Gluck und Engelmann wurde diesen Winter in Augsburg mit gutem Erfolge zum Sprengen des Eises angewendet. A. d. R.

Dat. des Tages des Versuches u. Zustand der Witterung:	Nr.	Schwere der Bombe:	Art der Flader:	P. ulverladung:	Ort, wo die Flader angebracht ward:	Dike des Eises, am Orte des Versuches:	Tiefe d. Wassers, am Orte des Versuches:	Resultate.
26. Febr. 1829. Barometerstand: 27 Zoll 11 Linien, Réaumür's Thermometer: + 2	1	Pfd. 140	2 zöllige Bombe.	Pfd. 6	Grund der Weichsel.	Zoll 21	Fuß 12	Ohne Wirkung. Die Schnur riß.
	2	do	do	do	do	18	12	Durchmesser des Trichters in der Richtung des Stromes 18 Fuß, nach der Breite desselben 13 Fuß. Das Eis war ringsumher in einem Kreise von 30 Toisen im Durchmesser gesprengt. Es waren 5 concentrische Kreise vorhanden am Trichter und 15 Strahlen.
	3	do	do	do	auf der Oberfläche d. Eises.	18	8	Das Eis wurde in einem Kreise von 4 Fuß Durchmesser durchgeschlagen. Es sprang ringsumher in einem Kreise von 9 Toisen im Durchmesser. Man bemerkte 32 Strahlen, aber keinen concentrischen Kreis.
	4	do	do	do	13 Zoll unter der Oberfläche des Eises.	22	5	Durchmesser des Loches 6 Fuß. Das Eis sprang auf einer Streke von 12 Fuß im Durchmesser, hatte 36 Strahlen und 2 concentrische Kreise, wovon der erste 2, der andere 12 Toisen im Halbmesser hatte.
	5	do	Eine Kiste von 2 □ F. Grundfläche u. 1 F. Höhe.	60	auf der Oberfläche d. Eises.	18	10	Das Eis wurde nicht durchbrochen, aber es bildeten sich zwei concentrische Kreise auf der Oberfläche desselben. Der eine hatte 8 Fuß im Durchmesser und ließ das Wasser durchlaufen; der andere hatte 5 Toisen im Durchmesser.

Dat. des Tages des Versuches u. Zustand der Witterung:	Nr.	Schwere der Bombe:	Art der Lader:	Pulverladung:	Ort, wo die Lader angebracht ward:	Dike des Eises, am Orte des Versuches:	Tiefe d. Wassers, am Orte des Versuches:	Resultate.
5. März 1829. Barometerstand: 27 Zoll 9 Lin. Thermometer + 5,5	6	Pfd. 140	2 zöllige Bombe.	Pfd. 6	3 Fuß unter der Oberfläche des Eises.	Zoll 18	Fuß 12	Der Trichter des Eises hatte 16 Fuß im Durchmesser. Das Eis hatte Sprünge in einem Kreise von 24 Toisen im Durchmesser, hatte 22 Strahlen und 4 concentrische Kreise.
	7	do	do	do	8 Fuß unter der Oberfläche des Eises.	19	10	Das Eis ward nicht durchbrochen, hatte aber einen Sprung in einem Kreise von 16 Toisen im Durchmesser mit 35 Strahlen und 17 concentrischen Kreisen.
	8	do	do	do	am Grunde der Weichsel.	18	12	Es gab kein Loch, das Eis war aber in einem Kreise von 14 Toisen mit 31 Strahlen und 17 concentrischen Kreisen gesprungen.
	9	do	Kiste von 14 Kubikz.	60	am Grunde der Weichsel.	$15^1/_2$	8	Durchmesser des Trichters, 48 Fuß. Durchmesser des gesprungenen Eises, 135 Toisen, 52 Strahlen und 15 concentrische Kreise. Das Eis wurde bis auf 50 Toisen in die Luft geworfen. Die Erschütterung gab sich an den 200 Toisen vom Orte des Versuches entlegenen Mühlen durch einen augenbliklichen Wasserwirbel zu erkennen.
	10	—	Ein Schläger (Marron).	4	2 Fuß unter der Oberfläche des Wassers.	$14^1/_2$	10	Ein Trichter von 21 Fuß im Durchmesser. Sonst nichts.
	11	—	Drei do	Jeder mit vier Pfd.	do	do	12	Ein einziger Schläger fing Feuer. Keine sichtbare Wirkung auf das Eis.
	12	—	20 Haubiz. von 10 Pf. Stein.	Jede mit ein Pfd. 10 Unz.	do	15	9	Eine einzige fing Feuer und sprang mit einem Trichter von 9 Fuß im Durchmesser. Die anderen blieben zu lang im Wasser und wurden von Nässe durchdrungen.

LXXXV.

Versuche über die Kraft, mit welcher das Eis sich ausdehnt. Angestellt im Arsenal zu Warschau, in den Wintern von 1828 und 29.

Aus dem Pamietnik Warszawski April und Jun. S. 85 und 531. Im Bulletin d. Scienc. technol. N. 11.

Die bei diesem Versuche angewendeten Haubizen waren preußische Haubizen von 10 Pfd., aus Gußeisen und concentrisch. Ihr Durchmesser hielt 6 Zoll 8 Lin. Der Durchmesser der Zündröhre war 1 Zoll 1 Lin. Die Dike des Gußeisens 1 Zoll 2 Lin., engl. Maß.

Nr.	Temperatur nach Réaumür: b. Luft	Temperatur nach Réaumür: d. Wassers	Hohlraum der Haubize im Kubikzoll:	Zustand der Mündung der Zündröhre:	Resultate.
1	— 20°	+ 4°	46,296	offen.	Das gefrorne Wasser stieg aus der Zündröhre in Form eines Cylinders von gleichem Durchmesser mit der Röhre empor. Dieser Cylinder wuchs immer, und erreichte nach zwei Stunden das Maximum seiner Höhe, d. h., 2 Zoll, 2 Lin. Das Wasser nahm also um 2,31 Kubikzoll im Umfange zu, während es aus dem flüssigen Zustande in den festen überging, oder um $^1/_{20}$ seines Volumens.
2	do	do	48,865	mit einem hölzernen Stöpsel geschlossen.	Das Eis hob den Stöpsel aus seiner Stelle und trat dafür an dessen Plaz. Das Volumen des Wassers nahm um 1,24 Kubikzoll zu, d. h., um $^1/_{39}$.
3	do	do	51,92	mit einem mit Gewalt eingetriebenen Stöpsel geschlossen.	Nachdem das Eis den Stöpsel in die Höhe geschlagen hatte, stieg es als Cylinder von gleichem Durchmesser mit der Zündröhre 1 Zoll 7 Lin. hoch in die Höhe. Das Volumen des Wassers nahm um 1,69 Kubikzoll, ungefähr um $^1/_{35}$, zu.
4	do	do	50,311	m. e. eingeschraubten metallnen Stöpsel geschlossen, der eine Oeffnung von 3 Linien im Durchmesser hatte.	In 7 Viertelst. war die Haubize in zwei ungleiche Theile gesprungen. Der kleinere Theil wurde 10 Fuß weit weggeschläubert von der Stelle, wo die Haubize lag; der größere 1 Fuß. Das Wasser war nur 6 Linien dik gefroren; im Inneren blieb es ganz flüssig.
5	— 23°	+ 6°	41,529	do; die Oeffnung im Stöpsel aber von 6 Lin. im Durchmesser.	Die Haubize zersprang in zwei ungleiche Stüke, wovon das eine 4 Fuß weit weggeschläubert wurde, das andere in der Nähe desselben liegen blieb. Die Dike der Eisrinde betrug 13 Lin. Das Wasser war im Innern flüssig.
6	do	do	50,316	do; der Stöpsel aber ohne alle Oeffnung.	Die Haubize zerplazte in zwei Stüke. Das kleinere Stük wurde einen Fuß weit weggeschläubert. Die Dike des Eises betrug 5 Linien.

Unterschiede im Hohlraume der Haubizen rühren von der Ungleichheit des Gusses, vom Roste, vom eingegossenen Peche her, das man nicht herausschaffen konnte.

Dat. des Tages des Versuches u. Zustand der Witte-[illegible]	Nr.	Schwere der Bombe:	Art der Flader:	Pulverladung:	Ort, wo die Flader angebracht ward:	Dike des Eises,	Tiefe d. Wassers,	Resultate.
						am Orte des Versuches:		
[illegible]			[illegible]	Pfd. 6	3 Fuß unter der Oberfläche des Eises.	Zoll 18	Fuß 12	Der Trichter des Eises hatte 16 Fuß im Durchmesser. Das Eis hatte Sprünge in einem Kreise von 24 Toisen im Durchmesser, hatte 22 Strahlen und 4 concentrische Kreise.
			do	do	8 Fuß unter der Oberfläche des Eises.	19	10	Das Eis ward nicht durchbrochen, hatte aber einen Sprung in einem Kreise von 16 Toisen im Durchmesser mit 35 Strahlen und 17 concentrischen Kreisen.
				do	am Grunde der Weichsel.	18	12	Es gab kein Loch, das Eis war aber in einem Kreise von 14 Toisen mit 31 Strahlen und 17 concentrischen Kreisen gesprungen.
				60	am Grunde der Weichsel.	$15^1/_2$	8	Durchmesser des Trichters, 48 Fuß. Durchmesser des gesprungenen Eises, 135 Toisen, 52 Strahlen und 15 concentrische Kreise. Das Eis wurde bis auf 50 Toisen in die Luft geworfen. Die Erschütterung gab sich an den 200 Toisen vom Orte des Versuches entlegenen Mühlen durch einen augenbliklichen Wasserwirbel zu erkennen.
		—	Ein Schläger (Marron).	[illegible]	2 Fuß unter der Oberfläche des Wassers.	$14^1/_2$	10	Ein Trichter von 21 Fuß im Durchmesser. Sonst nichts.
			[illegible]ei do	Jeder mit vier Pfd.	do	do	12	Ein einziger Schläger fing Feuer. Keine sichtbare Wirkung auf das Eis.
			[illegible]big. [illegible] Pf. [illegible]	Jede mit ein Pfd. [illegible]	do	15	9	Eine einzige fing Feuer und sprang mit einem Trichter von 9 Fuß im Durchmesser. Die anderen blieben zu lang im Wasser und wurden von Nässe durchdrungen.

LXXIV.

Versuche über die [illegible], mit welcher das Eis sich ausdehnt. Angestellt im [illegible] zu [illegible], in den Wintern von 1828 und 29.

Aus dem Pamietnik [illegible] [illegible] S. 53 und [illegible]. Im Bulletin d. Scienc. [illegible] [illegible]

Die bei diesem Versuche angewendeten Haubizen waren preussische Haubizen von 10 Pfd., aus Gußeisen und concentrisch. Ihr Durchmesser hielt 6 Zoll 5 Lin. Der Durchmesser der Zündröhre war 1 Zoll 2 Lin. Die Dike des Gußeisens 1 Zoll 2 Lin., engl. Maß.

Resultate.

[illegible] Wasser stieg aus der Zündröhre in Form [illegible] Cylinders von gleichem Durchmesser mit der Röhre [illegible]. Dieser Cylinder wuchs immer, und erreichte [illegible] zwei Stunden das Maximum seiner Höhe, d. h. [illegible] Zoll, 2 Lin. Das Wasser nahm also um 2,31 Kubikzoll im Umfange zu, während es aus dem flüssigen Zustande in den festen überging, oder um 1/[illegible] seines Volumens.

Das Eis hob den Stöpsel aus seiner Stelle und trat dafür an dessen Plaz. Das Volumen des Wassers nahm um 1,24 Kubikzoll zu, d. h., um 1/3[illegible].

Nachdem das Eis den Stöpsel in die Höhe geschlagen hatte, stieg es als Cylinder von gleichem Durchmesser mit der Zündröhre 1 Zoll 7 Lin. hoch in die Höhe. Das Volumen des Wassers nahm um 1,09 Kubikzoll, ungefähr um 1/35, zu.

In 7 Viertelst. war die Haubize in zwei ungleiche Theile gesprungen. Der kleinere Theil wurde 10 Fuß weit weggeschläudert von der Stelle, wo die Haubize lag; der größere 1 Fuß. Das Wasser war nur 6 Linien dik gefroren; im Inneren blieb es ganz flüssig.

Die Haubize zersprang in zwei ungleiche Stüke, wovon das eine 4 Fuß weit weggeschläudert wurde, das andere in der Nähe desselben liegen blieb. Die Dike der Eisrinde betrug 13 Lin. Das Wasser war im Innern flüssig.

Die Haubize zerplazte in zwei Stüke. Das kleinere Stük wurde einen Fuß weit weggeschläudert. Die Dike des Eises betrug 5 Linien.

[illegible] der Ungleichheit des Gusses, vom Rosse, vom eingegosse[illegible] [illegible]

[illegible] nämlich [illegible] ganz er[illegible] Farbe verlor, [illegible] übrige Theil dessel[illegible] und krystallisirte weit [illegible]

[illegible] von verschiedener Größe: die [illegible] Pfund Kohle; die größeren bis [illegible] kann man Syrupe von verschie[illegible] [illegible] schwächsten bis zu den stärk[illegible] [illegible] Syrupe von 28 — 30° ar[illegible]

LXXXVI.

Instrument, um die Formen von Vasen (und überhaupt das Profil von jedem Körper) zu copiren.

Aus dem Mechanics' Magazine. N. 345. S. 344.

Mit einer Abbildung auf Tab. VIII.

Ein Dilettant in der Drechslerkunst gibt im Mech. Mag. a. a. O. folgendes Instrument zum Copiren der Form der Vasen etc. an.

A und B in Fig. 29. sind zwei senkrecht stehende Stüke aus Messing, oder aus Holz mit Messing beschlagen, durch deren Mitte zwischen den Punkten CCCC ein Spalt läuft, in welchem wenigstens hundert Stahldrathe von der Größe N. 17. (oder noch kleiner) eingezogen werden können, und sich frei schieben lassen. EE sind zwei an den oberen Enden von A und B angebrachte Stellschrauben, die etwas in den Spalt, CC, eingreifen, und die Drathe, wann sie gehörig gestellt sind, festhalten. I ist ein Brett, welches die Stüke AB trägt, die in demselben eingefügt sind. G ist ein kleines Instrument, um jeden Drath einzeln zu bewegen.

Wenn die Drathe alle gleich lang sind, so erhält man von der Vase zugleich das convexe und concave Profil." [179])

LXXXVII.

Ueber Hrn. Dumont's Filtrum zur Rohr- und Runkelrübenzuker-Raffinerie und Kohlenbereitung.[180]) Bericht der HHrn. Sérullas, Bussy und Derosne.

Aus dem Journal de Pharmacie. N. X. 1829, S. 545. N. XI. S. 616.

Mit einer Abbildung auf Tab. VIII. Fig. 15.

Hr. Dumont, alter Runkelrübenzuker-Fabrikant, hat ein Filtrum und eine eigene Bereitung der Kohle zur Entfärbung des Syrupes erfunden, worüber wir Bericht erstatten sollen.

179) Dieses Instrument ist nichts weniger als neu. Wir sahen es schon vor mehreren Jahren bei einem Bildhauer zu Wien, und es sollte uns wundern, wenn die Bildhauer London's dieses Instrument noch nicht kennten. Die Töpfer brauchen, so viel wir wissen, dieses einfache Instrument noch nicht; unsere Töpfer sind aber leider noch weit entfernt, eine Idee von einer etruskischen Vase, oder irgend einer classischen Form eines Napfes, Kruges oder was immer für eines Geschirres zu haben, obschon sich dieselbe auf der Scheibe (Anfangs wenigstens mit der Leere, bis die Hand eingeübt wäre) eben so leicht geben ließe, als die Pot-de-Chambre Form unserer meisten Geschirre, und die Walzen- oder Faßform unserer Krüge. A. d. Ue.

180) Wir haben von diesem Filtrum Polyt. Journ. Bd. XXXIII. S. 211. bereits nach Hrn. Dubrunfault eine kurze Notiz gegeben. Es ist merkwürdig, daß während die Runkelrübenzuker-Fabrikation in Frankreich, und wie wir jezt in den Zeitungen lesen, selbst in Rußland, so rasche Fortschritte macht, sie in Bayern, ungeachtet des dafür gemachten Aufwandes, doch noch nicht recht gedeihen will. A. d. Ue.

Die Entdekung der entfärbenden Eigenschaft der Kohle gebührt bekanntlich dem Petersburger Chemiker, Lowitz, der übrigens in dieser Hinsicht zwischen thierischer und vegetabilischer Kohle keinen großen Unterschied bemerkte. Wirklich wurde auch leztere im Anfange dieses Jahrhundertes noch einzig und allein zur Entfärbung des Syrupes angewendet. Erst im J. 1811 fand Hr. Figuier zu Montpellier, daß, in Hinsicht auf Entfärbung, die thierische Kohle große Vorzüge vor der vegetabilischen besizt, und er bediente sich derselben, um Wein, Essig und den Rükstand des Schwefeläthers zu entfärben. Es geht übrigens aus der von ihm über diesen Gegenstand gegebenen Abhandlung nicht hervor, daß er sie zur Entfärbung der Syrupe angewendet hat, so natürlich auch diese Idee sich ihm hätte aufdringen sollen. Erst ein Jahr später führte Hr. Karl Derosne den Gebrauch derselben in den Rohr- und Runkelrüben-Zukerraffinerien ein, und erwies dadurch diesen beiden Zweigen der Industrie einen großen Dienst: einen noch weit größeren aber den Salmiak-Fabrikanten, die die thierische Kohle, welche sie als Rükstand bei der Salmiakbereitung erhielten, jezt gut verkaufen konnten, da sie ehevor dieselbe wegwerfen mußten. Erzeugung thierischer Kohle ist jezt ein einträglicher Zweig der Industrie geworden.

So wie man indessen bisher die thierische Kohle in den Fabriken brauchte, war die Art ihrer Anwendung überall ziemlich dieselbe. Man pulverte sie, mischte sie mit dem Syrupe, den man entfärben wollte, kochte sie mit demselben, und ließ die Flüssigkeit durch Filz durchlaufen. Man glaubte auf diese Weise die volle Wirkung der Entfärbungskraft der Kohle erhalten zu haben, und war weit entfernt die Möglichkeit der großen Verbesserung zu ahnen, die Hr. Dumont in der Art der Anwendung derselben uns lehrte. Als dieser Fabrikant über die Nachtheile bei dem alten Verfahren theils in Hinsicht auf die Anwendung der Kohle selbst, theils in Hinsicht auf das Auswaschen des Rükstandes und auf den fremdartigen Geschmak, den die Syrupe durch das Kochen erhielten, nachdachte, fand er auch die Mittel zur Abhülfe derselben. Sein neues verbessertes Verfahren besteht vorzüglich in seiner Zubereitung der Kohle, und in der neuen Art sie mittelst des von ihm erfundenen Filtrums anzuwenden. Seine Zubereitung der Kohle ist sehr einfach. Sie besteht darin, daß er sie körnt, d. h. in Körner ungefähr von der Größe des Jagdpulvers verwandelt, und allen Staub beseitigt. Die Körner werden mehr oder minder fein genommen, je nachdem die Syrupe mehr oder minder gebleicht werden sollen. Das Filtrum des Hrn. Dumont ist eine umgekehrte abgestuzte Pyramide aus Holz, die vollkommen mit verzinntem Kupfer ausgekleidet ist. Unten ist ein Hahn zum Ablassen des Syrupes angebracht. Etwas über demselben ist eine Oeffnung, welche mit einer Röhre in Verbindung steht, die außen an dem Filtrum anliegt, und zur Ableitung der in diesem Apparate enthaltenen Luft dient. Das Filtrum hat zwei Scheidewände aus verzinntem Kupfer, die von verschiedener Größe sind. Wenn man den Syrup filtriren will, stellt man die kleine Scheidewand, die auf vier Füßen steht, auf den Boden des Filtrums über den Hahn und über die Oeffnung der Luftröhre. Auf diese Scheidewand breitet man ein loker gewebtes Tuch und auf dieses die Kohle, die man vorläufig mit dem sechsten Theile ihres Gewichtes Wasser befeuchtete, so daß der ganze innere Raum des Filtrums damit gleichförmig ausgekleidet wird. Man ebnet die Oberfläche der Kohle gehörig zu, und bedekt sie wieder mit einem Tuche, auf welches man die zweite Scheidewand legt, und gießt den Syrup in den leeren Raum des Filtrums. Auf diese Weise wird die Kohle durch das Aufschütten des Syrupes nicht in Unordnung gebracht, und man darf dann nicht besorgen, daß sich durch dieselbe in dem Inneren des Filtrums sogenannte Quellen bilden, durch welche die Flüssigkeit zu rasch durchfließt. Während der Syrup durch die Kohle dringt, treibt er das Wasser vor sich her, mit welchem die Kohle befeuchtet ist, und nöthigt dasselbe durch den Hahn abzufließen. Man schüttet dasselbe so lang weg, bis man bemerkt, daß der Syrup an der Stelle desselben zu erscheinen anfängt, der dann bald in einem ununterbrochenen Faden ausfließt, den man dadurch zu erhalten sucht, daß man neuen Syrup in das Filtrum in dem Maße nachgießt, als der in demselben enthaltene ausfließt. Wenn man die Kohle nicht vorher mit Wasser befeuchtete, würde der Syrup nicht überall gleichförmig in dieselbe eindringen; er könnte an einer Stelle der Masse derselben leichter durchdringen, als an der anderen, und die Filtrirung geschähe dann unregelmäßig. Das Wasser gewährt noch einen anderen Vortheil, wenn man thierische Kohle anwendet; es laugt dieselbe wenigstens theilweise noch aus, was man an dem gesalzenen Geschmake erkennt, den es bei seinem Ausflusse aus dem Filtrum noch deutlich zu erkennen gibt.

Hr. Dumont hat in unserer Gegenwart einen Versuch mit seinem Filtrum an einem Rohzuker-Syrup angestellt. Der Versuch gelang vollkommen, wie die Proben, die wir hier vorlegen, beurkunden. Der Syrup N. 1. ist beinahe farbenlos. N. 2. ist etwas gelbbräunlich; N. 3. ist etwas mehr gefärbt. Wenn man alle drei Proben zusammen mengt, so sieht das Gemenge so aus, als ob es von einem schönen raffinirten Zuker käme. Außer dem, daß diese Syrupe farbenlos sind, empfehlen sie sich auch durch ihren reinen Geschmak; sie haben durchaus nichts von jenem Geschmake des Rohzukers an sich. Wir haben Syrup von demselben Rohzuker mit eben so viel Kohle nach der alten Weise behandelt; das erhaltene Produkt läßt sich durchaus nicht mit jenem aus dem Filtrum des Hrn. Dumont vergleichen. Es ist nicht einmal so schön, wie die Probe N. 3., und noch weit mehr Unterschied zeigt sich im Geschmake: dieser Syrup erhielt durch das Kochen mit der Kohle wirklich einen unangenehmen Geschmak.

Hr. Dumont braucht bei seinem Verfahren 25 p. Cent Kohle zur Entfärbung des Zukers. Diese Menge wird allerdings bedeutend scheinen; wir müssen aber bemerken, daß die Kohle noch nach ihrer ersten Anwendung viel von ihrer entfärbenden Kraft behält. Man kann auf dieselbe Kohle noch dieselbe Menge Syrup gießen, die man das erste Mal aufschüttete, und dieser Syrup wird noch drei Viertel seiner ursprünglichen Farbe durch dieselbe verlieren; er wird selbst mehr entfärbt seyn, als wenn man dieselbe Menge Zukers mit 12 p. Cent Kohle nach der gewöhnlichen Methode behandelt hätte. Und wenn auch die Farbe nur noch gleich wäre, so wäre doch noch immer Vortheil bei dem Verfahren des Hrn. Dumont. (Wir müssen im Vorbeigehen bemerken, daß Hr. Dumont bei dem vor uns angestellten Versuche nur 15 p. Cent Kohlen nahm; wir zweifeln nicht, daß, wenn er seine gewöhnlichen 25 p. Cent Kohlen genommen hätte, das Produkt so schön gewesen seyn würde, wie von dem schönsten raffinirten Zuker.) Nach dem zweiten Filtriren hat die Kohle einen großen Theil ihrer entfärbenden Kraft verloren. Hr. Dumont hat jedoch an dieser Kohle noch eine Eigenschaft wahrgenommen, die er die bessernde (apéchante) nennt, indem durch dieselbe in den Syrupen die Wirkung derjenigen Körper, die auf den Zuker während des Siedens zurükwirken können, geschwächt oder modificirt wird. Er räth demnach die Kohle noch zum dritten oder vierten Male zum Filtriren des Syrupes zu brauchen, in der Ueberzeugung, daß die durch dieselben filtrirten Syrupe sich weit leichter krystallisiren werden. Eine lange Erfahrung kann allein über diese Meinung entscheiden. Wir können indessen eine Thatsache anführen, die sie zu bestätigen scheint; nämlich diese: ein Runkelrüben-Syrup, der durch eine beinahe ganz erschöpfte Kohle durchlief, und nichts von seiner dunklen Farbe verlor, benahm sich auf dem Feuer weit besser, als der übrige Theil desselben Syrupes, der nicht durch diese Kohle lief, und krystallisirte weit leichter.

Die Filter des Hrn. Dumont sind von verschiedener Größe: die kleineren halten ungefähr 12 bis 15 Pfund Kohle; die größeren bis an zwei Ztr. Mit diesen Apparaten kann man Syrupe von verschiedenem Grade der Dichtigkeit, von den schwächsten bis zu den stärksten filtriren. Kalt kann man recht gut Syrupe von 28 — 30° am

Aräometer filtriren. Wenn man aber mit Syrupen von 36 — 38° zu thun hat, muß man sie heiß auf das Filter gießen, und, wie wir bemerkten, eine Kohle von etwas gröberem Korne nehmen. Die Arbeit dauert dann kaum etwas länger, aber der Syrup ist auch nicht so vollkommen entfärbt. In 24 Stunden kann man den Syrup von zwölf Zentnern Zuker filtriren.

Warum sind die Syrupe des Hrn. Dumont besser entfärbt, als jene, die nach dem alten Verfahren behandelt wurden? Es scheint, daß sich mehrere Gründe davon angeben lassen. Man kann sich leicht denken, daß der Syrup, indem er durch die verschiedenen Lagen der Kohle in der Kohlensäule durchzieht, nach und nach seinen Färbestoff sizen lassen muß; und daß er bei den flachen seichten Filtern, deren man sich bei dem alten Verfahren bedient, keinen solchen Widerstand finden wird. Es ist ferner nicht unwahrscheinlich, daß durch das Sieden des Syrupes mit der Kohle auf der einen Seite beinahe eben so viel wieder verloren geht, als auf der anderen durch die entfärbende Eigenschaft der Kohle gewonnen wird; vielleicht hat selbst durch den Wärmestoff eine Rükwirkung der Kohle auf den Syrup Statt, die den einen Theil des Färbestoffes zerstört, und den anderen dafür erhöht: es ist sicher, daß die Syrupe sich schöner entfärben, wenn sie kalt filtrirt werden. Die Ursache, warum der Geschmak an den Syrupen, die nach Hrn. Dumont's Methode filtrirt werden, besser ist, als an jenen, die mit der thierischen Kohle gekocht werden, läßt sich leicht begreifen; denn es ist erwiesen, daß Syrupe mit thierischer Kohle gekocht einen garstigen und desto garstigeren Geschmak bekommen, je mehr man solche Kohle nimmt. Hr. Dumont entzieht der Kohle einen großen Theil ihrer auflösbaren Bestandtheile mittelst des Wassers, womit er sie befeuchtet, und da er kalt filtrirt, so kann noch weniger übler Geschmak dadurch entstehen.

Wenn das Filter des Hrn. Dumont in Hinsicht auf vollkommene Entfärbung und reinen Geschmak entschiedene Vortheile besizt, so gewährt es dieselben auch in Hinsicht des Waschens der Kohle. Nach dem alten Verfahren mußte die rükständige Kohle mehrere Male mit großen Mengen Wassers angerührt werden, um sie von allem Zuker zu reinigen, den sie eingesogen hat, und dazu waren kostbare Verdampfungen nöthig. Diese langweilige und ekelhafte Arbeit hat Hr. Dumont beinahe gänzlich beseitigt. Ohne daß man an seinem Apparate etwas zu ändern braucht, darf man nur Wasser auf die Kohle gießen um ihr schnell allen Zuker zu entziehen, und, was noch das Wichtigste ist, man erhält auf den ersten Guß eine bedeutende Menge Syrup beinahe von derselben Dichtigkeit, wie im Anfange der Arbeit. Die Einfachheit und die Schnelligkeit, mit welcher hier gewaschen wird, wird man in grossen Raffinerien sehr gut zu würdigen wissen.

Die Wohlfeilheit dieses Verfahrens wird jedem einleuchten, der mit Zuker-Raffinerie zu thun hat. Hr. Dumont schäzt das Resultat seines Verfahrens auf das Vierfache des gewöhnlichen alten, und versichert, daß die entfärbten Syrupe um 30 p. Cent besser sind. Wenn man auch hiervon etwas abschlagen wollte, so ist es doch gewiß, daß jeder, der sich seines Verfahrens bedienen will, viel dabei gewinnen wird. Einige Apotheker haben dasselbe bereits eingeführt, und es verbreitet sich bei den Zukerbäkern und Liqueur-Fabrikanten. Wir wissen, daß einer der stärksten Zuker-Raffinirer zu Paris es bereits versuchte, und alles läßt uns erwarten, daß er sich des Versuches zu freuen haben wird.

Die leichte Anwendung dieses Filters, die Güte der dadurch erhaltenen Syrupe sowohl zum Gebrauche als solche, als zur weiteren Krystallisirung derselben, die Einfachheit und Schnelligkeit bei dem Waschen, alles läßt uns erwarten, daß dieses Filtrum Epoche machen muß in der Zuker-Raffinerie. Hr. Dumont hat der Industrie einen großen Dienst dadurch erwiesen, und wir laden die Gesellschaft ein diesem Fabrikanten zu danken, daß er ihre Aufmerksamkeit auf sein Verfahren gelenkt hat, und ihm zugleich zu den Resultaten, die er erhielt, Glük zu wünschen.

NB. Die Syrupe müssen gut geklärt und vollkommen flüssig seyn, ehe man sie auf die Kohle gießt. Diese Bedingung ist für das Gelingen der Arbeit wesentlich.

Erklärung der Abbildung des Kohlen-Filtrums des Hrn. Dumont.

AA, hölzerner Kasten, der innenwendig mit verzinntem Kupfer ausgefüttert ist.

B, untere bewegliche durchlöcherte Scheidewand auf vier Füßen.

C, Raum zur Aufnahme der zubereiteten Kohle.

D, obere bewegliche Scheidewand.

E, Raum, in welchen man den Syrup gießt, den man entfärben will.

F, hölzerner Dekel, der unten mit verzinntem Kupfer beschlagen ist.

G, Raum zur Aufnahme des entfärbten Syrupes.

H, Hahn zum Ablassen des Syrupes.

K, Oeffnung, an welcher die Röhre L angebracht ist, durch welche die Luft entweicht.

LXXXVIII.

Mündlicher Bericht des Hrn. Gay-Lussac vor der Académie des Sciences am 2. November 1829. über die Apparate des Hrn. Aldini, den Körper gegen die Einwirkung der Flamme zu schüzen.

Aus den Annales de Chimie et de Physique. T. XLII. S. 214.

Die Akademie hat auf Verlangen des Hrn. Aldini eine Commission, bestehend aus den HHrn. Fourier, Dulong, Chevreul, Flowrens und mir, ernannt, um einen Apparat zu prüfen, der bei Feuersbrünsten die Löscher (Sapeurs-pompiers) gegen die Einwirkung der Flamme sichert, und hierüber Bericht zu erstatten. Hr. Aldini hat, in dieser Absicht, der Commission in einer Unterredung die Grundsäze erklärt, auf welchen sein Apparat beruht, und sie eingeladen einem Versuche beizuwohnen, der in der Kaserne der Löscher (Sapeurs-Pompiers), rue de la Paix, in Gegenwart der administrativen Behörde und einer gewissen Anzahl von Zuschauern vorgenommen werden sollte. Die Commission entsprach der Einladung des Hr. Aldini: da aber dieser Gelehrte seinem Apparate bereits eine große Publicität gegeben hat, und derselbe bereits beurtheilt wurde; so glaubte sie, nach den Statuten der Akademie, die ihr alle Prüfung über einen öffentlich bekannt gemachten oder bereits geprüften Gegenstand verbieten, sich eines schriftlichen Berichtes enthalten zu müssen, indem dadurch ihr Urtheil in Anspruch genommen seyn würde.[181]) Indessen wollte die Commission, obschon sie diesen Beschluß

181) „La Commission a pensé que, conformément aux réglemens de l'Académie qui lui interdisent tout examen sur un objet publié ou déjà examiné, elle devait s'abstenir de lui présenter un rapport écrit, parcequ'il aurait appelé son jugement.“ Wir schreiben hier den Text des Originales unter unsere Uebersezung, weil es manchem Leser scheinen könnte, daß wir schlecht übersezten, wenn es heißt „die Statuten der Akademie verbieten ihr alle Prüfung über einen öffentlich bekannt gemachten oder bereits geprüften Gegenstand,“ und „die Commission müsse sich eines schriftlichen Berichtes enthalten, indem dadurch ihr Urtheil, das Urtheil der Akademie, in Anspruch genommen seyn würde.“ Wenn wir auch mit Hrn. Gay-Lussac vollkommen einverstanden sind, daß man so wenig unnüze Schreiberei auf der Welt machen müsse, als möglich — (und wollte Gott die gelehrten Akademien wären in dieser Hinsicht der übrigen Welt mit einem guten Beispiele vorgegangen) — so können wir doch nimmermehr begreifen, wie die Académie des Sciences sich ihr Gebiet selbst so muthwillig verengen sollte, daß sie sich alles Urtheiles über bereits bekannte Gegenstände enthält; wir vermögen weder den Sinn noch den Grund eines Statutes zu fassen, nach welchem eine Akademie ihr Urtheil über einen der Menschheit wichtigen Gegenstand auf Null reduciren, sich nicht einmal schriftlich über denselben berichten lassen will. Daß die Akademie sich über bereits bekannte Gegenstände, z. B. über Werke, die in Frankreich und im Auslande erschienen sind, also über bereits bekannte Dinge Bericht erstatten läßt; daß der Berichterstatter über diese Werke sein Urtheil, beifällig oder mißfällig, ausspricht; darüber liefern uns alle wissenschaftlichen Journale Frankreichs, die Annales de Chimie et de Physique selbst, monatlich Beweise.

faßte, die Akademie nicht in Unwissenheit über die günstige Meinung lassen, welche sie über die Apparate des Hrn. Aldini faßte, und ich erhielt von meinen Collegen den Auftrag, derselben mündlich das Resultat der unter ihren Augen dargestellten Versuche mitzutheilen.

Der Schuzapparat des Hrn. Aldini besteht aus zwei Kleidungs-

Wenn nun das Urtheil des Berichterstatters, der seinen Bericht entweder mündlich oder schriftlich vorträgt, und der Mitglied der Akademie ist, öffentlich ausgesprochen wird; wenn es in allen gelehrten Zeitschriften wiederholt wird; wenn die Akademie in ihrer hohen Weisheit und Thätigkeit dazu nicht Ja und nicht Nein sagt; ist dieß dann nicht das Urtheil der Akademie? Ist es nicht eine Art von Jesuitismus, von Schaukelsystem, von Fegfeuersystem, und doch zugleich von Anspruch auf Infallibilität, auf Unfehlbarkeit, wenn die Akademie ein Urtheil von einem Mitgliede, oder sogar von mehreren Mitgliedern aussprechen läßt, ohne demselben weder mit dem Kopfe zuzuniken, noch den Kopf darüber zu schütteln? Die Commission hat sich mündlich beifällig ausgesprochen; sie hat sich gehütet sich schriftlich zu äußern: ist es in Frankreich anders, als in Deutschland, wo ein Wort ein Mann ist, und wo jeder ehrliche Mann keinen Anstand nimmt, das zu unterschreiben, was er sprach, und sich mündlich vor jedem zu jedem Worte zu bekennen, das er dem Papiere anvertraute? Wehe dem Lande und der Zeit, wo zwischen Schrift und Wort ein Unterschied gemacht wird. Das in diesem mündlichen Berichte (Rapport verbal) ausgesprochene Urtheil der Commission der Académie des Sciences hat also nicht den Werth eines schriftlichen; es hat nicht das Urtheil (le jugement — oder hätte man vielleicht übersezen sollen, die Urtheilskraft?) der Akademie in Anspruch genommen. Die Commission steht also, wie man sieht, der Akademie vor die Lüke. Sie ist eine verlorne Schildwache, un enfant perdu. Wäre es möglich, daß Cavaliere Aldini's Apparate aus was immer für einem Grunde, den man vielleicht im Stillen herbeiführt, mißlängen; die allwissende Académie des Sciences hat ihnen ihre Weihe nicht gegeben: gelingen sie; ihre Commission hat sie einstimmig gut geheißen. Wahrhaftig, es wäre ein neuer Mich. Lilienthal nöthig, der im J. 1713 zu Königsberg de Machiavellismo litterario schrieb; ein neuer Joh. Burc. Mencken, der im J. 1715 seine zwei Declamationen de charlataneria eruditorum zu Leipzig hielt. Es ist gewiß sonderbar, daß, während man immer von einer Gelehrtenrepublik sprechen hört, man nirgendwo einen größeren Despotismus, einen größeren Machiavellismus findet, als gerade in dieser Republik, wo „nul n'aura d'esprit, que nous et nos amis.“ Eine Geschichte der gelehrten Akademien in Europa, die noch ihren Gibbon und Hume erwartet, wird ein schöner Beitrag zur Geschichte der Verirrungen des menschlichen Geistes und Herzens werden. Es wäre an der Zeit, daß diese gelehrten Zünfte sich erinnerten, daß sie, weit entfernt die Wissenschaften zu fördern, dieselben vielmehr mit der ganzen Gewalt, die der Hebel des Stolzes und das Räderwerk der Intrigue dem mächtigen Arme des Monopolgeistes zu leihen vermag, die Wissenschaften in ihrem Fortschreiten aufhielten und sogar still stehen ließen. Man kann ihnen dieses, wenn sie es läugnen sollten, aus ihren eigenen Acten und Denkschriften erweisen. Welche Erfindung von irgend einem bedeutenden Werthe für die Menschheit ist aus ihrem Schooße hervorgegangen? Haben sie nicht selbst die wichtigsten Erfindungen ihrer eigenen Mitglieder ad Acta gelegt, und sie Jahrhunderte lang liegen gelassen, ohne sie zu benüzen, ohne sie auch nur der weiteren Ausführung werth zu halten? Haben sie nicht selbst in den neuesten Zeiten sogar die Erfindung des Dampfbothes aus Europa verstoßen und nach America verbannt, von wo sie erst nach langen Kämpfen nach Europa zurükgeführt wurden? Wahrlich, gar so stolz dürfen unsere Akademien nicht thun. Sie dürfen nie vergessen, was einer der weisesten Männer von ihnen aussprach, der unsterbliche Bacon von Verulam: „Academiae sunt uti virgines steriles, quae nil pariunt.“ Wir können sie auf ihre Acten verweisen, und ihnen mit dem alten Römer zurufen: Tecum habita, ut videas quam sit tibi curta supellex!“

stüken: das eine ist aus einem dichten Gewebe von Amiant (Asbest), oder aus Wolle, die durch eine Salzauflösung unverbrennlich gemacht wurde; das andere aus einem Eisendrathgewebe, welches über das vorige angezogen wird.

Man weiß aus Davy's schönen Versuchen, daß ein Metallgewebe, wenn seine Maschen gehörig eng sind, die Flamme vollkommen aufhält, selbst dann, wenn sie mittelst eines starken Drukes, wie bei Mischungen, welche eine Explosion erzeugen, an dasselbe angedrükt wird. Diese Wirkung entsteht durch die Abkühlung der Flamme, welche das Metall erzeugt, und kann folglich nie Statt haben, ohne daß die Temperatur des lezteren in dem Verhältnisse erhöht wird, als die Berührung der Flamme an dem Metallgewebe länger Statt hat.

Diese leztere Bekleidung, deren Masse nicht sehr bedeutend ist, wäre also für sich allein nicht im Stande den Körper gegen die Wirkung der Hize zu schüzen; das Gewand aus Amiant oder aus Wolle widersteht durch seine Dichtheit und seine geringe Leitungskraft der Hize, und läßt diese nicht bis auf die Oberfläche des Leibes gelangen; es vollendet, zugleich mit dem Metallgewebe, eine so lang undurchdringliche Schuzwand, als der Löscher sich der Flamme nothwendig aussezen muß. Dieses Gewand ist durchaus nothwendig und weit unerläßlicher, als das Metallgewebe selbst. Es ist kein Zweifel, daß, in vielen Fällen, es einzig und allein den Löscher gegen die Gewalt der Flamme schüzt.

Mit diesen beiden Hüllen umkleidet ging Hr. Aldini voran in die Flammen, und seinem Beispiele folgten die übrigen Löscher: sie trozten den brennendsten Flammen. Es wird hinreichen nur zwei der wichtigsten Fälle hier anzuführen, von welchen die Commission hier Zeuge war, um die günstige Meinung, welche die Commission über die Wirksamkeit dieses Schuzmittels gefaßt hat, annehmbar zu machen.

Ein Löscher, doppelt eingehüllt in das undurchdringliche Gewebe und in das Metallgewebe, bot sein Gesicht der Einwirkung einer Flamme dar, welche aus einem Kessel emporschlug, der mit Stroh gefüllt war, und hielt die Einwirkung derselben 1⅓ Minute lang ohne allen Nachtheil aus. Ein anderer, welcher eben so, wie der vorige, bekleidet war, und noch überdieß einen Schirm von Amiant vor der Stirne hatte, widerstand dieser Flamme zwei Minuten und sieben und dreißig Secunden lang ohne alle schmerzhafte Empfindung. Die Pulsschläge vermehrten sich bei dem Ersteren in Einer Minute während des Versuches von 80 auf 120, bei dem Lezteren von 72 auf 100.

Doch dieser Versuch war nur ein Vorspiel eines anderen, der noch weit mehr Erstaunen erregte: die Löscher gingen auf einer Streke von 10 Meter (31 Fuß) durch die Flammen.

Man hatte zwei parallele Reihen von Stroh und klein gespaltenem Holze, durch Eisendrath unter einander verbunden, in einer Entfernung von Einem Meter von einander aufgerichtet. Als diese brennbaren Stoffe angezündet waren, mußte man sich in einer Entfernung von 8 bis 10 Schritten von denselben halten, wenn man nicht von der Hize leiden wollte. Die vereinten Flammen dieser beiden Reihen stiegen wenigstens drei Meter hoch in die Höhe, und schienen den ganzen Zwischenraum zwischen beiden auszufüllen. In diesem Augenblike gingen sechs Löscher, mit dem Apparate des Hrn. Aldini ausgerüstet, langsamen Schrittes mehrere Male nach einander durch die beiden in Flammen stehenden Reihen, in welchen das Feuer immer unterhalten wurde, hin und her. Einer derselben trug ein Kind von acht Jahren in einem Korbe von Weiden, der außen mit Metallgewebe überzogen war; das Kind war nur mit einer Maske von unverbrennlichem Stoffe bekleidet. Dieser Versuch, von welchem die Zuschauer nur mit einem Gefühle des Schrekens Zeugen waren, hatte das glüklichste Resultat. Wir würden ihn für entscheidend halten, wenn er mitten im Rauche vorgenommen worden wäre. Kein Löscher erhielt auch nur den mindesten Brandschaden. Derjenige, welcher das Kind trug, zog sich nach Einer Minute zurük, indem das Kind anfing zu schreien, da es über eine rasche Bewegung erschrak, welche der Löscher machte, um den Korb bequemer auf seine Schultern zu stellen. Das Kind hat übrigens durchaus nicht gelitten; seine Haut war, als es aus dem Korbe stieg, ganz frisch, und sein Puls hatte sich nur von 84 auf 98 gehoben. Die übrigen Löscher haben diese ermüdende Probe zwei Minuten zwei und zwanzig Secunden lang ausgehalten.

Die Pulsschläge des Löschers, welcher das Kind trug, erhoben sich von 92 auf 116
Die Pulsschläge des zweiten Löschers stiegen von . . . . . 88 — 132
— — — dritten — — — . . . . . . 84 — 138
— — — vierten — — — . . . . . 78 — 124
Die Pulsschläge der übrigen hat man nicht gezählt.[182])

Der Umstand, welcher die Zuschauer am meisten beunruhigte und schrekte, war die Furcht, daß das Athemholen nicht dadurch in Gefahr geriethe. Wie, fragte man sich, kann man mitten in den Flammen athmen?

Wenn man sagt, daß die Löscher durch die Flammen gingen, und man glaubte nun buchstäblich, daß sie zwei oder drei Minuten

---

182) Man kann aus diesen Unterschieden in der Zahl der Pulsschläge vor und nach dem Versuche keine Folgen ziehen. Ohne Zweifel sind sie zum Theile Wirkung der Hize; es muß aber auch der Seelenzustand in einer so neuen und schreklichen Lage hierbei eine wichtige Rolle spielen. A. d. O.

lang beständig in Flammen eingehüllt waren; so würde ihre Lage allerdings höchst gefährlich haben erscheinen müssen. Hr. D'Arcet und ich haben beide uns durch eine große Anzahl von Versuchen überzeugt, daß, sobald ein hinlänglich geheizter Ofen raucht, oder Flamme ausfahren läßt, die Luft in dem Inneren dieses Ofens gänzlich von allem Sauerstoffe beraubt ist. Es ist also gewiß, daß, in der Flamme, selbst wenn sie durch das Drathgewebe ausgelöscht worden wäre, kein Athemholen mehr Statt haben konnte, und daß hier Asphyxie zu besorgen stünde. Wenn die Löscher keine Schwierigkeit bei dem Athemholen fanden, so mußte eine ziemlich reine Luft bis zu ihnen gelangt seyn, und die Möglichkeit, wie dieß geschehen seyn konnte, läßt sich auf verschiedene Weise erklären.

Erstens ist es gewiß, daß die Löscher nicht immer den Kopf in den Flammen hatten, und daß die Flammen nach dem leisesten Luftzuge äußerst beweglich sind; daß sich also Augenblike finden konnten, die zum Athmen günstig waren.

Zweitens, wenn man auch annimmt, daß die Löscher länger in den Flammen standen, als zu einem leichteren Athemholen nöthig war, so läßt sich dann begreifen, daß frische Luft zwischen den beiden Kleidern, die sich nicht unmittelbar berühren, aufsteigen und so zum Athmen dienen konnte.

Ueberdieß ist es auch nicht schwer, das Athemholen dreißig oder sechzig Secunden lang zurükzuhalten, und selbst noch länger. Obschon wir nicht glauben, daß die Löscher, während sie durch die Flammenreihen gingen, zu diesem Mittel ihre Zuflucht nahmen; so gab doch die kurze Zeit, die sie nöthig hatten, um 10 Meter zu durchschreiten, die Möglichkeit hierzu.

Wenn es aber durch die Versuche, von welchen wir Zeugen waren, erwiesen ist, daß in den meisten Fällen und in freier Luft das Athemholen ohne Gefahr möglich ist; so steht doch sehr zu besorgen, daß, in einem mit Rauch erfüllten Raume, dergleichen es bei Feuersbrünsten so viele gibt, das Athemholen sehr erschwert werden dürfte. Wäre es da nicht gut, wenn der Löscher frische Luft athmen könnte, die er entweder aus einem tragbaren Behälter schöpfen könnte, oder bloß durch eine biegsame Röhre, die sich von seinen Füßen an um den Körper bis zum Munde hinaufwindet?[183]) Man weiß in der That, daß in einem erhizten und offenen Zimmer die Luft von unten eintritt, während die erhizte Luft von oben entweicht; daß also der Löscher auf obige Weise mehr Mittel fände leichter zu athmen. Wir glauben auf diesem Punkte

183) Diese Röhre ist nicht eine Erfindung der Commission. Sie ist der Schlauch des armen schottischen Bergmannes, Robert mit der Feurkappe, von welchem wir bereits so oft im Polyt. Journ. sprechen mußten. A. d. Ue.

bestehen zu müssen; indem wir wissen, daß das Athemholen durch nichts so sehr erschwert wird, als durch einen dichten Rauch. Wir glauben selbst, daß es gut wäre, wenn man die Löscher dazu abrichtete, den Athem lange Zeit über zurükhalten zu können. Diese Kunst müssen sie den Tauchern ablernen.

Wir haben gesagt, daß Hr. Aldini zu seinen Apparaten Amiant oder Wolle nimmt, die durch eine Salzauflösung unverbrennlich gemacht wurde; wir wollen jezt die Vortheile untersuchen, die jedes dieser Materialien gewährt.

Der Amiant ist, seiner Natur nach, unverbrennlich. Man findet ihn, vorzüglich in Corsica, häufiger, als man geglaubt hat. Seit Mad. Lena-Perpenti zu Como aus demselben verschiedene Gewebe verfertigte, und selbst Spizen (Vergl. Bulletin de la Société d'Encouragement, Ann. 1813. S. 166), kann man nicht mehr daran zweifeln, daß dieses Material sich zu allerlei Zweken spinnen und weben läßt. Hr. Aldini beschäftigte sich damit, diese Verarbeitung des Amiantes zu erleichtern, und er zeigte der Commission ein Stük Zeug, das zwanzig Decimeter lang und sechzehn breit, d. h. beinahe so groß war, als dasjenige, das man im Vaticane aufbewahrt. Indessen werden diese Zeuge doch immer zu theuer zu stehen kommen, um im Großen benüzt werden zu können, und aus diesem Grunde suchte Hr. Aldini Wollengewebe dafür zu gebrauchen.

Dieses Gewebe ist, selbst ohne vorläufige Zubereitung, schon für sich wenig brennbar, und sollte, aus diesem Grunde, zu Winterkleidern für Kinder den Baumwollenzeugen vorgezogen werden, indem leztere bei ihrer großen Verbrennbarkeit so leicht die traurigsten Unfälle veranlassen. Wenn aber die Wolle mit Salmiak und Borax gebeizt wurde (Siehe Annales de Chimie. XVIII. 211), so fängt sie nicht mehr Feuer; sie verbrennt ohne die Glut weiter fortzupflanzen, und läßt die Hize nur langsam durchdringen. Sie hat, in Hinsicht auf die leztere Eigenschaft, selbst Vorzüge vor dem Amiant: denn nach Hrn. Flourens Beobachtung empfindet der Finger, wenn er mit Amiant bekleidet und in die Flamme einer Kerze gehalten wird, die Einwirkung der Hize schneller, als wenn er mit einem gleich diken Ueberzuge von Wolle bekleidet ist. Die Wolle besizt also in Hinsicht auf Wohlfeilheit, leichtere Zubereitung, bequemere Anwendung, weit größere Leichtigkeit und geringere Leitungskraft der Hize wesentliche Vorzüge vor dem Amiant; obschon der Widerstand, den sie gegen das Feuer leistet, ohne Vergleich geringer ist, als am Amiant, so ist er doch noch stark genug, um eine ziemlich hohe Temperatur zu ertragen, und denselben unter allen Verhältnissen zu ersezen, die bei Feuersbrünsten Statt haben.

Die Gewebe aus Amiant und aus Wolle verdienen eine besondere Aufmerksamkeit, indem sie in der That den wesentlichsten Theil an dem Apparate des Hrn. Aldini ausmachen. Für sich allein angewendet können sie, in den meisten Fällen, den Körper gegen die Einwirkung der Flamme und der Hize schüzen, während die Metallgewebe, indem sie die Flamme löschen, die Hize nicht hinlänglich aufzuhalten vermögen. Diese lezten Gewebe haben, bei ihrer großen Steife, den bedeutenden Nachtheil, den Löscher in seiner freien Bewegung zu hindern, da es doch für dieselben von der höchsten Wichtigkeit ist, in allen ihren Bewegungen die größte Leichtigkeit und Sicherheit zu behalten. Wir glauben daher nach diesen Betrachtungen, daß Kleidungen aus Wolle, wenn das Gewebe derselben gehörig dik und fest geschlagen (serré) ist, wenn es gehörig in den Salzauflösungen getränkt wurde, oder wenn, was vielleicht noch besser wäre, Kleider aus mehreren leichten, über einander gelegten Geweben, die aber immer so fest anliegen müßten, daß sie die Luft nicht durchziehen lassen, für sich allein hinlänglich schüzen würden, und daß es noch überdieß in einigen Fällen nothwendig wäre, bewegliche Stüke aus Metallgewebe beizufügen, um diejenigen Theile des Körpers zu schüzen, welche der Hize am meisten ausgesezt sind; wobei man jedoch dafür sorgen müßte, daß zwischen diesen beiden Geweben immer ein gehöriger Zwischenraum bleibt: denn wenn das Metallgewebe das Wollengewebe berührte, würde das Metallgewebe mehr schädlich als nüzlich seyn.

Außer diesen Kleidern aus unverbrennlichen Geweben und aus Metallgewebe bedient Hr. Aldini sich auch mit dem besten Erfolge großer Schilde aus Metallgewebe. Diese Schilde, von dem Löscher einem Flammenstrome vorgehalten, dämmen denselben auf eine wunderbare Weise, und lassen so dem Arbeiter den Weg sehen, den er zu betreten hat; durch Räume dringen, die mit Flammen erfüllt sind, und in denselben ihre Arbeiten mit Sicherheit verrichten. Sie sind ein höchst nüzliches Ergänzungsstük zu einem Anzuge aus unverbrennlicher Wolle, und eine desto kostbarere Waffe für Löscher, die kein Kleid von unverbrennlichen Geweben auf dem Leibe haben, als sie gar keine Ungelegenheit versuchen; als man sie auf der Stelle und ohne alle Schwierigkeit weglegen und wieder ergreifen kann. Rahmen mit Metallgewebe ausgefüllt, um mittelst derselben eine Flamme aufzuhalten, die bei einer Thüre oder bei irgend einer Oeffnung herausfährt, scheinen uns auch von sehr großem Nuzen zu seyn. Doch es ist hier nicht der Ort, alle Anwendungen, welche Hr. Aldini von dem Metallgewebe und von den unverbrennlichen Geweben gemacht hat, im Einzelnen aufzuführen. Dieser weise Menschenfreund besorgt gegenwärtig die Ausgabe eines

Werkes; in welchem er seine Apparate bekannt machen will, und das alle nöthigen Aufschlüsse über dieselben geben wird.[184])

Hr. Aldini beschränkte sich nicht bloß darauf, diese Schuzapparate in Feuersgefahr vorzuschlagen; er hat, was noch weit schwieriger und gewiß auch seltener ist, dieselben selbst ausgeführt, und die Einführung derselben mit unermüdetem Eifer verfolgt. Bei den häufigen Schwierigkeiten, mit welchen er hierbei zu kämpfen hatte, konnte er desto besser die verständige Mitwirkung des Baron Plazanet, Obersten der Löscher (Pompiers-Sappeurs), und die Willfährigkeit der lezteren, die sich zu den schwierigsten Versuchen hingaben, schäzen und würdigen.

Die Commission, die mit eigenen Augen die Resultate dieser Versuche gesehen hat, ist einstimmig der Ueberzeugung, daß die Apparate des Hrn. Aldini, unter leichten Modificationen, die sie bald erhalten werden, bei Feuersbrünsten von großem Nuzen seyn werden; sowohl um in die Gemächer einzudringen, die im Brande stehen und daselbst Hülfe zu leisten, als auch um Gegenstände von Werth aus denselben zu retten, und vorzüglich die Unglüklichen zu retten, die in Gefahr sind ihr Leben unter den grausamsten Martern zu enden. Hr. Aldini hat sich demnach um die Menschheit verdient gemacht, und die Dienste, die er derselben leistete, stehen ganz und gar in der Kategorie derjenigen, zu welchen die Philanthropie des sel. Hrn. de Monthyon aufmunterte, und die sie zu dem Kampfe um den Preis einlud. Der Gedanke, daß die Bemühungen des Hrn. Aldini hier ihre schöne Belohnung finden werden, linderte unser Bedauern, daß wir dieselben nicht dem Urtheile der Akademie unterlegen konnten, indem sie bereits beinahe allgemein bekannt waren.

LXXXIX.

Verfahren beim Ausschmelzen (Auslassen) des Talges (Unschlittes). Von Hrn. Lefebure.

Aus dem Industriel. 1829. S. 421. im Bulletin d. Scienc. techn. N. 8. S. 315.

Man nimmt hundert Pfund rohen Talges, und hakt und zerkleint ihn so viel möglich, besonders an den flechsigen Theilen. Man gibt ihn hierauf in eine Kufe; und gießt 30 Pfund Wasser, 1 Pfd. Schwefelsäure von 68°, einzeln gemengt, oder besser 30 Pfd. Wasser

---

184) Es erschien bereits im J. 1828 ein Werk über diesen Gegenstand zu Mailand, das im Januar 1829 der Revue encycl. angezeigt ist. Wir haben davon früher Nachricht gegeben im Polyt. Journ. Bd. XXIX. S. 396. XXX. S. 338. A. d. R.

und ein Pfund Salpetersäure von 40° auf dasselbe. Man läßt den Talg zwei bis drei Tage lang, oder noch länger, mit diesem Wasser in Berührung, wodurch das Ausschmelzen erleichtert wird, gießt hierauf die Flüssigkeit ab, und gibt den Talg in einen Kessel mit 30 Pfund reinem Wasser. Nachdem er darin geschmolzen ist, rührt man ihn nach allen Richtungen, um ihn gehörig zu waschen, und alle Talgtheilchen zu zerreißen. Wenn er endlich bis zum Sieden gebracht ist, läßt man ihn 20 bis 25 Minuten lang kochen, und rührt dabei immer um. Das Verschwinden der kleinen weichen schwammigen Theile, die in der Flüssigkeit schwimmen, ist in dieser Periode der Arbeit, das Zeichen, daß Alles ausgeschmolzen ist. Man hält nun das Feuer ein, und gießt den flüssigen Talg in eine Kufe, indem man ihn durch einen Durchschlag laufen läßt, welcher die noch nicht aufgelösten Theile zurükhält. Am Boden des Kessels bleibt dann ein Bodensaz, der aus zwei Theilen besteht, wovon der untere keine Spur von Talg mehr, der obere aber noch etwas davon enthält. Lezteren legt man zu dem nächsten Ausschmelzen bei Seite; der andere kann entweder zur Bereitung der gemeinsten Seife, des Rußes, oder als Dünger, oder selbst, mit Sägespänen verbunden, als Brennmaterial benüzt werden. Nachdem der Talg durch die Ruhe sich geklärt hat, zieht man denselben im gehörigen Wärmegrade ab, und erhält dann an demselben, nachdem er erkältet ist, käuflichen Talg.

Es ist nicht nöthig, den Kessel bei jedem Schmelzen zu leeren; man kann sich vielmehr die Arbeit dadurch sehr abkürzen, daß man den Talg jedes Mal abnimmt, sobald er hinlänglich geschmolzen ist, und neuen zerhakten Talg dafür in den Kessel gibt. Wenn endlich der Bodensaz von nicht schmelzbaren Theilen sehr bedeutend geworden ist, kann man dann erst den Kessel gänzlich ausleeren. Man hat nur dafür zu sorgen, daß, so oft man frischen Talg zusezt, auch immer etwas Wasser zugegossen wird, damit die Häute immer im Wasser gehörig gebadet werden.

Man kann auch noch, Statt den zerkleinten Talg der Einwirkung des obigen sauren Bades auszusezen, denselben geradezu mit Wasser in den Kessel geben, so viel als möglich ausziehen, abnehmen, und auf den Rükstand 6—8 Liter (Ein Liter ist 0,7068 Wiener Maß) Wasser, welchem man Ein Pfund Säure zusezt, gießen, wenn man 100 Pfund Talg ausschmolz. Auf diese Weise kann man die lezten Reste des Talges ausschmelzen, die der Einwirkung des bloßen Wassers entgangen sind.

Bei dieser Anwendung des gesäuerten Wassers hat man den Vortheil, den Rükstand (die sogenannten Grammeln) nicht mehr rösten zu dürfen, und durch die hierbei sich entwikelnden Dämpfe die ganze Nachbarschaft nicht mit Gestank zu verpesten: man erhält auch auf diese Weise, wie man sagt, mehr Unschlitt als nach der gewöhnlichen Art.

Verfeinerung des Talges. Man erhält aus dem auf obige Weise bereiteten Talge sehr gute Kerzen; wenn man aber denselben auf folgende Weise behandelt, werden die Kerzen noch besser.

Man hizt in einem Kessel unter beständigem Abschäumen 100 Pfund auf obige Weise behandelten Talges mit 30 Pfund Wasser, welchem man acht Loth Schwefelsäure von 66° zugesezt hat. Wenn der Schaum weiß und weniger zu werden anfängt, vermehrt man die Hize bis zum Sieden, und läßt den Talg 30 bis 40 Minuten lang kochen. Man rührt dabei immer um, damit der Talg so vollkommen, wie möglich, gewaschen wird. Hierauf schüttet man Talg und Wasser mit einander in eine Kufe, läßt Alles sich gehörig sezen, und nimmt den Talg ab, wobei man jedoch die Vorsicht braucht eine Deke von demselben, die allenfalls Zoll dik seyn mag, über dem Wässer zu halten; denn ohne diese Sorgfalt könnte leicht auch Wasser übergehen, wodurch die Kerzen leiden würden. Talg, der auf diese Weise bereitet wurde, gibt eine Talgkerze, die einer Wachskerze ähnlich sieht, (chandelle bougie), und sehr weiß und sehr gut ist.

Verwandlung des Talges in Oleïne und Stearine. Die Mittel, deren man sich in Laboratorien zur Abscheidung der Oleïne und Stearine bedient, sind im Großen nicht leicht anwendbar. Eine verunglükte Schmelzung nach der oben angegebenen Weise führte Hrn. Lefebure auf ein sehr einfaches Verfahren. Man schmilzt den Talg auf obige Weise aus, sezt aber dem Wasser zwei Pfund Säure zu. Nach dem Uebergießen in die Kufe muß man aber hier trachten, dem geschmolzenen Talge seine Temperatur zu erhalten, und dieselbe nur gradweise fallen zu lassen. Nach zwei oder drei Tagen, wo der Talg gestokt seyn wird, wird man bei genauerer Untersuchung finden, daß er aus einer festeren Masse, als gewöhnlich, besteht, die mit einem flüssigeren Talge umgeben ist. Wenn man solchen Talg in ein Tuch schlägt, und unter die Presse bringt, wird man die flüssige Masse, die Oleïne, von derselben abscheiden können, und die feste, die Stearine, bleibt auf dem Tuche. Leztere dient nun zur Verfertigung der festen Talgkerzen, der sogenannten Stearkerzen (bougies steariques), die sich, ihren Eigenschaften nach, den Wachskerzen nähern.

XC.

Wohlriechende Talgkerzen, die wie Wachskerzen aussehen.

Das Repertory of Patent-Inventions gibt in seinem neuesten Februar-Hefte S. 119. das alte französische Patent des Hrn. Lorraine auf Talgkerzen, die wie Wachskerzen aussehen, und gut riechen.

Wenn es befremdend ist, daß man in England diese Verbesserung an den Talglichtern bisher nicht kannte, so können wir uns in Deutschland damit trösten, wenn wir in mancher, eben nicht kleinen, Stadt für theueres Geld mit schmierigen übelriechenden Kerzen versehen werden. Kerzen gießen bei Hause und bei Hause Seife sieden war vor vierzig Jahren wohl noch ziemlich die Sitte deutscher Hausfrauen und der älteren Töchter in guten und reichen Bürgershäusern: heute zu Tage muß der Hausvater seiner theuren Hälfte Savonette de Paris kommen lassen, wenn er nicht selbst ohne Seife durchgewaschen werden will.

Es gibt indessen hie und da eine gute Hausfrau, die lieber ihr Haus beleuchtet, als daß sie selbst als neues Licht in Gesellschaften und auf Bällen strahlen wollte, und für diese übersetzen wir nachstehende Anleitung des Hrn. Lorraine, schöne und wohlriechende Kerzen zu bereiten. Vielleicht daß auch hier und da ein sogenannter Seifensieder sich über den Handwerks-Schlendrian wegsetzt, und, dieser Anleitung folgend, bessere Kerzen zum Kaufe liefert.

„Die gewöhnlichen Talgkerzen sind schmierig, ohne Glanz, haben keinen Klang und laufen bekanntlich, zumal im Sommer, gern ab und stinken. Diesen Nachtheilen läßt sich großen Theils dadurch abhelfen, daß man den ausgelassenen und in Kuchen gegossenen Talg (das Unschlitt) in eine eigene mäßig warme Stube stellt, und in derselben gähren läßt. Der Talg tröpfelt oder schwizt an eine öhlichte Flüssigkeit aus, die man mit einem alten Lappen oder Schwamme wegwischt.“

„Um den Talg von den ihn durchziehenden fleischigen und faserigen Theilen zu reinigen, wird er zuerst zerschnitten, dann in mehreren Wassern gewaschen, und dann mit einer gehörigen Menge römischen Alaun gesotten. Der Alaun scheidet sich bald ab und zerstört die fremdartigen Theile, so daß man dadurch reinen schönen Talg erhält, der sich lange Zeit über unverdorben aufbewahren läßt. Den zerlassenen Talg läßt man in Kufen laufen, die mit Rosmarin-, Thymian- oder Lavendel-Wasser gefüllt sind, und rührt das Wasser und den Talg mit ei-

dem Wasser durch ein Wasserbad: das Wasser verdünstet, und die riechenden Theile bleiben in dem Fette zurük, welches dann zur vollkommenen Reinigung wieder geschmolzen und abgeschäumt wird, bis kein Wasser und nichts Fremdartiges mehr zurükbleibt. Man erkennt dieß an dem klaren Zustande des Talges, der dann einen reinen weißen Schaum gibt. Wenn man noch ein Mal Alaun zusezt, wird der Talg noch reiner."

„Ehe man die Kerzen gießt, bereitet man sich eine Mischung aus Wachs und Wallrath (Spermacet) für die Dochte. Da diese Mischung härter ist, als der Talg, so werden die Kerzen dann weniger ablaufen, werden fester, dauern länger und fordern weniger Puzen. In dem Augenblike, wo man den reinen geschmolzenen Talg vom Feuer nimmt, sezt man etwas arabischen Gummi in Wasser aufgelöst dem Talge zu, und auch etwas weniges Wachs und Alaun. Alles dieß wird in den Talg gut eingerührt, und, nachdem derselbe sich gehörig gesezt hat, und bis auf einen gewissen Grad erkaltet ist, wird er in die Model gegossen. In dem Maße, als der Talg in den Modeln stokt und erkaltet, ziehen sich die fremden Stoffe in demselben nach seiner Oberfläche, sezen sich auf dieser fest, und bilden so eine Art Ueberzug, der sich wie Wachs anfühlt. Auch dieser Ueberzug schüzt die Kerzen gegen das Ablaufen, und macht, daß man sie mit der Hand angreifen und selbst reiben kann, ohne daß man sich die Finger beschmiert, die dann auch keinen anderen Geruch bekommen, als von dem zugesezten Riechstoffe."

„Das Lezte, was nun noch zu geschehen hat, um dem Ablaufen vorzubeugen, und die Kerzen noch fester zu machen, besteht darin, daß man schwachen Handschuhmacher-Leim mit Gummi und Alaun kocht, und damit mittelst eines Pinsels die ganze Kerze überzieht. Ueber Nacht ist dieser Leim troken, und die Kerze kann des anderen Tages gebraucht werden."

„Kerzen, die auf diese Weise verfertigt wurden, brennen hell,

---

185) Es ist nicht nöthig, daß man bei uns, wo diese Kräuter weit schwächeren und minder angenehmen Geruch haben, als im südlichen Frankreich, zu solchen theuren und doch schwach riechenden Wassern seine Zuflucht nimmt. Etwas Benzoe, Cascarille, Berliner-Rauch oder irgend eine harzige, wohlriechende Rauch-Composition mit Weingeist übergossen in einer gut gestöpselten Flasche einige Tage lang aufbewahrt, öfters aufgerüttelt, und dann mit Wasser, welches davon milchicht werden wird, dem Talge auf obige Weise zugesezt, wird den Kerzen auf eine wohlfeilere Weise einen noch angenehmeren und feineren Geruch geben. Es wird besser seyn, wenn man diesen Parfüm erst bei der lezten Reinigung zusezt, damit nicht so viel von dem Riechstoffe verloren geht.

sind durchscheinend, klingend, und dauern länger, als andere. Sie fühlen sich wie Wachskerzen an, und haben die Farbe von reinem Wachs."

XCI.

Ueber einen Stein aus hydraulischem Kalke im Steinbruche Warcq, bei Mézières, Dep. des Ardennes. Von Wahart Duhesme, Apotheker.

Aus dem Journal de Pharmacie. Janvier 1830. S. 17.
(Im Auszuge.)

Man unterscheidet in der Baukunst zweierlei Arten von Baustein: die eine nimmt, nachdem sie gebrannt wurde und in Wasser getaucht wird, um das Doppelte, zuweilen um das Dreifache ihres Volumens zu; die andere nimmt bei dem Löschen wenig oder gar nicht am Umfange zu. Erstere nennt man gewöhnlich fetten Kalk (chaux grassa), die zweite mageren (chaux maigre).

Der Vortheil, der durch dieses Anschwellen des fetten Kalkes entsteht, gab demselben lange Zeit über den Vorzug vor dem mageren, den man, als von geringerer Güte, verwarf. Smeaton war der Erste, der die Entdekung machte, daß magerer Kalk mit gewöhnlichem Sande gemengt, die Eigenschaft hat unter dem Wasser zu erhärten, und dadurch zum Wasserbaue vorzüglich geeignet zu seyn. Man stellte eine Menge von Untersuchungen an, entdekte in Folge derselben viele Steinbrüche mit kostbaren hydraulischen Kalksteinen, und lernte sehr guten künstlichen hydraulischen Mörtel verfertigen.

Hr. Leroy, Ingenieur en Chef des Ardennen-Canales, fühlte die Wichtigkeit, hydraulischen Kalk zum Canalbaue an Ort und Stelle zu haben, und ließ solche Steine aufsuchen. Die Bemühungen blieben nicht ohne Erfolg; es fanden sich drei Hauptlager, die das Departement seiner ganzen Länge nach von Osten nach Westen durchziehen.

Wenn die zahlreichen und schönen Versuche des Hrn. Vicat großes Licht über die Theorie und über die beste Bereitungsart des hydraulischen Mörtels verbreiteten, so lernte man auch durch Hrn. Leroy's Versuche, daß der Grad der Brennung, den man den Kalksteinen gibt, auf eine auffallende Weise auf die Schnelligkeit des Erhärtens Einfluß hat. So fand Hr. Leroy, daß, wenn man mittelst fleißigen Umrührens einen festen Teig aus Kalkstüken anrührt, die nicht ganz ausgebrannt wurden, so daß sie nicht auf gewöhnliche Weise gelöscht werden können, dieser Teig in wenigen Stunden unter

Wasser so sehr erhärtet, daß man nicht mehr im Stande ist mit dem Finger einen Eindruk in denselben zu machen. Dieses Resultat ist, wie es mir scheint, sehr wichtig; es muß der Baukunst wesentliche Dienste leisten, und in die bisher angenommene chemische Theorie des Mörtels einige Abänderungen bringen.

Das Graben nach Wareq-Kalk nimmt heute zu Tage so sehr zu, daß ich mich durch Analyse überzeugen wollte, ob er von dem so sehr geschäzten Kalke zu Metz verschieden ist.

Die Kalksteine von Wareq liegen in einem Kalklager mit Gryphiten. Die Schichten sind im Norden auf dem Schiefer der Ardennen angelehnt, und versenken sich gegen Mittag unter den Jura-Kalkstein. Man unterscheidet sie leicht von den übrigen Felsen, die sie bedeken, durch ihre dunkelblaue Farbe, und durch die Lagen von bituminösem Thonschiefer, mit welchem er gemengt ist.

Ich analysirte ihn nach Hrn. Thenard's Methode (IV. Bd. d. lezt. Ausgabe).

1000 Theile, höchst fein gepülvert, verloren in einem gut unterhaltenen Feuer 3,40.

Eben so viel Wareq-Kalk wurde durch ¾ Stunden mit 6 Gewichttheilen kaustischem, mit Alkohol behandeltem, Kali bis zur Rothglühhize gehizt, dann mit destillirtem Wasser angerührt, und in reiner Hydrochlorsäure aufgelöst. Diese Auflösung wurde bis zu mehr als teigartiger Consistenz abgeraucht und mit kochendem destillirten Wasser behandelt. Die Kieselerde wurde durch das Filtrum abgeschieden, gewaschen, getroknet und ausgeglüht in Rothglühhize.

Ammonium in die filtrirte Flüssigkeit gegossen gab einen Niederschlag bestehend aus Thonerde, Eisen, und Braunstein. Dieser Niederschlag ward durch das Filtrum abgeschieden, und die erhaltene Flüssigkeit, mit einem Ueberschusse von basisch kohlensaurem Ammonium behandelt, gab einen Niederschlag aus kohlensaurem Kalke, der gewaschen und gehizt wurde, so daß die Ammoniumsalze sich verflüchtigten.

Die Thonerde wurde von deu Eisen- und Braunsteinoxyden durch Kali abgeschieden, und auf die gewöhnliche Weise aus ihrer Auflösung niedergeschlagen, dann gewaschen und ausgeglüht.

Das Eisen wurde von dem Braunsteine nach Quesneville (des Sohnes) Methode abgeschieden.

Das arseniksaure Eisen gab, stark calcinirt, ein Eisenoxyd vom dritten Grade (le tritoxyde).

Der arseniksaure Braunstein gab, durch kaustische Potasche zersezt, den Braunstein.

Die Analyse gab

für den hydraulischen Kalk von Warcq:		für den hydraulischen Kalk von Metz nach Guyton-Morveau:
Kieselerde	19,30	39,00 Kohlensäure.
Kohlensauren Kalk	68,00	44,50 Kalk.
Thonerde	04,00	05,25 Kieselerde.
Eisenoxyd vom 3ten Grade	03,75	01,25 Thonerde.
Braunstein	00,25	03,50 Braunstein.
Wasser	03,40	03,20 Eisenoxyd.
Verlust	01,32	02,25 Wasser.
	100,00	01,05 Verlust.
		100,00

Aus beiden Analysen ergibt sich ein bedeutender Unterschied in Bezug auf Kieselerde; indessen hat, nach Hrn. Leroy, nicht bloß Analogie im geologischen Vorkommen in Gryphitkalk bei dem Kalke von Warcq in den Ardennen, so wie bei jenem von Metz in Lothringen Statt, sondern auch eine durch Erfahrung erwiesene Analogie in Hinsicht der Eigenschaften beider.

Es scheint mir jedoch, daß, bei dem großen Unterschiede, der in Hinsicht auf Kieselerde Statt hat, auch einige wichtige Unterschiede in Hinsicht der Eigenschaften Statt haben müssen. Ich überlasse diese Frage denjenigen, die durch ihre Lage und Kenntnisse in den Stand gesezt sind darüber zu urtheilen.

XCII.

Neuer Mörtel oder Kitt zum Ausfüttern der Wasserbehälter, Rinnsale ꝛc. Von Hrn. Polonceau.

Aus dem Moniteur de l'Industrie. 1829. S. 182.

Hr. Polonceau, dem man diesen Mörtel verdankt, von welchem der Quadratfuß in der Dike eines halben Fußes nur 5 Sous kostet, besteht aus Einem Theile gelöschten fetten Kalkes, zwanzig Theilen zu einem dünnen Teige angerührten Thones und hundert Theilen Sandes oder Schuttes aus Kieseln und Trümmern von Ziegeln, die bis auf einen Zoll groß seyn können.

Der Thon wird zuerst angerührt. Dann schüttet man den Kalk zu, der mit Wasser zur Consistenz einer diken Milch angerührt ist. Dadurch wird die Mischung fett und schmierig. Diese teigartige Mischung bringt man in eine Sandwanne, wie bei der gewöhnlichen Mörtelbereitung, und mengt in derselben mittelst Rührschaufeln alles auf das Beste unter einander. Von dieser gehörigen Mischung hängt der Erfolg ab.

Wenn dieser Mörtel nicht unmittelbar der Zerstörung eines Str menden Wassers ausgesezt ist, oder dem Eindringen harter Körper, so kann man sich mit dem bloßen Gemenge des Thones, Kalkes und reinen Sandes begnügen. Wenn man aber mit solchen Einwirkungen zu kämpfen hat, muß man kleine Kiesel beimengen, und zwar desto größere, je stärker die Einwirkung ist. In jedem Falle muß man aber immer die oberste Schichte an dem noch frischen Mörtel mit einer Lage solcher Kiesel oder Steine belegen, und diese mit aller Gewalt in denselben einstampfen.

Dieser Mörtel ist vollkommen wasserdicht und biegsam, so daß er, wenn er troken wird, nicht springt, keine Risse bekommt, und sich selbst auf Wänden, die nicht stark geneigt sind, gut hält. Bei kleineren Wasserbehältern reicht eine Dike von 6 Zoll hin; bei größeren muß er Einen Fuß dik angelegt werden. Der Kubikfuß [186]) kommt nur auf 5 Sous; ist also viel wohlfeiler, als das Auslegen mit Thon oder mit anderen Mörtelarten. Man kann ihn zum Auslegen der Wasserbehälter, Canäle, Rinnsale, Bewässerungs-Graben, Teiche etc. verwenden. Wenn diese Wasserbehälter und Leitungen sehr klein sind, so braucht man weniger Dike, dafür aber einen festeren Mörtel: man nimmt weniger Sand, und mehr Kalk und Kiesel, vorzüglich in der untersten Lage, die die Erde unmittelbar berührt. Dadurch werden die Würmer abgehalten. [187])

XCIII.

Ueber eine sehr wichtige Entdekung, welche das Daseyn eines kieselsauren Eisens erwiese.

Aus dem Recueil industriel. N. 55. S. 510.

Der achtungswürdige Greis, Doctor Eynard zu Lyon, der in einem Alter von mehr denn 80 Jahren noch die Thätigkeit eines Mannes von vierzig Jahren besizt, und täglich noch mit aller Thätigkeit und Anstrengung an Förderung der Künste und Gewerbe arbeitet, hat vor Kurzem eine für unsere Stahlfabriken sehr wichtige Entdekung gemacht. Er theilt in seinem Studierzimmer, das ein wahres chemisches Laboratorium ist, und dem gemeinsten Manne, so wie dem Gelehrten, offen steht, mit der edelsten Uneigennüzigkeit, jedem, der ihn darum ersucht, seinen weisen Rath mit.

Vor einigen Monaten wollte er, nach Contés sinnreichen Versuchen, den Feilen dadurch eine neue Schärfe geben, daß er sie auf einige Tage in eine Mischung aus fünf Theilen Wasser und einen Theil Schwe-

186) Oben hieß es der Quadratfuß. A. d. Ue.

187) Hydraulischer Mörtel, auf ähnliche Weise behandelt, wird ungleich besser seyn, wenn er auch etwas theurer käme. A. d. Ue.

felsäure legte. Als er die Feilen herausnahm, sah er zu seinem Erstaunen, daß der Boden des Gefäßes, welches aus Glas war, eine weißlich graue, gleichsam schleimige Masse enthielt. Er seihte die Flüssigkeit ab, sammelte die Masse und troknete sie. Bei genauerer Untersuchung derselben fand er, daß sie reine Kieselerde wär, und sich weich und seidenartig, wie Amiant, anfühlte. Er sammelte so viel von derselben, daß er Hrn. D'Arcet etwas davon senden, und die Aufmerksamkeit der Gelehrten auf diesen Gegenstand lenken konnte.

Man hat bisher behauptet, daß das Eisen nur mittelst Kohlenstoff in Stahl umgewandelt wird. Man wird sich aber erinnern, daß, während Hr. Clouet Eisen mittelst Demants in Stahl verwandelte, er, auf der anderen Seite, einen sehr schönen Stahl dadurch erhielt, daß er Eisen mit reiner Thonerde und mit Kieselerde cämentirte.

Im J. 1732. liessen sich die Gebrüder Perru, aus Neufchatel, zu Lyon nieder, und fabricirten daselbst Zieheisen und stählerne Cylinder, um Gold und Silber zu plätschen. Diese Cylinder, die außerordentlich gänzend und so hart sind, daß sie von keiner Feile angegangen werden, wurden, wie man sagt, mit Kieselerde geschmolzen. Man hat sie noch bis auf die heutige Stunde nicht nachmachen können, und ein Paar solcher Cylinder oder Walzen von 5 Zoll im Durchmesser von diesen Gußmeistern verfertigt, wird noch heute zu Tage um 2400 Franken verkauft.

Hr. Boucingo „(sic, vielleicht Bousingault)," ein Beamter an den Eisengruben von St. Étienne, hat im XVI. Bande der Annales de Chimie einige Notizen über Kieselerde in Verbindung mit Stahl mitgetheilt; er behauptet, daß das Eisen keine Kieselerde besizt; er spricht aber weder vom Bleche noch vom weißen Gusse, und seine Untersuchungen sind nicht so weit getrieben, daß sie eben so interessant hätten werden können, als es die Sache an und für sich ist.

Vor einigen Jahren hat ein Gießer aus der Auvergne, Namens Nanquet, der sich zu Lyon niederließ, Töpfe aus weißem Guße gegossen, die außerordentlich hart waren, und aus deren Scherben Hr. Culhot, ein sehr geschikter Künstler zu Lyon, Cylinder von solcher Härte goß, daß man sie mit scharfen Instrumenten weder zurichten noch poliren konnte. Man konnte nur mittelst des Halsbandes, des Schmergels und des Kolkothors mit ihnen zu Recht kommen, und dazu brauchte man beinahe ein paar Monate. Dieser Gießer bediente sich keiner Kohle zu seinem Guße, aus welchem er ein großes Geheimniß machte.

Hr. Eynard fand Kieselerde im gekörnten Guße und im Stükgusse (fonte en grenaille et en morceaux) so wie im gewalzten Eisenbleche; nie aber im geschmiedeten Eisen. Es thut also noch immer Noth zu wissen:

1) Ob die Cämentation, oder die Verwandlung des Eisens in Stahl, dem Kohlenstoffe oder vielmehr der Kieselerde zuzuschreiben ist, welche lezterer enthält?

2) Wie viel ein gegebenes Gewicht Stahl Kieselerde enthält?

3) Ob, wenn man Eisen ohne Kohle cämentirt, und bloß reine Kieselerde zu demselben nimmt, man Stahl erhält?

4) Ob, wenn man, im Gegentheile, dem Stahle die Kieselerde entzieht, und ihn neuerdings gießt, man einen reineren Stahl erhalten würde, oder ob, im Gegentheile, dieser Stahl wieder zu Eisen würde?

5) In welchem Verhältnisse man Kieselerde und Stahl mischen müßte, um einen vollkommenen und sehr harten Stahl zu erhalten?

6) Ob der gewöhnliche weiche Guß durch Beimengung einer gewissen Menge Kieselerde weißer und harter Guß wird?

Diese Versuche, mit Sorgfalt von geschikten Gießern durchgeführt, könnten auf wichtige Resultate in unseren Stahlfabriken führen: wir führen sie hier mit dem Wunsche an, daß man sich mit diesen Versuchen beschäftigen möge. [188])

XCIV.

VII. Bemerkung des Hrn. D'Arcet über die Knochenleim-Suppe.

Aus dem Recueil industriel. T. XII. N. 55. [189]) S. 174.

Diese Bemerkung wurde auf Anfrage der HHrn. Administratoren der Maison de refuge abgefaßt.

---

188) Bei aller Verehrung, die wir für den achtbaren Greis, Hrn. Dr. Eynard hegen, müssen wir doch gestehen, daß wir nicht einsehen, worin diese Entdekung eigentlich liegen soll, indem man schon vor Clouet behauptete, daß Kieselerde eine Rolle bei der Stahlbildung spiele, und Clouet selbst diese Ansicht dadurch widerlegte, daß er auch im Demant, d. i. mit dem reinsten Kohlenstoffe Stahl erzeugte. Wenn man Stahl durch Cämentirung mit Holzkohle erzeugt und dann Kieselerde im Stahle findet, wird sich das Vorkommen dieser lezteren in dem Stahle leicht dadurch erklären lassen, daß Kieselerde in der angewendeten Kohle, welche ein Pflanzenkörper ist, enthalten ist. Man müßte also, wenn der alte Streit wieder von vorne aufgegriffen werden sollte, zuvörderst die Kohle analysiren, mit welcher man den Stahl cämentirt, und sehen, wie viel Kieselerde in derselben enthalten ist. Es wird sich dann zeigen, ob man diese Menge Kieselerde als in den Stahl übergegangen, oder mehr oder weniger finden wird. A. d. Ue.

189) Unsere Leser mögen uns entschuldigen, wenn wir sie immer mit der aufgewärmten Knochensuppe bedienen. Es ist nicht unsere Schuld. Die französischen Journale schwimmen ganz darin, und unsere Leser können sicher seyn, daß sie von uns Statt der langen französischen Brühe nur eine kurze Sauce erhalten. Wir haben es nur mit Hrn. D'Arcet zu thun, und wir sind es der Hochachtung, die

Der doppelte Apparat, der in dieser Wohlthätigkeitsanstalt aufgestellt ist, kann 80 Kilogramm Knochen in 24 Stunden ausziehen, und folglich wenigstens 2400 Portionen Gallerteauflösung des Tages liefern, die eben so reich an thierischem Stoffe ist, als die beste Fleischsuppe. (?) [190])

Dieser Apparat liefert ferner in derselben Zeit 4 bis 5 Kilogramm Fett, das zur Bereitung der Gemüse und der Saucen zu dem Eingemachten dient.

Die Auflösung der Knochengallerte, welche der Apparat liefert, muß, wie es mir scheint, auf folgende Weise zur Kost in dem Maison de refuge verwendet werden.

Erstens. Kann man diese Gallerteauflösung mit gebranntem Zucker färben, gehörig salzen, derselben etwas Fett zusezen, und auch die gehörige Menge Sauerampfer oder anderes Grünzeug zuthun, um sie zu würzen. Diese Suppe wird dann zur Bereitung der Brotsuppe dienen, die damit auf dieselbe Weise bereitet wird, wie mit der gewöhnlichen Fleischsuppe. Man vergleiche, was ich in meiner Abhandlung über die Knochen aus dem Fleische der Fleischbank sagte.

Zweitens. Die Gallerteauflösung kann ferner zur Bereitung der Suppen mit Gemüsen dienen, die unter dem Namen Armensuppen (soupes économiques) bekannt sind. Man kocht zu diesem Ende die Gemüse, Statt in Wasser, in dieser Auflösung, oder man sezt diese Auflösung den Gemüsen zu, die man in Cylindern im Dampfe gekocht hat. Diese Suppen werden dann übrigens auf die gewöhnliche Weise weiter zubereitet. Man vergleiche hierüber Fourier's Werk sur la préparation des substances alimentaires S. 358, 363, 370, 373, 375, 379, 383, 392.

Drittens. Die Gallerteauflösung wird ferner Statt des Wassers zum Kochen und Animalisiren aller Gemüse, wie der Erdäpfel, Bohnen, Linsen, Erbsen, des Kohles, der gelben und weißen Rüben als Gemüse, nicht als Suppe, in der Maison de refuge verwendet und verspeiset werden.

---

wir für diesen hochverdienten Chemiker haben, schuldig, ihn ganz sich aussprechen zu lassen, indem wir uns erlaubten, in mehreren Ansichten von ihm abzuweichen. Man darf nie etwas von dem verschweigen, was der Gegner für seine Ansicht vorgebracht hat. A. d. Ue.

190) Wir haben früher unsere Zweifel gegen diese Behauptung geäußert. Wir bemerken hier noch überdieß, daß nicht Alles, was an einem Thiere vorkommt, darum allein auch schon thierisch ist, so wenig als Alles, was an Pflanzen vorkommt, deßhalb vegetabilisch ist. Die Knochen sind unter allen Theilen eines Thieres diejenigen, die am wenigsten thierisch sind, die am meisten dem Mineralreiche angehören, und zugleich den Pflanzenkörpern sich nähern. A. d. Ue.

Viertens. Die Knochengallerteauflösung kann endlich theils zur Bereitung der Fleischbrühe verwendet werden, wo man drei Viertel des Fleisches aus der Fleischbank dabei erspart, theils zur Vermehrung der Sauce am Boeuf à la mode oder des Bratens, womit die Armen an Sonn- und Feiertagen gespeist werden. Man vergleiche hierüber meine Abhandlung.

Wenn man sich auf diese Weise der Gallerteauflösung bedient, so erlangt man den Vortheil, den Armen, ohne Fleisch kaufen zu müssen, eine Nahrung reichen zu können, die eben so sehr animalisirt ist, als es in unseren Haushaltungen die gewöhnliche fette Suppe ist, und als es die Gemüse sind, die in Fleischsuppe gekocht werden. Es ist übrigens offenbar, daß, wenn man annimmt, daß die in der Maison de refuge versammelten Armen die 2400 Portionen Suppe verzehren, die der in diesem Hause aufgestellte doppelte Apparat ihnen liefert, sie täglich eben so viel thierischen Stoff in Auflösung erhalten, als die Menge der gewöhnlichen Suppe enthält, die man aus 600 Kilogramm (1200 Pfd.) Fleisch aus der Fleischbank erhalten würde.[191]) Dieß ist der Vortheil, welchen die Einführung der Knochengallerte in der Küche des Maison de refuge haben wird. Wir wollen nun sehen, welche Auslagen diese neue Art von Verpflegung nothwendig machen wird.

Ich weiß aus Erfahrung, daß ein guter Apparat, der 1000 Portionen Knochenleimauflösung täglich liefert, mit 1500 Franken aufgestellt werden kann. Ich will aber hier annehmen, daß da der doppelte Apparat, den man hier aufstellte, in mehreren seiner Theile zu stark gebaut wurde, dieser Apparat auf 6000 Franken gekommen ist.

	Fr.	C.
Das Interesse dieses Capitales beträgt also, zu 10 p. C. gerechnet, täglich	1 Fr.	65 C.
Man wird täglich 80 Kilogramm Knochen brauchen, die, das 100 Kilogramm zu 10 Franken, kosten	8 —	00 —
Man wird ferner höchstens vier Taglöhner in 24 Stunden brauchen, jeden zu 2 Franken 50 Cent	10 —	00 —
Man wird höchstens 120 Kilogramm Steinkohlen in 24 Stunden brauchen, was, die Voie zu 50 Franken, gleich ist . . .	5 —	00 —
Ich nehme noch als zufällige Auslage täglich den zehnten Theil obiger Auslage mit	2 —	46 —
So wird die gesammte tägliche Ausgabe . . .	27 Fr.	11 C.

Man erhält aber noch 4 Kilogramm Fett des Tages, das man in Spitälern der Butter vorzieht, und dieses Fett ist wenigstens 4 Franken werth. Diese 4 Franken von der Summe der täglichen Gesammtauslage abgezogen, bleibt als wirkliche Gesammtauslage 23

191) Dieß ist, wie wir früher gezeigt haben, unrichtig. A. d. Ue.

Frank. 11 Cent., die wir indessen zu 24 Franken für den Tag annehmen wollen. [192])

Man hat also für 24 Franken 2400 Portionen Knochenleimauflösung, wovon folglich die Portion dem Hause nicht mehr kostet als Ein Centim, und das Liter dieser Auflösung könnte, ohne allen Verlust, um zwei Centim verkauft werden.

Wenn auch nicht so viele Arme in dem Hause wären, als nöthig ist um täglich 2400 Portionen Suppe zu verzehren, so würde man doch, nach Obigem, nie in Verlegenheit seyn, die Knochengallerte gut verwenden zu können. Um den höchsten Vortheil aus dem Apparate ziehen zu können, scheint mir Folgendes das Zwekmäßigste:

1) Man könnte trachten die überflüssige Menge Gallerteauflösung außer dem Hause anzubringen.

2) Man könnte eine Armen-Suppenanstalt (fabrication des soupes économiques) errichten, dergleichen die Gesellschaft der Menschenfreunde (Société philanthropique) eine in der Vorstadt St. Marceau [193]) errichten ließ.

3) Man könnte mit der übrigen Gallerteauflösung eine Gemüsesuppe, eine Fleischsuppe und gute Suppen bereiten, und sie um den Gestehungspreis verkaufen, oder dieselbe auch noch mit einem kleinen Gewinne entweder an die Einwohner des Viertels, oder an die Wohlthätigkeitsanstalten (bureaux de charité), oder endlich: an die Gesellschaft der Menschenfreunde verkaufen, die sie dann Statt ihrer nicht animalisirten Suppe unter die Armen vertheilen könnte.

---

192) Es ist offenbar, daß ich eine noch weit vortheilhaftere Rechnung hätte stellen können. Man wird sich hiervon um so leichter überzeugen, wenn man bedenkt, daß ich die Auslagen alle auf das Höchste gestellt habe; daß ich dem Rükstande der Knochen gar keinen Werth anrechnete, obschon derselbe, mittelst einer einfachen Verfahrungsweise, in gute thierische Kohle verwandelt werden kann, wie ich früher in meiner Abhandlung erwiesen habe. Man muß ferner noch bedenken, daß, wenn man den Apparat zugleich zur Beheizung der Anstalt benüzt, man beinahe drei Viertel des Brennmateriales, das bereits in Anschlag gebracht wurde, zum zweiten Male benüzt, wodurch die tägliche Gesammtauslage noch ein Mal um 3 Franken 75 Cent. vermindert würde. A. d. O.

193) Da die Suppen, welche die Gesellschaft der Menschenfreunde zu Paris vertheilt, im mittleren Preise in den Jahren 1826, 27 und 28 auf $12^7/_{10}$ Centim die Portion gekommen ist, so ist es klar, daß, wenn diese Suppen mit Knochenleimauflösung Statt mit Wasser bereitet würden, sie nur auf $13^7/_{10}$ Centim; also nur um Ein Centim theuerer kommen würden. Es ist aber auch offenbar, daß, wenn man diese Suppen mit Gallerteauflösung diker und nahrhafter machen würde, man, ohne allen Nachtheil (?), sie auf dem früheren Preise von $12^7/_{10}$ Centim erhalten könnte, wenn man die Portion um $^1/_{13}$ ihres Gewichtes geringer macht; und, wenn man dieselbe weder dem Gewichte noch dem Maße nach kleiner machen wollte, dürfte man nur $^1/_{13}$ Wasser (!), Statt der Gallertauflösung der Portion-Suppe zusezen. Ich glaube übrigens, daß man sich auch dieses Mittel noch ersparen könnte; denn es ist kein Zweifel, daß man die Armensuppe noch auf eine viel wohlfeilere Weise bereiten könnte: denn, nach Hrn. de Puymaurin, kann die Armensuppe oder Sparsuppe (soupe économique), mit Knochengallerteauflösung animalisirt, nicht höher kommen, als auf 5 Centim, und nach Hrn. Fournier's Berechnung auf 6 oder 7 Centim. A. d. O.

4) Blieb auch noch die Aushülfe übrig, daß man das, was von der Knochengallerteauflösung übrig bleibt, eindampft, um es entweder als Gallerte zu verkaufen, oder zu Zwiebak für die Seeleute oder zu Erdäpfelbrot zu verwenden, oder endlich auch um es in Gallertetäfelchen zu verwandeln, die man leicht und mit Vortheil verkaufen könnte.

Obige Bemerkungen werden den HHrn. Administratoren der Maison de refuge beweisen, daß sie bereits auf dem rechten Wege sind, und daß sie ihren Vortheil dabei finden werden, wenn sie auf demselben beharren wollen. Es kann für die Armen und für die Bewohner der Maison de refuge nicht anders, als sehr nüzlich seyn, wenn sie dem von mir vorgeschlagenen Verfahren und den in dieser Bemerkung aufgestellten Ideen alle jene Anwendung und Ausdehnung schenken, deren sie fähig sind.

XCV.

Warnung vor dem Patente, welches den 4. Junius 1813 dem Sieur Jean Nicolet, fils, aus Friburg in der Schweiz als Brevet d'Importation auf ein von dem Apotheker Hrn. Franz Goez, Apotheker zu Friburg bereitetes Vegetations-Pulver (poudre végétative), um Getreide und Saamen überhaupt vor dem Faulen (carie) und vor anderen Krankheiten zu schüzen, in Paris auf 15 Jahre ertheilt wurde.

Zu unserem Schreken sehen wir, daß ein so achtbares Journal, wie das Repertory of Arts, das neue Jahr in seinem Jäner-Hefte 1830 damit anfängt, daß es eine englische Uebersezung dieses heillosen Patentes seinen lieben Landsleuten mittheilt. Es gibt die Quelle nur obenhin S. 60. mit den Worten Brevets d'Invention an, und liefert die Patent-Erklärung nur im Auszuge.

Wir theilen dasselbe in einer treuen Uebersezung aus dem XVI. Bd. S. 198. der Description des Machines et Procédés consignés dans les Brevets d'Invention, de Perfectionnement et d'Importation etc. par Mr. Christian mit.

Daß ein solches Patent in dieser herrlichen Sammlung aufgenommen wurde, läßt sich insofern entschuldigen, als sie alle Patente nach ihrer ursprünglichen Bestimmung aufnehmen muß. Daß ein solches Machwerk nur in dem finstersten Winkel Europens, zu Friburg, von einem Pharmacopola zur Welt gefördert werden kann, ist begreiflich. Daß die medicinische Facultät zu Paris im J. 1813 eine solche Giftmischung patentiren lassen konnte, ist, bei dem stande der medicinischen Polizei in dieser Stadt, erklärbar. Wie aber die Redactoren des Repertory of Patent-Inventions aus einem so dikken Quartanten, wie der XVI. Bd. des Descriptions, der so viele schöne und nüzliche Sachen enthält, gerade diese Giftmischung wählen konnten, nicht um ihre Landsleute dagegen zu warnen, sondern um sie denselben mit ihrer Auctorität gleichsam zu empfehlen, ist fürwahr unbegreiflich.

Dieses Pariser-Patent auf eine Friburger-Erfindung lautet wörtlich also:

„Die erste Vorsicht, die man zu nehmen hat, wenn man Getreide und selbst Mehl aufbewahren will, muß dahin gerichtet seyn, daß man dasselbe gegen die Gefräßigkeit der Vögel, der Ratten und der Insecten schüzt. Allein, wenn man das Saamenkorn mit einer Mischung überzieht, die den Geschmak desselben ganz verändert, und es für die Thiere unerträglich macht; so muß diese Mischung zugleich von der Art seyn, daß sie dem Korne nicht schadet, und die kostbare Nahrung nicht verdirbt, die zur ersten Entwikelung desselben verwendet werden muß."

„Folgende Mischung erfüllt diese Bedingungen: nämlich:

„Römischer Alaun	. . . . . .	1 Pfd.
Blauer Vitriol	. . . . . .	1 —
Eisen-Vitriol oder grüner Vitriol	.	1 —
Gereinigter Salpeter	. . . . .	1 —"

„Man löst diese vier Körper auf, und sezt dann dieser Flüssigkeit ein Gemenge aus Einem Pfunde Schwefel und eben so viel weißen Arsenik zu. Man mengt Alles wohl durch einander, und läßt es kalt werden, damit man es in ein feines Pulver verwandeln kann, aus welchem man Päkchen, jedes von Einem Pfunde verfertigt."

„Weise, wie dieses Pulver gebraucht wird."

„Man kocht die in einem solchen Päkchen enthaltene Quantität fünf Minuten lang in Kuhharn oder in einem anderen Harne, und gibt das Pulver nur nach und nach in das Gefäß, damit nicht ein starkes Aufbrausen entsteht. Nachdem die Mischung erkaltet ist, mengt man sie sorgfältig in einer Kufe mit dem Korne, welches in den ersten vier und zwanzig Stunden, nachdem es mit derselben gemengt wurde, gesäet werden muß."

„Es ist zu bemerken, daß man auf jedes Pfund dieses Pulvers sechzehn Flaschen oder Pinten Harn nehmen muß, und, wenn die Körner noch nicht von ihren Spelzen befreit sind, oder, wie man zu sagen pflegt, noch nicht ausgehülst sind, muß man noch ein Mal so viel Harn auf dieselbe Menge Pulvers nehmen."

„Ein Päkchen solchen Pulvers reicht auf zwei Säke oder auf zwei hundert Pfund von was immer für einer Getreidesorte hin.“

„Das auf diese Weise bereitete Pulver dringt in das Innerste des Kornes, tränkt das Stärkmehl desselben, und gibt demselben, ohne die Grundstoffe in ihm zu verändern, einen so bitteren Geschmak, daß die Thiere denselben unerträglich finden, die schon vor dem Geruche davon laufen.“

„Die Erfahrung hat gezeigt, daß die Landwirthe, die sich dieses Pulvers bedienen, ein Sechzehntel an Saatkorn ersparen.“

„Nach den Versuchen, die man in der Schweiz mit diesem Pulver angestellt hat, schäzt man die Vermehrung des Ertrages, um welchen die Ernte durch Anwendung dieses Pulvers ergiebiger wird, auf ein Achtel.“

„Dieses Pulver schüzt nicht nur alle Arten von Getreide, wie Weizen, Spelz, Roken, Reiß, Gerste, Haser, Mays, Mangkorn (meteil) vor dem Faulen und vermehrt ihre Keimungskraft, und ihren Wachsthum, sondern schüzt sie auch gegen andere Krankheiten, wie gegen den Rost oder Brand, den Mehlthau, das Mutterkorn ꝛc., indem alle diese Krankheiten allgemein durch ein zu langsames und ungleiches Keimen entstehen und durch eine kränkliche und fehlerhafte Vegation. Dieses Pulver kann auch noch mit Vortheil zur Zubereitung der Erbsen (Pois), Erbschen (Poisettes), Bohnen und Linsen ꝛc., welche gleichfalls verschiedenen Krankheiten unterworfen sind, deren Ursache sie zerstört, angewendet werden. Die Saamen des Klees, der Luzerne, der Esparsette ꝛc. sind ergiebiger, wenn sie mit diesem Pulver behandelt werden, und gedeihen sicherer, indem sie nicht so leicht von den ihnen eigenthümlichen Krankheiten ergriffen werden. Nur muß man hier bemerken, daß man bei diesen lezteren Saamen auf Ein Pfund derselben nur Ein Loth von diesem Pulver braucht für so viel Harn als nöthig ist, um sie zu befeuchten.“

Es ist schwer zu sagen, was man an den HHrn. Götz und Nicolet, und an denjenigen, welche ihnen ein Patent-Recht auf diese Giftmischung ertheilten, mehr bewundern soll; die gröbste Unwissenheit, mit welcher sie in diesem Gemengsel Dinge zusammenmischen, die sich nach den ewigen Gesezen chemischer Verwandtschaft wechselweise zersezen; oder die Frechheit, mit welcher sie die Erfahrungen Jäger's, Link's, John's, Marcet's, Macaire, Prinseps u. a. über die tödtliche Wirkung des Arseniks auf Pflanzen wegläugnen, und dafür lügenhaft behaupten, Arsenik sey ein Mittel die Vegetation zu fördern; oder den bodenlosen Leichtsinn, mit welchem sie eines der gefährlichsten Gifte unter einer Classe von Menschen verbreiten, die, in der Regel, eben so hülflos als unwissend ist; in einer

Waare verbreiten und diese dadurch vergiften, die in hundert v schiedene Hände gelangen kann, und die nur zu oft zu anderen Z ken verwendet wird, als zu denjenigen, für welche sie ursprünglich b stimmt war. Abgesehen von allen Gefährlichkeiten, welche hierdu durch unmittelbaren Genuß der vergifteten Saamen für den M schen entstehen können, wird es zureichen, daß Thiere dadurch verg tet werden können, deren Genuß dann wieder den Menschen tödt Wer auf einem Felde, das mit solchem Saatkorne gesäet wurde, k nes Federwild schießt, die kleinen Vögelchen, die mit ihren Ein weiden gebraten und gespeiset werden, kann, wenn diese kurz nachh nachdem sie solche vergiftete Saamen aufgepikt haben, geschossen u verspeiset werden, seine lezte Mahlzeit daran genommen haben. We die frommen Jesuiten zu Friburg ihren Schülern und Mitbürgern k nen besseren Unterricht in der Naturgeschichte und in der Landwir schaft zu ertheilen wissen, als einen solchen, so würden sie besser thu ihre Häuser zu schließen, ehe die Regierungen gezwungen seyn werde dasselbe zum zweiten Male zu thun.

XCVI.

Miszellen.

Preis-Aufgaben der Académie royale des Sciences et belles lettr de Bruxelles für die Jahre 1830, 1831.

Für 1830: „Vergleichung der Vortheile der Eisenbahnen und der Canä in Hinsicht auf die Niederlande."

Für 1831: „Genaue Angabe der Epoche der Erfindungen, Einführungen u Verbesserungen (inventions, importations et perfectionnemens), welche na und nach zu den Fortschritten der nüzlichen Künste in den mittägigen Provinz des Königreiches vom 18. Jahrhunderte angefangen bis auf den heutigen Tag be getragen haben, nebst Angabe (so viel es nur immer möglich ist) der vorzüglich sten Umstände, wodurch dieselben im Verhältniß mit der Einführung verschieden Entdekungen und neuer Verfahrungsweisen in Fabriken, Laboratorien und Werk stätten stehen, und namentlicher Aufführung der Personen, die sich zuerst derselbe in den Niederlanden bedienten."

Der Preis für jede Aufgabe ist eine goldene Medaille von 30 Ducaten Werth Die Abhandlungen können in lateinischer, französischer, holländischer oder flammän discher Sprache abgefaßt seyn, müssen aber vor dem ersten Februar jeden Jah res an den beständigen Secretair, Hrn. Dewez, eingesendet werden.

(Die Preisaufgabe für das Jahr 1829 „über den besten Bau der Flügel be Windmühlen" hat Hr. Timmermans, Professor am Athenäum zu Tournay gelöset. Die Zwekmäßigkeit der Preisaufgabe der Akademie für das Jahr 183 wird gewiß Niemand verkennen, der da weiß, welchen hohen Werth Geschichte be Erfindungen für die Geschichte der Cultur der Menschheit hat; nur wird, wie wi besorgen, die gekrönte Preisabhandlung allein, wenn sie vollständig den Gegenstand erschöpfen soll, diker ausfallen müssen, als der dikste Band der bisherigen Ab handlungen der Akademie, und die Arbeit selbst, wenn gleich bloße Compilation wird schwieriger seyn und mehr Auslagen fordern, als die Akademie selbst nicht fü einen Band ihrer Akten machte.)

Cavaliere Aldini's Versuche mit Asbest als Schuzmittel gegen Hize u. s. w. vor der Royal Society zu London.

Die Literary Gazette (und aus dieser das Mechan. Magaz., N. 338., 0. Jäner 1830. S. 413.) erzählt, daß der Enkel Galvani's, Cavaliere Aldini, aus Mailand, mehrere interessante Versuche vor der Royal Society den 1. Jäner l. J. anstellte, und die Trefflichkeit seiner Apparate erwies. Er nahm roth glühende Eisenstangen in seine mit Asbesthandschuhen bekleidete Hand, und spielte damit, wie mit einem Spazierstäbchen. Er zeigte, daß wenn der Finger mit Asbest umwunden ist, und in ein doppeltes Gehäuse von Drathgewebe gestekt wird, man denselben lange Zeit über in die Flamme eines Lichtes halten kann, ohne Schmerz zu empfinden. Ein Feuerarbeiter trug, mit einem doppelten Asbesthandschuhe und einer Lage von Asbest in der flachen Hand geschüzt, ein großes Stük roth glühendes Eisen 150 Fuß weit auf seiner Hand ohne allen Nachtheil. Die bereits von Hrn. Gay-Lussac erzählten Versuche wurden gleichfalls vor der Royal Society angestellt.

Das Mechan. Mag. fügt aus dem Virginia Literary Museum einige Notizen über den Amiant oder Asbest bei. Nach einer daselbst angeführten Analyse bestünde er aus 59 Theilen Kieselerde, 25 Bittererde, 10 Kalk nebst Spuren von Thonerde und Eisenoxyd. Diese Bestandtheile sind aber in verschiedenem Asbest aus verschiedenen Ländern sehr verschieden. Griechen und Römer bedienten sich desselben zu verschiedenen Geweben; und, nach Plinius, trugen selbst die römischen Damen Gewebe aus Asbest. Nach Plutarch bedienten die Damen sich desselben zu verschiedenem Kopfpuze, den sie, wo er durch den Gebrauch schmuzig wurde, nur in's Feuer zu werfen brauchten, um ihn wieder in voller Reinheit zu erhalten. Reiche Römer hatten Servietten aus Amiant, und jeder Gast brannte die Serviette, die er bei Tische beschmuzte, selbst am Feuer aus. Eine ähnliche Sitte war auch unter Karl V. in Frankreich, wo Amiantweberei zu Venedig und Löwen stark betrieben wurde. Der Gebrauch der Gewebe aus Amiant zum Aufsammeln der Asche der verbrannten Leichen der Vornehmen ist bekannt. Das Amianttuch, im Vaticane, dessen in Gay-Lussac's Berichte über Aldini's Versuche Erwähnung geschieht, wurde im J. 1702. an der Porta Nova in einer Aschenurne gefunden. Es ist 9 römische Palmen lang und 7 breit. Außer einzelnen Faden, Spizen oder Nezen und Kopfpuz, Servietten und Aschentüchern scheinen die Alten nichts aus Asbest verfertigt zu haben: Frauenhauben, Handschuhe, Geldbeutel, Gürtel, Bänder wurden erst später aus demselben gearbeitet. Ciampini gibt in einem im J. 1691. zu Rom erschienenen Werke de incombustibili lino folgendes Verfahren bei Zubereitung und Verarbeitung des Asbestes an. Man taucht den Asbest in warmes Wasser, und zertheilt seine Fasern, indem man sie sanft zwischen den Fingern reibt, wodurch alles Fremdartige abfällt. Hierauf gießt man so lang heißes Wasser zu, bis dieses klar davon abfließt. Es bleiben nun nur noch die langen Fasern übrig, die man an der Sonne troknet. Man hächelt hierauf diese Fasernbündel mit sehr feinen Werkzeugen und taucht die langen Fasern, die man dadurch erhält, in Oehl, um sie biegsamer zu machen. Hierauf sezt man denselben etwas Baumwolle oder Flachs zu (so daß der Asbest immer vorwaltend bleibt) und spinnt diese Fasernmasse auf dem Spinnrade. Das Gespinnst wird auf die gewöhnliche Weise gewoben, und, wenn es fertig ist, über reines Kohlenfeuer gezogen, und roth geglüht, so daß aller eingetragene Pflanzenstoff weggesengt wird. Das Gewebe besteht dann aus reinem weißen Amiant. Man kann auch solche Gewebe aus reinem Amiant verfertigen, wenn man die Fasern so lang einweicht und reibt, bis sie so zart und weich werden, daß man sie verspinnen kann. Dieses Verfahren empfiehlt Madame Perpenti.

Die kurzen Fasern, die während des Waschens abfallen, können in der Folge zu Papier verwendet werden. Sie müssen jedoch hierzu gehörig, bis zum feinsten Pulver, zermahlen werden, und muß man denselben viel Leim zusezen, weil die Masse viel schwerer ist. Der Leim wird später wieder ausgebrannt.

Der Verfasser des Aufsazes im Virginia Museum macht sich nun etwas lustig über die Antiquare, die auf die Asbestzeuge und auf das Asbestpapier so viel Werth legen. Er glaubt, daß der gänzliche Verfall dieser Fabrikate vorzüglich in der Kostbarkeit des rohen Materiales besteht. Allein, dieses ist heute zu Tage, wenn gleich selten, doch weniger selten als ehemals; und es fragt sich, ob sich mi dem Wasserglase, wenn man thierische Wolle in einer gesättigten Wasserglasauf lösung tränkt, nicht eine Art künstlichen Amiantes verfertigen läßt, der äußer wohlfeil seyn würde. Daß die Dochte von Amiant, obschon sie unverbrennlich sind nicht ewig brennen, obschon der Jesuit, Athanasius Kircher, sagte, daß er zwe Jahre lang brannte, und noch gut wäre, ist zwar richtig: allein sie verlegen sich schon in den ersten 24 Stunden, und taugen also durchaus nicht zu einem soge nannten ewigen Lichte; sie dauern jedoch Jahre lang, wenn man sie täglich aus brennt und wieder zum Gebrauche vorrichtet. Das Asbestpapier läßt sich, sobald der Leim ausgebrannt ist, nicht zum Schreiben verwenden; die Buchstaben fließen in einander: wenn man jedoch mit einem Pinsel in einer Farbe, die durch das Feuer nicht leidet, die Buchstaben auf das Papier mahlen würde, wie die Chine sen ihre Buchstaben mit dem Pinsel mahlen, so fielen alle Einwürfe weg, die der Hr. Verfasser auf eine zu frivole Weise gegen unverbrennliches Papier vorbringt. Daß sich auf das grobe Asbestpapier nicht elegant druken läßt, geben wir ihm übrigens sehr gern zu, obschon wir das auf Asbest gedrukte Buch nicht gesehen haben, das im National-Institute zu Paris aufbewahrt wird, und über welches der Hr. Verfasser sich so sehr lustig macht. Daß Amiantgewebe, auf welche stark Hize wirkt, zusammenschrumpfen, daß, nach den Versuchen vor der Royal Society, ein Stük Zeug aus Amiant von 6 Zoll Breite und 12 Zoll Länge, auf welchem $1\frac{1}{2}$ Unzen roth glühendes Eisen kalt wurde, Ein Zwölftel seines Gewichtes verlor, wollen wir gern zugeben. Wenn aber ein solches Stük zwölf Mal dazu diente, eine glühende Geldkiste aus dem Feuer zu ziehen, hat es doch immer gute Dienste gethan. Es scheint uns, ohne alle Vorliebe für die Alten, die indessen in unseren Tagen verzeihlich wäre, doch immer wünschenswerth, die Industrie der Alten eher zu weken, als sie zu vernachlässigen: für jeden Fall sehen wir weder Recht noch Billigkeit darin, daß man sie verhöhnt. Brabanterspizen aus Asbest werden immer mehr werth seyn, als aus Flachs.

Neueste Versuche mit dem Dampfwagen Novelty auf der Liverpool- und Manchester-Eisenbahn.

Das Mechanics' Magazine N. 339. 6. Februar 1830. gibt S. 432. folgende kurze Nachricht über einen am 28. Jänner l. J. angestellten Versuch mit dem Dampfwagen Novelty. Der Versuch ward unter der Leitung des Hrn. Vignoles vorzüglich in der Absicht angestellt, um die Menge Kohks zu bestimmen, die die Maschine braucht, und die Last, welche sie zu ziehen vermag.

Der Dampf wurde 6 Stunden 10 Minuten (oder 6,26 Stunden) lang unterhalten. Der gesammte Kohksverbrauch in dieser Zeit betrug 526 Pfd., und mit den Kohks, die zur ersten Heizung bis zur Dampfentwikelung (die in 32 Minuten begann) nothwendig waren (62 Pfd.); in Allem 588 Pfd.

Die gezogene Last betrug 28 Tonnen 1 Ztr. (761 Ztr.) und ungefähr 10 Passagiers; in Allem 28,5 Tonnen.

Zur Förderung dieser Last wurden 84 Pfd. Kohks in Einer Stunde verbraucht, nämlich $\frac{526 \text{ Pfd.}}{6,26 \text{ Stunden}} = 83/9$ Pfd.

Nun war die mittlere Geschwindigkeit, mit welcher der Dampfwagen diese Last zog, 8,05 engl. Meilen auf die Stunde. Also $2,85 \times 8,05 = 229,425$; oder $229\frac{1}{3}$ Tonnen wurden Eine engl. Meile weit 84 Pfd. Kohks gezogen. Folglich kommt $\frac{9}{25}$ Pfd. Kohks auf die Tonne für jede Meile.

Da nun von Liverpool bis Manchester 31 engl. Meilen sind, so braucht man zur Transportirung Einer Tonne auf dieser Streke 11,315 Pfd. Kohks. Rechnet man nun die Tonne Kohks zu 10 Shillings, so kommen für diese ganze Streke die Kohks auf die Tonne nur zu $\frac{3}{5}$ Penny ($\frac{3}{5}$ Groschen) oder kaum $\frac{3}{4}$ Groschen, wenn man die Kohks der ersten Heizung und etwas für den Aufenthalt beim Umkehren mit in Rechnung bringt.

Hrn. Gurney's Versuche mit seinem Dampfwagen auf den gewöhnlichen Straßen

wurden im Januar auf Schnee und Eis mit dem glüklichsten Erfolge fortgesezt. Mech. Mag. N. 339. 6. Febr. S. 419.

Neuester Versuch mit Stephenson's Dampfwagen.

Anfangs Jänners versuchte Hr. Stephenson seinen Dampfwagen, Rocket, auf dem großen Moose, über welches die Eisenbahn führt (dem Chat Moss), einer Streke von 4 1/2 engl. Meilen, und zog eine Menge von Wagen hinter sich her. Er fuhr zuweilen mit einer Geschwindigkeit von 24 engl. (6 bayerschen) Meilen in Einer Stunde, und bewies, daß man auch mit der schwersten Last auf jener Streke der Eisenbahn fahren kann, die über das Moos läuft, woran man noch immer zweifelte. Später wagte er eine Fahrt gegen Manchester, wo die Bahn noch nicht ganz fertig ist: ein Vorderrad kam aus dem Geleise und brach. Obschon er in diesem Augenblike mit der höchsten bisherigen Schnelligkeit fuhr (24 engl. Meilen in Einer Stunde) und 40 Personen auf dem Wagen saßen, ward doch Niemand auch nur im Mindesten beschädigt. Tags darauf zog er wieder 35 Tonnen (700 Ztr.) über das Moos. (Liverpool Times. Galign. N. 4637.)

Lieut. Skene's Ruderrad.

Hr. Skene ladet Hrn. Hebert, welcher in seinem Register of Arts sagte: „Skene käme in einem ganzen Tage mit seinem Rade gegen die Fluth nicht bis Greenwich," im Mech. Mag. N. 334. S. 327. ein, seine Maschine zu versuchen. Er brachte ein Ruderrad nach seinem Systeme lediglich an einem Tretrade an, das von 2 Männern getreten wurde, nur zwei Fuß im Durchmesser und einen Triebstok von 8 Zoll im Durchmesser hatte. Sein Rad verhielt sich zu den gewöhnlichen Ruderrädern in Hinsicht auf Kraft, wie 102 : 80. Es machte die Arbeiter nicht naß; während sie von dem gewöhnlichen Ruderrade durchnäßt wurden. Sein Rad arbeitet, obschon es Holz ist, so gut, als ob es von Eisen wäre. Hr. Th. Pritchard, Oberschiffszimmermann, ist mit diesem neuen Rade vollkommen zufrieden.

Letellier's hydraulische Maschine, oder neue Anwendung der Kette des Noria.

Diese Maschine des Hrn. Letellier kann man täglich bei Hrn. Ruffin zu Noisy-le-grand sehen. Sie schöpft in Einer Minute 100 Liter Wasser 39 Fuß hoch, und fordert nur eine Kraft von 18 Pfund. Mit 50 Umdrehungen einer Kurbel kann ein Mann in einer halben Stunde 3 kubische Meter oder 3000 Liter Wasser auf obige Weise in die Höhe heben. Die Maschine ist beinahe ganz aus Eisen und mit zwei Lagen Firniß überzogen, damit sie nicht so leicht rostig wird. Sie fordert nur zwei Quadratfuß Raum für den unteren Theil der Kette, 3 Fuß auf 5 für das Gestell. Sie ist in einer Viertelstunde aufgestellt. Die Wassersäule, die sie hebt, steigt ununterbrochen in die Höhe, und noch ein Mal so schnell, als das Wasser in einer Pumpe: sie leistet nur die Hälfte des senkrechten Widerstandes, daher die geringe Kraft, welche zum Heben erfordert wird. Dieß ist nach so vielen Jahren die erste brauchbare Anwendung der Kette des Norias, die beim Wasserbaue weit besser dient als die archimedische Schraube, indem zwei Männer mittelst derselben so viel leisten können, als 24 mit dieser Schraube. (Bulletin d. Scienc. technol. Novemb. 1829. S. 315.) — Im Jardin des plantes hat man an dem Brunnen vor dem Affenhause Hr. Letellier's Maschine neuerlich angebracht.

Gebohrte Springbrunnen (artesische Brunnen) zu Perpignan.

Hr. Bouis, der ältere Sohn, zu Perpignan, erstattet Bericht über einen glüklichen Bohrversuch des Hrn. Fraisse zu Perpignan, welcher auf seinem Gute, nachdem er 40 Meter 40 Centimeter (21 Klafter, 2 Fuß) tief grub, glüklich eine Quelle erreichte, die 3 Fuß hoch über die Erde emporspringt, und in einer Stunde 500 Liter Wasser gibt. Die Quelle entspringt in der letzten Tiefe in einer 3 Meter mächtigen Schichte sandigen Thones von grüner und gelber Farbe. Man stieß nirgendwo auf Kreide. Es ist also nicht ganz richtig, was Hr. Garnier in seinem Werke über gebohrte Springbrunnen (S. 43.) sagt, daß man nur in Kalk- und Kreide-Lagern auf Springbrunnen bohren dürfe. (Vergl. Journal de Pharmacie. Fevrier. 1830. S. 66.)

Ueber Hrn. Wilh. Bell's Filtrir-Apparat,

worauf derselbe sich am 4. Sept. 1824 ein Patent ertheilen ließ, macht das Repertory of Patent-Inventions N. 54. S. 740, nachdem es einen Auszug aus der Patent-Beschreibung ohne Abbildung gegeben hat, die Bemerkung, daß es an diesem Patente nichts Neues findet, als die Anwendung der gestoßenen Kohks, Statt der Holzkohlen, und die Beständigkeit des Filtrir-Materiales, das nicht herausgenommen und gepuzt werden darf. Daß der Filtrir-Apparat dadurch wohlfeiler wird, ist allerdings richtig; ob er aber auch so gut filtrirt, ist noch zweifelhaft. Vorrichtungen, wodurch das Reinigen des Filtrir-Apparates überflüssig werden soll, haben wir bereits mehrere an verschiedenen Filtrir-Apparaten; allein, nach längerem Gebrauche taugt auch die beste Vorrichtung ohne Reinigung des Materiales nicht länger. Bei dem zweiten Apparate ist Hr. Bell in jenen Fehler gefallen, in welchen so viele Leute gerathen, die entweder nicht die Natur beobachteten, oder nicht Physik studirten, oder das Erlernte vergaßen. Er meint, wenn er in dem zu filtrirenden Wasser eine kreisförmige Bewegung erzeugt, so werden die schwereren Theile in der Mitte zu Boden fallen, während doch dieselben nach den Gesezen der Centrifugalkraft geradezu an den Umfang getrieben werden müssen. Hr. Bell mag sich damit trösten, daß man nicht bloß beim Filtriren des Wassers, sondern sogar auf Wäschwerken bei Bergwerken ähnliche Fehler beging. Der strenge Herr Berg-Inspector meinte, das Schwere bleibt in der Mitte sizen, wie er selbst am grünen Amtstische. Der Zigeuner, der seine Waschschüssel schneller zu rühren weiß, als der strenge Herr sein Tintenfaß, weiß aber, aus bloßer Beobachtung der Natur, daß die schwereren Stäubchen an den Rand fliegen, wenn das Wasser in einem Gefäße gedreht wird, und wäscht so mehr Gold und Silber aus, als die Herren Bergschreiber.

Große Destillirblase.

Im Morning-Herald heißt es: So eben ist bei Hrn. Hodges für Hrn. Jos. Hulls zu High Wickham der größte Helm verfertigt worden, der jemals für Brantweinbrenner gemacht wurde. Es ist 14½ Fuß hoch und 8 Fuß weit. Man rechnet, daß er in Einer Minute 10 Gallons „(Ein Gallon ist 3,264 Wiener Maß, also 32,64 Maß)," des Tages 6000 Gallons, und des Jahres 1,878,000 Gallons destilliren wird. Dagegen bemerkt das Mechanics' Magazine, N. 334. 2. Jäner 1830. S. 336, daß in mehreren schottischen Brantweinbrennereien Helme von 52 — 54 Zoll im Durchmesser und 8 Fuß Tiefe im Gange sind, die in drei und einer halben Minute nicht weniger als achtzig Gallons geben.

Neues Instrument zum Zeichnen der Sonnenuhren.

Im Pamietnik Warszawsk, April 1829. S. 105. findet sich ein Instrument des Hrn. Jastrzebowski zum Zeichnen der Sonnenuhren, von welchem eine unvollständige Notiz im Bulletin d. Scienc. technol. November 1829. gegeben wird. Dieses Instrument besteht aus einer eisernen Achse, die so gestellt werden muß, daß sie als eine Verlängerung der Erdachse betrachtet werden kann, aus einem Aequatorial- und aus einem Declinationskreise rc. Es soll sehr bequem seyn. Es wäre sehr zu wünschen, daß ein Deutscher, der Polnisch kann, oder ein Pole, der Deutsch kann, uns eine Uebersezung dieses Aufsazes lieferte: es ist doch wirklich hart, wenn man jezt sogar Polnisch oder Russisch lernen soll, um auf eine neue bequemere Art eine Sonnenuhr zu zeichnen.

Zaremba's Planimeter.

Im Pamietnik Warszawsk. Junius 1829. S. 360. wird ein Instrument des Hrn. Zaremba beschrieben, von welchem der Bulletin d. Scienc. technol. November 1829. eine höchst unvollständige Notiz gibt. Nach lezterer dient dieses Instrument dazu, um jedes Vielek bequem in ein rechtwinkeliges Dreiek zu verwandeln. Hr. Zaremba hat auch einen neuen Storchschnabel (Pantograph) und ein Instrument erfunden, um jede gerade Linie auf der Erde von einem ihrer Endpunkte aus zu messen.

Musikalien-Copirmaschine der HHrn. Benoitt.

Die HHrn. Benoitt und Comp., Lithographen zu Amsterdam, haben eine Maschine zum Copiren der Musikalien erfunden, mittelst welcher sie in 3 Stunden 144 Copien von jeder Ouverture oder Symphonie liefern, sie mag so lang seyn, als sie will. Sie haben in Holland ein Patent auf 15 Jahre darauf genommen. Journal de Paris. 6. Oct. 1829. Bulletin d. Scienc. technol. November 1829. S. 333.

Verbesserung der Flinten und Verminderung des Stoßens oder Schlagens derselben.

Hr. G. H. Manton, Büchsenmacher in Dover-Street, Piccadilly, ließ sich am 2. September 1829. ein Patent auf eine Verbesserung im Baue der Flintenschlösser aller Art ertheilen, wodurch das Stoßen oder Schlagen (the recoil) derselben verhütet werden soll. Er bringt nämlich zu diesem Ende ein Luftloch an, durch welches ein Theil der elastischen Gasarten, welche sich durch die Entzündung des Pulvers entwikeln, entweichen kann. Dieses Luftloch wird mittelst eines Dekels am Ende eines kleinen Hebels geschlossen, welcher Dekel durch eine Feder auf dem Luftloche so lang festgehalten wird, bis durch das Niederfallen des Hahnes auf das andere Ende des Hebels gewirkt wird, wo dann der Dekel gehoben und die Oeffnung frei wird. Die verschiedenen kleinen Stifte, Zapfen und Schrauben, die bei dieser Vorrichtung angewendet wurden, sind alle genau beschrieben.

Es ist sonderbar, sagt das Register of Arts P. XXIX. S. 134., daß ein Mann von der Erfahrung des Hrn. Manton kein einfacheres und kräftigeres Mittel auffinden konnte. Wenn er die Pulverladung vermindert hätte, so würde er den Stoß oder Schlag vermindert haben, aber zugleich auch die Gewalt des Schusses, so wie er den Stoß und Schlag gänzlich beseitigt haben würde, wenn er das Luftloch so weit gemacht hätte, als den Lauf, wodurch aber auch alles Schießen sein Ende gehabt haben würde.

Dickson's Flinte in Form eines Spazierstokes.

Hr. Isak Dickson ließ sich am 6. Decbr. 1829. ein Patent auf eine Flinte in Form eines Spazierstokes ertheilen. Das Repertory of Patent-Inventions beschreibt diese Flinte ohne Abbildung im Februar-Hefte S. 89.; die Beschreibung ist also unbrauchbar. Das Repertory bemerkt bei dieser Gelegenheit sehr richtig, daß diese Halbheit, halb Stok halb Flinte, zu nichts Ganzem führt; daß sie, als Stok, ein plumpes, als Flinte ein unsicheres Ding ist, das bei jedem Schusse einen gewaltigen Stoß geben muß; daß eine solche Flinte Wilddiebstahl und selbst Mord begünstigt, und nicht zu dulden ist; daß endlich, insofern Hr. Dickson seine Flinte „a Projectile“ nennt, und so das Geschoß mit dem Instrumente verwechselt, welches schießt, sein Patent selbst sein Recht verlieren kann. Es bemerkt übrigens, daß die Weise, wie das Schloß gegen die Einflüsse der Witterung geschüzt ist, sehr gut ist. — Da diese Flinte eine Percussionsflinte ist, so scheint sie uns auch in dieser Hinsicht noch gefährlicher, als die gewöhnlichen.

Sicherheitsschloß, wodurch man erkennen kann, ob ein Versuch gemacht wurde das Schloß zu öffnen.

Das Repertory of Patent Inventions gibt im Februar-Hefte S. 92. eine Notiz von dem Patente, welches Andr. Gottlieb, Schlosser in Mile End

Road, Jubilee-Street, sich am 1. Jun. 1829. auf gewisse Verbesserungen und Zusäze an Schlössern und Schlüsseln geben ließ. Der Zwek dieser Verbesserungen ist kein anderer, als zu entdeken, ob ein Versuch gemacht wurde, das Schloß mittelst eines Dieterichs oder falschen Schlüssels zu öffnen. Zu diesem Ende wird ein Blatt Papier auf vier hervorstehenden Spizen an einer Metallplatte befestigt, welche rükwärts am Schlosse unmittelbar über der Schale oder der Platte, welche das Werk im Schlosse dekt, angebracht ist. Wie Jemand nun mit einem Dieterich oder falschen Schlüssel bei dem Schlüsselloche hineinfährt und versucht das Schloß zu öffnen, durchsticht er das Papier und der Versuch ist entdekt. Der wahre Schlüssel des Eigenthümers des Schlosses ist nämlich in der Mitte seines Schenkels mit einer Hervorragung versehen, die ein Blättchen schiebt, welches eine Feder frei macht, die auf die Platte wirkt, auf welcher das Papier gespannt ist, und diese in die Höhe treibt, ohne das Papier zu zerreißen. Damit der Dieb, der sich durch den Riß im Papiere entdekt sieht, nicht ein anderes Papier einschiebt, ist das Papier an einem Rande in eine Zarte, wie bei Pässen, Bankzetteln, ausgeschnitten, so daß man das Papier mit dem Papiere, von welchem es abgeschnitten ist, vergleichen und dadurch immer den Betrug entdeken kann.

Dadurch ist nun aber selten etwas gewonnen: man erkennt den gemachten Versuch ein Schloß zu öffnen, meistens auf eine traurigere Weise durch den Diebstahl, welcher verübt wurde. Um diesen zu vermeiden, sind Schlösser mit Selbstschüssen das sicherste Mittel, so wie das sicherste Mittel gegen das Erbrechen der Briefe eine Vorrichtung mit Knallcomposition ist, die die Hand desjenigen zerschmettert, der das Paket öffnet, ohne dazu berechtigt zu seyn. Lezteres Mittel wurde erst vor Kurzem in Spanien angewendet.

Morgan's neues Verfahren, Eisenblech zu verzinnen.

Hr. Morgan ließ sich am 9. Sept. 1829. ein Patent auf eine neue Methode, schwarzes Eisenblech zu verzinnen, ertheilen. Bekanntlich muß das Eisen, nachdem es in Stüke von gehöriger Größe geschnitten und auf dem Walzwerke in Bleche von gehöriger Dünne gestrekt oder gewalzt wurde, wenn es verzinnt werden soll, an seiner Oberfläche gehörig gereinigt werden. Dieß geschah nun bisher durch das sogenannte Schälen und Beizen. Da nun bei diesem Schälen und Beizen viele Zeit und manches Eisen verloren geht, so schlägt Hr. Morgan vor, das Eisen, so wie es aus den Strekwalzen heiß heraus kommt, in kaltes Wasser zu stoßen, wodurch die Schuppen ohne Zeit- und Metallverlust beseitigt werden können.

Die Platten werden hierauf nach der gewöhnlichen Weise gebeizt und gereinigt, und dann in das geschmolzene Zinn getaucht, wodurch das schwarze Eisenblech mit Zinn vollkommen überzogen und zu verzinntem Eisenbleche wird.

Nach der gewöhnlichen Methode das Schwarzblech zu schälen, müssen mehrere Blechplatten über einander gelegt, und in einem eigenen Ofen hoch roth oder beinahe weiß geglüht werden, wobei sie auf ihren Kanten mit dem gebogenen Theile aufwärts ruhen. Nachdem sie den gehörigen Grad von Hize erlangt haben, werden sie aus dem Ofen auf einem starken Drathe herausgehoben, und in derselben Lage auf den Boden gestellt, wo eine Menge Schuppen abfallen werden. Um noch den Rest derselben zu beseitigen, werden die Bleche auf folgende Weise behandelt. Sie werden wieder flach gemacht und mehrere, bei einer Eke zugleich, festgehalten, wo man sie dann mit aller Gewalt gegen einen Amboß schlägt, bis alle Schuppen weggesprungen sind. Wenn man Morgan's Methode mit dieser alten langweiligen, mühevollen, kostbaren und Metall fressenden Methode vergleicht, so ergibt sich der Vortheil derselben hinlänglich. (Register of Arts P. XXIX. S. 132.)

Versuche mit russischem Eisendrathe zur Bestimmung der Stärke desselben.

Hr. Oberst-Lieutenant Lamé hat in einem Werke, wo man so etwas nicht suchen würde (im „Petersburger Journal des voies de Communication" 1828. N. 12. [Vergl. Bulletin d. Scienc. technol. November 1829. S.

345.]) Versuche über die Stärke des russischen Drathes angestellt, und gefunden, daß bei einem

Drathe von	der absolute Widerstand auf ein Millimeter Oberfläche in Kilogramm ist
1,09 Millimeter	95,92
2,19 —	99,89
3,74 —	72,74
5,00 —	74,21

Der russische Drath ist also weit stärker, als der französische, englische und schweizer. Dieß darf aber Niemanden befremden; denn auch das russische Stangeneisen ist stärker oder vielmehr zäher. Russische Drathe von 2 — 5 Millimeter tragen die ungeheure Last von 45 Tonnen (900 Ztrn.) auf den Quadratzoll, während Stangeneisen nur 24 Tonnen trägt (480 Ztr.). Eine Drathbrüke trägt also ohne Vergleich mehr, als eine Kettenbrüke.[194] Draht kostet aber in Rußland das Pud 24 Rubel, und Stangeneisen 9 Rubel. Es wäre also nicht viel gewonnen am Drathe, außer bei großen Weiten.

Schmergelkuchen der Stahl-Arbeiter.

In den Annales de l'Industrie nat. et étrang., August 1829. S. 191. Bulletin d. Scienc. technol. November. S. 260. findet sich folgende Analyse zweier Schmergelkuchen (pâtes d'Émeril), welche die Messerschmide zu Paris sehr brauchbar finden.

Harter Schmergel. (Émeril dur.)

Wachs mit etwas Talg	20	— —	1 Theil.
Kolkothar — — —	20	— —	1 —
Schmergel — — —	60	— —	5 —

Weicher Schmergel. (Émeril mou.)

Talg	18,7	ungefähr	1 Theil.
Kolkothar	16,7	—	1 —
Schmergel	64,6	—	4 —

Das Eisenoxyd, welches man hier als Kolkothar annimmt, konnte wohl ehevor krystallinisches Oxyd gewesen seyn aus schwefelsaurem Eisen und Kochsalz. Es wird sogar wahrscheinlich, daß dieß der Fall war, wenn man die physischen Eigenschaften des Pulvers, das nach der Calcination zurükbleibt, durch welche das Fett zerstört wurde, näher betrachtet. Für jeden Fall scheint dieses krystallinische Oxyd ein gutes Surrogat Statt des Kolkothars zu seyn.

Neues Fallen der Eisenpreise in England.

Das Roheisen fiel neuerdings um 5 Shillings (3 fl.) die Tonne (20 Ztr.). Das beste Staffordshire Roheisen kommt jezt auf 2 Pfd. 15 Shill. Im J. 1825. galt es noch 9 Pfd. Stabeisen steht jezt zu 5 Pfd. 10 Shill; im J. 1825. galt es 15 Pfd. Sterl. In Staffordshire und Wales steht jezt der vierte Theil der Eisenwerke still. (Birmingham Journal. Galign. N. 4634.)

Das englische Münzsystem ein Mahometismus.

Im Mech. Mag. N. 334. S. 232. bemerkt ein Hr. T. aus einem arabischen Msc. im Escurial, „daß der Mann, der, ohne Lesen und Schreiben zu können, die größte religiöse und politische Revolution auf dem Erdballe hervorbrachte, Mahomet, ein Münzsystem nach dem englischen Fuß einführte. Er theilte das Botolo von Mecca in 12 Oukias (den Shilling in 12 Pence). Nach der Schlacht von Zaira bei Badajos schlug Jusuf Ben Taschfin Münzen die 12 Dirhems galten (wieder Shillings zu 12 Pence)." Dieser Münzfuß wurde von mehreren europäischen Staaten, zum großen Aerger des Papstes eingeführt, der jezt noch die arabischen Ziffern nicht auf den Kirchthürmen sehen will.

194) So wahr ist es, daß omnia sunt hominum tenui pendentia fi-

Neuer Unfall bei Gasbeleuchtung, welcher beweist, wie sehr die höchste Sorgfalt bei derselben nothwendig ist.

Am 15. December 1829. flog das Einkehrhaus des Hrn. Parry zu Manchester, Old-Shambles, Kings-Head, in die Luft. Die Inwohner wurden mehr oder minder stark verbrannt und beschädigt, jedoch Niemand tödtlich. Das Unglük entstand auf folgende Weise. Vor ungefähr acht Monaten legten die Directoren der Gascompany eine neue Hauptröhre in den Old-Shambles, um ihre Abnehmer reichlicher mit Gas versehen zu können, da die alte Röhre zu klein wurde. Aus Versehen wurde die alte Röhre erst dann herausgenommen, nachdem die neue gelegt war, und ein Theil der Kundschaften ward noch aus der alten Röhre versehen, während andere ihr Gas bereits aus der neuen erhielten. Einige Tage vor dem Unglüke zeigte sich ein Sprung in der alten Röhre zwei Häuser von Hrn. Parry's Hause weg. Man beschloß nun die alte Röhre herauszunehmen, und die Kundschaften bloß aus der neuen zu versehen. Am Tage vor dem Unglüke ward die alte Hauptröhre gerade gegenüber von Hrn. Parry's Haus entzwei geschnitten. Das Gas, welches bei dieser Gelegenheit herausfuhr, mußte sich nun unter der Erde einen Weg in Hrn. Parry's nahen Keller gebahnt haben, in welchem es sich sammelte, und, nachdem es mit der daselbst befindlichen Luft endlich zur Knallluft geworden ist, an dem im Keller zufällig befindlichen Lichte sich entzündete, und so das Haus vom Keller aus zerschmetterte und in die Luft warf. Manchester Herald. Galignani. N. 4613. (Dieser, in der Geschichte der Gasbeleuchtung in seiner Art bisher einzige Zufall zeigt die Nothwendigkeit die Gasröhren unter stäter und strenger Aufsicht zu halten. Wenn man mit gefährlichen Dingen länger ohne allen Schaden umgegangen ist, wird man mit denselben so vertraut, daß man keine Gefahr mehr von ihrer Seite möglich hält, und die Gefahr ist doch nie größer, als wo man sich unter solchen Umständen sicher glaubt.)

Winzler's Thermolampe, als Neuigkeit in England.

Unter der Aufschrift: „Wohlfeile Beleuchtung" (Economic Lighting heißt es im Mech. Mag. a. a. O. aus dem Glasgow-Chronicle wörtlich: „Bei Hrn. Tulloch, Bleachfield, hat ein junger Mensch, Namens A. Reed, einen Apparat vorgerichtet, mittelst dessen er im Stande ist aus dem Holze, welches man in dieser Fabrik brennt, um aus demselben Holzsäure zu erzeugen, hinlängliches Licht zur Beleuchtung des ganzen Hauses zu erhalten. Durch diese sinnreiche Vorrichtung ist nun eine höchst wichtige Ersparung gefunden; denn man braucht auf diese Weise nicht mehr Holz zum Leuchtgase und zur Holzsäure, als man ehevor zur Holzsäure allein nothwendig hatte." Weiß der Redacteur des Mech. Mag. nicht, daß dieser Apparat die Winzler'sche deutsche Thermolampe ist, die nun schon über 30 Jahre alt ist, und zur Erfindung der Gasbeleuchtung Veranlassung gab?

Hrn. Gilman's Vertheidigung

gegen die Angriffe des Ungenannten im Mech. Mag. findet sich nun in dieser Zeitschrift N. 335. S. 349., wo sie unsere Leser nachlesen können. Hr. Gilman nimmt nur die Aufstellung des Grundsazes in Anspruch als sein Recht, nicht die Ausführung, und hierin scheint er Recht zu haben. Er will den Namen seines Gegners wissen, und der Redacteur gibt diesen nicht an, sondern entschuldigt sich damit, „daß ein Anonymus der Repräsentant des gesammten Publicums ist," eine Behauptung, die das Publicum schwerlich gelten lassen kann. Man scheint in dem Lande der Preßfreiheit wirklich sonderbare Begriffe von der Freiheit der Presse zu haben. Männer sind ihrer Worte in jenen Ländern geständig, wo es keine Preßfreiheit gibt; wenn dieß im Lande der Preßfreiheit nicht so ist, so würde die Preßfreiheit nicht den Nuzen gewähren, den sie gewähren kann. (Vergl. Polyt. Journ. Bd. XXXV. S. 230.)

Vortheile des langsamen Kohlenbrennens vor dem schnelleren.

Hr. Giobert hat in dem Annuaire agronomique de la Société roy. de Turin 1828 die Resultate vergleichender Versuche über langsames und schnelles

Verkohlen des Holzes in Bezug auf die dadurch erhaltene Kohlenmenge bekannt gemacht. Diese Resultate sind in den Annales adm. et sc. de l'Agriculture française. T. I. p. 115, 116, und aus diesen in van Hall's, Brolik's und Mulder's Bydragen. IV. Bd. IV. St. S 199. aufgeführt, und verdienen auch in Deutschland mehr bekannt zu seyn. Die Theorie der Verkohlung, und noch mehr die Praxis derselben, unterliegt, leider, noch so vielen Schwierigkeiten, daß man keinen Wink unbenützt vorübergehen lassen darf, wodurch die eine oder die andere verbessert werden kann. Wenn wir nicht bald mit Holz umgehen lernen, als wenn es Gold wäre, werden wir am Ende, auch wenn wir Gold im Ueberflusse haben, wie die Holländer, kein Holz mehr besitzen, wie sie.

Hr. Giobert fand, daß dieselbe Menge und Art Holzes folgende Resultate gab:

	bei schneller Verkohlung	bei langsamer Verkohlung
Junges Eichenholz	16,39	25,45 Theile Kohle.
Altes dtto.	15,80	25,60
Junges Buchenholz	14,50	25,50
Altes dtto.	13,75	25,75
Junges Erlenholz	14,10	25,30
Altes dtto.	14,90	25,25
Junges Birkenholz	12,80	24,80
Altes dtto.	11,90	24,40
Junges Fichtenholz	15,40	25,95
Altes dtto.	13,60	25,80
Junges Kiefer- oder Föhrenholz	14,10	25,10
Altes dtto. dtto.	13,99	24,85

Es scheint auch, aus obigen Resultaten, immer besser, jüngeres Holz, als altes, zum Kohlenbrennen zu benützen.

Ueber die Zersetzung schwefelsaurer Salze durch organische Stoffe

las Hr. Hofr. Vogel bekanntlich zu Berlin im Sept. 1828 eine Abhandlung vor, die im Journal de Pharm. Janv. 1829. p. 64. wieder zur Sprache kam. Hr. G. J. Mulder bemerkt in den „Bydragen door van Hall etc." IV. Bd. N. 3, daß er in seiner im J. 1827 bei Sulpke zu Amsterdam erschienenen kleinen Schrift: „Verhand. over de wateren en lucht der stad Amsterdam en aangrenzende deelen van ons Vaderland" ganz und gar dieselbe Theorie über Entbindung des geschwefelten Wasserstoff-Gases aus den Canälen der Stadt Amsterdam aufstellte, und daß es ihn freut, hier seine Ansicht durch neue Erfahrungen bestätigt zu sehen.

Neue natürliche Verbindung der kohlensauren Kalkerde und Soda.

Hr. Germain Barruel theilt in den Annales de Chimie T. 42. S. 313. eine Notiz über ein neues Fossil mit, das dem Gay-Lussite sehr nahe kommt. Der Fundort desselben ist nicht bekannt. Nach vorgenommener Analyse besteht es aus:

Kalk als Sahlband	0,050;
Eisen-Peroxyd	0,010;
Kalk	0,395;
Soda	0,082;
Verlust durch Calcination 0,460	
oder Kohlensäure	0,363;
Wasser	0,097;
oder kohlensauren Kalk	0,700;
kohlensaure Soda	0,140;

Also 11 Atome kohlensauren Kalk; 2 Atome kohlensaure Soda; ungefähr 9 Atome Wasser.

Ueber Krystallisation der Salze und über den Einfluß der Luft auf dieselbe

hat Hr. S. Stratingh, Prof. zu Groningen, in den Bydragen door van Hall, Vrolick en Mulder, IV. Bd. III. St. S. 193 eine sehr interessante und ausführliche Abhandlung geliefert, die wir, so wie eine zweite eben so interessante und ausführliche Abhandlung desselben unermüdeten Chemikers,

über electro-magnetische Silber-Probirung, nach Prof. Oerstedt,

(in derselben Zeitschrift, IV. St. 311) nächstens liefern werden, sobald der Raum unserer Blätter es gestattet. Wir müssen uns begnügen, unsere Leser einstweilen auf dieselben aufmerksam gemacht zu haben. Eben dieß gilt auch von Hrn. G. J. Mulder's Abhandlung daselbst III. St. S. 281

über Brombereitung.

Analyse des Allophan von Firmi, im Departement Aveyron.

Hr. Jul. Guillemin, Markscheider an den Kohlen- und Eisengruben im Dep. Aveyron, gibt in den Annales de Chimie et de Phys. T. 42. S. 260. folgende Analyse des zu Firmi einbrechenden Allophanes im Vergleiche mit jener, die Prof. Stromeyer von demselben Fossile am Schneeberg gegeben hat.

	Allophan zu Firmi	am Schneeberg.
Kieselerde	22,00	21,92
Thonerde	35,00	32,20
Wasser	42,00	41,30
Schwefelsäure	0,75	0,52
Kalk	Spuren.	0,73
Eisenoxyd, kohlensaures Kupfer	0,00	3,33
	99,75	100,00

Bei wiederholter Analyse ergab sich:

Kieselerde	23,76	enthaltend Sauerstoff	11,95 6
Thonerde	39,68	— — —	18,53 9
Wasser	35,74	— — —	31,78 16?
Schwefelsäure	0,65	— — —	0,38
	99,83		

Hieraus entsteht folgende Formel:

2 Atome Thonerde-Bihydrat, 1 Atom Thonerde-Bisilicat, 4 Atome Wasser, mit Weglassung der Schwefelsäure.

Der Allophan käme demnach neben dem Halloysit. Er ist häufig in der Steinkohlengrube zu Firmi.

Ueber Geschichte des Papieres und seine Verfertigung

findet sich, wie wir aus der Biblioteca italiana ersehen, ein sehr lehrreicher Aufsatz in den rasch fortschreitenden Atti dell' Accademia Gisenia di Scienze naturali di Catania. T. III. 4. Catania. 1829. p. G. Pappalardo. 330 S. Er führt den Titel: Dell' antico uso di diverse specie di carta e del magistero di fabbricarla. Memoria di Mario Musumeci. Da die Italiäner, zumal die südlichen, so wie die Spanier, die mit den Sicilianern so viele Aehnlichkeit haben, sehr schönes und gutes Papier besitzen, so wäre es der Mühe werth zu sehen, was Hr. Musumeci uns über die Papierfabrikation seiner Landsleute lehrt.

Folgen der freien Einfuhr der Seidenwaaren in England.

Zu Macclesfield, einem kleinen Städtchen in der Nähe von London, das bloß durch Seidenweberei in kurzer Zeit sich hob und sehr blühend ward, stehen jezt nicht weniger als 1200 Häuser ganz unbewohnt und leer. Morning-Journaln. Galignani. N. 4614. — Einem armen Weber zu Rochdale wurden seine

Möbel verkauft. Sie waren nett und reinlich, und der Erlös aus denselben war, mit Inbegriff zweier Weberstühle für Baumwollenzeuge, drei Schillings und Ein Penny. (1 fl. 51 kr.) So groß ist das Elend jezt um Manchester. (Manchester Herald. Galign. a. a. O.) — Vom 4. Novbr. bis 5. Decbr. meldeten sich nicht weniger als 488 Personen als Insolventen bei der Metropolitan Society for the Prosecution of Fraudulent Insolvent Debtors. (Morning Journal. Galignani. a. a. O.) — In der Pfarre St. Pancras zu London, in welcher 20,000 Haushaltungen sich befinden, wurden im vorigen Jahre 44,000 Pfd. Armentaxen und 13,000 Pfd. Kirchentaxen bezahlt. Im J. 1813. wurden nur 13,000 Pfd. Armentaxen eingetrieben. (Der Einsammler dieser Taxen erhält für seine Mühe 3,200 Pfd. (38,400 fl.!) (Atlas. Galign. Messeng. 4615.) — Gegen Ende Decembers wurde das Eigenthum eines Pächters in Suffolk verkauft: Bohnen und Gerste von 2 Acres um 1 Pfd. 12 Sh., (19 fl. 7 kr.); sechs Pferde um 10 Pfd. 3 Shill. (121 fl. 48 kr.); zwei Pferde, ein Schober Weizen und ein Wagen, für 18 Pfd. (um 216 fl.); ein guter Wagen für 3 Pfd. 10 Shill (42 fl.); Weizen von 14 Acres im Stroh für 7 Pfd. (84 fl.) (Observ. Galign. N. 4617.) — Auf einer anderen Pächterei zu Puriton bei Bridgewater wurden zehn trächtige Kühe, das Stük nicht höher als zu 6 Pfd. verkauft (72 fl.) (Chronicle. Galignani. a. a. O.) Dieß sind Züge aus dem Gemälde, welches das heutige England uns im landwirthschaftlichen und industriellen Zustande darstellt. Und bei solchem Elende schreiben die elenden Times allem menschlichen Elende Hohn sprechend: „Was die Noth der Landwirthe betrifft, so fragen wir, ob darob auch nur Eine Kuppel Jagdhunde zur Fuchsjagd weniger gehalten wird? Ob unsere Fuchsjagden nicht mit mehr Pracht und Aufwand, als jemals, gehalten werden? Es werden mehr Hasenjagden gehalten, als jemals. Der Herzog von Wellington soll also urtheilen, ob auch nur die geringste Ursache zu was immer für einer Maßregel obwaltet, das ausgeposaunte Elend der akerbautreibenden Classe zu erleichtern. Nie ward so viel Aufwand auf Jagd gemacht, als gegenwärtig. Sind Leute, die so viel Aufwand zu machen vermögen, im Elende?“ Man schaudert vor den Folgen solcher Ansichten!

Ueber Maulbeerbaum-Pflanzungen und Seidenzucht im Departement des Oberrheines.

In N. 13. des Bulletin de la Société industrielle de Mulhausen gibt Hr. Roettele S. 204., bei Gelegenheit eines Schreibens des Hrn. Gravier über Versuche, den Maulbeerbaum als Wiese unter der Sense zu benüzen, Notiz über dasjenige, was bisher für Maulbeerbäume und Seidenzucht im Departement des Oberrheines geschehen ist. Man wußte bereits seit 40 und 50 Jahren, nach Maulbeerbäumen, die an Straßen hingepflanzt waren, daß dieser Baum das Klima des Departements des Oberrheines recht gut verträgt. Hr. Mezger, der Vater, Präsident der Société d'Émulation zu Colmar, machte im J. 1802 die Gesellschaft auf die Vortheile der Seidenzucht im Departement des Oberrheines aufmerksam. Der wakere Präfect dieses Departements, Hr. Felix Desportes, unterstüzte, als er später Präsident der Société d'Émulation wurde, Mezger's Ansichten, und der Recueil des actes de la Préfecture 1811. S. 126., 1812. S. 111., enthält eine Instruction sur la culture du Muricr blanc von Hrn. Calvel, und ein Mémoire sur l'éducation des vers à soie von Hrn. Mezger (d. Vater). Der Hr. Präfect ließ in der Baumschule der Präfectur mehr als 60,000 Maulbeerbäume ziehen, die an die Gemeinden zur Verpflanzung auf öden Gründen vertheilt werden sollten. Schon früher (im J. 1808) ließ die Société d'Émulation 300 fünfjährige Maulbeerbäume auf den Kirchhof von Colmar in Verband pflanzen, und im J. 1811 schloß diese Gesellschaft zum Andenken eines Sieges des Unsterblichen eine große Streke Landes, die sie von der Stadt erhielt, mit einer Maulbeerheke ein. Die Blätter hiervon sollten unentgeldlich vertheilt werden. Die späteren über Frankreich gekommenen unglüklichen Ereignisse brachten alle diese schönen Anstalten in Stoken.

Hr. de Boecklin hatte vor 17—18 Jahren die unglükliche Idee, schwarze Maulbeerbäume in seine Weingärten bei Kaisersberg zu pflanzen. Sie gaben, als sie hochstämmig wurden, so viel Schatten, daß sie umgehauen werden mußten.

Die von ihm gezogene Seide gab indessen der Seide aus dem südlichen Frankreich wenig nach.

Es ist also gewiß, daß der Maulbeerbaum im Oberrhein-Departement gedeiht, so wie die Seidenraupe selbst; so wie es bekannt ist, daß selbst die in den nördlicheren Gegenden in Deutschland gezogene Seide so fein, stark und schön ist, als die italiänische, und daß die daraus verfertigten Seidenzeuge den Lyoner und Mailänder Seidenzeugen in nichts nachstehen. Der ehrwürdige alte Tessier (zu Vallerangue bei Montpellier) sagte schon in seinem Schreiben an Hrn. Gensoul, „daß die Cocons aus kälteren Gegenden nur um Einen Sous das Pfund weniger gelten, als die beste Seide im ganzen südlichen Frankreich, nämlich die von Vallerangue; daß aber die gute Seide von Ganges im südlichen Frankreich um 2—3 Sous, die von Nimes sogar um 7—8 Sous wohlfeiler das Pfund verkauft wird, als die Seide aus den nördlichen Gegenden." Hr. Tessier bemerkt ferner, „daß die Seide in kälteren Ländern mehr Ertrag gibt, als in wärmeren, indem man in der Provence und im niederen Languedoc aus Einer Unze Eier nur 50 bis 60 Pfd. Cocons, in kälteren aber 90 bis 100 Pfd. erhält."[195]) Hr. Tessier meint, „daß, wenn die Seide in kälteren Gegenden nur um 1 kr. weniger werth ist, als die beste Seide im südlichen Frankreich, dieß daher rührt, daß man in jenen Gegenden nicht recht mit der Seide umzugehen weiß."

Frankreich braucht jährlich, nach Hrn. Obolant-Desnos für 82 Millionen rohe Seide, wovon es für 34 bis 35 Millionen ausführt, und für 45—47 Millionen selbst verarbeitet. Von diesen 82 Millionen erzeugt es aber selbst, innerhalb seiner weiten Gränzen, nur 15—16 Millionen. Es hat also ein jährliches Deficit von 64 Millionen noch zu ersezen. Da nun der Maulbeerbaum mit dem schlechtesten Boden vorlieb nimmt, so darf man nicht besorgen, daß dadurch dem Ertrage des fruchtbaren Bodens etwas entzogen wird. Die ganze Arbeit bei der Seidenzucht fordert nur die Hände der Weiber, Kinder und Greise.

Wie man in England die Runkelrübenzuker-Fabrikation anfeindet.

Der Courier (freilich eine der schlechtesten Zeitungen in England, die ministerielle) sagt über die Ukase, durch welche eine Runkelrübenzuker-Fabrik zu Tula errichtet wird: „diese sonderbare Art von Zukerfabrikation entstand in Frankreich „(was nicht wahr ist; Achard lebte zu Berlin)" vor ungefähr 20 Jahren zur Zeit des absurden Einfuhrverbotes der Colonialwaaren durch die Dekrete von Berlin und Mailand, „(was wieder nicht wahr ist; Achard hat lang vor diesen Dekreten Runkelrübenzuker gemacht: wenn der Courier als ministerieller Diplomat lügt, wird er den an Lug und Trug gewohnten Diplomaten sehr angenehm seyn: in rebus technicis darf er sich aber keine vornehmen Lügen erlauben)". Die Bourbons schüzten diese Fabriken, damit das Capital nicht verloren geht, das darauf ruht. Wenn Rußland auf ein Zukersurrogat denkt, so mag es hingehen, da der Landtransport den Zuker im Inneren so sehr vertheuert; wenn aber Frankreich, dessen Städte alle an Flüssen liegen, auf seinen westindischen Zuker, den es das Pfund um 18 kr. haben könnte, schweren Zoll legt und Runkelrübenzuker baut, so ist dieß ein mauvais calcul, worüber Hr. Say seine Landsleute, wenn er ihre schlechte Wirthschaft auspfeift, sich lustig machen kann." England ist nicht zufrieden Frankreich seine Größe genommen zu haben; die schnell empor gestiegenen Eisenfabriken in Frankreich zu vernichten; es gönnt dieser armen Wittwe ihres sel. Herrn nicht einmal mehr Runkelrübenzuker zu ihrem Kaffee.

Cultur auf Tristan d'Acunha.

Die kleine Niederlassung auf dem großen Felsen im Weltmeere, Tristan

195) Hr. Röttele meint, daß dieß von der Zahl der Raupen abhängt, die man aufzieht. Er irrt sich aber hierin sicher, und der gute alte Tessier hat buchstäblich wahr gesprochen, und muß buchstäblich (au pied de la lettre) genommen werden. Die Sterblichkeit ist unter den Seidenraupen im Norden weit geringer, als im Süden, wo die Hize ihnen so schädlich ist. Ueber die Nachtheile großer Wärme bei Seidenzucht sehe man Hrn. Seimel im Polytechn. Journ. Bd. XXXIII. S. 465.

d'Acunha genannt, liefert einen Beweis mehr, was ein einzelner Mann, selbst aus der unteren Classe, durch Thätigkeit und Mäßigkeit zu leisten vermag. Als der große Unsterbliche auf Helena verbannt war, hielten seine Feinde es für nöthig, auch den 400 Meilen davon entlegenen Felsen, Tristan d'Acunha, mit einer Compagnie Artilleristen zu besezen, und als diese Besazung endlich überflüssig wurde, wünschte der Corporal Glaß auf diesem Felsen zurükbleiben zu dürfen. Als im vorigen Jänner die Fregatte Pyramus auf Tristan d'Acunha landete, fand sie die Bevölkerung aus 7 Männern, 6 Weibern und 14 Kindern bestehen, wovon 8 oder 9 Hrn. Glaß allein gehören. 300 Acres Landes sind bereits gut bestellt. Der Viehstand besteht aus 70 Stüken Hornvieh bester Rasse, 100 Schafen, deren Wolle am Vorgebirge der guten Hoffnung 2 Schill. 6 Pence (2 fl. 30 kr.) galt, Schweine in Ueberfluß und Tausende wilder Ziegen. Außer Weizen und Gerste gedeihen Erdäpfel so trefflich, daß, obschon bereits mehrere Schiffe mit denselben versehen wurden, 240 Ztr. jährlich auf jeden Kopf kommen. Das urbar gemachte Land ist mit einem steinernen Walle umgeben, der drei englische Meilen lang ist, und den Corporal Glaß großen Theils allein binnen 10 Jahren aufführte. Er hat sich auch ein ziemlich bequemes Haus gebaut. (Observer. Galignani N. 2628.)

Wie die k. Wälder in England verwaltet werden.

Aus einem Berichte über die Verwaltung der königl. Wälder in England im Globe (Galignani Messeng. N. 4613.) ergibt sich, daß in den lezten drei Jahren im lezten Jahre die gewöhnliche Einnahme (ordinary receipts) 286,000 Pfd. betrugen, die außerordentlichen, durch Verkauf von Grundstüken 2c.

aus denselben		162,000 —
	zusammen	448,000 Pfd.

Davon wurden ausgegeben als Regiekosten	18,500 Pfd.
für Einsammlung der Renten	8,000 —
— Proceßkosten	6,292 —
— andere Auslagen	12,208 —
Regiekosten. Zusammen	45,000 Pfd.
Gewöhnliche Auslagen	83,797 —
Außerordentliche	68,388 —
	197,185 Pfd.

Im Windsor-Park allein betrugen die ordentlichen Auslagen	19,588 Pfd.
die außerordentlichen	17,120 —
	36,808 Pfd.

Die Einnahme aus diesem Park betrug 66 Pfd. 6 Sh. 6 Pence.

Beschäftigung für Arme an Armen-Häusern.

In dem trefflichen Garten-Magazin des Hrn. Loudon (Gardener's Magazine) befindet sich ein Aufsaz, in welchem gezeigt wird, welchen großen Vortheil Armen-Häuser dadurch gewinnen könnten, wenn sie mit einem Garten versehen wären, in welchem die Armen theils ihren eigenen Bedarf an Gemüse 2c., theils zum Verkaufe für den Markt bauen können. Jung und Alt, und Mann und Weib kann in einem Garten arbeiten, sein Gemüse selbst sich ziehen, und dabei gesünder bleiben, als bei mancher anderen Arbeit eines Arbeitshauses. „Gott der Allmächtige," sagt einer der Weisesten, die zum Wohle der Menschheit lebten, „pflanzte nach der Vollendung des Erschaffungswerkes einen Garten[196]) zur großen Lehre für die gesammte Menschheit." Die englischen Zeitschriften wiederholen mit dem größten Beifalle diesen Aufsaz, den auch das Mechan. Mag. N. 338. 30. Jän. 1830. S. 416. seinen Lesern an's Herz legt. — (Möchten wir doch auch in Deutschland, zumal im südlichen, wo es mit der Gartencultur mit Ausnahme Würtemberg's und Baden's so exemplarisch schlecht steht, für die unendlichen Vortheile der Gartencultur einigen Sinn haben. Vielleicht erhält man ihn dann, wenn man begreifen wird,

196) „Und Gott der Herr pflanzte einen Garten in Eden gegen Morgen, und sezte den Menschen darein, den er gemacht hatte." 1. B. Mose. 8 V.

daß Gartencultur einträglich ist. Wir stehen überhaupt in ganz Deutschland unseren Nachbarn, den Holländern und den Dänen, und noch mehr den Engländern, weit nach. Sollte man glauben, daß 20 Millionen Deutsche nicht einmal vermögen eine so treffliche Zeitschrift für Gartenbau, als des sel. Bertuch Garten-Magazin war, aufrecht zu halten, selbst bei dem großen Aufwande, den sein edler Schwiegersohn Froriep für diese schöne Anstalt machte! Man könnte sagen, daß dieß eine Schande für ganz Deutschland wäre; aber es ist nun einmal wirklich so.)

Nachahmung der weisen holländischen Armenversorgung mittelst Vertheilung von Grundstüken an Arme.

Lord Barham vertheilt auf seinem Gute Nettlestead 10 Acres für 10 Arme seines Dorfes. Im ersten Jahre erhält jeder den Aker unentgeldlich und selbst noch einen Vorschuß, um denselben bebauen zu können, den er jedoch zurükbezahlen muß. Diejenigen, welche den Vorschuß, fleißig zurükbezahlen und ihren Aker gut unterhalten, behalten dann denselben für eine sehr kleine Abgabe. Diesem Beispiele folgen der Bischof von Cambridge, der Herzog von Northumberland, der Marquis von Stafford, der Earl of Beverley, Lord Carrington, Lord Stanhope, Sir John Rushout, Sir John Swinner u. m. a. (Maidstone Journal. Galignani. N. 4632.)

Notiz über die Herren Roelofs Roelofs und Drießen.

Holland verlor im vorigen Jahre zwei verdiente Landwirthe und Naturhistoriker an den HHrn. Arjen Roelofs Roelofs, und Peter Drießen. Ihre Verdienste um ihr Vaterland und um die Wissenschaften finden sich in folgenden beiden kleinen Schriften, die auch die Aufmerksamkeit ihrer hochdeutschen Nachbarn verdienen: Levensberigt van Arjen Roelofs Roelofs etc. door W. van Peyma. Franeker. 1829. — Levenschets van den Hoogleerar Petrus Driessen, door J. Munniks. Groningen. 1829.

Einladung an europäische Colonisten in Ostindien.

Das Calcutta-Journal (Galignani N. 4623) sagt: „wir hören, daß die Directoren der ostindischen Compagnie wünschen, Colonien von Europäern auf ihren ostindischen Besizungen anzulegen. Sie werden die Grundstüke unter den mäßigsten Bedingungen ablassen; und den Colonisten alle Erleichterungen verschaffen. Sie wünschen vorzüglich Baumwollencultur zu fördern, um dadurch den Amerikanern Abbruch zu thun, und eine bessere Baumwolle zu erzeugen, als diese. Es unterliegt keinem Zweifel, daß in Ostindien bei einiger Aufmerksamkeit und Auswahl der Sorten die beste Baumwolle in der Welt gezogen werden kann. Der Courier (Galignani N. 4623) berichtet, daß man in der Nähe von Calcutta zwei ungeheuere Baumwollenspinnereien errichtet, die man mit Dampfmaschinen betreiben wird, welche man aus England kommen ließ.

Vertheilung der Arbeit unter Hausthiere.

Daß gehörige Vertheilung der Arbeit unter mehrere Hände die Seele aller Fabrikarbeit ist, ist längst bekannt; indessen hat man diesen Grundsaz noch nicht von Menschen auf Thiere angewendet. Hr. Stuart Monteath, Besizer einer Kohlengrube in Schottland, versuchte nun auch Lezteres. Er hatte seine Steinkohlen bisher gewöhnlich in einspännigen Karren wöchentlich zwei Mal oder höchstens drei Mal nach Glasgow geschikt, das 18 engl. Meilen von seiner Grube liegt: jedes Pferd zog 24 Ztr. Nun vertheilt er seine Pferde auf dieser Streke in 4 Relays, und so kann jedes Pferd täglich mit 33 Ztrn. drei solche Stationen bequem zurüklegen, so daß nun Ein Pferd, Statt der 72 Ztr., die es ehevor wöchentlich nach Glasgow lieferte, bequem 140 Ztr. dahin fördert. Hr. Monteath führte eben diese Relays nun auch beim Feldbaue ein, und theilt seine Pferde, Statt daß er sie täglich zwei Mal einspannt, jedes Mal 4 Pferde, auf drei Mal zur Arbeit, jedes Mal für $2^1/_2$ Stunden. Auf diese Weise kommen die Pferde immer mit frischer Kraft an den Pflug, arbeiten mehr und schneller und kräftiger, und werden weniger angestrengt. Observer. Galign. 4635. (Lezteres ist nur bei einer gut arrondirten Landwirthschaft leicht möglich, und bei sehr weit entlegenen Gründen allenfalls noch nüzlich. Ersteres verdiente allgemein, so viel es möglich ist, bei schweren Fuhren eingeführt zu werden. Es kommt hier nämlich darauf an, daß man seine Pferde gut, sicher und wohlfeil in den Relays unterbringen kann. Den größten Vortheil bei solchem Wechsel würden die sogenannten Landkutscher (Lehnrößler) und mit diesen zugleich das reisende Publikum haben: allein, dieß erlauben unsere weisen Postgeseze nicht, die nicht gestatten, daß ein Bürger von seinen Pferden den Vortheil zieht, den er haben könnte, und daß das gesammte reisende Publikum dabei den höchsten Gewinn machte, den ein Mensch machen kann: Zeit! Nur in England darf der Landkutscher seine Pferde wechseln wo er will und so oft er will.

Der blühende gegenwärtige Zustand Londons

ergibt sich, sagt der Standard, allein schon aus dem Umstande, daß an der Hauptstraße dieser Stadt von New Croß bis Bricklayer's Arm, auf einer Streke von weniger als drei engl. Meilen, 148 Häuser, von Bricklayer's Arm bis St. George 43, und von jener Stelle bis zum Elefanten 40 Häuser „zu verlassen" sind, oder „zu verkaufen." Ganz leer stehende Häuser werden hier nicht gerechnet. (Galignani. 4638.)

Elend der Fabrikarbeiter in England.

In der großen Fabrik Basball und Comp. zu Guerden findet man es jezt wohlfeiler auf sogenannten Handstühlen Statt auf Maschinenstühlen arbeiten zu lassen, da die armen Weber bloß um trokenes Brot arbeiten. (Preston-Pilot. Galignani. N. 4634.)

Gegenwärtiges Elend der Landwirthe in England.

Zu Boston wurden Anfangs Jänners l. J. 7 Tonnen Heu (140 Ztr.) um 1 Pfd. 15 Shill. (21 fl.), 3 Tonnen sogar um 1 Shilling (36 kr.), verkauft. Der Ertrag von 9 Acres Weizen Land ward um 3 Pfd. 5 Shill. (63 fl.), und 9 Acres Hafer um fünf Shillings verkauft. Herald. Galignani. N. 4637.

Kalendertaxe in England.

Die Kalendertaxe in England trug im J. 1829. der Regierung von England 39,718 Pfd. oder 368,616 fl. (Sun. Galignani. N. 4625.) [195]

Glastaxe in England.

Das Glas unterliegt in England einer besonderen Steuer, welche im Jahre 1829. die Summe von 577,000 Pfd. (6,624,000 fl.) trug. (Sun. u. Galignani. a. a. O.)

Die große Baumwollenwaaren-Fabrik des Hrn. J. Greenwood zu Wheatley

bei Halifax brannte ab, ohne daß man weiß, wie das Feuer auskam. (York Herald. Galignani. N. 4634.)

Beruhigung für diejenigen, welche wegen der strengen Kälte dieses Winters Mißwachs und Theuerung für die nächste Ernte fürchten.

Man hört in Deutschland allgemein für den nächsten Sommer Mißwachs und Hunger und Theurung wegen der großen und anhaltenden Kälte prophezeien

197) Die Taxe für jeden Kalender in England ist 1 Shill. 3 P. (45 kr.) Man kann nur auf den zehnten Mann in England einen Kalender rechnen. Der Zoll für eingeführte, im Auslande gedrukte Bücher betrug 11,000 Pfd.

Aehnliche Unglückspropheten krähen auch im Lande der rothen Propheten, in Italien, und beunruhigen das Volk. Die vortrefflichen Astronomen an der Sternwarte zu Mailand fanden es daher der Mühe werth, aus einer Reihe von 68 Jahren die kältesten Jahre (unter welchen der gegenwärtige Winter nur ein Winter vom dritten Range ist) auszuheben, sowohl in Hinsicht des kältesten Tages (des höchsten Kältegrades) als der mittleren Temperatur des ganzen Winters, d. h., der gesammten Winterkälte, die die Felder zu ertragen hatten, und diesen Kältegraden die Kornpreise des darauf folgenden Jahres zur Seite hinzuschreiben. Aus dieser Zusammenstellung 68jähriger Beobachtungen ergibt sich nun, daß die Thermometergrade, d. h., daß die Kälte des Winters, wenn sie auch noch so groß ist, mit den Gulden und Kreuzern, um welche das Getreide hierauf bei der nächsten Ernte steigt oder fällt, nicht im Mindesten zusammenhängen; daß auf kalte Winter eben so gut wohlfeile Jahre folgen, als auf laue Winter theuere. (Vergl. die hierüber gelieferten Tabellen in Biblioteca italiana. N. 168. S. 398. 6. Februar 1830.)

Gewinn des Lord Exeter bei Wettrennen.

Nach dem Atlas (Galignani 4626.) gewann Lord Exeter bei dem Wettrennen am Ende des vorigen Jahres nicht weniger als 25,000 Pfd. Sterl. (300,900 fl.) Die Summen sind einzeln angegeben.

Londoner Post.

Das Felleisen, das über Dover kommt, brachte den 15. Decbr. 1829. nicht weniger als 40,000 Briefe nach London. (Globe. Galignani. 4614.)

Staffetten-Schnelligkeit in N. Amerika.

Die lezte Rede des Präsidenten Jackson wurde mit solcher Schnelligkeit in den Vereinigten Staaten verbreitet, daß man in Städten, die 300 engl. Meilen von Washington entfernt waren, dieselbe schon in 21 Stunden nach Vollendung des Drukes erhielt; was eine Schnelligkeit von 15 engl. Meilen (beinahe 4 deutschen Meilen) in Einer Stunde für die Post gibt. Am merkwürdigsten war aber die Expedition von Washington nach Baltimore. Ein Hr. James M' Cracken bot sich als Staffetten-Reiter unentgeldlich an. Er ritt um 12 Uhr 40 Minuten von Washington weg, und kam um 2 Uhr 5 Minuten zu Baltimore an; legte also in Einer Stunde 25 Minuten 24 engl. (6 deutsche) Meilen zurük. Er kam ganz athemlos an, indem er bei dem schlechten Wege zwei Mal stürzte. Er hatte 8 Relays auf dieser Streke. (Globe Galignani. 4642.)

Ehrenrettung eines Correspondenten des Polytechnischen Journales.

Man hat die Idee „eines einfachen Mittels zur Unterhaltung der Postcommunication bei Eisgängen" im Polytechn. Journ. XXXIV. Bd. S. 115. S. 214. für eine „Abgeschmaktheit" erklärt. Die Erfahrung hat nun gezeigt, daß sie es nicht ist. „Das Wachschiff in der Themse war zu London Ende Decembers eingefroren, die Eisdeke aber zu dünn, als daß man sich auf derselben in das Schiff oder aus demselben hätte wagen können. Man versuchte in diesem Dilemma eine Leine auf dieselbe Weise an das Ufer zu schaffen, wie es bei Schiffbrüchen gewöhnlich ist, und spannte mittelst derselben ein Seil von einem Maste nach der Tower-Werfte hin. Auf diesem Seile ließ man nun Rollen laufen, an welchen eine Kiste befestigt war, mittelst welcher man Menschen aus dem Schiffe auf das Land und Mundvorräthe vom Lande auf das Schiff erhielt." (Times. Galignani N. 4625.) Die oben erwähnte Idee im Polytechn. Journ., von welcher man wahrscheinlich zu London keine Notiz nahm, so wenig als man von ihr bei dem nächsten Eisgange auf dem festen Lande Gebrauch machen wird, ist also weder „eine Abgeschmaktheit, Narrheit, Grille oder Posse" sondern sie ist ausführbar und nüzlich.

Hrn. Nik. Koechlin Geschenk an die Société industrielle zu Mülhausen.

Hr. Nik. Koechlin, Gründer der vortrefflichen Société industrielle de Mulhausen, schenkte dieser für die Industrie und das Wohl seines Departements so wichtigen Anstalt ein großes Gebäude in dem Neuen Viertel (le bâtiment central du nouveau quartier) als Eigenthum. Die Bedingungen, die dieses große Geschenk begleiten, können in der 13. N. des Bulletin de la Société industrielle nachgelesen werden. — So hat auch hier, wie so oft, der Patriotismus und die Uneigennüzigkeit eines Privatmannes für das Wohl des Landes mehr gethan, als die Beschränktheit mancher Minister.

Proceß über ein Patent in England vor der King's Bench.

Das Repertory of Patent-Inventions theilt in seinem Jänner-Hefte S. 36. einen merkwürdigen Proceß zwischen zwei Tuchscherern, Lewis und Marling, wegen Patent-Eingriffes mit, worin lezterer zu 200 Pfd. Sterl. Strafe verdammt wird, obschon er sich blos einer ähnlichen Maschine bediente, die längst vor Lewis's Patent erfunden und gebraucht wurde, aus England nach Amerika und aus Amerika wieder herüber kam. Eigene Erfindung, Neuheit, Originalität berechtigt also nicht mehr in England zu dem Gebrauche einer Maschine, wenn eine Nachahmung derselben später patentisirt wurde! Nur Patent-Recht gibt ein Recht zum Gebrauche einer Maschine, selbst wenn sie gestohlen wäre von dem Erfinder! O miserae leges, quae talia crimina fertis! Das ist die neue heutige Patent-Justiz in England! — Für die Geschichte der Tuchscherkunst sind die Akten dieses Processes wichtig.

Ein Patent zu Rom, und auf was?

Der Recueil industriel klagt in einem Aufsaze über das Patentwesen T. XII. N. 35. S. 124., daß in Sardinien, in Toscana und im Kirchenstaate keine Patentgeseze sind, wie in England und Frankreich, und daß es daselbst lediglich eine Gnadensache des Fürsten ist, wenn ein Patent ertheilt wird. Wir finden, daß dieses ehe gut als schlecht ist, und daß selbst diese Gnade oft mißbraucht wird. So ließ z. B. der allerheiligste Vater im J. 1824 durch seinen Camerlengo Pacca sich mißbrauchen, ein Patent auf die Weinbereitung à la Gervais zu ertheilen, nachdem man bereits durch vierjährige Erfahrung in Frankreich gelernt hatte, daß diese daselbst schon im J. 1820 patentisirte Weinbereitung nichts taugt, und bereits allgemein aus Frankreich verbannt war.

Eigendünkel gelehrter Zünfte.

Die Erbärmlichkeit des älteren englischen Nautical-Almanac ist den Astronomen, wie den Schiffenden, leider, gleich gut bekannt; aber unbekannt war es bisher, daß, wie das Mechanics' Magazine N. 336. 16. Jänner 1830. S. 362. uns lehrt, „Hr. Professor Schuhmacher zu Altona, (einer der ersten Astronomen Europens, und zugleich einer der kräftigsten Förderer alles Guten, Wahren und Schönen) sich schon vor ungefähr 8 oder 9 Jahren erbot, der englischen Längen-Commission „(Board of Longitude, welche die Ausgabe des Nautical-Almanac besorgt)" die Abstände der Venus, des Mars, Jupiters und Saturns vom Monde, von drei Stunden zu drei Stunden für jeden Tag des Jahres auf das Genaueste berechnet, unentgeldlich zu liefern; nur wünschte er einige Abdrüke von seiner mühevollen Arbeit zur Vertheilung unter seinen lieben Landsleuten, den guten Dänen und Deutschen; und daß „dieses großmüthige Anerbieten rund abgewiesen wurde." So ist der Kastengeist der gelehrten Corporationen und Zünfte; er will nicht nur selbst auf der gelehrten Bärenhaut liegen, sondern auch den fleißigen Gelehrten, der nicht zu seiner Kaste gehört, hindern mehr zu leisten, als die ganze gelehrte Zunft in corpore nicht zu thun vermochte. Und wie reichlich ward nicht dieser Board of Longitude vom Staate bezahlt!

Charakter der Engländer im Allgemeinen.

Wir haben in unserm Journale bei verschiedenen Gelegenheiten uns Bemerkungen über den Charakter der Engländer im Allgemeinen erlaubt, die uns an manchem Orte Tadel und Mißfallen zugezogen haben. Es sey uns erlaubt, hier das Urtheil eines höchst achtbaren Engländers, des berühmten Sir Richard Phillips, zu unserer Rechtfertigung mittheilen zu dürfen, das unsere Leser im Chronicle (Galignani Messeng. N. 4589.) noch weitläuftiger ausgeführt finden können. „Der höchste Genuß eines Engländers," sagt Sir Richard, „besteht nicht sowohl darin, daß er irgend etwas allein genießt, sondern daß er alle Andere an dem Genusse desjenigen Dinges hindert, das er genießt. Wer unserem Volke diesen bösen Geist eingehaucht hat, ist schwer zu sagen: genug, es ist einmal von demselben besessen. Das Erste, was ein Mensch bei uns thut, sobald er zu irgend einer Macht gelangt, Obrigkeit oder Büttel wird, ist, daß er sucht, jeden Anderen in seinen Genüssen, oder auch nur in seinen Unterhaltungen zu beschränken; wer bei uns Geld hat, trachtet vor Allem dahin, daß er zum Besitze von irgend etwas gelangt, was ein Anderer nicht hat."

Man zahlt in England weniger Strafe, wenn man schwärzt, und selbst Mauthbeamter ist.

Man machte an der englischen Mauth die Entdekung, daß zwei Mauthbeamte bedeutend Seidenwaaren schwärzten, obschon der Einfuhrzoll derselben, leider, bedeutend herabgesezt wurde. Jeder wurde mit 60,000 fl. (5000 Pfd.) Strafe belegt. Wäre diese, nach dem Geseze, verdreifacht worden, so hätte jeder 180,000 fl. bezahlen müssen (Globe. Galignani N. 4601.).

Eine kurze Biographie des berühmten Drs. Wollaston

hat Hr. G. Moll in van Hall's, Vrolick's und Mulder's Bydragen IV. Th. N. 2. S. 174 geliefert. Wir finden sie besser als manche englische.

Professor's A. Crivelli Tod.

Am 18. August 1829. starb der berühmte Mechaniker, Mathematiker und Reisende, Professor A. Crivelli, in einem Alter von 46 Jahren. Die Biblioteca italiana liefert in ihrem Novemberhefte (ausgetheilt den 5. Jäner 1830) eine kurze Nekrologie dieses verdienten Mannes.

Plagiat eines Jesuiten an dem sel. de Caus.

Wir haben neulich auf de Caus' oder de Caus' Verdienste um die erste Erfindung der Dampfmaschine (im polytechn. Journ. B. XXXV. S. 69.) aufmerksam gemacht, und das im J. 1615 zu Frankfurt gedrukte Werk desselben „Des forces nouvantes" angeführt. Wir finden nun in Hrn. Hachette's trefflicher „Notice historique sur les machines à vapeur," welche einen Theil der 35igsten Lieferung der Encyclopédie portative de M. Bailly de Merlieur bildet (vgl. Bulletin d. Scienc. technol., Nov. 1829, S. 172.), daß ein Jesuite, Namens Caspar Scott, in seinem zu Würzburg in 4. im J. 1657 gedrukten Werke „Mechanica hydraulica pneumatica", S. 227., die ganze Beschreibung des Apparates des sel. de Caus gegeben hat, ohne des Erfinders auch nur mit einer Sylbe zu erwähnen. Dieß war so die Sitte dieser frommen Väter, die sich nicht bloß das Ansehen geben wollten, sich mit Wissenschaften zu beschäftigen, sondern die auch für die einzigen und größten Mathematiker und Physiker gelten wollten. Von Athanasius Kircher bis auf die Jesuiten Herberl, Gusman, Biwald, Bar. v. Metzburg 2c. herab (von welchen noch heute zu Tage einige Schüler leben) wird man nie in den Lehrbüchern der Mathematik und Physik, welche von Jesuiten herausgegeben wurden, den Namen eines evangelischen Mathematikers oder Physikers angegeben finden, dessen Apparate, Instrumente und Entdekungen sie, der Vollständigkeit wegen, aufzunehmen gezwungen waren. Auf diese Weise gelang es den Jesuiten, die Welt zu täuschen, und sich das Ansehen einer Gelehrsamkeit zu verschaffen, die sie nie besaßen.

Rüge eines Uebersezers am Polytechnischen Journal.

Der Redacteur des Wochenblattes des landwirthschaftlichen Vereines erlaubt sich auch in diesem Jahre, ungeachtet der Warnungen der Redaction des Polytechnischen Journales, die Artikel des Uebersezers sine lux et crux, ohne Anführung der Quelle, woher er sie genommen hat, seinem Wochenblatte einzuverleiben. Da man nun ein solches Verfahren in der gelehrten Welt ein Plagiat, d. h. einen litterarischen Diebstahl nennt, und solche Diebstähle heute zu Tage immer mehr Sitte werden; so erklärt der Uebersezer, dessen Namen die Redaction des Polytechn. Journales augenbliklich bekannt machen wird, wenn darum gefragt werden sollte, den Redacteur des Wochenblattes des landwirthschaftlichen Vereines hiermit öffentlich als einen Plagiator oder litterarischen Dieb. Sollte dieser Redacteur sich durch diese Zeilen beleidigt glauben, so ist der Uebersezer ihm zu jeder Satisfaction erbötig. Der Uebersezer ist diese Erklärung seiner Verehrung für den Herrn Verleger und seiner Freundschaft für den Redacteur des Polytechn. Journales schuldig, indem es in unseren Zeiten Gelehrte gibt, die, so wie die Windmühlen in Holland mit jedem Winde mahlen, und so wie schlecht abgerichtete Hunde aus jeder Hand Brot fressen, oder gar vom Tische stehlen, so mit ihrem Tintenfasse jedem, der daraus Schwarz auf Weiß will druken lassen, zu Gebote stehen, und, wenn ihr Tintenfäßchen leer oder verschimmelt ist, in das nächste beste ihren Rabenkiel tauchen.

Litteratur.

a) Französische.

Mécanique des Solides, renfermant un grand nombre de développemens neufs et d'applications usuelles et pratiques à l'usage des personnes les moins versées dans les Mathématiques, des gens de lettres, des médecins, et de tous ceux qui ne se sont pas livré d'une manière spéciale à l'étude des sciences; par Neil Arnott; traduite de l'anglais sur la 3me édition, et augmentée de notes et d'additions mathématiques; par T. Richard. 8. Paris. 1829. 330 S. und 6 Taf. 5½ Fr. (Dieses Werk verdient um so mehr eine deutsche Uebersezung, als auch wir in Deutschland, so wie die Engländer und Franzosen nach der hier auf dem Titel gegebenen Erläuterung, „Gelehrte und Aerzte, die gar nichts von Mathematik wissen, und nie auf eine sonderliche Weise sich mit Wissenschaften beschäftigten," in ziemlich großer Menge besizen.)

Dictionnaire du constructeur ou Vocabulaire des maçons, charpentiers, serruriers, couveurs, menuisiers, marbriers, fumistes, peintres etc. renfermant les termes d'architecture civile et hydraulique, l'analyse des lois de voiries, des bâtimens et de dessechement; par L. T. Pernot, Architecte etc. 18. Paris. 1829. 336 S.

Du calcul de l'effet des machines, ou considérations sur l'emploi des moteurs et sur leur évaluation, pour servir d'introduction à l'étude spéciale des machines; par M. Coriolis. 4. Paris. 1829. chez Carillan Goeury. (Ein äußerst wichtiges Werk, das eine gute deutsche Uebersezung verdiente. Der Uebersezer wird aber auch hierüber des Ingenieur-Hauptmannes Poncelet Note sur quelques principes de Mécanique relatifs à la science des machines im Bulletin d. Scienc. technol. November. 1829. S. 295. vergleichen müssen.)

Journal des voies de communication. N. 12. St. Petersbourg. 1828. (Enthält äußerst wichtige Aufsäze über Brüken- und Straßenbau.)

Leçons élémentaires de Perspective linéaire pratique, appliquée aux meubles et aux objets de décor. Par M. Lachave. 1. Partie. et 8. Paris. 1829. ch. Bachelier.

Essai sur la Fabrication du sucre de betteraves; par Mr. Cleandot. 8. Paris. 1829.

De la Fabrication des sucres en France et aux colonies; par M. Bazy. 8. Paris. 1829. ch. Didot.

J. B. Huzard fils, de la culture en rayons des Turneps ou gros navets, telle qu'on la pratique en Angleterre. 8. Paris. 1828.

De la Théorie actuelle de la science agricole. Par E. Klynton. T. II. (École de Horticulture.) 8. Gand. 1829. ch. Mille L. Mestre.

Notice sur la dilatation de la pierre; par M. Destigny. 8. Rouen. 1828. avec 1 pl. (Ein interessantes kleines Werk für Baumeister.)

De la chaleur, spécialement appliquée à l'industrie manufacturière; par M. F. Bresson. 1 Liv. Paris. 1829. ch. Crochard.

Mémoire sur le dessèchement du lac de Harlem, et sa conversion en forêt; dédié aux amis d'Agriculture etc. de l'Industrie nationale; par A. de Stappers. Bruxelles. 1829.

Monographie ou histoire naturelle du genre Groseiller, contenant la description, l'histoire, la culture et les usages de toutes les groseilles connues. Par C. A. Thory. 8. Paris. 1829. avec 24 pl.

Annales administratives et scientifiques de l'Agriculture française, contenant 1° les travaux officiels de la Direction de l'Agriculture et du Conseil superieur établi près du Ministre de l'Intérieur; 2do des Mémoires sur toutes les parties de l'Agriculture théorique et pratique. La seconde partie rédigée par M. Tessier. Paris. 1829.

Nouveau traité de la perspective, des ombres et de la théorie des reflets; par V. de Clinchamp. 4. Toulon. 1828.

Traité sur les surfaces reglées; par G. Gascheau. 8. Paris. 1828.

b) Italiänische.

Nuove ricerche sull' equilibrio delle volte. Dell' Abb. Lor. Mascheroni. Coll' elogio del Marchese Ferd. Lanzi, 16. Milano. 1829. p. Giov. Silvestri. (Eine neue Auflage dieses berühmten Werkes.)

Opuscoli chimico-fisiti del farmacista B. Bizio. T. 1. fasc. 3—5. (Eine sehr wichtige Sammlung der Werke oder vielmehr Arbeiten dieses fleißigen Chemikers).

Manipolazioni chimiche di Faraday, traduzione annotata di L. D. I. arrichita anche delle illustrazioni fatte all' edizione francese dal S. A. Bussy etc, 12. Milano. 1829. p. Giac. Agnelli. (Diese Uebersetzung soll sehr gut seyn der Anmerkungen wegen.)

Trattato economico-rurale sul governo dei cavalli, dell' Abb. G. F. Cagliesi etc. 8. Ascoli. 1827. p. L. Carli. 194 S. 1 Liv. 32 Cent.

c) Holländische.

Verhandeling over de volmaakte Molenwicken, door H. de Hartog. Amsterdam. 1829.

Memorien over de hooge aangelegenheid van den Noorderlekdyk bovendans en van daar tot Krimpen, door den Staatsraad d. Blanken, Jansz ter toelichting van de verschillende gevoelens over dit algemeen zur belangryk onderwerp, en hetgeen onlangs door den druk openbaar geworden is, door den Hoogleeraar G. Moll et J. G. Van Nes. Utrecht. 1829. b. van Paddenburg. — Antwoord van G. Moll an den Heer J. G. Van Nes etc. 4. Amsterd. b. van der Hey.

Nieuwe Verhandelingen van het Bataafsch Genootschap der proefondervindelyke Wysbegeerte te Roterdam. VII. D. Rotterdam. 1829.

Verhandeling over het Loodwit, door C. M. van Dyk. 8. Dordrecht. 1829.

Veeartsenykundig Magazyn; door Dr. A. Numan. II. D. 1 St. 8. Groningen. 1829.

Geschiedenis van de Verwoestingen door de Rupsen, in het jaar 1829, aangerigt in de provincie Groningen etc.; door H. C. van Hall. 8. Groningen. 1829. b. Oomkens. (Ein wichtiges kleines Werk für Landwirthe und für Entomologen, welches einen neuen Beweis liefert, wie sehr dem Landwirthe gründliche Kenntniß in der Naturgeschichte nothwendig ist.)

Handleiding tot het meetkunstig teckenen, opgesteld ten dienste der Latynsche Scholen, en inzonderheid ten gebruike der Industrie Scholen. Door Jac. de Gelder. 1829. s'Gravenh.

Handleiding tot de werkdadige Meetkunst etc. door F. P. Gisius Nanning, Lieutenant etc. II. Deel. Delft. 1828. b. de Groot.

Grondig Onderwys in de Schilder- en Verw-Kunst etc., door L. Simis. 8. Amsterdam. 1829. by H. Gartman.

Polytechnisches Journal.

Eilfter Jahrgang, sechstes Heft.

XCVII.

Beschreibung eines neuerfundenen Reflectors zu geometrischem und astronomischem Gebrauche, von D. Dietrich, Pastor in Hohenlohe bei Leipzig und Mitglied der ökonomischen und theologischen Societäten zu Leipzig.

Mit Abbildungen auf Tab. IX.

Das von mir erfundene Instrument ist ein Winkelmesser, und zwar ein Spiegelhalbkreis, zu geometrischem Gebrauche im Kleinen. Seine Gestalt und seine mir am zwekmäßigsten scheinende, natürliche Größe ist in den Figuren 1 und 2. dargestellt.

In ersterer ist es gezeichnet wie es von oben herab erscheint, d. h. wenn man auf seine obere Fläche sieht, in lezterer sieht man sein Profil. Sein Körper besteht aus einer Platte, entweder von Messing, oder auch von gutem, vor den Wirkungen der Feuchtigkeit möglichst gesichertem Holze von etwa ¾ Zoll Stärke. (Ist sie von Messing, so kann sie natürlich weit schwächer seyn.) A und B sind zwei Planspiegel, welche mit der Platte unter einem gewissen Winkel liegen, dessen Grade willkürlich sind, jedoch nicht wohl unter 30 und nicht über 45 seyn dürfen. Der obere Spiegel, welcher auf einem etwas gekrümmten, aber festem Halse ruht, geht in einem Charnier, und kann vermittelst der Stellschraube d etwas auf- und abgestellt werden. Warum? wird sich weiter unten zeigen. Der untere Spiegel liegt auf der mit der Alhidade verbundenen Nuß fest auf, und bewegt sich mit derselben in einem Halbkreise, auf der Fläche der Platte. Sein Wendungspunkt ist genau in der Mitte seines obern Randes, bei o. Ein Faden, der bei der Operation sein eignes Bild im Spiegel deken, und zugleich den visirten Gegenstand durchschneiden muß, sichert die Genauigkeit der Operation. Will man das Instrument gebrauchen, und den Winkel bestimmen, den zwei Gegenstände M und N von einem gewissen Standpunkte c aus mit einander machen, so nehme man es vor sich in die eine Hand, so daß die Spiegel nach dem Gegenstande N gerichtet sind. Nun stelle man den Zeiger auf den Nullpunkt des Gradbogens, wo man N sodann als terminum a quo genommen, von dem Faden durchschnitten in beiden Spiegeln zugleich erbliken wird. Vermittelst einer kleinen Wendung des Instruments nach unten kann man den Gegenstand bis an den obern Rand des untern Spiegels unter den Faden bringen, und vermöge der Stellschraube am obern Spiegel läßt sich das Bild des Ge-

genstandes an den unteren Rand des obern Spiegels ziehen, so da[ß]
die Bilder ganz nahe an einander kommen. Dieses Zusammenrüken de[r]
Bilder ist wegen der Genauigkeit der Messung unumgänglich nöthig. —
Die Richtung des Auges auf die Spiegel muß immer so seyn, daß de[r]
Faden sein eignes Bild im Spiegel dekt, indem die Bilder der Gegen[-]
stände sich berühren. Man wende dann den Zeiger mit dem untern
Spiegel, bis das zweite Bild M von demselben ergriffen wird, und sic[h]
an dessen obern Rand unmittelbar unter N, welches am untern Rand[e]
des obern Spiegels gehalten werden muß, darstellt. Ist die Stellung
so, so macht der Zeiger auf dem Gradbogen den Winkel, welchen M
mit N von c ausmacht.

Der Gebrauch dieses Instruments bedarf nur einer kleinen Uebung
von einigen Stunden; (eine Erfahrung, die ich sogar an einem 14jäh[-]
rigen Knaben gemacht habe.) Die Ursachen, warum ich die Erfindung
dieses Instruments publicire, liegen in einigen Vortheilen, welche es
mir vor dem englischen Spiegelsextanten zu haben scheint. Mit ihm
hat es den gemeinschaftlichen Vortheil, ohne Stativ in jeder Linie und
Fläche messen zu können; aber in Folgendem übertrifft es denselben:

1) Ist es weit einfacher und auch kleiner als dieser. Die vielen
Theile, aus denen derselbe zusammengesezt ist; die Menge Stifte und
Schrauben, welche er enthält, machen die Möglichkeit der Verlezung grö[-]
ßer, und die Gefahr der Beschädigung durch einen Fall oder Stoß be[-]
deutender, so wie die Reparaturen kostspieliger, als bei meinem Reflec[-]
tor, welcher nur aus wenigen Theilen besteht.

2) Die Kleinheit des Instruments macht dasselbe sehr tragbar.
Von dem Umfange, in welchem es verzeichnet ist, hat es fast in einer
Roktasche Plaz, und kann doch beinahe durch Hülfe eines Nonius,
Winkel von 5 Minuten messen.

3) Es ist weit wohlfeiler als ein Spiegelsextant: der kleinste dersel[-]
ben, den ich in Leipzig fand, und der nur ein hölzernes Gerüst und einen
beinernen Gradbogen hatte, würde 20 Rthlr. geboten. Ich getraue mi[r]
meinen Reflector, wenn man nicht viel Pracht an seinem Aeußern ver[-]
langt, für das Viertel obigen Preises zu liefern, und kann überhaup[t]
seinen Preis zu dem des Spiegelsextanten caeteris paribus wie 1 zu [4]
sezen. Hierdurch eignet sich dieß Instrument vorzüglich für ärmere El[e]
ven in Forst-, Militär- und ähnlichen Instituten, welche nicht im Stand[e]
sind, sich einen theuern Meßapparat anzuschaffen, und sich doch in de[r]
Praxis der Meßkunst üben wollen.

4) Man kann mit ihm fast den ganzen Halbkreis messen, also 6[0°]
mehr als mit einem Sextanten; ein Vortheil, welcher deßwegen sehr be[-]
deutend ist, weil mit jeder einzelnen Messung die Gefahr eines Ir[r]
thums sich erneuert.

5) Die Gegenstände in seinen Spiegeln erscheinen caeteris paribus heller; und die Orientirung ist leichter als beim Sextanten. Jenes deßwegen, weil hier die Brechung der Lichtstrahlen nur einfach ist, wo im Sextanten das Objectivbild des größern Spiegels zwei Mal reflectirt wird — dieses deßwegen, weil ungeachtet der Kleinheit des Instruments die Spiegel doch größer als beim Sextanten seyn können.

6) bringt man parallel mit der Linie, die zwischen dem Nullpunkte des Gradbogens und dem Wendungspunkte des untern Spiegels liegt, in der Platte eine Nivellirlibelle an, und stellt das in diesem Falle an einem festen Körper angehaltene Instrument so, daß der Faden horizontal steht, so hat man an demselben ein Nivellirinstrument, mit dem man durch Wendung des obern Spiegels sogleich, wenigstens einen Viertelkreis nivelliren kann; indem alle in denselben liegende Punkte, welche von dem Faden gedekt werden, à niveau mit einander stehen.

XCVIII.

Beschreibung eines einfachen und dauerhaften Instrumentes zum Nivelliren und anderem geodätischen Gebrauche, von D. Carl August Dietrich, Pastor zu Hohenlohe bei Leipzig.

Mit einer Abbildung auf Tab. IX.

A. Beschreibung des Instruments:

Das Princip, auf welchem die Construction desselben gegründet ist, besteht in dem katoptrischen Lehrsaze, daß ein Planspiegel die Bilder seiner Gegenstände unter eben dem Winkel zurükwirft, unter welchem er sie empfängt — (daß der Einfallswinkel dem Reflexionswinkel gleich ist.)

Sein Bau kann verschiedene Formen und Abänderungen zulassen; ich werde von den ersteren hier nur diejenige beschreiben, nach welcher ich das meinige entworfen und gebaut habe.

Es bestehet dasselbe aus einem, von festem Holze verfertigten Kästchen von 7 Zoll Länge, (als der gewöhnlichen Weite des natürlichen Sehens) von 3½ Zoll vorderer Breite und 3 Zoll Tiefe. Die Bestimmung der Größe und Gestalt desselben ist nicht unbedingt nothwendig. — Nothwendig aber und mit großer Genauigkeit zu construiren sind folgende Dinge:

1) eine gerade Linie, auf beiden Breiten des Kästchens, entlang desselben und genau in der Mitte mit der Schiene gezogen. Siehe Fig. 3., welche eine Vorderseite des Instruments darstellt, d, e.

2) mit dieser Linie parallel zwei andere zu ihren Seiten und in völlig gleichen Entfernungen von derselben, f, g, h, i.

3) in dem obern Dekel zwei schmale, verjüngt zulaufende Oeffnungen, welche in ihren Endpunkten genau auf die Punkte f und h treffen, oder deren Flächen mit den Flächen der zu ihnen gehörigen Linien fg und hi in Eine fallen müssen. Sie dienen als Diopter.

4) an Statt des untern Bodens ein Kern von einer homogenen Masse und so schwer, daß der Schwerpunkt des ganzen Instruments entweder noch innerhalb desselben oder doch nur wenig über seine Spize fällt, Fig. 3. k, l, m.

Der Durchschnitt dieses Körpers hat die Form eines rechtwinklichen, gleichschenklichen Dreiekes, welches gleich ist der ganzen Breite des Kästchens. Auf den beiden schiefen Flächen des Kerns (den Katheten des Dreieks) ruhen zwei Planspiegel, welche den Flächen selbst gleich sind, d. h. dieselben deken. Es bedarf keines Metalls für sie, sondern gewöhnliches nur sehr glattes und reines Glas taugt schon — weil, wie sich weiter unten ergeben wird, sich beim Gebrauche des Instruments die falsche Spiegelung leicht wahrnehmen läßt.

Diese Spiegel können durch ein Paar kleine, von unten durch den Kern gehende Stellschrauben ein wenig bewegt werden, wenn nämlich dabei ein Charnier ist. Durch diese Vorrichtung wird das Instrument justirt. Sie ist jedoch nicht nothwendig, wenn 1) der Kern sehr genau gearbeitet ist und 2) die obern und untern Flächen der Spiegel völlig parallel sind. In diesem Falle können leztere durch einen zarten Kitt auf dem Kerne gleich für immer befestigt werden, wodurch das Instrument viel sicherer und dauerhafter wird.

5) die beiden andern Seitenwände des Kästchens dürfen nicht durch die ganze Länge desselben gehen, sondern sind in der Höhe der Spize des Kernes von unten abgeschnitten, damit durch den Raum SS Licht auf die Spiegel treffen könne.

6) genau in der mittlern Linie, und etwa 1 Zoll von oben herab, ist durch beide Boden ein Loch gebohrt, s. Fig. 3. m; aber mit großer Vorsicht, — daß dasselbe nicht etwa auf einer Seite höher oder tiefer sey. Die Größe desselben ist willkürlich, und richtet sich nach der weiter unten zu beschreibenden Handhabe. Die Wände dieses Lochs müssen möglichst glatt gearbeitet seyn.

7) etwas tiefer sind in die beiden Linien fg und hi, zwei zarte Oeffnungen gestochen r, s, welchen zwei andere, ihnen ähnliche, in der entgegengesezten Seite genau gegenüberstehen. Durch diese Löcher werden Fäden gezogen und diese gehörig angespannt.

Zulezt ist noch eine Handhabe nöthig, um das Instrument bei dem Gebrauche in seiner erforderlichen Stellung zu halten. Sie ist in Fig. 4. abgebildet und es bedarf keiner weitläuftigen Beschreibung derselben, da bei ihrer Verfertigung weiter nichts zu berüksichtigen ist. Nur erwähnt werde, daß der Drath, aus welchem ihr Arm p bestehet, in die Löcher r, s des Kästchens weder zu streng noch zu lax eingehen müsse.

B. Gebrauch des Instruments:

Der Gebrauch beim Nivelliren ist dessen Hauptbestimmung. Man stekt die Spize der Handhabe durch die beiden Löcher o o so, daß sie an der andern Seite etwa 1 oder 1½ Zoll hervorragt; nimmt den Griff nur leicht in die Hand, so daß des Kästchens Gewicht vermögend ist dieselbe zu drehen. Wenn nun diese Handhabe so gehalten wird, daß ihr Drath eine von der horizontalen Lage nicht merklich abweichende Richtung hat, so wird das Kästchen vertical hängen. Die hervorgehende Spize der Handhabe wird nun an einen mit der andern Hand möglichst senkrecht gehaltenen und auf den Boden festgedrükten Maßstab angehalten. Ist das Instrument nun in dieser Stellung, so visirt man durch einen der Diopter und man wird seitwärts liegende Gegenstände erbliken, von denen einer durch den Faden gedekt ist. Sieht man nun, das Instrument in derselben Lage erhaltend, in den zweiten Diopter, so zeigen sich in dem andern Spiegel ebenfalls Gegenstände. Wenn nun Alles gut aptirt ist, so liegen diese, welche von beiden Fäden gedekt werden, einander à niveau und zugleich auch denjenigen Punkten auf den Spiegeln, auf welche ihr Bild einfällt; und man hat daher sogleich drei Punkte nivellirt. Da die Erklärung dieser Erscheinung so gar leicht ist, so enthalte ich mich hier derselben und bemerke nur, daß man sicherer operirt, wenn man den Standort des Instruments wo möglich mitten zwischen den beiden zu nivellirenden Punkten wählt, weil dadurch die kleine Unrichtigkeit, welche aus der Brechung der horizontal einfallenden Lichtstrahlen entsteht, gehoben wird und sich compensirt.

Dreht man den möglichst in verticaler Richtung erhaltenen Maßstab herum, während die Spize der Handhabe und mit ihr das immer in gleicher Lage gehaltene Instrument ebenfalls gewendet wird, so kann man einen ganzen Kreis von Gegenständen um sich her in wenigen Minuten nivelliren.

Ein anderer Gebrauch des Instruments ist bei Bestimmung kleiner, nicht über einige Fuße betragender Höhen, zu denen man nicht kommen und deren Entfernung man nicht wohl messen kann; vorausgesezt daß diese Entfernung nicht groß ist.

An Statt einer allgemeinen Beschreibung des hiebei nöthigen Verfahrens stehe der Kürze wegen hier ein Beispiel einer Aufgabe: Es soll aus dem Fenster eines Hauses die Höhe des mittleren Rahmens eines Fensters in einem gegenüberstehenden Hause, über der Höhe eines Rahmens im erstern

Gebäude gemessen werden: man halte das Instrument an den leztern Rahmen und zugleich auch an den Maßstab; bestimme nach leztern die Höhe über den Fußboden und richte nun den einen Spiegel auf jenes (das gegenüberstehende) Fenster; ziehe dann das an den Maßstab angehaltene Instrument an demselben so lange auf- oder niederwärts, bis jener Rahmen im Spiegel erscheint und von dem Faden gedekt wird. Die nun abermals gemessene Höhe des Instruments über dem Fußboden zeigt, verglichen mit der ersteren, den Höhenunterschied beider Rahmen, ohne daß man eine trigonometrische Berechnung nöthig hat, noch sich von dem einzigen Standpunkte zu entfernen braucht.

Noch läßt dieses Instrument bei Ausmessung einer planen, oder etwas unregelmäßigen Fläche eine erleichternde Anwendung zu, bei welcher jedoch ein Stativ nöthig wird.

Wenn eine zu messende Fläche in Paralleltrapeze getheilt werden soll, so ist es bekanntlich nothwendig, auf bestimmte Punkte der sogenannten Normallinie Perpendikel zu fällen. Will man das Instrument zu leztern Zweke gebrauchen, so muß es erst auf einer seiner Vorderseiten oben mit einem kleinen Diopter und unten mit einer zarten Spize (welche den Faden vertritt) versehen werden. Beide Dinge müssen auf der mittlern Linie des Kästchens stehen, so daß leztere mit der Spize und der Oeffnung des Diopters in Einer Fläche liegt. Nun stellt man sich mit dem Stativ auf einen bestimmten Punkt der bereits abgestekten und gemessenen Normallinie, auf welchem die Perpendikel gefällt werden sollen, richtet das Instrument so, daß dessen Diopter, Spize und das signalisirte Endpunkt der Normallinie in eine Linie fallen. Blikt man nun in die Spiegeldiopter, so zeigen sich die Gegenstände, welche seitwärts und zwar von dem Standpunkte aus, unter 90° mit der Normallinie liegen. Das Uebrige ist jedem Feldmesser bekannt.

Nun noch in ein paar Worten die Gründe, welche mich bestimmten dieß kleine Instrument zu empfehlen. Sie sind

1) die Kleinheit und Tragbarkeit desselben. Man kann es in der Roktasche bei sich führen und ohne unnöthiges und lästiges Aufsehen zu erregen, ganz unbemerkt auf einem Spaziergange damit operiren.

2) seine Dauerhaftigkeit. Sind die Spiegel gleich fest gemacht, und (was allerdings besser ist) nicht mit Stellschrauben versehen, so ist kein einziger Theil an dem Instrumente beweglich oder verschiebbar; daher kann man versichert seyn, daß es nicht durch einen Fall oder Stoß seine Brauchbarkeit verloren habe.

Welche Verlegenheit für den Geometer, wenn sein Instrument, das vielleicht sehr complicirt und mit vielen Stellschrauben und dergl. versehen ist, durch unvorsichtige Behandlung oder durch einen Zufall außer Gebrauch gesezt oder doch in seiner Zuverlässigkeit verdächtig gemacht wird, und er sich in einer Gegend befindet, wo es ihm unmöglich ist, dasselbe repariren oder untersuchen zu lassen!

3) die Wohlfeilheit desselben. Da diese schon aus seiner Einfachheit hervorgeht und gleich beim ersten Anblike einleuchtet, so bedarf es darüber keiner weiteren Erörterung. Nicht jeder Geometer ist ökonomisch so situirt, daß er für ein Nivellirinstrument 50 oder mehrere Thaler hingeben kann. (Dasjenige, welches Hogrewe angegeben hat, kostet über 200 Rthlr.)

4) seine Anwendbarkeit auf solchen Punkten, wo man kein Stativ stellen und mit andern Instrumenten nicht operiren kann.

Das Terrain ist gar sehr verschieden, und nicht selten geschieht es dem praktischen Geometer, daß er die vortheilhaftesten Punkte und Stellungen aufgeben, weitläuftige Umwege machen und complicirte Messungen vornehmen; also Zeit, Mühe und Kosten vergrößern muß, weil er an den tauglichsten Punkten seine Instrumente nicht stellen kann.

Mit meinem Instrumente kann man auf dem schmalsten Stege, auf einem kleinen Kahne, auf einer Leiter, den Aesten eines Baumes und von der kleinsten Fensteröffnung aus operiren.

Das Justiren des Instruments hat keine Schwierigkeiten: wenn es so weit gefertigt ist, daß bloß die Spiegel noch aufgelegt werden müssen, so stelle man es auf eine horizontale Fläche, und markire seitwärts, (z. B. an einer Wand oder einem Brette) eine Linie, welche ganz genau dieselbe Höhe mit derjenigen hat, auf welche ihr Bild im Spiegel fallen würde. Der Spiegel wird nun eingelegt und so lange gerichtet, bis das Bild der obigen Linie von dem Faden gedekt erscheint. In dieser Lage wird er sodann durch einen passenden Kitt befestigt. Ist dieser erhärtet, so wird versucht, ob der Spiegel noch die richtige Lage hat.[198])

Anmerkung:

Es ist nicht schlechterdings nothwendig, daß die Spiegel unter 45° mit der Vertical- und Horizontallinie liegen. Unerläßlich nothwendig aber ist es, daß beide auf's Allergenaueste unter Einem Winkel mit jenen Linien liegen. Wollte man dieselben jedoch unter einem andern Winkel anbringen (also den Kern in ein stumpfwinkliches oder spizwinkliches Dreiek arbeiten), so würde man den großen Vortheil aufgeben, das Instrument in gleicher Höhe mit den zu nivellirenden

---

198) Das Einlegen der Spiegel wird erleichtert, wenn man dasselbe vornimmt, ehe die Seitenwände an das Kästchen geleimt sind; aber Diopter und Faden müssen bereits aptirt seyn.

Punkten zu haben; diese wären zwar beide in gleicher Höhe, aber das Instrument wäre es nicht mit ihnen, sondern stände bei einem spizwinklichen Kerne höher und im entgegengesezten Falle tiefer als sie.

XCIX.

Allgemeine Betrachtungen über Dampfmaschinen mit umdrehender Bewegung. Von T. Bakewell.

Aus dem Journal of the Franklin Institution. März 1829. S. 179. im Bulletin d. Scienc. technol. N. 8. S. 348.

Mit einer Abbildung auf Tab. IX.

Die Versuche, welche man bisher gemacht hat, um die Leistungen einer Dampfmaschine mit umdrehender Bewegung mit jenen einer Dampfmaschine mit abwechselnder Bewegung zu vergleichen, gaben so wenig Uebereinstimmung in ihren Resultaten, daß wir glauben unseren Lesern hierüber folgende Beobachtungen mittheilen zu müssen.

Es ist als Naturgesez erwiesen, daß die Intensität einer größeren Kraft durch die Geschwindigkeit einer kleineren Kraft ersezt werden kann; daß, z. B., eine Kraft von zwei Pfund, die Einen Fuß durchläuft, eine mechanische Leistung hervorbringt, die einer Kraft von Einem Pfund gleich ist, welche zwei Fuß durchläuft. Mit anderen Worten folgt aus diesem Geseze, daß die mechanische Leistung irgend einer Kraft sich wie der in einer gegebenen Zeit durchlaufene oder beschriebene Raum verhält, dieser Raum mag durch eine gerade oder durch eine krumme Linie ausgedrükt werden.

Wenn man ein Gewicht von zwei Pfund an jedem Ende eines Wagebalkens oder eines Hebels erster Art in gleicher Entfernung von dem Stüzpunkte aufhängt; so wird dieser Hebel im Gleichgewichte seyn, und der Druk auf den Stüzpunkt ist gleich einem Druke der beiden vereinigten Gewichte, d. h., einem Druke von vier Pfund.

Wenn man an die Stelle des einen dieser beiden Gewichte von zwei Pfund ein Gewicht von Einem Pfunde, aber in doppelter Entfernung vom Stüzpunkte, hängt, wird der Hebel auch noch im Gleichgewichte bleiben; der Druk auf den Stüzpunkt wird aber nur drei Pfund seyn.

Kein Räsonnement a priori kann erklären, warum hier ein Gewicht von zwei Pfund auf der einen Seite des Stüzpunktes durch ein Gewicht von Einem Pfund auf der anderen Seite des Stüzpunktes, aber in einer größeren Entfernung angebracht, im Gleichgewichte seyn kann. Es ist nur ein Gewicht von Einem Pfunde, welches, von oben nach abwärts, auf den Stüzpunkt den Druk von Einem Pfunde hervorbringt. 199)

Ein Pfund kann also nur in Hinsicht auf Bewegung zwei Pfunden gleich seyn, und es geschieht nur durch den größeren Raum, welchen es durchläuft, daß es mit dem Gewichte von zwei Pfund im Gleichgewichte seyn kann, nach dem oben angeführten Geseze.

Man muß also annehmen, daß die Bewegung nur durch den Ueberschuß des Gewichtes von zwei Pfund über das Gewicht von Einem Pfund hervorgebracht werden kann; daß aber zugleich durch dieselbe Bewegung eine Ersaz-Eigenschaft (compensating propriety, propriété compensatrice) hervorgerufen wird, und daß folglich die beiden ungleichen Gewichte im Gleichgewichte sind, und in Ruhe bleiben.

Dieser Lehrsaz wird wahrscheinlich klärer und bestimmter werden, wenn wir sagen, daß die erzeugte Bewegung und der durch dieselbe entstehende Ersaz gleichzeitig sind, so wie es in anderen Fällen die ersezenden Eigenschaften der Wirkung und Gegenwirkung sind.

Es ist schwer zu denken, daß die Ursache (action) nicht vor der Wirkung (reaction) vorhanden ist, und doch ist dieß der Fall. Und dieser Fall ist dem Falle des Hebels, der zwei ungleiche Gewichte trägt, vollkommen analog.

Was das Verhältniß betrifft, in welchem die Geschwindigkeit die Kraft ersezt, so wird man, obschon man sieht, daß eine doppelte Geschwindigkeit einer Kraft eine doppelte Wirkung hervorbringt, den Grundsäzen der Wissenschaft keine Gewalt anthun, wenn man ein anderes Verhältniß annimmt; es ist keine mathematische Nothwendigkeit vorhanden, warum dieses Gesez vielmehr dieses Verhältniß als ein anderes fordern sollte.

Unter mathematischer Nothwendigkeit verstehe ich eine Nothwendigkeit derjenigen Art, nach welcher der Durchmesser eines Kreises immer in demselben Verhältnisse zu seinem Umfange steht, obschon es uns durchaus unmöglich ist, dieses Verhältniß anders, als durch Linien auszudrüken.

Theoretiker und Praktiker haben über die Maschine mit umdrehender Bewegung und über die Kurbelbewegung mehr Widersprüche aufgestellt, als über irgend einen anderen Gegenstand. So schaukeln auch diejenigen, die an ein Perpetuum mobile glauben, sich mit der Hoffnung, Kraft zu gewinnen, wenn sie dieselbe auf eine besondere Weise, mittelst eines besonderen Mechanismus anwenden, während sie doch behaupten, daß Verlust an Kraft Statt hat (abge-

---

199) Hierüber ließe sich manches sagen. Vergl. Archimed. I. B. 4. S.

sehen von aller Reibung), wenn eine geradlinige abwechselnde Bewegung in eine umdrehende verwandelt wird. Folgende Bemerkungen über Bewegung scheinen uns manche Irrthümer und Streitigkeiten beseitigen zu können, wenn man die Folgen aus denselben eben so frei zugibt, als man die Wahrheit derselben allgemein anerkennt.

Fig. 5. stellt einen Kreis vor, der das Innere eines kreisförmigen Ringes darstellt, in welchem der Stämpel einer Maschine mit umdrehender Bewegung sich bewegt. Die Linie a b stellt einen Cylinder dar, dessen Stämpel gleiche Oberfläche mit dem vorigen hat, und dessen Lauf gleich ist dem inneren Durchmesser des kreisförmigen Ringes.

Während der Zeit also, als der Stämpel in der Maschine mit umdrehender Bewegung einen vollkommenen Umlauf in dem Kreise von a bis a gemacht hat, wird der Stämpel des Cylinders von a bis b herabgestiegen seyn, und wieder von b bis a hinauf.

Die von den beiden Stämpeln durchlaufenen Räume werden sich also verhalten wie der Umfang des Kreises zu dem doppelten Durchmesser desselben, und folglich wird die mechanische Leitung, so wie der Dampfverbrauch, in beiden Maschinen sich verhalten, wie 3,142 zu 2.

Man mag was immer für eine Rechnungsmethode mit allen Künsten der Arithmetik und der Algebra anwenden, man wird nie ein anderes Resultat erhalten. Es wird nicht überflüssig seyn hier zu bemerken, daß der Mittelpunkt des Schlages des Stämpels in der Maschine mit umdrehender Bewegung, oder der Punkt dieses Stämpels, an dessen beiden Seiten der Dampf gleiche Leistung hervorbringt, nicht in der Mitte der Länge des Stämpels liegt, sondern in einem weiter vom Mittelpunkte entlegenen Punkte, wo der Umfang, welchen dieser Punkt beschreiben würde, den großen Kreis in zwei Theile theilen würde, deren Oberflächen vollkommen äquivalent sind.

Wenn dieß nicht der Fall wäre, so wären die hervorgebrachten Leistungen nicht, wie wir annahmen, im Verhältnisse der angewendeten Dampfmenge.

Hr. Hammer ist im Franklin Journal, December 1829, in einen gewöhnlichen Fehler gefallen, indem er annimmt, daß wenn die gekrümmte Achse der Maschine mit abwechselnder Bewegung einen Winkel von 45° mit der angewendeten Kraft bildet, der mechanische Vortheil oder der Hebelarm nur die Hälfte des Maximums der Leistung ist, die dann Statt hat, wann die gekrümmte Achse einen rechten Winkel bildet.

Die wahre Länge eines Hebelarmes wird immer durch die auf die Richtung der Kraft senkrechte Linie gemessen, die von dem Stützpunkte bis zum Durchschnittspunkte mit dieser Richtung gezogen wird. Wenn also die gekrümmte Achse einem Winkel von 30° mit der Richtung der Kraft bildet, wie z. B. in e, so ist die mechanische Leistung die Hälfte des Maximums, da c o = der Hälfte von d o. Wenn man dasselbe Räsonnement auf die ganze Länge des Viertelkreises d b anwendet, die von der gekrümmten Achse durchlaufen wird, während der Stämpel von o bis b niedersteigt, so wird man eine geringere Leistung an der Maschine mit abwechselnder Bewegung im Vergleiche mit jener mit umdrehender Bewegung wahrnehmen. Die beiden Leistungen werden sich verhalten, wie der halbe Durchmesser a b zum Bogen d b, oder, wie wir oben sagten, wie 2:3,142. Aus obigen Bemerkungen, wenn sie gegründet sind, folgt, daß nach der Theorie die Maschine mit umdrehender Bewegung keinen Ueberschuß oder keine Vermehrung der Kraft vor der anderen voraus hat, und man weiß, daß sie in der Praxis unendliche Schwierigkeiten darbietet. Die geringere Leistung der Maschine mit abwechselnder Bewegung wird durch eben so viel Ersparung im Verbrauche des Dampfes ersezt, so daß, um dieselbe Kraft zu erzeugen, nur der Cylinder um so viel vergrößert werden darf, daß der Hohlraum desselben die Hälfte des Hohlraumes des Cylinders der Maschine mit umdrehender Bewegung beträgt. Der behauptete Verlust an Kraft bei der Maschine mit abwechselnder Bewegung ist nur eine Unachtsamkeit, die bloß bemerkt zu werden verdient, um ihr alle Gerechtigkeit widerfahren zu lassen.

Die beste Maschine mit umdrehender Bewegung, die ich gesehen habe, ist jene, die Hr. Rutter zu Cincinnati erbaute, und die auf einem kleinen Dampfbothe angewendet wird. Der Grundsaz der Ausdehnung des Dampfes wurde bei derselben in eben dem Grade angewendet, wie bei den Maschinen mit abwechselnder Bewegung und mit hohem Druke. Die Schwierigkeit, die sich hier zeigte, die Entweichung des Dampfes zu verhindern, und die Maschine gehörig arbeiten zu lassen, veranlaßten den Austausch derselben mit einer gewöhnlichen Maschine, an welcher der Grundsaz der Expansion in demselben Grade angewendet wurde, ohne daß man deßwegen den Kessel zu ändern nöthig hatte. Die Folge hiervon war, daß, bei gleichem Kohlenverbrauche, das Dampfboth jezt 8 engl. Meilen in Einer Stunde lief, während es ehevor mit der Maschine mit umdrehender Bewegung nur 7½ engl. Meilen zurüklegte.

Man hat oft behauptet, daß, wenn man eine Maschine mit zwei Cylindern und zwei gekrümmten unter einem rechten Winkel verbundenen Achsen anwendet, dieselbe Kraft auf die gemeinschaftliche Achse bei jedem Punkte der Umdrehung wirkt. Ein Blik auf Figur 5. wird die Unrichtigkeit dieser Behauptung zeigen.

Es seyen a und d die beiden unter einem rechten Winkel gekrümmten Achsen; a, in der Richtung der Kraft gelegen, wird kein Wirkung äußern; d, als senkrecht auf die Wirkung der Kraft, wir das Maximum seiner Leistung durch die größte Länge des Hebels d ausgedrükt haben. Wir wollen diese Leistung = 100 ersezen.

Wir wollen nun sezen die beiden gekrümmten Achsen befinden sich in den respectiven Lagen f und g; g gehe von oben nach abwärts und f von unten nach aufwärts; jede derselben wird durch eine Kraft bewegt werden, welche durch die Linien o i und o k ausgedrükt wird, oder die sich zu der, welche vorher auf den Hebelarm o d wirkte, wie 70 : 100 verhält. Die beiden Kräfte, die auf die zwei Hebelarme f und g, wirken, werden also jede gleich 70, und beide zusammen 140 seyn, und mit dieser vereinten Kraft die Achse drehen.

Wenn, um die zu große Leistung, welche in diesem Falle Statt hat, zu vermindern, man die beiden gekrümmten Achsen einander nä- herte, so daß sie einen kleineren Winkel, als einen rechten, bildeten, so würden dann Fälle eintreten, wo die Leistung 140 um Vieles über- troffen würde. Dieß geschähe z. B. in der Lage l und h, wo die Ge- walt, mit welcher die beiden Kräfte, die auf die Hebelarme l und h angebracht sind, wirken, jede durch die Linie o m ausgedrükt ist, die wir gleich 80 sezen, was eine Gesammtleistung von 160 geben würde. So wären demnach die äußersten Unterschiede, welche die nach und nach auf die gekümmten Achsen angebrachten Kräfte hervorbringen können, im Verhältnisse wie 140 : 100, oder, unter der angenom- menen Voraussezung, 40; in allen übrigen Fällen, wo diese Achsen einen anderen, als einen rechten Winkel bilden, würden sie noch grö- ßer seyn.

C.

Ueber die Wiener Mantelöfen.

Auszug eines Schreibens aus Wien, dd. 4. Febr. 1830.

Mit Abbildungen auf Tab. IX.

Sie werden mir verzeihen, wenn ich Sie mit der Frage behellige, ob Ihnen die Art von Oefen, wovon ich die Ehre habe Ihnen hier die nöthigen Zeichnungen beizulegen, bekannt sind: ich habe wenig- stens auf einer Reise durch das südliche, westliche und nördliche Deutschland, die ich vor zwei Jahren unternahm, keinen solchen Ofen gesehen. Ich fand fast überall nur ungeheuere Kachelöfen, die nicht bloß Holz, sondern Wälder fressen; hier und da die gewöhnlichen Oefen aus Gußeisen, die nur deßwegen Holz sparen, weil weniger Holz in dieselben hineingeht; nur äußerst selten aber einen pyrotech- nisch gebauten Ofen: die Luftheizung, die alte classische Lufteizung, die sogar die Zerstörer der classischen Welt, die Mönche, in ihren Zellen noch ehrten, fand ich noch weit seltener.

Da das Holz bei uns beinahe noch ein Mal so theuer ist, als bei Ihnen, theils weil wir, früherer schlechter Forstwirthschaft wegen, verhältnißmäßig weniger Wälder haben, theils weil unsere Fabriken, die durch das Prohibitivsystem so blühend geworden sind, mehr Holz brauchen; so dachten wir auch früher auf Sparen des kostbaren Brennmateriales, auf Sparherde, Sparöfen ꝛc.; wir spalten das Holz, das ich bei Ihnen in ganzen Scheitern muthwillig verbrennen sah, in kleine Stüke von der Dike eines Daumens, und ich sage nicht zu viel, wenn ich behaupte, daß eine Familie aus der mittleren Classe zu Wien nicht den dritten Theil des Holzes braucht, das bei Ihnen unter gleichen Umständen, ich möchte sagen muthwillig, verbrannt wird. Es ist zwar gewöhnlich und natürlich, daß der Verkäufer mit seiner Waare weniger sorgfältig umgeht, als der Käufer, und dieß läßt sich auch verzeihen, wenn es mit Fabrikwaaren geschieht, die man in 24 Stunden zentnerweise liefern kann: wenn dieß aber mit einer Waare geschieht, die kein Fabrikant fertigen kann, mit einer Waare, zu deren Erzeugung der größte aller Fabrikanten, der liebe Gott selbst, 60 bis 100 Jahre lang braucht, bis er sie in brauchbaren Stand bringt, so dürfen die Käufer dieser Waare die Verkäufer erinnern, mit dieser Gottesgabe nicht so zu verfahren, wie der Weber mit seinen Lumpen verfahren darf, aus welchen am Ende noch Rothschild'sche Loose, Warschauer Loose, und der Himmel weiß was für Repräsentanten für Gold und Silber und Platinna werden können. Das Holz repräsentirt sich nicht so leicht wieder in der besten Welt; um Torf und Steinkohlen als Repräsentanten desselben brauchen zu können, braucht man nicht bloß mehr Kenntnisse und Geschiklichkeit und Erfahrung, als wir bisher sowohl in der Gewinnung, als in der Benüzung und Anwendung dieser Repräsentanten noch nicht besizen; man braucht auch, wenn wir dieselbe einst mit vielem Kraft- und Zeit-Aufwande erlangt haben werden, mehr Geld, als wir bis dahin, wo wahrscheinlich alles Metall in Papier, und in Käufe und Verkäufe, nicht auf Monate und Vierteljahre, sondern auf halbe und ganze Jahrhunderte, verwandelt seyn wird, nicht mehr besizen werden.

Wir können uns zwar damit trösten, daß das südliche Deutschland durch seinen Mauthvertrag mit dem nördlichen nie zu großen und vielen Fabriken gelangen wird; die Industrie des preußischen Staates ist durch das frühere weise Verbotsystem und durch die Rheinprovinzen schnell zu einer Riesinn emporgewachsen, die ihre Schwester im südlichen Deutschland, die noch in Windeln liegt, selbst durch ihre Liebkosungen nur zu leicht erstiken und erdrüken kann; wir können sicher seyn, daß die

Fabriken an der Iller, am Lech, an der Isar, am Inn und an der oberen Donau uns das Holz nicht vertheuern werden; wir werden es aber endlich um keinen Preis mehr haben können, wenn die Forstverwüstung in den Oefen in Bayern und in dem östlichen angränzenden Würtemberg noch lang so fortwährt. Wir werden indessen nicht die einzigen seyn, die dabei verlieren; denn, während wir das Holz theuerer bezahlen, während wir weniger davon kaufen, werden ihre lieben Landsleute weniger Geld dafür erhalten; und wenn endlich gar kein Holz mehr auf der Donau herabschwimmt, wird kein Geld mehr dafür über den Inn hinausgehen. Der Holzverkäufer muß mit seiner Waare so gut sparen, wie der Käufer.

Ich sende Ihnen Beschreibung und Abbildung des Ofens, der jezt bereits in vielen Häusern der verständigeren Mittelclasse zu Wien gebraucht, und, ich darf sagen, täglich mehr verbreitet wird, nicht als ob derselbe ein Meisterstük der Pyrotechnik wäre, sondern bloß als einen Uebergang von der Barbarei der Kachelöfen, die einen Arm voll Holz fordern, um warm zu werden, und aus welchen, wann sie es geworden sind, die größte Hize beim Schornsteine hinauszieht, zu der classischen Beheizung, zur Luftheizung.

Die Luftheizung macht zu Wien, Dank den Bemühungen des Hrn. Prof. Meißner, täglich mehr Fortschritte. Der kaiserliche Hof selbst ging mit dem guten Beispiele voraus: die kaiserliche Burg wird größten Theils mittelst Luftheizung geheizt. Die Luftheizung ist ferner in den Gebäuden vieler kaiserlichen Behörden, mehrerer Wohlthätigkeitsanstalten 2c. eingeführt. Sehr viele große Fabriken, namentlich die großen Zukerraffinerien, bedienen sich der Luftheizung mit dem besten Erfolge. Selbst mehrere neu gebaute Privathäuser, die bloß auf Miethzins gebaut sind, werden mit warmer Luft geheizt, und die Miethleute bezahlen den Zins für Wohnung und Heizung zugleich. Indessen wird es noch lange Zeit hergehen, bis die Luftheizung so allgemein eingeführt werden wird, als sie es zu seyn verdient, und bis dieß geschehen seyn wird, scheint der Ofen, den ich Ihnen hier zu schiken die Ehre habe, vielleicht Ihrer Aufmerksamkeit nicht ganz unwerth. Er thut das Gute wenigstens zur Hälfte, und wenn er auch, als halbe Maßregel, wie jede halbe Maßregel, an und für sich schlecht ist, und in dieser Hinsicht dem Zeitalter gleicht, in welchem er auf die Welt kam (dem Zeitalter der Halbheit), so ist er doch besser als etwas zehn Mal Schlechteres.

Er wärmt besser und schneller als jeder bisher gewöhnliche Ofen; er braucht beinahe um die Hälfte weniger Holz; er ist so Feuer sicher, wie jeder andere Ofen, und kann leichter, als die gewöhnlichen Oefen, gereinigt werden; er kommt wohlfeiler, als jeder gewöhnliche Ofen von einer nur etwas eleganten Form, obschon er selbst eleganter ist, weniger Raum einnimmt und eine Art von Möbel im Zimmer bildet, dem man jede beliebige Form geben kann. Er kann von außen oder von innen geheizt werden. Er gewährt ferner den unendlichen Vortheil, daß er, weit entfernt die Luft, wie es bei den gewöhnlichen Stubenöfen so häufig der Fall ist, zu verderben und ungesund zu machen, dieselbe vielmehr reinigt, und immerdar verbessert, immerdar einen gehörigen Luftzug und den unentbehrlichen Luftwechsel unterhält. Diese Vortheile sind bereits an diesem Ofen durch tausendfältige Erfahrungen erwiesen, und es scheint mir, daß ein Ofen, der zu Wien diese Vortheile gewährt, dieselben auch zu Augsburg gewähren wird, wenn man ihn daselbst eben so baut.

Vielleicht ist kein Winter mehr geeignet, als der gegenwärtige, (der seit einigen 40 Jahren nicht seines gleichen hatte,) verständige Hausväter auf die Nothwendigkeit besserer Oefen aufmerksam zu machen. Lassen Sie uns die Lehre benützen, die uns dieser kalte Präceptor gab, und durch Schaden für die vielleicht nahe Zukunft.[200]) klug werden.

Beschreibung des Wiener Mantelofens.

Dieser Ofen besteht, wie Fig. 7. im Durchschnitte von der Vorderseite zeigt, aus zwei Stücken, aus dem eigentlichen Ofen B, und aus seinem Mantel A, dessen Umriß in abbf dargestellt ist.

Der Mantel A steht von dem Ofen B, je nachdem lezterer größer oder kleiner ist, vier bis sieben Zoll weit ab, wodurch die Weite des Zwischenraumes zwischen beiden, eeee, bestimmt wird, welche übrigens von der Größe des Ofens A abhängt. Der Abstand des oberen Endes des Mantels f von dem oberen Ende des Ofens ist beliebig, und richtet sich nach der Höhe des Zimmers.

Der Ofen B kann aus Gußeisen oder aus Eisenblech seyn. Er bedarf keiner Eleganz, da man ihn nicht sieht. Man kauft solche Oefen zu Wien zwischen 12 bis 14 fl. C. M.

Die Theorie der Heizung dieses Ofens zeigt sich in Fig. 6., wo der Mantel allein von der Vorderseite dargestellt ist. Der Mantel ist, wie die Figur zeigt, unten mit Bogenausschnitten, aaa, versehen, die rings um denselben umherlaufen. Durch diese Ausschnitte, aaa, strömt die Luft in den Zwischenraum zwischen den Ofen B und seinen Mantel A, eeeee, in Fig. 7., ein, erwärmt sich während des Durchganges an dem heißen eisernen Ofen B, und tritt oben

---

200) In den 80'ger Jahren folgten zwei sehr strenge Winter kurz auf einander.

bei f in Folge ihrer Verdünnung durch die Erwärmung aus. So lang nun die Luft in dem Zimmer kälter ist, als die Luft in dem Zwischenraume zwischen dem Ofen B und seinem Mantel A, folglich noch dichter ist, wird sie bei a a a immer neuerdings in den Zwischenraum, e e e e e, eintreten, und wieder neuerdings erwärmt bei f austreten, und so die Luft des ganzen Zimmers angenehm erwärmen. Damit dieser Luftwechsel beständig unterhalten wird, darf in A nicht so stark eingeheizt werden, daß der Mantel B dadurch selbst stark erhizt wird, und reichlich Wärme, oder vielmehr Hize, in die benachbarte Luft ausstrahlt; er muß immer nur so warm seyn, daß man gemächlich die Hand an demselben anlegen kann.

Dieser Mantel kann nun von gewöhnlicher Töpferarbeit in beliebiger Form und Farbe, er kann aus Eisen, sogar aus Holz seyn; gebrannter Thon ist aber immer am Besten.

Fig. 8. zeigt den Ofen im Durchschnitte von der Seite. MMM ist die Mauer des Zimmers, durch welche, wenn von außen geheizt wird, das Schürloch, c, eintritt, und die Rauchröhre d austritt. Leztere ist bei x mit einem genau schließenden Dekel versehen, durch welchen sie mit der größten Leichtigkeit nach Wegnahme desselben gereinigt werden kann.

Der Mantel kommt, je nachdem man ihn elegant haben will, auf 20 bis 30 fl. aus Töpferarbeit. Es ist überflüssig zu sagen, daß, wenn er einmal gesezt ist, er keiner Reparatur mehr bedarf.

Wenn man den Ofen von dem Wohnzimmer aus beheizen wollte, müßten in demselben, so wie in seinem Mantel, gut schließende Ofenthürchen angebracht seyn.

CI.

Der Cassier für Scheidemünze.

Aus dem Mechanics' Magazine. N. 338. 30. Jänner. S. 402.

Mit Abbildungen auf Tab. IX.

Um den Betrügereien und Unterschleifen, welchen Gewerbsleute, die viel Scheidemünze einnehmen, von Seite ihrer Untergebenen ausgesezt sind, vorzubeugen, hat ein Hr. D. im Mechanics' Magazine a. a. O. eine Vorrichtung beschrieben, an welcher man nur einen Zeiger auf eine bestimmte Zahl zu stellen braucht, wodurch dann in einem verschlossenen Kästchen die gesammte Summe, die man eingenommen hat, aufgezeichnet wird. Er nennt diese Vorrichtung „Cash-Register."

Fig. 35. zeigt diese Vorrichtung von vorne. A ist eine bewegliche mit eingetheilten Kreisen versehene Scheibe, und mit einem Zeiger B. Der kleinere dieser Kreise, L, stellt Ein Pfund dar; der zweite größere 20 Shillings, aus welchen Ein Pfund besteht; der dritte am äußersten Rande die Pence, nämlich die 240 Pence Eines Pfundes: der zweite Kreis ist also in 20, der dritte in 240 gleiche Theile getheilt. C ist ein Kästchen mit einer Thüre D, auf welcher sich drei Columnen für Pfund, Shillings und Pence befinden. Ueber E und im Mittelpunkte dieser Kreise und Säulen befindet sich eine in sehr feine Gänge geschnittene senkrechte Schraube, an welcher zwischen C und der Ziffer 1. ein kleiner Zeiger angebracht ist, der innenwendig eine weibliche Schraube führt, und folglich um so viel aufsteigt, als die senkrechte Schraube gedreht wird, was durch einen Triebstok und Räder geschieht, die durch die Bewegung von B in Thätigkeit gebracht werden. Diese Räder sieht man im Durchschnitte in Fig. 37 und 48. Der Zeiger B zeigt, als Beispiel, auf 7 Shillings.

Fig. 36. zeigt das Kästchen geschlossen und die Scheibe so gedreht, daß der Buchstabe L, das Zeichen für Pfund Sterling, beinahe gestürzt ist. Wir haben oben bemerkt, daß der Zeiger auf 7 Shillings weiset. Da es nun ungeschikt wäre von 7 anzufangen zu zählen, (oder, was einerlei ist, von 84), so ist die Scheibe beweglich, und kann, ohne daß der Zeiger bewegt wird, gestellt werden, wie man unten sehen wird: man stellt nun die niedrigste Ziffer unter den Zeiger, und zählt, so oft man neue Einnahme in die Casse wirft, immer wieder von 1. Wenn die Scheibe für mehr als für Ein Pfund bestimmt wäre, so muß ihr Durchmesser länger seyn, damit die Zahlen an den Eintheilungen nicht zu klein werden müssen und Irrungen veranlassen.

Fig. 37. zeigt diese Vorrichtung im Durchschnitte. Die Schraube E führt zwei Zahnräder (Kronenräder), FF, an jedem Ende, so daß man sie bloß umzukehren braucht, wenn der Zeiger G bis zur höchsten Höhe hinangestiegen ist. Das Rad F wird durch ein kleineres Rad, oder durch eine Schraube ohne Ende, I, in Bewegung gesezt, die an dem Triebstoke H des Zeigers befestigt ist. Der Triebstok H arbeitet durch eine kurze Röhre in dem Kästchen, c; diese Röhre c ist es, auf welcher die Scheibe A sich dreht.

Fig. 38. zeigt die Maschine von der Rükseite, wo man einen kleinen Sperrkegel und eine Feder K sieht, die auf die Zähne des Triebstokrades wirkt, und so hindert, daß der Zeiger B anders, als von der Rechten zur Linken bewegt wird. G ist der Zeiger. Die übrigen Buchstaben bezeichnen dieselben Theile, wie in den übrigen Figuren.

Die Scheibe kann horizontal oder vertical gestellt seyn; die erstere Lage scheint jedoch die bequemste.[201])

---

201) Die Verfertigung eines solchen Cassieres kann einige Nürnberger, Geißlinger und Berchtesgadener mit Nuzen beschäftigen. Für unseren süddeutschen

CII.

Röhren in Wasserleitungen von der in denselben enthaltenen Luft zu befreien. Von Hrn. Daniel Treadwell, Mechaniker in den Vereinigten Staaten von N. Amerika.

Aus dem Boston Journal of Science, in Gill's technological and microscop. Repository. Bd. V. N. IV. S. 198.

Mit Abbildung auf Tab. IX.

Man legte von einer Quelle zu Roxwell nach der Mühle an den Wasserwerken am Boston Mill-dam eine bleierne Röhre von anderthalb Zoll im Durchmesser, um die Arbeiter an dieser Mühle und ihre Familien mit Wasser zu versehen. Das Wasser an der Quelle lag höher als irgend ein Punkt in der Streke, durch welche die Wasserleitung ging. Die ganze Länge der Wasserleitung mochte ungefähr 1000 Klaftern betragen. Die Wasserleitung lief durch einen Salzsumpf, und mußte unter zwei Bächelchen durch, deren jeder ungefähr 12 Fuß tief war. An ihrem Ende stieg sie aus dem Sumpfe in die Ebene der Bai herab, in welcher die Mühle steht. Die Röhre lag ungefähr drei Fuß tief unter der Oberfläche des Salzsumpfes, und öffnete sich in einen Behälter an den City-Mills vier Fuß tief unter dem Wasserspiegel der Quelle.

Nachdem die Wasserleitung fertig war und geöffnet wurde, floß kein Tropfen Wasser aus derselben aus. Da man wohl wußte, daß kein Hinderniß in der Röhre lag, so fand man es nicht wenig sonderbar, daß das Wasser durch diese Röhre nicht fließen wollte.

Die Unternehmer fragten mich, und wünschten Abhülfe. Nachdem ich die Sache untersuchte und Alles genau erwog, fand ich, daß die Luft in dieser Röhre sich so gestellt haben mußte, daß sie dem Wasser keinen Durchgang gestattete, und daß die Röhre mit Luft verstopft war. Es sey in Fig. 9. AB eine offene, vollkommen wasserdichte Röhre mit mehreren senkrechten Biegungen, durch welche Wasser in der Richtung von A nach B ausfließen soll: das Ende a sey in der Höhe ab über die horizontale Linie cd gestellt. Wenn man

---

Münzfuß könnten 10 fl. für die mittlere Scheibe, dann Kreuzer und Pfennige genommen werden. Am leichtesten theilte sich die Scheibe nach dem französischen oder russischen Decimalfuße. Es ist doch wunderbar, daß, da sogar die Russen den Decimal-Calcul bei ihren Münzen einführten, der so unendlich viel Zeit und Rechnung erspart, wir Deutsche noch immer, so wie auch die Engländer, bei einem Münz-Calcul bleiben, dem auch nicht Eine vernünftige Idee zum Grunde liegt. Die Franzosen und Russen brauchen nur die Hälfte der Beamten beim Rechnungswesen, die wir brauchen, weil ihre Rechnung buchstäblich um zehn Mal leichter ist. — Obige Vorrichtung läßt sich nicht bloß zum Zählen der Geldeinnahme in Scheidemünze, sondern auch zu vielen Nebenzweken in Fabriken brauchen, wo gewisse Bewegungen genau gezählt werden müssen. A. d. Ue.

nun bei a Wasser einläßt, so wird es offenbar die Röhre bis e füllen, und alle Luft austreiben, mit welcher die an dem anderen Ende d in die Atmosphäre hinaus offene Röhre erfüllt war. Das Wasser wird aber über die Krümmung e hinaus in einem kleineren Strahle fließen, als der Durchmesser der Röhre ist, und die Krümmung bei f füllen, ohne die vorher in dem niedersteigenden Schenkel e f enthaltene Luft gänzlich auszutreiben. Auf diese Weise wird die Luft von e bis k eingesperrt, und kann in keiner Richtung entweichen: sie müßte nur unter dem Wasser durch, was, bei ihrer geringeren specifischen Schwere, unmöglich ist. Das Wasser, welches fortfährt über die Biegung e zu fließen, steigt von f nach g; und da es eben so über die Biegung g gelangt, wiederholt sich dasselbe mit der Luft von g bis h, was bei der Biegung e, und von e bis f Statt hatte. Von h wird nun das Wasser bis zu einem Punkte i steigen, wo dann die Summe der senkrechten Höhen der aufsteigenden Säulen A e, f g rc. gleich werden wird der Säule a b. Hierbei würde nun angenommen, daß die Luft nicht elastisch ist und nicht schwer ist, was nicht der Fall ist; vielmehr wird die Luft mehr oder weniger verdichtet werden, nämlich nach ihrem Volumen und nach der Höhe der ihr entgegenstrebenden Wassersäulen. In Folge dieser Verdichtung wird das Wasser, wie die Figur zeigt, z. B. bis k und m steigen, und, wenn man das Gewicht dieser Säulen zu der wirklichen Kraft der Säule a b hinzurechnet, so wird das Wasser in der Biegung h n vielleicht bis n steigen. Hier ist dann Gleichgewicht zwischen den entgegenstrebenden Kräften, und das Wasser kann nicht mehr weiter fließen. Dieses Gleichgewicht läßt sich im Allgemeinen durch die Formel

$$ab + cd = be$$

ausdrüken, wo a die senkrechte Höhe des Wassers in allen niedersteigenden Schenkeln, b die Dichtigkeit desselben, c die senkrechte Höhe der gesammten eingeschlossenen Luft, d die mittlere Dichtigkeit, und e die senkrechte Höhe aller aufsteigenden Wassersäulen ist.

Mehrere Schriftsteller über Hydrodynamik haben die Verstopfung in gekrümmten Röhren, welche durch die in denselben enthaltene Luft entsteht, bemerkt. In den Werken, die ich hierüber nachschlagen konnte, betrachten sie aber die Luft als in den höchsten Theilen der Röhren sich sammelnd, und dort die Höhlung derselben verstopfend, so daß der Durchzug des Wassers nur vermindert, nicht aber gänzlich verstopft wird, was von meiner Ansicht sehr abweicht. Wer mit diesem Gegenstande bekannt ist, wird sich der Zürcher Maschine zum Heben des Wassers erinnern, die vor vielen Jahren erfunden wurde, und die mittelst einer besonderen Stellung der Luft gegen das Wasser in einer Spiralröhre lezteres auf eine der obigen angegebenen Weise ähnliche Art hebt.

Da diese Röhre in ihrem ganzen Verlaufe mehr oder minder gekrümmt war, und die beiden Krümmungen, wo sie unter den Bächen durchlief, bedeutend waren, so schien es mir gewiß, daß sie zum Theile mit Luft gefüllt waren, und daß diese die Ursache war, welche den Ausfluß des Wassers hinderte. Ich machte hier und da kleine Oeffnungen, und die Luft fuhr mit Gewalt heraus; das Wasser floß aber dessen ungeachtet noch nicht aus der Röhre aus. Da es unmöglich war, überall an dieser Röhre zu den Biegungen zu gelangen, ohne daß man sie gänzlich aufgrub, so konnte die Idee, die Luft durch kleine Löcher entweichen zu lassen, nicht ausgeführt werden. Ich brachte daher eine Drukpumpe an dem Ende a an, und sprizte heißes Wasser aus einem Kühlfasse einer benachbarten Brantweinbrennerei ein. Die Drukpumpe war mit einer Klappe versehen, die mit einem Gewichte belastet war, das einer Wassersäule von 80 Fuß Höhe gleich wog. Die Oeffnung der Röhre in den Wasserbehälter, in welchen das Wasser geleitet werden sollte, wurde verengt, so daß es daselbst, nachdem es langsam durch die Röhre ging, ausgeleert werden konnte. Man wählte warmes luftleeres Wasser, um die Luft, die mit demselben unter einem starken Druke in Berührung kam, von diesem einsaugen zu lassen. Das Pumpen mit der Drukpumpe wurde zehn Tage lang ununterbrochen fortgesezt, und die Menge heißen Wassers, die man einpumpte, war beiläufig zwanzig Hogsheads.[202]) Nun ward die Pumpe abgenommen, und die Röhre mit der Quelle in Verbindung gebracht. Die Oeffnung des anderen Endes in den Behälter wurde nun ganz geöffnet, und das Wasser floß jezt in den Behälter aus, und fließt bereits fünf Monate lang ununterbrochen fort. Es ist kein Zweifel, daß viel Luft eingesogen worden seyn mußte, indem im Anfange des Pumpens, so oft man das Gewicht von der Klappe wegnahm, ein ganzer Strom Wassers bei der Oeffnung zurükgeworfen wurde. Die Menge des zurükgeworfenen Wassers war so groß, daß man sie nimmermehr der Elasticität des Wassers oder des Bleies zuschreiben kann; sie nahm auch täglich während des Pumpens ab, und zeigte sich beinahe gar nicht mehr, als man die Pumpe abnahm.

Hr. Gill erinnert die Leser an Hrn. Cowen's sinnreiche Vorrichtung einen Steinbruch troken zu legen, im II. Bd. S. 129. (Polytechn. Journ. Bd. XXIX. S. 360.) Er sagt, daß er Hrn. Treadwell seit 10 Jahren als einen geschikten Mechaniker kennt,

202) Ein Hogshead ist 63 Gallons; Ein Gallon = 10 Pfd. Wasser. A. d. Ue.

der sich damals ein Patent auf eine verbesserte Drukerpresse geben ließ, in welcher die Schwere des Drukers auf eine sehr zwekmäßige Weise zum Druke verwendet wird.

CIII.

Verbesserungen im Baue der Schiffe, um die Folgen äußerer oder innerer Gewalt an denselben zu vermindern, worauf Wilh. Parsons, Schiffsbaumeister an der k. Werfte zu Portsmouth, sich am 24. Juli 1827. ein Patent ertheilen ließ.

Aus dem Repertory of Patent-Inventions. N. 54. S. 706.

Mit Abbildungen [203] auf Tab. IX.

Meine Verbesserungen sind durch folgende Zeichnungen und Beschreibungen erklärt.

Fig. 10. ist ein Querdurchschnitt des Gerippes eines Ostindien-Fahrers von dreizehnhundert und zwölf Tonnen (15,600 Ztr.) Last. Fig. 11. ist ein senkrechter Längendurchschnitt, Fig. 12. ein horizontaler Durchschnitt desselben. Die Buchstaben und Figuren correspondiren in allen Durchschnitten. Die Länge der verschiedenen Hölzer, aus welchen das Gerippe besteht, sind in diesen Zeichnungen dargestellt. So ist von a bis a das Bodenholz (floor timber); von a bis b das zweite Unterholz (second futtock timbers); von b bis c das lange Oberholz (long top timbers): dieses Holzwerk bildet eine Rippe (bend). Die zweite Rippe kommt an die Seite der vorigen, und steht entweder mit derselben in Berührung, oder in einiger Entfernung davon. Sie wird von dem ersten oder unteren Unterholze gebildet; das sich von 1 bis 2 erstrekt, von dem dritten Unterholze von 2 bis 3, und von dem Oberholze von 3 bis c. Die einzige Verbindung, welche zwischen diesen beiden Rippen Statt hat, geschieht durch einige Bolzen, Fig. 11., welche der Länge nach durch dieselben an jeder Seite eines jeden Gefüges durchgetrieben sind. Diese beiden so zusammengebolzten Rippen nennt man ein Gestell (frame); es heiße A. Die Bolzen sollen bloß dazu dienen, um die Balken in ihrer gehörigen Lage zu erhalten, während das Gestell in dem Schiffe in seine senkrechte Lage gehoben wird. Auf dieselbe Weise wird das nächste Rippenpaar zusammengebolzt, und zu einem Gestelle, B, gemacht. Die übrigen Gestelle, C, D ꝛc. werden auf dieselbe Weise gebildet. Dieß ist die gewöhnliche Weise, nach welcher das Gerippe

---

203) Wir haben von diesem Patente bereits im XXX. Bd. S. 334. des Polytechn. Journales nach dem London Journal Nachricht gegeben. Das London Journal lieferte aber keine Abbildung, und gab eine sehr unvollkommene Darstellung, so daß wir gezwungen sind hier noch ein Mal auf diesen Gegenstand zurük zu kommen. A. d. Ue.

eines Schiffes verfertigt wird, woraus sich von selbst ergibt, daß die Gestelle A und B durchaus keine Verbindung mit einander haben. Eben dieß ist der Fall bei allen übrigen Gestellen. Bei Ansicht der Fig. 12. wird erhellen, daß die beiden Seiten des Gerippes des Schiffes keine andere Verbindung haben, als durch Bolzen in dem Boden und in dem ersten Unterholze. Ferner ist, obschon jedes Gestell aus zwei abgesonderten Rippen besteht, die absolute Stärke desselben, von seinem schwächsten Punkte genommen, nämlich an den Gefügen, nur der Stärke Eines Balkens gleich. Diesem auffallenden Mangel an Verbindung und Einheit in dem Gerippe des Schiffes abzuhelfen, und die Stärke der Gestelle an ihren Zusammenfügungen zu vermehren, sollen gegenwärtige Verbesserungen dienen, welche auf folgende Weise ausgeführt werden:

Man nehme dieselben Rippen und halte sie in einer Entfernung von z. B. drei Zoll parallel von einander, wie in Fig. 13 und 14. Man bringe dann in alle diese Oeffnungen oder Zwischenräume zwischen dieselben ein Verbindungsgestell aus Metall von der Form der Rippen, wie von e nach f, und von g nach g. Fig. 15, 16 und 17. sind senkrechte Querdurchschnitte des Verbindungsgestelles. Fig. 18. ist ein Längendurchschnitt, der bei ll durch fünf Balken und fünf Verbindungsgestelle durchgeführt ist: er ist nach einem vier Mal größeren Maßstabe gezeichnet. Die Verbindungsgestelle sind blau gezeichnet.[204]) Zu jeder Seite, sowohl an der oberen als an der unteren Kante desselben, ist ein Vorsprung oder eine hervorstehende Rippe von anderthalb Zoll im Gevierte, und an jeder Kante eines jeden Balkens ist eine Vertiefung, oder eine Furche an jener Stelle, wo das Verbindungsgestell zu stehen kommt, zur Aufnahme dieses Vorsprunges oder dieser Rippe, woraus sich von selbst ergibt, daß, da das Verbindungsgestell beide Kanten der beiden anliegenden Balken umfaßt, diese der Quere nach nicht von einander gebracht werden können. Wenn also der eine oder der andere dieser Balken durch irgend eine Gewalt auswärts oder einwärts getrieben wird, so muß er das Verbindungsgestell mit sich ziehen; dieses ergreift dann den nächsten Balken u. s. f. durch die ganze Reihe der Verbindungsgestelle. Auf diese Weise ist eine regelmäßige Verbindung und Vereinigung aller Balken so weit hergestellt, als diese Verbindungsgestelle reichen. Fig. 16., die quer durch den Kiel von g bis g läuft, umfaßt das Bodenholz (floor timber), und den unteren Theil der beiden unteren oder ersten Unterhölzer (lower or first futtacks), d. h. das untere Unterholz zu jeder Seite des Schiffes, und verbindet so die beiden Seiten des Gerippes des Schiffes kräftig. Die Figuren 15 und 17. erstre-

204) Dieß ist in der Abbildung im Repertory nicht der Fall. A. d. Ue.

ken sich von e bis f, und bedeken die beiden Gefüge bei a und 2; sie vermehren folglich die Stärke des Schiffes an diesen Theilen durch die absolute Stärke des Verbindungsgestelles, welches, wo es aus Gußeisen ist, ich so stark mache, als die Stärke des Holzes. Auf diese Weise wird die absolute Stärke an diesen Gefügen doppelt so groß, als sie war; und wenn man die Stärke, die durch die Verbindung des Ganzen entsteht, in Betrachtung zieht, so ist sie über alle Vergleichung größer, als ohne diese Verbindungsgestelle, und man wird in Fig. 14. sehen, daß zwischen den Enden der Verbindungsgestelle von e nach g nun eine Reihe vollkommener Balken kommt. Es gibt mehrere Arten, nach welchen solche Verbindungsgestelle verfertigt werden können. Fig. 16 und 17. sind ganz massiv, mit Ausnahme einiger Löcher zum Durchgange der Bolzen, wenn man sie nothwendig findet: diese Bolzen sind jenen in Fig. 11 und 12. ähnlich. Fig. 15. ist mit Oeffnungen versehen, wodurch die Stärke nur wenig leidet, und das Gewicht des Verbindungsgestelles vermehrt oder vermindert werden kann. Die Vorsprünge oder die hervorstehenden Rippen können, stellenweise, weggelassen werden, wie in Fig. 21. Da das Holz hier den Balken belassen wird; so füllt es diese Zwischenräume aus, und hindert die Gestelle sich auf- und abwärts zu bewegen. Fig. 19. zeigt noch eine andere Methode, diese Verbindungsgestelle zu verfertigen: sie können massiv oder offen seyn, mit Vorsprüngen oder hervorstehenden Rippen, müssen aber dann mit Zapfenkeilung (dowels or coakes), k, versehen seyn, wo die Zapfen in die zwei anliegenden Balken eingelassen sind. Die äußeren und inneren Flächen der Verbindungsgestelle dürfen eben nicht eine ebene Fläche mit den Balken bilden: sie können etwas nach innen stehen, wodurch die Verfertigung derselben sehr erleichtert wird, indem die Kanten dann vierekig seyn können, und nicht so schief abgedacht werden dürfen, wie die Balken. Es ist offenbar, daß diese Verbindungsgestelle in dem Maße eingesezt werden müssen, als man bei Erbauung neuer Schiffe mit dem Gerippe derselben vorwärts schreitet. Wenn aber ein Schiff ausgebessert werden soll, ist dieß nicht immer möglich, und wenn dann das Verbindungsgestell oder der Balken weder von oben noch von unten eingesezt oder eingekehrt werden kann (swept in); muß man zu der in Fig. 22. dargestellten Methode seine Zuflucht nehmen. Gewöhnlich kann an diesem runden Theile des Schiffes ein Kreisbogen sehr nahe durch die Mitte des Verbindungsgestelles, wie bei x x x, eingekehrt werden, dessen Mittelpunkt in o ist. Man lasse dann das Verbindungsgestell aus zwei Theilen verfertigen, die bei x x x zusammenstoßen, und die oben erwähnten Vorsprünge oder Rippen haben: einer dieser Theile wird von innen eingesezt, der andre von außen, und jeder Theil ist mit einem Schwalbenschweifgefüge an seiner Verbindung versehen, wie man in Fig. 23. im Durchschnitte sieht, so daß, wenn diese Theile zusammenstoßen, sie eine Art von doppeltem Schwalbenschweife bilden. Man muß dann Stüke von jeder Länge, wie in Fig. 24., bei der Hand haben, die in diesen doppelten Schwalbenschweif passen, und sie müssen denselben Bogen mit xxx bilden. Wenn man sie dann bei der einen oder bei der anderen Oeffnung an den Enden einfügt, lassen sie sich leicht in ihre Pläze treiben, und sie werden so die oberen und unteren Stüke des Verbindungsgestelles kräftig unter einander verbinden. Wenn dieses Gefüge gehörig verfertigt ist, so kann das Stük in Fig. 24. auch aus Einer Länge seyn. Es kann vielleicht nöthig seyn einen Bolzen durch den unteren Theil durchzuziehen, um das Herabgleiten desselben zu verhindern. In dem Verbindungsgestelle, Fig. 16., ist eine gerade Linie Statt des Kreisbogens.

Eine andere Verbesserung könnte durch kurze Verbindungsgestelle bewirkt werden, die jenen in Fig. 15, 16, 17 und 18. genau ähnlich sind. Die Länge dieser Gestelle darf die Weite der Oeffnungen zwischen den Balken nicht übertreffen, die daher etwas weiter seyn können. Die Gestelle können dann in die Oeffnungen mit den Vorsprüngen in entgegengesezter Richtung eingeführt und umgekehrt werden, damit sie beide Kanten der nahestehenden Balken umfassen. Nach diesem Plane sind mehrere solche Stüke über und unter jedem Gefüge nothwendig. Die Stüke in Fig. 22. können dann bloß eben, ohne Schwalbenschweif, zusammengefügt und stark zusammengebolzt werden. Nach diesem Plane für Ostindien-Fahrer habe ich die Verbindungsgestelle nur an dem unteren Theile des Schiffes angebracht, welcher der schwächste und den Beschädigungen am meisten ausgesezt ist, indem die Verdeke den oberen Theil des Schiffes hinlänglich verstärken. Ich beschränke mich jedoch nicht auf die Anwendung meiner Methode auf diesen Theil allein; sie kann, wenn man es nöthig findet, an allen Theilen des Schiffes angebracht werden. Ich beschränke mich auch nicht auf ein besonderes Metall oder Material zu den Verbindungsgestellen; Gußeisen ist jedoch hierzu besonders geeignet, indem es die Stelle des Ballastes vertritt, und nicht, wie dieser, als todte Last, das Gerippe des Schiffes zu zerstören strebt, sondern einen Theil desselben bildet und die Stärke desselben bedeutend vermehrt. E. liegt überdieß so tief, als der Ballast, und läßt Raum im Schiffsraume für schwerere Ladung. Ich beschränke mich auf keine besondere äußere Form der Verbindungsgestelle, oder auf besondere Längen oder Diken derselben oder ihrer Vorsprünge oder Rippen. Leztere müssen nach dem Ermessen des Schiffsbaumeisters oder Aufsehers bei dem Baue des Schiffes bestimmt werden, und hängen von der besonderen Form des Schiffes, von dem Dienste, zu welchem es bestimmt ist, und von der Stärke ab, die das Schiff an einzelnen Theilen haben muß, so wie auch von der Menge des Ballastes. Die Größen der Balken können übrigens so bleiben, wie bisher, oder nicht. Nach diesem Plane eines Ostindien-Fahrers habe ich Raum und Weite (room and space) gehalten, d. h. die Entfernung von vier Balken und vier Oeffnungen ist in beiden Fällen dieselbe, und durch Verjüngung der Seitenbalken (siding of the timbers) von vierzehn und einem halben Zoll auf zwölf Zoll erhalte ich hinlängliche Stärke in dem Holzgerippe und eine parallele Oeffnung von drei Zoll für das Verbindungsgestell, welches, wenn es aus Gußeisen in der Form von Fig. 15. ist, so stark ist, als das Holz. Holz und Metall muß so gegen einander im Verhältnisse stehen, daß, im Allgemeinen, die Dike des Eisens des Verbindungsgestelles ein Viertel oder Fünftel der Dike des Holzes beträgt, wo es, nach der Form von Fig. 15., so stark seyn wird, als Eichenholz. Andere Metalle oder Materialien müssen nach ihrer relativen Stärke berechnet werden. Ich beschränke mich nicht auf die Anwendung der Verbindungsgestelle auf das Gerippe des Schiffes allein; es läßt sich auch auf Balken (beams), Haken (hooks), Krüken (crutches) und zu verschiedenen anderen Verbindungen brauchen.

Ich nehme das Verbindungsgestell zu allen Zweken, zu welchen es in der Schiffsbaukunst zu brauchen ist, als mein Patent-Recht in Anspruch, so wie die Verwendung des Ballastes zur Bildung dieser Verbindungsgestelle und zur Verstärkung des Gerippes des Schiffes.

Bemerkungen des Patent-Trägers. Bei den vielen Verbesserungen, die in der Schiffsbaukunst praktisch angewendet wurden, ist es in der That zu wundern, daß das Gerippe der Schiffe in dem allgemein anerkannt schwachen und unverbundenen Zustande geblieben seyn konnte. Das Gerippe ist der Grundbau des ganzen Schiffes, und es hat doch keine Stärke in sich selbst. Es gibt dem Schiffe seine Form, und besizt nicht Stärke genug, dieselbe zu erhalten. Die Stärke des Materiales an dem Gerippe ist ungeheuer; an dem kleinsten Schiffe könnte es die Last von vielen tausend Tonnen tragen; allein, aus Mangel an gehöriger Verbindung seiner Theile ist es kaum stark genug seine eigene Last zu halten. Ein Blik auf die anliegende Zeichnung wird die Schwäche, den Mangel an Verbindung, und die Patent-Verbesserungen deutlich machen.

Man hat nie gedacht, daß das Gerippe eines Schiffes an und für sich einer Stärke fähig ist; man meinte, daß die Verbindung der Balken, der Verdeke und des Bretterwerkes allein die Stärke eines Schiffes ausmacht. Bei einer solchen Verbindung ist der obere Theil des Schiffes bis zum unteren Verdeke herab allerdings hinlänglich stark zu jedem Zweke: unter dem Verdeke aber, im Schiffsraume, ist nichts mehr, was dem Schiffe, dem Gerippe, Stärke gibt, als das Bretterwerk. Nun ist aber, aus der Natur der Form aller Schiffe, das Bretterwerk hier weniger wirksam, als irgend anderswo im Schiffe, und gerade dieser untere Theil des Schiffes ist es, der den meisten Beschädigungen ausgesezt ist, und von welchem die Sicherheit des Schiffes am meisten abhängt; dieser untere Theil ist der schwächste, während tausend Gründe die Nothwendigkeit erweisen, daß er der stärkste seyn sollte. Da keine Verdeke hier angebracht werden können, keine inneren Werke, durch welche er verstärkt werden könnte, so muß man die Stärke in dem Gerippe selbst zu finden suchen; man muß Mittel suchen, eine solche Vereinigung und Verbindung der Theile zu treffen, daß die ungeheuere Stärke des Materiales, die in denselben gelegen ist, in Thätigkeit gerufen wird. Man hofft, daß der hier vorgelegte Plan dem erwünschten Zweke entsprechen wird. Es ist ein glüklicher Umstand, daß der schwächste Theil des Schiffes gerade derjenige ist, wo die metallnen Verbindungsgestelle mit dem höchsten Vortheile als Ballast angewendet werden können. Wenn diese Gestelle in allen Oeffnungen angebracht werden, so bringen sie einen Körper zwischen das Holz, der von keinem Moder, von keinem Pilze zerstört werden kann, und schneiden so die Mittheilung dieses Unheiles von einem Balken an die anderen ab.[205]) Man kann sie auch bei jener Bauart mit Vortheil anwenden, wo die Rippen aus zwei oder mehreren Lagen von Brettern gebaut sind; diese metallnen Verbindungsgestelle erhalten dann die Bretter desto kräftiger in ihrer Form.

Da die Stärke des ganzen Gerippes dadurch so sehr verstärkt wird, so läßt sich die Bekleidung der Zimmerung in dem unteren Theile des Schiffes dadurch allerdings vermindern; sie ist wegen der Stüzen und Hälter hier um so weniger nöthig, als deren hier weniger vorkommen, als in den oberen Theilen des Schiffes, vorzüglich zwischen den Verdeken, wo sie am häufigsten sind. Wenn sie daher an dem unteren Theile des Gerippes so stark ist, als an den Verdeken, so ist sie hinreichend stark genug. Durch die Verminderung der Seitenbekleidung wird viele Auslage erspart; man kann dieselbe Tiefe aus kleinerem Holze, folglich aus jüngerem und wohlfeilerem Holze, schneiden. Diese Ersparung an den Baukosten des Gerippes, verbunden mit der geringeren Menge Ballast, vermindert die Auslagen

205) Sie sind aber selbst dem Roste unterworfen, und zwar hier mehr, als an irgend einer anderen Stelle des Schiffes, wenn er nicht durch Verzinnung oder Ueberkleidung mit Zink abgehalten wird. Indessen scheint es, daß, bis diese eisernen Gestelle vom Roste gefressen oder in Graphit verwandelt sind, das Holz des Schiffes selbst wohl auch schon halb verfault seyn wird. A. d. Ue.

ir die Metallverbindungen um ein Bedeutendes: die kleine Vermeh-
ung der Auslage überhaupt, die durch diese lezteren entsteht, kommt
urch die grössere Sicherheit des Schiffes und der Ladung und des
Gewinnes bei der Fahrt selbst reichlich herein.

Da das Gerippe auf diese Weise eine so gute Verbindung in
em unteren Theile des Schiffes erhielt, so braucht man nicht so lan-
es Holz, wie gewöhnlich. Das zweite und dritte Unterholz kann
ie Hältern (chocks) an derselben Stelle bleiben, an welcher es ge-
enwärtig liegt, und wenn man die Längen der Hölzer zwischen die-
en Punkten zu jeder Seite des Schiffes vermindert, ihre Anzahl ver-
ehrt, und sie unten und oben vierekig läßt, so sind auch die Hälter
überflüssig, vorzüglich bei Ergänzung des Bodens und des untersten
Endes der unteren Unterhölzer; das Gerippe wird so leichter versorgt,
vird nicht durch Querschnitte so leicht geschwächt, und man kann
esseres und wohlfeileres Holz brauchen; das Gerippe wird stärker
und dauerhafter.

Es wäre vergebens alle Theile des Gerippes gleich verstärken zu
wollen; denn die schwächeren Theile würden dann immer *verhältnißmäßig* schwächer bleiben müssen; man muß also nur die schwächeren Theile verstärken, nämlich den oberen und unteren Theil der
Unterhölzer. Da nun die eisernen Gestelle der Zahl und Stärke nach
den hölzernen gleich sind, so folgt, daß, wo sie an den oberen und
unteren Theilen dieser Hölzer angebracht sind, das Gerippe des Schiffes die Stärke von drei Hölzern erhält; daß folglich die Theile zwischen
den Enden der eisernen Gestelle die schwächsten werden. Die Stärke
ist aber an diesen Stellen gleich der Stärke zweier vollkommenen größerer Hölzer, die nicht dadurch geschwächt wurden, daß man sie gegen den Kern schnitt, wie es bei dem oberen und unteren Ende dieser Hölzer der Fall ist; sie sind vielmehr dadurch verstärkt, daß sie
von dem schwächeren Theile weniger weit abstehen, und verhalten sich
beinahe wie ein langer und ein kurzer Balken, der dasselbe Gewicht
trägt. Wenn man also die absolute Stärke eines jeden einzelnen Gestelles an dem unteren Theile eines Schiffes betrachtet, so kann man
mit Recht behaupten, daß es durch die metallnen Verbindungsgestelle
drei Mal stärker wurde, als es ohne dieselben nicht ist: wenn man
die vereinte Stärke der ganzen Reihe von Gestellen betrachtet, so ist
sie ohne Vergleich größer, als vorher.

Man hat gegen diesen Plan den Einwurf gemacht, daß, nach
demselben, der Ballast nicht, wenn es nöthig würde, über Bord geworfen werden kann. Man muß nicht vergessen, daß, wo über Bord
geworfen wird, der Ballast das Lezte ist, was über Bord geworfen
werden kann, und daß die meisten Kauffarteischiffe umschlagen wer-

den, wenn ihr Kielraum leer wird. Nur wenn man an's Ufer wil kann es wünschenswerth seyn, den Ballast über Bord zu werfen, un gerade in diesem Falle ist es noch weit mehr wünschenswerth, eine starken Boden, ein starkes Gerippe am Schiffe zu haben, zu desse Verstärkung dieser Ballast dient, der das Schiff nur wenig tiefe taucht.

Wenn das Schiff umgelegt werden muß (heaving down), kann sagt man, der Ballast gleichfalls nicht entfernt werden; dieß hat abe bei Kauffahrdeischiffen wenig zu sagen, da bei diesen nur wenig Kraf hierzu gehört, bei Kriegsschiffen aber immer Kraft genug hierzu vor handen ist. Während nun hier bei dieser Arbeit der Ballast eine Kleinig keit ist, ist die Stärke des Gerippes des Schiffes von der höchste Wichtigkeit, da häufig bei derselben der Boden bedeutenden Schade nimmt.

Metallene Gestelle können mit Erfolg dort angewendet werden wo es schwer ist in der nöthigen Holzlänge die gehörige Krümmung z erhalten. Die Länge des Holzes ist unbedeutend; denn die Haupt stärke liegt in den Metallgestellen: das Holz darf hier lediglich al fester Körper betrachtet werden, an welchem man das Bretterwerk be festigen kann.

CIV.

Verbesserung im Baue künstlicher Maste und Bogspriete, worauf sich Rich. Green, Schiffsbaumeister zu Blackwell, am 25. Febr. 1829. ein Patent ertheilen ließ.

Aus dem Repertory of Patent-Inventions. N. 54. S. 714.

Mit Abbildungen auf Tab. IX.

Meine Verbesserung ist in Folgendem beschrieben und abgebildet.

Fig. 25. stellt dieselbe vor, angewendet auf die Zusammenfügung der Enden zweier vierekiger starker Balken, AB, so wie man sich der selben zur Verfertigung der großen künstlichen Maste bedient. e ist ein vierekiger Zapfen an dem Stüke B, sechs bis acht Zoll lang, und vier Zoll im Gevierte, der genau in eine gleich große in das Ende von A geschnittene Vertiefung paßt. rr, ss ist ein Band aus ge schlagenem Eisen, das in die Stüke A und B eingelassen ist, so daß es nicht über die Oberflächen derselben emporragt. An der gegen überstehenden Seite der Stüke A und B sind ähnliche Bänder, und beide Bänder sind durch Bolzen, welche durch das Holz durchlaufen, mit einander verbunden. Man wird bemerken, daß das Band an den beiden Enden, rr, weiter ist, und auf diese Weise einen doppel ten Schwalbenschweif bildet. Diese Enden, rr, sind zugleich auch di r, als die übrigen Theile des Bandes, und bilden an der untern Seite, wo sie folglich tiefer in das Holz eingelassen sind, eine Schulter. Fig. 25. zeigt dieses Band im Seitenaufrisse, und im größeren Maßstabe, damit man die verstärkte Dike der Enden rr desto deutlicher sieht. Fig. 27. stellt dasselbe Band im Grundrisse dar, wo man bemerken wird, daß das Metall an jedem Bolzenloche breiter ist, so wie auch an der Stelle, wo die beiden Balken zusammengefügt sind. Fig. 28. ist ein Querdurchschnitt von Fig. 25. Die Enden der Balken werden auf folgende Weise zusammengefügt. Man bekleidet sie zuerst mit Kohlentheer, oder mit irgend einer ähnlichen Mischung, und bringt ein Stük Canevaß, das in derselben Mischung gehörig eingeweicht wurde, zwischen diese beiden Enden. Das Herz, der Kern oder die Spindel eines solchen Mastes wird aus einem vierekigen Stüke, oder aus vier vierekigen Stüken, nach dem verschiedenen Durchmesser des Mastes verfertigt. Die einzelnen Stüke rings um die Spindel müssen an allen ihren Flächen durch dazwischen angebrachte Zapfenkeilung (dowels or coakes), die vier Fuß weit von einander stehen, drei Zoll im Durchmesser halten, und anderthalb Zoll tief in jedes Stük eindringen, verbunden werden. Ein Bolzen von Einem Zoll im Durchmesser wird dann durch alle Stüke bei jeder zweiten Zapfenkeilung in jeder Fläche eingezogen, und verhütet so das Wakeln dieser Zapfen und das Drehen oder Winden des Mastes, wann die Rahen aufgezogen sind. Nun wird der Mast zugerundet, und von unten nach aufwärts verdünnt; es werden die Reife aufgetrieben, und dafür gesorgt, daß auf jedes Gefüge ein Reif kommt. Wo man keine Trieb-Reife anwenden kann, müssen Klammer- oder Keil-Reife gebraucht werden. Man wird begreifen, daß nie zwei Gefüge in derselben Querdurchschnittslinie liegen dürfen; sie müssen so abwechseln, daß immer ein Reif zwischen jeden kommt. Fig. 29. ist ein Querdurchschnitt eines Mastes, der aus vier dreiseitigen Stüken besteht: der Durchschnitt ist hier so genommen, daß gerade ein Gefüge an demselben zum Vorscheine kommt. D und e [206]) stellt das vierekige Loch zur Aufnahme des Zapfens dar, von welchem oben die Rede war. Es ist offenbar, daß, wenn man Stüke von solcher Form zur Bildung des Mastes braucht, die beiden Bänder, welche hier so gestellt werden müssen, wie in Fig. 30., nicht mit einander verbolzt werden können. Statt derselben müssen hier hölzerne, oder wie man sie nennt, Kutschenschrauben (coach screws) angewendet werden, um sie in ihrer Lage zu halten, wie die punktirten Linien zeigen. Fig. 30. stellt das Stük D im Perspective dar, welches

206) e fehlt im Repertory. A. d. Ue.

nach meiner Patent-Manier mit dem Stüke, F, vereinigt
Das obere Ende des Stükes D dient zur Aufnahme anderer äh
cher Bänder, und G ist der oben erwähnte vierekige Zapfen. M
sieht an dieser Figur, daß die dreiseitigen Stüke mittelst Zapfen
lung (dowels or coakes) vereinigt sind, die drei Fuß weit von ein
der stehen, drei Zoll im Durchmesser halten und anderthalb Zoll t
n jedes Stük eindringen. Sie können nöthigen Falles zusammeng
bolzt und mit Trieb- oder Klammer-Reifen, wie bei den größer
Masten, versehen werden, wobei man jedoch darauf sehen muß; da
die Gefüge, wie oben erwähnt wurde, mit einem Reife versehen we
den. Die Gefüge müssen zehn Fuß weit von einander stehen, so d
drei Reife zwischen jedes kommen.

Bemerkungen des Patent-Trägers. Der Zwek diese
Patentes, so wie mehrerer anderer ähnlicher, ist die Benüzung d
Rigaër oder Danziger Holzes zum Baue der Maste. Besondere Au
merksamkeit verdient hier die Sicherheit der einzelnen Gefüge, inde
die Länge und Stärke der Bänder, die man hier brauchen kann, kei
Gränzen hat. Die Gefüge können hier so stark gemacht werden, da
wenn eine große Gewalt angewendet wird, das Holz ehe bricht, al
das Gefüge von einander weicht. Die Zimmerung ist so einfach, da
sie sehr zu Gunsten dieser Maste spricht, so wie auch die Verbin
dung der Flächen der Balken mittelst Bolzen und Zapfenkeilung. End
lich kommt auch noch die Ersparung am Holze in Betracht zu zie
hen, und die Wohlfeilheit der Arbeit. Es trug sich vor Kurzem ein
Zufall zu, der die Vortheile erweiset, welche man bei Anwendung sol
cher Maste haben kann.

Der Ostindien-Fahrer „Carn Brea Castle" litt im vorigen Ju
lius Schiffbruch an der Insel Wight. Sein Mast war auf die hie
angegebene Weise aus vier Stüken gebaut, und hielt vier und zwanzi
Zoll im Durchmesser. Als das Schiff an das Ufer gebracht ward,
hielt man es, zur Erleichterung desselben, für nothwendig, den Mas
zu kappen. Man haute ihn bis zur Hälfte mit der Achse durch; da
Takelwerk, das ihn halten half, war bereits abgeworfen. Obschon
das Schiff damals gewaltig rollte, gab der Mast doch noch nicht im
Mindesten nach; er brach nicht ehe, als bis er auf zwei Drittel sei
nes Durchmessers durchgehauen war. Dann erst fing er an zu wan
ken, obschon noch der Topmast und die Rahen auf ihm saßen: eine
große Schwere an seinem obersten Ende. Der Vordermast, der aus
einem einzigen Stüke von derselben Dike war, brach am folgende
Tage, als man ihn nur einige Zoll tief einhieb, und sank, nach ab
geworfenem Takelwerke auf den Bord des Schiffes.

CV.

Gewisse Verbesserungen an den Maschinen zum Streken, Vorspinnen und Spinnen der Schaf- und Lamm-Wolle, worauf Edw. Bayliffe, Worsted-Spinner und Quaker zu Kendall, Westmoreland, sich am 14. Jul. 1826. ein Patent ertheilen ließ.

Aus dem Repertory of Patent-Inventions. N. 54. S. 722.

Mit Abbildungen [207]) auf Tab. IX.

Meine Verbesserungen bestehen in gewissen Abänderungen in, und Zusäzen an jenen Theilen der Maschinen, die man zum Streken, Vorspinnen und Spinnen der Schaf- und Lamm-Wolle braucht, nämlich jenen Walzen-Paaren, zwischen welche die Wollenfasern gebracht werden, damit sie, jede, ihrer ganzen Länge nach ausgestrekt und hierauf in gehöriger Menge und Ordnung zu einem gleichförmigen Vorgespinnste (sliver or roving) gereiht und verbunden werden, damit man Worsted oder Wollengarn daraus spinnen kann. Die natürliche Elasticität der Fasern der Wolle widersezt sich dem Ausziehen und der Verbindung derselben zu einem gleichförmigen Vorgespinnste: der Hauptzwek meiner Verbesserung ist, dieser Elasticität der Wollenfasern während des Spinnens und Vorspinnens durch eine gewisse neue Verbindung der Theile entgegen zu arbeiten. Zur Erläuterung dieser neuen Vorrichtung, und der Theile der Maschine, welche derselben bedürfen, dient die Zeichnung Fig. 31., in welcher jene Theile einer Spinnmaschine zum Spinnen der langen Wolle zu Worsted dargestellt sind, welche auf eine andere und neue Weise vorgerichtet werden müssen, wenn den Wirkungen der Elasticität der Wollenfasern während des Ausziehens und Strekens der Fasern, ehe man sie den Spindeln überliefert, die den Worsted-Faden spinnen sollen, entgegengearbeitet werden soll. A ist das kreisförmige Rad von 12 Zoll im Durchmesser: der kreisförmige Rand desselben ist genau auf einer Drehebank zugedreht, und mit einer einen Zoll breiten polirten Oberfläche versehen. B ist die ziehende Walze, oder die Zugwalze, die mittelst einer Feder oder eines Gewichtes auf den Umfang des Rades mit solcher Stärke angedrükt wird, daß die Fasern der Wolle festgehalten werden, wenn sie zwischen den Umfang des Rades A und die Zugwalze B gebracht werden. C und D sind zwei leichte Walzen, die man gewöhnlich die

---

207) Wir haben zwar von diesem Patente schon im XXIX. Bd. S. 385. des Polytechn. Journales aus dem London Journal of Arts Beschreibung und Abbildung gegeben. Unsere Leser werden sich aber, bei Vergleichung der hier gegebenen Zeichnung und Beschreibung mit jener des London Journal's überzeugen, daß es nicht überflüssig war, noch ein Mal auf denselben Gegenstand zurük zu kommen. A. d. Ue.

Führungswalzen (carrying rollers) nennt, und die durch ihr Gewicht auf der Kante des Rades, A, liegen bleiben, so daß sie die Fasern der Wolle leicht auf die Kante des Rades hindrüken. Die Führungswalzen sowohl, als die Zugwalze, B, können sich frei herum drehen, ihre Zapfen aber werden so zurükgehalten, daß sie sich nicht von einander entfernen können. E und F sind die hinteren Walzen (back rollers), von welchen die untere, E, einen Zoll im Durchmesser hält, und die obere, F, zwei Zoll im Durchmesser. Die obere Walze F wird auf die untere mittelst Gewichte oder Federn niedergehalten, so daß sie die Wollenfasern, welche zwischen beide gebracht werden, festhält. Das Rad A wird mittelst eines gehörigen Räderwerkes gedreht, so daß sich der Umfang desselben in der Richtung der hinteren Walzen E und F vorwärts gegen die Zugwalze B bewegt, und wird dieser Zugwalze B, und den Führungswalzen C und D, mit welchen es in Berührung ist, eine correspondirende Bewegung ertheilen. Die untere hintere Walze F wird durch ein schikliches Räderwerk in derselben Richtung mit dem Rade, A, gedreht, jedoch mit einer solchen Geschwindigkeit, daß ihr Umfang sich viel langsamer bewegt, als der Umfang des Rades, A, z. B. ein Zwölftel so schnell, oder in einem anderen schiklichen Verhältnisse. Die obere hintere Walze E wird in correspondirender Bewegung gedreht, indem sie die untere Walze, F, berührt. Die vorgesponnene Wolle (the roving), die durch diese Vorrichtung ausgezogen und ausgedehnt werden soll, wird zwischen die hinteren Walzen, E und F, gebracht, und auf die im Kreise sich drehende Oberfläche des Rades A gelegt, gegen welche sie durch die zwei Führungswalzen, C und D, leicht angedrükt, von der Zugwalze B aber fest angedrükt, und fest gegen dieselbe gehalten wird, so daß die Fasern der Wolle mit derselben Schnelligkeit hervorgezogen werden müssen, mit welcher die kreisförmige Kante des Rades, A, sich bewegt. Zu gleicher Zeit halten aber die hinteren Walzen, E und F, das Vorgespinnst fest und zurük, damit es nicht anders, als nur mit dem zwölften Theile der Schnelligkeit der Bewegung, mit welcher die Fasern zwischen der Zugwalze E und dem Rande des Rades A weggezogen werden, vorwärts schreiten kann. Das Vorgespinnst muß demnach zwölf Mal länger ausgezogen oder ausgedehnt werden, als es ursprünglich war; und alle seine Fasern werden eine neben der anderen ausgezogen, so daß sie gerade gestrekt werden, und eine parallel neben der anderen zu liegen kommt. Die natürliche Elasticität der Fasern, welche sich einem solchen Geradestreken und Ausdehnen widersezt, wird durch die reibende Bewegung der kreisförmigen Oberfläche des Rades, A, überwunden, welches sich mit größerer Schnelligkeit bewegt, als die Wollenfasern, die dagegen anliegen, und die durch die vereinigte Wirkung der Spannung der Fasern über die gesammte Oberfläche und des Drukes der Führungswalzen, C und D, welche die Fasern gegen die Oberfläche anhalten, mit einer gehörigen Kraft gedrükt werden. Diese Reibung der im Kreise sich drehenden Oberfläche beugt jeder zurükziehenden Wirkung der Fasern während der Ausdehnung vor, indem die Führungswalzen, C und D, ihre Bewegung von dem Rade, A, erhalten, da sie auf dem dazwischen befindlichen Vorgespinnste ruhen, und sich mit einer Geschwindigkeit drehen, welche mit der Geschwindigkeit der Theile, auf welchen sie liegen, im Verhältnisse steht. In Fig. 33. sind die so eben beschriebenen Theile im Perspective dargestellt, und dieselben Buchstaben bezeichnen dieselben Theile, nur mit der Ausnahme, daß D in der ersten Figur eine Führungswalze ist, und die andere Walze, die hier in der gegenwärtigen Figur in derselben Lage vorkommt, und mit M bezeichnet ist, eine Regulirwalze ist, wie ich sie nenne. A A sind zwei Räder, wie das in Fig. 31. mit A bezeichnete Rad. BB sind zwei Zugwalzen; C ist eine Führungswalze, und EF sind die zwei hinteren Walzen. Fig. 34 ist ein vollständiger Aufriß meines Spinnstuhles von der Endseite, um zu zeigen, wie meine Verbesserungen an demselben angebracht sind. Meine Verbesserungen sind mit rother Farbe in derselben gezeichnet, um sie von den anderen jezt gewöhnlich gebräuchlichen Theilen zu unterscheiden.[208]) Um die Wirkungen der Reibung der kreisförmigen Bewegung der Oberfläche des Rades A auf die Fasern der Wolle, die mit derselben in Berührung ist, zu reguliren, bringe ich die Regulirwalze, M, (die man in Figg. 33. und 34. sieht) an. Sie steht sehr nahe an der Oberfläche des Rades, A, berührt aber dasselbe nicht. Die Wolle wird unter dieser Walze so geleitet, daß es ihr möglich wird aus der Berührung der kreisförmig sich drehenden Oberfläche des Rades an jener Stelle zu treten, welche den hinteren Walzen EF am nächsten liegt, indem die Wolle sich von diesen Walzen abwärts neigt. Dadurch wird die Wolle in den Stand gesezt, mit einem größeren oder kleineren Theile der kreisförmigen Oberfläche des Rades A in Berührung zu kommen, so daß die Wirkung der dadurch entstehenden Reibung vermehrt oder vermindert werden kann. Dieß geschieht nun dadurch, daß, wie unten angegeben wird, diese Regulirwalze vor- oder rükwärts gestellt wird. Diese Walze dreht sich in einer der Richtung des Rades A entgegengesezten Richtung mittelst eines Rades, das an einem Ende derselben angebracht ist, so daß dieses Rad von einem anderen Rade auf der Achse R der Räder A A getrieben werden kann. Die Zapfen der Regulirwalze M werden von Lagern getragen, die

208) Dieß ist in der im Repertory gegebenen Figur nicht angedeutet. A. d. Ue.

an zwei kreisförmigen Zahnstöken, NN, angebracht sind, welche lose auf die Achse R passen, so daß sie um diese Achse, als um einen Mittelpunkt der Bewegung, beweglich sind. Diese Zahnstöke, NN, sind mit Zähnen nach Art eines Theiles eines Zahnrades versehen, und in diese Zähne greifen die Zähne zweier Triebstöke, OO, wie sie in Fig. 34. dargestellt sind. Mittelst eines kleinen Griffes, O, der am Ende der Triebstöke, OO, angebracht ist, können leztere so umgedreht werden, daß sie die kreisförmigen Zahnstöke, NN, um die Achse R drehen, wodurch die Lager der Zapfen der Regulirwalzen M um die kreisförmige Fläche des Rades A bewegt werden, ohne daß die Entfernung derselben von dieser verändert würde. Durch die verschiedene Stellung, welche die Regulirwalze, M, dadurch erhält, wird ein größerer oder kleinerer Theil des Vorgespinnstes oder der Fasern der Wolle sich von der Berührung mit der kreisförmig sich bewegenden Oberfläche des Rades entfernen und in die Höhe steigen; oder, mit anderen Worten, ein größerer oder kleinerer Theil der Länge des Vorgespinnstes zwischen den hinteren Walzen, EF, und der Zugwalze B wird mit der kreisförmig sich bewegenden Oberfläche des Rades A in Berührung kommen, und so die Wirkung der dadurch entstehenden Reibung empfangen. Die Zwischenräume zwischen den Zähnen der kreisförmigen Zahnstöke NN nehmen die Zapfen der Führungswalzen auf, und halten sie in ihren respectiven Lagen: diese Lagen können aber nach Belieben verändert werden, indem man die Zapfen ohne weiteres aus einer Lage in die andere bringt, so wie es die Umstände erfordern.

Bemerkung. Wenn die Lage der Regulirwalze M so gestellt wäre, daß sie eine zu große Spannung und Reibung im Vorgespinnste auf der kreisförmig sich bewegenden Oberfläche erzeugte, so daß dadurch ein Abreißen oder Abbrechen des Vorgespinnstes gegen die hinteren Walzen hin zu besorgen wäre, oder daß irgend eine größere Schwierigkeit bei dem Ausziehen der Fasern entstände, so muß der Griff O der Triebstöke OO so gedreht werden, daß die kreisförmigen Zahnstöke N dadurch so bewegt werden, daß sie die Regulirwalze M, und die Führungswalze näher gegen die Zugwalze B bringen. Dann wird das Vorgespinnst auf einem kleineren Theile der kreisförmig sich bewegenden Oberfläche liegen, und die Spannung und Reibung wird dadurch vermindert werden. Wenn aber, im Gegentheile, die Fasern sich zu leicht neben einander herausziehen, und so die Bewegung, in welcher das Vorgespinnst hervortritt, ungleichförmig ist, dann muß der Griff O in entgegengesezter Richtung gedreht werden, so daß die Regulirwalze M und die Führungswalze C weiter von der Zugwalze B entfernt wird, damit die Wolle der Wirkung eines größeren Theiles der kreisförmig sich bewegenden Oberfläche des Rades A ausgesezt wird. Eben diese neue Vorrichtung an den Walzen und an der kreisförmig sich drehenden Oberfläche des Rades A bringe ich auch an Zugstühlen und an Vorspinnstühlen zum Ausziehen und Vorspinnen der langen Wolle an, so wie auch an Spinnstühlen selbst, indem der Bau der Theile hieran derselbe ist, wie er oben beschrieben wurde, nur daß die relativen Durchmesser und Geschwindigkeiten der Walzen verschieden sind, und den verschiedenen Arbeiten, welche mit der Wolle vorgenommen werden müssen, anzupassen sind. Bei gewissen Arten von Wolle, die eine große Elasticität besizen, weil ihre Fasern sehr kraus sind, wende ich auch Hize auf die Wolle an, während sie ausgezogen wird, so daß die Elasticität derselben dadurch geschwächt und vermindert wird, während man derselben zugleich durch die Wirkung des Anlegens ihrer Fasern auf eine kreisförmig sich drehende Oberfläche nach oben beschriebener Vorrichtung entgegenarbeitet und sie überwindet. Um die Hize hier anzuwenden, verfertige ich die Räder A A nach Art hohler Gefäße oder Cylinder, und leite Dampf in dieselben, damit dieser ihren inneren Hohlraum ausfüllt, und dadurch die besagte kreisförmig sich bewegende Oberfläche, über welche die Wollenfasern ausgebreitet, und an welche sie angedrükt sind, erhizt. Die Weise, wie dieß geschieht, ist in Fig. 32. dargestellt, wo A ein cylindrisches Gefäß oder ein hohles Metallrad darstellt, welches auf einer Achse aufgezogen und genau kreisförmig und glatt auf seiner äußeren Kante oder seinem Umfange abgedreht ist, so daß es ganz wie das oben beschriebene Rad wirken kann. Die Achse, G G, dieses hohlen Rades A ist in ihrer Mitte hohl, und hat an beiden Seiten eine Oeffnung, läuft aber nicht durch den ganzen Cylinder, oder durch das ganze Rad: b ist einer der Mittelpunkte der Bewegung, um welche das hohle Rad sich dreht: c c sind kegelförmige Stiefel, welche in die Oeffnungen an den beiden Enden der hohlen Achse, G, eingefügt sind, und genau in dieselben passen. Sie sind in dieser Absicht wie die Drehezapfen eines Hahnes zugeschliffen, und werden durch Schrauben oder durch Federn in ihrer Lage fest gehalten. d ist eine Dampfröhre, welche mit einem dieser Stämpel, c, in Verbindung steht, und den Dampf in die innere Höhlung des Rades aus einem bequem gelegenen Kessel herleitet. e e sind Sperrhähne zur Regulirung des Dampfes oder zur Absperrung desselben. f ist eine Ablaßröhre an dem anderen Stiefel c am entgegengesezten Ende der Achse des hohlen Rades, um das Wasser abzuziehen, welches durch Verdichtung des Dampfes entsteht. Zu diesem Ende verlängert sich ein kleiner Ast der Röhre f durch die Höhlung der Achse bis in das Innere des hohlen Rades, und ist mit seinem Ende niedergekehrt, so daß er beinahe die unterste Tiefe desselben erreicht, und das Wasser so schnell ableitet als es sich durch Verdichtung des Dampfes bildet. Das Wasser wir nämlich durch den Druk des Dampfes, mit welchem das Rad erfüll ist, und durch welchen es bis auf ungefähr 200° F. (+ 74° R.) er hizt wird, in diese Abzugsröhre getrieben, und so gleichsam ausgedrükt. Die Hize, welche die Oberfläche des Rades dadurch erhält, und den über demselben ausgebreiteten Wollenfasern mittheilt, reicht hin di Elasticität derselben zu vermindern, so daß das Ausziehen und Vor spinnen der Wolle dadurch erleichtert und das Zurükweichen der Fasern verhindert wird.

Bemerkung. Obiges hohle Rad, oder der Cylinder A, Fig. 32. kann aus zwei flachen kreisförmigen Platten und einem kreisförmiger Rande verfertigt werden, welche Stüke mittelst Schraubenbolzen un Nieten so zusammengefügt oder gelöthet, oder auf irgend eine bekannt Weise so vereinigt werden, daß sie ein hohles Rad bilden. Die vorge sponnene Wolle läuft, nachdem sie durch die hinteren Walzen E F Fig. 32. des Zugstuhles durchgegangen ist, unter der Walze, H, durch die man das Stachelschwein (porcupine) nennt, die zugleich die Stell einer Regulirwalze versieht, und in jeder Hinsicht jener ähnlich ist welche man an den gemeinen Zugstühlen findet. Hierauf kommt dies Wolle in Berührung mit der kreisförmigen erhizten Oberfläche des hoh len Rades A, und wird auf derselben durch die Spannung ihrer ei genen Fasern und durch den Druk der Führungswalzen, C und D und der Zugwalze, B, angedrükt, wodurch die Fasern so erhizt wer den, daß sie ihre Elasticität größten Theils verlieren. Wenn di Temperatur hoch genug unterhalten wird, so verliert die Wolle zun Theil ihr krauses Ansehen, und hat keine Neigung mehr, zu ihrer vo rigen Elasticität zurükzukehren. Nachdem die Wolle zwischen der Zug walze B und dem hohlen Rade, A, durchgegangen ist, wird sie noc immer mit dem Umfange des lezteren mittelst einer anderen Walze, I in enger Berührung gehalten, und steigt dann, den Umfang diese Rades verlassend, an der entgegengesezten Seite der Walze, I, in di Höhe, und läuft über die Speisungswalze, L, auf die gewöhnlich Weise in die Kannen. Dasselbe Wollengespinnst kommt hierauf noc durch zwei andere Zugwalzen, die auf dieselbe Weise eingerichtet sind und jede wiederholte Bearbeitung vermehrt die Wirkung der vorigen bis endlich die Wolle ihre Elasticität so sehr verloren hat, daß sie we ter vorgesponnen und gänzlich ausgesponnen werden kann. Man ziet sie hierauf nach gewöhnlicher Weise noch ein Mal durch den Zugstuh wo sie wieder ausgezogen und dann zu Garn versponnen und auf Spu len aufgewunden wird.

Form, Größe und Verhältniß der Theile meines verbessert Spinnstuhles hängt von dem Gutbefinden des Werkmeisters ab, u von der Form und der Größe des Spinnstuhles, an welchen meine Verbesserungen angebracht sind, so wie von dem Zweke derselben zum Auszieben, Vorspinnen oder Spinnen.

Das Wesentliche meiner Verbesserungen besteht darin (und davon darf man in keinem Falle abweichen), daß eine kreisförmige sich umdrehende Oberfläche angewendet wird, auf deren Wölbung die Fasern der langen Wolle während des Aufziehens und Vorspinnens ausgezogen werden, während sie durch die hinteren und vorderen Walzen laufen; daß auf dieser kreisförmigen und im Kreise sich umdrehenden Oberfläche die vordere Zugwalze ansteht, und sich mit derselben Geschwindigkeit dreht, mit welcher jene sich dreht; so daß also die Oberfläche sich schneller bewegt, als die darüber ausgebreiteten Wollenfasern, damit diese mehr dadurch gerieben werden, und, nachdem sie ausgezogen und ausgedehnt wurden, nicht mehr in Folge ihrer Elasticität zurükweichen; daß ferner eine Regulirwalze angebracht wird, wodurch die Streke, auf welcher die Wollenfasern mit der converen Fläche in Berührung kommen sollen, nach Belieben, d. h. nach der Natur der Wolle und der Bearbeitung, verlängert oder verkürzt werden kann; daß endlich die sich im Kreise bewegende Oberfläche mittelst Dampfes, welcher unter derselben eingelassen wird, erhizt wird, um die Elasticität zu vermindern und zu schwächen. Urkunde desselben.

Der Patent-Träger bemerkt am Ende seines Patentes: Daß praktische Wörsted-Spinner seine Verbesserungen leicht begreifen werden; daß es für andere aber schwieriger seyn wird, dieselben einzusehen, da die Patent-Erklärung bloß jener Theile der Maschine erwähnt, auf welche das Patent sich erstrekt, und die Figuren mehr zur Beleuchtung des Grundsazes, worauf die Verbesserungen beruhen, dann als Leiter für den Mechaniker gezeichnet sind.

Man ging bei dieser Verbesserung von dem Grundsaze aus: daß alle Materialien, auf welche man mittelst Maschinen einwirkt, aller Bewegung beraubt werden müssen, die, während ihrer Bearbeitung auf denselben, durch Elasticität entstehen können, damit man ungestört von den gegenwirkenden Einflüssen irgend einer dem Materiale, welches bearbeitet werden soll, inwohnenden Kraft oder Neigung zur Bewegung, in seiner Arbeit fortfahren kann. Unter allen Faserstoffen, welche man in Fabriken verarbeitet, den thierischen wie den vegetabilischen, ist Schafwolle vielleicht derjenige, welcher am schwersten zu einem vollkommen gleichen und regelmäßigen Faden verarbeitet werden kann, was Theils von der verschiedenen Länge und Qualität der Fasern an Schafen verschiedener Rassen herrührt, deren jede correspondirende Abänderungen in der Maschine fordert; Theils von dem Einflusse des Klimas und Bodens auf das Fließ des Thieres; Theils endlich von der Elasticität und jener eigenen Bildung der Fasern, in Folge deren sie an einander anhängen, und die Eigenschaft erhalten sich zu filzen. Die erstere dieser Schwierigkeiten läßt sich zum Theile durch sorgfältige Auswahl der Wolle beseitigen, wenn man solche Wolle wählt, die, ihrer Rasse und ihrem Vaterlande nach, am meisten geeignet ist, ein vollkommenes Garn zu geben. Was die lezteren beiden Umstände betrifft, so gibt es, gegen den einen derselben, kein Mittel oder nur eine schwache Hülfe; dem anderen hingegen kann nur entweder durch Zerstörung der Elasticität, oder durch Ueberwindung derselben während der Bearbeitung mittelst zwekmäßiger Vorrichtungen in der Maschine entgegen gearbeitet werden. Diese Vorrichtungen bilden die Basis obiger Verbesserungen, und die ganze Maschine ist geradezu nach dem hier aufgestellten Grundsaze eingerichtet.

CVI.

Auszug aus dem Berichte der Berathschlagungen der Finanz-Commission in Bezug auf die Eisenerzeugung in Frankreich.

Aus dem Recueil industriel. N. 56. S. 124. (Fortsezung aus dem Polytechnischen Journal Bd. XXXV. 3. Heft. S. 185 bis 210.)

Das Eisen, sagte der erste Votant, ist eines der nüzlichsten Erzeugnisse unseres Landes; es ist zur Vertheidigung desselben unentbehrlich; es wäre unklug sich der Gefahr auszusezen, desselben beraubt zu werden, und bei einem so wichtigen Gegenstande von dem Auslande abzuhängen. Man darf aber nur jene Mittel zur Förderung der Eisenerzeugung unterstüzen, die ohne weiteren Nachtheil einer gewissen Entwikelung fähig sind. In dieser Hinsicht haben jene Eisenhüttenwerke, welche mit Holzkohlen arbeiten, und welche den Preis dieses Brennmateriales bis auf zwei Drittel des Gestehungspreises des Eisens erhöhten, dem Zweke des Gesezes vom J. 1822 nicht entsprochen; der erhöhte Einfuhrzoll des Eisens ist bloß den Forstbesizern zu Statten gekommen, und gewährt keine Hoffnung einer glüklicheren Zukunft für diese Art von Fabrikation. Es ist wahr, daß die Eisenhütten, auf welchen das Eisen mittelst Steinkohlen erzeugt wird, mehr Gedeihen versprechen, zumal jene im Thale von Gard und Aveyron, wo das Eisen so wohlfeil ist, als man nur immer wünschen kann; allein, der Vortheil, den die nördlichen Departements hiervon haben können, hängt von Verbindungsstraßen ab, die erst noch errichtet werden müssen; dieser Vortheil wird noch lange Zeit über durch die Kostbarkeit des Transportes geschmälert werden; und daher scheint der erhöhte Zoll auf das ausländische Eisen, namentlich auf das Gußeisen, dessen die Künste nicht entbehren können, herabgesezt werden zu müssen.[209])

Wenn es wahr ist, sagte der zweite Votant, daß Frankreich sein Eisen aus seinem eigenen Grunde und Boden ziehen kann; daß man seit zwei Jahren Alles that, um diesen Reichthum zu benüzen, und daß man bereits genügende Resultate erhielt; wenn dieser Zweig der Industrie, der sich mit dem Eisen beschäftigt, eine zahlreiche Menschenmasse nährt und den Werth des Grund und Bodens erhöht; so darf man nicht so leicht die ersten Vortheile fahren lassen, die man dem gegenwärtigen erhöhten Zolle schuldig ist; man muß denselben daher bis zur gänzlichen Entwikelung aller jener wohlthätigen Folgen, die er bereits erzeugte, aufrecht halten. Den Zoll nach dem Wunsche des Publikums herabsezen, hieße dasselbe betrügen, indem dieser Wunsch nur in der gänzlichen Unbekanntschaft mit jenen Thatsachen gegründet ist, welche die gegenwärtige Untersuchung an das Licht stellte. Um also eine sichere Bürgschaft für die Eisenfabrikation zu erhalten, soll man, Statt einer Verminderung des Zolles, vielmehr ein Gesez verlangen, das bloß kurz in einem einzigen Artikel befiehlt, daß der im J. 1822. auf fremdes Eisen gelegte Zoll beibehalten und vor dem J. 1839. um keinen Häller vermindert werden wird.

Der dritte Votant machte auf den Umstand aufmerksam, daß die Erhöhung der Eisenpreise im J. 1824, 25 und 26, die man den Eisenfabrikanten so sehr zur Last legt, lediglich die Folge der vielen Bauten und Bauspekulationen in diesem Jahre gewesen ist; daß die häufige und plözlich entstandene Nachfrage nach Eisen das Eisen nicht bloß in Frankreich, sondern selbst in England gleichzeitig und aus demselben Grunde im Preise steigen machte; daß, als diese Ursache in beiden Ländern aufhörte, auch die Wirkung derselben verschwand,[210]) nur mit dem Unterschiede, daß in England die Erhöhung des Preises des Eisens sehr wenig Einfluß auf die Erhöhung des Preises des Brennmateriales hatte, so daß die englischen Eisenfabrikanten den erhöhten Preis des Eisens rein gewannen, während in Frankreich die Erhöhung des Preises des Eisens zugleich auch das Holz vertheuerte, so daß die Forstbesizer hiervon den größten Theil des Gewinnes hatten, nicht aber die Eisenfabrikanten. Als im J. 1827. der Preis

209) Dieses ehrenwerthe Mitglied sprach, wenn es nicht im Solde von England gesprochen hat, buchstäblich wie ein altes Weib (comme une vieille commère). Deßwegen, weil das Holz theuerer wird, also die Förste dem Staate und den Privaten mehr Ertrag liefern, soll man die Eisenfabriken, die in Frankreich so eben erst durch den erhöhten Einfuhrzoll entstanden sind, zu Grunde richten, und die Capitalien, die darauf verwendet wurden, zugleich mit dem Eisen verlieren, das Frankreich schüzen soll. A. d. Ue.

210) Dieselbe Bemerkung machte auch der Uebersezer im Polytechnischen Journale Bd. XXXV. S. 197.

des Eisens so sehr gefallen ist, fiel der Preis des Holzes nicht in demselben Verhältnisse: das Holz blieb in Massen in der Hand der Besizer desselben, vorzüglich der Regierung, und die Forstbesizer schrieben dem Publikum, welches Holz brauchte, hier Geseze vor. Auf diese Weise erklärt sich die Rechnung der Hochöfenbesizer, welche uns erweisen, daß sie bei den gegenwärtigen Preisen mit Schaden arbeiten müssen, und daß sie zu Grunde gehen müßten, wenn sie nicht auf Verbesserungen und Ersparungen gerathen wären. Es folgt nicht hieraus, daß, um einen mäßigeren Eisenpreis in Frankreich zu erhalten, und diesen zu sichern, es klug seyn würde eine Eiseneinfuhr in Frankreich zu begründen, durch welche die französische Eisenindustrie mehr oder minder erstikt werden würde. Wenn sich durch eine augenbliklich entstandene vermehrte Nachfrage um Eisen in England selbst der Preis des Eisens von 175 auf 390 hob; wie würden daselbst die Eisenpreise nicht erst steigen, wenn ganz Frankreich sich an die englischen Eisenhütten wenden würde? Welche Höhe würden diese Preise auf jenen Punkten Frankreichs erreichen, die von unseren Häfen am weitesten entfernt sind? England hatte schon im Jahre 1788. nicht weniger als 68 Hochöfen mit Kohks im Gange, und doch galt das Eisen, welches jezt in England um 175 Franken die Tonne (20 Ztr.) zu haben ist, damals noch 350 Franken. Bei uns gilt die Tonne französischen Eisens jezt nur 430 Franken; obschon wir erst 14 Hochöfen mit Kohks besizen, von welchen nur 8 im Gange sind.[211]) England hielt den Einfuhrzoll auf fremdes Eisen, um seine Eisenwerke zu schüzen, 40 Jahre lang auf 16½ Franken, und nur während der Dauer dieses Prohibitiv-Systemes erlangte seine Eisenindustrie jene Höhe, die wir bewundern. Wenn unsere Eisenwerke uns dieselben Fortschritte in weit kürzerer Zeit versprechen, wenn unsere eigenen Anstrengungen zureichen, um die Preise des Eisens herabzubringen; warum will man muthwillig die schöne Zukunft durch Angriffe des Gesezes trüben, das sie schüzt?

Es ist recht und billig, antwortete die vierte Stimme, Unternehmungen zu schüzen, die mit Verstand entworfen, gut gelegen, und mit Klugheit geleitet sind; schikt es sich aber auch Unternehmungen zu begünstigen, welche diesen Schuz in einem so übermäßigen, den Consumenten so nachtheiligen Grade in Anspruch nehmen? Allerdings muß die Verminderung dieses Schuzes nur mit der äußersten Umsicht geschehen, und nie einen solchen Grad erreichen, daß das englische Eisen unsere Märkte überschwemmen kann; unsere Eisenfabrikanten dürfen

---

211) Und unsere Eisenwerke erst seit 6 Jahren betreiben, hätte das verehrliche Mitglied noch beifügen können. A. d. Ue.

aber in ihren Anstrengungen nie nachlassen; sie müssen immer auf der Bahn industrieller und ökonomischer Verbesserungen fortschreiten.[212])

Man sieht in Frankreich, sagt der fünfte Votant, mehrere Eisenwerke, die mit Steinkohlen arbeiten, mäßige Preise versprechen, sobald der bisherige Mangel an Verbindungswegen ihnen keine Hindernisse mehr darbieten wird; es läßt sich aber voraussehen, daß Eisenerzeugung mittelst Holzkohlen sich nur mit Mühe neben ihren Rivalen erhalten wird, und dieß nur bei besseren Eisensorten. Indessen würde, unsere Eisenwerke mögen sich in was immer für einer Lage befinden, ein Herabsezen des Zolles auf fremdes Eisen, in der Absicht die Einfuhr des fremden Eisens zu erleichtern, nur dazu dienen, unsere schöne Industrie in ihrem Laufe aufzuhalten, ohne irgend einen Ersaz für das Uebel zu gewähren, welches dadurch entstehen müßte. Vielleicht ließe sich der Zoll auf Gußeisen etwas abändern; in jedem Falle wird es aber unerläßlich seyn, die von dem Gewichte und von den Formen hergenommenen Zollsäze, die jezt aufgestellt sind, gänzlich aufzuheben.

Der sechste Votant schreibt die Fehler, welche die Eisenfabrikanten sowohl bei Anwendung der Holzkohlen, wie der Steinkohlen begingen, dem zu hohen Schuze zu, den man ihnen gewährte. Er meint, daß eine mäßige Verminderung des Einfuhrzolles sowohl den Consumenten, als der Industrie der Fabrikanten selbst nüzlich seyn könnte. Es wäre, meint er, ein Wink für sie, nicht mehr im Vertrauen auf ein Prohibitiv-System gewagten Unternehmungen sich hinzugeben; der Fabrikant würde durch diese Maßregel in die Nothwendigkeit versezt, auf Verbesserungen und Ersparungen zu denken.[213])

Der siebente stellt eine gedrängte Uebersicht der Geschichte der Eisenfabrikation dar, und zeigt, welche glükliche Resultate Frankreich durch sein Prohibitiv-System in Bezug auf dieselbe erhielt; er zeigt, wie schnell die Eisenerzeugung mittelst Steinkohlen fortschritt, und wie sie schon in den lezten Jahren sowohl an geschlagenem Eisen, als an Gußeisen, das Drittel des Bedarfes lieferte; er zeigt, wie neue Eisenwerke an glüklich gelegenen Oertern errichtet werden, und sich noch im-

---

212) Der gute Mann hat wie der Blinde von der Farbe gesprochen, und in den Gemeinpläzen, die er hier vortrug, eine reine petitio principii begangen. Er blieb taub und blind gegen alle Thatsachen, wie ein ächter Schüler des berühmten Say seyn und bleiben muß. Er will, daß die französischen Fabrikanten „fortschreiten auf der Bahn der Verbesserungen," und will zugleich, daß man ihnen Hände und Füße binde. Man hätte glauben sollen, daß die Aeußerung seines Vormannes auch einem Blindgebornen die Augen öffnen, und einem Stoktauben in's Ohr krachen müßte: allein, man sieht wie weit der Stolz des Vorurtheiles und die Blindheit des Eigendünkels Menschen zu mißleiten im Stande ist.
A. d. Ue.

213) Als ob dieß nicht ohnehin das erste Augenmerk eines jeden Fabrikanten wäre, und nicht mehr im Interesse des Fabrikanten, als des Consumenten läge.
A. d. Ue.

mer mehr und mehr dort vermehren werden, wo Steinkohlen und Eisenerze neben einander liegen, so daß sich mit allem Grunde erwarten läßt, daß mittelst eines wohl erhaltenen Schuzes das Gußeisen in Kürze auf 110 Franken, das Stabeisen mit Steinkohlen bereitet auf 260 Franken fallen muß. Dann wird Frankreich die englischen Hochöfen nicht mehr zu fürchten brauchen. Man entschließe sich noch zu einem kleinen Opfer von ein paar Jahren, und das französische Eisen wird eben so wohlfeil in Frankreich zu haben seyn, als das englische. Wenn man sich aber an dem Schuze vergreifen will, den man bisher den französischen Eisenwerken ertheilte, so wird man Gefahr laufen, die schöne Zukunft zu verlieren; man wird Verwirrung und Muthlosigkeit in diesen Zweig der Industrie bringen, einer zahllosen Menge von Armen alle Arbeit entziehen, und die großen Capitalien, die auf Eisenhütten verwendet wurden, welche dann keinen Werth mehr haben werden, werden für immer verloren seyn.

Die Untersuchungs-Commission zeigte dem achten Votanten, daß Eisen eines der ersten Staatsbedürfnisse sowohl im Kriege, als im Frieden ist. Es ist für den Akerbau, für die Künste und für den Handel höchst wichtig, sezt große Capitalien in Umlauf und gibt verschiedenen Produkten des Bodens ihren Werth. Es verdiente also den Schuz, den es erhalten hat, und der entschiedene Vortheile gewährte. Wenn die Consumenten deßwegen eine kleine Auslage mehr haben, so ersezt sich dieß im Wohle des ganzen Landes durch den Lohn der Arbeiter an den Eisenwerken und durch die Sicherheit des Ganges der Industrie. Wenn man den Zoll so herabsezen würde, daß dadurch ausländisches Eisen auf unsere Märkte gezogen würde, ehe unsere Eisenhütten im Stande sind die Concurrenz derselben auszuhalten, so würde man offenbar das Schiksal unserer Bergwerke, die ungeheueren Capitalien, die in den Eisenwerken steken, und selbst die Existenz einer großen Menge von Arbeitern der Gefahr des Unterganges bloß stellen. Man muß also, obschon es höchst wünschenswerth ist, wohlfeiles Eisen zu haben, sich in nichts übereilen, was denjenigen Zweig der Industrie betrifft, welcher sich mit Erzeugung desselben beschäftigt; es ist genug, wenn man den Wachsthum desselben beschleunigt.

Der höhere Preis des Eisens, die höhere Auslage, welche die Consumenten für dasselbe machen müssen, scheint dem neunten Votanten nicht ohne allen Ersaz. Er sieht in den Thatsachen, welche die Untersuchung ausmittelte, die Fortschritte eines herrlichen Zweiges der Industrie; er sieht eine Erzeugung, die bereits dem Bedarfe beinahe gleich kommt; er findet Beschäftigung dadurch in Gegenden gebracht, die ehevor brotlos waren; und Capitalien in einer solchen Menge auf Eisenwerke verwendet, daß es ungerecht wäre, sie zu tödten. Es scheint ihm aber, daß der Zoll, oder vielmehr die Taxe vom J. 1822, zu lästig ist, indem sie ein jährliches Opfer von 20 bis 25 Millionen für übel angelegte Eisenwerke fordert. Zu lezteren zählt er gewisse Eisenhüttenwerke in der Champagne, zu welchen man das Holz 39 französische Meilen (lieues) weit herholen muß, und andere Eisenwerke, die ihr Eisenerz aus der Franche-Comté und ihr Brennmaterial vom Rive-de-Gier her beziehen. Es ist möglich, sagt er, daß man Eisenwerke, Gußeisenwerke, dort mit Vortheil betreiben kann, wo sich Holz und Eisenerz neben einander findet; die weitere Verarbeitung des Eisens mittelst Holzkohle wird aber von selbst aufhören müssen, indem man mit Steinkohlen dasselbe Eisen weit wohlfeiler erhält, wenn Eisenerze und Steinkohlen neben einander brechen, oder wenn der Transport der einen oder der anderen nicht zu hoch zu stehen kommt. Wenn der erhöhte Zoll also seine Vortheile hatte, so sind auch seine Nachtheile nicht zu läugnen. Es ist an der Zeit, denselben in dieser Hinsicht abzuändern, und in gehörige Gränzen zurükzuweisen.[214])

Der zehnte Votant meint nicht, daß die auf Eisenwerke gelegten Capitalien durch den Schuz, welchen man ersteren ertheilte, ein gleiches Recht mit dem wahren Güterbesize erhielten. Der Preis des Holzes ist sehr gestiegen, ohne irgend einen neuen Werth zu erzeugen,[215]) und noch weit höhere Summen sind, zum Nachtheile anderer Interessen von Hand zu Hand gegangen. Die Fortschritte, welche die Eisenwerke machten, haben kaum so viel getragen, daß man den höheren Preis des Holzes mit ihrem Ertrage deken konnte, und es ist erwiesen, daß die Gußeisenerzeugung mit Kohks noch nicht jene Vortheile erlangt hat, zu deren Erwartung das Publikum berechtigt war, indem, überhaupt, die Lager der Eisenerze von den Steinkohlenlagern zu weit entfernt sind. Bei diesen Verhältnissen, und um keinem Interesse durch Angriffe auf den Zoll zu nahe zu treten, schlägt er vor den Zoll auf

---

214) Die hier vorgebrachten Gründe sind bloß Scheingründe. Wenn es wahr wäre, was nicht der Fall ist, daß ganz Frankreich wegen des erhöhten Einfuhrzolles auf fremdes Eisen eine Taxe von 25 Millionen mehr trüge; was würde dieß schaden, wenn dadurch 2500 Millionen im Lande blieben? Welcher Bettler spürt des Tages den 365igsten Theil eines Franken? Es ist ferner falsch, daß dieses Opfer „für übel angelegte Eisenwerke" gefordert wird: man fordert es für die Wohlfahrt der gesammten Eisenwerke Frankreichs. Es gibt in allen Staaten und unter allen Verhältnissen Fabriken, die schlecht angelegt sind. Hat der Staat oder irgend Jemand das Recht, einem Individuum die Anlage einer Fabrik zu verbieten, bei welcher der Unternehmer allein gefährdet ist? Wohin würden solche Grundsäze am Ende führen? Sire! laissez les faire! sagte der große Colbert. A. d. Ue.

215) Als den des höheren, 5—8 Mal höheren Werthes des Waldes. A. d. Ue.

fremdes Gußeisen als Zoll auf rohes Material überhaupt, welches zur Verarbeitung eingeführt wird, für jene Pläze zu behandeln, welche so gelegen sind, daß sie zugleich das Gußeisen leicht erhalten können, und Steinkohlen im Ueberflusse haben. Diese neue Art von Concurrenz wäre vortheilhaft für diejenigen, die Maschinen, Gußwaaren rc. verfertigen, und die mit dem Zolle von 1822. doch ausländisches Gußeisen haben müssen. Übrigens könnten die Gußeisenwerke, die so gelegen sind, daß sie vortheilhaft mit Holz arbeiten können, fortbestehen, und würden durch den Bedarf der Consumenten noch Schuz genug finden, da man zu gewissen Arbeiten nur Gußeisen brauchen kann, das mit Holzkohlen gearbeitet wurde.[216])

Der eilfte Votant wünschte eine mäßige Herabsezung des Zolles, die jedoch die Eisenfabrikanten nicht zu Grunde richten sollte. Die Eisenwerke, die mit Holzkohlen arbeiten, sagt er, und die jezt schon die Concurrenz der Eisenwerke, die mit Steinkohlen arbeiten, nicht auszuhalten vermögen, werden diese Probe nicht leicht bestehen; allein sie müssen früher oder später fallen,[217]) und das Unglük, das sie trifft, wird diejenigen Eisenwerke nicht erreichen, die Holz und Erz zugleich besizen. Was die Eisenwerke betrifft, die mit Steinkohlen arbeiten, so wurde denselben so zu sagen die ganze Masse der englischen Industrie bei der Eisenerzeugung eingepfropft; sie wurden auf ein Mal um vierzig Jahre vorgerükt, und sie müssen schneller fortschreiten, als es bisher nicht geschah.[218]) Die Herabsezung des Zolles darf nicht so bedeutend seyn, daß unsere Märkte dadurch mit ausländischem Eisen überschwemmt werden, sondern nur daß der französische Fabrikant aufgeregt wird, seine Pruducte zu verbessern und mit Oekonomie zu arbeiten.

Der Zoll vom J. 1822. scheint dem Votanten, N. XII., übertrieben. Der Zoll war, sagt er, bestimmt die Eisenfabrikation zu be-

216) Mit diesem Jesuitismus von halben Maßregeln wird gewiß der Finanzmann, als Zöllner, eben so wenig zufrieden gestellt, als der Fabrikant als Erzeuger: beide verlieren gleich viel bei diesem Vorschlage, ohne daß das Publikum etwas gewinnt. Höchstens wird ein oder der andere Maschinenfabrikant dabei gewinnen. A. d. Ue.

217) Wie menschenfreundlich! Weil sie früher oder später fallen müssen, ist es besser, man bringt sie gleich um! Es wundert uns nur, daß Hr. N. XI. nicht auch vorschlug, die Eisenarbeiter an diesen Eisenwerken, damit sie nicht früher oder später, wie die Seidenweber zu London à la Huskisson des langsamen Hungertodes sterben müssen,

„zu werfen in die Hölle dort,
daß sie zu Asche gleich vergehen.“ A. d. Ue.

218) Wehe demjenigen Fabrikanten, der da glauben kann, er habe, weil er Maschinen und Verfahren, die in einem anderen Lande seit 50 Jahren mit Vortheil benüzt und befolgt werden, in seine Fabrik kommen ließ, seine Fabrik dadurch auch um 50 Jahre weiter vorgerükt. Es ist nicht die Maschine, nicht das Verfahren, es ist die Erfahrung, die Uebung des Arbeiters, die die Maschine und das Verfahren wahrhaft nüzlich macht. Usus facit artificem. A. d. Ue.

schüzen, und er ward bloß eine Goldquelle für die Forstbesizer. Die Frage, in welcher es sich um unsere Fortschritte handelt, gehört vielmehr in das Gebiet des Straßen- und Canalbaues, als in das Gebiet des Mauthsystemes. [219]) Vor dem Jahre 1789 kosteten 20 Ztr. (1000 Kilogramm) Eisen 400 Franken; bei den Fortschritten, die wir machten, kosten sie jezt 600 Franken. Die Fabrikanten haben also den Schuz mißbraucht. [220]). Man muß daher diesen Schuz so beschneiden, daß er nur noch die wahre Industrie begünstigt, nicht aber falsche Speculationen. Die Besizer der Eisenwerke, welche mit Holz arbeiten, versichern, daß alle weitere Herabsezung der Eisenpreise unmöglich ist, während diejenigen, die mit Steinkohlen arbeiten, weit entfernt sind dieselbe Sprache zu führen. Mehrere von ihnen versprechen Gußeisen um 180 Franken, gehämmertes Eisen um 280 Franken liefern zu können. Wir wissen aus achtbaren Quellen, daß das Eisenerz in Frankreich wohlfeiler ist, als in England. Unter 25 Kohlengruben in England sind nur 3, die Eisenerz im Ueberflusse liefern. Wir haben eben so viel, und zwei davon sind sehr reich. Der Preis, um welchen man verspricht Eisen mittelst Steinkohlen liefern zu können, erlaubt einige Verminderung am Zolle, indem das englische Eisen nur mit 49 Franken Kosten gestellt werden kann, und unser Eisen von St. Etienne für 5—6 Franken nach Nantes geliefert wird. Die Eisenwerke, welche mit Holzkohlen arbeiten, sind daher nicht alle bedroht; ihr Eisen ist besser und zu gewissen Arbeiten allein brauchbar; es wird daher immer gesucht werden. Wenn diese Eisenfabrikation seit 1822 Fortschritte machte, so ist eine Zollverminderung möglich; man muß sie also vornehmen, und die Mittel des Transportes erleichtern.

Nach Prüfung der Thatsachen, welche sich aus der angestellten Untersuchung ergeben, ist der dreizehnte Votant der Meinung, daß das Geschrei gegen den erhöhten Zoll auf fremdes Eisen im Ganzen

---

219) Siehe die Anmerkung weiter unten. A. d. Ue.

220) Der Hr. N. XII. muß entweder ein junger Herr seyn, der im J. 1789 bloß von Muttermilch lebte, oder ein so abgelebter Greis, daß er bereits vergaß, daß man im J. 1789 zu Paris mit vier Franken des Tages weit besser lebte, als heute zu Tage mit sechs. Wer immer im J. 1789. als junger Mann an der Newa, oder an der Themse, oder Donau oder an der Spree lebte, und jezt noch dort lebt, wird dasselbe Schiksal mit den Parisern getheilt haben. Es ist also eine an Thorheit gränzende Anmaßung, die Fortschritte der französischen Eisenhüttenmänner dadurch zu verhöhnen, daß das Eisen vor 40 Jahren um ein Drittel wohlfeiler war. Es ist lächerlich, oder vielmehr abgeschmakt, von dem wohlfeileren Preise des Eisenerzes in Frankreich zu sprechen, während das Brennmaterial 6 Mal theuerer ist, und es ist mehr als läppisch, die Transportkosten von St. Etienne nach Nantes auf der Loire hier in Anschlag zu bringen, da kein anderes Eisenwerk so günstig gelegen ist, und Frankreich wohl nie Anspruch machen kann, auch nur einen Nagel oder ein Messer auszuführen (außer für die Wilden), seine Eisenmanufaktur mag auch noch so blühend werden. A. d. Ue.

genommen keinen vernünftigen Grund hat. Wenn man den Schaden genau berechnet, welchen diejenigen erleiden, die über den höheren Preis des Eisens klagen, so sieht man, daß derselbe sich so sehr vertheilt, daß das Uebel um so leichter zu ertragen ist, als es nur für eine kurze Zeit über dauern kann. [221]) Die Produkte des Akerbaues können dadurch nur eine unmerkliche Erhöhung erleiden; beim Schiffsbaue ist dieß derselbe Fall. Der Bau der Häuser leidet dabei etwas mehr; allein bei besseren und größeren Gebäuden ist der erhöhte Preis des Eisens wieder so unbedeutend, daß er kaum verdient in Anschlag gebracht zu werden. Will man den Zoll herabsezen, so öffnet man dem fremden Eisen alle Häfen und Thore; man hält unsere Eisenwerke mitten in ihren Fortschritten auf, und sezt sich der Gefahr aus, eine noch grössere Theuerung des Eisens zu erkünsteln, gegen welche jede fernere Abhülfe unmöglich wird. Wenn man indessen den kleinen Schaden, der durch den erhöhten Einfuhrzoll entsteht, in der sicheren Ueberzeugung erträgt, daß das Eisen bald und bleibend wohlfeiler werden muß, so sichert man sich für die ganze Zukunft die Wohlthat einer Industrie, die schon jezt uns dadurch einen unendlichen Gewinn verschafft, daß sie die Anlage neuer Canäle und Eisenbahnen veranlaßte. Sollte es indessen nothwendig seyn, die öffentliche Meinung über die hohen Eisenpreise zu besänftigen, so kann man etwas an dem Zolle nachlassen, und dabei bemerken, daß der nach diesem Abzuge noch übrig bleibende Zoll eine gewisse Anzahl von Jahren über beibehalten werden soll. Auf diese Weise könnte auf der einen Seite dem Wunsche des Publikums willfahren werden, und die Eisenfabrikanten erhielten auf der anderen Seite Gewährleistung der Fortdauer ihres Schuzes. [222])

Der Votant N. XIV. stellt alle Gründe zusammen, welche man für eine Verminderung des Einfuhrzolles auf fremdes Eisen vorgebracht hat. Der Zwek des erhöhten Einfuhrzolles auf fremdes Eisen ist, nach seiner Ansicht, dem französischen Eisen seinen Absaz auf den Märkten Frankreichs bei dem Verbrauche desselben innerhalb seiner Gränzen zu sichern. Der Zwek der Untersuchungs-Commission ist zu bestimmen, ob der gegenwärtige erhöhte Zoll wohlthätige Folgen gehabt

---

221) Der Uebersezer hat dasselbe früher in einer Anmerkung S. 201. erwiesen. A. d. Ue.

222) Mit Recht bemerkt der XIII. Votant, daß Canäle und Eisenbahnen von selbst entstehen, wo viele und schwere Lasten zu fahren sind. Der Votant N. XII. zäumte hingegen, wie man sagt, den Esel beim Schweiffe auf; er will daß man Eisenbahnen und Canäle (Communications!!) anlege, ehe noch etwas vorhanden ist, was auf denselben gefahren werden kann. Wenn man auch in Frankreich so thöricht seyn könnte, Canäle und Eisenbahnen anzulegen, ohne daß man einer Fracht auf denselben sicher ist, so würden sie, wo man den Einfuhrzoll auf fremdes Eisen herabsezt, höchstens dazu dienen, den Transport des fremden Eisens zu erleichtern, und dadurch die französischen Eisenwerke nur desto schneller und sicherer zu Grunde richten. A. d. Ue.

hat. Ehe fremdes Eisen auf den französischen Märkten feil geboten werden kann, muß der französische Fabrikant sein Eisen auf diesen Märkten um einen Preis verkaufen können, welcher das Interesse seines Capitales, den Arbeitslohn, den Preis der rohen Materialien, die Fracht ꝛc. vollkommen dekt, und ihm dabei noch einen billigen Fabrikgewinn läßt. Dieß ist Alles, was ein Prohibitiv-System gewähren muß, und mehr nicht. Wenn nun der Bedarf über die Erzeugung steigt, so wird jede Erhöhung des Preises ein Monopol; der erhöhte Zoll wird eine vermehrte Auflage für den Consumenten, ein Wuchergewinn, den der Fabrikant fordert. In diesem Falle muß durch den Zoll ein gehöriger Gestehungspreis festgesezt werden, und von dem Augenblike an, wo diese Gränze überschritten wird, muß das Ausland uns von dem Monopole befreien.[223]) Man wird sagen, daß, wenn man den Gestehungspreis so sehr beengt, die Capitalisten wenig Reiz finden werden, ihre Capitalien auf so geringe Interessen auszulegen; daß bei einem neuen Industriezweige Fehler unvermeidlich sind, daß man dabei Anfangs im Finstern tappen muß und daß Versuche nur zu oft unglüklich ausfallen; daß, je mehr die Unternehmung Gewinn darbietet, desto mehr Wetteifer sie erzeugen muß, und daß ihre Fortschritte eben daher desto rascher seyn müssen; daß, je schwieriger der Anfang ist, desto kürzer die Dauer der Leiden seyn wird. Wir wollen zugeben, daß Alles, was zur Förderung und Entwikelung der Industrie beitragen kann, auch zur Förderung des allgemeinen Wohles beiträgt; darf man aber hierin so weit gehen, daß man einen Gewinn gestattet, der den Gestehungspreis weit übersteigt?[224]) Sieht man

223) Die Theorie des Hrn. N. XIV. ist ein garstiger Circulus vitiosus. Es ist offenbar, daß bei jedem Zweige der Industrie, der in einem Lande erst geschaffen werden muß, der Bedarf die Erzeugung Anfangs übersteigen muß. Dadurch entsteht aber noch kein Monopol. Sobald man sieht, daß ein Individuum bei irgend einer Fabrikation reichlichen Gewinn macht, errichten zehn und zwanzig andere Individuen ähnliche Fabriken, und das nothwendige Resultat hiervon ist ein Fallen der Preise des Fabrikates. Als die Kattundrukerei in England entstand, galt eine Elle 2 fl.; 40 Jahre später hatte man dieselbe Waare, noch schöner, um 16 kr. Haben also die englischen Einfuhrverbote fremder Kattune ein Monopol gegründet? Wehe dem Lande, in welchem der Finanzminister das Ausland zu Hülfe ruft, um seine Industrie durch die Fabriken desselben zu heben! Es wird ihm ergehen wie jenem Lande, in welchem der Minister des Inneren die Truppen des Auslandes zu Hülfe ruft, um es besser regieren zu können. Sobald das Ausland ein Land mit seinen Fabrikaten überschwemmen darf, ist die Industrie dieses Landes nicht bloß augenbliklich für die Gegenwart zerstört, sondern für Jahrhunderte der Zukunft. Hr. N. XIV. bringt durch seine Theorie immer die Kaze auf die alten Füße; die Nachfrage nach einem Artikel wird immer größer seyn, als die inländische Erzeugung desselben, sobald man diesen Artikel aus dem Auslande einführen läßt. A. d. Ue.

224) Dieß wird höchstens ein paar Jahre der Fall seyn, bis 10 oder 20 Fabrikanten an die Stelle eines einzigen getreten sind. Das kleine Opfer, das der Bürger hier auf den Altar seines Vaterlandes legen muß, ist jeder gute Bürger seinem Vaterlande schuldig. A. d. Ue.

nicht, daß das Erz, das Holz, die Steinkohle sich in den Händen von Leuten befindet, die an dem großen Gewinne Theil haben wollen, den das Gesez nur den Fabrikanten gestattet? Der Wetteifer, der, wie man behauptet, durch den erhöhten Zoll auf fremdes Eisen entsteht, wird die Nachfrage um die rohen Materialien, und folglich auch die Preise derselben erhöhen, die dann auf dem Volke lasten.[225]) Eben dieß gilt auch von den Capitalien, von welchen man ein hohes Interesse zu ziehen hofft, welches der Fabrikant von seinem Gewinne bezahlen muß, ohne daß er also seine Lage wirklich verbessern kann. Was das Umhertappen im Finsteren und die unglüklichen Versuche betrifft; dürfen diese wohl billiger Weise auf die Schultern der Consumenten geladen werden, wenn sie die natürliche Folge eines schlecht berechneten Unternehmens und einer übermäßigen Ausgabe sind? Weiß man nicht, daß großer Gewinn den Spekulationsgeist reizt, und Waghälse hervorruft? daß nur mäßiger Gewinn geschikte Arbeiter bildet und Sparsamkeit lehrt? Daß Nothdurft, die Mutter aller Künste, nichts mit der Habsucht gemein hat?[226]) Die Untersuchung hat, im Einklange mit der Vernunft, [227]) die Wirkungen eines übertriebenen Schuzes dargethan. Während der 6 Jahre, während welcher der erhöhte Zoll besteht, (seit 1822.) hat derselbe eine große Thätigkeit hervorgerufen, und das Opfer, welches gemacht wurde, war noch größer. Der Verbrauch des Eisens nahm in den Jahren 1825 und 26. zu, [228]) die Nachfrage vervielfäl-

225) Dieser Einwurf kann höchstens das Holz treffen: Erze und Steinkohlen werden in dem Maße mehr zu Tage gefördert werden, als sie mehr Werth erhalten, und in dem Maße, als sie mehr zu Tage gefördert werden, werden sie wohlfeiler werden. Wie viele neue Eisen- und Steinkohlen-Gruben werden nicht in Frankreich seit dem Jahre 1822. eröffnet! Die Erze und die Kohlen wären vielleicht für immer in der Erde begraben geblieben, wenn sie nicht der höhere Zoll hervorgelokt hätte. A. d. Ue.

226) Wenn sich bei den neu errichteten Eisenhütten so oft der Fall ereignete, daß die Besizer mit Verlust, mit Schaden arbeiteten; verdienen sie dafür Hohn? Ist der Schaden nicht größer, wenn einzelne Individuen Tausende von Franken verlieren, als wenn viele ein Tausendtel eines Franken einbüßen? Ist es nicht ein nothwendiges, ein unvermeidliches Uebel bei jedem neuen Industriezweige, daß der Fabrikant erst durch Schaden klug werden muß? Haben nicht die größten, die weisesten und klügsten Fabrikanten im Verlaufe ihres Fabrikbetriebes ein Lehrgeld bezahlen müssen, das in die Tausende, zuweilen in die Hunderttausende ging? Hat das Publikum das Recht zu sagen, daß dieser Schaden aus **seinem** Beutel bezahlt wurde? Man muß nicht ungerecht, nicht unbillig seyn, wo man gerecht scheinen will. Man muß nicht vergessen, daß es in der Fabrikwelt, noch mehr als in der Gelehrtenwelt, heißt: nemo repente fit doctus. A. d. Ue.

227) Diese Appellation an Madame „**la Raison**" erinnert doch wahrlich zu sehr an das Bekannte: „Et nul n'aura d'esprit, que nous et nos amis." A. d. Ue.

228) Nahm zu, weil so viel gebaut wurde; nahm in England noch mehr zu, als in Frankreich. Der Hr. **Votant** verfälscht hier die Actenstüke, die Urkunden der Commission. Dem Baugeiste von 1825 — 26. ist der höhere Preis des Eisens zuzuschreiben, nicht den Fehlern oder der Habsucht der Fabrikanten, wie der **dritte** Votant bereits oben erwiesen hat. A. d. Ue.

tigte sich, und das Eisen ward noch theurer; von diesem Augenblike an entstand ein Druk der Consumenten und ein übermäßiger Gewinn der Producenten. Die Administration erklärte, daß diese ihren Schuz mißbrauchten;[229]) d. h., mit anderen Worten, daß der Zoll zu hoch war. Es hatte also nicht an Aufmunterung gefehlt, und doch ist das Eisen theuerer, als im J. 1822. Die Eisenerzeugung mit Holzkohlen hat eine höchst unverständige Ausdehnung erhalten. Die Eisenerzeugung mittelst Kohks wurde mit großen Kosten in übel angelegten und schlecht gelegenen Eisenhütten versucht. In mehreren Eisenhütten prangten die ersten Errichtungskosten des Eisenwerkes mit einem Interesse von 36 Franken im Gestehungspreise von 20 Ztr. (1000 Kilogramm) Eisen, da sie doch nur 20 Franken hätten betragen sollen. Die Concessionen der Regierung haben einen Werth erhalten, der von aller Industrie ganz unabhängig ist; der Concessionär verkauft seine Concession um theures Geld, und zieht sich zurük, um aus aller Gefahr zu kommen.[230]) Dieß sind die Lectionen, welche uns die aus der Untersuchung hervorgegangene Erfahrung gegeben hat. Man sieht hieraus, daß ein zu großer Gewinn selbst den bestberechneten Eisenwerken zum Nachtheile gereicht, und sie an einen Kaufpreis gewöhnt, den sie nicht mehr entbehren können, und der ihnen eine heilsame Wirthschaftlichkeit überflüssig macht. Es wäre eine ungerechte und verderbliche Störung, wenn man, im Allgemeinen, den Gestehungspreis des Eisens an Eisenwerken, die mit Kohks und mit Steinkohlen arbeiten, als Basis des Zolles nehmen wollte; er muß aus den Büchern solcher Eisenwerke genommen werden, die sich in mittleren Umständen befinden. Es ist nicht ein anderes System, aber eine andere Ziffer, die den Consumenten gegen eine Erhöhung der Eisenpreise sichert, und dem Fabrikanten allen möglichen Schuz gegen niedrigere Preise des ausländischen Eisens[231]) und gegen zu hohe Kosten neuer Anlagen gewährt.

Die Untersuchungs-Commission hat dem Mitgliede N. XV. gezeigt, daß Frankreich alle Elemente in sich vereinigt, welche zur Erzeugung derjenigen Menge Eisens hinreichen, die der Bedarf im Lande fordert. Die Eisenfabrikanten haben demnach gesezliche Rechte (des

---

229) Hier hat die Administration sich selbst getäuscht. Das englische Eisen stieg im J. 1825, 26, eben so sehr, wie das französische, und beinahe noch mehr. A. d. Ue.

230) Alles, was Hr. N. XIV. hier sagt, sind Gemeinpläze, die man bei jeder Einführung eines neuen Industriezweiges wiederholen kann, wenn man seine Gemeinplaztheorie durch die Allmacht der Erfahrung in allen Ländern und Zeiten widerlegt sehen will. Opfer sind nothwendig, von Seite der Regierung, des Staates, wie der Bürger. Dieß will man aber nicht begreifen: man will ehe ernten, als man gesäet hat, und verliert auf diese Weise, wo man ja säete, Saat und Ernte zugleich. A. d. Ue.

231) Hierüber in einer der unten folgenden Anmerkungen. A. d. Ue.

droits légitimes) auf Schuz; sie müssen aber auf jeden Punkt von Vollkommenheit sich erheben, den man wünschen kann, [232]) und man muß dem Consumenten Gerechtigkeit widerfahren lassen. Die Speculationswuth hat den hohen Preis des Eisens hervorgerufen und unterhalten: die Formalitäten und die Langsamkeit bei Ertheilung der Concessionen für Eröffnung neuer Erz- und Steinkohlengruben hat den Gang der Industrie gelähmt, die übrigens im Mangel an Canälen und Eisenbahnen große Hindernisse fand. [233]) Indessen könnte, bei dem Aufschwunge, den die Eisenindustrie genommen hat, die Herabsezung des Zolles die Fabrikanten und die Capitalisten beunruhigen, den Gang der Arbeit im Großen stören, und den wohlfeileren Preis des Eisens verspäten. Wollte man aber die Sache so belassen, wie sie gegenwärtig steht, so würde man einen Zustand von stetem Kampfe und Mißtrauen begründen, und aller Muth, alles Vertrauen zu einer Unternehmung, aller Credit zu den nöthigen Vorschüssen würde verschwinden. Wenn man sich nicht auf eine natürliche Weise aus dieser Krisis ziehen kann; wenn, wie die Untersuchungs-Commission es erwiesen hat, die Eisenerzeugung sich schnell und bald bis zu dem höchsten Punkte ihrer Entwikelung heben kann; wenn sie in ihrer Mitte selbst eine Concurrenz hervorrufen kan, die allein im Stande ist die Eisenpreise auf eine bleibende Weise herabzusezen; so wäre es, selbst für das Interesse des Consumenten, vortheilhafter, von diesen die Fortsezung der kleinen Opfer zu verlangen, die sie um so williger bringen werden, wenn sie bedenken, daß sie dadurch desto sicherer und schneller an das ersehnte Ziel gelangen. Allein, eine Herabsezung des Zolles auf fremdes Eisen, die dem Gestehungspreise des Eisens in Frankreich sehr nahe käme, würde eine Wandelbarkeit im Zollsysteme beurkunden, die für den Fabrikanten äußerst entmuthigend ist. Diese Herabsezung des Zolles müßte, im Gegentheile so berechnet seyn, daß sie die vollkommenste Sicherheit gewährt und für die Aufrechthaltung desselben Zollsazes für eine bestimmte Anzahl von Jahren die volleste Gewähr und Bürgschaft leistet. [234])

---

232) Nun wünscht man aber, daß die Fabrikanten, die man als Harpyen, als Raubvögel zu betrachten gewohnt ist, ehe fliegen sollen als ihnen die Federn gewachsen sind; und, was noch lächerlicher ist, man will, daß sie fliegen sollen, holt aber die große Ministerialbüreau-Papierschere herbei, und stuzt ihnen damit nicht bloß die Federn, sondern selbst die Flügel weg. Nun sollen die armen Gukguks fliegen, und sich zur Sonne erheben! A. d. Ue.

233) Das Vorige Hysteron Proteron des Votanten N. XII.! Man soll Canäle für Frösche und Kröten, und Eisenbahnen für Dohlen und Raben bauen, damit sie darauf sizen können. A. d. Ue.

234) Wenn auch in der Klosterwelt derjenige Orden vielleicht der weiseste ist, dessen Hauptregel in dem Grundsaze besteht: „Alles von heute bis Morgen;" so wird schwerlich diejenige Staatsverwaltung als die weiseste gelten können, in welcher alles von heute bis morgen, alles provisorisch ist; unter welcher

Der sechzehnte und lezte Votant hat endlich alle Vortheile zusammengestellt, welche man von Aufrechthaltung des erhöhten Zolles erwarten kann, und alle Gründe widerlegt, deren man sich für die Herabsezung desselben bediente. Die Untersuchungs-Commission hat, wie er sagt, die Wichtigkeit der Eisenerzeugung und den ungeheueren Reichthum, den sie zu Tage fördert, erwiesen. Das Erz und das Brennmaterial hierzu ist in Frankreich im Ueberflusse vorhanden; es fehlt uns, sagt er, auch nicht an Armen und an Köpfen. Die Capitalien werden sich dorthin wenden, wo sie Sicherstellung und Aufmunterung finden. Unser mit Holzkohlen erzeugtes Eisen war lange Zeit über so gut, daß es nur von dem schwedischen allein übertroffen wurde. [235]) Es handelt sich also nicht um Gründung einer neuen Industrie in Frankreich, [236]) sondern um Verhütung, daß seine alte Industrie ihm nicht entrissen wird. Es ist also Pflicht, dieselbe zu beschüzen und eine neue Art von Fabrikation zu begünstigen, die durchaus nicht der Concurrenz des Auslandes bedarf um wohlfeil zu arbeiten. Diese neue Art von Fabrikation, welche der erhöhte Zoll vom J. 1822 im Auge hatte, entwikelt sich erst seit drei Jahren auf eine

folglich alle Bande der Gesellschaft so zu sagen gelöset sind, und das Ganze nur nach dem ewigen Geseze der Schwerkraft, nach dem alten Sprichworte: „il mondo va da se stesso,“ fortrollt. Wenn in jedem Zweige der Staatsverwaltung nichts Nachtheiliges für das Gemeinwohl geschehen kann, als: „heute so, morgen anders;“ heute ein Rescript, das $+ A$ befiehlt, morgen ein anderes, das $- A$ gebietet, so daß $+ A - A = 0$ wird; so ist dieß vorzüglich der Fall bei den Mauthtarifen, die so zu sagen der Hebel der gesammten Industrie und des gesammten Handels sind. So wie in der mechanischen Welt alles Gleichgewicht, alle Kraft verloren ist, wenn der Hebel, der das Gleichgewicht unterhielt, der die Kraft erzeugte, auch nur um einen Zoll verkürzt wird; so ist in der industriellen und commerciellen Welt durch eine Ziffer im Tarife, die nur ein paar p. Cent ändert, der Gang aller Geschäfte in den Fabriken wie in den Comptoiren aus seinem Geleise gebracht, und ein halber Gulden mehr oder weniger kann, als Neuerung, Verluste im ganzen Lande von halben Millionen erzeugen. Ist die Abänderung noch größer, beträgt sie in der Bearbeitung einiger Artikel allenfalls auch nur 2 p. Cent des bisherigen Gewinnes; so werden Hunderte von Gewerbsleuten gezwungen seyn, die Bearbeitung dieses Artikels gänzlich aufzugeben. Nichts ist entmuthigender für den Unternehmer, und nichts verderblicher für den Fabrikanten überhaupt, als beständiger Wechsel des Zolltarifes. Der Fabrikant verliert dadurch, so wie der Kaufmann, alle Anhaltspunkte; es entsteht ein Schwanken, dessen unvermeidliche Folge endlich das Fallen vieler unter den Schwankenden ist. Dieses Unglük wird gewöhnlich noch dadurch vermehrt, daß einige Vertraute und Günstlinge der Tariffabrikanten von den neuen Veränderungen im Zolltarife frühere Kunde erhalten, als die übrige Masse der Gewerbs- und Kaufleute, und hierauf Unternehmungen gründen, die die Schwankenden in der Gewerbs- und Handelswelt, nnd endlich wohl auch den Staat selbst, dem sie angehören, vollends zu Boden stürzen. Wir könnten hierüber Beispiele anführen, die mehr denn Einen Band unseres Journales füllen würden: allein, exempla sunt odiosa.

A. d. Ue.

235) Dieß war das Eisen aus den Pyrenäen. Vergl. Jars.

A. d. Ue.

236) Allerdings um Gründung einer neuen Industrie, insofern die Behandlung des Eisens mit Steinkohlen neu ist. Wie der Votant hier weiter unten selbst gesteht. A. d. Ue.

etwas bedeutendere Weise; sie fordert Untersuchungen, Concessionen, große Capitalien, Verbesserungen in Straßen und Canälen, und Anlage neuer Communicationswege, wodurch sowohl Erze und Brennmaterialien einander näher gebracht, als die Fabrikate selbst mit geringeren Kosten auf den Markt gefördert werden können. Die ganze Welt weiß, auf welchen hohen Grad von Vollkommenheit dieses große Förderungsmittel des allgemeinen Wohles in England in seiner ganzen Ausdehnung gebracht ist, und es ist leicht zu begreifen, daß dieses glükliche Resultat vorzüglich der Eisenerzeugung zuzuschreiben ist, welche uns noch in Frankreich Canäle und Eisenbahnen gewähren wird. England ist uns zwar in seiner Eisenerzeugung mit einer Menge von Capitalien voraus, die wir nicht besizen; [237]) es läßt sich aber von denjenigen, welche wir besizen, sehr viel erwarten, wenn wir die Kunst verstehen, die Capitalisten aufzumuntern einen Zweig der Industrie zu begünstigen, der eine eben so glükliche als sichere Existenz gewährt, und der, in den Händen von 30 Millionen Menschen, mit Hülfe der Zeit und unter einem wohlberechneten Schuze gedeihen muß. Ich läugne nicht, daß dieser Schuz Opfer gebietet, die man eilen muß abzukürzen; wenn aber der Fabrikant in seinem Gange gar zu sehr gedrängt, geengt und getrieben wird, wenn er durch Hindernisse zu Boden geworfen wird; so sind die großen Capitalien, die auf seine Unternehmungen verwendet wurden, ohne Rettung verloren und vernichtet. Ein gewisses Umhertappen im Dunklen und Versuche sind unvermeidlich; beide fordern Zeit und Nachsicht. Man muß nicht glauben, daß die Hochöfen zu St. Etienne und im Aveyron im Stande sind mit eben jener Sicherheit zu arbeiten, wie die englischen in Wallis; Kenntnisse und Erfahrung lassen sich nicht, wie ein Ballen Waare, aus einem Lande in das andere verführen. Der erhöhte Zoll vom J. 1822, ward in der Absicht errichtet, dem Fabrikanten einen Preis von 500 Franken auf 20 Ztr. Eisen (1000 Kilogramm) zu sichern; man sollte nun glauben, er wäre zweklos, da der Preis des französischen Eisens bis auf 430 Franken herabgegangen ist. Allein der mittlere Preis, der in England im J. 1822 zu 300 Franken stand, ist gegenwärtig bis auf 175 Franken herabgesunken, und es ist wahrscheinlich, daß er auf dieser niedrigen Stufe bleiben wird. [238]) Wenn

237) Diesen Irrthum hat der Uebersezer S. 191. aufgedekt und widerlegt.
A. d. Ue.

238) Durchaus nicht. Er ist zeither bis auf 120 Franken herabgesunken, und jede Woche bringt uns wohlfeilere Eisenpreise aus England, und die Kunde, daß man ein Halbduzend Hochofen mehr ausgehen ließ. Würde man in Frankreich in diesem Augenblike mit dem erhöhten Einfuhrzolle herabgehen, so würde ganz Frankreich mit englischem Eisen überschwemmt werden. Die Gefahr für die Eisenfabrikanten in Frankreich war nie größer, als in diesem Augenblike, wo die englischen Hochöfen gezwungen sind ihr Eisen um jeden Preis loszuschlagen.
A. d. Ue.

man sich immer nach dem Gestehungspreise des Eisens in Frankreich und in England richten wollte, so würde ein Schwanken im Zollsysteme entstehen müssen, das alles Zutrauen vernichten, das die Capitalien von den Eisenhütten entfernen, statt nach denselben ziehen würde. Wir wollen annehmen, daß die englischen Eisenhütten bei einem Eisenpreise von 175 Franken nur mit Schaden für sich arbeiten, so sind sie eben deßwegen für unsere Fabrikanten nur desto gefährlicher; sie sind gezwungen ihr Eisen loszuschlagen, um neues Eisen mit desto höherem Preise erzeugen zu können, sie werden die französischen Märkte überschwemmen, den französischen Fabrikanten dadurch zu Boden stürzen, die neuen Schöpfungen unserer Industrie vernichten, ehe diese lezteren Zeit genug gewonnen haben zu erstarken, und Vertrauen in ihre eigenen Kräfte zu gewinnen. Gegen solche Gefahr ist kein anderes Mittel, als fest bei unserem erhöhten Zolle stehen zu bleiben, und dadurch die Einfuhr des englischen Eisens über unsere Gränzen unmöglich zu machen. Wenn man sich in Frankreich bloß darauf beschränken wollte, die Eisenerzeugung mittelst Steinkohlen zu schüzen, die nur für ein Drittel des Bedarfes hinreicht, so würden die fremden Eisenhütten sich gar bald der übrigen zwei Drittheile bemächtigen und dann auch noch ihrer lezten Rivalinn, dem lezten Drittel, Geseze vorschreiben. Man muß also auch die Eisenerzeugung mittelst Holzes, die noch als Aushülfe dient, kräftig beschüzen, und ebendieß ist es auch, was durch den Zoll vom J. 1822, der den Preis des Eisens zu 500 Franken berechnete, beabsichtigt wurde. Damals hatte die Eisererzeugung mittelst Kohks kaum noch angefangen; der Reichthum der Gruben in den Cevennen und im Aveyron war noch nicht aufgedekt; wir hatten noch die Folgen einer 25jährigen Abgeschlossenheit zu büßen, während welcher unsere Rivalen einen Vorsprung vor uns voraus gewannen, den sie nie gethan haben würden, ohne daß wir ihnen bei demselben eben so nachgefolgt seyn würden, wie bei der Baumwollenspinnerei und bei der Kattunfabrikation. Warum sollen wir bei dem Eisen vom Auslande abhängen, da wir Alles besizen, was zur Erzeugung desselben nothwendig ist? Dieser lezte Grund scheint dem Votanten entscheidend für die Beibehaltung des höheren Zolles. Die Untersuchungs-Commission, sagt er, wird die Vorurtheile zu würdigen wissen, welche nur Unkenntniß der Thatsachen in Hinsicht auf die Nachtheile, welche dadurch für den Akerbau entstehen, in Hinsicht auf die Hindernisse, welche dadurch für den Absaz der Produkte unseres Bodens hervorgehen, den Unwissenden aufschwäzen konnte. Man wird nicht mehr sagen, daß Frankreich durch die Erhöhung des Zolles auf fremdes Eisen jährlich 60 Millionen, d. h., ungefähr den Gesammtwerth des ganzen Eisenbedarfes verliert. Frankreich wird endlich die Gerechtigkeit dieses Schuzes und die Nothwendigkeit der Beibehaltung desselben für die ganze Zeit über, die ein so wichtiger Zweig der Industrie zu seiner vollkommenen Entwikelung fordert, gehörig würdigen und einsehen lernen.

Hiermit endet sich die Darstellung der verschiedenen Ansichten über den von der Commission zu untersuchenden Gegenstand [239]). Nun folgen die Fragen, welche der Minister derselben zur Beantwortung vorlegte.

I. Frage. Geht aus der Untersuchung, aus den Thatsachen, die man der Commission vor Augen gelegt hat, hervor, daß Frankreich solche Schäze an Erzen sowohl als an Brennmaterial besizt, daß, bei der Menge und bei der Güte derselben, unsere Industrie, wenn sie sich auf Erzeugung von Roh- und Gar-Eisen verlegt, bei dieser Arbeit allen Bedürfnissen des Landes auf eine dauerhafte, bleibende Weise zu entsprechen im Stande ist?

Antwort. Mit Ausnahme dreier Mitglieder, welche bloß Wahrscheinlichkeit finden, beantworten alle übrigen diese Frage mit einem positiven: Ja! Frankreich besizt diese Schäze!

II. Frage. Kann man, nach eben diesen Thatsachen, annehmen, daß, von nun an, unsere Roh- und Gar-Eisen-Erzeugung sowohl mittelst Holzes, als mittelst Kohks und Steinkohlen, unserem Bedarfe gleich kommt, oder zum Verbrauche hinreicht?

Antwort. In Hinsicht auf den gegenwärtigen Bedarf wurde die Frage einstimmig bejahend beantwortet; es erhoben sich aber einige Zweifel über den künftigen Bedarf für den Fall, daß die Eisenerzeugung die gewünschte Ausdehnung in vollem Maße erhielte.

---

239) Es ist sehr zu bedauern, daß in diesem Auszuge nicht der Name eines jeden Votanten angegeben ist. Leider ist dieß bei mehreren Commissionen und Collegienbeschlüssen der Fall, daß der Votant seinem Beschlusse seinen Namen sich beizusezen schämt, und daß, durch diese höchst übel angebrachte Anonymität, das Ansehen und die Würde entweder eines ganzen Collegiums, wenn die Majorität, wie es nicht selten der Fall ist, eine Thorheit beschließt, oder wenigstens die Würde einzelner abstimmenden Individuen der Minorität gefährdet ist. In Bureaukratien ist ein ähnliches Verfahren an der Tagesordnung, und der Präsident, wenn er auch der weiseste Mann von der Welt ist, muß seinen Ehrennamen zur Unterzeichnung der Thorheiten eines Referenten herleihen, mit welchem er nichts gemein hat, und der sich mit seinen Albernheiten in den Mantel der Anonymität hüllt. Ein Mann darf sich seiner Meinung nie schämen. Es kann Gründe geben, warum ein Schriftsteller vor dem Publikum seinen Namen nicht ausspricht; in Angelegenheiten die das Wohl und Wehe eines ganzen Landes oder eines einzelnen Individuums betreffen, in Angelegenheiten des öffentlichen Dienstes seinen Namen der allgemeinen Kunde entziehen, heißt sich entweder seines Beschlusses oder seines Namens schämen; heißt einem Büreau-Mysticismus fröhnen, der verderblicher ist, als jede Art von Mysticismus, der überhaupt nur Unheil und Verderben in der Welt verbreitet. A. d. U.

III. Frage. Sind die Eisenwerke, welche man seit einigen Jahren errichtete um Roh-Eisen mittelst Kohks zu erzeugen, oder in Gar-Eisen mittelst Steinkohlen zu verwandeln, so wie auch die Eisenwerke, die man jezt an neu entdekten Gruben anlegt, wirklich oder wahrscheinlich von einer solchen Wichtigkeit, daß man in kurzer Zeit eine ernsthafte und kräftige Concurrenz sowohl zwischen diesen Eisenwerken selbst, als zwischen ihnen und denjenigen, die mit Holzkohlen arbeiten, erwarten kann?

Antwort. Nach einigen Debaten wurde diese Frage einstimmig bejahend beantwortet.

Die Concurrenz, sagte man, hat bereits angefangen, und Alles berechtigt zu der Erwartung, daß sie schnell zunehmen wird. Wenn sie Vortheile gewähren soll, sagten die anderen, muß sie sich durch ein bedeutendes Fallen der Preise beurkunden, das man von den Eisenwerken, die mit Kohks arbeiten, nicht erwarten darf, indem die größten und bedeutendsten unter diesen Werken in den Händen einiger Wenigen sind, die noch lang Gesezgeber im Eisenhandel bleiben werden. Ueberdieß können die beiden Gruben, die dieses Fallen der Preise versprechen, so wie jene zu St. Etienne, auch die Erwartung täuschen, die man von ihnen hegt. Das Gelingen der Eisenwerke, die mit Kohks oder Steinkohlen arbeiten, erwiederte man, kann nicht zweifelhaft seyn, indem sie schon in so kurzer Zeit ein Drittel des Bedarfes befriedigten, und jährlich noch um ein Fünftel mehr zu liefern versprechen. Die Täuschungen, die sich bei den Gruben von St. Etienne zeigten, können bei jenen des Aveyron nicht Statt haben, wo Erze und Kohlen ein vollkommenes Gelingen versprechen. Die Concurrenz wird durch das bloße Erscheinen neuer Mengen von erzeugtem Eisen, die den Bedarf ausgleichen, von selbst geschehen. Der Ueberschuß wird wohlfeile Preise herbeiführen, und diese Wohlfeilheit wird neuen Zuspruch veranlassen, und auf diese Weise wird immer ein Reiz zur Erzeugung neuer Massen von Eisen entstehen. Wenn auch die neu errichteten Werke sich in den Händen Weniger befinden, so werden sie doch immer gezwungen seyn, auf jenen Ueberschuß hinzuarbeiten, der den niedrigen Preis hervorruft, und sie werden auf diese Weise unvermeidlich bei ihrer Eisenerzeugung in Concurrenz kommen. Die Eisenhütten, welche mit Steinkohlen arbeiten, werden auf den Märkten das Eisen der Eisenhütten finden, welche mit Holzkohlen arbeiten, und diese lezteren werden, da sie arbeiten müssen, um ihr Holz in Werth zu bringen, die Preise wieder durch das Eisen, das sie liefern, herabdrüken helfen. Es ist eine falsche Ansicht, wenn man gewisse große Eisenwerke als verloren für die Industrie betrachtet, bloß aus dem Grunde, weil sie mit zu großen Kosten errichtet wurden, als daß sie sich halten konnten. Sie werden auf ihren wahren Werth zurükgeführt werden; sie werden in andere Hände kommen; sie werden, in diesen, Eisen um billige Preise liefern, und der Gewinn wird dem Lande bleiben. Auf diese Weise bleibt das Capital durch eine neue Unternehmung auf dem Werke liegen.

IV. Frage. Hat diese Concurrenz bereits angefangen sich zu zeigen, und muß man dieser, wenn nicht ganz, doch wenigstens zum Theile das Fallen der Preise des französischen Eisens zuschreiben?

Antwort: Einige läugnen die Thatsache, daß die Eisenpreise des französischen Eisens wirklich fielen, obschon die von dem Eisenhändler vorgelegten Eisenpreise diese Thatsache aus Handlungsbüchern erwiesen.[240]) Andere schrieben es der allgemeinen Stokung im Handel zu, dem Mangel an Bauten rc. Andere behaupteten, daß dieses Fallen in der That der Wirkung der Concurrenz und einer größeren Geschiklichkeit bei der Arbeit ist; daß es selbst noch bedeutender seyn würde, wenn das Holz nicht im Preise aufgeschlagen wäre.

Als Resultat wurde angenommen: daß das Fallen der Preise des Eisens von mehreren Ursachen abhinge, unter welchen die Concurrenz der französischen Eisenhütten auch kräftig mitwirkte.

V. Frage. Verspricht das wahrscheinliche Fortschreiten dieser Concurrenz, bloß auf die französischen Eisenwerke beschränkt, noch ein ferneres fortschreitendes Fallen der Eisenpreise?

Antwort: Bejahend ohne Einwendung.

Man verlor jedoch die Nachtheile eines übertriebenen Schuzes nicht aus dem Auge, wodurch die Concurrenz des Auslandes gänzlich entfernt, alle Wahrscheinlichkeit eines fortwährenden Fallens der Preise benommen, und vielleicht bei den Fabrikanten selbst Veranlassung zum Mißbrauche dieses Schuzes entstehen könnte, oder wodurch die lezteren wenigstens in einer Sorglosigkeit belassen würden, welche alle Anstrengungen zur Vervollkommnung lähmt. Man blieb aber überzeugt, daß, da es in der Natur der Eisenwerke liegt, daß die auf dieselben gewendeten großen Capitalien in denselben haften bleiben und so zu sagen verschwinden, es nothwendig wird, sie auf dieselben hinzuleiten, und die Capitalisten kräftig aufzumuntern, ihr Geld darauf zu verwenden. Man hat selbst bemerkt, daß nicht zu besorgen steht, daß der ertheilte Schuz die Fabrikanten in einem zu großen Selbstvertrauen einschläfert, indem dieser Schuz sich auf zwei verschiedene Arten von Eisenerzeugung ausdehnt, wovon die eine mit der anderen in natürlichem Kampfe steht.

240) Wahrscheinlich waren dieß Stockgelehrte, die sich auch nicht durch 2 Mal 2 = 4 von den Fehlern ihrer Theorien überzeugen lassen, wenn sie ein Mal zu denselben geschworen haben, oder Leute, wie die Mitglieder des heutigen englischen Parliamentes, die das Daseyn des Elendes in England läugnen, obschon Hunderte im Volke täglich verhungern. A. d. Ue.

VI. Frage. Hat die Eisenerzeugung, so wie sie gegenwärtig besteht, zu ihrer höchsten Entwikelung noch einen kräftigen Schuz durch Zollerhöhung nöthig?

Antwort: Einstimmiges Ja!

VII. Frage. Wenn man den gegenwärtigen Schuz für zu groß, wenn man eine gewisse Herabsezung des gegenwärtigen Zolles auf ausländisches Eisen für nüzlich findet; soll diese Verminderung in der Absicht geschehen, um eine größere Menge ausländischen Eisens auf unsere Märkte zu loken, oder bloß in der Absicht die Preise des französischen Eisens innerhalb engerer Gränzen zu halten?

Antwort: Man war darüber einig, den inländischen Fabrikanten allen Vorzug zu geben; indessen meinten einige, daß, um das Steigen der Preise des französischen Eisens zu hindern, man fremdes Eisen auf jenen Punkten Frankreichs einführen lassen könnte, wo die Frachtkösten ein weiteres Fortschaffen desselben nach dem Inneren unmöglich machen würden; diese Maßregel schien aber gefährlich, und für die Eisenerzeugung mit Steinkohlen, die man in Frankreich einbürgern will, höchst bedenklich. Denn, wenn man auf unseren Küsten die ungeheuere Menge Eisens abladen läßt, mit welchen die Engländer sie bedeken können, so wird man sicher die Fabrikanten und die Capitalisten entmuthigen, indem man ihnen einen Theil des Marktes entzieht, auf welchem die Gegenwart des englischen Eisens eine Concurrenz hervorbringen muß, die sie so lang nicht im Stande sind auszuhalten, bis sie alle jene Fortschritte gemacht haben werden, die man von ihnen zu erwarten berechtigt ist.

Aus diesen Gründen glaubte die Commission, daß der Zoll so berechnet werden müßte, daß nur die Preise des französischen Eisens innerhalb billiger Gränzen gehalten würden, ohne dem englischen Eisen zu gestatten, daß es auf irgend einem Punkte des Königreiches sich zeige.

VIII. Frage. Wenn die Verminderung des Zolles keinen anderen Zwek haben soll, als den französischen Fabrikanten zu zwingen, den Preis seines Eisens herabzusezen; soll die Größe dieser Verminderung nach den Preisen bestimmt werden, nach welchen man glaubt, daß das mit Holzkohle erzeugte Eisen ohne Schaden für den Erzeuger verkauft werden kann, oder bloß nach den Preisen, um welche das mit Steinkohlen erzeugte Eisen verkauft werden kann?

Antwort: Man war allgemein der Meinung, daß die Eisenerzeugung mittelst Holzkohlen des Schuzes nicht beraubt werden dürfe, indem solches Eisen zu gewissen Arbeiten durchaus unentbehrlich ist; indem es oft als Aushülfe bei dem mit Steinkohlen erzeugten Eisen dient; indem es endlich noch zwei Drittel des Bedarfes bildet, undas noch übrige Drittel bald verschlungen seyn würde, wenn man die anderen beiden der Concurrenz des Auslandes bloß stellte. Man wa der Meinung, daß, da es den Eisenwerken, die mit Holzkohle arbeiten, ohnedieß schon schwer ist, die Concurrenz dieser Rivalen auszuhalten, welche mit Steinkohlen arbeiten, man den ersteren wenigstens die Wohlthat eines allmähligen Absterbens gönnen müsse; da auch in England die älteren Eisenwerke, die mit Holzkohlen arbeiteten, als sie nach und nach eingingen, noch unter jenem Schuze standen, der keinem fremden Eisen den Eintritt auf die Insel und die Beschleunigung des Verfallens der alten Eisenwerke gestattete.

Das Resultat aller Meinungen war, daß man sich auf einen mittleren Schuz beschränken sollte, der mit Klugheit für die eine Art von Eisenerzeugung so, wie für die andere, berechnet werden muß.

IX. Frage. Ist eine Verminderung des gegenwärtig auf ausländisches Eisen gelegten Zolles mit Erfüllung der Bedingungen vereinbar, welche aus der Auflösung der obigen Fragen hervorgingen, und wie viel könnte diese Verminderung betragen?

Antwort: Es ist billig, sagte man, daß man dem Gareisen mehr Schuz ertheilt, als dem Roheisen, weil es mehr Arbeit fordert.[241]

Man muß die Eisenerzeugung mittelst Kohks begünstigen, nicht aber die mittelst Holzkohlen, welche das Holz, bei der ungeheueren Menge, die es hiervon verbraucht, nur vertheuert. Wenn man nach und nach den Zoll für Roheisen vermindert, so wird man den Eisenfabrikanten, der mit Holz arbeitet, so wie den Forstbesizer erinnern, daß beide nicht mehr auf unendlichen Schuz zu rechnen haben, durch welchen sich immer der eine für das entschädigen kann, was er dem anderen zu viel bezahlt. Es wäre selbst gut, alsobald den Zoll wieder herzustellen, wie er vor dem Jahre 1822 war. Was das Roheisen betrifft, das zu Eisen verarbeitet werden soll, so scheint dieser Vorschlag, insofern er Zulassung des englischen Gußeisens zu sehr niedrigem Preise bezwekt, eben so verderblich für die Eisenerzeugung mittelst Kohks, als für jene mittelst der Holzkohlen. Frankreich würde dadurch der Benüzung eines Materiales beraubt, das es unter seinen Händen hat; es würde mit jenen Schwankungen in den Preisen bedroht,

---

241) Der Uebersezer findet dieß höchst unbillig. Der Eisenarbeiter, der Roheisen bearbeitet und veredelt, ist keiner Gefahr bei seinen Arbeiten ausgesezt. Je mehr er Arbeit hat, desto mehr gewinnt er durch dieselbe. Der Erzeuger des Roheisens hingegen, der zugleich Bergmann ist, und doppelter Bergmann, Eisenmann und Kohlenmann, hat die doppelten Gefahren des Bergbaues in seiner Eisengrube und in seiner Kohlengrube zu bekämpfen; und diese Gefahren sind, in lezteren, beim Plutus, nicht gering. Die Gefährlichkeiten des Bergbaues sind nicht geringer, als die der Schifffahrt. Der reiche Engländer und der arme Grubenmann scheut jene mehr, als diese. Uns scheint es billiger, denjenigen mehr zu schäzen, der größeren Gefahren bloßgestellt ist. A. d. Ue.

die stets unvermeidlich sind, wo man vom Auslande abhängt, und zulezt noch mit einem immerwährenden Sinken des Preises des rohen Materiales, das immer für die Hände, die es verarbeiten, nachtheilig ist. Wenn die Baumwolle aus Amerika zu sehr niedrigen Preisen kommt, so macht sie den Fabrikanten arm; sie zwingt ihn seine Waaren, die er aus der theuereren Baumwolle der vorigen Lieferung verfertigte, nach dem jüngsten wohlfeileren Werthe zu verkaufen, und er verliert dabei.[242]) Es ist also wichtig, die Eisenwerke zu schüzen, welche Roheisen erzeugen, aus welchem das übrige Eisen verfertigt wird. Wenn englisches Roheisen auch nur an die Küsten käme, so würden sich bald Strek- oder Hammerwerke finden, die es mit Vortheil in die verschiedenen übrigen Eisenarten verarbeiten, und die Hochöfen in der Nachbarschaft müßten dabei zu Grunde gehen. Hieraus erklärt sich auch, warum jenes Roh- oder Gußeisen, das unter dem Namen „feines Metall" (metal fin) bekannt ist, so sehr gesucht wird, obschon es theuerer ist. Die Commission ging, ohne übrigens hierüber etwas zu entscheiden, zu dem Zolle auf fremdes Eisen über. Hier kamen dann wieder alle verschiedenen Meinungen über die Nachtheile eines zu großen Schuzes zum Vorscheine, und über die Erleichterung, die der Consument in Anspruch nimmt, so wie auch über die Vortheile, welche die Eisenerzeugung gewährt; über die Fortschritte, welche sie bereits machte; über die Gefahr, die Capitalisten, welche man aufmuntern muß, ihr Geld darauf anzulegen, zu entmuthigen rc.

Indessen blieb doch jeder Votant, innerhalb der Gränzen seiner Meinung, dem feierlich ausgesprochenen und anerkannten Grundsaze treu, daß ein kräftiger Schuz nothwendig ist. Selbst diejenigen, die den Zoll vom Jahr 1822 zu hoch fanden, glaubten nicht, daß es möglich wäre, denselben unter 20 Franken herabzusezen, und stüzten sich auf die Aussage des Administrators von Creusot, welcher erklärte, daß es eine Wohlthat wäre, wenn die Dauer des Restes des Zolles, den man noch belassen will, für eine bestimmte Anzahl von Jahren garantirt würde. Man machte aber die Bemerkung, daß die Eisenwerke zu Creusot, da sie mit Steinkohlen arbeiten, und die Hälfte ihres Roheisens mit Kohks erhalten, nicht als Richtschnur dienen können; daß man eine Grundlage brauche, welche auf beide Arten von Eisenerzeugung zugleich anwendbar ist, und genaue Berechnungen, aus welchen der Gestehungspreis deutlich hervorgeht. Vier Mitglieder der Commission wurden mit dieser Untersuchung beauftragt. Zwei waren

---

242) Daran denken die Tarif-Fabrikanten in den Bureaux nicht, die gewöhnlich auf den Universitäten, auf welchen sie — salvâ venia — studierten, in technischer Hinsicht nichts anderes gelernt haben, als daß der Grubenmann ein Philister ist, den man „schaffen" kann, wie man will. A. d. Ue.

der Meinung, daß bis jezt keine Herabsezung des Zolles vorgeschlagen werden kann, und zwei, daß man denselben auf 20 Franken für gestrektes oder gewalztes Eisen; und auf 12½ Franken für Hammereisen herabsezen könnte. Diese Verschiedenheit in den Resultaten hingen von zwei Ursachen ab. Man dachte sich die gesammte Eisenerzeugung an die Küste versezt und in die Häfen, und schäzte die Frachtkosten des französischen Eisens von dem Erzeugungsorte an gerechnet im Durchschnitte auf 30 Franken. Als man hierüber übereingekommen war, berechnete nun die Partei, die für Herabsezung des Zolles gewonnen war, das englische Eisen, an der gelegensten Stelle gekauft, zu 214 Franken die Tonne in einen französischen Hafen geliefert, und das französische, mit Steinkohlen bearbeitete, Eisen eben dahin geliefert, zu 315 Franken und hielt hiernach einen Schuz von 20 Franken für 2 Ztr. (100 Kilogramm) noch hinreichend. Sie verglichen ferner das französische mit Holzkohle erzeugte Eisen zu 493 Franken mit dem schwedischen, welches 365 Franken kostet und fand, daß eine Herabsezung des Zolles auf 12½ Franken noch einen Schuz von 36 Franken für die Tonne ließ.[243])

Die Gegner der Herabsezung des Zolles bemerkten: 1) daß man den Preis des englischen Eisens noch um 6 p. Escompte, der am Einkaufsorte gegeben wird, herabsezen müßte; 2) daß man mit dem englischen Eisen nur das mit Steinkohlen bearbeitete französische Eisen verglichen hat, während das feinere Eisen aus der Franche-Comté, aus dem Berry, aus der Normandie, aus den Eisenwerken à la Catalane in den Pyrenäen doch nur mit dem schwedischen Eisen verglichen werden kann. Da nun das Eisen aus diesen Gegenden beinahe den sechsten Theil unserer gesammten Eisenerzeugung bildet, und 575 Franken die Tonne (oder 1000 Kilogramm) kostet, während das schwedische in unseren Häfen um 554 Franken zu haben ist; so fehlen noch bei jedem 100 Kilogramm an Schuz für obige französische Eisensorten: 2 Franken 10 Centim. Was das sogenannte Mitteleisen (fer marchand) aus der Champagne und aus Burgund betrifft, welches drei Sechstel der Eisenerzeugung bildet, und welches nicht mit dem schwedischen Eisen verglichen werden kann, so wird es gut seyn wenn man dasselbe in Bezug auf englische Concurrenz zu jener Eisenmasse rechnet, die mit Steinkohlen bereitet wurde, und da es zwei Sechstel dieser Masse beträgt, so ergibt sich der mittlere Preis der Tonne (1000 Kilogramm) aus beiden Arten von Eisen auf folgende Weise:

---

243) Wir gestehen, daß wir den Grund, worauf diese Rechnung beruht, eben so wenig einsehen, als den Grund, warum sie vorgenommen wurde.
A. d. Ue.

400 Kilogr. Eisen mit Steinkohlen zu 38 Frank. 50 Cent: an dem Ofen		154 Fr. 0 C.
600 Kilogr. Eisen mit Holzkohlen zu 46 Frank. 50 Cent.		227 — 80 —
Also Mittelpreis einer Tonne (1000 Kilogr.) französischen Eisens	an dem Ofen	431 — 80 —
	in die Häfen geliefert	461 — 80 —
Der Preis des englischen Eisens nach Frankreich gestellt ist		207 — 07 —
Der gegenwärtige Zoll		275 — —
Also mitlerer Preis des englischen Eisens		482 Fr. 07 C.

Der Schuz wäre demnach nur 2 Frank. 3 Cent. für 2 Ztr. (oder 100 Kilogr.), und überstiege folglich denjenigen nicht, für dessen Beibehaltung man stimmte. Selbst die Eisenerzeugung mittelst Holzkohlen hatte noch nicht allen jenen Schuz, dessen sie bedarf, indem man, Statt 46½ Franken als Gestehungspreis am Ofen zu rechnen, man diesen Gestehungspreis mit dem Mittelgestehungspreise des Eisens mit Steinkohlen zusammenwarf, und dadurch auf 43 Frank. 10 Cent. reducirte. Ueberdieß ist dieser Gestehungspreis zu 46½ Franken derjenige, um welchen Eisenwerke arbeiten, die 25,800 Tonnen erzeugen: er ist also nicht derjenige der vielen kleineren, die theuerer arbeiten müssen, und die in Kurzem zu Grunde gehen werden, wenn man ihren gegenwärtigen Schuz angreift.

Diese Bemerkung über den Gestehungspreis veranlaßte eine andere über die Nachtheile der Concessionen auf Eröffnung von Bergwerken, namentlich aber von Kohlengruben: die Besizer von Hochöfen und Eisenwerken werden dadurch gezwungen selbst unter den günstigsten Ortsumständen entweder das Brennmaterial oder die Concessionen theuerer zu bezahlen. Man antwortete, daß Nachtheile dieser Art bei dem ersten Entstehen eines Zweiges der Industrie, wie die Eisenerzeugung, unvermeidlich sind; daß ohne Concessionen kein Schärfen, keine Entdekung einer neuen Grube möglich ist, daß das System der Concession nothwendig ist wo man große Resultate erlangen und niedrigere Eisenpreise erhalten will; daß, wenn man auf der einen Seite zu weit ausgedehnte Concessionen ertheilte, auf der anderen Seite dieselben auch besser vertheilt wurden, und daß noch Raum zu mehreren Concessionen übrig ist; daß endlich eben der Werth, den eine Besizung durch eine Concession erhält, zu Entdekungen und Unternehmungen aufmuntert.[244])

244) Wenn sowohl Naturrecht als Billigkeit in der Staatsverwaltung jedem das Recht zu Concessionen sichert, so läßt sich doch auf der anderen Seite nicht läugnen, daß mit diesen Concessionen mehr Unfug getrieben wird, als man glauben sollte, daß jemals möglich wäre; und zwar nicht so sehr durch die Concessionäre selbst, als durch die Beamten, welche die Concessionen ertheilen, und die sich der neuen Concessionen bedienen, um die alten mittelst derselben zu brandschäzen. Abgesehen, daß das Bergrecht an und für sich einer der dunkelsten Theile der Jurisprudenz, und, wie ein sehr heller Kopf bemerkte, „noch so finster ist,

Die Commission trat hierauf in die Schranken der Frage: „ob der Zoll vom J. 1822 beibehalten oder herabgesezt werden soll?“ zurük, und stimmte nach der Ordnung der Votanten. Man kam überein, daß die Stimmen in Bezug auf Eisen, das mit Steinkohlen erzeugt wurde, verhältnißmäßig auch von dem Zolle auf Eisen, das mit Holzkohlen erzeugt wurde, gelten sollen.

Die Mehrheit der Stimmen war für die Meinung, daß gegenwärtig keine Veränderung am Zolltarife vorgenommen werden soll; da aber die reine und einfache Beibehaltung des Zolles nur von fünf Stimmen angenommen wurde, und die übrigen, die für Beibehaltung waren, nur unter verschiedenen Bedingungen für die Zukunft gegeben wurden, so mußte man noch ein Mal abstimmen lassen. Da verlangte eine Stimme, die für Beibehaltung des Zolles auf drei Jahre mit einer allmählichen Verminderung von Einem Franken auf fünf Jahre war, über die Gründe gehört zu werden, die sie bestimmen ihre ausgesprochene Meinung abzuändern. Sie hat sich nämlich überzeugt, daß man gegenwärtig den Zoll, der auf fremdes Eisen gelegt wurde, nicht angreifen darf; sie hält es aber auch nicht für gut, der entgegengesezten Meinung alle Genugthuung zu versagen, indem diese schwerlich den triftigeren Gründen nachgeben wird. Sie will, daß man die Aufrechthaltung des Schuzes mittelst einer fortschreitenden Herabsezung des Zolles erkaufen soll, welche von einer bestimmten Epoche anzufangen hätte. Die Vortheile dieses Verfahrens scheinen ihm folgende. Die Rechnungen der Commissäre, die mit Untersuchung dieses Gegenstandes beauftragt waren, lieferten verschiedene Resultate: hieraus erhellt nun wenigstens so viel, daß es in einer solchen Sache schwer hält eine vollkommene Genauigkeit zu erlangen. Man muß also ein Mittel ergreifen, das so viel Sicherheit als möglich, gewährt; denn es wäre äußerst schädlich, wenn man den Zoll bis auf einen solchen Grad herabsezte, auf welchem der Schuz gleich Null wäre, und wo dann alles Vertrauen verschwände. Der Zoll muß also unverändert eine gewisse Zeit über stehen bleiben. Der niedrige Preis des englischen Eisens, und der hohe Preis des französischen Eisens, welches mit Holzkohle erzeugt ist, fordert dieß auf die dringendste Weise. Man gibt zu, daß die Engländer gegenwärtig mit Schaden arbeiten, und daß sie im Stande sind, noch länger mit Schaden zu arbeiten ohne ihre Erzeugung vermindern zu dür-

als der schwärzeste Schacht in irgend einem Bergwerke;“ so kommt hier doch das ganze büreaukratische System mit allen seinen Intriguen, Cabalen, Frechheiten und mit der Allgewalt des Esprit de Corps der Nacht der blinden Justiz zu Hülfe. Dieß ist eine der Hauptursachen, warum Privatleute in Europa beinahe nie, oder nur höchst selten, mit Vortheil Bergbau treiben können, und gezwungen sind ihr „Glük auf!“ jenseits der Meere mit ihren Capitalien zu versuchen.

A. d. Ue.

senz.[245]) man muß also auf die Kraft ihrer Anstrengungen rechnen, und den Zeitpunkt vorausbestimmen, der dem französischen Fabrikanten gestatten wird, selbst mit einem geringeren Schuze, der Concurrenz die Stirne zu bieten. Auf der anderen Seite würde eine Verminderung im Preise des Brennmateriales unseren Eisenwerken große Erleichterung verschaffen; sie dürfte aber nicht schnell geschehen; man müßte einen ersten und zu raschen Kampf zwischen Käufern und Verkäufern zu vermeiden suchen, aus welchem nur ein Schwanken der Preise und ein Stoken in der Erzeugung entstehen würde; beides zum größten Nachtheile für alle Parteien. Wenn man dem gegenwärtigen Schuze einen gewissen Termin stellt, so gewinnt man vorläufig einen Zwischenraum, während dessen jeder seine Berechnung stellen und ermessen kann, was er bieten und was er fordern darf. Die Regierung, die in vielen Gegenden den Preis des Holzes bestimmt, könnte ihre Holzpreise darnach so einrichten, daß sie auf eine billige Weise nach und nach mit denselben herabstieg,[246]) ohne irgend Jemanden dadurch zu beeinträchtigen. Die Stimme sagt, sie würde den gegenwärtigen Zoll noch während fünf Jahre beibehalten, dann aber denselben um 3 Fr. auf 2 Fr., d. h. auf 100 Kilogramm herabsezen, und in den hierauf folgenden fünf Jahren denselben wieder um 2 Franken vermindern. Auf diese Weise wäre eine Zukunft von 10 Jahren gesichert, für welche sich alle Zufälligkeiten berechnen ließen;[247]) der Consument würde dadurch Gewährleistung für das Fallen des Preises zu einer Zeit erhalten, welcher, aller Wahrscheinlichkeit nach, die Fortschritte der Industrie und der Concurrenz vorauseilen würden.[248]) Die öf-

---

245) Hierin irrte man sich. Der zehnte Theil der englischen Eisenwerke hat bereits aufhören müssen zu arbeiten. Man vergleiche die Miscellen im Polyt. Journ. XXXV. Bd. A. d. Ue.

246) Eitle Wünsche, bei welchen man stets die Regierung, die immer weise und gut ist, mit den Regierern, d. h., mit den Administratoren verwechselt, die, in der Regel, das Gegentheil sind. Da es den Administratoren immer nur um das Eintreiben der höchsten Geldsumme während ihrer Administration zu thun ist, aus Gründen, die sich leicht begreifen lassen, so kann und darf man von ihnen nie erwarten, daß sie mit ihren Preisen herabgehen werden, außer sie werden durch Concurrenz der Privaten dazu gezwungen. A. d. Ue.

247) Wir gestehen aufrichtig, daß wir die Richtigkeit dieser Bemerkung, selbst wenn sie nach La-Plate's Wahrscheinlichkeit's-Calcul durchgeführt wäre, um keinen Preis verbürgen wollten. Wer auf Erden vermag die Ergebnisse der Zukunft zu berechnen! „Wer will sagen, was werden soll?“ (Pred. Salom. 8, 7.) A. d. Ue.

248) Wir finden diesen Termin von 5 Jahren zu 5 Jahren viel zu kurz; England schien uns weit klüger zu handeln, als es einen Termin von 40 Jahren sezte. Doch dieß liegt im Charakter der beiden Völker. Der Franzose kann nichts erwarten: er stirbt aus langer Weile. Das Resultat dieser kurzen Termine wird seinen Zwek verfehlen. Wer am Ende des vierten Jahres Bauten, oder überhaupt Unternehmungen, wozu viel Eisen gehört, ausführen will, wird, wenn er nicht sehr gedrängt ist, noch ein Jährchen warten, weil er dann das Eisen um 5 Franken wohlfeiler erhält: und solcher Speculanten auf das nächste Fallen des Eisens wird es unter 30 Millionen Menschen zu Tausenden geben. Auf der

fentliche Meinung würde in dem Geiste des Gesezes Schonung aller Interessen finden, und Verbannung aller systematischen Uebertreibung; die Eisenfabrikation würde endlich aus dem verderblichen provisorischen Zustande heraustreten, aus welchem sie nothwendiger Weise gezogen werden muß.

Nach einer kurzen Debatte über diesen Vorschlag wurden folgende zwei Fragen gestellt:

1) Wie viel Jahre soll der gegenwärtige Zoll noch dauern dürfen?

2) Um wie viel soll er, nach Verlauf dieser Zeit, wenn man sie von jezt an rechnet, herabgesezt werden?

Zehn Stimmen vereinten sich in Beantwortung der ersten Frage für einen Termin von fünf Jahren für das Fortbestehen des gegenwärtigen Zolles.

In Beantwortung der zweiten Frage waren neun Stimmen für eine Herabsezung des Zolles um 5 Franken auf ein Mal nach fünf Jahren: in den folgenden fünf Jahren sollte der auf 20 Franken herabgesezte Zoll beibehalten werden.

Nachdem der Zoll auf das Eisen auf diese Weise regulirt ward, beschäftigte man sich mit jenem auf das Roh- oder Gußeisen. Man verwarf die Idee, in Frankreich fremdes Gußeisen einzuführen, in der Absicht, dasselbe in Gareisen umzuwandeln. Es handelt sich nur um jenes, das man zur Verfertigung von Maschinen und Gußarbeiten brauchte. Man ließ die Nothwendigkeit gelten, die Gießer mit englischem Gußeisen zu versehen, dessen sie nicht entbehren können, und, außer dem ungeheueren Zolle, auch die Schwierigkeit zu beseitigen, die das verlangte Gewicht und die bestimmte Form veranläßt. Man gab dem Vorurtheile nach, daß das englische Gußeisen durchaus besser ist, als das französische, und ließ es gelten, daß lezteres nicht für den Bedarf der Consumenten hinreicht; man war geneigt, den Consumenten auf eine billige Weise die verlangte Erleichterung zu geben; nur sollte hieraus nicht eine Einfuhr von Gußeisen zur Erzeugung anderer Eisensorten entstehen, was allerdings nicht in großen Entfernun-

---

deren Seite werden die Eisenfabrikanten im lezten Jahre des Quinquenniums, wohl wissend, daß ihr Eisen um 5 Franken wohlfeiler werden muß, sich wohl hüten, ihre Magazine zu überfüllen; sie werden weniger erzeugen. Nun wird aber im ersten Jahre des neu anfangenden Quinquenniums, wie wir sahen, die Nachfrage nach Eisen sich mehren, während die Erzeugung sich gemindert hat. Was wird die Folge hiervon seyn müssen? Steigen der Eisenpreise, wie es bei der häufigen Nachfrage nach demselben in den Jahren 1825—26 der Fall war, und vielleicht gar augenblicklicher Mangel: die Kaze wird auf die alten Füße springen. Diese halbe Maßregel wird also, so wie jede halbe Maßregel, gerade die entgegengesezte Folge haben. Alles Halbe verdirbt das Ganze. $1/2 \times 1 = 1/2$, und nie Einem Ganzen. Hätte die Commission sich, mit den Engländern, das Tyroler Ziel von 40 Jahren gesezt, sie wäre vielleicht dann so gescheidt geworden wie die Engländer es nach dem Beispiele der Tyroler geworden sind. A. d. Ue.

gen von dem Mittelpunkte Frankreichs wegen der hohen Transportkosten geschehen kann, wohl aber auf gewissen Punkten der Küste, wohin Steinkohlen leicht geschafft werden könnten, und wo man große Eisenwerke und vorzüglich Strekwerke zur weiteren Bearbeitung des englischen Eisens mit allem Vortheile errichten könnte. Indessen hat man, auf die gegebene Versicherung, daß man den Zoll von 9 Franken auf 2 Ztr. (100 Kilogr.) englisches Gußeisen leicht um 1 Franken herabsezen könne, daß es aber gefährlich wäre, eine tiefere Herabsezung desselben zuzugeben, die vier Commissäre ernannt, (dieselben, welche die Eisenpreise untersuchten), um ihren Bericht über das Gußeisen zu erstatten. Sie waren wieder zwei gegen zwei.[249]) Ueber die unmittelbare Herabsezung des Zolles um Einen Franken waren sie einig; allein, zwei derselben behaupteten, daß man den Zoll von 9 Franken auf 6 herabsezen könnte, ohne daß man aus dem ausländischen Roh- oder Gußeisen auf französischen Eisenwerken mit Vortheil andere Eisensorten bereiten könnte. Nach ihrer Rechnung würde englisches Gußeisen, mit einem Einfuhrzoll von 6 Franken für 2 Ztr. (100 Kilogr.), in unseren Häfen auf 216 Franken kommen, und bei einem solchen Preise läßt sich Gußeisen, nach den Thatsachen, welche sich während der Untersuchung ergaben, nicht in anderes Eisen umarbeiten. Wenn noch überdieß, wie in dem gegenwärtigen Tarife, die Einfuhr auf gewisse Punkte in der Nähe der Gießer, (in deren Nachbarschaft wegen des hohen Preises der Steinkohlen keine großen Hammerwerke bestehen können, wie zu Rouen, St. Valery, und selbst zu Bordeaux, wo bloß Gußwerke sich befinden) beschränkt würde, so erhielt man die verlangten Vortheile ohne allen Nachtheil, zumal wenn man sich vorbehält diese Begünstigung im Falle eines Mißbrauches alsogleich einzuziehen. So könnte also der Zoll in den drei benannten Häfen auf 6 Franken, in dem Hafen zu Dunkerque auf 8 Franken herabgesezt werden, weil Steinkohlen daselbst wohlfeiler sind: auf allen Punkten der Gränze Frankreichs könnte der Zoll zu 9 Franken fortbestehen.

Die zwei anderen Commissäre bemerkten, daß man das Roheisen zu einem Preise von 4⅕ Pfd. Sterl. so gut wie das sogenannte feine Metall, das 4⅘ Pfd. Sterl. kostet, in andere Eisensorten umarbeiten kann; daß man also das feine Metall, das einem höheren Zolle unterliegt, als Gußeisen kann herein kommen lassen, so oft man will; daß die Tonne sogenannten feinen Metalles in Frankreich, mit der Fracht von 37½ Franken, auf 161 Franken 80 Cent. kommt, und eine Tonne Eisens für den Gestehungspreis von 359½ Franken gibt, so daß bei einem Zolle von 8 Franken für 2 Ztr. (100 Kilogr.)

249) Dieß ließ sich voraussehen, und der Uebersezer dachte sich dieses Resultat, sobald er die fehlerhafte Wahl las. A. d. Ue.

der Preis dieses Eisens dem französischen Eisen gleich kommt. Ein Herabsezung um 1 Franken ist also, sagen sie, das Einzige, was möglicher Weise hier geschehen kann.

Nun erhoben sich wieder Debatten über diese zwei verschiedenen Resultate; die Einen sagten: der Schuz wäre nur dann kräftig, wenn er keinen Zweifel mehr über das gänzliche Vertreiben des ausländischen Eisens von unseren Märkten übrig läßt; wenn er alle Furcht beseitigt, daß irgend ein anderes Eisen, außer zum Gusse und für Maschinenarbeiter, eingeführt wird. Warum soll man gewissen Häfen ein ausschließliches Vorrecht einräumen, das nur dem allgemeinen Wohle allein gebührt? Wenn das französische Eisen zum Gusse und zu Maschinen taugt, wie Gießer selbst versichern, warum muntert man nicht diejenigen, die sich mit Verfertigung desselben beschäftigen, auf, dasselbe zu vervollkommnen? Man antwortete darauf, daß ein Schuz von 6 Franken für 2 Ztr. (100 Kilogramm) nicht unbedeutend wäre; daß das französische Gußeisen mit der Zeit keine fremde Concurrenz zu fürchten haben würde; daß es, inzwischen, nicht anders als billig wäre, dem Interesse der gesammten Industrie irgend eine Erleichterung zu gewähren; daß man keinen Nachtheil dabei sähe, den Zoll auf 7 und selbst auf 6 Franken herabzusezen, wenn man an der Gränze ein Mittel hätte, die Qualität des Roheisens mit Sicherheit zu bestimmen; daß wenn man durch bloßes Beschauen desselben nicht zu dieser Sicherheit gelangen kann, man sich mit der Erklärung der Verkäufer begnügen könnte, welchen man Cautionsscheine gibt, um ihre Waare zum Fabrikanten bringen zu können,[250]) so wie dieß bereits bei gewissen Arten von Kupfer geschieht. Andere fanden diese Vorsicht unzureichend, und zu mühsam und schwer auszuführen, indem sie eine zu strenge Aufsicht im Inneren des Landes fordern würde.

Da nun die Erörterung so zu sagen erschöpft war, stellte man noch folgende Fragen:

1) Ist man der Meinung, daß der Zoll von 9 Franken um Einen Franken herabgesezt werden soll?

Die Antwort war, mit Ausnahme einer Stimme,[251]) einstimmig bejahend.

2) Wird noch eine zweite Verminderung um Einen Franken mit oder ohne Bedingungen, welche die Zolladministration für gut findet, um die Einfuhr von Roheisen zur Erzeugung von Gareisen aus demselben zu verhindern, geschehen können?

250) Man sollte glauben hier ein hochwürdiges Mitglied vom Montrouge sprechen zu hören; so fein sieht man hier das Interesse des armen Frankreich verrathen. A. d. Ue.

251) Die Stimme des Rufenden in der Wüste, in welche die Eisenwerke Frankreichs bald verwandelt werden, wenn man so mit ihnen verfährt. A. d. Ue.

Einstimmig, wie vorher, mit Ausnahme Einer Stimme, bejaht.

3) Kann, mittelst jener Mittel und Vorsichtsmaßregeln, welche man zu diesem Ende am zwekmäßigsten finden wird, die Herabsezung auch bis auf 6 Franken gebracht werden?

Sechs haben verneinend, neun bejahend geantwortet. Man überließ es der Zolladministration die Mittel aufzufinden, nur solches Eisen hereinzulassen, das zu Maschinen und Güssen taugt, und kam vorläufig darin überein, daß alle Beschränkung durch Form und Gewicht aufgehoben wird.[252])

Man hat also erkannt, daß Eisenerzeugung ein Zweig der Industrie ist, der für Frankreich nothwendiger, als mancher andere, erhalten werden muß; daß, wenn in einigen Gegenden die Opfer, die man seit dem Jahre 1818 brachte, zu sehr die Forstbesizer begünstigten, man zur Steuer der Wahrheit bekennen muß, daß der Schuz, den man allen Eisenwerken zusammengenommen angedeihen läßt, keine Klagen erzeugen darf, indem es unmöglich war mit geringeren Opfern das englische Eisen fern zu halten, und Eisenerzeugung mittelst Steinkohlen in Frankreich hervorzurufen, einen Zweig der Industrie, der während sechs Jahren sich bereits so sehr gehoben hat, daß er ein Drittel des Bedarfes des ganzen Landes vollkommen zu befriedigen vermag.[253]) Die Eisenerzeugung verdiente demnach in einem weislich abgemessenen Grade und für eine Zeit, während welcher die begonnenen Unternehmungen sich ausbilden und vollenden, und neue Eisenwerke nach Bedarf und Umständen errichtet werden können, fortgesezten Schuz. Dieses System wurde mit desto größerer Sicherheit befolgt, als der Weinhandel durch den erhöhten Zoll auf Eisen jene Beeinträchtigung nicht erlitt, die man demselben zuschrieb, und als selbst die Last, die dadurch auf die Consumenten fällt, so sehr über alle übrige Zweige der Industrie vertheilt wird, daß sie bei weitem nicht so empfindlich ist, als man besorgte.

Durch eine weislich berechnete Verminderung des Zolles nach verschiedenen Qualitäten des Eisens und in verschiedenen Terminen werden die Besizer der Eisenwerke angespornt alle ihre Anstrengungen auf

252) Man sieht, daß der Hr. Präsident hier mit den Haaren der französischen Eisenfabrikanten eben so verfuhr, wie weiland Quintus Sertorius zu Rom mit dem Schweife des Gaules, den er vorführen ließ: ein Haar nach dem andern ausgezogen, bis keines mehr übrig blieb, die Folgen dieser Auction à la baisse zeigten sich indessen schon im nächsten Jahre; Stokung und Stokung und wieder Stokung. A. d. Ue.

253) Weil man in 6 Jahren, bei kräftigem Schuze, es dahin brachte, den dritten Theil des Bedarfes des ganzen Landes zu deken, so sollen die übrigen zwei Drittel, mit welchen es der Natur der Sache nach zehn Mal schwerer gehen muß, bei gröblich verkümmertem Schuze in 5 Jahren gedekt werden! Wahrhaftig, eine solche Rechnung ist ein schönes Exempel ministerieller Rechnungskunst in der sogenannten Gesellschafts-Regel. A. d. Ue.

eine wohlfeilere Erzeugung, auf ein Sinken der Preise zu richten, wodurch ihre Industrie allein jene Entwikelung und jene Vortheile erlangen kann, deren sie fähig ist. [254])

CVII.

Verbessetung im Seifensieden, worauf Karl Türner Sturtevant, Seifensieder zu Hackney, Middlesex, sich am 26. May 1829 ein Patent ertheilen ließ.

Aus dem Repertory of Patent-Inventions. Februar 1830, S. 85.

Meine Erfindung besteht in einem Verfahren, durch welches ich im Stande bin, reine alkalische Lauge mit thierischen oder vegetabilischen Stoffen im Seifenkessel zu verbinden, so daß ich also Statt der jezt gewöhnlichen rohen Alkalien, wie z. B. Barilla (Soda), Kelp, kaustische Alkalien anwenden kann, und dabei den Rükstand vermeide, den man bei dem sogenannten Aeschermachen (black asc making) hat, wodurch so viel thierischer Stoff zu Grunde geht.

Mein Verfahren besteht in Folgendem: Ich gebe zuerst etwas Wasser und Seife in den Kessel, menge beides gehörig, und seze dieser seifenartigen Mischung etwas weniges Talg, Fett oder Oehl bei. Dieser Mischung rühre ich so viel kaustische Sodalauge zu, als von derselben aufgenommen werden kann, ohne sich abzuscheiden. Auf diese Weise fahre ich fort, thierischen oder vegetabilischen Stoff und kaustische Sodalauge zuzusezen, bis der Kessel voll ist, und steige nach und nach mit den zugesezten Mengen der thierischen und vegetabilischen

---

254) Die Acten dieser Untersuchungs-Commission gewähren ein schönes Denkmal in den Annalen der Staatswirthschaft. Sie zeigen den Ministerialräthen, wie man anerkannte Thatsachen läugnen, verdrehen und so entstellen kann, daß man das Ansehen behält, als habe man nach Wahrheit forschen wollen; sie zeigen den Fabrikanten und Capitalisten, daß sie Thoren sind, wenn sie ihr Geld, ihre Zeit, ihren Schweiß auf Unternehmungen wenden, die die Industrie eines benachbarten Staates gefährden, wo dieser ihre Ministerialräthe besser bezahlt, als ihr eigener.

Sed illos
Defendit numerus junctaeque umbone phalanges.
Magna inter molles concordia!

Die Hustissonianer verkündeten mit einer prophetischen Zuversicht die Aufhebung oder wenigstens eine gänzliche Umänderung des Zolltarifes in den Vereinigten Staaten. Die merkwürdige Rede des Präsidenten Jackson enthält nichts hierüber; die Einfuhrverbothe solcher Dinge, die man in den Vereinigten Staaten eben so gut erzeugen kann, als in Europa, bestehen in diesen Staaten noch fort; und werden bestehen, so lang diese Staaten mit Klugheit verwaltet werden. Die Petersburger Handlungszeitung (Beilage zur Allg. Zeit. N. 57.) zeigte uns erst neulich die gesegneten Folgen des Prohibitivsystemes für die Industrie und für den Handel Rußlands. Wenn wir nun in demokratischen wie in autokratischen Staaten das Prohibitivsystem eingeführt und festgehalten sehen; wenn wir unter diesem Systeme die Industrie schnell sich heben und erblühen sehen, so scheint Hr. von Cancrin allerdings Recht zu haben, wenn er sagt: das System der freien Einfuhr, des freien Handels ist, in der Theorie, allerdings das Beste; allein, in der Praxis ist es unausführbar und taugt nichts.

Stoffe, so wie der Kessel sich immer mehr und mehr füllt, indem ich während dieser ganzen Arbeit immer fleißig umrühre. Nachdem dieß geschehen ist, gieße ich die Seife auf die gewöhnliche Weise in Formen. Die beste Stärke für kaustische Sodalaugen ist, wie ich glaube, ungefähr 1260 specif. Schwere; die Temperatur beim Sude ist die gewöhnliche. Ich empfehle jedoch kleinere Kessel von länglicher Form, die ungefähr zwei bis drei Tonnen (40 bis 60 Ztr.) fassen, und ich ziehe die Dampfheizung vor.

Bemerkung des Patent-Trägers. Um dem Publikum überhaupt eine richtige Idee von der Natur meiner Verbesserung zu geben, auf welche ich mir obiges Patent geben ließ, wird es vielleicht nicht überflüssig seyn ein paar Worte über die gewöhnliche Weise Seife zu sieden hier beizufügen. Bekanntlich besteht Seife aus thierischem oder vegetabilischem Fette, Soda[255]) und Wasser in bestimmten Verhältnissen. Obschon man dieß sehr richtig wußte, wurde doch Seife nie durch unmittelbare Verbindung ihrer drei Bestandtheile bereitet, sondern man sott die rohe alkalische Lauge, die man aus Barilla, Kelp ꝛc. erhielt, und die man vorher durch Zusaz von lebendigem Kalk kaustisch machte, zugleich mit dem Fette in großen Kesseln. Da die Lauge bedeutende Mengen neutraler Salze und kohlensaurer Soda enthält, so braucht man eine große Menge derselben um das Fett zu sättigen, und daher muß man mehrere Sude vornehmen. Nachdem die Lauge ihr freies kaustisches Alkali dem Fette mitgetheilt hat, wird sie aus dem Kessel abgelassen, und heißt dann todte Lauge (spent lee). Diese Lauge besteht aus neutralen Salzen, aus kohlensaurer Soda, und aus einem Theile thierischen Fettes, das in derselben aufgelöst ist. Um nun die alkalischen Theile aus derselben wieder zu erhalten, macht man den sogenannten Aescher (black ash); eine Arbeit, deren Beschreibung hier überflüssig ist, die aber theuerer zu stehen kommt, und sehr stinkt. Man hat sie daher in vielen Fabriken gänzlich aufgegeben und verkauft sie für eine Kleinigkeit, oder läßt sie ganz weglaufen. Obschon die Neutralsalze keinen Bestandtheil der Seife bilden, so ist doch bei der gegenwärtigen Seifensiederei ihr Daseyn in der Lauge unvermeidlich nothwendig, und in einigen Fällen, wo man Alkalien anwendet, die entweder keine solche Salze, oder nur eine geringe Menge derselben enthalten, bedient man sich des Kochsalzes an ihrer Stelle.

Nach meinem Patent-Verfahren wird man aber sehen, daß kein solches Neutralsalz in der Lauge nothwendig ist; daß ich vielmehr die Sodalauge rein anwende, so daß es durchaus nicht nöthig ist irgend

255) In England und Italien; bei uns häufig aus Potasche. A. d. Ue.

etwas in den Kessel zu thun, was nicht zur Zusammensezung der Se[ife] unmittelbar gehört.

Die Vortheile dieses Verfahrens werden jedem Seifensieder ein[-] leuchten. Da es hier keine todte Lauge (spent lees) abzulassen gib[t,] geht weder Alkali noch Talg verloren und es ist kein Aescherbrenne[n] nöthig; der Hauptübelstand, der Seifensiedereien so lästig macht, [ist] hier beseitigt, und die Arbeit ist bedeutend abgekürzt.

Diese Art Seife zu bereiten läßt sich auf alle verschiedenen Arten von Seife anwenden, die man heute zu Tage bereitet, und eine au[f] diese Weise bereitete Seife steht in keiner Hinsicht derjenigen nach, die nach dem bisher gewöhnlichen Verfahren bereitet wurde.

Der Erfinder schmeichelt sich, daß, da reine Soda auf eine seh[r] wohlfeile Weise aus dem englischen Alkali (British Alkali) durch Zer-sezung des Kochsalzes erhalten werden kann, die Verfertigung dieses inländischen Fabrikates durch seine Verbesserung eine große Ausdeh-nung erhalten kann.[256])

CVIII.

Verbesserung in Verfertigung von Strohgeflechten zu Stroh-hüten und anderen Artikeln, worauf Thom. Waller, Strohhutfabrikant zu Luton, Bedfordshire, sich am 18. Hornung 1826 ein Patent ertheilen ließ.

Aus dem Repertory of Patent-Inventions. Februar 1830. S. 83.

Meine Verbesserung an Strohgeflechten besteht in Folgendem: ich nehme zu meinen Geflechten das gewöhnliche in Toscana und an-deren Ländern Italiens gezogene Weizenstroh, und flechte oder webe es so wie das englische, nur mit dem Unterschiede, daß ich den obe-ren Theil des Halmes, der der Aehre am nächsten ist, Statt des

256) Der Patent-Träger hat hier wie die meisten Patent-Träger die Haupt-sache mit Stillschweigen umgangen; nämlich die Weise, wie er reine Soda er-hält. Daß man nach seiner Methode gute Seife erhält, und einer Menge von Unbequemlichkeiten bei der gewöhnlichen Seifensiederei entgeht, unterliegt keinem Zweifel. Die Frage ist nur, wie er sich eine reine Sodalauge bereitet? Aus Barilla und Kelp erhält er sie gewiß nicht. Nach einer Andeutung in den lezten Zeilen seiner Bemerkungen scheint er sie durch Zersezung von Kochsalz zu erhalten. Wie er sich aber hierauf kann ein Patent ertheilen lassen, da die Gewinnung der Soda aus Kochsalz allgemein bekannt ist, und selbst auf dem festen Lande allgemein betrieben wird, sehen wir nicht ein. Auch sehen wir nicht ein, wie er einen Seifensieder, der al-lenfalls so klug ist, den gewöhnlichen Schlendrian aufzugeben, und nach einer rein chemischen Methode bei seiner rein chemischen Arbeit zu verfahren, hindern kann, nach dieser Methode zu arbeiten. Er wird in jede Seifensiederei einen Auf-seher stellen müssen, der dem Seifensieder verbietet, so zu verfahren, wie er ver-fährt, wenn er sein Patent-Recht geltend machen will. A. d. Ue.

unteren, der in der Hülle stekt, nehme, und daraus solche Geflechte verfertige, wie man sie in England hat unter dem Namen:

„Whole Dunstable plait, double seven split straw plait, Luton twist plait, double eleven split straw plait; whole Dunstable, nine, eleven, thirteen and fifteen straw plait.“ [257])

Die Zubereitung dieses Strohes macht keinen Theil meiner Erfindung aus. Ich führe das Stroh nach England so ein, wie es in Toscana zu den sogenannten Florentiner-Hüten zubereitet wird. Dieses Stroh flechte oder webe ich, ganz oder gespalten, nach der gewöhnlichen Art der Bedfordshire-Bareern und ihrer Gegend in obige Geflechte: „Whole Dunstable plait etc.“ Die Weise, wie diese Geflechte gemacht werden, sind unseren Strohflechtern so bekannt, daß jede weitere Erklärung überflüssig ist.

Die Vortheile bei meiner Verbesserung sind, daß das italiänische Stroh, wenn es auf diese Weise geflochten wird, nach der Art, wie es zubereitet ist, weit stärker wird, als das englische, wenn dieses eben so geflochten und zu Hüten zusammengenähet wird; daß die Hüte wieder zertrennt und nach der neuesten Mode aus den alten Geflechten aufgestellt werden können, was bei den gewöhnlichen Geflechten der Florentiner Hüte, die an ihren Rändern zusammengestrikt werden, nicht möglich ist, ohne daß sie bedeutend dabei litten, während bei meiner Methode alle Schönheit, Dauerhaftigkeit und Glanz der Farbe bleibt.

Mein Patent-Recht besteht in Anwendung des italiänischen Strohes zum Flechten oder Weben der Florentiner-Hüte nach derselben Art, wie man bisher englische Florentiner-Hüte verfertigte und aus den Geflechten zusammennähte, nicht zusammenstrikte. [258])

---

257) Diese Fabrikausdrüke lassen sich nicht übersezen. Selbst der Engländer versteht höchstens die Worte, wann er sie hört, nicht aber die Sache, wenn nicht ein Strohflechter ihm den ganzen Mysticismus eines Strohhutes erklärt.
A. d. Ue.

258) Nach diesem Patente hätte demnach der Patent-Träger allein das Recht Florentiner-Stroh einzuführen. Wenn die Güte seiner Hüte vorzüglich darin besteht, daß sie aus Florentiner-Stroh sind, so sind die Florentiner wahrlich nicht klug, wenn sie das Stroh ausführen lassen, indem sie bei der Ausfuhr einer ganzen Schiffsladung voll Stroh nicht so viel gewinnen, als an einem Duzend Hüte, das sie zu London absezen. A. d. U.

CIX.

Miszellen.

Luftwagen Statt der Dampfwagen.

Hr. E. P. Fordham zeigte in einer Abendvorlesung an der Royal-Institution, wie man mittelst comprimirter gewöhnlicher atmosphärischer Luft Wagen noch besser, als mit Dampf, in Bewegung sezen kann. Der Versuch wurde an einem Modelle sehr gelungen ausgeführt. Courier. Galignani. N. 4653. (Vom Modelle zur Ausführung ist noch eine weite Kluft. Wahrscheinlich wird Hr. Fordham ein Patent auf seine Erfindung nehmen, und wir werden die Folgen sehen.)

Hunds-Equipage in England.

Ein Gentleman von East Grinstead fuhr neulich in London mit seinem Sohne in einem leichten vierräderigen Wagen von drei Bullenbeißern gezogen: einer zog, einzeln gespannt, voraus. Er versichert, daß er mit diesen drei Hunden 7 englische Meilen (beinahe 2 deutsche) in Einer Stunde fährt. Von East Grinstead nach Brighton, 48 engl. Meilen, fuhr er, sehr oft dem Eilwagen vor, in 6 Stunden. Er ist sogar schon 52 engl. Meilen in Einem Tage mit diesen drei Hunden gefahren. Da er nicht „Zugthiere" vorgespannt hatte, zahlte er kein Weggeld. Herald. Galignani. N. 4653. (In Holland fährt man seit undenklichen Zeiten mit Hunden und mit Böken. Man weiß die Thiere und auch die Menschen dort besser zu benüzen, als bei uns.)

Schnelligkeit und Ausdauer englischer Jagdhunde.

Auf einer zu Armathwaite-Hall Ende vorigen Jahres gehaltenen Fuchsjagd liefen die Hunde des Baron Vane von 10 Uhr Morgens bis $5^1/_2$ Uhr ununterbrochen einem Fuchsen durch 11 verschiedene Pfarrdistrikte nach. Man schäzt den Weg, den sie während dieser Zeit durchliefen, auf wenigstens 70 engl. Meilen. ($17^1/_2$ deutsche Meilen). (Carlisle Journal. Galignani. N. 4628.)

Was Concurrenz vermag.

Die Concurrenz unter den Landkutschen (Eilwagen) ist jezt so groß auf der Hastingsstraße, daß, während ein Eilwagenbesizer in seiner Wunderkutsche (the Wonder), die Passagiere um Einen Shilling fährt (um 36 kr.), ein Anderer in seiner blauen Kutsche die Passagiere unentgeldlich (gratis) fährt. Herald. Galignani Mess. N. 4649. (Einsender weiß, daß vor ungefähr 15 Jahren in England ein Eilwagenbesizer, um seine Rivalen zu Grunde zu richten, die Passagiere nicht bloß umsonst führte, sondern ihnen sogar ihr Frühstük und Mittagessen bezahlte.)

Was Krümmungen an Straßen Geld und Zeit verlieren machen.

Durch Krümmungen der Straße von London nach		gehen verloren
	York	22 engl. Meil.
— — — — — do —	New Castle	51 — —
— — — — — do —	Manchester	24 — —
— — — — — do —	Carlisle	50 — —
— — — — — do —	Glasgow	60 — —
— — — — — do —	Edinburg	67 — —
		254 engl. Meil.

Rechnet man nun, daß auf allen diesen Straßen täglich nur 50 Wagen fahren, so sind, 254 × 50, nicht weniger als 12,700 engl. Meilen verloren. Dieß gibt einen Verlust an Zeit (8 Minuten für die engl. Meile) von 65 Tagen für jeden Tag, und von 12,700 Shill. an Geld. Times. Galignani. 4650.

Ueber Hrn. A. Bernhard's Maschine zum Heben des Wassers

findet sich im Februarhefte des Repertory of Patent-Inventions, S. 98, ein Schreiben des Hrn. Bernhard an den Redacteur des Repertory, in welchem der Hr. Patent-Träger sich gegen lezteren auf eine etwas derbe Weise über die Darstellung seines Apparates und die Vorschläge zu einer Verbesserung desselben äußert. Wir wollen uns begnügen unsere Leser, die wir bisher auf Alles, was über diese Maschine erschienen ist, aufmerksam gemacht haben, auf dieses Schreiben verwiesen zu haben. Es ist nun einmal Thatsache, daß diese Maschine das Wasser 50 Fuß hoch gehoben hat. Hr. Bernhard versichert, daß er im Stande ist, dasselbe auch 100, und 500 bis 5000 Fuß hoch zu heben. Wir, die wir nichts glauben, was wir nicht gesehen haben, sobald sich Zweifel dagegen erheben, und unseren eigenen Augen nicht trauen gelernt haben, weil sie uns täuschten, erwarten von der großen Lehrmeisterin aller Zeiten, der Erfahrung, die baldige Entscheidung über den Nuzen und die Brauchbarkeit der Maschine. Daß sie den bisherigen Theorien nicht entspricht, kann, für sich allein, nicht gegen sie sprechen; denn wir sahen manche Theorie falsch angewendet, und durch die einfachste Erfahrung widerlegt.

Feuerlöschanstalten zu London.

Vom 1. bis 31. Jänner verbrannten zu London nicht weniger, als 24 Individuen lebendig: 9 männlichen, und 15 weiblichen Geschlechts; darunter waren 16 Kinder unter 9 Jahren, und 2 Betrunkene. (Courier. Galignani. N. 4653.)

Papier-Manufaktur in Nord-Amerika (Vereinigte Staaten).

In dem kleinen Staate Massachusetts sind nicht weniger als sechzig Papiermühlen. Der Werth des, in denselben erzeugten, Papieres ist 700,000 Dollars (Laubthaler), zu dessen Erzeugung 1700 Tonnen (34,000 Ztr.) Lumpen und alte Selle verwendet werden. Der Gesammtwerth der ganzen Papiererzeugung in den Vereinigten Staaten wird zwischen 5 und 7 Millionen Dollars geschäzt. Die Papiermacherei beschäftigt in den Vereinigten Staaten ungefähr 11,000 Menschen. Der Werth der jährlich gesammelten Lumpen wird auf 10 Millionen Dollars angeschlagen, und viele Lumpen werden aus Deutschland und aus Italien geholt. Die größte Papiermühle in den Vereinigten Staaten besizt Hr. Gilpin am Brandywine in Delaware. Er macht auf seiner Maschine Papier das netto hundert engl. Meilen lang ist, und dieses Papier wird nachher in die gehörigen Formate geschnitten. Herald. Galignani Messenger. N. 4649. (Ein deutscher Papiermacher, dem wir diese Notiz mittheilten, ehe wir sie in die Presse gaben, bemerkte gegen die Richtigkeit dieser Angaben, daß um drei Millionen mehr Lumpen gesammelt werden, als Papier erzeugt wird. Man sieht hieraus, wie wenig man in Deutschland die Nothwendigkeit einsieht, Vorräthe von Lumpen auf Jahre hinaus an Papiermühlen in Bereitschaft zu haben.)

Fortschritte der Buchdrukerkunst in Italien.

Während in Deutschland die verehrungswerthe v. Cotta'sche Buchdrukerei uns unseres Schiller's Werke in Einem Bande schenkte, hat die Buchdrukerei der Minerva zu Padua alle italiänischen Dichter den gesammten Parnasso italiano, in Einem Bande herausgegeben. Allein, durch diese Auflage wird, so schön auch Papier und Lettern sind, das Auge so sehr angegriffen, daß es bei fortgeseztem Gebrauche derselben wirklich leidet. Ganz anders verhält sich in dieser Hinsicht die Ausgabe aller römischen Dichter in Einem Bande, welche in der Drukerei des Hrn. Jos. Molini im vorigen Jahre zu Florenz unter dem Titel erschien: „Poetae latini veteres ad fidem optimarum editionum expressi. 8. Florentiae. 1829. typis Jos. Molini.“ Dieser Octavband hält 1547 Seiten, und kostet nur 33 Franken 60 Centim. Man hat also hier alle römischen Dichter in Einem, nicht ganz unbequemen, Bande um denselben Preis, um welchen man manche gute Ausgabe einiger weniger Verse einzelner römischer Dichter, wie z. B. die Verse der Sulpicia, des Olympius Nemesianus, des Gratius Faliscus, des Calpernius Siculus bezahlen muß. Die Bibliotoca italiana spendet in ihrem December-Hefte (ausgegeben den 8. Februar) dieser Ausgabe alles Lob. Es wäre sehr zu wünschen, daß auch eine deutsche Buchhandlung dem Beispiele Molini's folgte, und die unsterblichen Werke der römischen und griechischen Muse uns in einem so eleganten und wohlfeilen Bande, den jeder Reisende bequem bei sich führen könnte, lieferte. Auf eine ähnliche Weise ließen sich auch die classischen Prosaiker der römischen und griechischen Litteratur in ein Paar Bänden den Freunden der classischen Litteratur mittheilen.

Steinkohlen-Theer zur Bekleidung der Dachziegel und Dachschiefer.

Ein „Amateur" empfiehlt im Mechanics' Magazine N. 341., 20. Febr. 1830. S. 463. den Steinkohlen-Theer, der jezt bei den englischen Leuchtgas-Fabriken so wohlfeil zu haben ist, zum Ueberziehen der Dachziegel und der Dachschiefer, mit welchen die Dächer der meisten Häuser in England bedekt sind. Dachziegel, wie Dachschiefer, leiden bekanntlich durch Frost, Sonne und Regen, und werden dann leicht von stärkeren Winden herabgeweht. Um sie nun gegen die zerstörenden Einflüsse der Witterung zu schüzen, hat ein Hausbesizer in England seine Dachziegel mit Steinkohlen-Theer überzogen. Die erste auf dieselben mit einem Pinsel aufgetragene Schichte wurde sehr schnell von den Ziegeln eingesogen; die zweite bildete aber einen dunklen glänzenden Ueberzug, der denselben beinahe die Farbe von Eisenblech gab, und bald hart wurde. Der Theer verband sich innig mit dem gebrannten Thone der Ziegel und machte sie klingender. Die Ziegel haben zeither nicht im Mindesten durch die Witterung gelitten. — Wir wünschten durch Versuche ausgemittelt zu sehen, ob dadurch die Feuergefährlichkeit nicht vermehrt wird?

Torf als Baumaterial.

Zu Moniebay in Perthshire baute ein Pächter sich sein ganzes Wirthschaftsgebäude ohne allen Stein und Kalk bloß aus Torfziegeln. (Scotsman. Galign. N. 4641.)

Ueber eine neue Abart von Leindotter.

Hr. Henry, Chef de la Pharmacie centrale, erstattet im Journal de Pharmacie, Februar. S. 71. Bericht über eine neue Art von Leindotter (Myagrum sativum L., Camelina sativa), die ein Franzose aus Asien mitbrachte. Sie ist unserem gewöhnlichen Leindotter durchaus ähnlich in Allem, und unterscheidet sich lediglich durch die Größe. Diese größere Spielart (große Cameline) gibt um ein Sechstel mehr Oel, als unser kleiner Leindotter; 100 Theile der ersteren geben 24,875 Oel, der lezteren 20,500. Ein Vortheil, den der Leindotter von der Kohlsaat voraus hat, ist der, daß man denselben mehrere Male im Jahre bauen und ernten kann; ob aber die neue große asiatische Abart unser Klima aushält, darüber müssen erst Versuche entscheiden.

Das Oel dieses neuen Leindotters verhält sich übrigens wie jenes des gewöhnlichen. Es fließt klar aus der Presse und hellt sich noch mehr durch Ruhe. Es ist gelb, hat einen eigenen starken Geruch, und den unangenehmen Geschmak der Samen. Es friert in starker Kälte, und bleibt bei — 6° noch flüssig. Es dient nur zum Brennen, und läßt sich leicht von seinem Schleime, wie das Rübsen- und Kohlsaat-Oel, befreien, nur noch schneller, als dieses. Wenn es diesen wenigen Schleim verloren hat, wird es fast ganz farbenlos, und bleibt nur etwas citronengelb. Es brennt sehr leicht mit heller lebhafter Flamme, wie das beste gereinigte Oel. Es troknet jedoch nicht mit Bleioxyden, wie das Leinöl, das dadurch in der Malerei ꝛc. nicht ersezt wird; es taugt aber zu Allem, wozu man fettes Oel braucht. Feste Seife gibt es jedoch nicht, sondern bloß grüne Schmierseife. Dieses Oel enthält übrigens, wie mehrere andere Oele, etwas Schwefel-Senfsäure (acide sulfo-sinapique), das die HHrn. Henry (Sohn) und Garat in dem Senfsamen entdekten.

Stachelbeere halten sich 25 Jahre lang unter der Erde.

Man fand bei dem Aufräumen des Schuttes des Mauthhauses zu Whitby Stachelbeere, die vor 25 Jahren daselbst unter die Erde kamen, gut erhalten. Herald. Galignan. 4650.

Sehr großer Mastochs in England.

Die Times (Galign. N. 4632.) erwähnen eines jezt im Pferde-Bazaar (Horse-Bazaar) zur Schau ausgestellten Ochsen (The splendid Bradwell Ox), der beinahe 17 Fäuste hoch, 11 Fuß lang, und zwischen 40 und 50 Zentner schwer ist. Sie fügen die sehr gegründete Bemerkung bei, „daß es einmal Zeit wäre aufzuhören, die Thiere mit Futter so voll zu stopfen, daß sie endlich in ihrem Fette erstiken müssen: alle verständigen Landwirthe und Mezger haben dieß Verfahren bereits aufgegeben. Der Landwirth, der Futter zu sparen und doch dabei öde Gründe urbar zu machen und die Ernte des Landes zu mehren weiß, ist ein weit nüzlicherer Bürger als derjenige, der einen Ochsen in seinem Fette erstikt, damit die Leute denselben angaffen, ehe er umfällt, ohne daß er selbst oder der Mezger irgend einen wahren Nuzen von einem solchen Meisterstüke menschlicher Thorheit hat." Und doch gibt es Staaten, in welchen diese Thorheit mit Preisen belohnt und gekrönt wird!

Größe einer Gans in England.

Zu Arksey, bei Doncaster, wurde eine Gans geschlachtet, die gepuzt, 22 Pfd. wog. [259]) (Herald. Galignani Mess. 2627.)

Geschiklichkeit im Schlachten der Schweine.

Friedr. Green, Inspektor des Armenhauses zu Brewood, wettete 10 Pfd. (120 fl.), daß er in 4 Stunden 8 Schweine abstechen, puzen, ausweiden etc. könne, ohne alle andere Beihülfe, als daß man ihm das heiße Wasser zuträgt. Er ward mit dieser Arbeit in 3 Stunden 56 Minuten glüklich fertig. Das kleinste dieser Schweine wog 240 Pfd.; das schwerste 300 Pfd. (Staffordshire Advertiser. Galignani N. 2627.)

Val-di-Chiana, oder Trostspiegel für diejenigen, die da fürchten, daß Deutschland übervölkert wird.

Professor Jos. Giuli gibt in seiner Statistica aparia della Val-di-Chiana, Pisa 1828. p. Nicolo Capurro folgende Uebersicht der Bevölkerung und Cultur dieses Thales, das unter die schönsten Thäler des schönen Toscana gehört. Dieses Thal hält ungefähr 604 Quadrat Miglien [260]), und 109,510 Einwohner, also 181 Einwohner auf jeden □ Miglio. Da aber von obigen 604 □ Miglien nur ungefähr 304 bebauten Landes sind, so kommen auf den □ Miglio 360 Einwohner, und von diesen sind 225 Bauern, welchen 99 Hausthiere auf den □ Miglio bei ihren Feldarbeiten helfen. Die Fruchtbarkeit dieses Thales ist übrigens nicht sehr groß: auf den Bergen $4^1/_2$ p. C., auf den Hügeln $7^1/_4$, in der Ebene 17 p. C. Was könnte aus Deutschland werden, wenn es auf diese Weise bevölkert wäre! (Vergl. Biblioteca italiana. Decembre. 1829. S. 371.)

Ein- und Ausfuhr der Vereinigten Staaten im J. 1828.

Einfuhr . . . . 19,871,000 Pfd.

259) Ein Truthuhn von 5 Fuß Länge wog nur 21 Pfd.

260) Der italiänische Miglio, deren 60 auf Einen Grad gehen, hat 5710 Paris. Schuhe; ein □ Miglio ist der 16te Theil einer deutschen □ Meile.
A. d. Ue.

Ausfuhr

inländische Produkte	11,050,000
do Manufakturen	1,600,000
Fremde Produkte (vorzüglich Cuba) und Manufakturen (vorzüglich englische)	5,398,750
	18,048,750

Tonnengehalt der Schiffe: 1,620,607.

Die Ausfuhr der 9,638,000 Menschen, aus welchen die Vereinigten Staaten bestehen, verhält sich also zu jener Englands, wie 1 zu 3. Der Tonnengehalt ihrer Schiffe aber, wie 2 : 3. Die Kriegsflotte selbst aber ist nur 1/10 der englischen. (American Almanack. Courier. Galignani. N. 4653.)

Litteratur.

a) Deutsche.

Ueber die Wärme und deren Verwendung in den Künsten und Gewerben. Ein vollständiges und nöthiges Handbuch für Physiker, Technologen, Fabrikanten, Mechaniker, Architekten, Forst- und Hüttenmänner. Von E. Peclet, Prof. an dem Central-Gewerb-Institute zu Paris. Aus dem Französischen übersezt und mit nöthigen Zusäzen für Deutschland versehen, von Dr. C. F. Hartmann. I. Th. 8. Braunschweig. 1830. b. Vieweg. 7 lithogr. Tafeln. XIV. u. S. 363.

Wir haben bei der Anzeige des Originalwerkes des Hrn. Peclet den Wunsch geäußert, daß dasselbe sich bald einer guten deutschen Uebersezung erfreuen möge, und fanden diesen Wunsch später durch beifällige Aeußerungen von Männern, die zu den competentesten Richtern über diesen Gegenstand gehören (durch die verehrten Mitglieder der Société industrielle zu Mülhausen), gerechtfertigt. Hr. Dr. Hartmann hat nun diesen Wunsch auf eine Art erfüllt, die ihm den Dank des deutschen Publikums sichern wird. Er hat sein Original mit einer Menge schäzbarer Zusäze bereichert, für die ihm der Verfasser selbst, wenn er deutsch liest, Dank wissen muß. Wir wünschten nun nur noch, daß Hr. Dr. Hartmann in einem III. Theile, als Anhang zu den beiden Theilen Peclet's, Alles dasjenige sammeln möge, was in den 35 Bänden unseres Polytechn. Journals über Wärme und deren Verwendung Neues vorkommt, und daß er dieses Gesammelte einer strengen Prüfung unterziehe. So ist z. B. die vorlezte Nr. des Bulletin de la Société industrielle de Mulhausen (N. 12.) so zu sagen ganz voll von Versuchen und Erfahrungen, durch welche Peclet's Theorie theils bestätigt, theils aber auch berichtigt und verbessert wird. Wenn Hr. Dr. Hartmann seinem Peclet einen solchen Anhang beifügen wird, so wird er denselben zu einem trefflichen Handbuche für den deutschen Gewerbsmann gemacht haben, und sicher zu dem besten, das die deutsche Litteratur über diesen Gegenstand bisher aufzuweisen hat.

b) Französische.

Instruction concernant la propagation, la culture en grand, et la conservation des pommes de terre, ainsi que l'emploi de leurs produits considérés comme alimentaires et comme pouvant être appliques à l'Économie navale, domestique et industrielle. 8. Paris. 1829. ch. Mme Husard. (Die HHrn. Tessier, Silvestre, Labbé, Vilmorin, Sageret, Lasteyrie, Darbley, Dailly fils, Husard fils und Challan haben hier das Vorzüglichste aus den vielen Schriften über Erdäpfel zu einem Werke gesammelt, das den Beifall der Société royale et centrale d'Agriculture erhielt.)

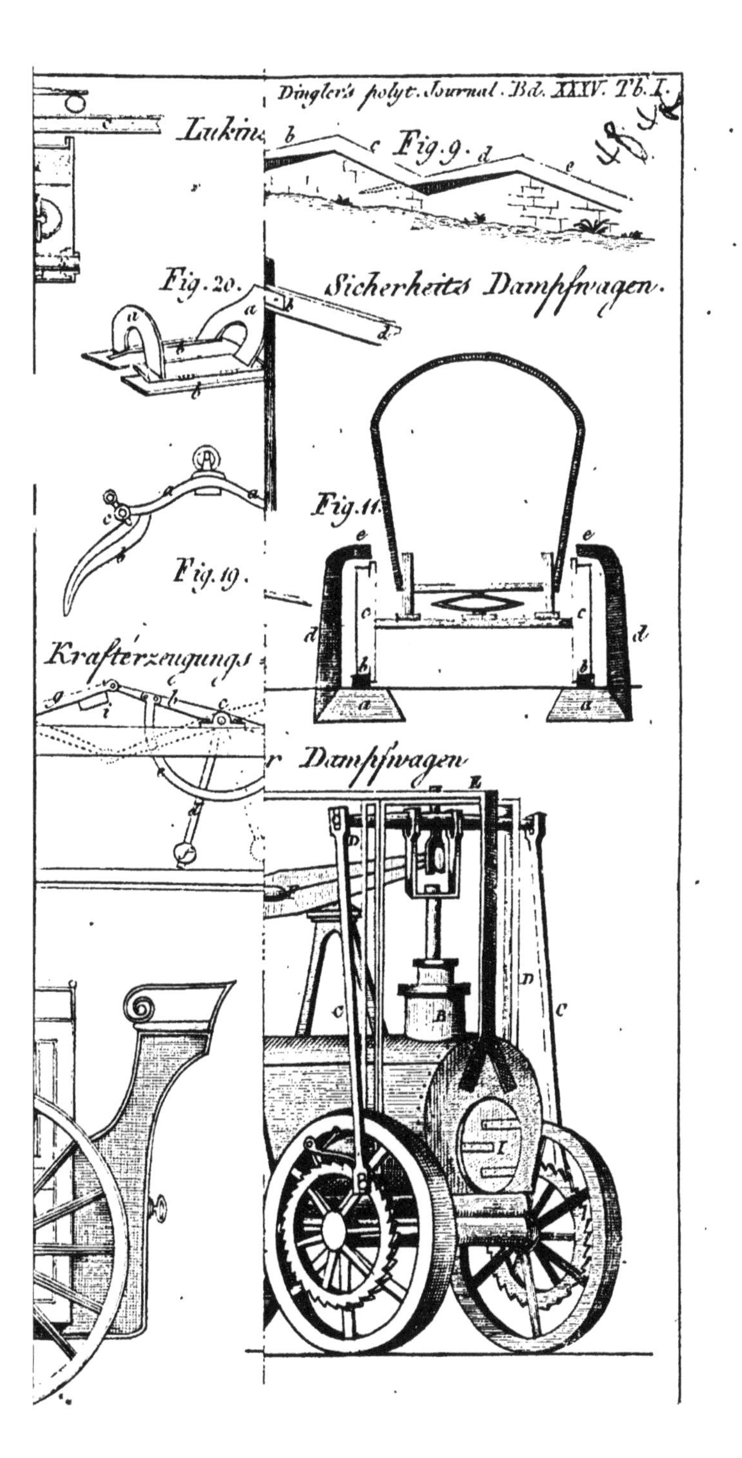

Dingler's polyt. Journal. Bd. XXXV. Tb. I.
Lukins
Fig. 9.
Fig. 20.
Sicherheits Dampfwagen.
Fig. 11.
Fig. 19.
Krafterzeugungs
r Dampfwagen

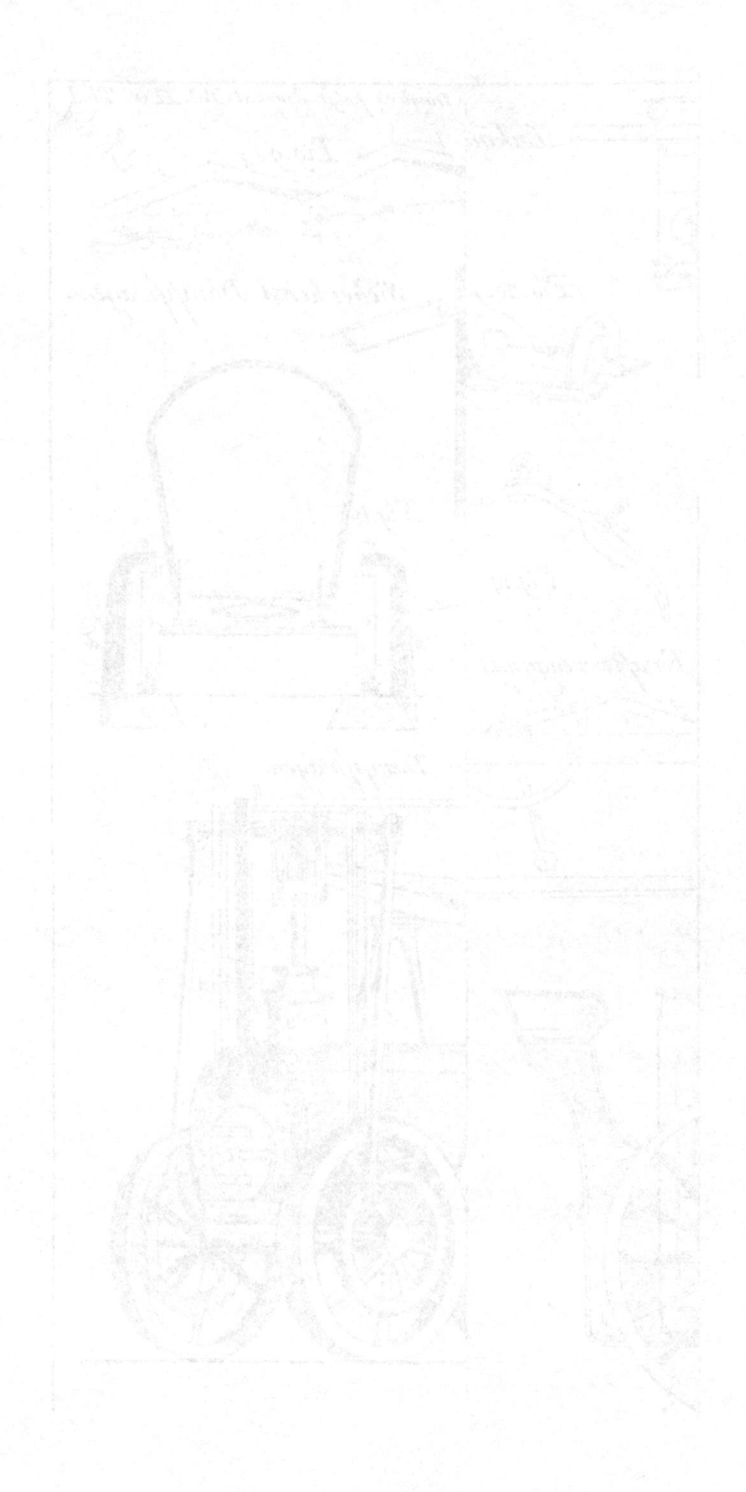

Lightning Source UK Ltd.
Milton Keynes UK
UKHW020237090119
334943UK00006B/740/P